JN143854

改訂4版

Manual of Maternal and Fetal Intensive Care Unit

MFICU

母体・胎児ICU

マニュアル

全国周産期医療（MFICU）連絡協議会●編著

MC メディカ出版

改訂４版　序文

本書，MFICU（母体・胎児ICU）マニュアルは，「周産期医療の臨床現場で緊急時にすばやく参照できるマニュアル」として2008年２月に刊行され，これまで，多くの周産期医療関係者および他領域の方々にご利用いただき高評価をいただいてきていることは，編集者，執筆者にとっての大きな喜びとなっている．

本書は，全国の総合・地域周産期母子医療センターの産科部門の担当者によって組織されている全国周産期医療（MFICU）連絡協議会によって企画，編集が行われ，本会の会員を中心とした斯界の第一人者に執筆していただいている．特にハイリスク妊娠・分娩の管理を行う上で必要な情報・ノウハウが網羅的に掲載されており，改訂２版（2013年２月），改訂３版（2015年８月）と改訂を重ねることで内容の充実を図ってきた．

今回の改訂４版では，前回の改訂からの期間が長くなったため，この間の医学・医療の進歩を反映させる必要があること，わが国の医療体制全体が大変革期にあること等を考慮して，内容を一新する必要があり，これまでにない全面的な改訂を行っている．これまでとは章立ても変更されているのでご確認いただきたい．

現在，わが国では地域医療構想，医師偏在対策，医師・医療従事者の働き方改革から構成される「医療の三位一体改革」が進められている．特に2024年度から本格的に始まる医師の働き方改革は，今後の周産期医療のあり方自体に大きな影響を与えるものと思われる．どのような変化があったとしても，現場でハイリスク妊産婦・胎児・新生児を前にした際には，常に最新の知識に基づいた最善で，迅速な対応が求められることは言うまでもない．本書がこれまで以上に臨床の現場で活用され，周産期医療に携わる医師，助産師，看護師をはじめとする医療従事者間の認識の共有と，提供される医療・ケアの質的向上に資することを期待している．

多忙な日常業務の中で，本書改訂第４版の編集・執筆を快くお引き受けいただいた先生方，メディカ出版編集部の皆様に深く感謝申し上げます．

2022年４月

編集世話人
代表 海野信也
石井桂介　鈴木 真　松田義雄　光田信明　村越 毅

初版 序文

「誰もが安心して出産できる社会を目指して」厚生労働省は1996（平成8）年より全国の総合周産期母子医療センターの指定と地域周産期医療システムの整備を推進してきた．10年を経過して，多くの都道府県で総合周産期母子医療センターが指定され，地域周産期医療システムの整備が進められた．

その間，胎児診断技術の進歩と普及，早産・低出生体重児の救命率の向上，母体搬送の普及，不妊治療の進歩と普及による多胎の増加など周産期医療をめぐる環境はさまざまに変化した．また，周産期医療を担う産婦人科医や小児科医の減少は，周産期医療提供体制に大きな変化をもたらしつつある．

そのようななかで，全国の総合周産期母子医療センターで働く産婦人科専門医が，周産期医療をめぐるさまざまな課題を共通認識し，解決しようという趣旨で，MFICU（周産期医療）連絡協議会が発足した．MFICU連絡協議会では，日々，発生する周産期医療をめぐる課題について意見交換するとともに，実態調査や多施設の共同研究にも取り組んでいる．

そのなかで，周産期医療（産科医療）の臨床の現場で，緊急時にすばやく参照できるマニュアルを要望する声が上がっていた．

本書は，それらの声を受けてMFICU連絡協議会のメンバーが中心となって執筆されたテキストである．全国の総合周産期母子医療センターや地域周産期医療センターをはじめ，地域においてハイリスク妊産婦の紹介を受け，時に緊急搬送として受け入れて診療している産婦人科医の日々の診療の助けになるものと確信する．また，周産期医療の現場で，ともに働く新生児科医，麻酔科医をはじめ関連診療科の先生方，また周産期医療をともに支えておられる助産師，看護師はじめコメディカルの方々にもご利用いただけるものと考えている．

昨今の周産期医療の進歩は目覚ましいものがある．本マニュアルを参考にしつつ，常に新しい情報を入手し診療に従事されることを願っています．

おわりに，ご多用中にもかかわらず，快くご執筆いただいたMFICU連絡協議会のメンバーはじめ執筆者の先生方に深謝いたします．

2007年12月

編集世話人
末原則幸　松田義雄　村越　毅

改訂２版　序文

「周産期医療の臨床現場で緊急時にすばやく参照できるマニュアル」として,『MFICU（母体・胎児 ICU）マニュアル』第１版が，2008 年２月に刊行されてから約５年が経過した．多くの周産期医療関係者のみならず他領域の方々にもご利用いただいていることは，編集・執筆者にとって光栄であり，感謝に堪えない．

この間，周産期医療をめぐるわが国の環境をみると，出産年齢の高年齢化がさらに進み，ハイリスク妊産婦の著しい増加と低出生体重児の増加により，周産期母子医療センターでの出産は増加傾向にある．また，産科医・小児科医の減少は，依然として続いており，周産期医療体制の整備・強化と集約化が求められてきた．そのような状況の中で，2008 年搬送受入れ困難事例の多発と妊産婦脳血管障害事例の反省を踏まえて周産期医療システムが再構築された．周産期医療対策事業は，厚生労働省の雇用均等児童家庭局母子保健課の所管であったが，医政局救急・周産期等対策室に移管され，母体救命対応，広域搬送対応，受入れ情報調整，などが新たな整備目標とされた．2011 年には全都道府県のすべてに総合周産期母子医療センターが設置された．

一方，MFICU 連絡協議会のメンバーは，年々増加し，実態調査や多施設共同研究などの活動も着実に実績をあげてきた．さらに，周産期領域をはじめ関連領域の進歩は目覚ましく，産婦人科診療ガイドライン産科編・婦人科編（2011：日本産科婦人科学会）など，各種の関連領域ガイドラインの刊行・改訂も行われている．そこで，2008 年版『MFICU マニュアル』の内容を見直し，新たな知見を加えた改訂版を刊行する運びとなった．改訂版は多くの新知見が加えられたことで，大幅にページ数が増加したが，初版にもまして臨床の現場で医師，助産師，看護師，コメディカルなど多職種の方々に汎用されることを期待している．

第２版の執筆・編集に際して，日常業務が多忙にもかかわらず，快くご協力いただいた MFICU 連絡協議会のメンバーをはじめとする皆さんと，メディカ出版編集部の方々に，深く感謝する．

2012 年 12 月

編集世話人
杉本充弘　松田義雄　村越　毅

改訂3版　序文

「周産期医療の臨床現場で緊急時にすばやく参照できるマニュアル」として，『MFICU（母体・胎児ICU）マニュアル』第1版は2008年2月に，引き続き第2版が2013年2月に刊行された．第1版の刊行から約7年が経過し，多くの周産期医療関係者のみならず他領域の方々にもご利用いただいてバイブル的な書物になっていることは，編集・執筆者にとって光栄であり，感謝に堪えない．

この間のわが国の周産期医療をめぐる環境をみると，出産年齢の高年齢化がさらに進み，ハイリスク妊産婦の著しい増加と低出生体重児の増加により，周産期母子医療センターでの出産は増加傾向にある．また，2011年には全都道府県のすべてに総合周産期母子医療センターが設置されたが，産科医・小児科医の減少は依然として続いており，結果的に周産期医療体制の集約化は加速されている．

一方，本会・全国周産期医療（MFICU）連絡協議会のメンバーは年々増加し，実態調査や多施設共同研究などの活動も着実に実績をあげてきている．さらに，周産期領域をはじめ関連領域の進歩は目覚ましく，『産婦人科診療ガイドライン：産科編2014』（日本産科婦人科学会・日本産婦人科医会）など，各種の関連領域ガイドラインの刊行・改訂も行われている．そこで，2012年の『MFICUマニュアル』第2版の内容を見直し，新たな知見を加えた改訂版を刊行する運びとなった．

今回の改訂では，特に「母乳育児支援」「産科医療補償制度」「乳癌・胃癌・白血病」「不育症」「胎児治療」「吸引分娩・鉗子分娩」「帝王切開術」「子癇・痙攣・意識障害」「妊産婦死亡」「新生児蘇生法（NCPR）」「低体温療法」の11項目を新たに追加したが，それだけこれらの領域の守備範囲が広がっていることを意味する．またACOGのConsensus “Safe Prevention of the Primary Cesarean Delivery”を受け，いくつかの項目では修正を加えた．初版・第2版にもまして臨床の現場で，医師，助産師，看護師，コメディカルなど多職種の方々に汎用されることを期待している．

第3版の執筆・編集に際して，多忙な日常業務にもかかわらず，快く，熱意をもってご協力いただいた本会のメンバーをはじめとする皆さんと，メディカ出版編集部の方々に，深く感謝する．

2015年7月

編集世話人
馬場一憲　松田義雄　光田信明　村越　毅

Contents

Ⅱ．産科合併症（妊娠に伴って発症した併発症）

Ⅲ. 周産期感染症

●本書のご利用に際して

本マニュアルの内容については，日本産科婦人科学会／日本産婦人科医会 監修・編集『産婦人科診療ガイドライン：産科編 2020』の内容と整合性の保たれた記述になるようにできるだけ配慮した．

各学会の勧告やガイドラインについては，常に最新のものを参考にしていただきたい．

本マニュアルの中には，保険診療で認められていない（適応がない）診療についての記載もあるが，実際の診療にあたっては，各担当医が治療の要否を判断し，治療を受ける患者・家族へのインフォームド・コンセントを行ったうえで，各担当医の責任で行っていただきたい．

また，総合周産期母子医療センターであるからといって，あらゆる診療を行えるというわけではなく，診療内容によっては，限られた専門施設に委ねるべきものもあることをご承知いただきたい．

編集・執筆者一覧

編集世話人（五十音順）

石井桂介　大阪母子医療センター産科主任部長
（代表）
海野信也　北里大学病院周産母子成育医療センター長
鈴木　真　国保旭中央病院産婦人科参与
松田義雄　（医）東壽会 東峯婦人クリニック名誉顧問
光田信明　大阪母子医療センター副院長
村越　毅　聖隷浜松病院産婦人科・総合周産期母子医療センター部長

編集委員（査読担当）（五十音順）

奥田美加　国立病院機構横浜医療センター産婦人科部長
上塘正人　鹿児島市立病院総合周産期母子医療センター長・産婦人科部長
小谷友美　名古屋大学医学部附属病院総合周産期母子医療センター生殖・周産期部門准教授
佐世正勝　山口県立総合医療センター総合周産期母子医療センター長
髙木紀美代　長野県立こども病院総合周産期母子医療センター産科副部長
堤　誠司　山形県立中央病院総合周産期母子医療センター長
前田和寿　国立病院機構四国こどもとおとなの医療センター副院長
南　佐和子　和歌山県立医科大学附属病院総合周産期母子医療センター准教授
（新生児）
南　宏尚　新生児医療連絡会会長／高槻病院小児周産期系統括部長
宮内彰人　日本赤十字社医療センター副院長／周産母子・小児センター長
安日一郎　国立病院機構長崎医療センター産婦人科部長

執筆者一覧（執筆順）

第1章

海野信也　北里大学病院周産母子成育医療センター長
松田義雄　（医）東壽会 東峯婦人クリニック 名誉顧問
上田　茂　公益財団法人日本医療機能評価機構専務理事
二井理文　三重大学医学部産科婦人科学教室助教
池田智明　三重大学医学部産科婦人科学教室教授
左合治彦　国立成育医療研究センター副院長／周産期・母性診療センター長
光田信明　大阪母子医療センター副院長
菅原準一　東北大学大学院医学系研究科母児医科学分野教授
石井桂介　大阪母子医療センター産科主任部長
春日義史　慶應義塾大学医学部産婦人科学教室助教
田中　守　慶應義塾大学医学部産婦人科学教室教授

※所属・肩書は執筆当時，または2022年3月現在のものです．

第 2 章 - Ⅰ

大城大介　友愛医療センター産婦人科医長
牧野康男　総合病院庄原赤十字病院第２産婦人科部長
吉松　淳　国立循環器病研究センター産婦人科部長
渡辺　尚　芳賀赤十字病院副院長・第一産婦人科部長
堤　誠司　山形県立中央病院総合周産期母子医療センター長
宮越　敬　社会福祉法人聖母会聖母病院産婦人科副院長
下村卓也　雪の聖母会聖マリア病院産科診療部長
堀　大蔵　雪の聖母会聖マリア病院総合周産期母子医療センター長
前田和寿　国立病院機構四国こどもとおとなの医療センター副院長
杉山　隆　愛媛大学医学部附属病院長
安日一郎　国立病院機構長崎医療センター産婦人科部長
吉田幸洋　順天堂大学医学部附属浦安病院産婦人科特任教授
竹下直樹　東邦大学医療センター佐倉病院臨床遺伝診療センター教授
藤森敬也　福島県立医科大学医学部産科婦人科学講座主任教授
小谷友美　名古屋大学医学部附属病院総合周産期母子医療センター生殖・周産期部門准教授
山中美智子　聖路加国際病院女性総合診療部医長／遺伝診療センターセンター長

第 2 章 - Ⅱ

宮　美智子　東京慈恵会医科大学産婦人科
佐村　修　東京慈恵会医科大学産婦人科教授
関口敦子　日本医科大学多摩永山病院女性診療科・産科教授
中井章人　日本医科大学多摩永山病院院長
小川正樹　東京女子医科大学八千代医療センター副院長／母体胎児科・婦人科教授
永田怜子　東京女子医科大学母子総合医療センター
正岡直樹　東京女子医科大学母子総合医療センター特任教授
関　博之　埼玉医科大学名誉教授
川村裕士　福井大学医学部産科婦人科学助教
吉田好雄　福井大学医学部産科婦人科学教授
竹田　純　順天堂大学医学部産婦人科学講座准教授
長谷川潤一　聖マリアンナ医科大学産婦人科学教授
長谷川雅明　倉敷中央病院産婦人科顧問

第 2 章 - Ⅲ

塩﨑有宏　富山大学附属病院産科（周産期）診療准教授
早田英二郎　東邦大学医療センター大森病院産婦人科／東邦大学医学部医学科産科婦人科学講座講師
奥田美加　国立病院機構横浜医療センター産婦人科部長
出口雅士　神戸大学大学院医学研究科地域社会医学健康科学講座地域医療ネットワーク学分野特命教授
谷村憲司　神戸大学大学院医学研究科産科婦人科学分野准教授
山田秀人　手稲渓仁会病院不育症センター長／オンコロジーセンターゲノム医療センター長
尾本暁子　千葉大学医学部附属病院周産期母性科・婦人科

門岡みずほ　亀田総合病院産婦人科医長
田嶋　敦　杏林大学産科婦人科学教室准教授
鈴木　真　国保旭中央病院産婦人科参与
下屋浩一郎　川崎医科大学産婦人科学1主任教授
鈴木久也　仙台赤十字病院総合周産期母子医療センター長
小畑聡一朗　横浜市立大学附属市民総合医療センター総合周産期母子医療センター診療講師
青木　茂　横浜市立大学附属市民総合医療センター総合周産期母子医療センター准教授／産科担当部長
小松篤史　日本大学医学部附属板橋病院産科科長／日本大学医学部産婦人科学系産婦人科学分野准教授

第2章 - Ⅳ

奥山和彦　市立札幌病院産婦人科部長
高橋宏典　自治医科大学産科婦人科学講座教授
松原茂樹　自治医科大学名誉教授
荻田和秀　りんくう総合医療センター泉州広域母子医療センター長／産婦人科部長
小林康祐　国保旭中央病院産婦人科部長
田中博明　三重大学医学部産科婦人科学教室准教授
田中佳世　三重大学医学部産科婦人科学教室助教
小田智昭　浜松医科大学医学部産婦人科学講座
金山尚裕　浜松医科大学名誉教授，静岡医療科学専門大学校学校長
田中幹二　弘前大学医学部附属病院周産期母子センター診療教授
川﨑　薫　近畿大学医学部産科婦人科学教室助教
鈴木　真　国保旭中央病院産婦人科参与

第2章 - Ⅴ

南　佐和子　和歌山県立医科大学附属病院総合周産期母子医療センター准教授
髙木紀美代　長野県立こども病院総合周産期母子医療センター産科副部長
宮内彰人　日本赤十字社医療センター副院長／周産母子・小児センター長
山下有加　昭和大学病院産婦人科助教
近藤哲郎　昭和大学江東豊洲病院産婦人科准教授
大槻克文　昭和大学江東豊洲病院副院長，同 周産期センター センター長，同 産婦人科教授

第2章 - Ⅵ

金川武司　大阪母子医療センター産科副部長
入山高行　東京大学医学部附属病院女性診療科・産科講師
上塘正人　鹿児島市立病院総合周産期母子医療センター長・産婦人科部長
前田隆嗣　鹿児島市立病院産婦人科科長
安田　俊　福島県立医科大学医学部産科婦人科学講座講師
西郡秀和　福島県立医科大学ふくしま子ども・女性医療支援センター発達環境医学分野教授
藤森敬也　福島県立医科大学医学部産科婦人科学講座主任教授

第2章 - Ⅶ

林　瑞成　東京かつしか赤十字母子医療センター産婦人科第一産科部長
中村　学　さいたま赤十字病院産婦人科部長

※所属・肩書は執筆当時，または 2022 年3月現在のものです．

第3章 - I

中田雅彦　東邦大学大学院医学研究科産科婦人科学講座教授／東邦大学医療センター大森病院

第3章 - II

谷垣伸治　杏林大学医学部産科婦人科教授
中野紗弓　杏林大学医学部産科婦人科医員
佐藤泰紀　杏林大学医学部産科婦人科助教
市塚清健　昭和大学横浜市北部病院産婦人科教授
佐世正勝　山口県立総合医療センター総合周産期母子医療センター長
室月　淳　宮城県立こども病院産科部長

第3章 - III

山田直史　宮崎大学医学部産婦人科助教
児玉由紀　宮崎大学医学部産婦人科教授
鮫島　浩　宮崎大学学長
野田清史　元・岩国医療センター周産期母子医療センター長

第3章 - IV

前田隆嗣　鹿児島市立病院産婦人科科長
上塘正人　鹿児島市立病院総合周産期母子医療センター長・産婦人科部長
山下　洋　国立病院機構長崎医療センター産婦人科医長

第3章 - V

石川浩史　神奈川県立こども医療センター副院長／産婦人科部長
村越　毅　聖隷浜松病院産婦人科・総合周産期母子医療センター部長
原　武也　大阪大学大学院医学系研究科産科学婦人科学講座
遠藤誠之　大阪大学大学院医学系研究科保健学専攻統合保健看護学分野・生命育成看護学講座 教授

第3章 - VI

横峯正人　久留米大学医学部医学科産婦人科学講座助教
吉里俊幸　久留米大学医学部医学科産婦人科学講座教授
佐藤昌司　大分県立病院院長
高橋雄一郎　岐阜県総合医療センター胎児診療科・産科部長

第3章 - VII

中西秀彦　北里大学医学部附属新世紀医療開発センター先端医療領域開発部門新生児集中治療学教授
柴崎　淳　神奈川県立こども医療センター新生児科医長
杉浦崇浩　豊橋市民病院小児科（新生児）第二部長

第4章

望月純子　相模野病院周産期母子医療センター長
照井克生　埼玉医科大学総合医療センター産科麻酔科教授

付録

松岡　隆　昭和大学医学部産婦人科学講座准教授

※所属・肩書は執筆当時，または2022年3月現在のものです．

改訂4版

Manual of Maternal and Fetal Intensive Care Unit

MFICU
母体・胎児ICU
マニュアル

全国周産期医療（MFICU）連絡協議会●編著

わが国の周産期医療体制の現状と課題

はじめに

本稿では，これまでのわが国の周産期医療体制の整備過程を概観し，今後の課題の整理を行う．

医療法・医療計画における「周産期医療」の位置づけ

現時点でのわが国の周産期医療体制は，医療法の規定に基づいて都道府県が策定する「医療計画」の中でその整備目標が定められるという制度になっている．詳細を表1[1)]に示す．

周産期医療体制整備に関する指針の変遷の経緯（表2）

現行のわが国の周産期医療体制の整備は，1996年の当時の厚生省による周産期医療システム整備指針が，その大きなきっかけとなっている．この指針では，周産期医療の地域化，均てん化を目指し，全都道府県で，周産期医療協議会・総合および地域周産期母子医療センターなどによる周産期医療システムを整備することを目標としていた．厚生省は事業推進経費を予算化し，10年間を目途に整備を進めるよう都道府県に

表1 ● 現時点での医療法・医療計画における周産期医療の位置づけ

- 医療法第三十条の三：「厚生労働大臣は，地域における医療及び介護の総合的な確保の促進に関する法律第三条第一項に規定する総合確保方針に即して，良質かつ適切な医療を効率的に提供する体制（以下「医療提供体制」という.）の確保を図るための基本的な方針（以下「基本方針」という.）を定める」こととされている.
- 医療法第三十条の四：1988（昭和63）年度以降，都道府県は，「基本方針に即して，かつ，地域の実情に応じて，当該都道府県における医療提供体制の確保を図るための計画（以下「医療計画」という.）を定める」ことになっている.
- 医療計画は各都道府県で5年（2018〔平成30〕年度の第7次以降は6年となった）ごとに策定されてきている.
- 2008（平成20）年度からの第5次医療計画からは，経済原理に任せたままでは安定的な確保が困難と考えられる政策医療領域，すなわち救急医療，災害時における医療，へき地の医療，周産期医療，小児医療の5事業について，その確保の目標を設定し，そのために必要な医療連携体制に関する事項を定めることとされた.
- これにより地域における周産期医療提供体制の確保は都道府県の責務となっている.
- 医療計画の最終年度に，厚生労働省から都道府県に対して「医療計画作成指針」および「疾病・事業及び在宅医療に係る医療体制構築に係る指針」が通知として示される．周産期医療体制の整備は，「疾病・事業及び在宅医療に係る医療体制構築に係る指針」の中の「周産期医療の体制構築に係る指針」で示されている.
- 都道府県は，国が示した指針に沿って，地域の実情を反映させた計画を作成する.

表2 ● 周産期医療体制整備に関する指針の変遷

年度	概要	主な内容
1996（平成8）	周産期医療システム整備指針制定	• 周産期医療体制整備計画の策定 • 周産期医療協議会の設置 • 総合周産期母子医療センター・地域周産期母子医療センターの認定 • 総合周産期母子医療センターにおける母体・胎児集中治療室（MFICU）の整備
2003（平成15）	周産期医療システム整備指針一部改定	• 三次医療圏の人口がおおむね100万人以下の場合，総合周産期母子医療センターのMFICU 3床以上，新生児集中治療管理室の病床数は6床以上でも可とする. • MFICU 6床以下の施設では，常時確保する医師数は，別途オンコールによる対応ができる者が確保されている場合，1名で可とする.
2010（平成22）	周産期医療体制整備指針に改称・大幅改定	• NICUの整備目標：出生1万人あたり25床から30床に引き上げ • 重症児に対応する地域医療体制の整備 • 総合周産期母子医療センターはこれまでの機能に加えて，必要に応じて当該施設の関係診療科または他の施設と連携し，産科合併症以外の合併症（脳血管障害，心疾患，敗血症，外傷等）を有する母体に対応すること
2017（平成29）	医療計画整備指針における「周産期医療の体制構築に係る指針」への一本化	• 災害，救急などの他事業，精神疾患などの他疾患の診療体制との一層の連携強化 • 総合周産期母子医療センターにおける大規模災害に備えた事業継続計画の策定

求めた.

周産期母子医療センターの要件としては施設・設備要件と人的な要件があり，前者は補助金などで対応できても，産婦人科医および助産師・看護師の確保が難しく，都道府県での整備はゆっくりしたものとなっていた．これを打開するため 2003 年度に施設要件・人的要件の見直しが行われ，比較的人口が少ない地域では，少し規模の小さいセンターの設置が可能となった．

2008 年の妊産婦脳出血症例に関する「たらいまわし報道」を契機に，厚生労働省が設置した懇談会，厚労科研特別研究班などで周産期医療の課題が検討され，NICU 不足，NICU 長期入院児の問題，母体救命対応が必要な症例への対応が可能な体制整備の必要性が指摘された．これらの課題への対応を含んだ指針の大幅改定が 2010 年に行われた．

2010 年度まで周産期医療体制整備のための指針は，医療計画の指針とは別に策定されており，周産期医療については独自指針と医療計画内の指針の 2 つが存在する状態だったが，第 7 次医療計画の策定時にこれを一本化することになり，周産期医療整備指針は医療計画の策定指針の中に取り込まれることになった．この改定では，2011 年の東日本大震災以降，相次いで発生した大規模災害への対応と，妊産婦の自殺や児への虐待事案などの検討を通じて課題としてクローズアップされた精神疾患合併妊産婦への対応に関する体制整備が盛り込まれた．

わが国の周産期医療体制の整備は，上記のような経過で進められてきた．それぞれの時点で発生した事案への対策として検討立案され，実施されてきたものではあるが，振り返って考えると，図 1 に示すように，周産期医療分野として全国に展開できるだけの体制づくりの後，他の政策的医療分野との連携体制が順次構築されていった過程として捉えることができる．まだ明示的には進められていない，悪性腫瘍，糖尿病，へき地医療，在宅医療の各分野とも，今後，連携体制構築の必要性が生じる可能性も考慮しておく必要があるのかもしれない．

現在直面している課題

▶ 医師の働き方改革（労働基準法改正による時間外労働の上限設定の医療現場への適用）への対応

労働基準法が改正され，2019 年度から時間外労働の上限が設定されることになった．医師には特例が認められ，2024 年度以降の適用となり，当初の 10 年間は，一般水準を大きく上回る特例水準が，一定の条件をクリアした施設では認められることになっている．長時間勤務が当たり前の病院勤務医の働き方は根本的に変わる必要に迫られている．24 時間対応を前提として患者の受け入れ，救急対応を行う周産期母子医療センターで勤務する産婦人科医も例外ではあり得ない．本件については，次項（2．総合周産期母子医療センターの認定と今後）で概説する．

▶ 新型コロナウイルス感染症への対応

2020 年に勃発した新型コロナウイルス感染症

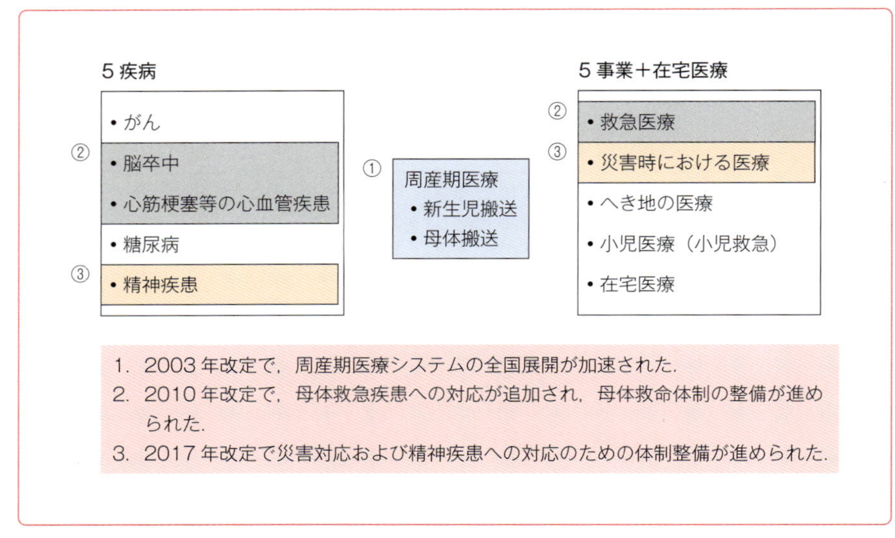

図 1 ● 周産期医療と政策的医療領域との連携体制の構築

（COVID-19）の世界的拡大は，医療提供体制のあり方自体に再検討を迫るものとなっている．周産期医療分野においても感染症の流行への対策を充実させる必要性が明確になっている．感染症対策は，感染症法に基づいて国が「基本指針」を定め，各都道府県が「予防計画」を策定するという建て付けになっており，これまで医療計画との一体的な検討はなされてきていない．周産期医療分野を含む他の政策的医療分野は，今度は「新興感染症」分野との連携強化の必要性に直面していることになる．これは周産期医療分野がこれまで繰り返し経験してきたことと基本的には同質のことと考えられる．

そのような状況を踏まえて，厚生労働省の「医療計画のあり方等に関する検討会」では，2020年12月に報告書「新型コロナウイルス感染症対応を踏まえた今後の医療提供体制の構築に向けた考え方」[2]をまとめている．「現行，（中略）『医療計画作成指針』（医政局長通知）では，5疾病・5事業及び在宅医療のほか，都道府県における疾病等の状況に照らして特に必要と認める医療等について記載することとしており，その際，考慮する事項の一つとして『結核・感染症対策』（結核対策や感染症対策に係る各医療提供施設の役割，インフルエンザ・エイズ・肝炎などの取組）が挙げられているが，広く一般の医療連携体制にも大きな影響が及ぶような新興感染症等の感染拡大時における医療提供体制のあり方に関する記載はない」ことを踏まえて，策定が始まろうとしている第8次医療計画においては，「新興感染症等の感染拡大時における医療」を，5事業に追加する方向で進める方針が示されている．周産期医療分野としては，新型コロナウイルス感染症のような新興感染症の流行に際しては，各地域における周産期症例の受け入れ施設および手順をあらかじめ定め，流行の拡大・縮小に応じて確実に罹患妊産婦および新生児を受け入れることができる計画を策定しておく必要がある．

わが国の周産期医療の確保のために必要なこと

われわれ周産期医療分野の専門家には，少子化が進行する中で，働き方改革を実行しながら地域で分娩できる環境を確保し，周産期医療の向上を図っていくことが求められている．そのためには，まず地域の分娩施設，周産期高次医療機関の確保と維持，そしてそこで周産期医療を担う専門人材の養成を安定的に持続する必要がある．表3にそのために必要となる課題について項目のみ示す．

若い産婦人科医にとって周産期専門医となることが魅力あるものとなるためには，その専門性を高めるための方策を推進するとともに，産婦人科医としてのキャリア形成に不利にならないよう，これからの産婦人科医にとっての基本技能（鏡視下手術・ロボット手術を含む婦人科手術）修得が可能な研修体制を整備していく必要があると考えられる．

表3 ● 周産期医療の確保のために必要となる課題

1. 少子化に対応した地域分娩環境・分娩施設の確保
2. 周産期医療を支える人材の養成と確保
   ①周産期（母体・胎児）専門医養成の拡大
   ②周産期専門医の専門性の可視化
   - 胎児診断・出生前診断技術の向上
   - 関係学会資格（超音波専門医，臨床遺伝専門医など）との関係の明確化

   ③周産期専門医における産婦人科医としての基本技能（鏡視下手術・ロボット手術・婦人科腫瘍手術など）の修得と維持

引用・参考文献

1） 海野信也．“第6章 わが国の周産期医療体制－医療体制整備の経緯・現状・課題・今後の展望”．産婦人科臨床シリーズ3：分娩・産褥期の正常と異常／周産期感染症．藤井知行総編集．東京，中山書店，2021，364-72．
2） 厚生労働省．医療計画のあり方等に関する検討会「新型コロナウイルス感染症対応を踏まえた今後の医療提供体制の構築に向けた考え方．2020年12月．
https://www.mhlw.go.jp/content/10801000/000705708.pdf［2021. 8. 31］

北里大学病院 ● 海野信也

総合周産期母子医療センターの認定と今後

はじめに

厚生労働省の web サイトに「小児・周産期医療について[1]」というページがあり，そこに「周産期医療について」として，最新版の「周産期医療の体制構築に係る指針」および周産期医療体制の模式図が掲載されている（図 1）．これにより現時点でのわが国の周産期医療体制の概要を把握することができる．現状は，多くの改善の必要性がある発展途上のシステムと言わざるを得ないが，この体制に至るまでには，過去数十年にわたる周産期医療分野の先人と国や地方自治体の担当者の不断の努力の積み重ねがあることを忘れるべきではないだろう．

本稿では，わが国の「周産期医療システム」の整備の経緯とともに，このシステムを担う周産期母子医療センターの制度とその課題について概説する．

わが国の周産期医療体制：「周産期医療体制整備事業」について

周産期医療体制整備事業とは，周産期医療の全国的普及とその医療水準の均てん化を実現することを目的として，旧厚生省児童家庭局（現，厚生労働省子ども家庭局）母子保健課が所管し，平成 8（1996）年度に開始された事業である．平成 15（2003）年度に一部改正が行われ，さらに，平成 20（2008）年度の東京都における母体脳出血事例を契機として設置された「周産期医療と救急医療の確保と連携に関する懇談会」報告書の提言を受けて，厚生労働省医政局指導課（現，地域医療計画課）救急・周産期医療等対策室に移管され，平成 21（2009）年度に改正された．

この事業によって，都道府県ごとに周産期医療協議会を設置すること，周産期医療体制整備計画を策定す

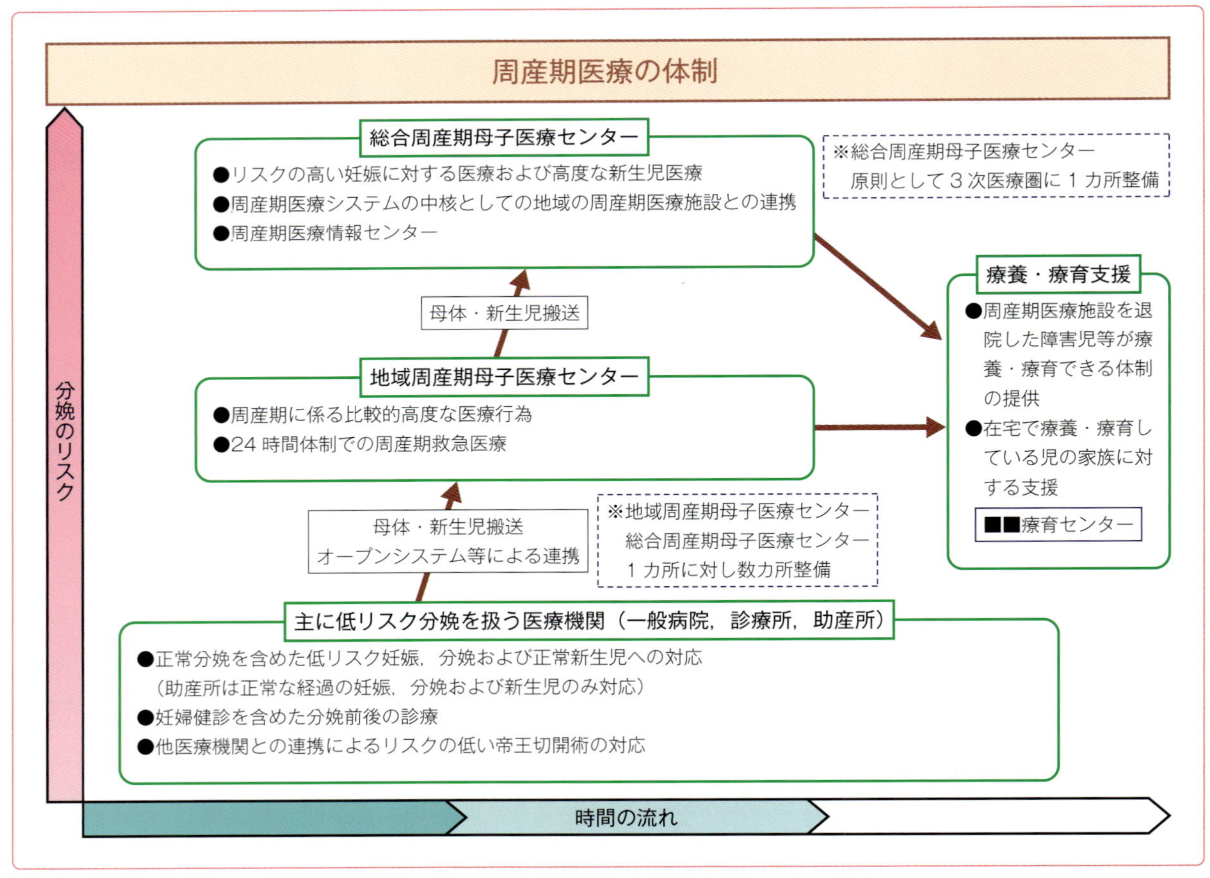

図 1 ● 周産期医療の体制（厚生労働省 web サイト，文献 1 より引用）

ること，総合および地域周産期医療センターを設置し，適切な母体搬送，新生児搬送体制を構築すること等，現在わが国の周産期医療の基盤となっている体制が整備されてきた．平成 23（2011）年には全都道府県で総合周産期母子医療センターが認定されており，2021 年 4 月現在，総合周産期母子医療センターは 112 施設，地域周産期母子医療センターは 296 施設となっている．

都道府県における周産期医療体制整備計画は，医療計画とは別に策定されていた．医療計画内にも 5 疾病 5 事業の一つとしての周産期医療があり，行政上の課題となっていた．平成 30（2018）年度より開始された第 7 次医療計画からは，医療計画の整備指針内に「周産期医療の体制構築に係る指針」として組み込まれるようになり一本化がなされた．周産期医療体制整備における現時点での都道府県の役割を表 1 に，都道府県による周産期医療に係る医療計画策定の手順を表 2 に示した[2)]．

医療保険制度における「総合周産期特定集中治療室管理料」算定における諸課題

医療法上都道府県に義務づけられている医療計画の策定のための国の指針の一つである「周産期医療の体制構築に係る指針」（以下，「指針」）（表 3）で示されている「総合周産期母子医療センター」における MFICU

表 1 ● 周産期医療体制整備における都道府県の役割

1）周産期医療に関する協議会を設置し，以下の協議を行う．
（ア） 周産期医療体制に係る調査分析に関する事項
（イ） 医療計画（周産期医療）の策定に関する事項（第 6 次医療計画までの周産期医療体制整備計画の内容を含む．）
（ウ） 母体及び新生児の搬送及び受入れ（県域を越えた搬送及び受入れを含む．），母体や新生児の死亡や重篤な症例に関する事項
（エ） 総合周産期母子医療センター及び地域周産期母子医療センターに関する事項
（オ） 周産期医療情報センター（周産期救急情報システムを含む．）に関する事項
（カ） 搬送コーディネーターに関する事項
（キ） 他事業との連携を要する事項（救急医療，災害医療，精神疾患等の周産期に合併する疾患に関する医療等）
（ク） 地域周産期医療関連施設等の周産期医療関係者に対する研修に関する事項
（ケ） その他，特に検討を要する事例や周産期医療体制の整備に関し必要な事項
2）総合周産期母子医療センターを指定し，地域周産期母子医療センターを認定する．
3）周産期救急情報システムの運営を担当する周産期医療情報センターを設置する．
4）周産期医療情報センター，救急医療情報センター等に搬送コーディネーターを配置する．
5）災害対策本部等に災害医療コーディネーターのサポートとして，小児･周産期医療に特化した調整役である「災害時小児周産期リエゾン」を配置する．
6）周産期医療関係者に対する研修を行う．

表 2 ● 都道府県による周産期医療に関する医療計画の策定の手順（抜粋）

1）現状把握：
（ア） 患者動向，医療資源及び医療連携等について，現状を把握する．
（イ） 医療機能ごと及びストラクチャー・プロセス・アウトカムごとに分類された指標例により，数値で客観的に現状を把握する．
2）圏域の設定：
（ア） 妊産婦，胎児及び新生児のリスクや重症度に応じて必要となる医療機能を明確にして，圏域を設定する．
（イ） 圏域の設定に当たっては，重症例（重症の産科疾患，重症の合併症妊娠，胎児異常症例等）を除く産科症例の診療が圏域内で完結することを目安に，従来の二次医療圏にこだわらず地域の医療資源等の実情に応じて弾力的に設定する．
3）連携の検討：
（ア） 地域の医療機関が妊産婦，胎児及び新生児のリスクや重症度に応じて機能を分担する連携となるよう，また，関係機関・施設の信頼関係を醸成するよう配慮する．
（イ） 都道府県域の県境地域においては，道路状況や地域住民の受療動向により，県内医療機関と県外医療機関との連携体制を検討する．
（ウ） 産科合併症以外の合併症を有する母体への医療施設や診療科間の連携や，救急医療情報システムとの連携等，周産期救急情報システムの効率的な活用方法について検討する．
（エ） 医療計画には，原則として，各医療機能を担う医療機関の名称を記載する．
（オ） 集約化・重点化を実施するための計画との整合性を図る．
課題の抽出：地域の周産期医療体制の課題を抽出し，医療計画に記載する．
4）数値目標：地域の実情に応じた目標項目やその数値目標，目標達成に要する期間を設定し，医療計画に記載する．
5）施策：数値目標で設定した目標を達成するために行う施策について，医療計画に記載する．
6）評価：あらかじめ評価を行う体制を整え，医療計画の評価を行う組織や時期を医療計画に記載する
7）公表：住民に分かりやすい形で医療計画を公表し，医療計画やその進捗状況を周知する

表３●「指針」における総合周産期母子医療センターに必要な機能（MFICU 関連抜粋）

- 相当規模の母体・胎児集中治療室（MFICU）を含む産科病棟及び NICU を含む新生児病棟を備え，常時の母体及び新生児搬送受入体制を有し，地域周産期医療関連施設等からの救急搬送を受け入れる．
- 母体又は児におけるリスクの高い妊娠に対する医療，高度な新生児医療等の周産期医療を行うことができる．
- 必要に応じて当該施設の関係診療科又は他の施設と連携し，脳血管疾患，心疾患，敗血症，外傷，精神疾患等を有する母体に対応することができる．
- 災害時を見据えて業務継続計画を策定し，自都道府県のみならず近隣都道府県の被災時においても，災害時小児周産期リエゾン等を介して物資や人員の支援を積極的に担う

- 診療科目：産科及び新生児医療を専門とする小児科（MFICU 及び NICU を有するものに限る．），麻酔科その他の関係診療科を有する．

- MFICU の設備：**必要に応じ個室とする**．
  - ⅰ 分娩監視装置，ⅱ 呼吸循環監視装置，ⅲ 超音波診断装置（カラードップラー機能を有するものに限る．），ⅳ その他母体・胎児集中治療に必要な設備を有する．
  - ドクターカー：周産期医療に利用し得るドクターカーを必要に応じ整備する
  - 検査機能：血液一般検査，血液凝固系検査，生化学一般検査，血液ガス検査，輸血用検査，エックス線検査，超音波診断装置による検査及び分娩監視装置による連続的な監視が常時可能．
- MFICU の病床数：
  - 施設当たりの MFICU 病床数は６床以上，ただし，三次医療圏の人口が概ね 100 万人以下の地域に設置されている場合にあっては，当分の間，MFICU の病床数は３床以上で差し支えない．
  - MFICU の病床数は，これと同等の機能を有する陣痛室の病床を含めて算定して差し支えない．ただし，この場合においては，陣痛室以外の MFICU の病床数は６床を下回ることができない．
  - MFICU の後方病室（一般産科病床等）は，MFICU の２倍以上の病床数を有することが望ましい．

- MFICU の職員
  - 産科医の勤務体制：24 時間体制で産科を担当する複数（病床数が６床以下であって別途オンコールによる対応ができる者が確保されている場合にあっては１名）の医師が勤務していること．
  - MFICU の勤務体制：MFICU の全病床を通じて常時３床に１名の助産師又は看護師が勤務していること．
  - 分娩室の勤務体制：原則として，助産師及び看護師が病棟とは独立して勤務していること．ただし，MFICU の勤務を兼ねることは差し支えない．
  - 麻酔科医の配置：当該施設内に麻酔科医を配置すること．

は，医療保険制度における「総合周産期特定集中治療室管理料」に関する規定や施設基準で定義されている「母体・胎児治療室」の概念（**表４**）とは少し異なるものとなっている．この点が，特定共同指導等における指摘事項となり，多くの総合周産期母子医療センターおよび総合周産期特定集中治療室管理料１を算定している地域周産期母子医療センターにおける運営上の課題となっている．周産期母子医療センターとしては，この違いを正確に理解した上で，適切な施設設計・運営を行うことが求められており，以下にその点について詳述する．

「指針」と「保険制度」との間である種の矛盾が指摘されているのは「個室化の可否」「MFICU 内での産婦人科医の勤務のあり方」「看護単位の考え方」の３点である．

▶「個室化の可否」について

「指針」では MFICU は必要に応じ個室でもよいことになっているが，「保険制度」では，「当該治療室に３床以上設置されていること」とあり，MFICU 内には複数病床が存在していることが前提となっており，大きな食い違いが生じている．このような食い違いが生じたのには，以下の２つの要因が関与していると考えられる．

集中治療の考え方では，入室患者は基本的に重症で，プライバシーの確保よりもより集中的なケアが必要であり，感染症等の特殊な場合を除けば，個室化は通常想定されない，「当該治療室内に集中治療を行うにつき必要な医師が常時配置されていること」という ICU の施設基準の一般的な記載からもそれは明らかと考えられる．これに対して周産期医療の分野では，ハイリスクの母体・胎児の管理には，母体へのストレスの緩和を考慮した個別化した環境が望ましいと考えるのが自然だが，それは治療対象が母体および胎児であり，母体自身の身体的な重症度は，一般の ICU の入院患者のそれよりは低い場合が多いことが発想の前提となっていると考えられる．

わが国の周産期医療体制整備において MFICU が導

表4 ● 総合周産期特定集中治療室管理料1（母体・胎児集中治療室管理料7,125点）その算定対象及び施設基準

- 施設基準に適合しているものとして地方厚生局長等に届け出た保険医療機関において，必要があって総合周産期特定集中治療室管理が行われた場合に，妊産婦である患者に対して14日を限度として，所定点数を算定する．
- 次に掲げるものは，総合周産期特定集中治療室管理料に含まれる．：入院基本料・入院基本料等加算の一部・検査・点滴注射・中心静脈注射・酸素吸入・留置カテーテル設置・病理標本作製料
- **算定対象**：母体・胎児集中治療室管理料の算定対象となる妊産婦は，次に掲げる疾患等のため母体又は胎児に対するリスクの高い妊娠と認められる妊産婦であって，医師が，常時十分な監視のもとに適時適切な治療を行うために母体・胎児集中治療室管理が必要であると認めたものであること．なお，妊産婦とは，産褥婦を含むものであること．
  ア 合併症妊娠　イ 妊娠高血圧症候群　ウ 多胎妊娠　エ 胎盤位置異常　オ 切迫流早産　カ 胎児発育遅延や胎児奇形などの胎児異常を伴うもの

- **母体・胎児集中治療室管理料に関する施設基準**
  - 総合周産期母子医療センター又は地域周産期母子医療センターのいずれかであること．
  - **専任の医師が常時，母体・胎児集中治療室内に勤務していること．**：ただし，**患者の当該治療室への入退室などに際して，看護師と連携をとって当該治療室内の患者の治療に支障がない体制を確保している場合は，一時的に当該治療室から離れても差し支えない．**
  - 当該治療室における助産師又は看護師の数は，常時，当該治療室の入院患者の数が3又はその端数を増すごとに1以上であること．
  - 母体・胎児集中治療室管理を行うにふさわしい専用の母体・胎児集中治療室を有しており，**当該集中治療室の広さは，内法による測定で，1床当たり15m^{2}以上であること．**（内法の規定の適用について，平成26年3月31日において，現に当該管理料の届出を行っている保険医療機関については，当該治療室の増築又は全面的な改築を行うまでの間は，当該規定を満たしているものとする．）また，当該治療室に3床以上設置されていること．
  - **帝王切開術が必要な場合，30分以内に児の娩出が可能となるよう保険医療機関内に，医師その他の各職員が配置されていること．**
  - 当該管理を行うために必要な次に掲げる装置及び器具を母体・胎児集中治療室内に常時備えていること．ただし，（ロ）及び（ハ）については，当該保険医療機関内に備え，必要な際に迅速に使用でき，緊急の事態に十分対応できる場合においては，この限りではない．
  - （イ）救急蘇生装置（気管内挿管セット，人工呼吸装置等）（ロ）心電計　（ハ）呼吸循環監視装置　（ニ）分娩監視装置　（ホ）超音波診断装置（カラードップラー法による血流測定が可能なものに限る．）
  - 自家発電装置を有している病院であって，当該病院において電解質定量検査及び血液ガス分析を含む必要な検査が常時実施できること．
  - 原則として，当該治療室はバイオクリーンルームであること．
  - 当該治療室勤務の医師は，当該治療室に勤務している時間帯は，当該治療室以外での当直勤務を併せて行わないものとし，当該治療室勤務の看護師は，当該治療室に勤務している時間帯は，当該治療室以外での夜勤を併せて行わないものとすること．

入された最大の理由は，緊急対応が可能な産科の医師・看護スタッフが充実した周産期センターが全国に展開される必要があること，そしてそのためには病院経営上のインセンティブとして補助金対応だけでなく，医療保険制度上の施策が必要と考えられたことにある．MFICUが一般のICUやNICUと同列の位置づけとなったことで，保険制度上はMFICUの特殊性よりも他の集中治療室との同質性が前提視されてしまい，個室化は不可能と受けとめられかねない記載になってしまっている．

▶「MFICU内での産婦人科医の勤務のあり方」について

「指針」では総合周産期母子医療センターについて「24時間体制で産科を担当する複数（病床数が6床以下であって別途オンコールによる対応ができる者が確保されている場合にあっては1名）の医師が勤務していること」が求められているのに対し，「医療保険制度」では，母体・胎児集中治療室管理料算定のための施設基準として「当該治療室内に集中治療を行うにつき必要な医師が常時配置されていること」とともに「帝王切開術が必要な場合，30分以内に児の娩出が可能となるよう保険医療機関内に，医師その他の各職員が配置されていること」が必要とされている．

「医療保険制度」で要求されているMFICU内の1名の常駐と，30分以内の帝王切開術が可能な医師を含む人員配置を実現するためには，MFICU内の1名と他に施設内の産婦人科当直医1名では不十分であり，帝王切開術時には手術担当2名，MFICU担当1名を確保しなければならないことになる．

▶「看護単位の考え方」について

「指針」では，総合周産期母子医療センターの助産師等の配置について，「①MFICUの全病床を通じて常時3床に1名の助産師又は看護師が勤務していること．②分娩室は原則として，助産師及び看護師が病棟とは独立して勤務していること．ただし，MFICUの勤務を兼ねることは差し支えない」と記載されている．その一方「医療保険制度」では「当該治療室における助産師又は看護師の数は，常時，当該治療室の入院患

者の数が3又はその端数を増すごとに1以上であること」とされており，分娩室等の他部署との兼務は全く想定されていない．看護単位として考えると，分娩室は産科病棟とは別の看護単位である必要があるが，MFICU病棟とは一つの看護単位とすることが可能と考えられる．その場合も，分娩室がどんなに忙しくても，MFICU内には常時3対1以上の助産師等が勤務していなければならないことになる．「指針」における助産師等の分娩室とMFICUの兼務に関する記載は，周産期医療体制整備事業が始まった当初から存在しており，周産期母子医療センターとMFICUという新しい制度を導入のためのハードルを下げることを意図した記載と考えられるが，医療保険制度上の条件緩和にはつながっていないと考えられる．

●注：「指針」における「MFICUの病床数は，これと同等の機能を有する陣痛室の病床を含めて算定して差し支えない．ただし，この場合においては，陣痛室以外のMFICUの病床数は6床を下回ることができない」という記載も同様の意図によるものと考えられるが，医療保険制度上の諸要件を考慮すると，陣痛室のMFICU病床についても常時3対1が適用されるため条件緩和にはつながりにくい．

▶3つの課題への現実的な対応方法に関する試案

周産期センターのMFICU担当者の立場からは，国から示される施設基準等が首尾一貫していないこと，「指針」の要件に比べて「医療保険制度」上の要件の方が，クリアするためのハードルが高い現状は対応が非常に難しい．ここでは，各施設の実情に即した対策づくりの参考にすることを意図した現実的な対応方法の試案を示す．

1）構造上の工夫により個室的な運用を可能にする

MFICUは一室として届け出る必要があるが，構造上はパーティション等により，個室的な運用を可能にし，プライバシーの確保等を図る．

2）MFICUにおける医師の勤務状況の記録を残す

MFICUに勤務する医師は「患者の当該治療室への入退室などに際して，看護師と連携をとって当該治療室内の患者の治療に支障がない体制を確保している場合は，一時的に当該治療室から離れても差し支えない」とされている．一時的に室外に出る場合には，必ず連絡が取れる状態を維持することが必要である．また，室外に出た医師が分娩や手術，処置等のMFICUの入退室と直接関係しない業務に従事する場合には，他の医師（これは産婦人科医である必要はないかもしれない）がMFICU内に入るように病院としてのルールを決めること，そして，どの医師がその時点でのMFICU担当医であるかが，記録上常に明確になるように手順を定めておくことが考えられる．

3）診療規模の拡大を図る

看護単位の問題は対応が難しい．MFICUと分娩室の兼務を可能とした「指針」の意図は，産科救急に関与する看護スタッフの勤務者が，緊急入院から急速遂娩に対応できるように，人数的な余裕を確保することであったと考えられる．しかしMFICUにスタッフが縛り付けられる状況では，そのような効果は期待できない．MFICUがICUの概念を脱却できないのであれば，それを活用して救急対応能力の向上を目指すのは難しい．分娩室への応援には，産科病棟からの方が，施設基準上の制約は少ないと考えられるが，夜間の産科病棟勤務者に余裕があるとは考えにくい．総合周産期母子医療センターの機能が24時間体制の即時救急対応であるとすれば，超緊急帝王切開対応を含む分娩室機能の強化およびそれを可能とする柔軟性のある人的配置が重要になる．その意味では，時間内・外を問わず，常時アクティブに稼働している分娩室・手術室を有することが望ましく，そのためには施設全体としての分娩取扱数，救急手術数を含む診療規模が大きいことが必要になる．逆にいえばそのような診療規模が大きい病院の方が総合周産期母子医療センターとしての機能を発揮しやすいということになる．

周産期母子医療センターとMFICUの今後のあり方

わが国の周産期医療は，その向上，充実を目指す現場の医療従事者の献身的な努力に支えられてその体制が整備されてきた．これは産婦人科勤務医の勤務実態全般についてもいえることだが，MFICUの施設基準を乏しい人員で達成するために，多くの総合周産期母子医療センターの産婦人科医が他の領域からみれば異常としかいいようのない回数の宿日直・拘束勤務をこなすことを受け入れてきている．NICU 勤務の小児科医についても同様のことがいえる．それまで存在していなかった常時 24 時間体制で産科・周産期救急症例に対応する施設を全国に整備するという事業を実現させるためには，それは必要なプロセスだったのかもしれない．しかし，そのような体制が整備されてしまうと，このような異常な勤務実態自体が，後継者にとってはこの分野への参入障壁となるため，せっかく苦労して作り上げた周産期医療体制の持続を妨げるものとなってしまう．その意味で，わが国の周産期医療の持続可能性を確保するためには「医師の働き方改革」がどうしても必要な状況になっている．

労働基準法の改正により「医師の働き方改革」は，やるべきことではなく，やらなくてはならないこと，となった．これまでの医療提供体制はその制度およびそれを担う医療機関の勤務実態を含め全体として，医師の過剰労働・過剰拘束を前提として組み立てられており，改正労働基準法に全く適合していない．産科および周産期医療分野はその中でも適合が難しいと考えられる．

われわれに残された時間はわずかであり，わが国の周産期医療体制は，大きな変革の時を迎えざるを得ない．全くの私見になってしまうが，選択肢がないわけではない．一つは周産期母子医療センターの集約化・大規模化をはかり，施設当たりに勤務する産婦人科医の数を増やすようにすること，もう一つは，総合周産期母子医療センターの施設基準の MFICU の人員面での要件の緩和をはかることである．この 2 案は，両立も可能であり，地域の実情に応じて選択制とすることも考えられる．2024 年度までという時間的制約の中で，現場から知恵を出し，解決の方策を提案していく必要がある．それなしには，周産期母子医療センターの持続可能性は期待できないと考えられる．

引用・参考文献

1） https://www.mhlw.go.jp/stf/seisakunitsuite/bunya/0000186912.html（2020.12.22. 閲覧）
2） https://www.mhlw.go.jp/file/06-Seisakujouhou-10800000-Iseikyoku/4_2.pdf（2020.12.22. 閲覧）

北里大学病院 ● 海野信也

産科医療補償制度の概要

分娩に関連して発症した障害は，過失の有無の判断が困難な場合が多く，医事紛争となりやすいことから，産科医療では，このような紛争が多いことが産科医不足の理由の一つであるとされ，産科医不足の改善や産科医療提供体制の確保が大きな問題となった．このため，安心して産科医療を受けられる環境整備の一環として，2009年1月より公益財団法人日本医療機能評価機構が運営組織となり，産科医療補償制度が開始された．本制度は，分娩に関連して発症した重度脳性麻痺児とその家族の経済的負担を速やかに補償するとともに，脳性麻痺発症の原因分析を行い，同じような事例の再発防止に資する情報を提供することなどにより，紛争の防止・早期解決および産科医療の質の向上を図ることを目的としている．本制度の主体をなす，「審査」「原因分析」「再発防止」の概要を示し，本制度運用による効果ならびに現状を報告する．

審査

産科医，小児科医，リハビリテーション科医，有識者などから構成される審査委員会において審査を行い，その結果に基づき運営組織が補償対象の認定を行っている．

原因分析

原因分析は，責任追及を目的とするものではなく，医学的観点から脳性麻痺発症の原因を明らかにするとともに，同じような事例の再発防止を提言するために行っている．産科医，新生児科医，助産師，弁護士，有識者などから構成される原因分析委員会・部会において原因分析を行い，原因分析報告書を取りまとめ，保護者と分娩機関に送付している．加えて，本制度の透明性を高め，再発防止および産科医療の質の向上を図ることを目的として，原因分析報告書の「要約版」を公表している．

また，個人識別情報などをマスキングした「全文版(マスキング版)」および「産科制度データ」は，産科医療の質の向上に資する研究のために，所定の手続きにより開示請求があった場合に，当該請求者に開示している．

再発防止

再発防止では，個々の事例情報を体系的に整理・蓄積して，「数量的・疫学的分析」を行うとともに，医学的な観点から原因分析された個々の事例について「テーマに沿った分析」を行っている．複数の事例の分析から見えてきた知見などによる再発防止策などの情報を国民や分娩機関，関係学会・団体，行政機関などに提供することにより，再発防止および産科医療の質の向上を図っている．

「再発防止に関する報告書」を毎年公表するとともに，再発防止に関する情報を必要に応じて発信している．

医事関係訴訟に与える影響

産婦人科に関する医事関係訴訟の既済件数は2009年から2011年までは年間80件程度で推移していたが，2017年は54件，2018年は47件，2019年は44件に減少している．また，全診療科の減少の割合よりも大きいことから，本制度は医事関係訴訟にも一定の影響を及ぼしているものと考えられる．

制度の改定

本制度は，早期に創設するために限られたデータをもとに設計されたことなどから，遅くとも5年後を目処に，本制度の内容について検証し，適宜必要な見直しを行うとされていた．これを受けて2015年に制度改定が行われ，**表1**の通り補償対象基準が変更されている．創設時は，一般審査の基準は出生体重が2,000g以上かつ在胎週数が33週以上，および個別審査の基準は在胎週数が28週以上で所定の低酸素状況を満たすことであった．

さらに，個別審査の基準については，「医学的に不合理な点があり，周産期医療の現場の実態に即してい

表 1 ● 補償対象範囲

1. 補償対象基準	2015 年から 2021 年までに出生した児	2022 年以降に出生した児
	【一般審査の基準】 出生体重 1,400g 以上かつ在胎週数 32 週以上	在胎週数 28 週以上
	【個別審査の基準】 在胎週数が 28 週以上であり，かつ，次の（一）又は（二）に該当すること （一）低酸素状況が持続して臍帯動脈血中の代謝性アシドーシス（酸性血症）の所見が認められる場合（pH 値が 7.1 未満） （二）低酸素状況が常位胎盤早期剝離，臍帯脱出，子宮破裂，子癇，胎児母体間輸血症候群，前置胎盤からの出血，急激に発症した双胎間輸血症候群等によって起こり，引き続き，次のイからチまでのいずれかの所見が認められる場合 イ　突発性で持続する徐脈 ロ　子宮収縮の 50%以上に出現する遅発一過性徐脈 ハ　子宮収縮の 50%以上に出現する変動一過性徐脈 ニ　心拍数基線細変動の消失 ホ　心拍数基線細変動の減少を伴った高度徐脈 ヘ　サイナソイダルパターン ト　アプガースコア 1 分値が 3 点以下 チ　生後 1 時間以内の児の血液ガス分析値（pH 値が 7.0 未満）	
2. 除外基準	先天性や新生児期の要因によらない脳性麻痺であること	
3. 重症度基準	身体障害者障害程度等級 1 級または 2 級相当の脳性麻痺であること	

※「補償対象基準」「除外基準」「重症度基準」のすべてを満たす場合，補償対象となる．

ない」などの課題が指摘されたことから，評価機構の「産科医療補償制度の見直しに関する検討会」で検討が行われ，また社会保障審議会医療保険部会で議論が行われ改定された．2022 年 1 月以降に出生した児より，「補償対象基準」については，低酸素状況を要件としている個別審査を廃止し，一般審査に統合して，「在胎週数が 28 週以上であること」が基準となった．

おわりに

本制度は，医療分野におけるわが国で初めての無過失補償制度として，また公正・中立的な立場で医学的観点から原因分析を行い，再発防止および産科医療の質の向上を図ることを目的に創設された．このように新しい事業であるが，産科医療関係者や妊産婦などの理解と協力により，補償と原因分析・再発防止の取り組みが円滑に実施されている．そしてこれらを通じて，脳性麻痺の発症や再発防止について多くの知見が得られている．また，原因分析報告書や再発防止に関する報告書に関連したテーマが学会などのシンポジウムや講演，研修などにおいても取り上げられ，多くの産科医療関係者が参加し，熱心な議論が行われるなど，産科医療の質の向上への関心が高まっている．このように，わが国の産科医療の質の向上にとって本制度は重要な取り組みとなっていると考えられ，今後，本制度をさらに充実させていくことが必要である．

（医）東壽会 東峯婦人クリニック ● 松田義雄
公益財団法人日本医療機能評価機構 ● 上田　茂

妊産婦死亡の対応と母体安全への提言

妊産婦死亡の定義

妊産婦死亡とは「妊娠中または妊娠終了後満42日未満の女性の死亡で，妊娠の期間，および部位には関係しないが，妊娠もしくはその管理に関連した，またそれらによって悪化したすべての原因によるもの，ただし，不慮または偶発の原因によるものは除く」と定義されている[1]．日本産婦人科医会の日本妊産婦死亡報告事業では，妊娠終了後満42日以上から1年までの後期妊産婦死亡数も「後発妊産婦死亡」として登録をしている．また，妊産婦死亡率は，年間の妊産婦死亡数を年間出産数（出生数＋死産数）で割り，10万をかけた値で，妊産婦10万人あたりの死亡数を意味する．妊娠時における産科的合併症が原因で死亡したものを直接産科的死亡，妊娠前から存在した疾患または妊娠中に発症した疾患により死亡したもので，直接産科的原因によらないか，妊娠の生理的作用で悪化したと考えられるものを間接産科的死亡という．それらに原因不明の産科的死亡，産科的破傷風およびヒト免疫不全ウイルス（HIV）病を加えたものが妊産婦死亡として扱われる．

妊産婦死亡報告事業と妊産婦死亡症例検討評価委員会

日本産婦人科医会における妊産婦死亡調査委員会が1970年に，全国妊産婦死亡登録制度が1980年に開始された[2]．当時，日本の妊産婦死亡率は先進諸国の中で最も悪いレベルにあり，その改善を目的に本格的な登録が開始されたが，その報告数は全妊産婦死亡の20%以下であった．日本産婦人科医会が2004年に開始した偶発事例報告事業でも，毎年報告される妊産婦死亡症例は25~30例と厚生労働省の毎年50例の約半数であり，十分な症例分析ができない状況であった．そこで日本産婦人科医会は，2010年に妊産婦死亡報告事業を独立した事業とし，新たな妊産婦死亡届け出システムを構築した．会員に妊産婦死亡の全数報告を求め，2010年には45例，2011年には40例，2012年は61例，2013年は43例，2014年は40例，2015年は50例，2016年43例，2017年47例，2018年38例，2019年44例，2020年は29例が報告され，合計は486例に及び，厚生労働省母子保健統計と同等数またはそれ以上の報告がされるようになった[3]．

対象は，妊娠・分娩中および分娩後1年未満の後発妊産婦死亡を含む全妊産婦死亡で，交通事故など偶発的な妊産婦死亡も含む．妊産婦死亡が発生した場合，日本産婦人科医会ホームページから「妊産婦死亡連絡票」をダウンロードして利用し[4]，日本産婦人科医会（TEL：03-3269-4739，FAX：03-3269-4730）および各都道府県産婦人科医会に報告する．その後，日本産婦人科医会は，妊産婦死亡調査票を医療機関に送付し，当該医療機関は事例の経過を調査票に記載し，日本産婦人科医会へ提供される．この調査票に基づき報告された事例は，施設情報（都道府県，施設名等）や個人情報を匿名化した上で，妊産婦死亡症例検討評価委員会（委員長：池田智明）で，死亡原因，死亡に至った過程，行われた医療との関わり，および再発予防策などが評価され，症例評価報告書が当該医療機関に送られる（図1）．また，産科医療の改善，再発予防を目的として，報告症例を基に委員会で検案し，得られた知見の蓄積により「母体安全の提言」を毎年発刊している．

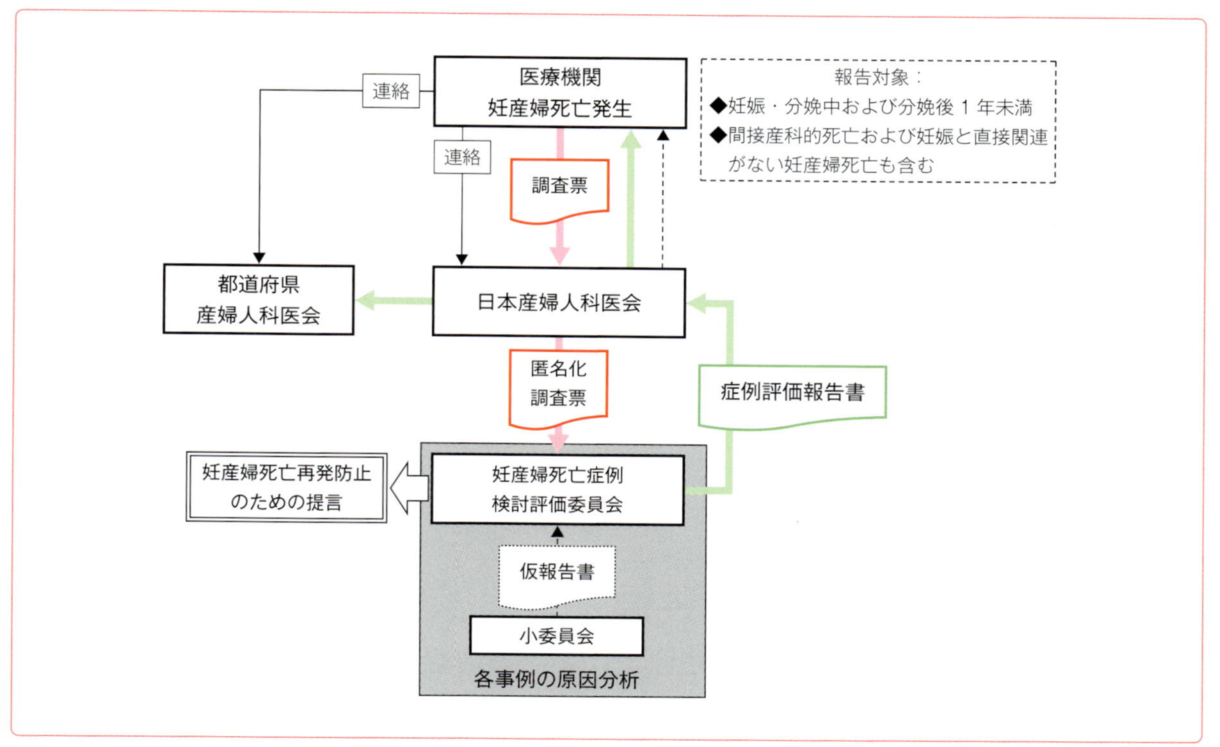

図1 ● 妊産婦死亡報告事例の原因分析の流れ（文献3，p.5より引用）

妊産婦死亡症例検討の解析からみる日本の現状

2010年1月より妊産婦死亡報告事業が始まり，10年が経過した．過去11年間，妊産婦死亡報告事業として届けられた数は，年間40～50例で推移しており，顕著な減少は認められていなかったが，2020年は29例と減少した．2021年6月までに，合計で486例の妊産婦死亡例が報告され，そのうち，477例の症例評価結果報告書が作成され，解析された[3]．その結果について以下に述べる．

▶ 妊産婦死亡例の背景

妊産婦死亡者の年齢分布は19歳から45歳までに及び，患者年齢別に比較すると35～39歳が最も多く，次いで30～34歳である．年齢階層別に妊産婦死亡率を求めると，若年ほど妊婦の死亡率が低く，その後は年齢とともに死亡率が上昇する．妊産婦死亡率は，20代前半と比較し，30代後半で2.8倍，40歳以後で4.7倍となる．近年，高年齢の妊産婦死亡率は大幅に改善されてきているが，依然として高い傾向にある．また，経産回数別の妊産婦死亡率では，経産回数が多くなるほど妊産婦死亡率の上昇を認める．

▶ 妊産婦死亡の原因（図2，図3）

妊産婦死亡の59%が直接産科的死亡，25%が間接産科的死亡であり，間接産科的死亡より直接産科的死亡が多い状況が続いている．一方で英国では直接産科的死亡が約1/3に留まり，間接産科的死亡が直接産科的死亡のおよそ2倍あるといわれているが，わが国でも直接産科的死亡の割合は減少し，間接産科的死亡は増加傾向にある．これは高齢化や不妊治療の普及により合併症をもった妊婦が増加していることが理由として考えられる．

妊産婦死亡477例において，最も多い原因は産科危機的出血であり，全死亡の18%であった．産科危機的出血87例の中では，子宮型羊水塞栓症が45%を占めており，次いで子宮破裂（11%），常位胎盤早期剥離（10%），癒着胎盤（9%），弛緩出血（8%），子宮内反症（5%），産道裂傷（5%）であった．羊水塞栓症は，独立して分類している心肺虚脱型と合わせると91例（全死因の19%）にも及び，羊水塞栓症としてまとめると原因として最多であった．

羊水塞栓症が疑われる症例においては，母体血清中の羊水の特異物質である，Zinc-coproporphyrin 1（Zn-CP1），Sialyl Tn（STN）を測定することが望まれる．また，血清成分を遠心分離し（2mL以上），アルミ箔で遮光した上で冷蔵もしくは凍結し，浜松医科大学産婦人科に送付すれば，Zn-CP1，STN に加えて，関連する C3，C4，C1 インアクチベーター活性を測定することが可能であり，診断の補助となる[5]．但し，SRL 等で検査外注可能なのはコプロポルフィリンで，Zn-CP1（亜鉛コプロポルフィリン）は一般的なラボでは測定できない．

その他主な死亡原因としては，頭蓋内出血・脳梗塞が 15%，心肺虚脱型羊水塞栓症が 11%，心・大血管疾患（周産期心筋症などの心疾患と大動脈解離）10%，肺血栓塞栓症などの肺疾患 8%，感染症（劇症型 A 群溶連菌感染症など）9%であった．

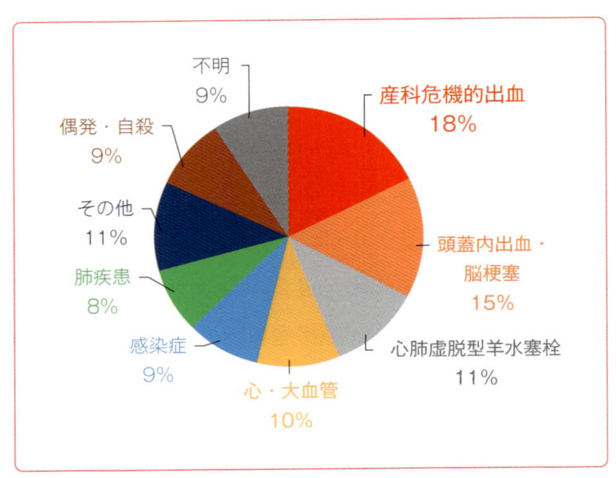

図 2 ● 妊産婦死亡報告事業に報告され解析された 477 例の原因疾患（2010 年～ 2020 年）（文献 3，p.14 より引用）

年次推移でみると，死因の割合は変化しつつあり，産科危機的出血は減少傾向にあり，2010 年の 29%から 10 ～ 15%となった．相対的に重要になってきている死因として，頭蓋内出血，心血管疾患，劇症 A 群溶連菌感染症を中心とした感染症，肺血栓塞栓症を中心とした肺疾患が挙げられる．また，褐色細胞腫，劇症 1 型糖尿病などの内分泌疾患や悪性腫瘍，劇症肝炎などその他の原因が 2010 年の 2%から 18%と増加している．また，東京都，大阪市の監察医からのデータによれば，自殺による妊産婦死亡が年間 80 例程度発生している可能性があることがわかってきている．今後，自殺に関する正確なデータ集計の方法構築と，妊産婦のメンタルヘルスの向上が重要となってくる．

▶ 発症時期，発症場所

妊産婦死亡に関連する症状の発症時期は，分娩開始前の妊娠中 43.3%，分娩中 18.1%，産褥期 37.4%であり，その他が 1.2%であった．分娩開始後では，分娩第 1 期，2 期，3 期，また帝王切開中の発症がほぼ同数であった．発生場所に関しては，初発症状の出現場所は，総合病院 29%，産科病院 10%，有床診療所 24%，助産施設 1%，医療施設外 35%であった．以上より，妊産婦の急変はいつでもどこでも起こり得るといえる．

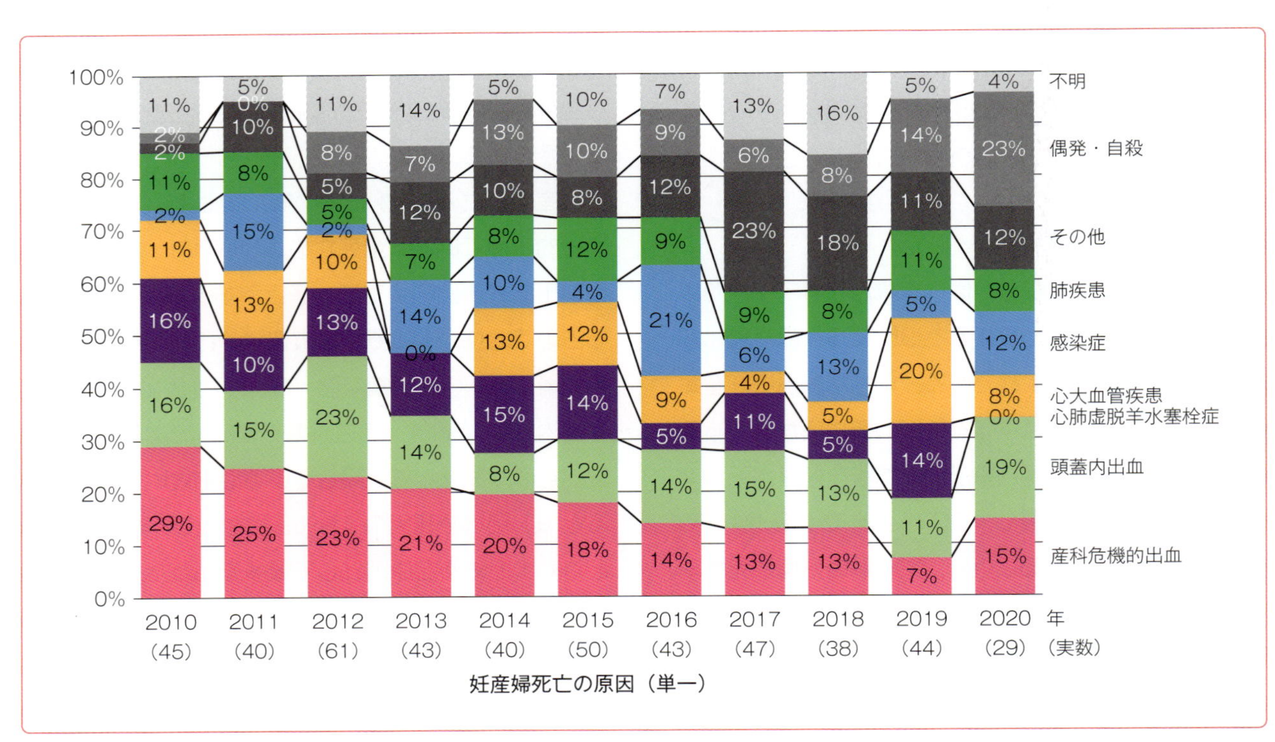

図 3 ● 妊産婦死亡の原因別頻度の推移（割合）（n=477）（文献 3，p.17 より引用改変）

▶ 剖検実施状況

妊産婦死亡の原因究明には，剖検は重要である．病理解剖，司法解剖，行政解剖の３種類があるが，日本産婦人科医会では，妊産婦死亡発生時には病理解剖を受けるように推奨している．司法解剖や行政解剖は遺族の同意なしに行うことができるが，病理解剖と比較して組織検査が少なく，臓器保存もないことや，報告結果の入手が困難であり，詳細な病態解明を含めた死亡原因分析には向かないのが現状である．2010 年は病理解剖と司法解剖の比率は同等であったが，死因の解明や死亡の予防につながらない司法解剖が年々低下してきた．しかし，依然として病理解剖の実施率は上昇しておらず，近年 20%台前半を推移し，横ばいである．約 60%は解剖が未施行であり，死亡原因の特定が困難な事例も少なくない. 妊産婦死亡発生時には，死因究明のために遺族に対して積極的に病理解剖の承諾を要請する努力が必要である．

妊産婦死亡を防ぐために（母体安全への提言，J-CIMELS）

妊産婦死亡症例検討評価委員会では，すべての事例で妊産婦死亡の原因を評価するだけでなく，同様の事例での死亡を防止するため，症例検討を通して再発防止のために啓発すべきポイントを挙げ，「母体安全への提言」として毎年発出している．これらは，毎年９月に日本産婦人科医会のホームページ上で公開しており[6]，まとめた冊子を日本産婦人科医会より発出している．またこれらの取り組みの一環として，「日本の妊産婦を救うために 2020」（5 年に 1 度改訂予定）が発刊されている．母体救命のためのエッセンスが凝縮されており，参照されたい．

妊産婦の急変は，急激な経過を辿り，非妊婦と異なる病態も多いことから，その変化のすべてに対応することは難しい．症例検討から，半数以上で，最善の対応であっても救命困難であったと解析されているが，一方で産科危機的出血や妊娠高血圧症候群による死亡では，対応や医療体制の改善により救命できた可能性のある事例が多いことも判明している．これらの疾患の初期では，バイタルサインの異常を早急に察知，認識し，経時的に評価するとともに，その原因検索を行うことが重要である．また，同時に呼吸循環の支持療法を行いながらの全身管理が必要不可欠である．このため，母体救命のためには，産婦人科のみでなく，救急科，循環器科，脳神経科，麻酔科はもとより，コメディカル（助産師，看護師，救急救命士など）の協働およびそのための実践教育が不可欠である．そこで，日本産婦人科医会は，日本産科婦人科学会，日本周産期・新生児医学会，日本麻酔科学会，日本臨床救急医学会，京都産婦人科救急診療研究会，妊産婦死亡検討評価委員会の 6 団体と共に，2015 年に周産期に関わる医療従事者を対象に，「日本母体救命システム普及協議会：J-CIMELS」を設立した．日本看護協会，日本助産師会，日本助産学会が協賛団体として参加しており，母体急変時の対応の講習会を通して標準的な母体救命法を普及させる活動を行っている．すでに，全ての都道府県で講習会が開催され，多くの周産期医療従事者が受講されたが，普段から J-CIMELS，ALSO，PC キューブなどの講習会を活用することで，母体急変対応に習熟し，自施設においてもシミュレーションを行っておくことが重要である．

引用・参考文献

1） 厚生労働省．厚生統計に用いる主な比率及び用語の解説．厚生労働省ホームページ．
https://www.mhlw.go.jp/toukei/kaisetu/index-hw.html（2021 年 1 月 5 日閲覧）
2） 石渡勇，池田智明ほか．日本の妊産婦を救うために 2015．東京医学社，東京，2015．
3） 日本産婦人科医会　妊産婦死亡症例検討評価委員会．母体安全への提言 2020．Vol.11．令和 3 年 9 月．
https://www.jaog.or.jp/wp/wp-content/uploads/2021/04/botai_2020.pdf（2022 年 4 月 15 日閲覧）
4） 日本産婦人科医会妊産婦死亡報告事業ホームページ．
https://www.jaog.or.jp/about/project/document/ns/（2021 年 1 月 5 日閲覧）
5） 浜松医科大学羊水塞栓症班ホームページ．
http://www2.hama-med.ac.jp/w1b/obgy/afe3/new1.html（2021 年 1 月 5 日閲覧）
6） 日本産婦人科医会医療安全部会ホームページ．母体安全への提言．
https://www.jaog.or.jp/about/project/medical-safety/（2021 年 1 月 5 日閲覧）

三重大学 ● 二井理文 ● 池田智明

胎児治療の現状と課題

はじめに

胎児治療は，今や周産期医療の一分野として確立されたといっても過言ではないが，その歴史はまだ浅い．超音波検査などの診断技術の進歩により，胎児の疾患が出生前に診断されるようになり，“fetus as a patient” “the unborn patient” の考え方が生まれ，胎児治療が始まった．胎児疾患の多くは生後の治療で十分管理されるが，一部の疾患は出生後の治療では不十分なため，子宮内で治療を行うことによって児の予後を改善しようとする試みである．日常診療の一部として行われるようになった胎児治療法もあるが，未だに多くの胎児治療法は実験的治療と考えられている．胎児治療の今までの歩みを振り返り，日本の胎児治療の現状と課題，今後の展望について述べる．

胎児治療の歩み

胎児治療の始まりは，1963年，免疫性胎児水腫に対してX線下で施行した胎児の腹腔内輸血とされているが，胎児治療というにふさわしい胎児に対する治療は1980年代になってからである．胎児外科治療の主な軌跡を表1に示す[1]．1980年代には超音波診断装置の進歩によって超音波診断技術とそれを用いた治療法が発展した．まず胎児輸血が超音波ガイド下で行われるようになった．次に膀胱・羊水腔シャント術，胸腔・羊水腔シャント術などシャント術が超音波ガイド下で経皮的に行われるようになった．また米国の小児外科医Harrisonらによって下部尿路閉塞症，先天性肺嚢胞性腺腫様奇形（congenital cystic adenomatoid malformation：CCAM），先天性横隔膜ヘルニア（congenital diaphragmatic hernia：CDH）に対して，子宮を切開して胎児に直接手術操作を加えて治療するという直視下胎児手術が試みられた．

1990年代には双胎間輸血症候群（twin-twin transfusion syndrome：TTTS）に対して胎児鏡を用いて胎盤吻合血管をレーザー焼灼する，胎児鏡下胎盤吻合血管レーザー凝固術（fetoscopic laser photocoagulation：FLP）が行われた．当初は小開腹して行われていたが，超音波ガイド下で経皮的にFLPが行われるようになり普及した．1995年には胎盤循環を温存したまま胎児に手術や処置を行い，その後胎盤循環を遮断して児を娩出するというex utero intrapartum treatment（EXIT）が行われ，1997年には脊髄髄

表1 ● 胎児外科治療の主な軌跡（文献1より引用改変）

超音波ガイド下手術	胎児鏡下手術	子宮切開直視下手術
1981　胎児輸血		
1982　膀胱・羊水腔シャント術		
		1983　腎瘻造設術
		1984　CCAM切除術
1986　胸腔・羊水腔シャント術		
		1989　横隔膜修復術
	1990　FLP（経開腹）	
1991　大動脈弁拡張術		
	1995　FLP（経皮）	1995　EXIT
		1997　脊髄髄膜瘤修復術
	2000　FETO	
2002　ラジオ波凝固術		
	2004　FLPランダム化試験	
		2011　脊髄髄膜瘤修復術ランダム化試験

CCAM：congenital cystic adenomatoid malformation intrapartum treatment
EXIT：ex utero intrapartum treatment
FETO：fetoscopic endoluminal tracheal occlusion
FLP：fetoscopic laser photocoagulation

侵襲度

低 → 高

経胎盤薬物治療
抗不整脈薬：胎児頻脈性不整脈

超音波ガイド下治療
穿刺・吸引術：羊水過多，胎児胸水，卵巣嚢腫
胎児輸血：胎児貧血
シャント術：胎児胸水，CCAM（macro cyst），下部尿路閉鎖
ラジオ波凝固術：無心体双胎
カテーテル術：重症大動脈弁狭窄

胎児鏡下手術
レーザー凝固術：双胎間輸血症候群
気管閉塞術：横隔膜ヘルニア

直視下手術
切除術：CCAM（micro cyst），仙尾部奇形腫
修復術：脊髄髄膜瘤

図1 ● 胎児治療法の分類
CCAM：congenital cystic adenomatoid malformation

膜瘤（myelomeningocele：MMC）に対する直視下髄膜瘤修復術が行われた．CDH に対する直視下手術はうまくいかず，気管を一時的に閉塞すると肺の発育が促進されることを利用して，2000 年には経皮的に胎児鏡を用いて気管内腔にバルーンを留置して一時的に気管を閉塞する fetoscopic endoluminal tracheal occlusion（FETO）が行われた．

胎児治療法には，母体に薬物を投与して経胎盤的に内科的治療を行う方法と，超音波ガイド下，胎児鏡下，直視下で胎児・胎盤に手術操作を加える外科的治療を行う方法がある．胎児治療法の分類と適応疾患を図 1 に示す．直視下手術は子宮を切開して胎児に手術操作を加えるもので，母体と胎児に対する侵襲が非常に大きく，MMC 以外の直視下手術は行われなくなった．現在，侵襲性の比較的少ない胎児鏡下と超音波ガイド下の治療が胎児治療の主体となっている．

日本における胎児治療の現状

日本においては世界に数年遅れて胎児輸血が超音波ガイド下で行われ，超音波ガイド下の穿刺術やシャント術が 1980 年代後半から行われるようになった．1993 年には国立循環器病センター（現・国立循環器病研究センター）において日本独自のシャント術用のダブルバスケットカテーテルが開発され，膀胱・羊水腔シャント術や胸腔・羊水腔シャント術に用いられた．1992 年に慶應義塾大学で日本で初めての FLP が小開腹で行われたが，その後しばらく行われなくなった．2002 年になり聖隷浜松病院で経皮的に FLP が初めて施行され，すぐに国立成育医療センターなど数施設で FLP が施行されるようになった[2]．日本への FLP 導入を契機にして，日本において胎児治療の臨床研究が盛んに行われるようになった[3, 4]．

FLP の臨床研究の成果の 1 つである「日本の TTTS に対する FLP の治療成績に関する研究」[5] が基盤となり，2012 年 4 月には TTTS に対する FLP が「内視鏡的胎盤吻合血管レーザー焼灼術（K910-2)」として胎児治療としては初めて保険収載された[1, 2]．高度医療制度（先進医療制度の前の医療制度）の下で行われた胎児胸腔・羊水腔シャント術の臨床試験の成果[6] を基にしてダブルバスケットカテーテル（株式会社八光）の薬事承認が得られ，2012 年 7 月には胎児胸水に対するシャント術が「胎児胸腔・羊水腔シャント術（K910-3)」として保険収載された[1]．肝がんの治療に用いられているラジオ波凝固術（RFA）は，twin reversed arterial perfusion（TRAP）に対する RFA の日本の治療成績[7] を基にして，2018 年 7 月には TRAP に対する適応拡大の薬事承認が得られ，2019 年 3 月には保険収載されて「内視鏡的胎盤吻合血管レーザー焼灼術（K910-2)」の追補として算定することが認められた[1]．また 2019 年 4 月には一番古くから行われている胎児輸血がやっと保険収載された．

表2● 胎児治療臨床評価2020と日本での実施・保険収載（文献1より引用改変）

	疾 患	治療法	評 価	日本で実施	保 険
	貧血	胎児輸血	A	○	○
双 胎	双胎間輸血症候群 TRAP	FLP RFA	A+ A	○ ○	○ ○
胸 部	胸水 横隔膜ヘルニア CCAM	胸腔・羊水腔シャント術 FETO 直視下切除術	A A C	○ ○ ○	○ − −
心 臓	頻脈性不整脈 重症大動脈弁狭窄術	経胎盤抗不整脈薬 超音波ガイド下弁形成術	A B	○ ×	− −
尿 路	下部尿路閉塞	膀胱・羊水腔シャント術 胎児鏡下閉塞解除術	B C	○ ×	− −
腫 瘍	仙尾部奇形腫	直視下切除術 RFA	C C	× ○	− −
脊 椎	脊髄髄膜瘤	直視下髄膜瘤修復術	A+	×	−

A：臨床的に有用　B：有用性が期待される　C：有用性が不明　＋：ランダム化試験による評価良

CCAM：congenital cystic adenomatoid malformation photocoagulation
FETO：fetoscopic endoluminal tracheal occlusion
FLP：fetoscopic laser photocoagulation
RFA：radio frequency ablation
TRAP：twin reversed arterial perfusion

現段階における胎児治療法を評価して，「A）臨床的に有用，B）有用性が期待される，C）有用性が不明」の3つに分類し，2020年の日本における胎児治療法の臨床評価と実施の有無を表2に示す[1]．現在，日本において最も多く行われている胎児治療法はTTTSに対するFLPで，次に胎児胸水に対する胸腔・羊水腔シャント術，TRAPに対するRFAと続く．その他，胎児貧血に対する胎児輸血，胎児頻脈性不整脈に対する経胎盤抗不整脈薬投与，胎児下部尿路閉塞に対する膀胱・羊水腔シャント術などが行われている．

胎児治療の課題

胎児治療の課題はまずエビデンス創出が難しいことである．胎児治療は実験的治療の側面があり，基礎的研究や臨床研究が不可欠であるが，治療効果の科学的根拠が十分とはいえない治療法が試みられている．稀な疾患で，かつ非常に重篤な状態に対する治療のためランダム化比較試験の実施が難しく，質の高いエビデンスの創出が難しい．今までに報告された胎児治療のランダム化比較試験は少ないが，胎児治療の有効性が示された有名な試験が2つある．

Eurofoetusで行われたFLPのランダム化比較試験の成績が2004年に報告された[8]．FLP72例と羊水吸引術70例を比較した試験で，児生存率，少なくとも1児生存率，脳障害発生率のすべてにおいてFLPが優っており，26週未満のTTTSに対してFLPは第一選択治療法となった．米国におけるMMCに対する直視下髄膜瘤修復術と生後手術のランダム化比較試験（Management of Myelomeningocele Study：MOMS）の結果が2011年に報告され，胎児手術の有用性が示された[9]．直視下髄膜瘤修復術により早産や胎盤早期剥離のリスクは高まったが，脳室シャント造設率の減少，小脳ヘルニア発生率の減少，下肢運動機能改善がみられた．これを契機に米国のみならず欧州においても多くの施設で臨床応用されるようになった．

胎児治療が標準的治療として確立するためには保険適応となることが求められる．また保険適応となれば，胎児が治療対象として認められた，すなわち“fetus as a patient”として認められたということになる．最近の日本における胎児治療は，ただ実施するのみでなく臨床研究を行いながらエビデンスの創出に努め，保険収載にまで働きかけて胎児治療法の確立に貢献している[1,3]．TTTSに対するFLP，胎児胸水に対する胸腔・羊水腔シャント術，TRAPに対するRFA，胎児貧血に対する胎児輸血と4つが保険収載されている．

一方，胎児頻脈性不整脈に対する抗不整脈薬は，高度医療の臨床試験において良好な結果が出ているが薬事承認の目途が立たない．製薬会社は，症例数が少なく利益に結びつかない適応拡大の申請を行わない．シャントカテーテルとRFAは何とか企業の協力が得られたが，胎児治療に用いる器具についても同様の懸念がある．保険収載を得るにはエビデンスの創出だけでは不十分であり，新しい胎児治療法が開発されても，保険収載までは非常に長い道のりである．保険収載は胎児治療における大きな課題である．

また胎児治療の件数は少なく，施行できる施設も限られている．患者のアクセスを考慮するとできるだけ施設数は多い方がいいが，各施設の施行数が少なくなり，医療の質を保つことが難しくなる．バランスのとれた施設数を維持することも大きな課題である．

胎児治療の今後の展望

CDHに対するFETOは，11例の早期安全性試験が終了し，日本においても安全に実施可能であることが示された後，国際ランダム化比較試験TOTAL trialに参加して実施し，期待できる結果が得られている．未だ日本で施行されていない重症大動脈弁狭窄に対する超音波ガイド下大動脈弁形成術の早期安全性試験と脊髄髄膜瘤に対する直視下髄膜瘤修復術の早期安全性試験が始まった．胎児下部尿路閉塞に対する膀胱・羊水腔シャント術は，生命予後は期待できるが，腎不全や膀胱機能障害などの合併症の改善は期待できない．生後に透析や腎移植が必要となる例も多く，最近はあまり行われなくなった．胎児鏡により診断と治療を行う新しいアプローチの探索的臨床試験が始まった．

超音波機器によって標的組織を焼灼する強力集束波（high intensity focused. ultrasound：HIFU）によるTRAPの治療例が報告されている．穿刺操作が不要であり，確実の血流が遮断できれば期待できる．ラジオ波による焼灼は組織水分に影響されるが，マイクロ波を用いた焼灼は組織水分に依存しないで標的組織の焼灼ができる．これらの新しい機器の開発により胎児治療の低侵襲化が期待される．人工子宮ー人工胎盤は，「体外循環によるサポートにより，生存不可能な胎児を子宮内に近い状態で成長・成熟させるシステム」であり，最近めざましく進歩した[10]．早産未熟児の管理だけでなく，胎児手術の領域にも応用される可能性は高く期待される．幹細胞など新しい細胞リソースを用いた研究の新たな展開も期待される．新しい技術による胎児治療の新たな展開に期待したい．

引用・参考文献

1) Sago, H. et al. Fetal therapies as standard prenatal care in Japan. Obstet Gynecol Sci. 63(2), 2020, 108-16.
2) Sago, H. et al. Fetoscopic laser photocoagulation for twin-twin transfusion syndrome. J Obstet Gynaecol Res. 44, 2018, 831-39.
3) 左合治彦．ここまで進んだ胎児治療　胎児治療総論．産科と婦人科．9(5)，2018，1013-17.
4) 日本胎児治療グループ Japan Fetal Therapy Group．https://fetusjapan.jp/（2020.12.21．閲覧）
5) Sago, H. et al. The outcome and prognostic factors of twin-twin transfusion syndrome following fetoscopic laser surgery. Prenat Diagn. 30, 2010, 1185-91.
6) Takahashi, Y., et al. Thoracoamniotic shunting for fetal pleural effusions using a double-basket shunt. Prenat Diagn. 32, 2012, 1282-87.
7) Sugibayashi, R. et al. Forty cases of twin reversed arterial perfusion sequence treated with radio frequency ablation using the multistep coagulation method: a single-center experience. Prenat Diagn. 36, 2016, 437-43.
8) Senat, MV. et al. Endoscopic laser surgery versus serial amniorreduction for severe twin-to-twin transfusion syndrome. N Engl J Med. 351, 2004, 136-44.
9) Adzick, NS. et al. A randomized trial of prenatal versus postnatal repair of myelomeningocele. N Engl J Med. 364, 2011, 993-1004.
10) Partridge, EA. et al. An extra-uterine system to physiologically support the extreme premature lamb. Nat Commun. 8, 2017, 15112. doi: 10. 1038/ncomms15112.

国立成育医療研究センター ● 左合治彦

特定妊婦・社会的ハイリスク妊娠の対応

社会的ハイリスク妊娠の概念・定義・分類・病態，対応の要点

わが国の周産期医療はこの半世紀で驚異的に進歩した．生命予後・身体機能予後・長期予後のいずれにおいてもである．一方で，社会的ハイリスク妊娠，未受診妊娠，児童虐待，周産期メンタルヘルス等の用語が周産期医療の中で聞こえるようになって約 10 年になる．医学的に成果を得たとしても，子育て困難から児童虐待，母体自死となってしまっては周産期医療としては完結したことにならない．妊娠期からの切れ目ない子育て支援は成育基本法の目指すベクトルと一つにつながる．医療・保健・福祉の実効性ある連携を目指すべきである．

概念：母児の環境因子・生育歴から子育て困難等を引き起こし，結果的には母児の心身の健康悪化を来す状況．

定義：経済的要因・家庭的要因などにより，子育て困難が予想される妊産婦（厚労省光田班試案）．

分類：要チェック妊婦，要フォロー妊婦，特定妊婦（大阪府版アセスメント）．

病態：妊婦，母児を取り囲むさまざまな環境因子・生育歴によって，母体はメンタルヘルス不調・増悪を引き起こし養育困難に陥る状況となる．最重症として，母体の自死，児童虐待（死亡）となる．

対応の要点

妊娠中の情報のみでは不十分で過去・現在の家庭・生育環境を把握しないと有効な支援につながらない．

医学的疾病以外の要因を得るためには，信頼関係構築が何より優先される．

医学的方針に対して同意を得にくい場合もある．

母親の意向（利益）と胎児・新生児の健康（利益）が必ずしも一致しない．

行政の支援は申請主義である．

切れ目のない医療・保健・福祉の多機関多職種連携が必要である．

妊婦への支援を期待できる家族・知人を確保することが有効な支援につながる．

参考 産婦人科診療ガイドライン－産科編 2020「CQ413　未受診妊婦への対応は？」

1. ハイリスク妊婦と認識する（B）
2. 妊娠週数を推定する（B）
3. 妊婦健診で実施するように推奨されている諸検査を行う（B）
4. 身元や家族連絡先等を確認する（B）
5. 妊婦の背景等を支援的姿勢で聴取し，家族からの支援が期待できない場合には都道府県（市町村）へ早期に相談して公的支援の可能性を探る（C）
6. 妊娠中，退院前に地域保健師に連絡をとり，児の養育環境について配慮する（C）

注意すべき臨床症状・所見

- 妊婦健康診査（妊健）を定期的に継続的に受診していない．
- 生活保護，医療券，助産券等の公的経済的支援を受けている．
- 婚姻状況（未婚）．
- 望まぬ妊娠．
- 管理不十分な精神疾患，メンタルヘルス不調がある．
- 要支援・要保護児童を育児中である．

診　断

社会的ハイリスク妊娠：現時点で，明確な基準はないので，院内ケース会議等で合議する．

特定妊婦：児童福祉法第6条3の第5項中（平成21年）に『出産後の養育について出産前において支援を行うことが特に必要と認められる妊婦』と定められた．あくまで，支援対象であって，"児童虐待予備軍"ではない．参考として大阪府のアセスメントシート（図1，図2）を紹介しておく．

画一的アセスメント，初回問診のみでは全ての情報把握は困難であるからこそ，全ての妊婦との信頼関係構築が社会的ハイリスク妊娠認識のきっかけになる．何となく"気になる妊婦"を見つけることである．"気になる妊婦"を見つけたら，生育歴，経済的問題，婚姻関係，戸籍，未成年，薬物使用，犯罪歴，虐待歴等々の問診を必要に応じて加える．表1に大阪母子医療センター母性外来での問診の一例を示す．

医療機関から各市町村の保健センター（保健所ではない！）に連絡をすると，状況判断をしたのち，地域の要保護児童対策地域協議会（要対協）で審議されれば，特定妊婦として登録されることになる．

臨床所見

特に，特徴的な身体所見はない．

時に，母子健康手帳（母子手帳）を持っていないことがある．わが国においては概ね全国的に出産時まで母子手帳を未取得な妊婦は0.25％（400人に1人）である．妊婦健康診査（妊健）の初回が妊娠12週以降であったり，未受診妊娠であることもある．さらに，妊健を受けていたとしても，不定期であったり，突然のキャンセルもよく見られる．性風俗関連業務に就労している場合などは，各種感染症罹患は要注意である．薬物使用が疑われる場合には，同意の上の検査となるが，実施しにくい場合もある．

管　理

医学的・産科的疾病の有無を把握しておくことは前提である．

産婦人科医師，小児科医師，看護師，助産師，保健師，医療ケースワーカー（MSW），院内虐待関連部署等とは，医療連携，情報共有が必要である．

メンタルヘルス不調があるならば，精神科受診で精神科疾患を鑑別する．

行政（保健・福祉）からの支援は，申請から始まるので，まずは妊婦の同意取得から始まる．行政への第一歩は電話でもよいが，文書の利用も可能である．ここでは大阪府の要養育支援情報提供書（妊婦版）を紹介する．これは，妊婦の同意があった場合には診療報酬（250点）が認められている．特定妊婦等の場合には居住地と住民票を置いている場所が異なっている事例も多々ある．この場合には2カ所の行政と連携を持ちながら支援する必要がある．

まずは，妊婦の希望を聞くところから始まる．この際重要な観点は産婦人科医療はお母さんも子どもも大切であることを伝えることである．極端な事例では育児放棄もあり得るが，それでも支援の姿勢は崩してはいけない．胎児・新生児にとっての良否は別次元ととらえた方がよい．すなわち，子どもが最優先の支援者は，母親にとっては支援者になり得ない場合もあることを承知した上で対応しなくてはならない．

出生届を提出せずに無戸籍となってしまう子どももあり得るので，行政との連携は欠かせない．

治　療

妊娠中であれば，地域保健師に妊婦訪問も依頼する．妊娠中は信頼関係構築の上に出産備品の用意と出産後の育児環境も評価しておかなくてはいけない．多くの事例では，丁寧な問診で信頼関係が築けていれば，地域と連携して新生児訪問から乳児健診へと流れていく．極端な事例では出産後，そのまま退院までに職権保護で一次的母児分離もあり得る．もし，メンタルヘルス不調があるならば，精神科受診ならびに投薬へとつなぐ必要がある．経済的な問題があるならば，健康保険の用意，必要に応じて助産施設（助産券の利用可能施設．助産院ではない！）への転院も必要である．行政への手続きはMSWが支援してくれる．

最終的に育児希望がない場合には，民間養子縁組も可能となっていることは了解しておく必要がある．

次回妊娠への留意点

今回出産した子どもの子育てを問題なく行うことを優先する．

◎情報提供にご協力ありがとうございます。正確な情報共有のため文書でのご連絡にご協力をお願いします。
至急の場合は、電話で所管保健センターへ連絡をいただき、後日、文書の送付をお願いします。

医療機関用
様式 1-1

要養育支援者情報提供票 ≪妊婦版≫

市区町村保健（福祉）センター名称　　　　　　　　　　　　　　令和　　年　　月　　日
　　　　　　市　　　　　　課・保健センター　　　　　　　　　　様
医療機関名　　　　　　　　　　　　　診療科　　　　　医師名
TEL　　　　　内線　　　　担当者名　　　　＊連絡窓口の方を記載してください。

アセスメント項目（該当する項目の□に✓をする）		
	生活歴（A）	□保護者自身の被虐歴□保護者自身の DV 歴（加害・被害を含む）□胎児のきょうだいの不審死 □胎児のきょうだいの虐待歴□過去に心中未遂（自殺未遂）
	妊娠に関する要因（B）	□16 歳未満の妊娠□若年（20 歳未満）妊娠（過去の若年妊娠を含む）□20 週以降の届出□妊婦健康診査未受診、中断□望まない妊娠□胎児に対して無関心・拒否的な言動□今までに妊娠・中絶を繰り返す□飛び込み出産歴□40 歳以上の妊娠 □多胎・胎児の疾患や障がい□妊娠中の不規則な生活・不摂生等
	心身の健康等要因（C）	□精神疾患等（過去出産時の産後うつ、依存症を含む）□パーソナリティ障がい（疑いを含む） □知的障がい（疑いを含む）□訴えが多く、不安が高い□身体障がい・慢性疾患がある
	社会的・経済的要因（D）	□右記以外の経済的困窮や社会的問題□生活保護受給□不安定就労・失業中
	家　庭・環境的要因（E）	□住所不定・居住地がない□ひとり親・未婚・ステップファミリー□家の中が不衛生 □出産・育児に集中できない家庭環境
	その他（F）	□上記に該当しない気になる言動や背景（　　　　　　） □HTLV-1 抗体陽性による（WB により確定）＊妊婦が同意している
支援者等の状況	支援者	□死別、高齢、遠方等の理由により、妊婦の父母・きょうだい等の親族に頼ることができない □夫婦不和、親族と対立している　□パートナー又は妊婦の実母等親族一人のみが支援者 □地域や社会の支援を受けていない
	関係機関等	□保健師等の関係機関の関わりを拒否する　□情報提供の同意が得られない

妊　婦	フリガナ 氏名	生年月日：　年　月　日（　）才 現在の妊娠週数：　週　日	職業：無・有（　　　） 予定日：　年　月　日
住　所	〒　　　　（実家、自宅、その他　　　）		
電　話	①　　　（固定電話・携帯） ②　　　（固定電話・携帯）	家族構成 ◎——□	
パートナー	婚姻：有・無・予定（　　） 氏名　　　職業（　　） 連絡先		
主たる援助者	有・無　　続柄 氏名 連絡先	育児への支援者 無・有（誰：　　　）	

本情報提供票を里帰り先及び住所地の市区町村保健（福祉）センター・保健所に送ることに関して次の方の同意を得ています。
（本人：有・無、パートナー：有・無、その他（　　　）：有・無／いずれも同意なし：医療機関として特に支援が必要と判断したため）
※送付先は市区町村保健（福祉）センターですが、状況によっては市町村から保健所に情報提供されることがあります。

情報提供の理由、相談内容
通院・入院中の様子
今後のフォロー依頼内容

◆この用紙を受けとった保健機関は、支援結果または支援方針を簡潔に記載し、概ね 1 か月以内に、医療機関に返送してください。

図 1 ● 要養育支援者情報提供票≪妊婦版≫

支援を継続して，社会的ハイリスク妊娠，特定妊婦と判断されない状況での妊娠を考える．

医療機関用
様式２

要養育支援者対応結果票

令和　　年　　月　　日

送付先名称

病院・医院　　　　　　　　　　　　　　　　主治医様

保健（福祉）センター・保健所名

住所

担当者名　　　　　　　　　　電話番号

要養育支援者情報提供票をいただきました下記の妊産婦・児について報告します。

妊婦の状況・児の氏名等	出産予定日：令和　年　月　日 又は妊娠週数：（　）週（　）日 第　子 / 妊娠　回目	児の氏名：フリガナ 男・女 令和　年　月　日生（　）才（　）か月
父母の氏名（父または パートナー）	妊婦・母：フリガナ （　）歳　職業（　　）	父またはパートナー：フリガナ （　）歳　職業（　　）
住　所	〒　（自宅・実家・その他　　） 電話番号　（固定電話・携帯）	
経過及び対応時の状況：対応方法（訪問・面接・電話・その他　　） 実施日：令和　年　月　日 妊婦の場合・妊娠週数：　週　日　産婦とその子どもの場合・月齢：　歳　か月		
妊・産婦、保護者の状況： □課題あり □課題なし	児の状況： 発育・発達：□良好□課題あり（　　） 身体測定値：体重（　）g　身長（　）cm 栄養：母乳・混合・人工栄養・離乳食・幼児食（　回 / 日）	
家庭環境・家族の状況等		
対応時の相談内容及び指導内容		
今後の援助計画 □　か月後訪問・面接 □　か月児健診で確認 □経過観察健診で確認 □相談時対応 □その他　□支援終了		
病院への依頼事項 □受診時連絡希望 □未受診時連絡希望 □その他連絡事項		
本対応結果票を送ることは、次の方の同意を得ております。（母・父またはパートナー・その他：　　）		

◆支援結果または支援方針を簡潔に記載し、概ね１か月以内に、医療機関に返送してください。
（里帰り先の市町村は、妊産婦の住所地の保健機関にも結果票を送付してください。）

図２ 要養育支援者対応結果票

表 1 ● 相談室で訊いていること（大阪母子医療センター）

初　診	妊娠 28 週
• 最終月経の開始日 • 妊娠の経緯，不妊治療の有無，状況 • 前医からの説明内容 • 妊娠かもと思った時の気持ち • 妊娠を初めて伝えた相手 • 相手の反応 • DV スクリーニング • 妊娠がわかってからの体調，心理面の変化 • 妊娠がわかってからの社会面の変化（家族，仕事） • 当院を選んだ理由，どうやって当院を知ったか • いま一番心配していること • これから先で心配なこと • 産科歴，これまでの妊娠期・分娩期・産褥期のトラブル • 上の子の現在の状況（就園，就学など） • 医療への期待度（病院に求めるもの） • 合併症の病歴，病識，コンプライアンス ※問診票をきっかけに，掘り下げていく．話題に対する表情，受け答え，集中力，理解度などにより，会話の内容も変える． **妊娠 20 週** • つわりが落ち着いてからの身体面，心理面，社会面の変化 • しんどくないか？　楽しいか？ • 食事内容 • 母乳栄養に関する希望 • 胎動をどう感じるか • 両親学級の受講状況	• しんどくないか？　楽しいか？ • 出産準備の状況 • 出産時の希望 • 胎児の性別に対する反応 • 里帰り先 • 実父母の反応 • 産後のサポート • パートナーの協力状況 • DV スクリーニング **妊娠 36 週** • 身体面・心理面・社会面の変化 • 自宅から病院への時間・距離・ルート • 出産育児準備，入院準備 • 楽しみ？　怖い？　しんどい？ • 入院中の上の子の預け先 **社会的な内容として確認していること** • 妊娠のパートナー • パートナーとの馴れ初め • 婚姻状況 • 生育歴，生活歴 • 学歴 • 職歴 • 家族関係 • 友人関係 • 困ったときに連絡する人 • 経済面 • 病院までの交通手段 • 実父母との関係 • 関係機関の関与歴 • これまでの育児でのトラブル • 内服コンプライアンス

引用・参考文献

1） 平成 28（2016）年度厚生労働科学研究　総括．妊婦健康診査および妊娠届を活用したハイリスク妊産婦の把握と効果的な保健指導のあり方に関する研究．研究代表者：光田信明．
https://mhlw-grants.niph.go.jp/niph/search/NIDD00.do?resrchNum=201606004A（2021 年 1 月 5 日閲覧）

2） 日本産科婦人科学会，日本産婦人科医会編集・監修．“CQ413　未受診妊婦への対応は？” 産婦人科診療ガイドライン－産科編 2020．東京，日本産科婦人科学会，2020，238-40.

大阪母子医療センター ● 光田信明

災害対策・BCP

要点

自然災害感染症のまん延など，突発的な不測の事態が発生しても，事業を中断させない，または中断しても可能な限り短期間で復旧させるための方針・体制・手順等を示した計画を業務継続計画（business continuity plan：BCP）という．

医療機関においては，従来の災害発生時の対応計画を包含してBCPを計画・運用することが合理的であり，各施設において災害対策・BCPの策定が望まれている．

医療機関におけるBCP策定においては，病棟，病院，自治体，および医療圏の各次元で策定を検討すべきである．本稿においては，主にMFICUを持つ周産期センターにおける災害対策・BCPについて，具体的な事例を提示することで，各医療機関の策定を進める一助となることを期待する．

周産期センターにおけるBCP策定のポイントを表1に示す．

周産期センターにおける災害対策・BCP策定の際には，考えたくない最悪の事態（最も厳しい季節の真夜中発災，情報途絶，基幹施設被災など）を想定し，発災後からのフェーズごとに業務の流れを記載する．例えば先の東日本大震災では，多くの分娩取り扱い診療所が全壊，沿岸部の基幹病院においては平時の3倍近くの分娩に対応せざるを得ない期間が続き，基幹病院では1日10件以上のヘリコプターによる妊婦搬送を受け入れた．また，多くの妊産婦が自家用車流失や燃料不足，公共交通機関の機能不全によって，予定施設以外での分娩を余儀なくされた．さらには，各病院のインフラ被害の把握そのものが困難で，発災3日以降に次々損壊状況が明らかとなって，目まぐるしく分娩応需体制が変わり，頻回のプラン変更を迫られた．以下，具体的な事例を記載することで各施設の計画策定が進むことを期待している．

表1 ● 周産期センターにおけるBCP策定のポイント

1. 各時間帯における実働スタッフ数，徒歩および通常手段による通勤時間別人数などの医療資源を調査し把握する．
2. センターにおける非常電源・ガス・水の確保状況，患者および医療スタッフの非常食備蓄状況を調査する．
3. 分娩・帝王切開・処置などの通常業務および災害時に発生する業務（情報収集，物資差配，受援対応，対外対応）を整理して必要人数を把握する．
4. 災害時小児周産期リエゾンおよび隣県周産期センターの連絡先・複数の連絡方法（メール・携帯電話・SNS・衛星電話）を確認する．
5. 都道府県の担当部署，日本産科婦人科学会などの連絡先・連絡方法を確認する．
6. 作成したBCPを検証するために災害訓練や研修に必ず参加する．

大震災の発災時の状況と初動対応

本稿は，これまでの災害対応から得られた教訓を，各医療機関における災害対策・BCP策定の際に生かすことを目的にしている．何はともあれ，「考えたくないことを考える」災害訓練に参加していただきたい．

例えば平日午後に震度5強の地震が発災すると，院内では表2の状況となる．この時点では，生命の確保が最優先で，細かいマニュアルを確認する余裕などない．さて，揺れが収まったところで，初動期対応に移る．表3に具体的な項目を挙げたが，これらの項目はほぼすべての医療機関のMFICUに適応できる．さて，ごく初期の対応が完了したところで，院内において災害対策本部による対応会議が開かれ，マニュアルを参照し急性期対応に移ることになる．

表 2 ● 発災（震度 5 強以上の地震）中・直後の状況

1. 強い揺れで，免震構造であっても歩けず移動すらできない
2. 各医療機器のアラームが一斉に鳴り響く
3. 通常電源が落ち，非常電源へ
4. 重い医療機器が移動し，冷蔵庫等のドアが開き，物品が飛び出る
5. あちこちのガラスが割れ，外傷の危険にさらされる
6. 全ての防災扉が閉まり，見たことのない閉鎖空間に投げ出される

表 3 ● 発災直後の MFICU における初動期対応

1. スタッフ全員が病棟へ集合⇔階段は混雑が激しく移動困難
2. 入院患者の安否確認（母・新生児の状態確認）
3. 分娩中，手術中患者への対応
4. 医療機器のアラーム確認⇔聞いたこともない音のため対応苦慮
5. 医療機器の作動状況確認⇔非常電源によって作動停止も
6. 災害対策本部への連絡⇔回線集中し，走って伝達するしかない
7. 災害時診療対応へ（電子カルテから紙・伝票ベースへ）
8. 情報インフラの状況把握⇔直後は，携帯電話，ネットは使えない
9. 被災状況の把握⇔甚大な被災状況は，被災地には報道されない

超急性期・急性期対応

》病棟のインフラ・患者の状態把握

- 患者数，新生児数を把握し，ホワイトボードに記載する．
- 可能な範囲内で非常電源，水，ガスの状態を把握する．

》病棟内における役割分担

- 院内における医療スタッフの被災状況を把握する．
- 稼働スタッフ数を算定し，統括・対外情報共有・分娩対応・手術対応・クロノロ（chronology，誰が発信し〔発信元〕，誰が受け〔発信先〕，どのような情報であったかを時系列に記録する）など，各担当を暫定的に決定し，連絡先とともにホワイトボードに記載する．

● **ポイント**：焦らずに体制構築を行うことが肝要，そのためにも訓練に勝るものはない．

》システムダウン対応

- 電子カルテ停止時は，紙伝票で運用する．
- 胎児心拍数陣痛図（CTG）モニタリングは記録用紙を出し，封筒に入れて，ファイルに挟んで保存する．
- CTG モニタリングシステムがダウンすると，平時の情報共有ができなくなる．必ず複数のスタッフで CTG 判読を行う．

》医療ガス（酸素・吸引・圧縮空気等）対応

- 酸素：病棟にある酸素ボンベの数を確認，必要時ベッド付近へ持って行く．
- 吸引：吸引器，シリンジにカテーテルを装着させ使用する．フットサクションポンプも使用できる．

》情報収集

- ラジオ：ナースステーションにラジオを常備しておく．
- インターネット・SNS：発災直後は使用不能となることを想定しておく．
- 携帯電話：複数のキャリアを確保しておくことが望ましい．
- 医療スタッフの緊急時連絡網を作成しておく．

● **ポイント**：甚大な被害のあった被災地には，報道制限によって全ての状況が放映されないことがある．電源は限られ，携帯やインターネットも使用できなくなるため，携帯ラジオがもっとも信頼できる情報源となり得る．

》対外的な情報共有・搬送調整

- 災害時小児周産期リエゾンへ状況報告を行う．
- 日本産科婦人科学会大規模災害対応システム（PEACE）に被災状況，応需情報を入力する．

》院内設備

- トイレ：使用できない際は，空いている個室や身障者用トイレにポータブルトイレをセッティングし，ビニール袋をかけて使用する．
- 手洗い：電気センサーで反応する手洗いは動かないので，手動の手洗いを使用する．自家発電で作動する手洗いを平時から確認しておく．
- ドア：全室ドアを開放する．

》備蓄食料（患者用）

- 病棟配膳室に患者用食料が備蓄されている．新生児用粉ミルク，液体ミルクも含む．
- プラスチックトレーのゴミ袋を各所にセッティングする．
- 栄養管理室が機能不可の際は，新生児の調乳は看護スタッフが行う．

● **ポイント**：医療スタッフの食糧備蓄も重要な事項である．大震災時，この点は非常に切実な問題となったことも付記しておく．飢餓状態では，正常な思考・精神状態が維持されない．

定時報告

- 災害時定時報告書を作成，提出する（1回目の報告は発生から1時間後，以後は災害対策本部の指示による）．
- 院内グループウェアが使用不可の際は，手書きにて書類を提出する．

● **ポイント**：電子カルテシステムなどの院内システムの停止を想定し，紙ベースの定期報告書のひな型を作成しておく．

災害時診療体制

外　来

- 医師の判断（もしくは災害対策本部の指示）にて，帰宅可能な患者は原則帰宅とする．
- 帰宅困難者は，本部の指示に従い，避難所へ誘導する場合もある．
- 病院の被災状況により外来応需能力は大きく変わるが，情報伝達の困難さから，急性期は，直接来院された全ての患者を診察せざるを得ない．
- 妊婦健診の間隔を延し，回数を減らさざるを得ない場合がある．
- 外来が通常診療に戻るまでは，場合によっては病棟で外来患者の診察を行う．

● **ポイント**：初動期には，被災の範囲，程度，他院の状況が全くつかめないので，通常外来診療は中止することが基本．と同時に，重症患者はすべて受け入れる災害体制作りも必要である．大病院には，あらゆる患者が押し寄せる場合が想定されるので，他院で行われた感染症や検査所見などの医療情報の取り扱いを，平時から決めておく．

分娩対応

- 分娩誘発継続に関しては，薬剤の供給状況を鑑み，協議の上決定する．
- 分娩監視モニタリングは記録紙で行う．
- 分娩時必要物品を袋にまとめて（コッヘル，臍帯クリップ，臍帯切刀等器械類，アンダーパッド，タオルなど）準備しておく．
- 他院からの患者の場合，感染症，検査所見などの確認は母子健康手帳で行う．

● **ポイント**：分娩直前であっても，妊婦の生命安全確保が最重要である．津波などが想定される場合は，直ちに上階へ搬送しなければならない．院内で滅菌できなくなることが想定されるので，ディスポ製品の確保，電気式オートクレーブの確保が必要．

帝王切開術

- 手術室が通常通りに稼働していない際は，分娩室における帝王切開術の実施も検討する．
- 麻酔科医師，手術室看護師の応援要請を検討する．

● **ポイント**：中央手術室において超緊急手術対応ができないことを想定し，平時より分娩室での帝王切開術を定期的に施行していた．このことが，東日本大震災において，手術室損壊－機能低下時に大きな役割を果たした．

褥　婦

- 母児同室している褥婦には，レスキューママ（スリングタイプ災害時用新生児避難具）を渡し，保温，保護，移動時に手が動かせられるようにする．
- 病院避難に備えて，上着，靴を着用しておく．
- 入院期間は，病床のひっ迫を考慮して，状況によっては経腟分娩後3日間，帝王切開分娩後5日間とする．
- 産褥指導は「緊急連絡先」「産後の異常」「赤ちゃんの異常」「赤ちゃんの生理および扱いについて」を重点的に行う．

● **ポイント**：大震災後，急増する搬送患者の対応のため，婦人科病棟の一部を褥婦用として運用して満床状態を乗り切った．また，帰宅困難患者のため，別病棟の一部を避難所として確保したが，災害時母児救護所を設けることを各自治体は検討すべきである．

妊　婦

- 点滴を実施している場合，電源コードを非常電源に差し替える．

- 大部屋の妊婦は部屋で待機，1 室に看護スタッフ 1 名が付く．
- MFICU の妊婦は車椅子に移り，避難・搬送に備える．

● **ポイント**：大震災時には，急性期に切迫早産患者が急増することはなかったが，薬剤供給体制については，工場被災による供給停止など，さまざまな不確定情報が錯綜し混乱した．薬剤供給情報の一本化が望まれる．

》新生児

- 保温：低体温にならないように，可能な限り母児同室とする．おくるみを巻き，特に出産当日の児は，湯たんぽなどで温める．
- 肌着：不足が予想されるので毎日着替えず，原則退院時まで着用する．
- 沐浴：給湯器が使用できない際は，ナースステーションでお湯を沸かし，沐浴槽に溜めて運用する．
- 沐浴練習：通常の沐浴練習はせず，マザールーム（褥婦用談話室）で人形を使って説明する．
- 可能な限り母乳育児を行う．

地域における周産母子センターの診療体制

》災害時小児周産期リエゾンを中心としたコーディネート体制の確立

インターネットや FAX を用いた平時の周産期医療コーディネート体制は不能となるので，災害時小児周産期リエゾンを中心とした対応体制を迅速に確立する．院内においては，センター全体の統括，クロノロジー，ライフラインや物資の情報収集，支援物資の情報整理（ロジスティックス），自治体や支援団体との調整，等を行う担当者を決めて，体制づくりを行う．

》地域医療機関のライフライン，医療資源などの情報収集

情報収集係を中心に，1 日 2 回程度，県内の各病院，診療所のライフライン・医療物資の不足状況，被災状況を把握する．その状況をホワイトボード等に記載し，周産母子センター内で情報を共有すると共に PEACE に入力し，リエゾンへ情報提供を行う．

》患者搬送体制

- 被災地急性期では，道路網の寸断，燃料不足などから，妊婦のアクセスは著しく制限されるため，「遠方からのヘリ搬送」「地域患者受け入れ」の 2 点に課題が集約される．災害時小児周産期リエゾンを中心とした災害訓練を繰り返し行うことが肝要である．
- 被災状況は，刻々と変化するため，朝夕の情報アップデートは必須である．

》支援物資・支援スタッフの調整

- PEACE を十分に利活用する．
- 周産母子センターの対外的な窓口を一本化して，被災地外へ広く周知する．
- 必要な医療物資は，被災の状況・時期により大きく異なり，刻々と変化してゆくため，少なくとも 2 週間程度，毎日 2 回程度のアップデートは必要である．
- 周産母子センター関連の支援物資は，他科と比較して特殊で多岐にわたることから，災害対策本部での差配は困難であることが予想される．
- 必要物品リストを各医療機関ごとに毎日作成して，常に把握しておく．
- 支援物資を送る際には必ず物品リストを付けて，被災側の負担を軽減する．
- 避難所における必要物品の把握は通常困難を極めるが，リエゾンによって行政の情報が収集・共有されることが期待される．
- 支援スタッフが最も必要とされる時期は，急性期では発災後 1 週間であるので，学会（PEACE）を通した迅速な災害時産科救急支援体制の確立が必要である．

東北大学大学院 ● 菅原準一

周産期医療における診断・治療の思考過程

要　点

- 医療現場では，診断エラーが問題となっている．診断エラーの背景には，システムエラーや認知エラーが関連することが少なくない．
- 診断エラーのリスクを減らすために，問診，適切な検査の適用と解釈，システムエラーへの理解，認知エラー（認知バイアス）を減らすための戦略などが重要である．
- 診断に向けた推論において，症候に応じた妊産婦における鑑別疾患が整理されていることが有用である．

臨床推論の意義

妊産婦と胎児にとって望ましい周産期管理を提供するためには，病的な状態に対する正しい診断が前提となる．また，疾患によっては緊急性を要するために，診断プロセスに要する時間の短縮が望まれる場合がある．

一方, 診断エラーは患者に実害を及ぼすことがある．臨床医学の現場において，診断エラーの頻度は必ずしも少なくないことが指摘されている．また，診断エラーの多くの場合には, 極めて稀な病態であった場合（過失がない場合）を除けば，技術的問題や組織内のシステムの不具合などのシステムエラー，および情報不足や正しくない推論などの認知エラーが関与していることがわかっている．

診療における意思決定過程が臨床推論である．臨床推論は, さまざまな要素によって構成されるが（表 1），これらの要素を理解した上で診療にあたることが望まれる．診断エラーは，臨床推論で取り扱っているさまざまなエラーに関連することが多いため，臨床推論の教育の必要性についても認識されるようになっている．

表 1 ● 臨床推論を構成する要素

- 臨床におけるコミュニケーション能力
- 適切な検査の実施と解釈
- 意思決定の共有
- 認知バイアスの理解
- ヒューマンファクターの理解
- メタ認知
- 患者中心の EBM

EBM：evidence based medicine

問診（病歴聴取）と診察

病歴を知ること，つまり問診は診断プロセスの基本であり，診断の 7 ～ 8 割は病歴聴取によって可能であるといわれる．詳細な病歴聴取によって「見逃したくない」疾患を含む鑑別診断のリストアップが可能となる．

「見逃したくない」疾患で時間経過が予後に影響を与えるものでは, レッドフラッグ（その特徴的な症状，所見）を早期に把握することが，予後改善のための鍵となる．妊産婦において，重症度や緊急度が高い「見逃したくない」疾患の例を表 2 に挙げる．

問診によって得られた症状の詳細は，疾患の可能性を上げたり，または下げたりする可能性がある．問診によって作られた診断の仮説は，適切な診察と検査によって絞られていく．診察と検査は，エビデンスに基づいて用いられる必要がある．診断基準が確立された疾患に対しては，適切な診察と検査が用いられるのであれば，比較的早期に診断に至ることができる．しかし，診断基準が確立されていない疾患や，推論の手順が難しい場合があり，そのような場合には臨床家の経験に大きく影響されざるを得ない．

エビデンスに基づいた診断過程においては，尤度比（likelihood ratio；LR）が有用である．「LR ＝疾患

表 2 ● 妊産婦における「見逃したくない」疾患：症状に基づく鑑別疾患

症　状	考慮すべき疾患	
	重症度・緊急度の高い「見逃したくない」疾患	その他
頭痛	• 妊娠高血圧症候群 • 子癇発作 • 区域麻酔後 • くも膜下出血，脳出血	• 片頭痛 • 副鼻腔炎
呼吸困難	• 肺血栓塞栓症 • 羊水塞栓症 • 周産期心筋症 • 心不全 • 肺炎，敗血症 • 肺水腫	• 妊娠による生理的変化 • 喘息
胸部痛	• 大動脈解離 • 急性冠症候群 • 肺血栓塞栓症 • 羊水塞栓症 • 周産期心筋症 • 心不全 • 肺炎，敗血症 • 肺水腫	• 気胸 • 逆流性食道炎
痙攣	• くも膜下出血，脳出血 • 致死性不整脈 • 子癇発作 • てんかん • 局所麻酔中毒	
腹痛	• 常位胎盤早期剝離 • 子宮破裂 • HELLP 症候群 • 切迫流産・切迫早産 • 急性虫垂炎 • 消化管穿孔 • 胆石症 • 卵巣嚢腫茎捻転 • 大動脈解離	• 便秘 • 円靱帯の牽引痛 • 尿路結石 • 切迫流産・切迫早産の軽症

がある患者の所見陽性率／疾患がない患者の所見陽性率」であり，LR が 1 より大きい場合はその疾患である可能性が高く，LR が 1 より少なく 0 に近づく場合はその疾患である可能は低くなる．例えば，急激発症した右上腕の放散痛を伴う胸痛は，心疾患に対する LR が 4.7 と 1 より高く，正確で早い診断への契機となる．しかし，わが国の周産期医療で取り扱う疾患に対する各臨床所見の尤度比が示されていることは稀である．実際には，特定の疾患と強く関連する症状や検査所見（関連因子）は明らかにされていることが多く，それらを利用することになる．例えば，妊娠高血圧症候群，常位胎盤早期剝離の既往，前期破水，腹部外傷などは常位胎盤早期剝離と関連するリスク因子である．

検査結果の解釈

患者がある疾患を有する可能性は，検査前確率（臨床的確率）と検査の感度・特異度に依存する．例えば，合併症のない無症状の 20 歳代の非妊娠女性において D-dimer が軽度高値を示した場合では，静脈血栓塞栓症の有病率は低く，D-dimer の静脈血症に対する特異度が約 40%であることから，その可能性は極めて低いと考える．一方で，片側下肢の疼痛と腫脹を認める妊婦においては，D-dimer の静脈血栓症に対する感度は 98%であることから，深部静脈血栓症および肺血栓塞栓症を念頭に置いた精査が必要である．Wells score system は深部静脈血栓症の発症可能性の評価に用いられている[1, 2]．妊産婦における検査結果の解釈の際に留意すべき点について表 3 に示す．

表 3 ● 妊産婦における検査結果の解釈における留意点

1）患者背景に基づく有病率によって検査の的中率が異なることを考慮する必要がある．
2）それぞれの検査の感度，特異度，陽性的中率，陰性的中率の特徴に応じた解釈が必要である．
3）妊娠は多くの検査結果に影響を与える．また妊娠の時期によって異なることがある．特に，血液検査（血算，LDH，ALP，脂質など），胸部レントゲン写真，心電図，腎エコーの結果の解釈は，妊婦の特徴を理解しておく必要がある．
4）超音波検査では，検査者（産科医師，超音波技師）の技術，妊婦の特性（肥満，胎位・胎向，胎盤の位置など）の影響を受ける．

診断プロセスのエラー

診断に際して誤った推論がなされる場合に，診断プロセスのエラーには，過失のないものに加えて，システムエラー，知識格差のためのエラー，検査結果の解釈のエラー，認知エラーがある．医療現場における認知エラー（認知バイアス）[3] とシステムエラー[4] の代表例をそれぞれ表 4，表 5 に示す．

表 4 ● 医療現場における認知エラー・認知バイアスの代表例

バイアス	
投錨（アンカリング）	初診時の所見や紹介状の内容などの最初の情報に拘りすぎる傾向
診断への勢い	他の医療者が診断した後は，その診断名に勢いがついてしまい，他の鑑別疾患が考慮されなくなること
確証バイアス	いったん診断に至りそうになると，ある仮説に合致する情報のみ採用して，合致しない情報は棄却してしまう傾向
利用可能性バイアス	最近経験した症例や最近勉強した疾患が，鑑別疾患の上位に上がる傾向
有病率の無視	
診断の早期閉鎖	全ての情報を収集していないうちに診断を下してしまうこと（早期に診断プロセスを終了してしまうこと）
探索満足	いったん（比較的簡単に）診断を下すと，その他の鑑別疾患について検索することを止めてしまうこと
事後確率	ある患者の以前の診断にショートカットすること
精神疾患に起因させるエラー	精神疾患を合併する患者では，十分な評価を行わないままに精神疾患の症状であると考えること
アウトカムバイアス	ある転帰への願望が判断をかえてしまう（医療行為に伴う合併症ではなくて，自然史のせいにする）

表 5 ● 診断プロセスにおけるシステムエラーの例

- 不適切な人員配置
- 不適切な設備
- 上級医の監督不足
- 情報技術や資料を参照できる設備の不足
- 劣悪な労働環境
- 連絡手段の不備

表 6 ● デュアルプロセスセオリー

Type Ⅰ思考法	Type Ⅱ思考法
• 直感的思考法（ヒューリスティックス）	• 分析的思考法
• 迅速	• ゆっくり
• 効率的	• 非効率的
• 労力は少ない	• 労力を要する
• 信頼性が低い	• 信頼性が高く，一貫性がある
• エラーが起きやすい（バイアスの影響が出やすい）	• エラーが起きにくい
• 熟練者が頻用	• 初心者が頻用

認知バイアス

人間の思考における認知形式には，迅速で直感的なType Ⅰ思考法と，時間を要するが分析的でコントロールされたType Ⅱ思考法の2通りがあり，デュアルプロセスセオリーと呼ばれる（表6）．人間の日常における思考のほとんどはType Ⅰが用いられており，認知エラーの多くは経験則（ヒューリスティクス）を含むType Ⅰ思考法が関連することが多い．医療現場における思考法も，Type Ⅰ的思考が用いられていることが多いが，Type Ⅱ的思考が用いられることもある．状況に応じて両方の思考法を積極的に取り入れることが望ましい．また，熟練者におけるType Ⅰ思考法であるヒューリスティクスは，膨大な知識と多くの経験に裏付けられたものであり，有害というよりむしろ有意義であると考えられている[5]．

認知バイアス（表4）とは，判断を下す際に生じる無意識的偏りのことであり，不正確な判断や非論理的な解釈を生む可能性がある．認知バイアスは日常の思考過程の中にあり，医療現場においては診断エラーにつながるため問題となる．人はエラーを犯す傾向にあるが，認知のエラーは系統的に一定の方向に起きる．したがって，起こりうるエラーはある程度予測可能であり，医療者が自身の思考方法に自覚的でいることによって修正できる可能性があるといわれている．

医療現場では，日常的にType Ⅰ思考法が強く用いられる傾向にあるが，その場合はさまざまな認知バイアスが診断経過に入りこむ可能性がある．診断の過程における認知バイアスの悪影響を除去するためには，自身の思考そのものを考える，つまりメタ認知（批判的思考）の能力が望まれる．より労力が少ないType Ⅰ思考法による判断を手間は要するものの分析的なType Ⅱ思考法が監視するような状態が，デュアルプロセスセオリーにおける診断過程の遂行制御装置といえる．メタ認知機能が高い人は，無意識に Type Ⅰ思考法と Type Ⅱ思考法を協調的に用いることによって，迅速でかつ正確な診断ができる能力があるということになる[4]．

医療現場における認知バイアスを除去するために，多くの試みが検討されてきた．同時にバイアスを完全に除去することは困難であるということが再認識されてきた．バイアス軽減のために有効であると考えられている方策として，鑑別診断のルーティン化，チェックリストの利用，重症疾患のレッドフラッグ，臨床ガイドライン（例：「産婦人科診療ガイドライン－産科編」），特定の分野での警告（例：妊産婦死亡症例検討評価委員会母体安全への提言[6]）などがある．

妊産婦における症状に基づいて考慮すべき疾患

円靱帯の牽引痛，低血圧に伴う動悸，易疲労感などの妊産婦の生理的変化に伴う特有の症状の訴えは稀ではない．またその多くは経過観察が可能である．しかし，時には重篤で緊急性を要する重篤な疾患があるため注意を要する（表 2）．例えば，妊婦の下腹痛の場合は，稀ではない切迫早産と比較的稀である常位胎盤早期剝離の鑑別が重要である．急性発症と腹部板状硬が常位胎盤早期剝離のレッドフラッグである. しかし，常位胎盤早期剝離の症状や検査所見は多彩である．したがって，切迫早産と常位胎盤早期剝離の初期症状との鑑別が困難な場合が少なくない．切迫早産の診断の際には，常に常位胎盤早期剝離を鑑別疾患としてに考慮することが望ましい[7, 8]．医療現場で日常的に遭遇する稀ではない症状（所見）に対する診断プロセスにおいては，さまざまな認知バイアスが関与して誤った推論を行ってしまう可能性があり，結果的に重篤な疾患への対処が遅れる危険がある．時には Type Ⅱ思考法を働かせて，鑑別診断を挙げたうえで，前述したような妊産婦における検査の解釈の特性を理解したうえでの診断プロセスを作っていくことが重要である．一方で，重症度や緊急度が高い「見逃したくない」疾患を念頭に置いて，そのレッドフラッグを参照して速やかに推察していくヒューリスティックスを用いた診断も，その迅速性という点で意義があると思われる．

引用・参考文献

1） 日本産科婦人科学会／日本産婦人科医会編集・監修．CQ004-3 妊娠・産褥期に深部静脈血栓塞栓症（DVT）や肺塞栓症（PTE）の発症を疑ったら？"．産婦人科診療ガイドライン－産科編 2017．東京，日本産科婦人科学会，2017，20-25.
2） Weels, PS. et al. Evaluation of D-dimer in the diagnosis of suspected deep-vein thrombosis. N Engl J Med. 349, 2003, 1227-35.
3） Cooper, N., Frain, J 原著．宮田靖志監訳．ABC of 臨床推論．東京，羊土社，2018，60-62.
4） 前掲書 3），53.
5） 徳田安春．Dr. 徳田の診断推論講座．第 2 版．東京，日本医事新報社，2020，2-8.
6） 妊産婦死亡症例検討評価委員会日本産婦人科医会．母体安全への提言 2019 Vol. 10．令和 2 年 9 月.
7） 日本産科婦人科学会／日本産婦人科医会監修・編集．"CQ 302 切迫早産の診断と管理の注意点は？"．産婦人科診療ガイドライン－産科編 2020．東京，日本産科婦人科学会，2020，136-41.
8） "CQ 308 常位胎盤早期剝離の診断・管理は？"．前掲書 7），164-67.

大阪母子医療センター 石井桂介

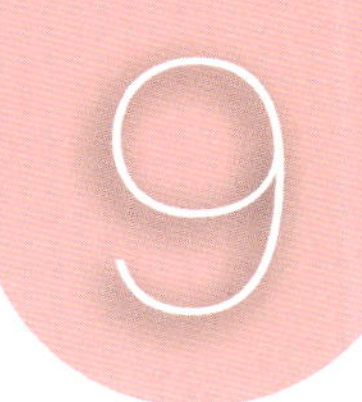

生殖医療と周産期医療

生殖補助医療の最新動向

▶ 生殖補助医療件数の推移[1)]

1978年に世界初の出産例が報告されて以降，生殖補助医療（assisted reproductive technology：ART）による妊娠・分娩例は急速に増加している．わが国においても2017年の治療周期数は450,000件に迫る勢いであり（図1），その結果として出生数は56,617人となった．同年の出生数は946,065人であることから，出生数の約6%にあたることになる．特に近年は凍結融解胚移植により出生する児が増加している（図2）．これは2008年に日本産科婦人科学会が出した多胎妊娠に関する見解により，移植胚数を制限したことで凍結保存とされる胚が増えたことに起因すると考えられる．そのような背景もあり，2008年以前には10%を超えていた多胎妊娠率を2017年には3.1%まで押し下げる結果となり，周産期予後改善に寄与している．

▶ 生殖補助医療に対する補助制度と保険収載

わが国では，これまでARTを受ける際には自費診療となっており，不妊カップルにおける経済的負担は出生数が伸び悩む原因の一端となっている可能性が指摘されてきた．2004年度以降は特定不妊治療費助成事業により一定の条件を満たせば，国からの補助を受けることが可能となり，この支援事業による助成件数は年々増加してきていた．しかし，全ての不妊カップルが助成を受けられた訳ではなく，ARTを健康保険の対象とするように求める意見が高まってきていた．保険収載となれば，医療経済に与える影響もあり，慎重な議論を求める声もあった[2)]が，2020年，政府はARTを含む不妊治療の保険収載の方針を決定し，2022年4月からは，一般不妊治療における人工授

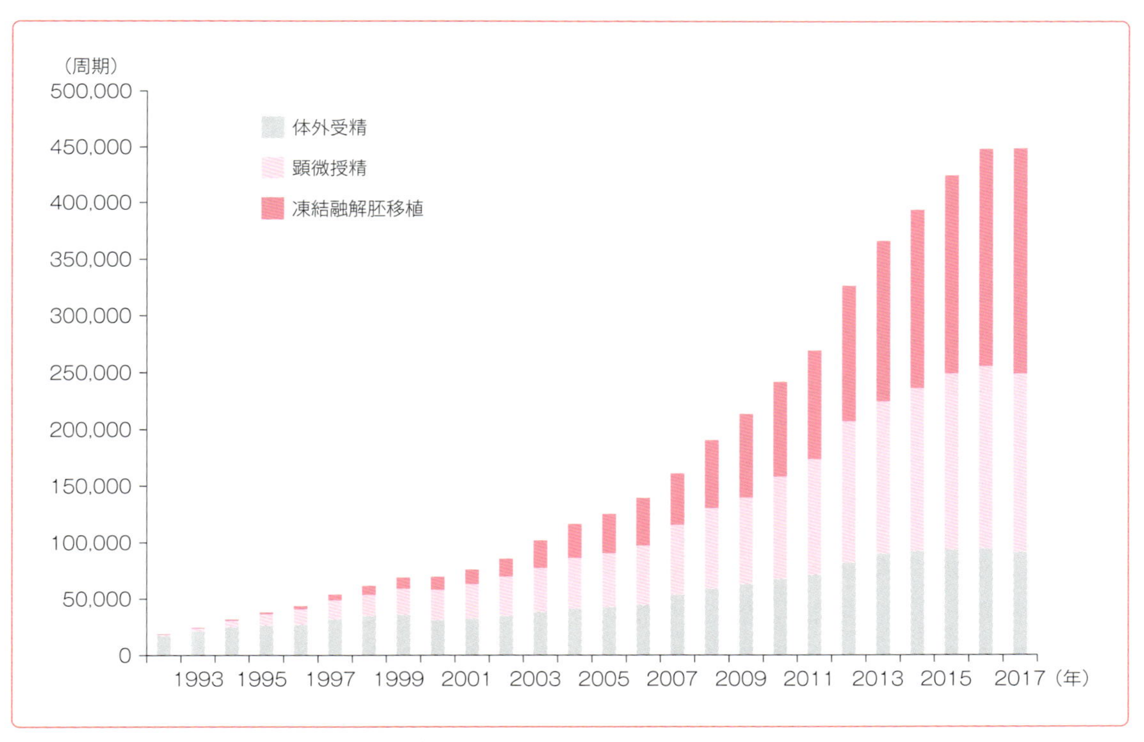

図1 ● 生殖補助医療の動向：年別治療周期数（文献1から一部改変）
年々増加傾向にあり，2016年には450,000周期近くまで達した．
ここでの「体外受精」は「体外受精＋新鮮胚移植」を，「顕微授精」は顕微授精＋新鮮胚移植を，「凍結融解胚移植」は（体外受精または顕微授精）＋凍結胚移植を意味する．

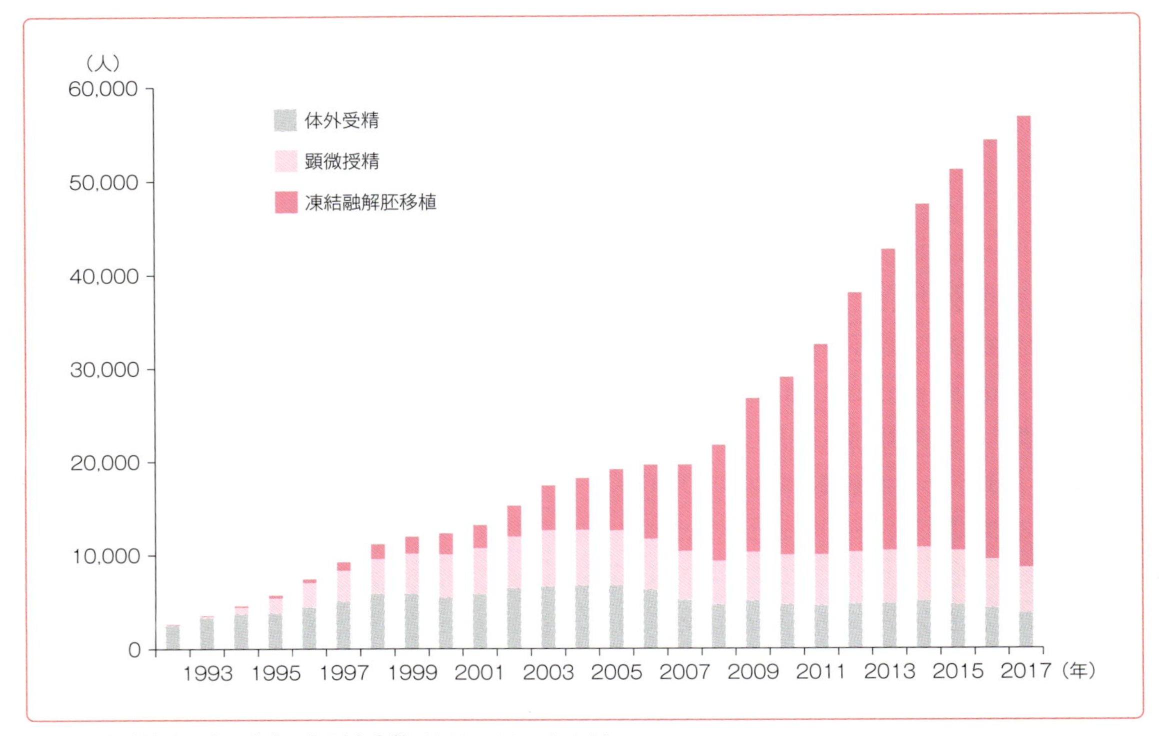

図 2 ● 生殖補助医療の動向：年別出生数（文献 1 から一部改変）
年々増加傾向にあり，2017 年には 55,000 人を超える児が出生している．
ここでの「体外受精」は「体外受精＋新鮮胚移植」を，「顕微授精」は顕微授精＋新鮮胚移植を，「凍結融解胚移植」は（体外受精または顕微授精）＋凍結胚移植を意味する．

精と，年齢・回数制限はあるものの生殖補助医療における採卵・採精・顕微授精を含む体外受精・受精卵及び胚の培養・胚凍結保存・胚移植の各処置が保険適用となった．政府方針を受けて日本生殖医学会が急遽作成した生殖医療ガイドラインで推奨度 A ／ B と評価された技術は概ね保険適用となったものの，推奨度 C と評価された技術に関しては，今後は先進医療として実施されていく方向となっている．今回のわが国の生殖医療における大変革は，今後生殖医療を提供する医療機関のあり方や不妊カップルの行動，ひいては周産期医療機関における対応にも影響を与えていくものと考えられる．

▶ 卵子提供

わが国では第 3 者からの卵子提供による妊娠は認められていない（2021 年 5 月現在）．一方で，少なくないカップルが卵子提供を求めて海外渡航している．卵子提供が周産期予後に与える影響は不明な点もあるが，自己胚による ART よりも母体および夫が高齢であることが多い．そのような背景もあり，自己胚による体外受精妊娠例と比較し，妊娠高血圧症候群，早産，低出生体重児などのリスクが上昇することが指摘されている[3, 4]．その他にも卵子提供後妊娠では患者の両親も高齢であり，育児サポートが受けられないなどの問題もあり，地域も含めたソーシャルサポートが必要とされる[5]．2020 年 12 月 4 日に第三者から精子や卵子の提供を受けることによって生まれた子どもの親子関係を民法で特例的に定める法律が国会で成立した．しかし，「出自を知る権利」など問題は山積している．

悪性腫瘍と生殖医療

▶ 若年者のがん罹患情況

国立がん研究センターのがん登録・統計によると，小児がん（0 ～ 14 歳）で罹患率が最も高いがん種は白血病である．近年，小児がんは増加傾向にあるものの，死亡数は減少しており，がんサバイバーが成人に達するようになってきた．また，AYA（adolescent and young adult）世代（15 ～ 39 歳）世代においても悪性腫瘍罹患率は増加傾向にある．

がんサバイバーに対する生殖医療

悪性腫瘍に対する治療である化学療法には性腺毒性があるものも存在し，稀発月経や無月経，卵巣機能不全を来すことがある.「小児，思春期・若年がん患者の妊孕性温存に関する診療ガイドライン 2017年版」では，がん治療医ががん治療による不妊症発症リスクを説明し，場合によっては生殖医療を専門とする医師を紹介するなど密な医療連携を取ることなどが記されている[6]. これはがんサバイバーが凍結未受精卵子や胚を使用して妊娠するには ART を必要とするためである.

がんサバイバーの周産期予後

がんサバイバーが増加していることを考えると，治療後妊娠例は増加することが予想される. 海外のデータでは放射線療法で治療されたがんサバイバーでは早産分娩と低出生体重児リスクが高い[7]. わが国のデータでは胎児発育は問題ないものの，早産分娩が多く，特に放射線療法を受けている患者は注意を要するとされる[8].

遺伝との関わり

着床前診断

近年の ART 技術および遺伝子解析技術の進歩により着床前診断（preimplantation genetic testing：PGT）が可能となった. 現在のわが国における PGT の適応は「重篤な遺伝性疾患児を出産する可能性がある遺伝子変異ならびに染色体異常を保因する場合」もしくは「均衡性染色体構造異常に起因すると考えられる習慣流産」に限られている. また，染色体異数性検査である PGT-A（aneuploidy）を施行することで 35 歳以上の女性において妊娠率向上に寄与したという報告もあり[9]，2019 年に日本産科婦人科学会主導での特別臨床研究が開始された. 一方で，PGT には倫理の問題，モザイクや胚の不安定性の問題，周産期予後や児長期予後が不明であることなどさまざまな問題があることから，施行する際には十分な遺伝カウンセリングが必要となっている.

出生前診断

母体血を用いた出生前遺伝学的検査（non-invasive prenatal testing：NIPT）開始に伴い，出生前診断は患者にとってより身近なものとなってきた. ART での妊娠成立例における染色体異常合併頻度は一般集団（0.6%）と比較して高く（3%），出生前診断の相談を受ける機会は多い[10]. ART 妊娠の方が一般集団よりも高齢であることが原因の一端である可能性があり，ART が先天異常や出生後の健康に及ぼす明らかな影響は認められていない. しかし，多くの ART 妊娠女性は不安を抱えているため，竹下は妊娠成立後のみならず，妊娠前から遺伝カウンセリングを行うことが患者および家族の不安を取り除くには重要であると述べている[11].

妊娠・分娩管理

胎盤付着部異常

前置胎盤などの胎盤付着部異常は ART 妊娠において発症リスクが増大する[12, 13]. 原因としては胚の体外培養段階で絨毛形成が開始することから胎盤形成における機能異常を引き起こす可能性があること，分泌期初期における子宮筋の運動の影響や高齢でも子宮下部は正常内膜が比較的保たれていることから子宮下部に胚が着床しやすいこと，動脈硬化などによる不十分な脱落膜層の血管構築が要因で代償性に胎盤が子宮下部に胎盤が発育することなどが挙げられている[14, 15]. 胎盤付着部異常では妊娠中の異常性器出血や分娩時の多量出血などが予想され，輸血や止血操作を要する可能性があるため，施設によっては高次施設への紹介が考慮される.

周産期合併症

ART 妊娠では早産分娩，帝王切開分娩が多い. その理由としては胎盤位置異常や高齢であることが挙げられる[12]. また，わが国の周産期データベースを用いた解析において ART 妊娠では自然妊娠群に比較して妊娠高血圧症候群（hypertensive disorder in pregnancy：HDP），妊娠糖尿病が高頻度とされる[10]. また，HDP についてはメタ解析の結果でも発症率が高い[16]. ただし，周産期合併症は不妊治療を受ける原因によって発症率が異なっており[17]，さらに新鮮胚移植か凍結胚移植かによっても発症率が異なることから，ART 自体が周産期予後に与える影響は一様ではない.

しかし，ART 妊娠でも年齢が上昇するごとに HDP 発症率が上昇するため[9]，年齢を考慮した周産期管理は重要である．

▶ 胎児発育異常，胎児構造異常

ART 妊娠では低出生体重児や胎児先天性心疾患が多い[12, 18]．低出生体重児については双胎妊娠や早産が関係している可能性がある．また，自然周期と比較して凍結胚移植後妊娠では早産分娩や低出生体重児が少なく，large-for-gestational-age（LGA）が多いという報告もあり，不妊治療の内容によっても周産期や新生児予後は異なる可能性がある[19～21]．また，ART はエピジェネティックな変化を児にもたらす可能性が指摘されており，Prader-Willi 症候群などのインプリンティング疾患発症頻度が上昇する可能性が指摘されている．そのため，ART 妊娠の胎児超音波検査において LGA や small-for-gestational-age を認めた際にはインプリンティング疾患の可能性に留意する必要がある[22]．

分娩様式

ART 妊娠では分娩時の疼痛や外傷に対する恐怖，体力的な不安などさまざまな理由から医学的に適応のない帝王切開術を希望されることがある[23]．また，ART 妊娠では分娩第 2 期が長いという報告もあり[24]，体力や夜間の帝王切開分娩となるリスクなどを考慮し，医療者側も「希望があるなら…」と帝王切開術を選択しがちである．しかし，帝王切開術はあくまでも手術であり，術中や術後合併症，麻酔による合併症などのリスクがあるため，安全とは言い切れない．さらに，帝王切開術分娩により生まれた児は将来的に肥満，喘息，アトピー性皮膚炎や食物アレルギーなどのリスクが高い[25～27]．適応のない帝王切開術希望者や家族に対して適切な情報提供と教育を行うことで帝王切開分娩率を低下させたという報告もある[28]．われわれ医療従事者は十分に患者の心情や分娩時のリスクを認識し評価した上で，適切な分娩様式を患者や家族とともに選択することが重要であり，安易に帝王切開術を選択すべきではないと考える．

産褥期の管理

産後うつはわが国では褥婦の 5 ～ 10%に認められる[29]．ART 妊娠では産後うつの発症頻度は上昇しないが，不妊治療の年数と産後うつ発症率は相関するとされ，長期間の ART 後に妊娠成立した症例では特に注意を要する[30]．また，ART 妊娠ではサポートする家族も高齢となっており，十分なサポートが得られない可能性があるため，多くの不安を抱えながら孤独になってしまう可能性も考えられ，個々人に合わせて対応やケアを考えることが重要とされる．

生殖医療と周産期医療の間に介在する問題点

わが国では多くの場合，ART を行う施設と周産期管理を行う施設が異なる．ART 実施施設では妊娠成立後の経過を詳細に確認することは困難であり，ART 専従医が周産期管理の困難さを理解するのは難しいことが多い．このような状況が超高齢やコントロール不良な内科疾患を合併する女性などに対して ART を施行し，妊娠成立することにつながっている可能性がある．この問題に対する解決策として，1 つは周産期医療に携わる医療従事者が ART に携わる医療従事者に十分なフィードバックを伝えることである．もう 1 つは妊娠を希望する女性が妊娠・出産のリスクを十分に理解することである．そのために産科のみならず他科と連携したプレコンセプショナルケアを行うことは妊娠前の時点で妊娠経過中や分娩時，それ以降の子育てまでを視野に入れた計画や状況把握をすることに有用である[31]．

引用・参考文献

1） 日本産科婦人科学会登録調査小委員会．ART データブック 2017 年．http://plaza.umin.ac.jp/ ~ jsog-art/2017data_20191015.pdf（2021.1.23. 閲覧）
2） 石原理．生殖医療のこれらの課題．医学と薬学．76，2019，53-56.
3） Savasi, VM. et al. Maternal and fetal outcomes in oocyte donation pregnancies. Hum Reprod Update. 22, 2016, 620-33.
4） Storgaard, M. et al. Obstetric and neonatal complications in pregnancies conceived after oocyte donation : a systematic review and meta-analysis. BJOG. 124, 2017, 561-72.

5) 倉員正光ほか．当センターにおける卵子提供妊娠の患者背景，産科合併症と周産期転帰．産婦人科の実際．69，2020，175-81．
6) 日本癌治療学会編．“総論 CQ1．挙児希望を有するがん患者に対して，どのような妊孕性に関連する情報を提供”．小児，思春期・若年がん患者の妊孕性温存に関する診療ガイドライン 2017 年版．東京，金原出版，2017．
7) Reulen, RC. et al. Pregnancy outcomes among adult survivors of childhood cancer in the British Childhood Cancer Survivor Study. Cancer Epidemiol Biomarkers Prev. 18, 2009, 2239-47.
8) Sekiguchi, M. et al. Pregnancy outcomes in female childhood cancer survivors：Nationwide survey in Japan. Pediatr Int. 60, 2018, 254-58.
9) Munne, S. et al. Detailed investigation into the cytogenetic constitution and pregnancy outcome of replacing mosaic blastocysts detected with the use of high-resolution next-generation sequencing. Fertil Steril. 108, 2017, 62-71.
10) 平原史樹．体外受精治療の問題点：新生児異常の実態．体外受精治療の行方　問題点と将来展望．臨床婦人科産科．69，2015，726-31．
11) 竹下直樹．生殖補助医療と遺伝カウンセリング．最新小児・周産期遺伝医学研究と遺伝カウンセリング．2019，240-47（遺伝子医学 MOOK 別冊）．
12) Wennberg, AL. et al. Effect of maternal age on maternal and neonatal outcomes after assisted reproductive technology. Fertil Steril. 106, 2016, 1142-49 e1114.
13) 藤森敬也ほか．ART 治療症例の周産期予後調査：日産婦周産期登録のデータベースを用いて．産科と婦人科．89，2011，863-69．
14) Mukhopadhaya, N. et al. Reproductive outcomes after in-vitro fertilization. Curr Opin Obstet Gynecol. 19, 2007, 113-19.
15) Jackson, RA. et al. Perinatal outcomes in singletons following in vitro fertilization：a meta-analysis. Obstet Gynecol. 103, 2004, 551-63.
16) Thomopoulos, C. et al. Assisted reproductive technology and pregnancy-related hypertensive complications：a systematic review. J Hum Hypertens. 27, 2013, 148-57.
17) Palomba, S. et al. Pregnancy complications in spontaneous and assisted conceptions of women with infertility and subfertility factors：A comprehensive review. Reprod Biomed Online. 33, 2016, 612-28.
18) Giorgione, V. et al. Congenital heart defects in IVF/ICSI pregnancy：systematic review and meta-analysis. Ultrasound Obstet Gynecol. 51, 2018, 33-42.
19) Pelkonen, S. et al. Perinatal outcome of children born after frozen and fresh embryo transfer：the Finnish cohort study 1995-2006. Hum Reprod. 25, 2010, 914-23.
20) Pinborg, A. et al. Large baby syndrome in singletons born after frozen embryo transfer（FET）：is it due to maternal factors or the cryotechnique? Hum Reprod. 29, 2014, 618-27.
21) Wennerholm, UB. et al. Perinatal outcomes of children born after frozen-thawed embryo transfer：a Nordic cohort study from the CoNARTaS group. Hum Reprod. 28, 2013, 2545-53.
22) 杉山隆．ART 妊娠による周産期合併症：周産期の立場から．日本産科婦人科学会雑誌．68，2016，3045-51．
23) Jenabi, E. et al. Reasons for elective cesarean section on maternal request：a systematic review. J Matern Fetal Neonatal Med. 2019, 1-6.
24) 今井公俊．高年初産は難産か？　周産期医学．44，2014，129-32．
25) Thavagnanam, S. et al. A meta-analysis of the association between Caesarean section and childhood asthma. Clin Exp Allergy. 38, 2008, 629-33.
26) Li, HT. et al. The impact of cesarean section on offspring overweight and obesity：a systematic review and meta-analysis. Int J Obes（Lond）. 37, 2013, 893-99.
27) Bager, P. et al. Cesarean delivery and risk of intestinal bacterial infection. J Infect Dis. 201, 2010, 898-902.
28) Chen, I. et al. Non-clinical interventions for reducing unnecessary caesarean section. Cochrane Database Syst Rev. 9, 2018, CD005528.
29) Kitamura, T. et al. Multicentre prospective study of perinatal depression in Japan：incidence and correlates of antenatal and postnatal depression. Arch Womens Ment Health. 9, 2006, 121-30.
30) Csatordai, S. et al. Obstetric and sociodemographic risk of vulnerability to postnatal depression. Patient Educ Couns. 67, 2007, 84-92.
31) 池田智明ほか．生殖と周産期のリエゾン：生殖医が知っておくべきこと，産科医ができること．東京，診断と治療社，2020，165-68．

慶應義塾大学 ● 春日義史 ● 田中　守

心血管疾患—先天性心疾患，心筋症，不整脈，弁置換後や弁膜症など—

要点

2019年に日本循環器学会・日本産科婦人科学会による『心疾患患者の妊娠・出産の適応，管理に関するガイドライン』が改定されたため，本稿では本ガイドラインを中心に概説する．

心血管疾患を有する女性の妊娠においては妊娠前にリスク評価を行うことが望ましい．妊娠中の管理においては，妊娠・出産に伴う母体の生理的変化を踏まえて定期的に心臓の評価を行う．妊娠が長期予後に与える影響については十分なエビデンスがないことを心疾患を有する女性には伝えておくことが推奨されている．

1. 心疾患（不整脈を除く）

総論

頻度

心疾患は全妊娠の1% に合併する[1]．

妊娠・出産による母体の循環動態の変化

妊娠中，母体循環血液量は妊娠4週頃より増加しはじめ，妊娠32週頃に最大となり，妊娠前に比べ40～50%増加する．心拍数は妊娠32週前後でピークに達し，妊娠前より約20%増加する．心拍出量は妊娠20～24週にかけて妊娠前の30～50%まで増加する[2~7]．

分娩中は，子宮収縮によって循環血液量が300～500ｍL増加するため，心拍出量は15～25%増加し，一過性に心拍数や血圧は上昇する[8, 9]．

分娩後は子宮による下大静脈の圧迫が解除され，急激な静脈還流の増加が起こるため，一過性に容量負荷を来す．分娩後，循環動態が妊娠前の状態に戻るのに4～6週間かかるといわれている[8, 9]．分娩の前後では母体に最も大きな循環動態の変化が起こるため，modified WHO分類（表1）Ⅱ度以上であれば専門施設での分娩が望ましい．

リスク評価

『心疾患患者の妊娠・出産の適応，管理に関するガイドライン』では，心疾患を有する患者における妊娠のリスク評価の指標として，modified WHO分類（表1），New York Heart Association（NYHA）分類（表2），CARPREG Ⅱリスクスコア（表3），ZAHARAリスクスコア（表4）が紹介されている[10]．

母体の循環動態の変化を考慮し，妊婦健診の際には心臓に関連すると思われる症状や不整脈の有無を確認しながら，適宜，心臓超音波検査，安静時心電図，脳性ナトリウム利尿ペプチド（BNP）を含めた血液検査などを行い，医学的介入の必要性を評価する．妊娠・出産に伴う循環動態の変化に対する母体心臓の適応可否を見極めるためには，妊娠から産後を通じ，複数回に渡って循環動態の評価を行うことが望ましく，中絶可能である妊娠22週まで臨床症状の進行がないことや心拍出量が十分に増加しているかどうかを確認する必要がある．妊娠 22 週に達するまでに NYHA 分類Ⅲ度以上に増悪した症例では，妊娠の中断も検討する．

分娩時の管理について

分娩進行時の努責は，循環動態の急激な変化の原因となるため，少なくとも NYHA 分類Ⅱ度以上の妊婦は，硬膜外麻酔などの麻酔分娩の適応とされている[11～15]．

合併症，長期予後について

心疾患合併妊娠における母体合併症では，心不全，不整脈，血栓塞栓症，大動脈解離，感染性心内膜炎などの心血管合併症を併発する可能性がある．また，胎児側では流産，死産，早産，small-for gestational age（SGA）などがある[10]．先天性心疾患を有する親から生まれた児が先天性心疾患を繰り返す確率は一般に比べて 3 ～ 5 倍といわれており，心疾患を有する妊婦には妊娠 18 ～ 20 週に胎児心臓超音波のスクリーニングを受けることが推奨される[16]．

また，妊娠が長期予後に与える影響については疾患ごとにさまざまな研究がなされているが，現時点では十分なエビデンスは存在していない．このことは心疾患を有する女性に伝えられておくべきとして推奨されている[10]．

表 1 ● modified WHO 分類を用いた母体心血管リスク評価（わが国独自の内容を追加）

modified WHO 分類妊娠リスクカテゴリー	母体の危険因子
modified WHO クラスⅠ 母体死亡リスクの増加なし 母体罹病リスクなし，あるいは軽度増加	単純型の軽症肺動脈狭窄，PDA，僧帽弁逸脱 良好な修復術後である単純型先天性心疾患（ASD，VSD，PDA，肺静脈還流異常） 単発性の心房あるいは心室期外収縮
modified WHO クラスⅡ（妊娠していなければ問題とならないレベル） 母体死亡リスクの軽度増加 母体罹病リスクの中等度増加	未修復の ASD，VSD Fallot 四徴症心内修復術後 ほとんどすべての不整脈
modified WHO クラスⅡ～Ⅲ（個々の状態による） 母体死亡リスクの中等度増加 母体罹病リスクの中等度増加	軽度の左心室機能低下 HCM 自己弁あるいは生体弁の弁膜症で WHO 分類ⅠかⅣ以外 Marfan 症候群（大動脈拡大なし） 大動脈二尖弁を伴う大動脈疾患（大動脈径＜45mm） 大動脈縮窄症術後
modified WHO クラスⅢ 母体死亡リスクの有意な増加 母体の重病罹病リスクの有意な増加 ※妊娠禁忌まではいかないが，個々の状態により WHO 分類 Ⅳ と同等のこともある．熟練した専門家のカウンセリングが必要．継続の場合は，妊娠全経過中，分娩，産褥期と，心臓・産科ともに集中かつ専門的経過観察が必要	機械弁（わが国では WHO クラスⅣ） 体心室右室 Fontan 術後 未修復のチアノーゼ性心疾患（チアノーゼの程度による） その他の複雑型先天性心疾患 Marfan 症候群（大動脈径 40 ～ 45mm） 大動脈二尖弁を伴う大動脈疾患（大動脈径 45 ～ 50mm）
modified WHO クラスⅣ きわめて高い母体死亡リスク きわめ高い母体の重症罹病リスク ～妊娠禁忌～ ※妊娠したら人工妊娠中絶を検討すべき．継続の場合はクラスⅢに準ずる	肺動脈性肺高血圧（いかなる原因でも） 高度な体心室機能低下（LVEF＜30%, NYHA 心機能分類Ⅲ～Ⅳ度） 周産期心筋症の既往と左心室機能低下の残存 重症僧帽弁狭窄，症候性の重症大動脈弁狭窄 Marfan 症候群（大動脈径＞45mm） 大動脈二尖弁を伴う大動脈疾患（大動脈径＞50mm） 未修復の重症大動脈縮窄症

ASD：心房中隔欠損，HCM：肥大型心筋症，LVEF：左室駆出分画，PDA：動脈管開存，VSD：心室中隔欠損
日本循環器学会／日本産科婦人科学会．心疾患患者の妊娠・出産の適応、管理に関するガイドライン（2018 年改訂版）より転載
https://www.j-circ.or.jp/cms/wp-content/uploads/2020/02/JCS2018_akagi_ikeda.pdf（2022. 4. 15 閲覧）

表 2 ● NYHA 心機能分類

Ⅰ度	心疾患があるが，身体活動に制限なし．通常の労作で症状なし．
Ⅱ度	心疾患があり，身体活動が軽度に制限される．通常の労作で症状あり．
Ⅲ度	心疾患があり，身体活動が著しく制限される．通常以下の労作で症状あり．
Ⅳ度	心疾患があり，すべての身体活動で症状が出現する．安静時にも症状があり，労作で増強する．

日本循環器学会／日本産科婦人科学会．心疾患患者の妊娠・出産の適応、管理に関するガイドライン（2018 年改訂版）より転載
https://www.j-circ.or.jp/cms/wp-content/uploads/2020/02/JCS2018_akagi_ikeda.pdf（2022. 4. 15 閲覧）

表 3 ● CARPREG Ⅱリスクスコア（わが国独自の内容を追加）

危険予測因子	点数
妊娠前の心疾患イベント（心不全，狭心症，不整脈，脳虚血発作）	3
NYHA 心機能分類Ⅲ度またはⅣ度，あるいはチアノーゼ（SpO_2<90%）	3
機械弁置換術後	3
体心室機能低下（LVEF<40%）*1	2
高度左室流出路弁あるいは流出路狭窄 *2	2
肺高血圧の合併	2
冠動脈疾患の合併	2
高度の Aortopathy	2
過去に治療介入を受けていない病変	1
妊娠評価の受診が遅れた患者	1

リスクスコアと母体心血管イベント発生率

リスクスコア値	予測される母体心血管イベント発生率
0～1	5%
2	8%
3	15%
4	20～25%
5 以上	40～45%

*1 心筋症の項も参照（とくに HCM，拘束型心筋症，周産期心筋症）
*2 心臓超音波検査で僧帽弁有効弁口面積<2cm²，大動脈弁口面積<1.5cm²，最大左室流出路圧較差>30mmHg
日本循環器学会／日本産科婦人科学会．心疾患患者の妊娠・出産の適応、管理に関するガイドライン（2018 年改訂版）より転載
https://www.j-circ.or.jp/cms/wp-content/uploads/2020/02/JCS2018_akagi_ikeda.pdf（2022. 4. 15 閲覧）

表 4 ● ZAHARA リスクスコア（わが国独自の内容を追加）

母体心疾患イベントの危険因子	スコア（重量化）
不整脈の既往	1.5
妊娠前の心臓薬物治療	1.5
NYHA 心機能分類Ⅲ度またはⅣ度	0.75
左室流出路狭窄 *	2.5
体循環房室弁逆流（中等度以上）	0.75
肺循環房室弁逆流（中等度以上）	0.75
機械弁	4.25
チアノーゼ性心疾患（修復術前後を問わず）	1.0

リスクスコアと母体心血管イベント発生率

リスクスコア値	母体の心血管イベント発生率
0～0.50	2.9%
0.51～1.5	7.5%
1.51～2.5	17.5%
2.51～3.5	43.1%
>3.51	70.0%

*平均大動脈弁圧較差>50mmHg あるいは大動脈弁口面積<1.0cm²
日本循環器学会／日本産科婦人科学会．心疾患患者の妊娠・出産の適応、管理に関するガイドライン（2018 年改訂版）より転載
https://www.j-circ.or.jp/cms/wp-content/uploads/2020/02/JCS2018_akagi_ikeda.pdf（2022. 4. 15 閲覧）

妊娠リスクの評価

NYHA 分類では，母体死亡率はⅠ～Ⅱ度で 0.4%，Ⅲ～Ⅳ度で 6.8%，胎児死亡率はⅣ度で 30%とする報告がある[17]．Ⅱ度以下では妊娠・出産が可能であることが多いが，それでも死亡例がみられるため NYHA 分類単独での判断は危険である．その他のリスクスコアにおける心血管イベント発生率については**表 3～4** の通りである．なお，これらのスコアでは新生児合併症のリスク評価については不十分であったとする報告がある[18]ため，その点にも注意が必要である．

また，妊娠の際に厳重な注意を要する，あるいは妊娠を避けることが強く望まれる心疾患として，『心疾患患者の妊娠・出産の適応，管理に関するガイドライン』では肺高血圧症（Eisenmenger 症候群），流出路狭窄（大動脈弁高度狭窄平均圧>40～50mmHg），心不全（NYHA 分類Ⅲ～Ⅳ度，LVEF<35～40%），Marfan 症候群（上行大動脈拡張期径>40mmHg），機械弁，チアノーゼ性心疾患（SpO_2<85%）を挙げている[10]．

妊娠中の管理

合併症のない妊婦の定期健診スケジュールは，およそ妊娠 11 週末までに 3 回程度，12 週から 23 週末までは 4 週ごと，24 週から 35 週までは 2 週ごと，36 週以降は 1 週ごとが標準とされる．循環血漿量の増大がピークを迎える 20 ～ 30 週頃は心不全の好発時期であるため，心血患疾患をもつ妊婦では，この時期に心臓超音波検査の再検を行う．中～高リスクの心疾患患者（modified WHO 分類Ⅱ以上）の症例では，循環器外来にも頻回の受診をして経過観察する．原則として病態の変化が捉えられたら程度により週に 1 ～ 2 度の検診とするが，明らかな心機能低下，心不全徴候がみられた場合はただちに入院安静とし，追加治療の必要性を検討する．薬物治療に関してはガイドラインのエビデンスを参照しながら行う[10]．

機械弁置換術後の患者では生涯の抗凝固療法が必要となるが，妊娠中は凝固能が亢進するため，十分な抗凝固療法が行われていてもおよそ 3 ～ 4%の血栓塞栓症と 1 ～ 2 の母体死亡が発生することが報告されている[19, 20]．機械弁に対する血栓予防効果が最も高いのはワルファリンであるが，妊娠初期での使用は胎児に対する催奇形性の問題がある．また，低分子ヘパリンは限られた保険適用しかない．

機械弁置換術後妊娠の抗凝固療法については，①妊娠の全期間を通じて 5mg 未満のワルファリン内服を継続する，②妊娠 6 ～ 13 週に未分画ヘパリンもしくは低分子ヘパリンを使用し，14 週以降はヘパリンの継続もしくはワルファリンの内服を選択する，③妊娠の全期間を通じて未分画ヘパリンあるいは低分子ヘパリンを投与する，という 3 つの管理法が提案されている[10]．なおヘパリンは血栓予防効果が不確実であり，ワルファリンの経口投与への変更が母体にとって望ましい．いずれの場合も 34 ～ 36 週にはワルファリンの経口投与は中止し，凝固能をモニタリングしながら用量を調整したヘパリンの点滴静注に切り替えて分娩に備える．

分娩時の対応

一般に分娩様式は経腟分娩とする．分娩中の体位は左側臥位とし，陣痛間欠期に頻回のバイタルサインの確認を行う．心拍数が 100bpm 以上となるか呼吸数が 24 回 / 分以上で特に息切れを伴う場合は心不全を疑い，心疾患の病態を踏まえて治療を検討する[21]．循環動態不安定，ないし産科的適応がある場合は帝王切開を行う．帝王切開の適応となる心疾患については，① 4cm 以上に拡張した大動脈瘤がある，②急性の重症なうっ血性心不全，③最近認めた心筋梗塞，④重症な症候性の大動脈狭窄症，⑤分娩の 2 週間以内にワルファリンを投与している，⑥分娩直後に緊急の弁置換が必要な場合，とする報告がある[22]．

分娩時の硬膜外麻酔は血圧低下により心拍出量を低下させることが期待でき，頻脈性不整脈や逆流性弁疾患などが適応となるが，心臓内シャント，肺高血圧，大動脈狭窄を有する場合には危険である[10, 21]．

産褥期の管理

心疾患の中にはチアノーゼ性先天性心疾患，大動脈肺動脈吻合術後，人工弁置換術後など器質的に感染性心内膜炎のリスクが高いものがある．感染性心内膜炎の発生頻度は 0.006%程度とされているが，発症した場合は母体死亡率が 11 ～ 33%，胎児死亡率が 14 ～ 29%と報告されており，注意を要する[23～25]．分娩後は裂傷が侵入門戸となり感染性心内膜炎のリスクが高い状態と考えられる．**表 5** に示した感染性心内膜炎発症リスクに応じて，①感染性心内膜炎の高度リスク群では分娩時の抗菌薬の予防投与を推奨する，②高リスク以外の心疾患では，感染性心内膜炎の発生確率が低いことを考慮して抗菌薬の予防投与を強くは推奨しないが，投与自体を否定するものではない．抗菌薬の選択は起因菌の抗菌薬感受性に応じて行うが，標準的な予防投与が**表 6** のように提案されている[10]．

表 5 ● 基礎心疾患別リスクと予防的抗菌薬投与

小児 / 先天性心疾患における IE の基礎心疾患別リスクと，歯科口腔外科手技に際する予防的抗菌薬投与の推奨とエビデンスレベル

IE リスク	推奨クラス	エビデンスレベル
1. 高度リスク群（感染しやすく，重症化しやすい患者）		
• 人工弁術後 • IE の既往 • 姑息的吻合術や人工血管使用例を含む未修復チアノーゼ型先天性心疾患 • 手術，カテーテルを問わず人工材料を用いて修復した先天性心疾患で修復後 6 カ月以内 • パッチ，人工材料を用いて修復したが，修復部分に遺残病変を伴う場合 • 大動脈縮窄	I	B
2. 中等度リスク群（必ずしも重篤とならないが，心内膜炎発症の可能性が高い患者）		
• 高度リスク群，低リスク群を除く先天性心疾患（大動脈二尖弁を含む） • 閉塞性肥大型心筋症 • 弁逆流を伴う僧帽弁逸脱	IIa	C
3. 低リスク群（感染の危険性がとくになく，一般の人と同等の感染危険率とされる患者）		
• 単独の二次孔型 ASD • 術後 6 カ月を経過し残存短絡を認めない VSD または PDA • 冠動脈バイパス術後 • 弁逆流を合併しない僧帽弁逸脱 • 生理的，機能性または無害性心雑音 • 弁機能不全を伴わない川崎病の既往	III	C

エビデンス評価の詳細は「CQ5：小児 / 先天性心疾患に対する歯科処置に際して抗菌薬投与は IE 予防のために必要か？」参照

IE：感染性心内膜炎

日本循環器学会ほか．感染性心内膜炎の予防と治療に関するガイドライン（2017 年改訂版）

https://www.j-circ.or.jp/cms/wp-content/uploads/2017/07/JCS2017_nakatani_h.pdf（2022. 4. 15 閲覧）表 29 より転載

表 6 ● 抗菌薬の標準的予防投与法

経口投与	βラクタム系抗菌薬アレルギー	抗菌薬	投与量	投与回数	備考
可能	なし	アモキシシリン	2g[*1,*2]	単回	処置前 1 時間に投与
不可能	なし	アンピシリン	1 ～ 2g	単回	処置開始 30 分以内に静注，筋注，または手術開始時から 30 分以上かけて点滴静注
		セファゾリン	1g		
		セフトリアキソン	1g		処置開始 30 分以内に静注，または手術開始時から 30 分以上かけて点滴静注

[*1] または体重あたり 30mg/kg

[*2] なんらかの理由でアモキシシリン 2g から減量する場合は，初回投与 5 ～ 6 時間後にアモキシシリン 500mg の追加投与を考慮する

日本循環器学会／日本産科婦人科学会．心疾患患者の妊娠・出産の適応、管理に関するガイドライン（2018 年改訂版）より転載

https://www.j-circ.or.jp/cms/wp-content/uploads/2020/02/JCS2018_akagi_ikeda.pdf（2022. 4. 15 閲覧）

2. 不整脈

頻度・妊娠リスクの評価

頻　度

妊娠中は循環血液量増加の影響，自律神経機能の変化，内分泌の変化，精神的・心理的ストレスにより不整脈が悪化しやすい．基礎心疾患に合併する不整脈の他に，甲状腺機能異常，電解質異常，薬剤による二次性不整脈がある．

米国の 19 年間 13 万例の妊娠に関する報告によれば，不整脈による入院は妊娠例のうち 0.17%であ

ったが，治療を要するような不整脈は頻度が低かった[26]．しかし，先天性心疾患患者の妊娠に限った調査では，4.5%に不整脈がみられ，器質的心疾患を合併する場合は不整脈が多くみられる．

先天性心疾患術後患者が妊娠中に不整脈を認める場合でも，厳重な観察や適切な抗不整脈薬治療を行えば，母体・胎児とも罹病率は高いものの母体死亡は少ない．

妊娠リスクの評価

ほとんどすべての不整脈はmodified WHO 分類クラスⅡであり，不整脈単独で妊娠を避ける必要はない．

妊娠中の管理

外来では不整脈の自覚症状の有無，心電図検査などを行う．

基本的な治療方針は非妊娠時と変わらず，薬物や放射線被曝による胎児への影響を考慮して制限される．基礎疾患合併例では不整脈の発症が血行動態を破綻させることがあるため治療が優先されることもある．

カテーテルアブレーションは放射線被曝による胎児の影響があるため，可能な限り妊娠前に治療しておくことが望ましい．透視下での治療はなるべく妊娠 13 週以降に行い，被曝を最小限に抑えるようにする．

電気的除細動は妊娠中は安全とされているが，胎児心拍を確認することが望ましい．パッドの位置は通常通りで，妊娠後期に蘇生が必要な場合，胸骨圧迫は通常よりも頭側で行う．子宮による下大静脈や下行大動脈の圧排を避けるため，左側臥位か，用手的に腹部を左方へ圧排する．ただしエビデンスが十分でないため，通常の心肺蘇生が優先される[27]．

持続する心房細動や心房粗動では血栓予防を検討する．CHADS2 スコアが 2 未満では低用量アスピリンによる抗血小板療法，2 以上で抗凝固療法が必要な場合は人工弁置換術後と同様に管理を行う．直接経口抗凝固薬（direct oral anticoagulants；DOAC）など新しい抗凝固薬の妊婦への使用については現時点ではエビデンスが少ない．

分娩時の対応

帝王切開の適応は産科適応による．

3. 高血圧合併妊娠

分類・診断

分　類

2018 年の妊娠高血圧症候群の分類改定により病型に追加された．妊娠前または妊娠 20 週未満に 140/90mmHg 以上の高血圧を呈し，分娩 12 週以降も高血圧が持続する場合をいい，近年の妊婦の高齢化と肥満の増加に伴って増えている．妊婦健診における高血圧（≧140/90mmHg）を認めた際は自宅血圧測定を行う．自宅血圧が 135/85mmHg 未満の場合は白衣高血圧，以上の場合は高血圧合併妊娠を疑う．白衣高血圧は妊娠高血圧症候群には含まれない．

診　断

二次性高血圧の原因を検索する．また，妊娠第 2 三半期の生理的な血圧低下の影響下では二次性高血圧，妊娠高血圧症候群，正常血圧が鑑別となるため，妊娠 20 週以降の妊婦を初めて診察する際には注意する．

妊娠リスクの評価

高血圧合併妊娠における周産期リスクは，母児死亡のリスクだけではなく，加重型妊娠高血圧腎症，常位胎盤早期剝離，早産，胎児発育不全，帝王切開率の増加などがある．合併症の発症率は高血圧の罹病期間や重症度，加重型妊娠高血圧腎症の併発と関連がある．

妊娠中の管理

降圧薬投与は血圧の重症度と臓器障害の合併により決定される．重症高血圧（≧160 / ≧110mmHg）では降圧薬投与を考慮することが推奨されており，140 ～ 160 / 90 ～ 110mmHg を降圧の目標とする．積極的な降圧は母体リスクを減らすが，過度の降圧は胎盤循環不全により胎児成長に悪影響を与える可能性があるため注意する．

140 ～ 159/90 ～ 109mmHg の非重症域の高血圧であっても妊娠高血圧症候群は進行性の病態であり，管理には注意を要する．特に，心疾患，腎疾患，脳卒中などの臓器障害や糖尿病，脂質異常症などの代謝異常を有する場合は一般的に降圧療法が行われている．このような症例では 140/90mmHg（120 ～ 140 / 80 ～ 90mmHg）を降圧目標とする[28]．

降圧薬の選択は胎児への安全性を考慮して行う．妊娠中に経口投与可能な降圧薬には，交感神経抑制薬のメチルドパ・ラベタロールと，血管拡張薬のヒドララジン・ニフェジピンがあり，これらの中から選択する．ニフェジピンは妊娠 20 週以降投与可となっているため注意する．1 剤で降圧不良の場合は作用機序の異なる薬剤を 2 剤組み合わせる．アンジオテンシン変換酵素（ACE）阻害薬やアンジオテンシンⅡ受容体拮抗薬（ARB）は妊婦に禁忌であるため，妊娠判明後 2 日以内に中止し他剤へ変更する．

重症高血圧が持続する場合や高血圧緊急症（180/120mmHg を超える場合）ではニカルジピン持続静注もしくはヒドララジンの静注が考慮される．

分娩時の対応

合併症がなく血圧の調整が良好で，胎児発育や羊水量が正常な場合は正期産まで待機するが，母体合併症や胎児発育不全がある場合は誘発分娩を考慮する．経腟分娩時は，血圧を少なくとも 2 時間ごとに測定するとともに，緊急帝王切開に備えて飲食を制限し，インフォームド・コンセントを得ておく[29～31]．

分娩時に収縮期血圧 160 ～ 179mmHg あるいは拡張期血圧 110 ～ 119mmHg が反復して確認された場合，降圧薬による降圧治療，$MgSO_4$ による痙攣予防，あるいは両方の併用を行う．降圧目標は 140 ～ 159 / 90 ～ 109mmHg とする．収縮期血圧≧180 mmHg あるいは拡張期血圧≧120mmHg が反復して認められた場合，高血圧緊急性として速やかに降圧治療を開始し，$MgSO_4$ による痙攣予防を行う[29～32]．

引用・参考文献

1) Setaro JF. et al. "Pregnancy and cardiovascular disease". Medical complications during pregnancy. Burrow GN. ed. Philadelphia, Elsevier Saunders, 2004, 103-30.
2) Robson SC. et al. Serial study of factors influencing changes in cardiac output during human pregnancy. Am J Physiol. 256, 1989, H1060-5.
3) Mabie WC. et al. A longitudinal study of cardiac output in normal human pregnancy. Am J Obstet Gynecol. 170, 1994, 849-56.
4) Poppas A. et al. Serial assessment of the cardiovascular system in normal pregnancy. Role of arterial compliance and pulsatile arterial load. Circulation. 95, 1997, 2407-15.
5) Clark SL. et al. Central hemodynamic assessment of normal term pregnancy. Am J Obstet Gynecol. 161, 1989, 1439-42.
6) Clapp JF. et al. Cardiovascular function before, during, and after the first and subsequent pregnancies. Am J Cardiol. 80, 1997, 1469-73.
7) Sadaniantz A. et al. Cardiovascular changes in pregnancy evaluated by two-dimensional and Doppler echocardiography. J Am Soc Echocardiogr. 5, 1992, 253-8.
8) Child JS. et al. "Management of pregnancy and contraception in congenital heart disease". Congenital heart disease in adults. 3rd ed. Perloff JK, et al. ed. Saunders Elsevier, 2009, 194-220.
9) Hunter S. et al. "Adaptation of the cardiovascular system to pregnancy". Heart disease in pregnancy. Oakley C, ed. BMJ Publishing, 1997, 5-18.
10) 日本循環器学会・日本産科婦人科学会．心疾患患者の妊娠・出産の適応，管理に関するガイドライン（2018 年改訂版）．2019，117p. https://www.j-circ.or.jp/cms/wp-content/uploads/2020/02/JCS2018_akagi_ikeda.pdf［2021. 10. 18］
11) Connelly MS. et al. Canadian Consensus Conference on Adult Congenital Heart Disease 1996. Can J Cardiol. 14, 1998, 395-452.
12) Siu SC. et al. Adverse neonatal and cardiac outcomes are more common in pregnant women with cardiac disease.

Circulation. 105, 2002, 2179-84.
13) Siu SC. et al. Cardiac Disease in Pregnancy (CARPREG) Investigators. Prospective multicenter study of pregnancy outcomes in women with heart disease. Circulation. 104, 2001, 515-21.
14) Silversides CK. et al. Pregnancy Outcomes in Women With Heart Disease: The CARPREG II Study. J Am Coll Cardiol. 71, 2018, 2419-30.
15) Iserin L. Management of pregnancy in women with congenital heart disease. Heart. 85, 2001, 493-4.
16) Canobbio MM. et al. American Heart Association Council on Cardiovascular and Stroke Nursing, Council on Clinical Cardiology, Council on Cardiovascular Disease in the Young, Council on Functional Genomics and Translational Biology, Council on Quality of Care and Outcomes Research. Management of Pregnancy in Patients With Complex Congenital Heart Disease: A Scientific Statement for Healthcare Professionals From the American Heart Association. Circulation. 135, 2017, e50-87.
17) Perloff JK. et al. "Pregnancy and congenital heart disease : the mother and the fetus". Congenital Heart Disease in Adults. 2nd ed. Perloff JK, et al. ed. W.B. Saunders, 1998, 144-64.
18) Balci A. et al. ; ZAHARA Investigators. Prospective validation and assessment of cardiovascular and offspring risk models for pregnant women with congenital heart disease. Heart. 100, 2014, 1373-81.
19) Chan WS. et al. Anticoagulation of pregnant women with mechanical heart valves: a systematic review of the literature. Arch Intern Med. 160, 2000, 191-6.
20) D'Souza R. et al. Anticoagulation for pregnant women with mechanical heart valves: a systematic review and meta-analysis. Eur Heart J. 38, 2017, 1509-16.
21) Cunningham FG. et al. eds. "Cardiovascular disease". Williams obstetrics. 23rd ed. New York, McGraw-Hill, 2010, 958-82.
22) Simpson LL. Maternal cardiac disease: update for the clinician. Obstet Gynecol. 119, 2012, 345.
23) Montoya ME. et al. Endocarditis during pregnancy. South Med J. 96, 2003, 1156-7.
24) Kebed KY. et al. Pregnancy and postpartum infective endocarditis: a systematic review. Mayo Clin Proc. 89, 2014, 1143-52.
25) Campuzano K. et al. Bacterial endocarditis complicating pregnancy: case report and systematic review of the literature. Arch Gynecol Obstet. 268, 2003, 251-5.
26) Li JM. et al. Frequency and outcome of arrhythmias complicating admission during pregnancy: experience from a high-volume and ethnically-diverse obstetric service. Clin Cardiol. 31, 2008, 538-41.
27) Lavonas EJ. et al. Part 10: Special Circumstances of Resuscitation: 2015 American Heart Association Guidelines Update for Cardiopulmonary Resuscitation and Emergency Cardiovascular Care. Circulation. 132, 2015, S501-18.
28) 日本妊娠高血圧学会編. "高血圧合併妊娠の管理" 妊娠高血圧症候群 新定義・分類運用上のポイント. 東京, メジカルビュー社, 2019, 67-9.
29) 日本産科婦人科学会・日本産婦人科医会 編集・監修. "CQ309-1 妊婦健診において収縮期血圧≧140 かつ / または拡張期血圧≧90mmHg や尿蛋白陽性（≧1＋）を認めたら？". 産婦人科診療ガイドライン：産科編 2020. 東京, 日本産科婦人科学会, 2020, 168-71.
30) 日本産科婦人科学会・日本産婦人科医会 編集・監修. "CQ309-2 妊娠高血圧腎症と診断されたら？". 前掲書 29. 172-6.
31) 日本産科婦人科学会・日本産婦人科医会 編集・監修. "CQ309-3 妊産褥婦がけいれんを起こしたときの対応は？". 前掲書 29. 177-80.
32) 日本産科婦人科学会・日本産婦人科医会 編集・監修. "CQ417 分娩時の血圧管理は？". 前掲書 29. 257-9.

友愛医療センター ● 大城大介
総合病院庄原赤十字病院 ● 牧野康男

2 脳血管疾患—もやもや病，AVM，SAH—

1. 脳出血

概念・定義・分類・病態

概　念

脳出血は頭蓋内での出血で，脳動脈の破綻により脳組織が破壊される．脳実質内での脳実質内出血と，くも膜下腔で出血するくも膜下出血（subarachnoid hemorrhage；SAH）がほとんどを占める．

頻　度

妊娠に関連する脳出血はわが国では脳梗塞より多く発生している．比率は2：1で脳出血が多く，欧米とは逆の傾向が見られる．また，この傾向は非妊婦でも同様に認められる．発生頻度は全妊婦に対して0.01～0.05%とされる．発症すると重篤な経過をとる．2010～2020年のわが国における妊産婦死亡の15%を占め，これは産科危機的出血に次いで2番目に多い死亡原因である[1]．妊産婦死亡症例検討委員会の登録では2012年には全体の23%と最も多い死亡原因となったが，その後は8～19%に間で推移している[1]．産科危機的出血による死亡は2010～2020年で半減しているが，脳出血による死亡は2012年を除いて発生数はほぼ変わらず，年間5例前後，発生している．

成　因

脳実質内出血はその発症に脳動静脈奇形（arteriovenous malformation；AVM）やもやもや病のような血管の基質的疾患が背景に認められる場合と，基質的疾患は潜在的に存在していないが妊娠高血圧症候群やHELLP（Hemolysis, Elevated Liver Enzyme, Low Platelet）症候群に続発して認められる場合がある．HELLP症候群に引き続き発症する場合には重症化の危険が高まる．AVMやもやもや病が背景にある脳出血の場合は妊娠週数が比較的早い時期に発症するが，妊娠高血圧症候群の場合は後期に集中する．

くも膜下出血はそのほとんどが脳動脈瘤の破裂であるが，頻度は多くないが，RCVS（reversible cerebral vasoconstriction syndrome：可逆性脳血管収縮症候群）に続発する場合もある．脳動脈瘤は大きさ，部位，形状によって1年間の破裂率が示されている．破裂のリスクの高いものは5～7mm以上の大きさ，前交通動脈および内頸動脈－後交通動脈などの部位，dome neck aspect比が大きい·不整形·ブレブを有するものとされる[2]．

病　態

脳出血が発症すると，その範囲に応じた脳浮腫が発生する．通常，脳出血後数時間で始まり，高度であれば脳ヘルニアを来す．脳ヘルニアにより脳幹部が圧迫を受けると呼吸中枢が障害されCheyne-Stokes呼吸を呈する．高度であれば死に至る．また，頭蓋内圧の亢進は脳灌流圧を低下させ，脳循環障害を来す．この状態が長時間続くとやはり死亡する．

症　状

初発症状は意識障害，頭痛，痙攣，麻痺などである．類似の症状を呈する子癇（eclampsia）との鑑別は重要である．子癇と脳出血は，治療へのアプローチが大きく異なることと，特に脳出血の場合，診断の遅れが不良な予後に直結することから，速やかな鑑別が求められる．くも膜下出血では激しい頭痛が初発となることが多い．項部硬直のような髄膜刺激症状を呈する場合もある．

診　断

▶ CT（computed tomography）（図1）

脳出血は，頭部CTで容易に診断できる．脳実質内出血は，急性期には高吸収の病変として認められる．発症から数時間以内では血腫は拡大する可能性があり，CTでの経過観察が必要である．脳動静脈奇形ではCTA（CT angiography）が診断に有用で，ナイダス（nidus）が描出される．くも膜下出血では，髄液槽に沿った高吸収域が認められる．シルビウス裂の描出が不良な場合も，くも膜下出血を疑う．

▶ MRI（magnetic resonance imaging）

MRIはT2強調画像，プロトン密度強調画像を併用することで，CTと同等の診断率となる．血管の評価には造影T1強調像，T2強調像，MRA（magnetic resonance angiography），MRV（magnetic resonance venography）が有用で，出血源が特定できる場合がある．くも膜下出血では，FLAIR撮影で髄液槽に沿った高信号域が認められる．

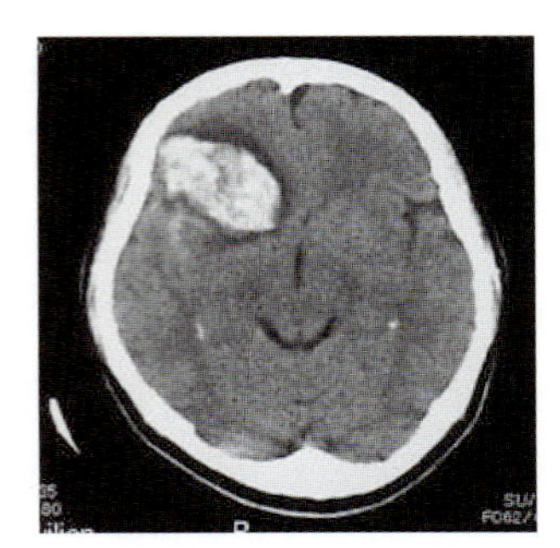

図1● 脳出血のCT画像
右前頭葉に広範な高吸収域を認める．

▶ CT，MRIの安全性

頭部のCT検査では母体の腹部の被曝は <0.01 Gyである．胎児の被曝許容量は >0.1～0.2 Gyであり，頭部CTでの被曝線量は許容範囲内である．MRIは3テスラ以下であれば妊娠第2，第3三半期でも安全に撮像できる．妊娠第1三半期での安全性を示すエビデンスはないが，これまでに有害事象の報告はない．意識障害，神経症状がある妊婦には，母体救命のために躊躇なく画像診断を行う．

管理・治療

▶ 脳出血の治療

脳出血と診断された場合，母体の救命が優先される．気道開通を評価し，口腔内に吐物などがあれば除去する．自発呼吸を認めなければ，人工呼吸を開始する．分娩前の妊婦では，妊娠子宮による下大静脈の圧排を回避するために，用手的に子宮の左方転位を行う．血管確保し補液を開始する．同時に採血を実施する．心電図モニターやパルスオキシメーターなどのモニタリングを開始する．これらの処置と並行して意識レベルの評価を行う．Japan Coma ScaleやGlasgow Coma Scaleは，経時的な評価の際にも有用である．図2[3]に国立循環器病研究センターでの治療方針を示

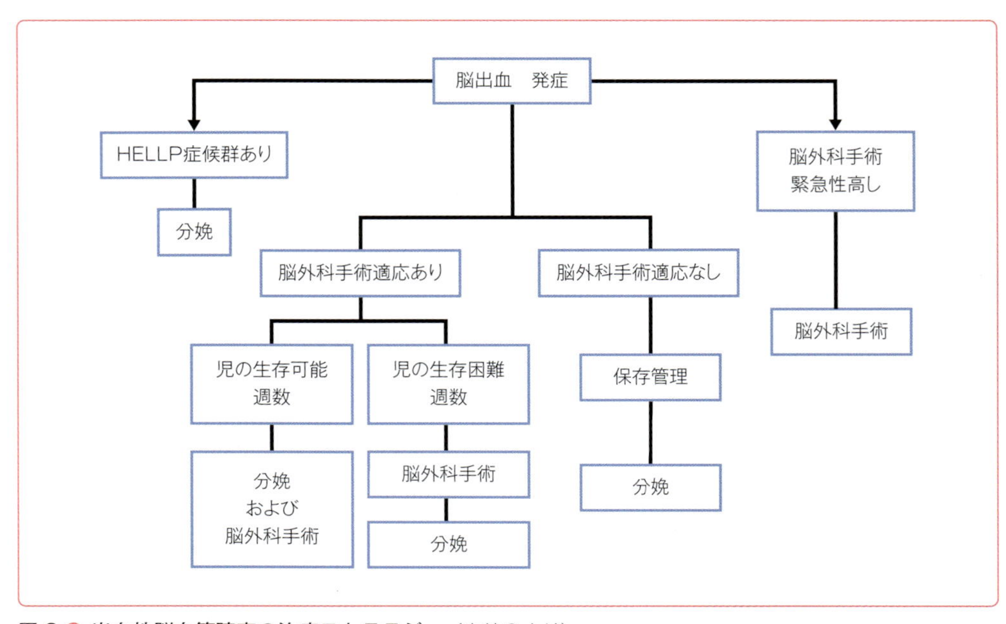

図2● 出血性脳血管障害の治療ストラテジー（文献3より）

す．血腫量 10mL 未満の小出血や神経学的所見が軽度な症例では，保存的治療で妊娠を継続させ，児の予後を考慮した週数で分娩させることも選択できる．脳外科手術適応がある場合，脳外科手術と妊娠の終了と，どちらを先に行うか明確な指標はないが，脳外科手術の緊急度が最も優先されるのが原則である．心肺停止した母体の蘇生に有益性があるとされる死戦期帝王切開術が，脳出血症例に対して有用であるかどうかは確定していない（図 2）．

初期治療として止血薬の投与，血圧の管理，呼吸の管理，脳浮腫・頭蓋内圧の管理が行われる．特に降圧については「脳卒中治療ガイドライン 2021」[2] でできるだけ早期に収縮期血圧 140mmHg 未満に降下させることが推奨されている．また，その方法としてカルシウム拮抗薬あるいは硝酸薬の微量持続静注が示されている．2015 年版 American Heart Association（AHA）/American Stroke Association（ASA）のガイドライン[4] では超急性期脳出血において，収縮期血圧 150 ～ 220mmHg にある場合，収縮期血圧 140mmHg 以下を目標とすることを，また，2018 年の ESO Karolinska Stroke Update Conference の声明では，収縮期血圧を 140mmHg 以下かつ 110 mmHg 超へ下げることを推奨している[5]．このように現在の考え方では降圧は血腫の増大や死亡，機能障害を減少させ得るとされている[6]．頭蓋内圧の管理には高張グリセロールやマンニトール投与がなされる．脳浮腫を改善させ脳代謝の改善が見込まれる．また低体温療法も脳浮腫の軽減に有効である．

▶ 手術の有用性

発症から治療までの時間，発症時の意識障害の程度は，予後を規定する因子である．発症から手術までの時間が長くなるほど，手術は予後の改善に寄与しない[7]．また，意識障害が軽症な例では，手術を行うことで死亡例を減らすことができるが，重度意識障害例では手術しても死亡を防げない[7]．早期診断できた症例と軽症例では，手術は効果があると考えられる．

▶ 分娩様式

妊娠中に発症した脳出血に対して，ほとんどの施設で，短時間で母児分離し，脳外科手術に持ち込むことができる帝王切開術が選択されている．しかし，経腟分娩に対して帝王切開術が予後を有意に改善するというエビデンスはない．

2. 脳梗塞

概念・定義・分類・病態

概　念

脳梗塞は，脳を栄養する動脈が血栓や塞栓のため閉塞，または狭窄し，脳組織が壊死，または壊死に近い状態になることをいう．

頻　度

一般にわが国で脳梗塞は，脳卒中の 3/4 以上を占めるが，妊産褥婦では 1/3 で，出血性脳卒中が 2/3 を占める．2006 年の全国調査では，妊産褥婦の脳梗塞は年間 25 例であった．妊産婦死亡に至ることは少なく，脳出血に比べて生命予後は保たれる．

発症は妊娠初期，妊娠末期，産褥期の 3 つの時期にピークを認める．

病　態

妊娠による凝固系の亢進，母体の血行動態の変化，ホルモンの変化などは，脳梗塞の発症に関連する因子である．特に妊娠初期は，急激なエストロゲンの上昇と凝固系の亢進に加え，妊娠悪阻による脱水により発症しやすい．運動麻痺，言語障害，意識障害などで発症し，死亡に至らずとも後遺症が残ることが多い．

高血圧，糖尿病，心疾患，脂質異常，脳動脈解離，Protein S 欠損症・Protein C 欠損症・AT3 欠損症などの血栓性素因，抗リン脂質抗体症候群などは原因疾患となり得る．

分　類

脳梗塞の病型は，①機序，②臨床カテゴリー，③部位の 3 階層で分類される．臨床的カテゴリーでは，アテローム血栓性脳梗塞，心原性脳塞栓症，ラクナ梗塞，その他の 4 つに分類される[8]．アテローム血栓性脳梗塞は，アテローム硬化病変による脳梗塞で，主幹動脈の 50%以上の狭窄がある場合をいう．ラクナ梗塞は，脳の細動脈の単一穿通枝動脈領域の脳梗塞をいう．心原性脳梗塞は，心腔内血栓による奇異性脳梗塞などをいう[9]．

症　状

脳梗塞の症状は，頭痛，嘔吐，めまい，意識障害など多彩で，局所の神経症状を伴うが，初発症状を早期に発見することが予後の改善につながる．米国脳卒中協会が提唱している FAST という標語は，顔の麻痺（face），腕の麻痺（arm），言葉の麻痺（speech），そして発症時刻の確認（time）を素早く診断し，早期に治療介入しようというもので，妊産褥婦にも応用できるものである．

診　断

▶ MRI

診断には MRI が有用であり，推奨される．撮像法としては，拡散強調画像，T2 強調画像，FLAIR 画像が虚血領域の描出に適している（図 3）．

MRA は，主幹動脈の閉塞の評価に有用である．

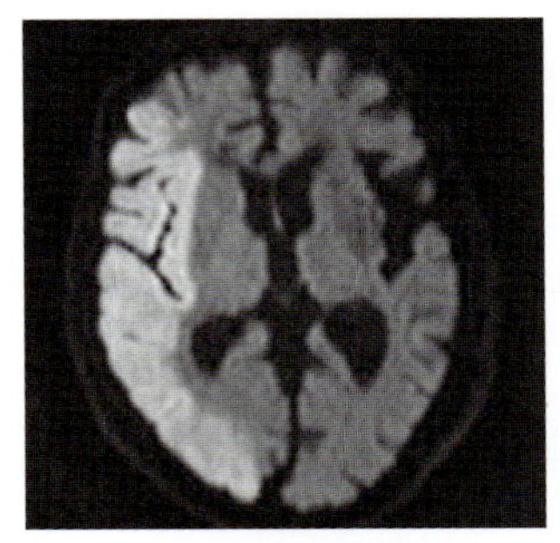

図 3 ● 頭部 MRI 拡散強調画像（文献 11 より）
右中大脳動脈領域に広範な梗塞像を認める．

▶ CT

早期の脳虚血変化は，その程度と時間に依存する．早期の変化として，レンズ核の不明瞭化，島皮質の不明瞭化，皮髄境界の不明瞭化がみられ，灰白質の軽微な濃度低下と大脳皮質の腫脹が認められる．しかし，変化を見出せないことも少なくない[9]．早期に CT 所見を認める症例は予後不良であり，modified Rankin scale が 3 以上になる odds 比は 3.11（95% CI 2.77 ～ 3.49）との報告がある[10]．

管理・治療

▶ 脳梗塞の治療

脳梗塞の治療のストラテジーを図 4 に示す[9, 11]．脳梗塞では，閉塞血管の早期再開通が機能予後の改善に大きく寄与する．

血栓溶解療法には，組織型プラスミノーゲンアクティベーター（recombinant tissue plasminogen activator；rt-PA）が用いられる．現在は，発症から

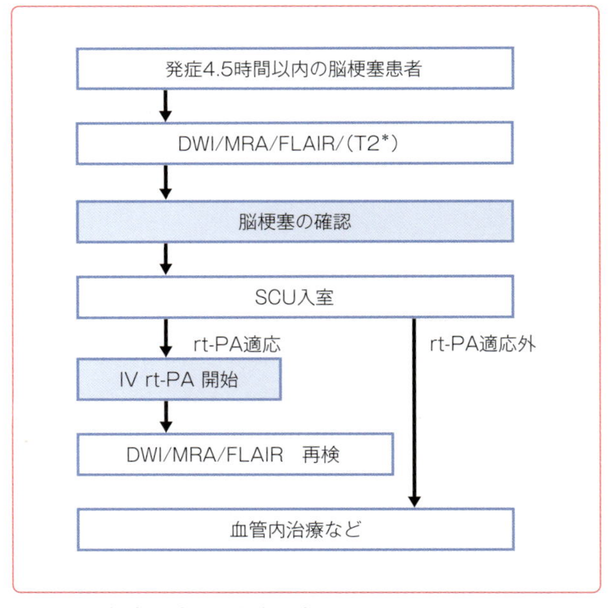

図 4 ● 脳梗塞の診断，治療の流れ（文献 9，11 より改変）

4.5 時間以内の治療開始であれば，有効性が確認されている[12]．rt-PA は胎盤を通過しない[13]．しかし，子宮出血への注意が必要である．諸家からの使用経験の報告[13, 14]では，母体死亡と胎児，新生児死亡がみられる．妊娠中期以降では，rt-PA を投与し妊娠期間の延長を図るのか，妊娠を終了し血栓溶解療法を行うのか，個別の判断が求められる．

頭蓋内，消化管，尿路など他臓器に出血を認める場合，高血圧（収縮期 185mmHg 以上，拡張期 110 mmHg 以上）を認める場合には，rt-PA を投与することはできない．rt-PA 療法が行えない場合や無効な場合，経皮経管的脳血栓回収デバイスを用いた血管内治療が行われる．

▶ 慢性期の管理

急性期の血栓溶解療法が奏功した場合には，引き続き抗凝固療法を行う．出血性梗塞，範囲の広い梗塞，高血圧症例では，早期の抗凝固療法は出血の危険があるため避ける．

引用・参考文献

1) 妊産婦死亡症例検討委員会／日本産婦人科医会．母体安全への提言 2020．vol 11．2021．
2) 日本脳卒中学会 脳卒中ガイドライン委員会．脳卒中治療ガイドライン 2021．2021，320p.
3) 吉松淳．"周産期の母子神経救急"．脳神経外科診療プラクティス 4 神経救急診療の進め方．清水宏明編．東京，文光堂，2014，196-8.
4) Hemphill JC 3rd. et al. Guidelines for the Management of Spontaneous Intracerebral Hemorrhage: A Guideline for Healthcare Professionals From the American Heart Association/American Stroke Association. Stroke. 46(7), 2015, 2032-60.
5) Ahmed N. et al. Consensus statements and recommendations from the ESO-Karolinska Stroke Update Conference, Stockholm 11-13 November 2018. Eur Stroke J. 4(4), 2019, 307-17.
6) Qureshi AI. et al. Intensive Blood Pressure Lowering in Patients with Acute Cerebral Hemorrhage. N Engl J Med. 375(11), 2016, 1033-43.
7) Yoshimatsu J. et al. Factors contributing to mortality and morbidity in pregnancy-associated intracerebral hemorrhage in Japan. J Obstet Gynaecol Res. 40(5), 2014, 1267-73.
8) Nagaya K. et al. Couse of maternal mortality in Japan. JAMA. 283(20), 2000, 2661-7.
9) 峰松一夫ほか．脳卒中レジデントマニュアル．第 2 版．東京，中外医学社，2013，287p.
10) Wardlaw JM. Early signs of brain infarction at CT : observer reliability and outcome after thrombolytic treatment- systematic review. Radiology. 235(2), 2005, 444-53.
11) 吉松淳．"脳梗塞"．日本の妊産婦を救うために 2015．関沢明彦ほか編．東京，東京医学社，2015，253-7.
12) 日本脳卒中学会 脳卒中医療向上・社会保険委員会 rt-PA（アルテプラーゼ）静注療法指針改訂部会．rt-PA（アルテプラーゼ）静注療法適正治療指針．第 2 版．日本脳卒中学会，2012.
13) Leonhardt G. et al. Thrombolytic therapy in pregnancy. J Thrombolysis. 21, 2006, 271-6
14) Ahearn GS. et al. Massive pulmonary embolism during pregnancy successfully treated with recombinant tissue plasminogen activator : a case report and review of treatment options. Arch Intern Med. 162(11), 2002, 1221-7.

国立循環器病研究センター ● 吉松　淳

血液疾患—ITP，貧血—

1. 特発性（免疫性）血小板減少性紫斑病（ITP）

概念・定義・分類・病態

特発性（免疫性）血小板減少性紫斑病（idiopathic〔immune〕thrombocytopenic purpura；ITP）には，急性型と慢性型がある．急性型はウイルス感染が先行し，大人より子どもに多く，一般に数カ月以内で血小板数は自然に回復する．妊娠合併症として問題になるのは慢性型であり，以下慢性型について記述する．

ITPは自己の血小板に対する抗体が産生され，その抗体が付着した血小板が網内系細胞により破壊され，さらに血小板産生障害も加わり血小板減少を来す自己免疫疾患の一つである．従来，特発性（idiopathic）という言葉が用いられていたが，自己免疫機序が明らかにされてきたため，近年は免疫性（immune）と表現されるようになってきている．男女比は1：3～4，好発年齢は20～40歳であり，合併妊娠の頻度は1～2/1,000妊娠とされる[1)]．

診　断

血小板数減少（10万/μL以下）があり，骨髄巨核球数は正常ないし増加，赤血球および白血球は数・形態ともに正常で，血小板数減少を来し得る各種疾患を除外して診断される．血小板に付着している抗体はplatelet associated IgG（PAIgG）と呼ばれ，病態を反映して変動することが多く，活動性の指標として有用である．皮膚・粘膜の小出血斑，歯肉出血，鼻出血，下血，過多月経などの出血傾向が認められるが，無症状で経過し，妊娠初期検査で血小板数減少を指摘されて初めてITPの存在が判明する症例もある．ITP合併妊娠の最も大きな問題点は，母体の出血性合併症である．

ITP患者に妊娠の可否を尋ねられたら

妊娠と分娩を安全に管理するためには，母体の血小板減少に起因する出血症状を，種々の状況においてコントロールできることが条件となる．2014年に発刊された妊娠合併ITP診療の参照ガイド中には**表1**のように記述されている[2)]．

管理・治療

▶ 妊娠前

妊娠中は通常でも血液凝固系が亢進し，血小板消費も亢進するので，特に非寛解のまま妊娠した場合，妊娠中に症状が増悪することがある．したがって，妊娠前より診断されている症例については，適切な治療により寛解させてから妊娠することが望ましい．

ヘリコバクター・ピロリ菌（ピロリ菌）陽性のITP患者では，除菌を行うことにより63%の症例で血小板数が増加したという報告がある[4)]．ITPと診断されればまずピロリ菌を検索し，陽性であれば血小板数や出血症状と関係なく除菌が推奨される．除菌治療のレジメンとしては，アモキシシリン750mg，クラリスロマイシン200mg，プロトンポンプ阻害薬（ランソプラゾール30mgなど）を1日2回，7日間投与する3剤療法が推奨されている．

除菌効果が認められない症例とピロリ菌陰性症例に対して第一選択となる治療法は，副腎皮質ステロイド投与である．通常，プレドニゾロン0.5～1mg/kg/日を初期量として用い，その後は漸減する．維持量以下で寛解状態であれば妊娠を許可する．副腎皮質ステ

表1 ● ITP患者に妊娠の可否を尋ねられたら？

妊娠に必要な血小板数の基準は特に定められてはいないが，これまでの臨床報告や経験から以下の病態では注意を要し，妊娠を回避または合併症に対する治療を検討することが望ましい．
1）治療に抵抗性を示し，血小板数が2万～3万/μL以下で出血症状のコントロールが難しい場合．
2）糖尿病，高血圧症，脂質異常症，腎疾患，膠原病などの合併症，もしくは血栓症の既往がある場合．
また，妊娠を希望するITP患者には以下のことをあらかじめ説明しておく必要がある．
1）頻度は低いが，妊婦と子どもに重篤な出血症状（特に児側の脳内出血）が発症する可能性がある．
2）抗リン脂質抗体が認められる症例においては流産，動静脈血栓症の合併の可能性があり，さらに流産または血栓症の既往がある場合はヘパリン自己注射の検討が必要である[3]．
妊娠と出産は生理的現象であるが，通常でも予期せぬ事態に遭遇することがまれにあるため，合併症に対するこれらの心構えを患者と家族に説明して確認することが必要である．

（文献2より引用）

ロイド無効例に対しては第二選択として脾臓摘出術が考慮される．

免疫グロブリン大量療法や血小板輸血は効果が一過性であるため，外科手術時，分娩時，重篤な出血時など緊急に血小板増加が必要なときに行われる．

▶ 妊娠中

寛解してから妊娠した症例についてはそのままの治療を継続するが，妊娠中に増悪した場合は治療の変更を考慮する．妊娠中に発症した症例に対しては治療を開始する．非妊時に行われているピロリ菌の除菌療法については，妊婦に対する除菌効果が確立しておらず，また治療経験も乏しいが，妊娠中の禁忌薬剤が含まれていないことは事実であり，妊娠中にITPと診断が確定して，分娩までに十分な時間的余裕がある場合は，ピロリ菌の評価を行い，リスクとベネフィットを考慮して，妊娠8～12週以降に除菌療法を治療の選択肢に入れてもよい．無症状の妊婦においては，妊娠中は血小板数を3万/μL以上に保つことを目標とし，定期的に血小板数の測定を行う必要がある．原則的に，血小板数3万/μL以上で，出血傾向がない場合は，経過観察とする．3万/μL以下で出血傾向がある場合は治療を行う．

妊娠中の第一選択も副腎皮質ステロイド投与である．プレドニゾロン10～20mg/dayの比較的低用量の内服で開始し，効果をみながら維持量5～10mg/dayに漸減する．妊娠前にITPと診断されておらず，妊娠中に著明な血小板減少と強い出血傾向を呈して発症したような症例に対しては，プレドニゾロン0.5～1mg/kg/dayの通常成人に対する初期投与量から開始することも考慮する．この場合，血小板数2～3万/μL以上となり出血傾向も改善すれば，2週間程度で早期に漸減を検討する．

副腎皮質ステロイド無効例に対しては免疫グロブリン大量療法が用いられる．400mg/kg/日，5日間投与が基本とされる．50～90%の症例で有効で，投与開始後2～3日で血小板数が増加し始め，5～7日で最高値となるが，効果は一過性である．したがって，本療法のみで妊娠を維持していくためには周期的に投与を繰り返す必要がある．しかし，この治療法が高価であることを考慮し，症例と症状を判断して使用すべきである．

脾臓摘出術は妊娠中でも有効であるが，流早産を増加させるという報告もあり，妊娠中は他の治療法が優先される．血小板輸血は緊急時のみに行う．

諸外国での治療介入について紹介すると，American Society of Hematology（ASH）のガイドラインでは血小板数1万/μL以下の高度の血小板減少症か，あるいは妊娠中期・末期に血小板減少（1万～3万/μL）と出血症状を認める場合とされ，British Committee for Standards in Haematology（BCSH）のガイドラインでは血小板数2万/μL以下とされている．標準治療として，BCSHでは，副腎皮質ステロイドあるいは免疫グロブリンの静脈内投与を行う，ステロイド治療が無効の場合は，免疫グロブリンの静脈内投与を行うとされている．ASHでは，妊娠初期や中期での免疫グロブリンの投与は奨められていない．どちらのガイドラインも，妊娠中期で高度の血小板減少症，あるいは血小板減少性出血を認める場合には，脾臓摘出術も勧められ，腹腔鏡下手術が推奨されている[5]．

また，トロンボポエチン受容体作動薬がITPの治療で高い有効性を有するとされ[6,7]，その経口剤と注射剤がそれぞれ2010年10月および2011年4月にわが国でも保険収載された．しかし，長期的な安全性が不明であること，妊婦での使用の報告がほとんどないこと，胎児への影響は不明であることより，現段階ではITP合併妊婦においての使用は推奨されていない．

▶ 分娩時

分娩時は母体の出血性合併症を予防するため，経腟分娩であれば血小板数5万/μL以上，区域麻酔下による帝王切開であれば8万/μL以上に維持されるように計画的に副腎皮質ステロイド増量，免疫グロブリン大量療法を行う．それでも血小板数が増加しない場合は，血小板輸血をタイミングよく行う．前述した米国と英国のガイドラインの中では，分娩時の安全な血小板数は，ASHでは5万/μL，BCSHでは経腟分娩5万/μL，帝王切開または硬膜外麻酔を行う時は8万/μLが基準として示されている[5]．

抗血小板抗体が胎児に移行し，胎児の血小板数が減少していることがあるため，分娩に際し胎児の頭蓋内出血の危険を考慮する必要がある．しかし，ITP合併妊婦の分娩様式は，産科的適応に基づくべきである．それについては，以下に示す根拠に基づく．

歴史的に，ITP合併妊婦の分娩様式は，新生児の重篤な血小板減少と出血のリスクに対する懸念によって決定されてきた．1970年代に，すべてのITP患者に帝王切開が推奨されたが，それは，主に出生時の外傷と頭蓋内出血の結果として起こる12～21%の高い周産期死亡率の既報告に基づいていた[8]．また，以前，児の血小板数が5万/μL未満の場合に帝王切開術とすべきとされてきたのは，「児の血小板数5万/μL未満の場合には経腟分娩により頭蓋内出血などの積極的な治療を要する重篤な出血性合併症が39例中11例（28%）と高率にみられたが，5万/μL以上の59例では皆無であった」という総説[9]が，その根拠となっている．しかしながら，その後の1990年代に発表された研究では，5万/μL未満の新生児血小板減少の発生率は8.9～14.7%，頭蓋内出血は血小板減少の児の0～1.5%で起こると記述されている[8]．児の頭蓋内出血の頻度は，新生児血小板数5万/μL以下の重症例に限っても，帝王切開例で1/28（3.6%），経腟分娩例で2/41（4.9%）で分娩様式に依存しない[10]，という報告がある．帝王切開が経腟分娩より血小板が減少している胎児にとって安全であるというエビデンスはない[8]．さらに新生児の出血合併症のほとんどは，実際には血小板数が最も低値となる生後24～48時間に起こり，分娩時の外傷とは関連しない[3,8]．

以上のデータより，ITP合併妊婦の分娩様式は，純粋に産科的適応で決定されなければならない．また，胎児の出血リスクを増加させることに関連する以下の分娩中の処置は，回避することが望ましい：①頭皮電極，②吸引分娩，③鉗子分娩[8]．

米国のガイドライン（ASH）では，「ITPの妊婦の分娩様式は，産科的適応に基づくべきである」とされている(grade 2C)[11]．英国のガイドライン(BCSH)でも同様である[12]．

また，以前一部の施設では分娩前の経皮的臍帯穿刺（体表からエコーガイド下で臍帯に針を刺して採血）あるいは分娩中の児頭採血法（頭皮に傷をつけて検体を採取する方法）により胎児の血小板数を測定されていた．しかしながら，前述のごとく，児の血小板数が5万/μL以下であっても，帝王切開が経腟分娩より血小板が減少している胎児にとって安全であるというエビデンスはないこと，さらに臍帯穿刺が直接原因となって胎児死亡を起こす確率は0.98%（48/4,922）[13]というような報告があること，児頭採血法では採血中に検体が凝固しやすく実際の血小板数よりも低い値になることから現在は推奨されない．

▶ 分娩後

ITP合併妊婦では，分娩直前に血小板輸血を行っても直ちに前値に戻るため，分娩後の産道の血腫，帝王切開術後の出血の危険があることが考えられ，十分な注意が必要である．

▶ 新生児

新生児の血小板減少は生後増悪することがある．2/3の児が生後1～2日に血小板数はさらに減少し，生後7日以降に回復すると報告されている[14]．出血症状の有無にかかわらず全例，出生時に臍帯血を用いて，または生後早期に末梢血を用いて，児の血小板数を評価することが推奨される．15万/μL未満の血小板減少の場合には，反復採血して正常化するか少なくとも上昇傾向を確認する．経過中血小板数が5万/μL未満になった場合には頭部超音波などの画像検査を積極的に施行すべきである[2]．

2. 貧　血

概念・定義・分類・病態

WHOの貧血判定基準では，妊娠中の貧血は，血色素量（Hb）11g/dL未満，ヘマトクリット値（Ht）33%未満と定義されている．

● 鉄欠乏性貧血

妊婦中の貧血で最も高頻度である．妊娠中は鉄の必要量は妊娠初期で0.8mg/日，妊娠末期で7.5mg/日と増加するため[15]，鉄欠乏状態になりやすい．ただし，妊娠中期以降では，生理的な血液希釈があるため，HbやHtだけでは病的貧血の診断はできない．鉄欠乏状態では，平均赤血球容積（MCV）が低下するため，妊婦の鉄欠乏状態を判定する上で，HbだけでなくMCVの測定が有用である[16]．

● 巨赤芽球性貧血

ビタミンB_{12}または葉酸の欠乏によって起こる大球性貧血である．MCVが高値の場合は巨赤芽球性貧血の可能性を考慮する．妊娠中は造血機能亢進により葉酸の需要が増加し，葉酸欠乏になりやすい．抗てんかん薬による葉酸の吸収障害も原因となる．

● 再生不良性貧血

汎血球減少症，および骨髄低形成を特徴とする．重症度は軽症から最重症まで5段階に分類される．本症は妊娠中に増悪することが多く，妊娠の許可は原則として妊娠前寛解例と軽症例に限られる．

診断・管理・治療

▶ 鉄欠乏性貧血

Hbが9.0〜11.0g/dLと軽度低値でMCVが正常な場合は，鉄欠乏状態はないが生理的血液希釈が著しい場合が考えられる．鉄剤投与を開始するよりもまずは鉄含有量の多い食物を摂取するよう食事指導を行って経過をみる．MCVが85μm^3未満と低値を示す場合には，鉄欠乏状態と判断し鉄剤投与が必要である．

Hbが9.0g/dL未満でMCVが正常な場合は，鉄欠乏性貧血と巨赤芽球性貧血の混在や鉄欠乏性以外の貧血の可能性を考慮する．MCVが低値の場合は鉄欠乏性貧血と診断し，鉄剤投与による積極的な治療を行う．

鉄剤は1日100mgの経口投与が原則である．経口投与の場合には，鉄が十分量になると腸管上皮での取り込みが抑制されるので過剰摂取にはならない．経静脈投与が必要なのは，副作用としての胃腸障害が著しくて経口投与ができない場合，大量出血などで急速に鉄分を補いたい場合である．その場合は過剰投与にならないように注意する．

▶ 巨赤芽球性貧血

葉酸欠乏症では葉酸製剤の経口投与を行う．通常5mg錠を3錠分3で約4週間継続する[17]．ビタミンB_{12}欠乏症ではビタミンB_{12}製剤1mgの筋注を週3回ずつ6週間行い，維持療法としてその後2〜3カ月ごとに1回0.5mgを筋注する方法などが推奨されている[17]．

▶ 再生不良性貧血

妊娠，分娩時に問題となるのは，汎血球減少による貧血症状，出血症状，易感染性である．非妊時には，免疫抑制療法や造血幹細胞移植など，種々の治療法があるが，妊娠中は支持療法（貧血，出血，感染）が主体となる．赤血球輸血は貧血症状が強い場合に行うが，正常値まで上昇させる必要はなく，赤血球数 250 万〜 300 万 / μL（Hb 8g/dL）以上を保つべきとする意見がある[18]．血小板が著しく低値の場合は血小板輸血を行うが，頻回に行うと抗体ができてしまうので，生命の危険のある場合，あるいは妊娠の継続が危ぶまれる出血がある場合にのみ行う．英国のガイドラインでは，妊娠中に輸血で血小板数を 2 万 / μL 以上に保つことを推奨している[19]．感染に対しては抗菌薬を用いるが，感染予防が大切である．好中球 500 〜 1,000/ μL 以下では G-CSF 製剤の投与も考慮する[20]．

分娩は裂傷を作らないように，緩徐な経腟分娩を行うのが原則であり，赤血球輸血や血小板輸血を準備して行う．Hb 8.0g/dL 以上，血小板数 5 万 / μL 以上が保たれていれば，経腟分娩が可能であると考えられている[21]．妊娠期間中に増悪を認める場合は，妊娠週数と母体の重症度を考慮に入れて誘発分娩あるいは帝王切開を行い，再生不良性貧血に対する治療を優先する．区域麻酔下による帝王切開を行うときは，ITP 診療の参照ガイド[2]に習えば，血小板数 8 万 / μL が必要となるかもしれない．産褥期は抗菌薬を用いて感染を予防し，積極的に子宮収縮を促す．

偶発重症例，あるいは妊娠前からの治療を継続しているにもかかわらず重症再生不良性貧血である症例では，妊娠初期であれば人工妊娠中絶も選択肢となる．症例ごとに，本人および血液内科専門医と協議して判断する．

引用・参考文献

1) 山田秀人．“特発性血小板減少性紫斑病”．周産期の出血と血栓症：その基礎と臨床．第 1 版．小林隆夫ほか編．東京．金原出版，2004，84-91．
2) 宮川義隆ほか．妊娠合併特発性血小板減少性紫斑病診療の参照ガイド．臨床血液．55(8)，2014，934-47．
3) Gernsheimer T. et al. How I treat thrombocytopenia in pregnancy. Blood. 121(1) ,2013, 38-47.
4) Fujimura K. et al. Is eradication therapy useful as the first line of treatment in Helicobacter pylori-positive idiopathic thrombocytopenic purpura? Analysis of 207 eradicated chronic ITP cases in Japan. Int J Hematol. 81(2), 2005, 162-8.
5) Gernsheimer T. et al. Immune thrombocytopenic purpura in pregnancy. Curr Opin Hematol. 14(5), 2007, 574-80.
6) Kuter DJ. et al. Efficacy of romiplostim in patients with chronic immune thrombocytopenic purpura: a double-blind randomized controlled trial. Lancet. 371(9610), 2008, 395-403.
7) Cheng G. et al. Eltrombopag for management of chronic immune thrombocytopenia (RAISE) : a 6-month, randomized, phase 3 study. Lancet. 377(9763), 2011, 393-402.
8) Provan D. et al. International consensus report on the investigation and management of primary immune thrombocytopenia. Blood. 115(2), 2010, 168-86.
9) Scott JR. et al. Fetal platelet counts in the obstetric management of immunologic thrombocytopenic purpura. Am J Obstet Gynecol. 136(4), 1980, 495-9.
10) Cook RL. et al. Immune thrombocytopenic purpura in pregnancy: a reappraisal of management. Obstet Gynecol. 78(4), 1991, 578-83.
11) Neunert C. et al. American Society of Hematology: The American Society of Hematology 2011 evidence-based practice guideline for immune thrombocytopenia. Blood. 117(16), 2011, 4190-207.
12) British Committee for Standards in Haematology General Haematology Task Force. Guidelines for the investigation and management of idiopathic thrombocytopenic purpura in adults, children and in pregnancy. Br J Haematol. 120(4), 2003, 574-96.
13) Duchatel F. et al. Complications of diagnostic ultrasound-guided percutaneous umbilical cord blood sampling: analysis of a series of 341 cases and review of the literature. Eur J Obstet Gynecol Reprod Biol. 52(2), 1993, 95-104.
14) 川合陽子．特発性血小板減少性紫斑病と妊娠・出産．Medicina．33，1996，1730-32．
15) Milman N. Iron and pregnancy--a delicate balance. Ann Hematol. 85(9), 2006, 559-65.
16) 貝原学．妊婦貧血．産婦人科治療．96，増刊，2008，534-8．
17) 森實真由美ほか．母体疾患の薬物療法．血液疾患．周産期医学．39(11)，2009，1545-50．
18) 寺尾俊彦．血液疾患，再生不良性貧血．周産期医学．24，増刊号，1994，377-9．
19) Killick SB. et al. Guidelines for the diagnosis and management of adult aplastic anaemia. Br J Haematol. 172(2), 2016, 187-207.
20) 菊地範彦ほか．血液疾患合併妊娠，再生不良性貧血．周産期医学．41(8)，2011，1045-8．
21) Marsh JC. et al. Guidelines for the diagnosis and management of aplastic anaemia. Br J Haematol. 147(1), 2009, 43-70.

芳賀赤十字病院 ● 渡辺 尚

腎疾患―IgA 腎症，ネフローゼ，CKD，腎移植後妊娠，血液透析中の妊婦―

概　要

妊娠は，多くの臓器に生理的な変化をもたらすが，腎臓においても，体液量の増加，血管抵抗の低下，血管内皮細胞の機能的な変化などを生じて，正常妊娠を維持するための生理的な負荷により機能的な変化が起こる．妊娠中は，腎容積は約 30% 増大し，尿路系は拡張，水腎症（特に右側）を生じやすい．腎血漿流量（RPF），糸球体濾過値（GFR），循環血液量は増加する．そのため非妊時合併症のない妊婦であってもおおよそ 10% に妊娠高血圧症候群が発症する[1]．

自己免疫疾患や糸球体腎炎などは，妊孕性を有する年代の女性においても合併頻度の高い疾患であり，慢性腎臓病（chronic kidney disease；CKD）を基礎疾患とし保ちながら妊娠を希望される症例も多くなっている．本項では，『腎疾患患者の妊娠：診療ガイドライン 2017』[2] に則り，妊娠前，妊娠中，産褥の各時期において留意すべき点について解説する．

参考 『腎疾患患者の妊娠：診療ガイドライン 2017』

1. IgA 腎症

注意すべき臨床症状・所見

大部分の症例が無症候性検尿異常（血尿・蛋白尿）で発見される．上気道感染が引き金となり発作的に生じる肉眼的血尿が特徴的である．また，浮腫が発見の契機となることもあるが，まれである．

診　断

IgA 腎症は腎生検によってのみ診断される．免疫組織化学的に糸球体のメサンギウム領域への IgA の優位な沈着がみられる腎炎である．

臨床所見

腎生検前の尿中赤血球 5 個 /HPF 以上，血清 IgA 値 315mg/dL 以上，血清 IgA/C3 比 3.01 以上は IgA 腎症の診断，他の腎炎との鑑別に有用であったと報告されている[3]．

治　療

主要な治療介入は，副腎皮質ステロイド薬，免疫抑制薬，口蓋扁桃摘出術（＋ステロイドパルス併用療法），抗血小板薬，n-3 系脂肪酸（魚油）である．腎機能と尿蛋白，腎病理組織所見などを含めて治療の適応を判断する（図 1[3]，表 1[4]）．

①eGFR 30mL/ 分 /1.73m^2 以上かつ尿蛋白量 0.5g/ 日以上の場合は，組織学的重症度や血尿の程度，血圧，年齢を考慮した上で，副腎皮質ステロイド薬の投与を検討する．また，免疫抑制薬，抗血小板薬，n-3 系脂肪酸の投与や口蓋扁桃摘出術（単独あるいはステロイドパルス療法との併用）を検討してもよい．

②eGFR 30mL/ 分 /1.73m^2 以上かつ尿蛋白量 0.5g/ 日未満の場合は，薬物療法なしでの経過観察を基本とするが，上気道感染後に肉眼的血尿など尿所見の悪化を認める症例では，口蓋扁桃摘出術を検討してもよい．また，急性の組織病変がある場合

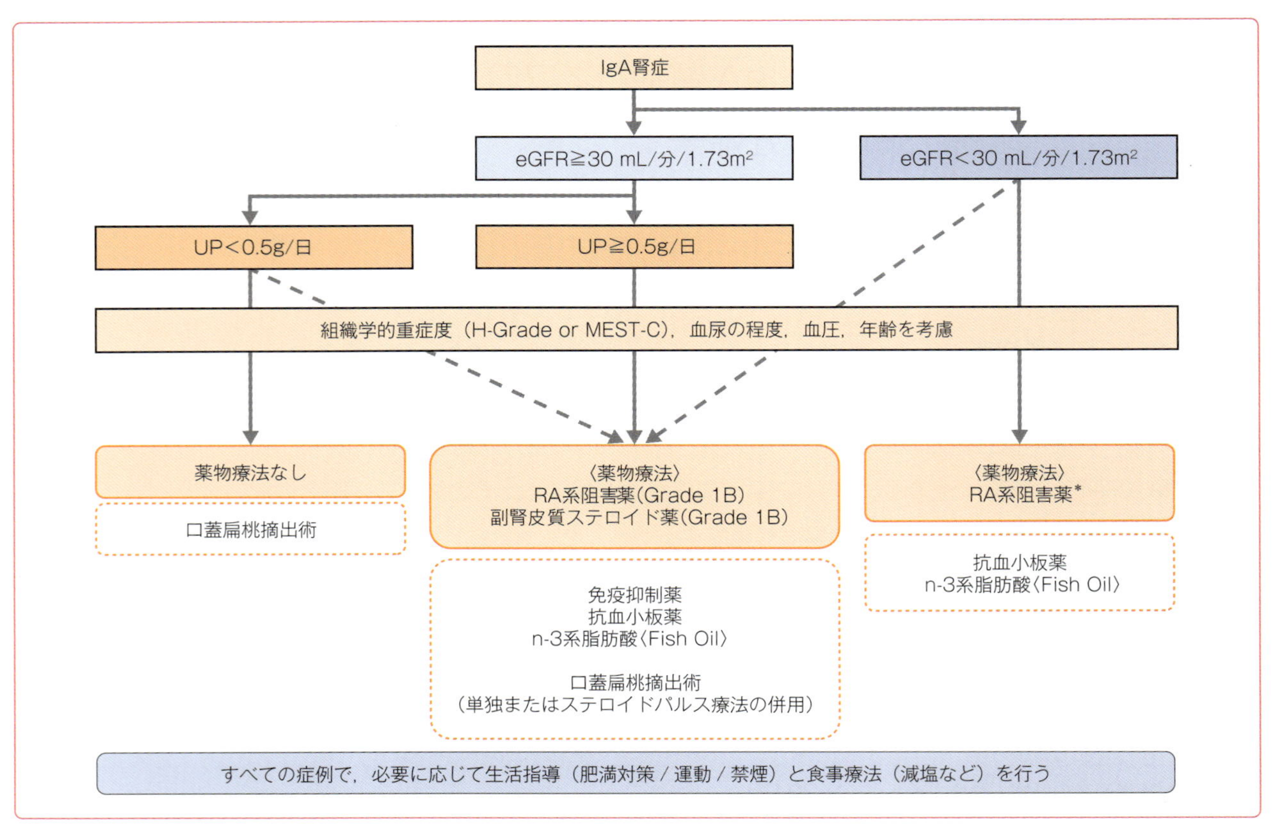

図 1 ● 成人 IgA 腎症の治療アルゴリズム

＊：RA 系阻害薬は妊婦には禁忌である．

（文献 3 より引用）

表 1 ● CKD の重症度分類

原疾患		蛋白尿区分		A1	A2	A3
糖尿病		尿アルブミン定量（mg/ 日） 尿アルブミン /Cr 比（mg/gCr）		正常	微量アルブミン尿	顕性アルブミン尿
				30 未満	30 ～ 299	300 以上
高血圧 腎炎 多発性嚢胞腎 移植腎 不明 その他		尿蛋白定量（g/ 日） 尿蛋白 /Cr 比（g/gCr）		正常	軽度蛋白尿	高度蛋白尿
				0.15 未満	0.15 ～ 0.49	0.50 以上
GFR 区分 （mL/ 分 /1.73m^2）	G1	正常または高値	≧90			
	G2	正常または軽度低下	60 ～ 89			
	G3a	軽度～中等度低下	45 ～ 59			
	G3b	中等度～高度低下	30 ～ 44			
	G4	高度低下	15 ～ 29			
	G5	末期腎不全（ESKD）	＜15			

重症度は原疾患・GFR 区分・蛋白尿区分を合わせたステージにより評価する．CKD の重症度は死亡，末期腎不全，心血管死亡発症のリスクを緑■のステージを基準に，黄■，オレンジ■，赤■の順にステージが上昇するほどリスクは上昇する．

（文献 4 より引用）

には副腎皮質ステロイド薬や免疫抑制薬をはじめとした薬物療法も考慮する．

③eGFR 30mL/ 分 /1.73m^2 未満の場合は，血圧や尿蛋白量を考慮した上で，RA 系阻害薬での治療を基本とするが，妊婦に対しては投与禁忌であるため，急速進行性の腎機能障害を呈する症例や急性の組織病変がある場合には，副腎皮質ステロイド薬や免疫抑制薬の投与を考慮する．副腎皮質ステロイド薬や

免疫抑制薬を投与する場合は，個々の症例で治療効果と感染症などの副作用リスクとのバランスを十分考慮する．また，すべての症例で CKD に対する一般療法として生活指導と食事療法を行う（CKD の項を参照）．しかし，IgA 腎症患者において食事療法（食塩摂取制限，蛋白質摂取制限），生活習慣の是正（肥満対策，運動制限，禁煙，禁酒制限）の有効性を示す直接的なエビデンスは乏しいとされる[3]．

次回妊娠への留意点

eGFR<45 のほぼ半数が出産 5 年後に明らかに腎機能が低下していたとする報告がある一方，妊娠出産群と妊娠出産なし群に分けて 10 年間の腎機能を追跡した検討では，腎機能低下速度に両群間で有意差なく，妊娠の有無は影響を与えなかったとする報告があり[4]，腎機能予後は 1g/ 日以上の蛋白尿が関連していた．つまり，管理された IgA 腎症で，蛋白尿が少なく腎機能が保たれていれば，妊娠予後は良好と考えられる．

2. ネフローゼ症候群

注意すべき臨床症状・所見

ネフローゼ症候群合併妊娠は，経過中蛋白尿の増加，原疾患の悪化，早産や低出生体重児である症例を多く認める．分娩前後に尿蛋白の多い妊娠高血圧腎症症例は診断基準上ネフローゼ症候群であることが多い[1]．

診　断

蛋白尿（3.5g/ 日以上が持続する），低蛋白血症（血清総蛋白 6.0g/dL 以下，血清アルブミン 3.0g/dL 以下），高脂血症（血清総コレステロール 250mg/dL 以上），浮腫を呈する病態から診断される．

臨床所見

ネフローゼ症候群レベル（3.5g/ 日以上）の蛋白尿が持続している場合，早産または早期の妊娠高血圧腎症発症が多く，危険因子は妊娠前期の高血圧の存在，蛋白尿，妊娠前の腎機能（eGFR<90mL/ 分 /1.73m^2）が挙げられている[5]．

治　療

妊娠前に関しては，『高血圧診療ガイド 2020』[6]に沿って治療を行う．妊娠高血圧症候群の第一選択薬としてメチルドパ，ラベタロール，ヒドララジンもしくは 20 週以降であれば徐放性ニフェジピンを用いる．1 剤で十分な降圧が得られない場合は 2 剤併用とし，交感神経抑制薬であるメチルドパとラベタロールのいずれかと，血管拡張薬であるヒドララジンとニフェジピンのいずれかを併用する．妊娠前より高血圧が指摘されている場合，あるいは妊娠 20 週以前に 140/90mmHg 以上を認める場合には降圧薬を開始，調節する．160/110mmHg 以上の重症域を複数回認める場合には，速やかな加療が推奨され，降圧目標を 140/90mmHg 未満とするが，急激な降圧は胎児胎盤循環に影響を及ぼすため，緩徐な降圧に努める必要がある．免疫抑制薬としては，病状に応じて副腎皮質ホルモン，シクロスポリン，タクロリムスは使用可能である．

次回妊娠への留意点

挙児を希望した段階でネフローゼ症候群でなければ，もしくはどのくらい寛解状態が維持されていれば妊娠予後が良好かについて記載されたレベルの高いエビデンスはなく，CKD の重症度分類（表 1）を参考として管理するのが妥当と思われる．

3. 慢性腎臓病（chronic kidney disease；CKD）

CKDは頻度が高く（8人に1人），女性のCKDステージG3以上の年齢別総数に対する割合は，20〜29歳で約1.5%，30〜39歳で約3.5%と推測されるため，妊娠女性が有病者であるか否かを確認した上で管理することが望ましい[1].

注意すべき臨床症状・所見

蛋白尿の存在を確認する．妊娠前の蛋白尿の既往がなく，妊娠中にはじめて蛋白尿を認めた場合は，腎炎の合併か妊娠高血圧症候群の発症かの判断は尿所見のみでは困難である.

診　断

①尿異常，画像診断，血液，病理で腎障害の存在が明らかであり，特に0.15g/gCr以上の蛋白尿（30mg/gCr以上のアルブミン尿）を認め，②GFR<60mL/分/1.73m^2，①・②のいずれか，または両方が3カ月以上持続するものとする.

臨床所見

eGFRの低下と蛋白尿の増加があり，高血圧を合併し，胎児発育不全や妊婦の肺水腫や心不全を惹起する可能性があるため，妊娠週数を考慮の上，妊娠終結も検討する必要がある．原疾患の増悪か，妊娠高血圧症候群の合併か否かの鑑別には，発症時期，血圧の上昇，血清Cr値などから判断する[1]．妊婦では，尿中蛋白排泄量300mg/日あるいは0.27g/gCr以上を病的蛋白尿と診断する．試験紙法では1＋の場合は複数回の新鮮尿検体での確認を要し，2＋以上は病的蛋白尿の可能性が高いと評価する.

治　療

「2．ネフローゼ症候群」の項に準じて，降圧薬・免疫抑制薬を用いる.

- 食事療法：CKDの進行を抑制するために，蛋白質や食塩などの摂取制限が重要とされている[5]．その目安として，CKDステージ別の蛋白質摂取の基準（ステージG3a：0.8〜1.0g/kg標準体重/日，G3b以降：0.6〜0.8g/kg標準体重/日）が示されている．ただし画一的な指導は不適切であり，腎臓専門医と管理栄養士を含む医療チームの管理下で行うことが望ましい．高血圧・尿蛋白の抑制と心血管系疾患の予防のため，6g/日未満の食塩摂取制限が推奨されている．ただし，過度の減塩は低栄養の懸念があるため，3gを目安として個々の症例に応じて下限を設定する.
- 運動制限：中等度（3〜6METs）までの運動負荷は尿蛋白量を増加させず，腎機能障害を進行させなかったと報告されている．また運動療法により，CKD患者の最大酸素摂取量が改善することが報告され，またGFRが改善することも示唆されている[3]．運動療法や運動制限の実施にあたっては，患者個々の病態から総合的に評価して経過観察することが必要である.

次回妊娠への留意点

ネフローゼ症候群レベル以下の蛋白尿（3.5g/日以下）が持続している患者の妊娠出産の経過に関する検討では，腎症があると早産または早期の妊娠高血圧腎症発症が多いと報告されている．ネフローゼ症候群レベルではなくとも蛋白尿があれば母体合併症のリスクが上がり，分娩後の腎機能低下のリスクも高いと考えられる．このため，CKD重症度分類のGFR区分G1，G2であっても妊娠合併症のリスクは高く，G3，G4，G5は重症になるにつれてさらに妊娠合併症のリスクは高くなるため，腎機能低下，透析導入の可能性もふまえ，妊娠前の十分な説明が重要である．妊娠前の原疾患の治療や腎保護を目的にACE阻害薬およびアンジオテンシン受容体拮抗薬（ARB）の使用が必要な場合は，原疾患を安定させた上で，中止または変更してからの妊娠が望ましい．もしくはそれが困難である状況では，妊娠が判明した時点で中止あるいは薬剤変更を行い，胎児の発育を慎重に観察する.

4. 腎移植後妊娠

腎移植患者の妊娠合併症のリスクは正常妊婦よりも高いが，腎移植後の腎機能の改善により妊孕性が回復し，妊娠率も上昇する．腎機能が安定している状態であれば，移植後 1 年以上経過すれば妊娠は比較的安全であるとされる．

注意すべき臨床症状・所見

腎移植患者の妊娠についてのシステマティックレビューでは，生児率 73.5%，流産率 14%，妊娠高血圧腎症 27%，妊娠糖尿病 8%，帝王切開率 56.9%，早産 45.6%と一般人口より頻度が高かった[7]．また，腎移植と妊娠の期間が短い方が，合併症が多かったため，妊娠前に妊娠予後や合併症についての情報提供・カウンセリングを要すると思われる．

診　断

腎移植のレシピエントとなる患者は，透析医療を受けている状態，または透析医療が必要となる直前の状態である．

臨床所見

免疫抑制薬を服用しているため，感染に対する注意が必要であり，また悪性腫瘍の発症率がわずかながら高まるため健診を受ける必要がある．妊娠週数が進み，子宮が大きくなると尿管を圧排し水腎症を来し，腎機能低下や腎盂腎炎を惹起する可能性があるため，一時的な尿管ステント留置も考慮される．

治　療

腎移植患者を出産群と非出産群で比較した検討では，Cr の差はなく，免疫抑制剤の使用に関しても差はなく，慢性高血圧，蛋白尿，赤血球造血刺激因子製剤の使用，尿路感染症も明らかな差はなく，移植腎や患者予後にも有意差はなかったと報告されている[8]．免疫抑制剤の使用に関しては，前述したように病状に応じて副腎皮質ホルモン，シクロスポリン，タクロリムスは使用可能であるが，ミコフェノール酸モフェチルは催奇形性があり禁忌であるため，妊娠前に中止する必要がある．催奇形性のあるメトトレキサート，胎児に関する安全性の確率されていないレフルノミドも妊娠前に中止すべきである．また，シクロホスファミドは量と年齢により妊孕性に影響（無月経や催奇形性）を及ぼすため，妊娠可能な女性への投与は控えることが望ましい．

分娩方法に関して：帝王切開を選択する場合，移植腎は下腹部に移植されるため，妊娠して大きくなった子宮に近接して腎臓や尿管が存在する．手術の際は，術中の損傷を想定し，泌尿器科の応援準備を要請しておくことも重要である．

次回妊娠への留意点

移植して 2 年経過すると拒絶のリスクは低く，腎機能も安定するとの理由で，その間は妊娠を避けるとされてきたが，腎移植後に拒絶反応がなく，腎機能が安定し，感染症や催奇形性のある薬剤の使用がなく，免疫抑制剤も維持量の患者に対しては，移植後 1 年でも妊娠は安全との見解がでている[2]．

5. 血液透析中の妊婦

透析患者の妊娠は，健康な妊婦と比較して生児を得る確率が低く，早産，低出生体重児の頻度が高いとされる．そのため，患者が妊娠・出産を強く希望する場合は妊娠予後や合併症，頻回長時間透析による妊娠予後改善の可能性について情報提供を行う必要がある．2010 年に報告されたシステマティックレビューでは生児獲得率は 76%であった（人工妊娠中絶を含めると 68%）．

注意すべき臨床症状・所見

透析患者では早産の頻度が高く，妊娠週数が32週以下，出生体重2,000g以下の低出生体重児の頻度が高くなっている．母体の高BUN血症による浸透圧利尿が原因と想定される羊水過多の合併頻度が高く，高血圧の合併も頻度が高い．

臨床所見

妊娠中の血色素の目標値は10～11g/dLが推奨される．過度の除水は低血圧を来し，胎盤血流を低下させる恐れがあるため，週あたりの体重（ドライウェイト）の増加は0.3～0.5㎏を目安とし，透析間の体重増加を抑えることができる頻回透析を行うことで，血圧も安定させることができる．

治　療

透析量の指標として，透析前のBUN値を50mg/dLを目標に，週4回以上，週あたり20時間以上の透析を行うことが推奨され，週6回，週あたり24時間以上の透析が望ましいとされている．

生児率や出生時体重を改善するためには妊娠期間を延長する必要があるが，頻回長時間透析（一回あたり6時間以上，週あたり5回以上）生児率や出生時体重が改善することを示唆する報告がある．

次回妊娠への留意点

透析患者の妊娠率は標準透析で1.0～3.4%であるが，夜間家庭血液透析（頻回長時間透析）の報告では15.6%であり，標準透析に比して高い．しかしながら妊娠予後や合併症についての情報提供を十分に行う必要がある．

引用・参考文献

1) 日本妊娠高血圧学会編．妊娠高血圧症候群の診療指針2021．東京，メジカルビュー社，2021，264p.
2) 日本腎臓学会学術委員会編．腎疾患患者の妊娠：診療ガイドライン2017．東京，診断と治療社，2017，80p.
3) 厚生労働科学研究費補助金難治性疾患等政策研究事業（難治性疾患政策研究事業）難治性腎障害に関する調査研究班．エビデンスに基づくIgA腎症ガイドライン2020．東京，東京医学社，2020，88p.
4) 日本腎臓学会編．CKD診療ガイド2012．東京，東京医学社，2012，3.
5) 日本腎臓学会．エビデンスに基づくCKD診療ガイドライン2018．東京，東京医学社，2018，160p.
6) 日本高血圧学会 高血圧診療ガイド2020作成委員会編．高血圧診療ガイド2020．東京，文光堂，2020，120p.
7) Deshpande NA. et al. Pregnancy outcomes in kidney transplant recipients: a systematic review and meta-analysis. Am J Transplant. 11(11), 2011, 2388-404.
8) Gorgulu N. et al. Does pregnancy increase graft loss in female renal allograft recipients? Clin Exp Nephrol. 14(3), 2010, 244-7.

山形県立中央病院 ● 堤　誠司

肝・胆・膵疾患―胆石，胆道閉鎖症術後，肝移植後―

1. 胆　石

概　念

エストロゲンはコレステロール産生増加作用を，プロゲステロンは胆汁分泌促進および胆囊収縮能低下作用を有するため，妊娠中は胆汁うっ滞・胆石症を来しやすい．例えば，米国における超音波検査を用いた大規模前向き研究（n ＝ 3,254）では妊娠第２三半期には 5.1%，妊娠第３三半期には 7.9%の妊婦に胆石・胆泥を認めた[1]．同研究では胆石・胆泥を認めた妊婦の 1.2%に胆石（疝痛）発作を認めたのみであり，妊娠中に症状を呈する胆石症は約 0.1%とまれである．しかしながら，出産年齢の高齢化に伴い，今後，胆石未治療女性の妊娠例に遭遇することも予想される．

管　理

非妊娠時と同様に，妊婦の胆石発作は背部に放散する上腹部痛（右季肋部痛）および嘔吐や発熱を特徴とする．発症後は禁食とし，補液，抗菌薬（例：アンピシリン・スルバクタム）および鎮痛薬投与による保存管理が第一選択である．胆汁うっ滞を来たしやすい妊娠時の生理的変化とも関連し，妊娠全期間を通じて保存管理後の再発率は約 40 ～ 50%と高率である[2]．再発・難治例や重篤な胆囊炎発症例では胆囊摘出術の検討も必要である．開腹術よりも腹腔鏡下手術の方が周術期リスク（感染・胆管損傷・他臓器損傷など）が低く，妊娠第１，２三半期には比較的安全に手術可能とされる[3]．しかしながら，妊娠第３三半期では術野確保が困難であり手術の難易度が増し，早産リスクも上昇する[4]．したがって，妊娠第３三半期の発症例では，可能な限り保存治療を継続し，産褥期の手術が適切とされる．なお，無症候性もしくは保存管理奏効例では産後１カ月頃に再評価が必要である．胆石の遺残を認める場合には，胆石発作予防を目的として産後早期の手術療法が推奨される．

2. 胆道閉鎖症術後妊娠

概　念

胆道閉鎖症は「新生児または乳児期早期に発症する原因不明の硬化性炎症により肝外胆管が閉塞し，肝から十二指腸への胆汁排泄の途絶を来す肝胆道疾患」である[5]．わが国における発症頻度は１万出生あたり 1.03 ～ 1.37 と推定され，男女比は 0.59 であり女児に多い[5]．また，低出生体重および small-for-gestational age（出生体重＜ 10% tile）は胆道閉鎖症のリスク因子とされる[6, 7]．本症の治療成績は 1950 年代に開発された肝門部空腸吻合術（葛西手術）およびその後の肝移植との連携により改善した．例えば，胆道閉鎖症全国登録 2016 年集計結果によると，肝移植例も含めた全生存率は術後 25 年で

85.7%であった[8].

胆道閉鎖症術後妊娠例報告はわが国からのものが主であるが，長期生存例の増加に伴い成人女性の妊娠分娩例も散見される．諸家の報告をまとめると，妊娠中〜産後にかけての肝機能障害，門脈圧亢進症および胆管炎に対する注意する必要がある．例えば，Sasaki et al. による 30 妊娠例の解析では，妊娠前の門脈圧亢進症および胆管炎が妊娠中の母体予後規定因子であった[9]．具体的には，門脈圧亢進症および胆管炎既往を有さない 10 妊娠中 7 妊娠（70%）では，妊娠中に消化管出血・肝機能障害・胆管炎を認めず予後良好であった．一方，胆管炎既往例 8 妊娠および門脈圧亢進症既往例 10 妊娠における予後良好例は，各々 5 妊娠（62.5%）および 3 妊娠（30%）であった．分娩様式は産科適応に基づくことが多く，国立成育医療研究センターにおける 9 名 17 分娩例の検討では，8 名は経腟分娩，1 名は胎位異常による帝王切開分娩であった[10]．また，Shimaoka et al. による 16 名 23 分娩例の検討では，産後の肝機能障害および胆管炎発例は各々 6 例（26.1%）および 4 例（17.4%）であった[11]．以上より，妊娠中〜産後の胆管炎・消化管出血・肝機能障害のリスクが指摘されているものの，胆道閉鎖症術後女性は小児外科・産科を中心とした集学的管理により比較的安全に出産が可能と考えられる．

管　理

産科における妊婦定期健診に加え，小児外科との連携が必須であり，特に下記情報の確認が重要である．

- 妊娠成立前の母体全身状態
- 門脈圧亢進症・胆管炎・脾腫の既往・合併
- 肝移植の有無
- 服薬（免疫抑制剤含む）

妊娠子宮による物理的圧迫は長期的予後を左右する胆管炎を惹起しやすい．また，妊娠中は循環血液量の増加や静脈血うっ滞を来し，静脈瘤の増悪も生じやすい．特に食道静脈瘤合併例では，産科･小児外科医師，看護師および妊婦・家族と消化管出血発症時の緊急対応について情報を共有する必要がある．

3. 肝移植後妊娠

概　念

臓器移植後の妊娠・出産に際しては，免疫抑制剤の胎児への安全性，妊娠自体の移植臓器への影響および周産期合併症に留意する必要がある．例えば，古い歴史を持ち，症例数も多い腎移植に関しては，死体腎移植後 2 年以上（生体腎移植後 1.5 年以上）経過し，妊娠前の移植腎機能が良好で安定していれば妊娠は差し支えないとされている[12]．周産期合併症として妊娠高血圧症候群，胎児発育不全および耐糖能異常，早産に注意が必要であるが，生児獲得率は約 90%である．

腎移植同様に，国内外において肝移植後妊娠の報告例が集積されつつある．わが国では 2012 年に日本肝移植研究会にて肝移植後妊娠に関するアンケート調査が実施された[13]．対象は 30 名（38 妊娠），基礎疾患は先天性胆道閉鎖症（n ＝ 14），劇症肝炎（n ＝ 9），原発性硬化性胆管炎（n ＝ 2），自己免疫性肝炎（n ＝ 1），B 型肝炎（n ＝ 1），Budd-Chiari 症候群（n ＝ 1），家族性アミロイドポリニューロパチー（n ＝ 1），肝細胞がん（n ＝ 1）であった．妊娠 22 週以降の分娩に至った 35 妊娠において妊娠高血圧症候群および胎児発育不全を各々 6 例（17.1%）および 7 例（20%）に認めた（表 1）．流産・胎児死亡となった4例を除外して解析すると，早産は10例（32.3%）であった．また，本調査では移植後3年以内もしくは33歳以降の妊娠例では，妊娠高血圧症候群や胎児発育不全の発症リスクが高いことも判明した．

欧米においても肝移植後妊娠は高血圧・妊娠高血圧症候群および早産ハイリスクであることが指摘されている．例えば，Deshpande らによる systematic review（8報告：レシピエント306名［410妊娠］）では，生児獲得率は72.7～80.7%であり，高血圧，妊娠高血圧症候群および早産の頻度は各々22.9～31.9%，17.7～26.4%および33.1～46.0%であった[14]．また，2019年に発表された systematic review（18報告：レシピエント729名［948妊娠］）では，妊娠高血圧症候群および早産は各々14.9%（100/672妊娠）および33.6%（279/829妊娠），妊娠中の拒絶反応は8.3%（73/876妊娠）であった[15]．以上より，妊娠中の急性拒絶反応は数%であり周産期予後は比較的良好であるが，高血圧・妊娠高血圧症候群・早産リスクが正常妊娠より高率であることに留意が必要である．

表1 ● 肝移植後妊娠における周産期臨床像

	解析対象	移植後年数		P value
	妊娠22週以降の分娩例 (n＝35)	3年以内 (n＝10)	3年以上 (n＝25)	
妊娠時母体年齢	27 (22～41)	35 (24～41)	29 (22～40)	0.0014
肝機能障害	4 (11.4%)	2 (20%)	2 (8%)	0.561
胎児発育不全	7 (20%)	5 (50%)	2 (8%)	0.012
妊娠高血圧症候群	6 (17.1%)	2 (20%)	2 (8%)	0.004

数値：中央値（範囲）もしくは症例数（%）

（文献13より引用）

管　理

外科との連携が必須であり，特に下記情報の確認が重要である．

- 原疾患および移植後年数
- 妊娠成立前の母体全身状態
- 服薬

内服薬に関して，代謝拮抗剤であるミコフェノール酸モフェチルは催奇形性を有する．したがって，ミコフェノール酸モフェチル内服女性の予期せぬ妊娠例では，内服薬の変更が必要である．また，妊娠高血圧症候群ハイリスクであることを念頭に血圧・腎機能・肝機能の定期的経過観察が必要である．

引用・参考文献

1) Ko CW. et al. Incidence, natural history, and risk factors for biliary sludge and stones during pregnancy. Hepatology. 41(2), 2005, 359-65.
2) Jelin EB. et al. Management of biliary tract disease during pregnancy: a decision analysis. Surg Endosc. 22(1), 2008, 54-60.
3) Kuy S. et al. Outcomes following cholecystectomy in pregnant and nonpregnant women. Surgery. 146(2), 2009, 358-66.
4) Fong ZV. et al. Cholecystectomy During the Third Trimester of Pregnancy: Proceed or Delay? J Am Coll Surg. 228(4), 2019, 494-502.e1.
5) 胆道閉鎖症研究会．胆道閉鎖症診療ガイドライン．東京，へるす出版，2018，132p.
6) Fischler B. et al. A population-based study on the incidence and possible pre- and perinatal etiologic risk factors of biliary atresia. J Pediatr. 141(2), 2002, 217-22.
7) Caton AR. et al. The epidemiology of extrahepatic biliary atresia in New York State, 1983-98. Paediatr Perinat Epidemiol. 18(2), 2004, 97-105.
8) 日本胆道閉鎖症研究会・胆道閉鎖症全国登録事務局．胆道閉鎖症全国登録2016年集計結果．日本小児外科学会雑誌．54(2)，2018，307-13.
9) Sasaki H. et al. Problems during and after pregnancy in female patients with biliary atresia. J Pediatr Surg. 42(8), 2007, 1329-32.
10) 田原和典ほか．胆道閉鎖症アップデート：妊娠と出産．小児外科．50，2018，75-80.
11) Shimaoka S. et al. Problems during and after pregnancy of former biliary atresia patients treated successfully by the Kasai procedure. J Pediatr Surg. 36(2), 2001, 349-51.
12) 日本妊娠高血圧学会編．"腎移植患者の妊娠と管理は？" 妊娠高血圧症候群の診療指針2015 Best Practice Guide．東京，メジカルビュー社，

2015, 132-3.
13) Kubo S. et al. Pregnancy outcomes after living donor liver transplantation: results from a Japanese survey. Liver Transpl. 20(5), 2014, 576-83.
14) Deshpande NA. et al. Pregnancy outcomes of liver transplant recipients: a systematic review and meta-analysis. Liver Transpl. 18(6), 2012, 621-9.
15) Zullo F. et al. Pregnancy after liver transplantation: a case series and review of the literature. J Matern Fetal Neonatal Med. 34(19), 2021, 3269-76.

社会福祉法人聖母会聖母病院 宮越 敬

消化器疾患—炎症性腸疾患，過敏性腸症候群，虫垂炎—

概　念

妊娠中の消化器器官は，胎盤から多量に分泌されるプロゲステロンの働きや，増大した妊娠子宮の影響で，解剖的，生理的，機能的に顕著に変化を来す．そのため，妊娠週数が進むにつれ鑑別疾患が多岐にわたるなど，その診断は非常に困難になる．

また，妊娠中のため検査や治療に制限が加わることから，対応に苦慮することが多い．しかしその一方で，迅速な治療が必要とされる疾患もあり，胎児に対する侵襲を念頭に置いて速やかに診断，治療を行うことが肝要である．

1. 炎症性腸疾患（潰瘍性大腸炎，クローン病）

定義・分類・病態

炎症性疾患（inflammatory bowel disease；IBD）は，慢性あるいは寛解・再燃性の腸管の炎症性疾患を総称し，一般に潰瘍性大腸炎（ulcerative colitis；UC）とクローン病（Crohn's disease；CD）の 2 疾患のことである．いずれの疾患も好発年齢が妊娠可能な時期であること，その活動期には周産期予後に影響を及ぼすことなどから，非活動期での妊娠が望ましい．

潰瘍性大腸炎（UC）

・定　義

主として粘膜を侵し，しばしばびらんや潰瘍を形成する大腸の原因不明のびまん性非特異性炎症である．

・疫　学

30 歳以下の成人に多いが，小児や 50 歳以上の年齢層にもみられる．日本では 16 万人以上（人口 10 万人あたり 100 人程度）が罹患していると類推される．

・主症状

持続性または反復性の血性下痢，腹痛や頻回の便意を伴うこともある．

・病態（病型・病期・重症度）

①病変の広がりによる病型分類：全大腸炎（total colitis），左側大腸炎（left-sided colitis），直腸炎（proctitis），右側あるいは区域性大腸炎（right-sided or segmental colitis）

②病期の分類：活動期（active stage），寛解期（remission stage）

③臨床的重症度による分類：軽症（mild），中等症（moderate），重症（severe）*

*重症の中でも特に症状が激しく重篤なものを劇症とし，急性激症型と再燃激症型に分ける．

Crohn 病（CD）

・概　念

非連続性に分布する全層性肉芽腫性炎症や瘻孔を特徴とする原因不明の慢性炎症性疾患である．口腔から肛門まで，如何なる部位にも病変を生じるが，小腸・大腸（特に回盲部），肛門周囲に好発する．

・疫　学

好発年齢は 10 代後半から 20 代で，日本では約 4 万人（人口 10 万あたり 27 人程度）と類推される．

・主症状

慢性の腹痛，下痢（血便，体重減少，発熱，肛門病変を伴う．

・病態（病型・病期・重症度）

①病型分類

病変存在部位；小腸型，小腸大腸型，大腸型，特殊型（多発アフタ型 etc）

疾患パターン；炎症型，瘻孔形成型，狭窄型

②重症度分類：軽症，中等症，重症

診断，治療方針

診断基準・治療指針は厚生労働科学研究補助金難治性疾患研究事業「難治性炎症性腸管障害に関する調査研究」（鈴木班）による報告に準ずる（**表 1，2**）．

管理・治療：投与薬剤と妊娠への影響

▶ アミノサリチル酸誘導体

①サラゾスルファピリジン（SASP）：抗炎症作用を持つメサラジン（5- アミノサリチル酸：5-ASA）と抗菌薬（サルファ剤）のスルファピリジンの化合物．葉酸の吸収抑制作用があり，妊娠前よりの葉酸投与が望ましい．可逆性の男性不妊にも注意を要する．

②メサラジン（5-ASA）：活動期の UC の寛解導入に使用される．SASP より副作用は少ない．妊娠中にも安全に使用できると思われる．

①，②ともに授乳は可能であるが，乳児の下痢に注意する．

▶ 副腎皮質ホルモン

口唇口蓋裂の報告があるが，大量投与でなければ，比較的安全に投与できる．

▶ 免疫抑制剤

アザチオプリン，シクロスポリン，タクロリムスは，添付文書では有益性投与であるが，奇形発生率は一般のそれと差はない．また，早産や低出生体重児の報告もあるが，疾患による影響も考慮される[1, 2]．

▶ 抗 TNF 製剤

インフリキシマブ，アダリムマブは胎児への移行率が高いので，妊娠中期（妊娠 24 ～ 26 週）以降は中止を検討する．出生児の BCG および生ワクチンは，6 カ月以上は控える[1, 3]．

▶ メトロニダゾール

CD における肛門病変や瘻孔のある場合に使用される．添付文書では妊娠 3 カ月以内は禁忌であるが，胎児への影響はない．

周産期予後

▶ 潰瘍性大腸炎（UC）

1）妊娠が UC に与える影響

寛解期での妊娠では 1/3 が再燃するが，活動期ではその半分が増悪し，1/4 が軽快し，1/4 が不変である[2, 4]．

2）UC が妊娠に与える影響

周産期予後は，おおむね正常妊婦と同様であるという報告が多いが，活動期には胎児発育に注意する．

表 1 ● 潰瘍性大腸炎診断基準（2021 年 1 月改訂）

A．臨床症状：持続性または反復性の粘血・血便，あるいはその既往がある．
B．①内視鏡検査：ⅰ）粘膜はびまん性におかされ，血管透見像は消失し，粗ぞうまたは細顆粒状を呈する．さらに，もろくて易出血性（接触出血）を伴い，粘血膿性の分泌物が付着しているか，ⅱ）多発性のびらん，潰瘍あるいは偽ポリポーシスを認める．ⅲ）原則として病変は直腸から連続して認める．
②注腸 X 線検査：ⅰ）粗ぞうまたは細顆粒状の粘膜表面のびまん性変化，ⅱ）多発性のびらん，潰瘍，ⅲ）偽ポリポーシスを認める．その他，ハウストラの消失（鉛管像）や腸管の狭小・短縮が認められる．
C．生検組織学的検査：活動期では粘膜全層にびまん性炎症性細胞浸潤，陰窩膿瘍，高度な杯細胞減少が認められる．いずれも非特異的所見であるので，総合的に判断する．寛解期では腺の配列異常（蛇行・分岐），萎縮が残存する．上記変化は通常直腸から連続性に口側にみられる．
確診例：
[1] A のほか B の①または②，および C を満たすもの．
[2] B の①または②，および C を複数回にわたって満たすもの．
[3] 切除手術または剖検により，肉眼的および組織学的に本症に特徴的な所見を認めるもの．

〈注 1〉確診例は下記の疾患が除外できたものとする．細菌性赤痢，クロストリディオイデス・ディフィシル腸炎，アメーバ性大腸炎，サルモネラ腸炎，カンピロバクタ腸炎，大腸結核，クラミジア腸炎などの感染性腸炎が主体で，その他にクローン病，放射線大腸炎，薬剤性大腸炎，リンパ濾胞増殖症，虚血性大腸炎，腸管型ベーチェット病，など
〈注 2〉所見が軽度で診断が確実でないものは「疑診」として取り扱い，後日再燃時などに明確な所見が得られた時に本症と「確診」する．
〈注 3〉鑑別困難例
クローン病と潰瘍性大腸炎の鑑別困難例に対しては経過観察を行う．その際，内視鏡や生検所見を含めた臨床像で確定診断が得られない症例は inflammatory bowel disease unclassified（IBDU）とする．また，切除術後標本の病理組織学的な検索を行っても確定診断が得られない症例は indeterminate colitis（IC）とする．経過観察により，いずれかの疾患のより特徴的な所見が出現する場合がある．
〈注 4〉家族性地中海熱では潰瘍性大腸炎に類似した大腸病変を認めることがあり，臨床経過などを考慮し，鑑別を要する場合がある．

表 2 ● クローン病診断基準（2021 年 1 月改訂）

1．主要所見
A．縦走潰瘍〈注 1〉
B．敷石像
C．非乾酪性類上皮細胞肉芽腫〈注 2〉
2．副所見
a．消化管の広範囲に認める不整形～類円形潰瘍またはアフタ〈注 3〉
b．特徴的な肛門病変〈注 4〉
c．特徴的な胃・十二指腸病変〈注 5〉
確診例：
[1] 主要所見の A または B を有するもの．〈注 6〉
[2] 主要所見の C と副所見の a または b を有するもの．
[3] 副所見の a，b，c すべてを有するもの．
疑診例：
[1] 主要所見の C と副所見の c を有するもの．
[2] 主要所見の A または B を有するが潰瘍性大腸炎や腸管型ベーチェット病，単純性潰瘍，虚血性腸病変と鑑別ができないもの．
[3] 主要所見の C のみを有するもの．〈注 7〉
[4] 副所見のいずれか 2 つまたは 1 つのみを有するもの．

〈注 1〉腸管の長軸方向に沿った潰瘍で，小腸の場合は，腸間膜付着側に好発する．典型的には 4 ～ 5cm 以上の長さを有するが，長さは必須ではない．
〈注 2〉連続切片作成により診断率が向上する．消化管に精通した病理医の判定が望ましい．
〈注 3〉消化管の広範囲とは病変の分布が解剖学的に複数の臓器すなわち上部消化管（食道，胃，十二指腸），小腸および大腸のうち 2 臓器以上にわたる場合を意味する．典型的には縦列するが，縦列しない場合もある．また，3 カ月以上恒存することが必要である．なお，カプセル内視鏡所見では，十二指腸・小腸において Kerckring 襞上に輪状に多発する場合もある．腸結核，腸管型ベーチェット病，単純性潰瘍，NSAIDs 潰瘍，感染性腸炎の除外が必要である．
〈注 4〉裂肛，cavitating ulcer，痔瘻，肛門周囲膿瘍，浮腫状皮垂など．Crohn 病肛門病変肉眼所見アトラスを参照し，クローン病に精通した肛門病専門医による診断が望ましい．
〈注 5〉竹の節状外観，ノッチ様陥凹など．クローン病に精通した専門医の診断が望ましい．
〈注 6〉縦走潰瘍のみの場合，虚血性腸病変や潰瘍性大腸炎を除外することが必要である．敷石像のみの場合，虚血性腸病変や 4 型大腸癌を除外することが必要である．
〈注 7〉腸結核などの肉芽腫を有する炎症性疾患を除外することが必要である．

▶ Crohn 病（CD）

1) 妊娠が CD に与える影響

無活動期での妊娠では 1/4 が再燃するが，活動期では 1/3 が増悪，1/3 が軽快，1/3 が不変である[2,4]．

2) CD が妊娠に与える影響

周産期予後は，活動期によると思われるが，UC よりも早産，低出生体重児，帝王切開率が上昇したとの報告が多い[5,6]．

2. 過敏性腸症候群

定義・分類・病態

定　義

過敏性腸症候群とは通常の検査では腸に炎症・潰瘍・内分泌異常などが認められないにもかかわらず，慢性的に腹部の膨張感や腹痛を訴えることや，下痢や便秘などの便通の異常を感じる症候群である．

頻　度

消化器症状を訴える者のなかで最も頻度が高い．精神的ストレスも多くなったためか，近年次第に増加してきている．20 ～ 40 歳代に好発し，女性にやや多い．

病　態

原因・発症機序は不明であるが，中枢神経系と消化管の運動異常・知覚過敏が関連していると考えられている．その現れ方によって「慢性下痢型」「不安定型」「分泌型」の 3 つに大きく分けられる．慢性下痢型は，ちょっとした緊張や不安があると便意を催し，激しい下痢の症状が現れる．不安定型は，腹痛や腹部の不快感とともに下痢と便秘を数日ごとに繰り返す．このタイプの便秘は腹部が張って苦しく，排便したにもかかわらず出ないか，または出てもごく小さな便しか出ない．分泌型は，強い腹痛が続いたあとに大量の粘液が排出される．

検　査

血液検査や便検査では異常は認めない．内視鏡検査でも異常所見は認めない．

診　断

除外診断が診断の主体である．過敏性腸症候群の Rome Ⅲ診断基準を**表 3**[7] に示す．

治　療

生活指導や原因食物の除去を基盤にして，その上で消化器症状に応じた薬物治療を行う．十分な睡眠をとり，規則正しい日常生活を送ることを心がける．

周産期予後

妊娠期には，プロゲステロンの上昇に伴う平滑筋弛緩作用により悪化の可能性はある．しかし，基本的に血便，発熱，体重減少を来す疾患ではないため，周産期予後には関係しないと思われる．

表 3 ● 過敏性腸症候群の診断基準（Rome Ⅲ Criteria）

腹痛あるいは腹部不快感*が、最近 3 カ月の中の 1 カ月につき少なくとも 3 日以上を占め、下記の 2 項目以上の特徴を示す （1）排便によって改善する （2）排便頻度の変化で始まる （3）便形状（外観）の変化で始まる 少なくとも診断の 6 カ月以上前に症状が出現し、最近 3 カ月間は基準を満たす必要がある. *腹部不快感とは，腹痛とはいえない不快な感覚をさす.

（文献 7 より引用）

3. 虫垂炎

概念・分類・病態

急性虫垂炎は，妊娠中に手術を行う疾患の中で，婦人科疾患を除くと最も多い疾患である.

頻　度

妊娠中の発生率は 500 ～ 2,000 人に 1 人と報告により異なる[8].

発症時期

妊娠中のどの時期にも発生するが，第 2 三半期での発生率が他の時期に比べてやや多い.

病　態

妊娠週数が進むと，妊娠子宮の増大による虫垂の上方への位置移動と大網による炎症の抑制が利かなくなるため，虫垂炎の穿孔や汎発性腹膜炎の発生頻度は増加する.

合併症

穿孔し，合併症が生じると，流・早産の原因となり周産期死亡率も高くなる.

診　断

▶ 症　状

一般に，嘔気や嘔吐を伴う心窩部痛に始まり，右下腹部に痛みが移動する．しかし，食欲不振，悪心，嘔吐は，妊娠の非特異的症状と似ており，切迫早産や陣痛なども痛みと悪心を伴うこともあるため，虫垂炎との鑑別を難しくすることがある．ただ，持続する右下腹部痛は，妊娠週数によらず多く認める症状である.

▶ 理学的所見

炎症を来した虫垂は，妊娠子宮の増大により前腹壁と離されるため，圧痛，筋性防御，腹膜刺激症状は所見がとりにくくなる[9]．そのため，症状が弱くとも虫垂炎を否定できない.

▶ 血液検査

明らかな白血球増多，核の左方移動や CRP 陽性が見られる場合は本疾患を疑う．しかし，妊娠中には白血球数は生理的に上昇するため，経時的変化を確認することが大切である.

▶ 画像診断

超音波断層法を用いて，胎児や胎盤，付属器異常の有無などを確認すると同時に虫垂を確認する. しかし，第 3 三半期以降は，虫垂を描出するのが困難となることが増える．この場合には，MRI 検査が速やかに実施可能であれば，施行することにより診断精度が向上する．CT には被曝の問題があるが，撮影条件次第では被曝線量を減らすことも可能である．その必要性に応じて，十分なインフォームドコンセントの下に

CT 施行することは許容される.

管　理

虫垂炎を疑った場合には，迅速に外科との連携をとり，治療を早急に開始する．診断までに時間がかかれば，虫垂穿孔や重篤な腹膜炎と増悪する可能性が高くなる．発症から手術まで 24 時間を超えると穿孔率が上昇するとの報告もある[10].

抗菌薬の投与

虫垂炎を疑う場合には，抗菌薬の点滴投与を行いながら，精査を進める．いつでも手術のできる準備も同時に行う.

切迫流・早産の管理

発熱，疼痛は子宮収縮を惹起することがあり，胎外生活可能な週数以降では適宜non-stress test(NST)を行う．虫垂炎に伴う子宮収縮は母体の防御反応であることから虫垂炎の治療を中心に行う.

手術療法

虫垂穿孔の有無により周産期予後が異なる報告が多い．虫垂炎を疑うときには，迅速な外科的検索が望まれる．開腹手術の場合，妊娠週数にかかわらずMcBurney 点上での虫垂摘出は問題なかったとの報告がある[11]．近年，胎児死亡のリスク上昇との関連も指摘されるが，第 1・2 三半期には腹腔鏡下手術が行われるようになり，SAGEA (the Society of American Gastrointestinal and Endoscopic Surgeons) は，Guidelines for the Use of Laparoscopy during Prenancy において第 3 三半期でも認可している．十分に研鑽された医師によるべきとの意見[12]もあり，日本においても慎重に行うことが望まれる.

周産期予後

虫垂炎は，流産や早産のリスクを上昇させる．診断や手術の遅れが穿孔を導き，その結果として腹膜炎を伴う場合は，母体，胎児の周産期予後をさらに悪化させる[13, 14].

引用・参考文献

1) van der Woude CJ. et al. The Second European Evidenced-Based Consensus on Reproduction and Pregnancy in Inflammatory Bowel Disease. journal of Crohn's and Colitis. 9(2), 2015, 107-24.
2) Hendy P. et al. IBD: reproductive health, pregnancy and lactation. Frontline Gastroenterology.6(1), 2015, 38-43.
3) Uma Mahadevan. et al. Placental Transfer of Anti-Tumor Necrosis Factor Agents in Pregnant Patients with Inflammatory Bowel Disease Clin Gastroenterol Hepatol. 11(3), 2013, 286-e24.
4) Beaulieu DB. et al. Inflammatory bowel disease in pregnancy. World J Gastroenterol.17(22), 2011, 2696-701.
5) Mañosa M. et al. Fecundity, pregnancy outcomes, and breastfeeding in patients with inflammatory bowel disease: a large cohort survey. Scand J Gastroenterol.48(4), 2013, 427-32.
6) Dominitz JA. et al. Outcomes of infants born to mothers with inflammatory bowel disease: a population based cohort study. Am J Gastroenterol. 97(3), 2002, 641-8.
7) Longstreth GF. et al. Functional bowel disorders. Gastroenterology. 130(5), 2006, 1480-91.
8) Augustin G. et al. Non-obstetrical acute abdomen during pregnancy. Eur J Obstet Gynecol Reprod Biol.131(1), 2007, 4-12.
9) Pedrosa I. et al. Pregnant patients suspected of having acute appendicitis : effect of MR imaging on negative laparotomy rate and appendiceal perforation rate. Radiology. 250(3), 2009, 749-57.
10) Yilmaz. HG. et al. Acute appendicitis in pregnancy: new information that contradicts long-held clinical beliefs. Am J Obstet Gynecol. 182(5), 2000, 1027-9.
11) Prodromidou A. et al. Outcomes after open and laparoscopic appendectomy during pregnancy: A meta-analysis. Eur J Obstet Gynecol Reprod Biol. 225, 2018, 40-50.
12) Parangi S. et al. Surgical gastrointestinal disorders during pregnancy. Am J Surg. 193(2), 2007, 223-32.
13) McGee TM. Acute appendicitis in pregnancy. Aust N Z J Obstet Gynaecol. 29(4), 1989, 378-85.
14) Yilmaz HG. et al. Acute appendicitis in pregnancy--risk factors associated with principal outcomes: a case control study. Int J Surg. 5(3), 2007, 192-7.

雪の聖母会聖マリア病院 ● 下村卓也 ● 堀　大蔵

呼吸器疾患—気管支喘息—

定義・分類・頻度・病態

定　義

「気道の慢性炎症を本態とし，変動性を持った気道狭窄による喘鳴，呼吸困難，胸苦しさや咳などの臨床症状で特徴付けられる疾患」（喘息予防・管理ガイドライン 2021）

分　類

原因アレルゲンが明らかな外因型と不明な内因型に分類される．

頻　度

2003 年に全国で実施された保健福祉動向調査では，小児で 11 ～ 14%，成人（15 歳以上）で 6 ～ 10%の有病率となっている[1]．2004 ～ 2006 年の厚生労働科学研究事業による全国調査における妊娠・出産年齢（20 ～ 44 歳）女性における喘息有病率は 5.6%である[2]．米国では喘息合併妊婦は 5 ～ 8%であり，わが国の頻度と同様である[3]．

病　態

花粉，ダニなどのアレルゲンを吸入すると，30 分以内に気道の収縮反応が誘発される．肥満細胞および好塩基球の細胞膜に存在する IgE 受容体 FcεRI には IgE 抗体が結合している．この IgE 抗体が特異的アレルゲンと結合すると，肥満細胞および好塩基球の細胞内に刺激が伝わり脱顆粒が起こる．この脱顆粒により化学伝達物質ヒスタミン，セロトニンなどが放出され，気管支平滑筋の収縮，血管透過性の亢進による浮腫，分泌亢進が起こる．そして新たに合成される化学伝達物質として，ロイコトリエン，トロンボキサンが平滑筋の収縮に働く．

■喘息が妊娠に及ぼす影響

妊娠による喘息の影響としては，喘息症状の悪化，不変，改善がそれぞれ 1/3 ずつ認められる．

妊娠中における喘息の軽快因子としてプロゲステロンによる気管支拡張作用，エストロゲンまたはプロゲステロンによるβ受容体の増強作用，循環血流中のヒスタミン分解酵素の増加による血中ヒスタミンの減少などが推測されている．一方，悪化因子としてはプロゲステロン，アルドステロンなどが糖質コルチコイドの受容体に競合阻害として働く場合や，プロスタグランジン $F_{2\alpha}$による気管支収縮作用，妊娠中のストレスの増加などが推測されている．しかし妊娠中に軽快するか，悪化することを予測することは困難である．

診　断

既往歴等の病歴聴取が重要である．臨床症状としては，呼吸困難，喘鳴，早朝あるいは夜間に出現する咳が特徴である．

▶検査所見

発作時には，血液ガス検査が重要である．特に PO_2≦60mmHg では胎児にとって危険である．末梢血検査にて好酸球の増加が認められることがある．

治療効果の判定には呼吸機能検査（肺活量測定）が有用である．特にピークフロー（peak expiratory flow；PEF）または一秒率が有効である．

管理と治療（表 1）[4]

全米喘息教育および予防プログラム（National Asthma Education and Prevention Program；NAEPP）では，患者教育，喘息の誘因となるものからの回避，薬物療法，呼吸機能の客観的評価と胎児のwell-being の評価が重要であると述べている．また，妊娠中であっても非妊時の患者と同様に積極的に治療を行うことが強く推奨される．

以下に主に薬物療法について説明する．

▶ 治療薬（表 2）[4]

喘息治療薬が妊娠に及ぼす影響については，ほとんどの喘息治療薬は，胎児に対して催奇形性はないといわれている．

1) ステロイド薬

喘息治療における最も効果的な抗炎症薬である．作用機序としては，①炎症細胞の肺・気道内への浸潤を抑制し，かつ炎症細胞自体の遊走および活性化を抑制すること，②血管の透過性を抑制すること，③気道分泌を抑制すること，④気道過敏性を抑制すること，⑤サイトカインの産生を抑制すること，⑥β_2 刺激薬の作用を促進すること，⑦ヒトのマスト細胞以外の細胞においてアラキドン酸の代謝を阻害し，ロイコトリエンおよびプロスタグランジンの産生を抑制することが挙げられている．

ステロイド薬には，静注薬，筋注薬，経口薬，吸入薬の 4 種類の剤形があるが，副作用は他剤形に比べて，吸入薬が圧倒的に少ない．したがって，喘息の長期管理薬としては吸入ステロイド薬（inhaled corticosteroid；ICS）が基本であり，経口薬は ICS を最大限に使用しても管理ができない場合や他の合併症を有する場合などに選択される．

動物実験では，全身性ステロイド薬の大量投与によって口蓋裂の発生が報告されているが，ヒトでの報告はない．また，プレドニゾロンは胎盤通過性が低い．妊娠，授乳中でも第一選択薬となる．

2) 吸入ステロイド薬（ICS）/ 長時間作用性吸入 β_2 刺激薬（LABA）配合剤

ICS/LABA 配合剤は，ICS と LABA を個々に吸入するより有効性が高い．配合剤の利点は，吸入操作回数が減少しアドヒアランスが良くなる点，LABA の単独使用を防ぐことができる点である．

3) テオフィリン徐放製剤

作用時間の長い徐放製剤の出現後，喘鳴や呼吸困難などの喘息症状の持続的に抑制する目的で，長期管理薬として使用されるようになった. 作用機序としては，非特異的な phosphodiesterase（PDE）阻害作用である．経口，静注薬ともに催奇形性の報告はなく妊娠中のコントロールに有用とされている．テオフィリンは，乳汁中に分泌され，乳児はテオフィリンの分解速度が遅いので，授乳中の投与は注意が必要である．

4) 長時間作用性 β_2 刺激薬（LABA）

作用機序は，気管支平滑筋の β_2 受容体に作用して気管支平滑筋を弛緩させ，線毛運動による気道分泌液の排泄を促す．長期管理薬としての β_2 刺激薬は長時間作用性の薬剤のみである．これらの薬剤を長期管理

表 1 ● 妊娠中の喘息患者の長期管理

重症度	症状	推奨される治療薬
軽症間欠型	≦2 日 / 週 あるいは≦2 晩 / 月	SABA 頓用（日常的な治療薬は不要）
軽症持続型	3 〜 6 日 / 週 あるいは≧3 晩 / 月	低用量 ICS （必要に応じて LTRA，テオフィリン徐放製剤，DSCG）
中症持続型	ほぼ毎日 あるいは≧1 晩 / 週	低用量 ICS ＋ LABA あるいは 中用量 ICS ± LABA （必要に応じて LTRA，テオフィリン徐放製剤を併用）
重症持続型	持続的あるいは 夜間に頻回の発作	高用量 ICS ＋ LABA あるいは 必要に応じて経口ステロイド薬 （60mg/ 日以下）

ICS：吸入ステロイド薬，SABA：短時間作用性吸入 β_2 刺激薬，LABA：長時間作用性吸入 β_2 刺激薬，DSCG：クロモグリク酸ナトリウム，LTRA：ロイコトリエン受容体拮抗薬

（文献 4 より改変）

表2 妊娠中の喘息患者に使用できると考えられている薬剤と注意点

吸入薬
1. 吸入ステロイド薬[a]
2. 吸入β刺激薬[b]
3. クロモグリク酸ナトリウム（DSCG）
4. 吸入抗コリン薬[c]

経口薬
1. テオフィリン徐放製剤
2. 経口$β_2$刺激薬
3. 経口ステロイド薬[d]
4. ロイコトリエン受容体拮抗薬[e]，古い世代の抗アレルギー薬[e]
5. 抗ヒスタミン薬[e]

注射薬[f]
1. ステロイド薬[d]
2. アミノフィリン

その他 貼付$β_2$刺激薬：ツロブテロール[g]

a）ヒトに対する安全性のエビデンスはブデソニドが最も重要である．
b）短時間作用性吸入$β_2$刺激薬（SABA）に較べると長時間作用性吸入$β_2$刺激薬（LABA）の安全性に関するエビデンスはまだ少ないが，妊娠中の投与の安全性はほぼ同等と考えられている．
c）長期管理薬として用いた場合の妊娠に対する安全性のエビデンスはなく，発作治療薬としてのみ安全性が認められている．
d）プレドニゾロン，メチルプレドニゾロンは胎盤通過性が低いことが知られている．
e）妊娠中の投与は有益性が上回る場合のみに限定すべきであるが，妊娠を知らずに服用していたとしても危険性は少ないと考えられている．
f）エピネフリンの皮下注射はやむを得ないときのみに限られ，一般的に妊婦に対しては避けた方がよいとされている．
g）吸入薬，経口薬に準じて安全と考えられているが，今後のエビデンス集積が重要である．

（文献4より改変）

薬として用いるときは吸入ステロイド薬と併用することが必要である．経口，吸入薬ともに催奇形性の報告はなく妊娠中も安全とされている．貼付$β_2$刺激薬はまだ新しい薬物形態であり，わが国と韓国のみで発売されている．妊娠中の使用については安全性を積極的に裏付けるエビデンスはないが，その成分であるツロブテロールの経口薬は安全とされており，貼付薬も問題がないと考える．

5) ロイコトリエン受容体拮抗薬（LTRA）

気管支拡張作用と気道炎症抑制作用を有し，喘息症状，呼吸機能，喘息増悪回数および患者のQOLを有意に改善させる．単剤での効果は低用量ICSに劣るため，主にICSに併用する薬剤として用いられるが，抗炎症作用を有するため単剤でも使用できる．ICSへの上乗せ効果はLABAと比較してやや劣る．妊婦には比較的安全性が高いと考えられている．

6) 長時間作用抗コリン薬（LAMA）

慢性閉塞性肺疾患（COPD）治療に広く用いられており，ドライパウダー吸入器とソフトミスト吸入器の2種類があるが，喘息には，ソフトミスト吸入器による使用のみが承認されている．長期管理薬として用いるときは，ICS併用が必須である．妊婦には，発作治療薬としてのみ安全性が認められ，長期管理薬としてのエビデンスはない．

7) 抗IgE抗体

高用量ICSでもコントロール不十分な喘息患者において，増悪予防，症状スコア軽減，QOL改善，呼吸機能改善，入院および救急受診回数の減少効果があり，ステロイド薬の減量が可能となる催奇形性は報告されていないが，妊婦への投与の安全性は確立されていない．

8) 抗IL5抗体製剤および抗IL5受容体α鎖抗体製剤

高用量ICSでもコントロール不十分な好酸球性喘息患者において，増悪予防，症状スコア軽減，QOL改善，呼吸機能改善，入院および救急受診回数の減少効果があり，ステロイド薬の減量が可能となる．妊娠前から使用している場合，継続可能と考えられている．原則，妊婦には有益性投与である．

9) 短時間作用性$β_2$刺激薬（SABA）

急性増悪（発作）の治療薬として用いる．複数回の

表3 ● 妊娠中の喘息増悪時の対応

1. 妊婦と胎児の状態をモニターする
2. SABA：サルブタモールで20分おきに2～4パフを1時間繰り返す．あるいはネブライザーを用いて吸入する
3. 酸素飽和度（SpO_2）を95%以上に保つ
4. 適切な母体の心拍出量を保つために，飲水管理や点滴も考慮する
5. 0.1%アドレナリンの皮下注は子宮動脈の収縮を惹起するためアナフィラキシーなどの場合のみ使用する
6. 発作の程度によってはステロイド薬の点滴静注を行う．ただしアスピリン喘息の既往のある妊婦にはコハク酸エステル製剤の使用は避ける
7. 上記治療反応性が悪い場合は早めに気管挿管，人工呼吸器管理を考慮する
   pH＜7.35，PCO_2≧28～32mmHg（通常の妊婦の正常値）あるいはPO_2＜70mmHgで挿管を考慮する

（文献4より改変）

吸入で効果不十分の場合は他の治療法の併用を考慮する．母児への安全が高く，増悪治療を躊躇しないよう勧められる．

注意すべき臨床症状・所見

通常の診療においては，妊娠前に喘息の診断が確定し，薬物療法が行われている症例が大多数である．妊娠中や分娩中に，急性増悪（発作）が出現した場合の対処が重要である（**表3**）[4]．

妊娠中の喘息治療

喘息発作が胎児および妊婦に及ぼす危険性を考えれば，喘息患者は妊娠中であっても治療を継続することが有益性が高い．したがって，喘息を有する妊婦はたとえ無症状であっても何らかの対策（薬剤，抗原回避，環境整備，禁煙・分煙，心身の安静など）をとって，常に発作を予防し，呼吸機能を維持する配慮が必要である．そのためには，抗原を含む増悪因子を避け，心身の安静を図ってストレスを遠ざけることは薬物療法以上に重要である．また間接喫煙を含めて，喫煙は母体および胎児に重大な影響を及ぼす．患者本人が喫煙すべきではないことは当然であるが，配偶者や周囲の人々にも患者の側での禁煙の必要性を理解してもらう必要がある．もしもある程度以上の発作が出現した場合は，胎児の低酸素血症を防ぐため，酸素吸入が推奨される．

引用・参考文献

1） 厚生労働省．平成15年保健福祉動向調査：アレルギー様症状．
2） Jolving R. et al. Prevalence of maternal chronic diseases during pregnancy-a nationwide population based study from 1989 to 2013. Acta Obstet Gynaecol Scand. 95, 2016, 1295-304.
3） Bonham CA. et al. Asthma Outcomes and Management During Pregnancy. Chest. 153, 2018, 515-27.
4） 一般社団法人日本アレルギー学会喘息ガイドライン専門部会．喘息予防・管理ガイドライン2018．（Japanese Edition）．Kindle版．

国立病院機構四国こどもとおとなの医療センター ● 前田和寿

糖尿病—Ⅰ型，Ⅱ型，劇症型（劇症Ⅰ型糖尿病）—

成因・分類

成　因

糖尿病はインスリン作用の不足による慢性高血糖を主徴とし，種々の特徴的な代謝異常を伴う疾患群である．その発症には遺伝因子と環境因子がともに関与する．代謝異常の長期間にわたる持続は，網膜症，腎症，神経症など糖尿病に特有の細小血管合併症を来しやすく，また動脈硬化症も促進する．代謝異常の程度によって，無症状からケトアシドーシスあるいは昏睡に至るまで幅広い病態を示す．

糖尿病は1つの原因に基づく単一の疾患ではなく，多様な要因によって発症する．1型糖尿病は遺伝因子，自己免疫，ウイルス感染やその他の要因により，膵β細胞の破壊によってインスリン分泌の絶対的低下が生じたものである．2型糖尿病の発症は複雑である．血糖の調節にはインスリン分泌も重要であるが，インスリン抵抗性も関与しており，両者のバランスによって血糖値が正常範囲に保たれている．

分　類

2010年に日本糖尿病学会から糖尿病の新しい分類と診断基準が示され[1]，成因分類が示された（表1）．1型，2型，その他の特定の機序・疾患によるもの，妊娠糖尿病の4つに分類される．

表1 ● 糖尿病と糖代謝異常*の成因分類

Ⅰ．1型（膵β細胞の破壊，通常は絶対的インスリン欠乏に至る）
　A．自己免疫性
　B．特発性（例：劇症1型糖尿病）
Ⅱ．2型（インスリン分泌低下を主体とするものと，インスリン抵抗性が主体でそれにインスリンの相対的不足を伴うものなどがある）
Ⅲ．その他の特定の機序，疾患によるもの
　A．遺伝因子として遺伝子異常が同定されたもの
　　（1）膵β細胞機能にかかわる遺伝子異常
　　（2）インスリン作用の伝達機構にかかわる遺伝子異常
　B．他の疾患，条件に伴うもの
　　（1）膵外分泌疾患
　　（2）内分泌疾患
　　（3）肝疾患
　　（4）薬剤や化学物質によるもの
　　（5）感染症
　　（6）免疫機序によるまれな病態
　　（7）その他の遺伝的症候群で糖尿病を伴うことが多いもの
Ⅳ．妊娠糖尿病

注：現時点では上記のいずれにも分類できないものは分類不能とする．
*一部には，糖尿病特有の合併症を来たすかどうかが確認されていないものも含まれる．
（文献1より引用改変）

要　点

- 計画妊娠が重要である．
- 妊娠前に糖尿病合併症（網膜症や腎症）の評価を行っておくことが重要である．
- 妊娠中も厳格な血糖コントロールが望ましいが，低血糖を来さない程度で HbA1c ≦ 6.5% を目指す．
- 劇症1型糖尿病を含むケトアシドーシスは，母体を救命すべき疾患の一つである．

参考 『産婦人科診療ガイドライン：産科編 2020』
CQ005-2 妊娠糖尿病（GDM），妊娠中の明らかな糖尿病，ならびに糖尿病（DM）合併妊婦の管理・分娩は？[2]
『糖尿病診療ガイドライン 2019』Q1-1 ～ 1-7，Q17-1 ～ 17-2，17-4 ～ 17-7[3]

糖尿病の診断基準

日本糖尿病学会による非妊娠時の糖尿病の診断手順を表2に示す．糖尿病の診断基準は，糖尿病網膜症などの糖尿病性合併症の発症頻度が増加する血糖値で定められている[1]．糖尿病の診断には慢性高血糖の確認が不可欠である．糖代謝の判定区分は，糖尿病型，正常型，境界型に分けられる．そして持続的に糖尿病型を示すものを糖尿病と診断する．境界型は，米国糖尿病学会やWHOのIFG（impaired fasting glucose あるいはimpaired fasting glycemia）とIGT（impaired glucose tolerance）を合わせたものに一致し，糖尿病型に移行する率が高い．また，境界型は糖尿病特有の合併症は少ないが，動脈硬化症の危険は正常型よりも大きい．なお，糖尿病の診断手順を表3に示すので，参照いただきたい．

妊娠合併症（表4）

▶ 妊娠が糖尿病合併症に与える影響

1型糖尿病女性の妊娠悪阻には十分に留意する．なぜなら脱水のみでケトーシスや糖尿病性ケトアシドーシス（diabetic ketoacidosis；DKA）を生じ得るからである．また妊娠後半期にはインスリン抵抗性が増大するので，1型糖尿病のみならず2型糖尿病でも感冒や下痢などによるDKAを生じる可能性があることに留意する．切迫早産治療薬として用いられるリトドリン塩酸塩を経静脈的に投与する場合，ケトーシスやケトアシドーシスが生じ得るので注意する．「1型糖尿病妊婦の意識障害」との連絡が入れば，低血糖かDKAを考える．劇症1型糖尿病については後述する．

妊娠中は糖尿病網膜症の悪化が起こりやすいとされ

表2 ● 空腹時血糖値および75g経口糖負荷試験（OGTT）2時間値の判定基準（静脈血漿値，mg/dL）

	正常域	糖尿病域
空腹時値 75gOGTT 2時間値	<110 <140	≧126 ≧200
75gOGTTの判定	両者をみたすものを正常型	いずれかをみたすものを糖尿病型*
*随時血糖値≧200mg/dL およびHbA1c≧6.5%の場合も糖尿病型とみなす		

正常型であっても，1時間値が180mg/dL以上の場合には，180mg/dL未満のものに比べて糖尿病に悪化するリスクが高いので，境界型に準じた取り扱い（経過観察など）が必要である．
また，空腹時血糖値100～109mg/dLのものは空腹時血糖正常域の中で正常高値と呼ぶ．
*OGTTにおける糖負荷後の血糖値は随時血糖値には含めない．

（文献1より引用改変）

表3 ● 糖尿病の診断手順

臨床診断：
1）初回検査で，①空腹時血糖値≧126mg/dL，②75gOGTT 2時間値≧200mg/dL，③随時血糖値≧200mg/dL，④HbA1c≧6.5%のうちいずれかを認めた場合は，「糖尿病型」と判定する．別の日に再検査を行い，再び「糖尿病型」が確認されれば糖尿病と診断する*．但し，HbA1cのみの反復検査による診断は不可とする．また，血糖値とHbA1cが同一採血で糖尿病型を示すこと（①～③のいずれかと④）が確認されれば，初回検査だけでも糖尿病と診断してよい．
2）血糖値が糖尿病型（①～③のいずれか）を示し，かつ次のいずれかの条件がみたされた場合は，初回検査だけでも糖尿病と診断できる．
- 糖尿病の典型的症状（口渇，多飲，多尿，体重減少）の存在
- 確実な糖尿病網膜症の存在

3）過去において，上記1）ないしは2）の条件がみたされていたことが確認できる場合には，現在の検査値が上記の条件に合致しなくても，糖尿病と診断するか，糖尿病の疑いを持って対応する必要がある．
4）上記1）～3）によっても糖尿病の判定が困難な場合には，糖尿病の疑いをもって患者を追跡し，時期をおいて再検査する．
5）初回検査と再検査における判定方法の選択には，以下に留意する．
- 初回検査の判定にHbA1cを用いた場合，再検査ではそれ以外の判定方法を含めることが診断に必須である．検査においては，原則として血糖値とHbA1cの双方を測定するものとする．
- 初回検査の判定が随時血糖値≧200mg/dLで行われた場合，再検査は他の検査方法によることが望ましい．
- HbA1cと平均的な血糖値とが乖離する可能性のある疾患・状況の場合には，必ず血糖値による診断を行う．疫学調査：糖尿病の頻度推定を目的とする場合は，1回だけの検査による「糖尿病型」の判定を「糖尿病」と読み替えてもよい．なるべくHbA1c（NGSP）≧6.5%（HbA1c〔JDS〕≧6.1%）あるいはOGTT 2時間値≧200mg/dLの基準を用いる．

検診：糖尿病およびその高リスク群を見逃すことなく検出することが重要である．スクリーニングには血糖値，HbA1cのみならず，家族歴，肥満などの臨床情報も参考にする．

*ストレスのない状態での高血糖の確認が必要である．

（文献1より引用改変）

表 4 ● 糖尿病合併妊娠における母児合併症

母体合併症	児合併症
1）糖尿病性合併症 糖尿病網膜症の悪化 糖尿病腎症の悪化 糖尿病性ケトアシドーシス 低血糖 2）産科的母体合併症 流・早産 妊娠高血圧症候群 羊水過多（症） 巨大児による難産	1）胎児・新生児合併症 胎児死亡 先天異常 児の過剰発育：heavy-for-date 児，巨大児 巨大児に伴う肩甲難産による分娩時外傷 新生児低血糖症 新生児高ビリルビン血症 新生児低カルシウム血症 多血症 新生児呼吸窮迫症候群 肥厚性心筋症 2）将来の合併症 肥満症 糖尿病 メタボリックシンドローム

表 5 ● 妊娠初期の HbA1c 値と先天異常の発生頻度

HbA1c（%）	先天異常数	総　数	先天異常発生率（%）
～6.1	4	120	3.3
6.2～6.8	2	38	5.3
6.9～7.3	1	24	4.2
7.4～7.8	2	21	9.5
7.9～8.3	2	14	14.3
8.4～	−	−	24.1

（文献 4 より引用改変）

る．妊娠中に網膜症が悪化するリスク要因としては，妊娠そのものの影響とともに，高血圧の存在，妊娠前の網膜症の程度，妊娠前の血糖コントロールの不良，妊娠中の厳格な血糖管理に伴う血糖低下の程度などが挙げられる．

糖尿病性腎症の自然経過が妊娠によって悪化するか否かについては議論がある．ただし，腎機能低下，高度な蛋白尿，高血圧を伴うような重症の腎症患者では，妊娠がその経過に悪影響を及ぼす可能性がある．

▶ 糖尿病が妊娠に与える影響

糖尿病は母体および胎児・新生児に各種の合併症を引き起こす（表 4）．母体合併症としては，流産・早産の頻度の上昇，妊娠高血圧症候群の合併，羊水過多（症），巨大児に基づく難産などがある．

流産は，先天異常の発症と同様に妊娠初期の血糖管理状態により影響を受けるとされる．妊娠高血圧症候群の合併は，肥満合併女性や血管合併症を有する糖尿病合併妊婦に多い．特に糖尿病腎症合併妊婦はほぼ必発と考えてよい．また歯周囲炎の合併に注意する．

胎児・新生児合併症としては，胎児機能不全，胎児死亡，巨大児，巨大児に伴う難産による分娩障害，胎児発育不全，新生児低血糖症，新生児黄疸，新生児低カルシウム血症，多血症，新生児呼吸窮迫症候群，肥厚性心筋症，先天異常などが挙げられる（表 4）．多くの合併症は妊娠中の血糖コントロールの不良により生じる．

先天異常は周産期死亡に寄与する原因であり，その機序としては，糖尿病状態における酸化ストレスなどが関与することが知られている．妊娠初期のグリコヘモグロビンと先天異常発生率の間には相関がみられ，妊娠初期 HbA1c 値と先天異常の発生頻度を表 5 に示す[4]．

胎児機能不全や胎児死亡は，ケトアシドーシスを合併するときに生じやすい．ケトアシドーシスによって子宮胎盤血流量が減少することがその一因であると考えられる．

管　理

血糖コントロール目標

糖尿病妊婦の血糖コントロールは，母体のみならず，胎児・新生児合併症を防止する目的で行われる．日本産科婦人科学会では，糖尿病妊婦における血糖コントロールの目標値として，食前値100mg/dL以下，食後2時間値120mg/dL以下としている[2]．日本糖尿病学会[3]および英国国立医療技術評価機構[5]，米国糖尿病学会[6]のガイドラインでは，食前値＜95mg/dLおよび食後1時間値＜140mg/dLまたは食後2時間値＜120mg/dLの目標値を設定しており，目標HbA1cは6.5％未満（ただし低血糖を来さない程度）としている．

血糖値のモニタリング

現在，糖尿病患者の血糖値のモニタリングとしては，簡易血糖測定器による血糖自己測定（self-monitoring of blood glucose；SMBG）が用いられる．血糖自己測定を正確に頻回に行うことは，厳格な血糖コントロールが要求される糖尿病妊婦においては，低血糖症の防止のためにも極めて重要である．なお1型糖尿病妊婦では，持続血糖モニタリングの妊娠転帰への有効性も示されている．

上述の目標血糖値を厳格に達成するためには，血糖値を測定する回数は，毎食前（朝食前は空腹時血糖），毎食後2時間，就寝前の1日7回にすることが原則である．ただし，血糖値が安定している場合は，測定回数を減らすことが可能である．重症低血糖のリスクが高い症例では，目標血糖値を緩めることも考慮する．

妊娠前の管理

1）先天異常の防止のための妊娠前管理

先天異常の発生頻度を低下させるためには，妊娠前からの厳格な血糖コントロールを行った上で計画的に妊娠を図る，いわゆるpre-pregnancy clinicを徹底することが効果的である．

2）糖尿病性合併症を有する女性の妊娠前管理

妊娠前の網膜症の程度，血糖コントロールの不良，妊娠中の急激な血糖コントロールの低下などは糖尿病性網膜症を悪化させるリスク要因であるので，糖尿病性網膜症の存在する女性に対しては，あらかじめ妊娠前から厳格な血糖管理を確立しておくことが大切である．また前増殖網膜症あるいは増殖網膜症を有する場合には，妊娠前の血糖コントロールを良好にすることに加えて，眼科医との相談のもとに網膜光凝固法などの治療を行い，網膜症が鎮静化してからの妊娠を勧める．

妊娠中の胎児well-beingの評価，分娩時期，分娩方法

一般的に糖尿病合併妊娠に対する妊娠中の胎児監視の必要性は，国際的にも認識されている．しかし，大規模なランダマイズされた比較対照試験による有効性を証明するエビデンスは，まだ十分に得られていないのが現状である．糖尿病合併妊娠における胎児監視を開始する時期や方法について，一定の方式があるわけではないが，例えば妊娠32週からノンストレス試験（non-stress test；NST）を毎週行い，妊娠36週からNSTの回数を週2回に増やす．ただし，胎児発育不全，高血圧，羊水過少，妊娠高血圧症候群の合併や血糖コントロールが不良など場合，より早期から胎児監視を開始し，頻度も多くする．また，NST，biophysical profile scoring（BPS），contraction stress testのいずれが最も適切な胎児監視の手段であるかについては十分な結論は得られていない．しかし，妊娠・分娩中のcardiotocography（CTG）が重要であることは言うまでもない．糖尿病合併妊娠はハイリスク妊娠であるため，分娩時には原則，連続的胎児心拍数モニタリングを行う．

超音波診断による推定胎児体重によって分娩様式を選択することの是非については，議論がある．

分娩時期や分娩方法についても，現時点でエビデンスは不十分であり，事実，各国のガイドラインにおいてまちまちの推奨がなされている．分娩時期や分娩方法については，母体の肥満の有無，血糖コントロール状態や糖尿病合併症や妊娠合併症，児の発育などより総合的に個別に検討することが重要であろう．

分娩時の血糖管理

分娩時にはインスリン需要量が急激に変化するこ

と，および分娩の進行に伴い食事摂取が困難となること，発汗により脱水が生じやすいことなどより，注意深い血糖管理が必要である．一般に分娩第 1 期にはインスリン需要量が減少し，第 2 期には再び増加し，分娩後は減少する．

分娩時の血糖管理にはいくつかの方法があるが，特に 1 型糖尿病などのインスリン需要量の変化の激しい分娩時や手術時に対処する 1 つの方法として，分娩の開始とともに 5%グルコースを含む電解質液を 1 時間に 100 ～ 120mL の速度で投与し，インフュージョンポンプによる静脈内インスリン投与を行う方法がある．血糖値は 1 ～ 3 時間ごと，必要に応じてより頻回に測定し，70 ～ 120mg/dL を目標血糖値とする．インスリン投与速度は 0.5 単位 / 時から開始し，血糖値の変動をみて調節する．

▶ 食事療法（妊婦のエネルギー摂取量）

糖尿病妊婦の食事療法の基本は，妊婦として適正な栄養を摂取させることである．妊娠時には非妊娠時の栄養所要量に加えて，エネルギー，蛋白質，ビタミン，ミネラルなどの付加量を加える必要がある．妊娠時の付加量については，エビデンスは不十分である．運動を減じている妊婦に対しては妊娠期間中を通じて＋200kcal，運動を減じていない妊婦では＋ 285kcal を付加する方法や，食事摂取基準に合わせて，妊娠初期・中期・末期にそれぞれ＋ 50，250，450kcal を付加する方法が用いられる．ただし，肥満妊婦については，付加量を加えないのが一般的である．

3 回食で目標血糖値を達成できない場合や血糖値が変動する場合，各食事を 2：1 程度に分割し，1 日 4 ～ 6 回食にすることが有効な方法の一つである．

なお，妊娠前より葉酸サプリメントなどを摂取することが勧められる．

▶ インスリン療法

適正な食事療法を行ってもなお目標血糖値が達成できない場合には，インスリン投与の適応となる．経口糖尿病薬の妊娠中の使用に関しては，現時点で児への安全性がまだ完全に証明されたとはいえず，一般的には経口糖尿病薬を中止してインスリンに変更する．

妊娠中は一般に強化インスリン療法を行う．通常，ペン型注射器によるインスリン自己注射が行われるが，特に血糖値の不安定な 1 型糖尿病妊婦では持続皮下インスリン注入療法（continuous subcutaneous insulin infusion；CSII）も有効である．血糖持続モニタリング機能を搭載したインスリンポンプ（sensor augmented pump；SAP）療法の使用も考慮に入れる．

糖尿病妊婦においても妊娠時の生理的なインスリン抵抗性が生じるため，インスリンを投与している糖尿病妊婦では，インスリン抵抗性の増大および体液量の増加のために，妊娠末期にはインスリン投与量を増量しなければならないことが多い．その時期はインスリン抵抗性が顕著となる妊娠後半期以降であり，通常はインスリン投与量を 2 倍程度に増量する．

劇症 1 型糖尿病

劇症 1 型糖尿病は，特発性で高血糖症状が出現後，1 週間前後でケトーシスあるいは DKA で発症し診断される疾患である．

▶ 診　断

劇症 1 型糖尿病の場合，耐糖能異常の既往がない女性が急激な経過で DKA を発症して診断される（①すでにケトーシスやケトアシドーシスを生じている，②初診時の随時血糖値は≧288mg/dL，かつ HbA1c 値＜8.7%，③発症時の尿中 C ペプチド＜10μg/ 日または血清 C ペプチド＜0.5ng/mL）．妊娠と関連することが知られている．特に妊娠後半期から産褥期に発症し，発症 1 週間ほど前に感冒様症状を伴うことが多い．また，子宮内胎児死亡の頻度が高い（約 60%）．強い全身倦怠感と意識障害が特徴であるが，DKA の場合，多くが昏睡の可能性が高く，そのほとんどは救急車で搬送される．

▶ 管　理

劇症 1 型糖尿病はそのほとんどが DKA で発症するため，DKA に対する一般的注意事項を示す．意識障害がある場合，基本的には生命に関わる緊急事態であり，バイタルサインを十分にチエックし，静脈ルートの確保と酸素投与を行い，緊急処置をとらなければならない．上記処置を行いながら DKA の診断・鑑別診断を行い，加療する．また同時に胎児超音波検査および胎児心拍数モニタリングを施行し，胎児の well-being を評価する．

診断の過程で劇症 1 型糖尿病が疑わしい場合，急速に重症化する可能性があり，救急医や糖尿病専門医を含めた多職種連携が重要である．意識がないとの情報が入れば，妊婦であっても産科病棟に搬入せず，ICU へ収容すべきである．患者の呼吸状態（大呼吸があるか，ケトン臭があるか），尿定性検査での尿糖強陽性，尿ケトン強陽性が特徴である．もちろん高血糖の情報も重要である．母体救命第一であることを肝に銘ずる．産科医は non-reassuring fetal status をみると，反射的に緊急帝王切開を考えるが，DKA 時は例外である．母体治療を最優先すべきであるが，糖尿病専門医と相談の上，最終的に決定する．

治療の要は，脱水に対する急速補液および高血糖に対する血糖コントロールであるが，急激な血糖低下は脳浮腫のリスクを伴うので注意を要する．

チーム管理の重要性

糖尿病妊婦の管理は，各科の境界領域に属し，周産期専門医，糖尿病専門医，眼科医，栄養士，助産師などによるチーム医療を円滑に行うことが必要であるとともに，夫をはじめとする家族の理解と協力が重要である．

最後に，医療者は糖尿病女性に対するエンパワーメントの考え方を持って継続的に支援することが重要であることを強調したい．

次回妊娠への留意点

計画妊娠の重要性と糖尿病合併症の状態を適宜評価することの重要性を十分に説明する．

引用・参考文献

1） 清野裕ほか．糖尿病の分類と診断基準に関する委員会報告．糖尿病．55，2012，485-504.
2） 日本産科婦人科学会・日本産婦人科医会 編集・監修．"CQ005-2 妊娠糖尿病（GDM），妊娠中の明らかな糖尿病，ならびに糖尿病（DM）合併妊婦の管理・分娩は？"．産婦人科診療ガイドライン：産科編 2020．東京，日本産科婦人科学会，2020，25-8.
3） 日本糖尿病学会．"妊婦の糖代謝異常"．糖尿病診療ガイドライン 2019．東京，南江堂，2019，283-304.
4） 末原節代ほか．当センターにおける糖代謝異常妊婦の頻度と先天異常に関する検討．糖尿病と妊娠．10，2010，104-8.
5） National Institute for Health and Care Excellence Guideline. Diabetes in pregnancy: management from preconception to the postnatal period. 2020. https://www.nice.org.uk/guidance/ng3/ [2021. 9. 30]
6） American Diabetes Association. Management of Diabetes in Pregnancy: Standards of medical care in diabetes-2020. Diabetes Care. 43（Suppl 1）, 2020, S183-92.

愛媛大学 ● 杉山　隆

甲状腺疾患
―機能亢進症，機能低下症，甲状腺がん―

概念・定義・分類・病態

甲状腺機能は妊娠による生理的変化の影響を受けるため妊娠中の甲状腺機能検査の評価には慎重を要する．甲状腺機能異常は，機能亢進症および機能低下症のいずれも，流産，早産，妊娠高血圧症候群，胎児発育不全（fetal growth restriction；FGR），死産などの種々の周産期合併症の原因となり，甲状腺機能異常合併妊娠はハイリスク妊娠としての管理が必要である．米国甲状腺学会（ATA）は，「妊娠および産褥期の甲状腺疾患の診断と管理に関するATAガイドライン」（初版2011年）[1]を2017年に大幅に改定した[2]．また，日本においても日本甲状腺学会からバセドウ病治療のガイドラインが改定[3]され妊娠中の治療がアップデートされた．本稿はこれらのガイドラインに準じたものである．

定義と分類

①顕性甲状腺機能亢進症（overt hyperthyroidism）

- バセドウ病：甲状腺刺激自己抗体がTSH受容体を刺激することによって機能亢進症を呈する．妊婦に合併する甲状腺機能亢進症の中では最も高頻度である．
- 妊娠性一過性甲状腺機能亢進症：HCG-mediated hyperthyroidismとも称され，gestational transient hyperthyroidism/thyrotoxicosis；GTH/GTTが代表的である．妊娠悪阻や奇胎妊娠時のtrophoblastic hyperthyroidismなども含まれる．

②甲状腺機能低下症（hypothyroidism）

原発性機能低下症は，ヨード摂取が十分なわが国では自己免疫性甲状腺炎（橋本病）が主たる原因である．二次性甲状腺機能低下症はSheehan症候群など下垂体起源である．

- 顕性甲状腺機能低下症（overt hypothyroidism）
- 潜在性甲状腺機能低下症（subclinical hypothyroidism）

③産褥性甲状腺炎（postpartum thyroiditis；PPT）：全妊婦の5%に認める一過性自己免疫性甲状腺炎

④甲状腺がん合併妊娠（thyroid cancer during pregnancy）

はじめに

甲状腺ホルモンは正常の妊娠経過と胎児発育に極めて重要なホルモンである．甲状腺機能は妊娠によってドラスティックに変化する．その生理的変化は正常妊娠の維持と胎児発育のための合目的的変化である．一方，甲状腺疾患は生殖年齢の女性に好発し，内科疾患の中でも高頻度に認められる合併症である．妊娠による甲状腺機能の変化を知ることは，甲状腺疾患合併妊娠の的確な診断と管理にとって極めて重要である．妊娠前半期の胎盤と胎児発育は，母体からの甲状腺ホルモン供給に依存しており，母体の甲状腺機能異常は胎児発育に影響するとともに，種々の周産期合併症と関連が深い．最近，妊娠と甲状腺疾患に関する詳細な知見が明らかになり，海外のガイドラインも最新の知見，とりわけ治療的介入に関するエビデンスをもとに変容している．そうした最新の知見を踏まえて概説したい．

妊娠による甲状腺機能の生理的変化

甲状腺の臓器容量は妊娠中に増大し，妊娠第3三半期には第 1 三半期よりも 30% 増大する[4]．機能的には，腎によるヨード排泄と甲状腺ホルモン結合蛋白（TBG）の増加，ヒト絨毛性ゴナドトロピン（hCG）による甲状腺刺激作用，これらを反映して甲状腺ホルモン産生は増加する．total T4（TT4）と TBG は妊娠 7 週から増加し，16 週頃にピーク（50%増加）となり，そのまま分娩まで維持される．第 1 三半期は胎盤からの hCG の甲状腺刺激ホルモン（TSH）作用によって TSH レセプターが刺激され Free T4（FT4）は一過性に増加し，その増加によって TSH 産生が抑制される．FT4 は hCG 産生が低下する第 2 三半期以降は非妊時の正常レベルで推移する[4]．

母体の thyroxine は，妊娠の全経過を通して経胎盤的に胎児へ移行する．この胎児へ移行する thyroxine は，特に胎児自身が甲状腺ホルモンを産生するようになるまで，胎児の脳の正常発達に重要な役割を果たす．胎児自身が甲状腺ホルモン産生を開始する 12 週以降も，胎児の血中 thyroxine の 30% は母体由来とされる[5]．

妊娠中の甲状腺機能検査

妊娠による生理的変化を反映して，妊娠中は非妊時とは異なる甲状腺機能検査値が設定される．妊娠中の FT4 の動態はその測定法に依存しており，一般に普及している抗体法はその測定キットによってもばらつきがあるとともに，妊娠によるさまざまな修飾を受けやすい．また，FT4 値は人種や地域によってその正常値が異なるため，現時点では妊娠中の FT4 値の標準化はなされていない．そのため TSH レベルが妊娠中の甲状腺機能評価の最も信頼性の高い検査法である．

表 1 ● 妊娠各三半期の TSH の正常値[2]

第 1 三半期：0.1 ～ 4.0mIU/L
第 2 三半期：0.5 ～ 4.5mIU/L
第 3 三半期：0.5 ～ 4.5mIU/L

妊娠中の TSH の評価について米国甲状腺学会は，ポピュレーションと妊娠時期（各三半期）に応じた正常域を推奨しているが，そのような設定値を持たない集団（日本もこれに準ずる対象）では，表 1 の妊娠中の正常値が提案されている．これらの三半期ごとの正常値は，ATA が 2011 年に提唱したガイドライン 2011[1] の設定上限値（第 1 三半期 2.5mU/L，第 2 および第 3 三半期 3.0mU/L）が低すぎたという観点からガイドライン 2017[2] で変更されたものである．

TSH 受容体抗体（TRAb）は，バセドウ病の病因となる TSH 受容体に対する刺激型の抗体である．TRAb の測定はバセドウ病の診断に有用である．また TRAb は胎盤通過性を有する．TSH 受容体抗体には甲状腺刺激抗体（TSAb）と甲状腺抑制抗体（TBII）があり，後者は胎児の甲状腺機能低下症の原因となる．

1. 顕性甲状腺機能亢進症（overt hyperthyroidism）

TSH 低値，FT4（あるいは FT3）高値を示す．バセドウ病および妊娠一過性甲状腺機能亢進症が含まれる．顕性甲状腺機能亢進症は全妊婦の 0.1 ～ 0.4% と比較的まれである[4]．妊娠中に甲状腺機能亢進症と診断された場合，母児の予後はその原因によって異なるため，まず原因検索が第一である．

バセドウ病（Basedow disease）合併妊娠

▶ 診断

1）臨床症状

甲状腺機能亢進症に特徴的な臨床症状は，動悸，頻脈，神経過敏，発汗，甲状腺腫大，体重減少などであるが，こうした症状は，悪阻による脱水や体重減少をはじめとして，しばしば妊娠に関連した不定愁訴と類似している．眼球突出と皮膚症状（局所または前脛骨部の粘液水腫）はバセドウ病を示唆する所見である．

2) 検査所見

妊娠各三半期の正常基準をもとに診断するが，典型的な場合，TSH 値は 0.01mU/L 未満となる．TRAb 測定はバセドウ病の診断に有用である．

▶ 関連する周産期リスク

1) 母体および産科合併症

コントロール不良な場合は，流産，早産，低出生体重児，死産，妊娠高血圧症候群（重症妊娠高血圧腎症）などのリスクが増加する．過剰な thyroxine の心筋への直接作用によって発症する肺高血圧を伴ううっ血性心不全は，コントロール不良な妊婦の 8%程度に認められる[6]．拡張型心筋症を呈し，通常は妊娠高血圧腎症，帝王切開，貧血，敗血症などが誘因となる．甲状腺クリーゼは，妊娠中はまれであるが，コントロール不良の妊婦あるいは産褥 2 週までの褥婦で発症のリスクがあり，多臓器不全を来す重篤な疾患である．

2) 胎児・新生児合併症

母体のコントロール不良例では，胎児・新生児合併症の原因となる（表 2）．低出生体重児のリスクは正常妊婦の 9 倍，治療中の妊婦でも euthyroid に到達していなければ 2.5 倍である[7]．受胎期に機能亢進状態である場合は流産や早産の頻度が高い．母体の TRAb は胎盤通過性があり，母体の抗体価が高ければ胎児甲状腺に作用して胎児合併症の原因となる．TRAb の多くは胎児甲状腺に対して刺激的に作用して胎児甲状腺機能亢進症を誘発するが，まれに抑制的に作用して胎児甲状腺機能低下症の原因となる．

- 胎児甲状腺機能亢進症：胎児 TSH 受容体は妊娠第 2 三半期の初めには反応性を獲得しており，母体から移行した高濃度の TRAb が胎児甲状腺を刺激することによって発症し，胎児頻脈，胎児発育不全（FGR），羊水過少症，胎児水腫，胎児甲状腺腫を認める．時に胎児の頸部過伸展を呈することがある．胎児心拍数基線頻脈（基線細変動が正常な基線頻脈 170 ～ 180bpm 程度）は最も高頻度に認められるが，FGR や羊水過少症の頻度は少ない．胎児エコーで甲状腺腫が観察可能な場合は，胎児頻脈の正常化とともに胎児甲状腺サイズの正常化が，抗甲状腺薬による治療効果判定に有用である．胎児甲状腺腫は，抗甲状腺薬投与中で TRAb 陽性妊婦の 25%に認め，胎児甲状腺機能亢進症あるいは高用量の抗甲状腺薬による二次性の甲状腺機能低下状態が推測され，抗甲状腺薬の投与量の調整による改善の指標となる[8]．
- 新生児甲状腺機能亢進症：新生児甲状腺機能亢進症は，バセドウ病合併妊娠の 1 ～ 5%に認める[9]．母体の抗甲状腺薬治療は胎児にも有効であるが，分娩後の経母体的な薬剤効果の消退によって，出生後数日のうちに新生児甲状腺機能亢進症を発症する．TRAb 高値は新生児甲状腺機能亢進症の発症予測に有用とされる．抗体の半減期は 2 ～ 3 週間とされる[5]．
- 新生児中枢性甲状腺機能低下症：未治療の甲状腺機能亢進症母体から出生した児に，下垂体あるいは視床下部性の一過性甲状腺機能低下症を発症することがある．これは，経胎盤的に胎児へ移行した過剰な

表 2 ● 甲状腺機能異常合併妊娠における母体および胎児・新生児合併症

	母体および産科合併症	胎児・新生児合併症
バセドウ病合併妊娠	流産 妊娠高血圧症候群 早産 うっ血性心不全 甲状腺クリーゼ 常位胎盤早期剥離 感染	低出生体重児 • 早産児 • 胎児発育不全／ SGA 児 非免疫性胎児水腫 死産（胎児死亡） 甲状腺機能異常 • 胎児：甲状腺機能亢進症，甲状腺機能低下症 • 新生児：甲状腺機能亢進症，新生児甲状腺腫，新生児中枢性甲状腺機能低下症
甲状腺機能不全合併妊娠	流産 早産 妊娠高血圧症候群 常位胎盤早期剥離 帝王切開 分娩後異常出血	低出生体重児 • 妊娠高血圧症候群に関連した人工早産 胎児機能不全 死産（胎児死亡） 神経学的予後不良

甲状腺ホルモンによる胎児の下垂体 TSH 分泌を抑制が原因となる.

管理

妊娠中のバセドウ病の治療において，母児の周産期合併症を予防するための原則は可能な限り迅速に甲状腺機能を正常化し，妊娠期間を通じて euthyroid を維持することと，そのために必要な最小用量の抗甲状腺薬を使用することである.

1）薬物療法

妊娠中治療は抗甲状腺薬が第一選択薬である.

● 妊娠前管理：妊娠前にチアマゾール（MMI）を用いている場合は MMI の催奇形性を回避するために以下の 3 つのオプションを考慮する[10].

- 若い女性で 1 ～ 3 カ月の間に妊娠を希望する場合は，プロピルチオウラシル（PTU）に変更する.
- なかなか妊娠に至らない高年齢女性や予定しなかった妊娠の場合は，妊娠反応が陽性になった時点で速やかに PTU に変更する.
- すでに MMI で 1 年～ 1 年半の治療歴があり，低用量 MMI で TSH 正常かつ TRAb 陰性の場合は，MMI を中止し厳重な（1 週間ごとの）甲状腺機能のフォローアップを行う．中止後の再発には第 1 三半期なら PTU，第 2 三半期以降なら MMI を再開する.

● 妊娠初期の管理：バセドウ病治療ガイドライン[3]の最重要クリニカル・クエスチョンの記載は以下のとおりである.

- 妊娠初期は妊娠 5 週 0 日から 9 週 6 日までは MMI を避けるべきである.（強く推奨）
- MMI 内服中に妊娠が判明した場合，妊娠 9 週 6 日までであれば MMI を速やかに中止し，患者の状態に応じて休薬または PTU や無機ヨウ素薬に変更する.（強く推奨）
- 妊娠初期に抗甲状腺薬が必要な場合には PTU を使用する.（強く推奨）
- 妊娠初期の無機ヨウ素は，MMI（や PTU）の代替薬として使用が可能である.（弱く推奨）
- 妊娠初期の無機ヨウ素は，PTU の補助薬として使用が可能である.（弱く推奨）

2）甲状腺機能のモニタリング

抗甲状腺薬は胎盤を通過して胎児の甲状腺機能低下症の原因となるため，FT4 を非妊時の正常上限に維持することを基本とし，それに達するまでは 2 週間ごと，euthyroid に達したら 2 ～ 4 週間ごとに TSH および FT4 を測定する．通常，妊娠後半期は抗甲状腺薬の必要量は減少する．第 3 三半期の甲状腺機能亢進状態は FGR のリスクとなるため，継続した甲状腺機能検査は必須である.

妊娠初期に母体血清 TRAb が高値の場合は，妊娠 18 ～ 22 週および 30 ～ 34 週に TRAb を再検する．甲状腺腫が小さく臨床症状の出現が短期間で，低 TRAb 抗体価かつ少量の抗甲状腺薬で euthyroid を維持できるような妊婦の 30 ～ 40％は，妊娠末期には抗甲状腺薬の中止が可能といわれる[10].

3）抗甲状腺薬の副作用

PTU の重篤な副作用は肝機能障害である．肝機能検査を 4 週間ごとに行い，正常上限の 3 倍を超えたときは PTU を中止する[10]．ただし，肝機能障害は妊娠のいかなる時期でも起こり，突然発症し急速に増悪するため，ルーチンの肝機能検査では検出できないとされる．易疲労感，脱力感，悪心・嘔吐，黄疸，濃色尿，灰白色便などの症状があれば直ちに PTU 服用を中止して，主治医へ連絡することを指導しておく.

そのほか，PTU に対するアレルギーや無顆粒球症を認める場合は外科的治療（甲状腺摘出術）も考慮されるが，妊娠中は流早産のリスクが増大するとともに術後合併症も高頻度である.

妊娠一過性甲状腺機能亢進症（GTH/GTT）

妊娠第 1 三半期に認められる一過性の甲状腺機能亢進状態には，重症妊娠悪阻と GTT が含まれる．甲状腺検査で機能亢進状態（TSH 抑制，FT4 高値）を呈する．妊娠初期から中期序盤にかけて上昇した hCG による甲状腺刺激作用のためと考えられている．重症妊娠悪阻は入院治療を要する重症の悪阻症状が主体で，GTT は自己免疫性疾患の既往や家族歴のない妊婦 2 ～ 3％に認められる一過性の甲状腺機能亢進症状（動悸，手指振戦，不安発作など）を主体とする．甲状腺腫や眼球突出などを認めないこと，TRAb 陰性などでバセドウ病と鑑別される．いずれも一過性で，そのほとんどは抗甲状腺薬治療を必要とせず，20 週頃までには正常化する．TSH レベルの正常化にはさらに数週を要する．

甲状腺クリーゼ

甲状腺クリーゼは高熱と神経精神学的兆候を伴う重症の甲状腺中毒症で，妊娠中の発症はまれであるが，心不全から母体の生命予後にかかわる重篤な産科救急疾患の一つである．発熱（>39℃），頻脈（>140bpm），振戦，悪心・嘔吐，下痢，脱水症状，痙攣，せん妄，ショック，昏睡などの症状を呈する．コントロール不良の甲状腺機能亢進症を背景とし，過剰の thyroxine による心筋症から心不全に至る．感染，手術，陣痛発来・分娩といったイベントが誘因となる．誘因となる感染そのものの症状との鑑別が必要であるが，甲状腺クリーゼが疑われる場合は，甲状腺機能検査の結果を待たずに緊急治療を開始する．救命救急センターへの緊急搬送，集中治療室での全身管理が必要となる．抗甲状腺薬の投与と全身管理（酸素投与，電解質・輸液管理，体温管理等）を基本とする．抗甲状腺薬として，MMI 30mg あるいは PTU 300mg を 6 時間ごとに経口投与（経口摂取不能の場合は経鼻腔胃管投与）する．無機ヨード剤，デキサメサゾン，βブロッカー，フェノバルビタール等の治療を併用する[5)]．

2. 甲状腺機能低下症

TSH が 5mIU/L を超える甲状腺機能低下症は，全妊婦の 2 ～ 4%，顕性機能低下症は 0.2 ～ 1%程度に見られる[5)]．原発性の甲状腺機能低下症は自己免疫性甲状腺炎（橋本病）が最も多く，その 95% で甲状腺ペルオキシダーゼ抗体（Thyroid peroxidase〔TPO〕antibodies）が上昇している．術後性甲状腺機能低下症も一因である．

顕性甲状腺機能低下症

全妊婦の 0.2 ～ 1%に認める．母体血清 TSH 上昇（表 1）と血清 FT4 値低下，あるいは FT4 値のレベルにかかわらず血清 TSH が 10mIU/L 値を超えるものは顕性甲状腺機能低下症と診断される[5)]．

初期症状は，倦怠感，易疲労感，動作緩慢，嗜眠，寒冷不耐症などで，妊娠関連症状と類似するためしばしば診断が困難である[11)]．さらに進行すると，便秘，筋痙攣，声の低音化，浮腫様顔貌，皮膚の乾燥・冷感，腱反射遅延，徐脈等の所見を認める．慢性甲状腺炎（橋本病）では 80%に甲状腺腫を認める一方，甲状腺腫のない残る 20%は萎縮性甲状腺炎あるいは粘液水腫と呼ばれる．しかし，検査上の顕性機能低下症にもかかわらず，無症状の場合も少なくない．未治療の顕性機能低下症では，妊娠高血圧腎症（20%に発症），早産，FGR，時に死産の原因となる．さらに，児の神経精神発達障害のリスクが増加する[4)]．

▶ 治療

診断されればすぐにレボチロキシン（チラーヂン® S）治療を開始する．妊娠前あるいは妊娠の診断後，可能な限り早く甲状腺機能を正常化させることが重要である．妊娠中はレボチロキシンの投与量の増量が必要となることが多い．特に術後性の機能低下症の場合は 50% 程度の増量が必要である[5)]．

潜在性甲状腺機能低下症

母体の血清 TSH 値は上昇しているが，血清 FT4 値が正常範囲にあるものは潜在性甲状腺機能低下症と定義される．全妊婦の 2 ～ 5%に認められるが，妊娠中に顕性機能低下症に進行することはまれである[4)]．

妊娠初期に診断された潜在性甲状腺機能低下症は，流早産および妊娠高血圧症候群，妊娠糖尿病，常位胎盤早期剥離，低出生体重児などの母児の有害事象との関連が示唆されている．患者のほとんどは非症候性であるが，甲状腺機能低下症に類似した症状や甲状腺腫大を認める場合は，甲状腺機能検査の適応となる．抗 TPO 抗体の測定は潜在性甲状腺機能低下症の原因の推定に有用であるとともに，抗 TPO 抗体陽性の場合は TSH レベルが比較的低値でも周産期有害事象と関連が深いとされる[2].

妊娠中の潜在性甲状腺機能低下症と児の精神発達遅延との関連を示唆する報告[12,13]があり，妊娠初期の甲状腺機能のユニバーサル・スクリーニングの意義が提唱された．しかし，その後の追試では否定的な報告[14]もあり，その関連性のエビデンスは確立しておらず，また，潜在性甲状腺機能低下症を対象としたレボチロキシンによる児の長期予後の改善効果も確立していない[5,11]．一方，早産などの産科有害事象に関する治療的効果についても一致した結論に至っていない[11].

甲状腺機能低下症のスクリーニング

甲状腺機能低下症は顕性，潜在性にかかわらず周産期有害事象との関連が深い．甲状腺腫大や関連症状を有する場合は甲状腺機能検査の適応となるが，既述したように無症状の顕性機能低下症も少なくないため，何らかのスクリーニング検査の必要性が考慮される．潜在性の場合，レボチロキシンによる介入効果が明らかでないため，全妊婦を対象としたユニバーサル・スクリーニングについて一致した見解に至っていない．リスク・スクリーニングとして，表 3 のような因子が提唱されている[2].

スクリーニングで検出された甲状腺機能低下症の治療アルゴリズム[2]

ATA2017 ガイドラインが提唱している潜在性甲状腺機能低下症合併妊娠の治療介入アルゴリズムを図 1 に示した．その基本的な考え方は，TSH 値が高いほど妊娠中の有害事象の発症リスクが上がること，抗 TPO 抗体陽性の場合は TSH の上昇によるリスクを相加的に増加させること，一方，抗 TPO 抗体陰性の場合は TSH が正常上限を超える程度で初めて有害事象のリスクが増大する，の 4 点である．

表 3 ● 甲状腺機能低下症のリスク因子

- 甲状腺疾患の既往
- 甲状腺抗体陽性または甲状腺腫大
- 頭頸部の放射線治療歴
- 年齢 30 歳以上
- 1 型糖尿病あるいは自己免疫性疾患
- 反復性流早産既往
- 2 回以上の分娩歴
- 自己免疫性甲状腺疾患または甲状腺機能異常の家族歴
- 病的肥満（BMI≧40kg/m^2）
- アミオダロン（抗不整脈薬），リチウム，ヨード造影剤の曝露
- ヨード欠乏地域の居住

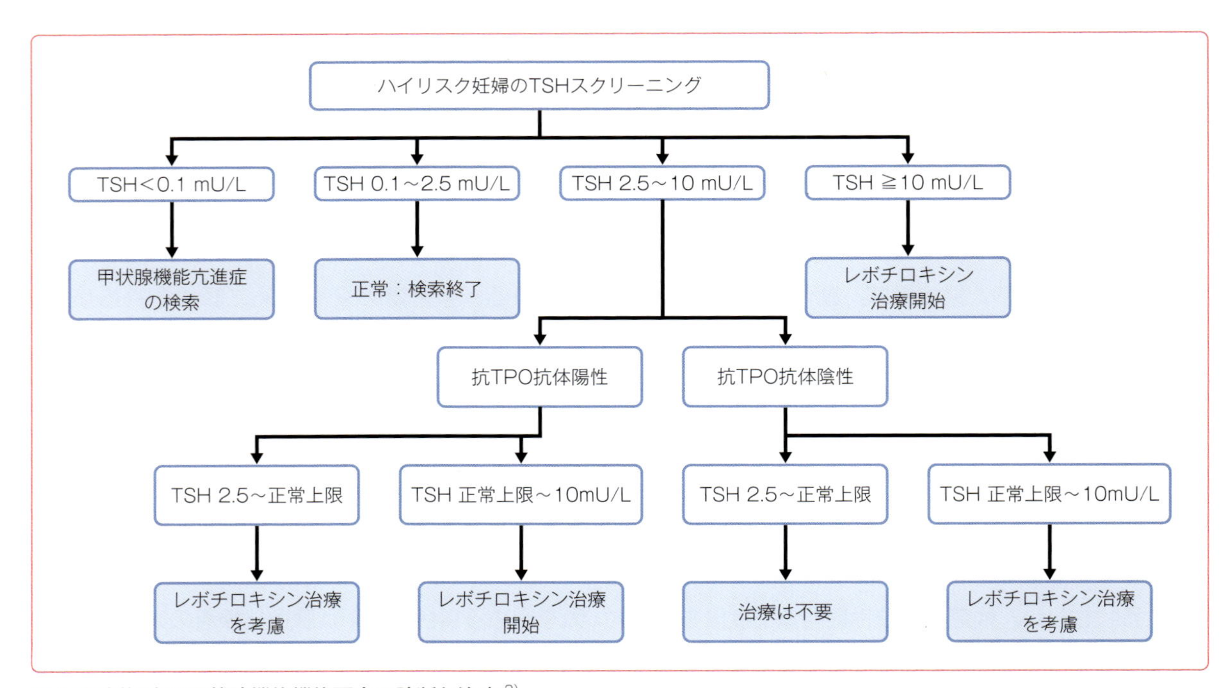

図 1 ● 妊娠中の甲状腺機能機能不全の診断と治療[2]

TSH：thyroid stimulating hormone
TPO：thyroid peroxidase

潜在性甲状腺機能低下症へのレボチロキシン投与による周産期有害事象の予防効果については，後方視的研究による有効性のエビデンスは比較的多い．しかし，前方視的無作為割付試験（RCT）による効果は現時点では限定的である．そのため，ATA2017 ガイドラインでは予防的なレボチロキシン投与に関する推奨は限定的である．長期の神経学的予後も含めて現在，複数の RCT が進行中である．

3. 産褥性甲状腺炎（PPT）

妊娠前には甲状腺機能異常がなく，分娩後 1 年以内に認められる一過性の甲状腺機能異常と定義される．一過性の甲状腺機能異常は，①機能亢進症型，②機能低下症型，および③機能亢進症から機能低下症へ移行する型（古典型）の 3 つの病型が知られている．流産（自然および人工流産）後に起こることもある[5]．亢進型と古典型は各々 1/4，低下型が 1/2 を占める．亢進型および古典型は，典型的には分娩後 2 ～ 6 カ月頃に亢進状態で発症し，分娩後 1 年までに自然緩解する．機能低下型は分娩後 3 ～ 12 カ月に発症し，その 10 ～ 20%は慢性甲状腺機能低下症へ移行する．

PPT の多くは自己免疫性疾患（橋本病）が原因であり，一部は視床下部あるいは下垂体異常が原因となる．亢進期は易疲労感と動悸が主で，暑がり，神経質などの症状を示す．低下期は易疲労感，脱毛，うつ気分，集中力の低下，皮膚乾燥などを認める．多くは通常の産褥期症状に類似するため見逃されやすい．亢進期の抗甲状腺薬は無効である．重症例は β ブロッカーが症状の軽減に有効である．機能低下期はレボチロキシンによる治療を必要とする場合が多い．

4. 甲状腺結節と甲状腺がん

甲状腺がんは女性に多い．妊娠中は生理的な甲状腺の容量増大とともに甲状腺結節が見つかりやすく，妊娠中に見つかった甲状腺結節は，非妊時と同様に甲状腺機能検査と超音波診断，適応があれば穿刺吸引細胞診（fine-needle aspiration；FNA）を施行する．甲状腺がんの 9 割を占める予後良好な乳頭がん（分化型甲状腺がん）は超音波所見および FNA で特徴的な所見があり典型例の診断は難しくないが，日本の甲状腺がんの 5 ～ 6%に該当する甲状腺濾胞がんは良性の濾胞腺腫との鑑別が困難とされる[15]．そのため良性と判断されても経時的なフォローアップが必要である．

妊娠に関連して診断される甲状腺がんは，米国の報告では 10 万妊娠あたり 14.4 人[2] と極めてまれで，その 2/3 は分娩後（1 年以内）に診断されている．診断が確定した場合は手術適応となるが，一般的に分化型甲状腺がんでは分娩後まで手術を待機してもその予後は変わらないとされる[11]．母児の予後を妊娠中の手術と分娩後の手術で比較した最近の日本からの報告[16] では，手術のタイミングに関して，術中合併症，周産期合併症，および再発率などで差を認めなかったとし，妊娠中の手術も安全に施行できるが，分化型甲状腺がんであれば分娩後の手術が望ましいとしている．なお妊娠中に摘出術が必要と判断された場合は，妊娠第 2 三半期の手術が最適とされる[11]．

引用・参考文献

1） Stagnaro-Green A. et al. The American Thyroid Association Taskforce on Thyroid Disease During Pregnancy and Postpartum. Guidelines of the American Thyroid Association for the Diagnosis and Management of Thyroid Disease During Pregnancy and Postpartum. Thyroid. 21, 2011, 1081-125.
2） Alexander EK. et al. 2017 Guidelines of the American Thyroid Association for the Diagnosis and Management of Thyroid Disease During Pregnancy and the Postpartum. Thyroid. 27, 2017, 315-89.

3) 日本甲状腺学会編. "FCQ1. 妊娠初期における薬物治療は, 第一選択薬として何が推奨されるか？". バセドウ病治療ガイドライン2019. 東京, 南江堂, 2049, 2-6.
4) Practice bulletin No. 148: Thyroid Disease in Pregnancy. Obstet Gynecol. 125(4), 2015, 996-1005.
5) Mestman JH. "Thyroid and parathyroid diseases in pregnancy". Obstetrics: Normal and Problem Pregnancies 7th ed. Gabbe S, et al eds. Philadelphia, Elsevier, 2017, 910-37,
6) Cunningham FG. et al. eds. "Chapter 58: Endocrine diseases". Williams Obstetrics 25th ed. New York, McGraw-Hill Medical, 2018, 1118-37.
7) Millar LK. et al. Low birth weight and preeclampsia in pregnancies complicated by hyperthyroidism. Obstet Gynecol. 84, 1994, 946-9.
8) Luton D. et al. Management of Graves' disease during pregnancy: the key role of fetal thyroid gland monitoring. J Clin Endocrinol Metab. 90, 2005, 6093.
9) Patil-Sisodia K. et al. Graves hyperthyroidism and pregnancy: a clinical update. Endocr Pract. 16, 2010, 118-29.
10) Ross DS. Hyperthyroidism during pregnancy: Treatment. Cooper DS. et al eds. UpToDate Topic 7884 Version 24.0, Apr 20, 2020. www.uptodate.com [2021. 9. 30]
11) Ross DS. Overview of thyroid disease and pregnancy. Cooper DS. et al eds, UpToDate Topic 7868 Version 17.0, Apr 20, 2020.
www.uptodate.com [2021. 9. 30]
12) Haddow JE. et al. Maternal thyroid deficiency during pregnancy and subsequent neuropsychological development of the child. N Engl J Med. 341, 1999, 549-55.
13) Henrichs J. et al. Maternal thyroid function during early pregnancy and cognitive functioning in early childhood: the generation R study. J Clin Endocrinol Metab. 95, 2010, 4227-34.
14) Smit BJ. et al. Neurologic development of the newborn and young child in relation to maternal thyroid function. Acta Paediatr. 89(3), 2000, 291-5.
15) 中村浩淑. 甲状腺結節取り扱い診療ガイドライン. 日本甲状腺学会誌. 1, 2010, 91-5.
16) Uruno T. et al. Optimal timing of surgery for differentiated thyroid cancer in pregnant women. World J Surg. 38, 2014, 704-8.

国立病院機構長崎医療センター ● 安日一郎

10 自己免疫疾患—SLE，抗リン脂質抗体症候群—

概念・定義・分類・病態

自己免疫疾患とは，本来異物とは認識されないはずの自己の組織に対して抗体（自己抗体）が産生され，自己の組織との間に抗原抗体反応が引き起こされ，組織が障害を受けることによって生じる疾患をいう．

自己免疫疾患には多くの疾患が含まれるが，大きく分けると，特定の臓器のみが障害される臓器特異性自己免疫疾患と，全身の多臓器が障害される臓器非特異性自己免疫疾患に分類することができる（表1）．

表1 自己免疫疾患の分類

（第Ⅰ群）臓器特異性自己免疫疾患で，自己抗体も臓器特異性のもの
橋本病：サイログロブリン抗体
バセドウ病：TSHレセプター抗体
類天疱瘡：皮膚基底膜抗体
重症筋無力症：アセチルコリンレセプター抗体
特発性血小板減少性紫斑病（ITP）：血小板抗体
など
（第Ⅱ群）臓器特異性自己免疫疾患で，自己抗体は臓器非特異性のもの
原発性胆汁性肝硬変症：ミトコンドリア抗体
Sjögren（シェーグレン）症候群：唾液腺管抗体，ミトコンドリア抗体，抗核抗体
など
（第Ⅲ群）臓器非特異性自己免疫疾患で，自己抗体も臓器非特異性のもの
関節リウマチ：抗核抗体，IgG抗体
SLE：DNA抗体，核蛋白抗体，凝固因子抗体
皮膚筋炎：抗核抗体，IgG抗体
など

全身性エリテマトーデス（SLE）

全身性エリテマトーデス（systemic lupus erythematosus；SLE）はKlempererによって提唱された疾患概念である膠原病の一つであるが，発症および病態の形成に自己抗体の関与が大きいことから，代表的な自己免疫疾患とされている[1)]．SLEは臓器非特異性自己免疫疾患であり，腎臓をはじめとする多臓器に障害を来し，増悪と寛解を繰り返しながら慢性的に経過する．SLEは20～30歳代の若年者に発症し，性比も1：9～10と女性に好発することから，妊娠との合併もまれではない．

▶妊娠がSLEに及ぼす影響

一般に，妊娠14週頃までの初期ではSLEは増悪する傾向にあるが，その後は分娩まで病状は軽快するとされている．しかし，SLEの病態そのものが寛解と増悪を繰り返す性質を有することから，妊娠がSLEの病態にどのような影響を与えるかに関しては一定の見解がない．しかし，産褥期には病状が悪化する傾向が強いということと，妊娠中の増悪の程度は妊娠前のSLEの活動性と相関し，病状が活動期にある場合には悪化の可能性は極めて高いということに異を唱えるものは少ない．

従来，妊娠・出産はSLEの増悪因子の一つであり避けることが望ましいと考えられていたが，近年では，SLEの分類基準[2)]に基づいた早期診断が可能となり，さらには副腎皮質ステロイド剤による治療の進歩によって軽症例や寛解例が多くなり，患者のなかに妊娠・

出産を希望するものが多くなり，SLE の患者を管理する内科医も一定の基準を設けて妊娠を容認する傾向にある．

したがって，SLE と診断されている患者に妊娠が発覚した場合は，SLE の活動性の評価が重要であり，病状が寛解状態にあるのかどうか確認する必要がある．

▶ SLE が妊娠に及ぼす影響

一般に，SLE 合併妊娠では，妊娠しても自然流産や死産の頻度が高く，また，生児が得られても早産の頻度が高い．これは，胎児発育不全（fetal growth restriction；FGR）や胎児機能不全のために早産の時期に分娩とせざるを得ない例が多いことによる．

SLE 合併妊娠の管理にあたっては，胎児発育の評価および胎児 well-being の評価が必須である．

一般に，SLE 合併妊娠において，児の予後に影響する因子としては SLE の活動性やコントロールの程度，腎症の有無などが知られているが，その本質的な機序はいまだ不明である．

各種自己抗体の有無と児の予後との関連では，後述する抗リン脂質抗体の存在と fetal loss との間に関連性が高いことが知られている．

▶ 胎児・新生児に対する影響

SLE の母体から出生した新生児にループス様皮疹，白血球減少症，血小板減少症などの SLE 様の症状がみられる場合があり，これを新生児ループス（neonatal lupus erythematosus；NLE）と呼んでいる．NLE でみられる症状の多くは一過性であり，母体からの移行抗体が消失する生後 6 カ月頃から症状は徐々に改善する．しかし，頻度は低いものの，胎児や SLE 母体から出生した新生児に，完全房室ブロック（congenital complete heart block；CCHB）が認められることがある．これは NLE の他の症状と異なって非可逆的であり，児は永久にペースメーカーを必要とする．

一般に，完全房室ブロック（CCHB）は胎児期に発症し，妊娠中の胎児心拍数モニタリングや胎児心臓超音波検査によって診断される．CCHB を発症した胎児を妊娠している母体は，必ずしも SLE やシェーグレン症候群などの自己免疫疾患を発症しているとは限らないが，ほとんどの母体は抗 SS-A 抗体と抗 SS-B 抗体の両者またはどちらかが陽性である．一方，抗 SS-A 抗体および／または抗 SS-B 抗体を有する母体のうち胎児が CCHB を発症するのは 2%程度とされているが，第 1 子が CCHB であった場合の同胞罹患率は 15%と高くなる．

このように，NLE（CCHB を含む）の発症は，母体血中からの抗 SS-A 抗体の移行と関係があるとされているが，その機序の詳細は明らかでない．従来，抗 SS-A 抗体と抗 SS-B 抗体は二重免疫拡散法によって検出されていたが，近年，免疫ブロット法を用いることによって，抗 SS-A 抗体と，抗 SS-B 抗体は，それぞれ対応する抗原エピトープの特異性によって分類可能であることが報告された．すなわち，抗 SS-A 抗体には，52kD SS-A 抗原を認識するものと，60kD SS-A 抗原を認識するものの 2 種類に分類され，さらに，抗 SS-B 抗体は，48kD SS-B 抗原を認識するものと，そうでないものに分類されることが明らかになった．NLE の発症との関連性でいえば，52kD SS-A 抗原を認識する抗 SS-A 抗体と，48kD SS-B 抗原を認識する抗 SS-B 抗体の関連性がより高いことが判明し，免疫ブロット法によって，これらの抗体が検出される場合は，NLE 発症のハイリスク群と考える[3]．

抗リン脂質抗体症候群（APS）

▶ 抗リン脂質抗体

抗リン脂質抗体とはリン脂質に対する自己抗体であり，従来から，抗カルジオリピン抗体（抗 CL 抗体）とループス抗凝固因子（lupus anticoagulant；LAC）が知られている．抗リン脂質抗体が注目されるようになったきっかけは，抗リン脂質抗体を有する患者では，動・静脈における血栓症などの他，流・死産を反復する例が多いことが明らかとなったことであり，このような患者を抗リン脂質抗体症候群（antiphospholipid syndrome；APS）と称するようになった．APS の診断基準は，いわゆる Sapporo criteria の修正分類基準案が 2006 年に提案され，診断にはこの基準が用いられている（**表 2**）[4]．APS には，関連する全身疾患をもたない原発性抗リン脂質抗体症候群と，膠原病などの自己免疫疾患を伴う続発性抗リン脂質抗体症候群がある．特に SLE では抗リン脂質抗体を有する

表2● 抗リン脂質抗体症候群分類基準（Sydney 改変 Sapporo Criteria）

少なくとも1つの臨床所見と1つの検査所見が確認できた場合をAPSと判断する．

1．臨床所見

（1）血栓症：画像検査や病理検査で確認できる1つ以上の動静脈血栓症
（血管の大小や発生場所は問わないが，血管炎によるものは除外する）

（2）妊娠合併症：1回以上の妊娠10週以降の説明できない胎児死亡
1回以上の妊娠中毒症や胎盤不全などによる34週未満の早産
1回以上の妊娠10週未満の自然流産

2．検査所見

（1）ループスアンチコアグラント（LA）：少なくとも12週間はなれて2回以上検出されること．（LAの測定は国際血栓止血学会のガイドラインに従う）

（2）抗カルジオリピン抗体（aCL）：標準化されたELISAで，中等度以上のIgGまたはIgMクラスaCLが12週間以上の間隔をあけて2回以上検出されること．
（中等度以上とは，40GPLまたはMPL以上，あるいは健常人の99%タイル以上）

（3）抗β_2GPI抗体（aβ_2GPI）：中等度以上のIgGまたはIgMクラスaβ_2GPIが12週間以上の間隔をあけて2回以上検出されること．
（中等度以上とは，健常人の99%タイル以上）

（臨床所見，検査所見が12週間以内または5年以上の間隔で検出された場合はAPSと判断しない）

（文献4より改変して引用）

例は多くSLEの分類基準では，免疫異常の項目として加えられている[2]．従来，SLE合併妊娠における児の予後は不良であるとされていたが，その原因の一つは抗リン脂質抗体によるものであるということができる．

抗リン脂質抗体の検出法にはさまざまな方法があるが，一般にはβ_2-glycoprotein Ⅰ依存性の抗CL抗体（β_2GPI抗CL抗体）と，希釈ラッセル蛇毒試験（dRVVT）によるLACの検出が，不育症と最も関連が高い．

▶ APSと不育症

抗リン脂質抗体による流・死産発症のメカニズムに関してはいくつかの仮説が提唱されているが，そのほとんどが，最終的には子宮・胎盤循環における血栓の形成が胎盤の発育や機能に影響し，これが不育症を引き起こすと結論するものである[5]．

治療・薬剤選択

▶ SLE合併妊娠に対する治療法

1）副腎皮質ステロイド剤

妊娠中のSLEの治療は基本的に非妊娠時と同様であり，副腎皮質ステロイド剤が中心となる．通常，妊娠前の投与量はそのまま維持されるのが原則で，妊娠したからといって減量や増量の必要はない．

妊娠中の母体に投与される薬剤については，薬剤の胎盤通過性と投与された時期などから，胎児への影響を考慮する必要がある．副腎皮質ステロイド剤のうちプレドニゾロンは胎盤に存在する11β hydroxysteroid dehydrogenaseによって不活性型に変化されやすく，児に対する影響は少ないということができる．一方で，合成ステロイドのなかでもフッ化ステロイドに分類されるデキサメタゾンやベタメタゾンは，この酵素による胎盤での不活化は受けないため，そのままダイレクトに胎児に移行する可能性が高い．この性質を利用して，母体疾患の治療を目的として副腎皮質ステロイド剤を投与する場合はプレドニゾロンが第一選択であり，切迫早産における胎児肺成熟の促進といった，胎児治療を目的として副腎皮質ステロイド剤を投与する場合は，デキサメタゾンやベタメタゾンが投与される．

中村は，妊娠中に母体疾患の治療を目的として投与された副腎皮質ステロイド剤の胎児への影響について検討した結果，プレドニゾロンで30mg/日以下，ベタメタゾンで0.7mg/日以下の投与量であれば，体重・身長・頭囲の減少，副腎機能や腎機能障害は認められなかったことから，妊娠中に母体疾患の治療ないしコントロールを目的として副腎皮質ステロイド剤の投与を行う場合には，プレドニゾロンで30mg/日までの量であれば，児に対する安全性に関しては特に問題としなくてよいのではないかと結論した．

2) その他の薬剤

従来添付文書上いわゆる禁忌とされていた医薬品のうち，免疫抑制作用を有する薬剤であるタクロリムス水和物，およびアザチオプリンとシクロスポリンは，2018年より添付文書上，妊婦への投与は禁忌ではなくなった．特に臓器移植後の妊娠においては，これらの薬剤が維持量で投与されていることが欧米の妊娠許可条件とされており，副腎皮質ステロイド単独では治療効果が不十分な膠原病などでは，これら3剤の使用が母児の転帰を良くする場合が多いとされている[6]．

抗マラリア剤であるヒドロキシクロロキン（HCQ）が，妊娠および妊娠した後も使用を続けることが，胎児に対して安全であるのみならず，妊娠維持ならびに原病の増悪を予防し，副腎皮質ステロイド剤の減量に有用であるとの報告がある[7]．

▶ 抗リン脂質抗体症候群に対する治療法

抗リン脂質抗体症候群の妊婦に対して妊娠維持を目的とした治療として，従来から多くの試みがなされてきた．治療のstrategy別に分類すると，①自己抗体の産生抑制を目的として，副腎皮質ステロイドの投与，およびγ-グロブリン大量療法が試みられてきた．一方，②血栓形成の抑制を目的として，低用量アスピリン療法やヘパリン療法が試みられてきた．また，③血中からの抗体除去を目的とした血漿交換療法も古くから試みられている．これらの治療法に関しては，不育症治療法としての有効性とともに固有の問題点が指摘されているものもあり，例えば，副腎皮質ステロイドについては，自己抗体の産生抑制を目的として投与する場合は投与量がプレドニゾロン換算で40～60mg/日と大量にならざるを得ず，副腎皮質ステロイドによる副作用発生の問題があり，現在では基礎疾患のない一次性抗リン脂質抗体症候群には投与されなくなってきた．また，現在最も効果が期待できると考えられている未分画ヘパリンには，ヘパリン起因性血小板減少症（heparin-induced thrombocytopenia；HIT）発症のリスクの他にも，副腎皮質ステロイドと併用して用いられる場合は骨粗鬆症のリスクが高くなるなどの問題がある．

従来，抗リン脂質抗体が陰性荷電物質であるデキストラン硫酸を吸着カラムとする血漿吸着システムによって血中から除去可能であることを利用し，抗リン脂質抗体が陽性であるハイリスクのSLE合併妊婦に対して，インフォームド・コンセントを得た上で血漿吸着療法が試みられている．これまでの検討では，血漿吸着療法の併用によって抗リン脂質抗体の活性は低下する可能性があり，二次性抗リン脂質抗体症候群の妊婦に対しては，血漿吸着療法も妊娠維持を目的とした治療の一つとして試みるべきであると報告されている[8]．

管　理

▶ 妊娠中の管理と分娩のタイミング

SLEの急性増悪を早期発見して対処すること，特に，腎機能の悪化に注意すること，母児双方にとって適切な分娩時期を決定することなどが妊娠中の管理の要点となる．

SLEの活動性の指標としては血清補体価（CH50）の変動に注意する．CH50が低値を持続する場合や急激な低下をみた場合には，急性増悪の可能性を考慮し対処する．

胎児のモニターとしては，胎児発育に注意し，FGRの早期発見と羊水過少などの胎児機能不全の徴候に注意する．さらに，母体腎機能の悪化などにより妊娠の中断を迫られるような場合は児の生育の可能性を十分考慮して娩出時期を決定する．

抗リン脂質抗体症候群の妊娠管理においては超音波パルスドプラ法が有用である．子宮動脈の血流波形解析上，妊娠20週を過ぎても拡張早期のnotchが持続し，pulsatility index値が高値を示す例では妊娠予後が不良であると報告されている．一方，臍帯動脈の血流波形解析では，胎児well-beingが損なわれることと関連して急にresistance index（RI）が上昇する傾向にある．したがって，超音波パルスドプラ法による子宮動脈の血流波形解析は妊娠予後の推定に役立ち，臍帯動脈の血流波形解析は児の娩出時期の決定に役立つと考えられている．

抗SS-A抗体陽性例では，抗体が児に移行する妊娠16週以降，完全房室ブロックの有無をチェックする．Buyonら[9]は，NLEリスクのある妊婦の管理指針を作成しており，その方法は，NLE児の出産の既往がある母体を高リスク母体，52kDおよび60kD抗SS-A抗体を有するか，抗SS-A抗体に加えて抗SS-B抗体を有する母体を中リスク母体として，高リスク母体については妊娠16週から妊娠34週まで毎週，中リスク母体については妊娠16週から妊娠26週までは毎週，その後妊娠34週までは隔週に胎児心エコーの実施を行い，mechanical PR intervalの延長[10)]か房室ブロックの症状が認められた場合は，その程度に応じてデキサメタゾン4mgの連日投与による胎児治療を提案している．

▶ 産褥の管理

一般に，分娩後はSLEの急性増悪予防のため，ステロイドの投与量を増加する必要がある．通常，妊娠中の維持量の3倍ほどに増量し投与する．その後は，症状をみながら漸減する．プレドニゾロンの母乳への移行率は低く，1日量30～40mg程度では母乳を止める必要はない．

引用・参考文献

1） 橋本博史．“SLEの概念とその変遷”．全身性エリテマトーデス臨床マニュアル．東京，日本医事新報社，2006，2-7.
2） Aringer M. et al. 2019 European League Against Rheumatism/American College of Rheumatology Classification Criteria for Systemic Lupus Erythematosus. Arthritis Rheumatol. 71(9), 2019, 1400-12. Ann Rheum Dis. 78(9), 2019, 1151-9.
3） Anami A. et al. The predictive value of anti-SS-A antibodies titration in pregnant women with fetal congenital heart block. Mod Rheumatol. 23(4), 2013, 653-8.
4） Miyakis S. et al. International consensus statement on an update of the classification criteria for definite antiphospholipid syndrome（APS）. J Thromb Haemost. 4, 2006, 295-306.
5） Ogishima D. et al. Placental pathology in systemic lupus erythematosus with antiphospholipid antibodies. Pathology International. 50, 2000, 224-9.
6） 日本産科婦人科学会／日本産婦人科医会編集・監修．“CQ104-2 添付文書上いわゆる禁忌の医薬品のうち，特定の状況下では妊娠中であってもインフォームドコンセントを得たうえで使用される代表的医薬品は？”．産婦人科診療ガイドライン：産科編2020．東京，日本産科婦人科学会事務局，2020，64-6.
7） Parke A. et al. Hydroxychloroquine in pregnant patients with systemic lupus erythematosus. J Rheumatol. 23(10), 1996, 1715-8.
8） Nakamura Y. et al. Immnunoadsorption plasmapheresis as a treatment for pregnancy complicated by systemic lupus erythematosus with positive antiphosopholipid antibodies. Am J Reprod Immunol. 41, 1999, 307-11.
9） Buyon JP. et al. Neonatal lupus：Review of proposed pathogenesis and clinical data from US-based research resistry for neonatal lupus. Autoimmunity. 36, 2003, 41-50.
10）De Carolis S. et al. Autoimmune Congenital Heart Block: A Review of Biomarkers and Management of Pregnancy. Front Pediatr. 8, 2020, 607515.

順天堂大学医学部附属浦安病院 ● 吉田幸洋

精神神経疾患
―統合失調症，てんかん，うつ，不安神経症―

概念・定義・分類・病態

妊娠・分娩・産褥期は母体の内分泌環境の変化により，精神状態が不安定となることは以前より知られている．妊娠中に重篤な精神疾患を発症することはまれであるが，マタニティーブルーズに代表される産褥期は，女性のライフステージにおいて精神疾患が最も発症しやすい時期である．妊娠・産褥期を合わせた発症頻度は，1,000 例の分娩に 0.8 ～ 2.5 例とされ，このうちのほとんどが（90% 弱）産褥期に集中している[1]．また最近では，社会構造の複雑化，人間関係構築の困難さなどが相まって，妊娠状態ではなくとも，社会生活に不安を抱いている人々が多くなってきている．こうした現象は，「自殺」や「いじめ」「虐待」といった社会全体の問題にもなってきている．このような現代社会での妊娠は，容易に，そして過剰なストレスを受けやすい．したがって，早期にそのリスクを認識し，適切な管理を行わなくては，場合により，母子ともにあるいは，家庭全体が不幸な転帰をたどることもある．

一方，精神･神経科領域の症状を持つ人々は，世界的に増加しており，有効な新薬が開発されてきている．このため，薬物療法を受け，コントロールされ妊娠を許可される女性も少なくなく，今後，外来診療において，こうした妊娠管理を行うケースが増加するものと考えられ，きめ細やかな対応が必要とされる．

表 1 に現代，問題となる周産期メンタルヘルスの分類を示す[2]．ここでは，統合失調症，てんかん，うつ病，不安神経症といった代表的疾患を合併する妊娠（産褥期は別章）について解説する．

表 1 ● 周産期メンタルヘルスの分類

- 周産期うつ（perinatal depression）
  - 妊娠うつ（depression during pregnancy）
  - 産後うつ（postpartum depression）
- 双極性障害（躁うつ病）（bipolar disorder）
- 不安障害（anxiety disorder）
- 産褥精神病（postpartum psychosis）
- 精神疾患合併妊娠：統合失調症など
- 他疾患による産後の精神症状

統合失調症

妊娠中は再発の頻度が高いと報告されている．その頻度は 4.0 ～ 8.3%という報告がある．分娩後の頻度はさらに高率で，30 ～ 40%という報告もされている[3, 4]．症状は，緊張病性混迷（黙り込んでしまう）や幻覚，夢幻状態などを呈する．妄想は，胎児と関連した内容がみられることがある．症状によっては，診療拒否，治療に対する強固な抵抗などが出現する場合があり，出産後も含め家族全体に大きな影響を及ぼすことがある．妊娠高血圧症候群，胎児発育不全，早産，低出生体重児，死産，乳幼児突然死症候群などの合併症のリスクが上昇するとの報告もある．

てんかん

てんかん発作，妊娠高血圧症候群，子癇発作など外的要因による精神症状の出現もある．原発性てんかんの原因は明らかではないが，外傷，脳動静脈瘤奇形などが症候性てんかんの原因となる[5]．妊娠前からの十分なカウンセリングは重要である．薬物療法の際の胎児・新生児への影響に留意する．

うつ病

憂うつ気分，喜び・興味関心の喪失といった主症状に加え，睡眠障害や食欲の障害，注意集中力の低下などを伴う，うつ病エピソードが長期に続く精神疾患．妊娠中および産後において高頻度に認められる合併症として現在認識されている．わが国における，一般集団における発病危険率は，約 0.3%であるが，遺伝的要因が関与しており，片親が躁うつ病の場合は，10%と高率となる．妊娠中の女性の 7 ～ 13%，産後6カ月以内では10～15%に出現する．妊娠での初発はまれであるが神経症症状としての抑うつ状態など，妊娠初期に観察されることがある[6]．本人の性格も，几帳面，執着気質などが特徴として挙げることができる．妊娠中・産後のうつ病を未治療のまま放置した場合，認知機能の低下，胎児発育不全，発達障害など，本人，胎児，乳幼児に悪影響を及ぼすこともある．

不安神経症

いわゆる，マイナートラブル，不安といわれるものである．外来を受診する妊婦の5人に1人以上が何らかのメンタルヘルスの問題を経験しており，特に抑うつと不安が多い．その程度が増悪すると，パニック障害を起こし，自身のコントロールが困難となる場合がある．妊娠という生理的現象に対し，漠然とした不安の場合もあるが，妊娠中の生活，今後の経過に対して不安を抱く場合がある．これは，本人の性格にも大きく依存しており，個人差が大きい．責任感が強く，几帳面な性格が素因として存在することもある．また，薬物，食物，感染など，児の異常と結びつけて不安が大きくなることも多い．さらに，人間関係，家族間でのストレスなどが，さらに影響し，身体的症状として易疲労感，頭痛，排便，排尿障害などを悪化させる．

管理・治療

▶ 統合失調症

妊娠前に寛解状態となっていることが理想的であるが，現実には，薬物療法を受けている状態で妊娠していることがほとんどである．妊娠初期の場合，専門医と家族の間でよく話し合い，妊娠の継続について相談することはとても重要である．妊娠継続が，母体の病状を悪化させると考えられる場合は，母体保護法に従い妊娠中絶をせざるを得ないケースもある．

● 薬物療法：妊娠継続の場合は，神経科医師との連携を密にとりながら管理する必要がある．実際には，リスペリドン（リスパダール®）1～3mg/日，オランザピン（ジプレキサ®）5～10mg/日，クエチアピンフマル酸塩（セロクエル®）50～150mg/日，アリピプラゾール（エビリファイ®）6～12mg/日，ブロナンセリン（ロナセン®）4～8mg/日のいずれかが用いられる．正しい服用指導を行い，継続して服薬するようにする．

● 分娩様式：原則として，産科的適応がない場合は経腟分娩を行う．しかし，症状のコントロールが困難な場合など帝王切開術も考慮する．新生児に対する抗精神薬の影響（日齢7日前後の興奮，痙攣，嘔吐，下痢など）に対しても注意する必要がある．

▶ てんかん

てんかんを持つ女性に対し，妊娠・出産に関して包括的なカウンセリングを行うことが大切である．てんかん妊婦では，妊娠初期に性器出血の頻度が高く注意を要する．

● 薬物療法：留意点は，①単剤投与，②必要最低限の投与，③催奇形性の少ない薬の選択，④妊娠中の薬物の血中濃度変動に注意である．抗てんかん薬として，ジアゼパム，フェノバルビタール，フェニトインなどがある．近年は新規のラモトリギンやレベチラセタムの服用例も多い．いずれも胎盤通過性が良いので胎児奇形の頻度が増加すると報告されている．神経管欠損（二分脊椎，無脳児，髄膜瘤），心奇形，口唇口蓋裂，多趾症に注意が必要である．抗てんかん薬の薬理作用によって，葉酸減少による活性型ビタミンDの減少によって，新生児の低カルシウム血症や，ビタミンKの減少に注意が必要なため，葉酸の摂取，ビタミンKの投与を行う．分娩は，状態により検討する．帝王切開術は産科的適応により選択される．てんかん女性に対する，妊娠・出産への対応について，てんかんガイドラインでは表2のごとく示している[7]．

▶ うつ病

妊娠中の躁状態の頻度は少ない．妊娠初期から，抑うつ状態，思考の遅滞，行動量の減少，不定愁訴など

表２● 妊娠の可能性のあるてんかん患者に対する対応のポイント

妊娠前	妊娠中
①本人・家族とのアドヒアランス構築 妊娠前からの十分なカウンセリングの実施 カウンセリング項目 • てんかんをもつ女性の出産と妊娠の基礎知識 • 生活および服薬指導 • 計画的な妊娠・出産の勧め • 妊娠・出産が現実的か否か：家族の協力の重要性の説明 • 必要に応じて心理面での専門的サポートも考慮 ②患者と相談のうえで医師が行うべき判断 • 抗てんかん薬（AED）の減量・整理もしくは中止の可能性 • 服用継続の場合，できるかぎり単剤で必要最小限の用量 • 多剤併用の際は薬剤の組み合わせに注意する 避けるべき AED の組み合わせ：バルプロ酸＋カルバマゼピンあるいはフェニトイン＋プリミドン＋フェノバルビタール バルプロ酸の投与はなるべく避け，投与が必要な場合は徐放剤を用い，服用量 600mg/ 日以下を目指す • 非妊娠時からの葉酸の補充（目安として 0.4mg/ 日程度） • 産婦人科，小児科との連携（妊娠前〜出産後までの全経過における連携が望ましい）	定期的な通院および服薬 • AED 投与量の増量は服薬が規則的にもかかわらず発作が悪化したときにのみ検討する • 妊娠前に最低 1 回はαフェトプロテイン，葉酸濃度を測定し，その後適宜測定する • 妊娠 16 週を目途にαフェトプロテイン測定 • 妊娠 18 週で超音波診断など胎児モニタリングを行う • 全般性強直間代発作を起こす症例では切迫流・早産に注意 **出産時および産褥期** • 一般的には自然分娩が可能である • 分娩前後の不規則な服薬による発作の増悪に注意する **出産後** • 産後に AED 血中濃度が変動する場合は投与量を調整する • 授乳は原則的に可能（母子双方の要因について総合的に判断する）

（日本神経学会監修.「てんかん診療ガイドライン」作成委員会編集．てんかん診療ガイドライン 2018．てんかんと女性．医学書院，東京，2018，p.134 より転載）

がある．

● 薬物療法：妊娠前からの治療を継続する．うつ状態に用いられる薬物は，選択的セロトニン再取り込み阻害薬（SSRI）であるフルボキサミンマレイン酸塩（ルボックス®）25 〜 50mg/ 日，パロキセチン塩酸塩（パキシル®）10 〜 20mg/ 日，またはセロトニン・ノルアドレナリン再取り込み阻害薬（SNRI）であるミルナシプラン塩酸塩（トレドミン®）25 〜 50mg/ 日のいずれかが用いられる．明らかな催奇形性は認められてはいない．躁状態に対しては，炭酸リチウムは避けて，安定剤抗精神病薬であるリスペリドン（リスパダール®）3mg/ 日またはバルプロ酸ナトリウム（デパケン®）400mg/ 日が用いられる．薬物療法の催奇形性の危険性は非常に低いが，新生児に影響が出現する場合があり，投薬量は最小限とすることが望ましい．うつ病合併妊娠の母児に注意すべき周産期の問題点について表３に示す[8]．

▶ 不安神経症

妊娠初期・後期は心配や不安を生じやすく，心因反応として，パニック障害，抑うつ，ヒステリーなどの身体症状が顕著となる．神経科と協力し，抗不安薬を使用する．

また，妊娠中・分娩・産褥期に産科スタッフは，正しい知識を提供し，過度な不安を取り除くように対応し，精神的にサポートすることが大切である．不安に対して，ベンゾジアゼピン系薬剤が使用される場合もあるが，そのリスク・ベネフィットに関しては不明な点も多い．

表３● 妊娠中の気分安定薬と主な児のリスク

薬剤	児における主な先天異常・神経発達の問題
リチウム	先天性心疾患
バルプロ酸	神経管閉鎖障害 形態学的先天異常 児の認知機能障害・発達障害
カルバマゼピン	形態学的先天異常

授乳は，母−児間の大変重要なコミュニケーションであるため，安易に薬物療法を選択し授乳を中断すべきではない．表４に，抗精神病薬の濃度（血中・乳汁中）および催奇形性について示す[9]．

まとめ

妊娠中の精神神経疾患の頻度は，高率ではないが，産褥期にはさまざまな症状を呈し，発症することは以前から報告されている．大切なことは，妊娠前から女性に対しメンタルヘルスのリスク評価を行い，リスクの高いグループに対しては，妊娠・出産に関して包括的な情報提供やカウンセリングを積極的に行うことで

表 4 ● 抗精神薬の濃度

薬　剤	母体血中濃度（μg/mL）	臍帯血中濃度（μg/mL）	乳汁中濃度（μg/mL）	胎児血中濃度（μg/mL）	催奇形性など
フェニトイン	6～16	6～16	0	0	胎児ヒダントイン症候群
フェノバルビタール	20～50		20～50	10～20	口唇裂，先天性心奇形，小脳症，低カルシウム血症
バルプロ酸ナトリウム	50～100	母体血清レベルの 1.4～2.4 倍	150～250	30～80	神経管奇形，胎児バルプロ酸塩症候群
ジアゼパム	0.5～1.5	母体血清レベルを超える	0.2～1.0	0.2～0.8	胎児心拍変動の消失，口唇口蓋裂，高ビリルビン血症
クロルプロマジン	1		0.3	0.05	明らかな催奇形性はない．
イミプラミン	2～13		0.5～1.5	0.05～0.5	明らかな催奇形性は証明されていない．
炭酸リチウム	2～11	2～11	0.5～1.0	0.05～0.5	心奇形などの催奇形性や新生児毒性が報告されている．

（文献 9 より改変して引用）

ある．そして妊娠成立後は，多職種によるチームを構成し，妊婦一人ひとりと良好なコミュニケーションをとり，その人の性格をできる限り把握し，小さな妊婦の不安にも親身に耳を傾けるよう日頃から心がけることが大切である．また，妊娠初期から，精神科との連携を密にし，必要に応じた薬物療法の介入も考慮して行くことも重要である．

引用・参考文献

1） Thomas CL. et al. Psychosis after childbirth : Ecological aspects of a single impact stress. Am J Med Sci. 238, 1963, 363-88.
2） 宗田聡．これからはじめる周産期メンタルヘルス．東京，南山堂，2017，80p.
3） 岡崎祐士ほか．精神障害者の妊娠と出産：分裂病について．周産期医学．4，1974，921-34.
4） 佐川正ほか．"精神疾患"．合併症妊娠．改訂第 3 版．村田雄二編．大阪，メディカ出版，2014，359-70.
5） 荒木勤．最新産科学：異常編．改訂第 5 版．東京，文光堂，2005，254.
6） 本多裕ほか．妊娠・産褥期の精神障害．臨床精神医学．10，1981，21-8.
7） 「てんかん診療ガイドライン」作成委員会編．てんかん診療ガイドライン 2018．日本神経学会監修．東京，医学書院，2018，240p.
8） 日本周産期メンタルヘルス学会．周産期メンタルヘルスコンセンサスガイド．初版．2017，120
9） Kuemmerle HP. et al. Clinical Pharmacology in Pregnancy. New York, Thieme-Stratton, 1984.

東邦大学医療センター佐倉病院 ● 竹下直樹

12 婦人科疾患—子宮頸癌・子宮頸部上皮内腫瘍，卵巣腫瘍，子宮筋腫，胞状奇胎娩出後—

1. 子宮頸癌・子宮頸部上皮内腫瘍（CIN）

概念・疫学

子宮頸癌は妊娠に合併する悪性腫瘍のうち最も頻度が高い悪性腫瘍である．妊娠中の子宮頸部細胞診異常は妊娠女性の1～5%と推測され[1]，妊娠初期検査として子宮頸部細胞診が含まれている現在では，妊娠が初期子宮頸癌の発見の契機ともなっている．組織学的にはCIN3や微小浸潤癌が多く，浸潤癌の頻度は10,000妊娠に1～12と報告され[1]，子宮頸癌のうち2～5%が妊娠中に診断されている．また，子宮頸癌のうち扁平上皮癌が89%，腺癌が8.3%，その他が2.7%と報告されている[2]．多くの報告ではCINや浸潤癌が妊娠によって影響を受けることはないとされ，CIN3が浸潤癌になりやすいことはない．また，浸潤癌であれば妊娠しにくいといわれているが，CINであれば妊娠に及ぼす影響はほとんどない．さらに，子宮頸癌が胎盤や胎児に転移したという報告もない．

診　断

妊娠中に子宮頸部細胞診の異常を認めた場合，原則として非妊時と同様，コルポスコピー，生検組織診を行う．妊娠中の細胞診は過小評価されやすいので注意が必要である．また，妊娠中は移行帯（S-C junction）が可視範囲内にあるため，コルポスコピーでの不適切例が少ない．生検組織診は非妊時に比べ出血しやすいため注意が必要である．浸潤癌が疑われる症例では，腫瘍の大きさ，子宮傍結合織や子宮前後への浸潤を確認するためMRIを施行する．

管　理

▶ 管理方針（図1）

子宮頸部細胞診異常の取り扱いは原則として非妊時と同様である．しかしながら，妊娠中の治療対象となる子宮頸癌は浸潤癌のみであり，ASC-US（atypical squamous cells of undermined significance）やLSIL（low-grade squamous intraepithelial lesion）の場合，組織診で浸潤癌となる可能性は低いため，コルポスコピーは分娩後に延期されることも許容される[3]．

子宮頸癌と診断された場合，腫瘍の大きさ，進行期，リンパ節転移の有無，組織型などの子宮頸癌の進展状況とともに，妊娠・分娩歴，および診断された妊娠週数，さらに患者自身の妊娠継続の意思によって対応は異なる．したがって，妊娠・分娩管理にあたっては，十分なるインフォームド・コンセントに基づいた管理をすべきである．腺癌症例については不明であり，また，治療上区別すべきエビデンスはない．

▶ 円錐切除術（conization）

生検組織診はCIN（cervical intraepithelial neoplasia）だが，細胞診またはコルポスコピーで浸潤癌を疑う場合，生検組織診にて微小浸潤癌以上が疑われる場合，あるいは上皮内腺癌（adenocarcinoma in situ；AIS）の場合，診断と治療の目的で円錐切除術が施行される[4]．原則的に，CIN3まででは円錐切除術は行わない[1]．妊娠中に円錐切除術を施行すると出血9%，術後出血4%，流産18%という頻度で起こることが報告されており[5]，また，10mm以上の深い円錐切除は早産になる可能性が高い[6]と報告されているので，浅く硬貨状に切除する“coin” biopsyとする．

妊娠中の円錐切除術では深く子宮頸部を切除することができないため，残存病巣が 30 ～ 50%程度に認められるとされている．

▶ 進行期別管理（図 1）

1）子宮頸部上皮内腫瘍（cervical intraepithelial neoplasia；CIN）

生検組織診にて CIN3 と診断され，細胞診とコルポスコピー所見が組織診と一致している場合は，基本的に分娩後まで円錐切除術を延期することが望ましい．その間は，細胞診と必要に応じてコルポスコピーを 3 カ月ごと（または各三半期）に行う．分娩様式は，産科的適応がない限り経腟分娩とする．

子宮頸部上皮内腫瘍が妊娠中進行するか退行するかは非妊娠時と同じと考えられているが，CIN1 ～ 2 では 65 ～ 68%は退行し，CIN3 では 20 ～ 25%退行するという報告がある[7, 8]．したがって，子宮頸部上皮内腫瘍では妊娠中細胞診を施行し，進行している場合には，コルポスコピーによる生検組織診を施行する必要がある．

上皮内腺癌（AIS）の場合，正確な診断のため円錐切除術を行う[9]．また，妊娠中の子宮頸管内掻爬は禁忌である．子宮温存の可否については個別に取り扱う．

2）子宮頸癌 I A1 期

生検組織診にて I A1 期が疑われた場合は円錐切除術を施行する．脈管侵襲陰性で残存病変がない場合，円錐切除を最終治療とする．分娩 4 ～ 8 週間後，細胞診，コルポスコピー，組織診で再評価する．

3）子宮頸癌 I A2 期～ II A 期

原則的に，妊娠 20 週未満であれば，妊娠を中絶して根治術を施行すべきであると考えられている．しかし，妊娠 20 週以後に診断された場合は胎児の肺成熟を待って，帝王切開後に広汎子宮全摘術（I A2 期では準広汎子宮全摘術以上を推奨）を施行する．診断がついてからどの程度まで妊娠を継続できるかは結論が出ていないが，I B 期で計画的に治療を延期した 43 症例の転帰では，遅延期間 2 ～ 30 週，追跡期間 2 ～ 228 カ月で，再発・死亡 2 例（4.7%）と報告[10]されており，治療延期には慎重を要する．また，最近では妊娠継続を目的に，妊娠中に広汎子宮頸部摘出術を施行したとの報告もあるが，症例数が少なく，さらなる検討が必要である．

4）子宮頸癌 II B 期以上

原則的に速やかに治療を開始すべきであり，妊娠中

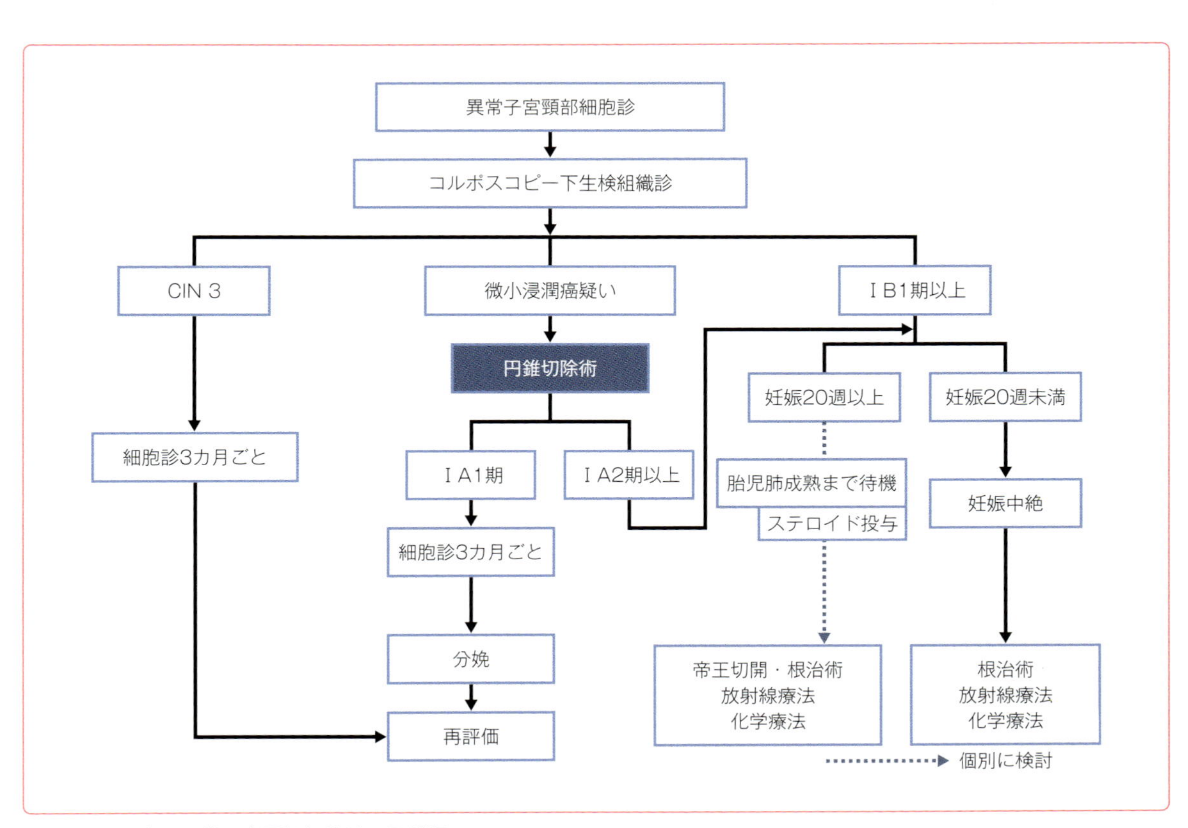

図 1 ● 妊娠中の異常子宮頸部細胞診の取り扱い

絶が選択される場合が多い. 海外のガイドラインでは, 進行例や腫瘍径が大きい症例に対して妊娠を継続したままで化学療法を行うという選択肢も示されているが, 有効性や安全性に関する明確な根拠はない[1].

予　後

非妊娠症例と比べ, Ⅰ期では5年生存率には差がない[11]. しかし, Ⅱ期以上の症例数は少なく非妊娠症例と比較検討した結論はない.

2. 卵巣腫瘍

概念・疫学

卵巣腫瘍の多くが無症状で経過するため, 妊娠を契機に初めて指摘されることも多い. 妊娠中の超音波検査の普及により, 妊娠中に発見される付属器腫瘤は5～6%といわれている[12]. 妊娠中に発見される卵巣腫瘤のうち, 多くは黄体嚢胞（ルテイン嚢胞）や子宮内膜症性嚢胞の類腫瘍病変である. 妊娠に合併する卵巣腫瘍の頻度は約1,000妊娠中1～2例といわれている[13]. 腫瘍性病変のうち嚢胞性奇形腫（皮様嚢腫）が30～50%を占め, 次いで漿液性・粘液性嚢胞腺腫であり, 妊娠に合併する悪性卵巣腫瘍は卵巣腫瘍の2～5%といわれている[13]. 妊娠中に発見される卵巣悪性腫瘍はⅠ期や境界悪性が多いのが特徴である.

卵巣腫瘍が妊娠中に増大するかどうかは症例により異なる. 悪性腫瘍の場合, 非妊時に比べ妊娠によって特に進行するということはなく, 予後にも差はない. 茎捻転は5%程度に起こり, 卵巣腫瘍破裂や分娩障害はさらに少ないとされる[14]. 茎捻転は非妊娠時より増大する妊娠子宮のため, その頻度が高くなり, 急性腹症, 破裂, 感染などにより流・早産を起こす. 茎捻転は妊娠10～17週時に起こることが多く（約60%）, 腫瘍径が6～8cmの場合に最も起こりやすく, 約20%に認められたと報告されている[14]. 悪性卵巣腫瘍による母体悪液質が胎児発育不全を起こすこともあるが, 悪性卵巣腫瘍が直接胎児に影響することはない.

診　断

▶ 超音波断層法

非妊時と同様, 超音波検査は簡便であり良悪性の鑑別に有用である. 子宮の増大に伴い経腹超音波が必要となる場合もある. 腫瘤の隔壁の肥厚・結節・乳頭状の発育, 充実部分が認められる場合は, 悪性腫瘍が考えられるため, 手術を施行した方がよい. しかし, 内膜症性嚢胞の場合, 妊娠による脱落膜性変化のため内部壁肥厚や結節像が認められることがあり, 悪性腫瘍と鑑別が困難な場合があるため注意が必要である. 待機的管理を行う場合, 超音波検査にて, 腫瘤の大きさ, 内容, 状態の変化を経時的に観察していく必要がある.

▶ MRI

MRIは画像検査として, 超音波断層法とともに有用である. 腫瘍組織成分の推定に妊娠12週以降に施行し, ガドリニウム造影剤による造影は原則的には行わないが, 治療方針決定に必要と判断された場合は, 十分なるインフォームド・コンセントのもとに使用する場合もある. ガドリニウムは胎盤を通過し胎児尿中に排出され, 胎児はそれを嚥下するという循環に陥り, 腎性全身性線維症（nephrogenic systemic fibrosis）が起こり得ると報告されている[15].

▶ 腫瘍マーカー

妊娠中の卵巣腫瘍の補助診断としての腫瘍マーカーの意義に関する報告は少ない. **表1**[16]に示すように,

表 1 ● 妊娠による血清腫瘍マーカーの変動

妊娠による修飾	腫瘍マーカー	非妊時の基準値	ピーク値の時期	妊娠中の上限値
受けやすい	CA125	≦35 U/mL	妊娠 2 カ月	200 ～ 350 U/mL
	AFP	≦20 ng/mL	妊娠 32 週前後	300 ～ 400 ng/mL
少し受ける	CA72-4	≦4 U/mL	妊娠中期～後期	10 U/mL
	SLX	≦38 U/mL	妊娠前期	50 U/mL
	SCC	≦2 ng/mL		3 ng/mL
	TPA	≦100 U/mL	妊娠末期	200 U/mL
ほとんど受けない	CA19-9	≦37 U/mL		
	STN	≦45 U/mL		
	CEA	≦3.5 ng/mL		

（文献 16 より抜粋）

CA125 をはじめとした腫瘍マーカーは妊娠に影響されるものが多いため，その解釈には注意が必要である．

管　理

▶ 管理方針

妊娠初期に腫瘍径が 5cm 以下で，単房性嚢胞であれば黄体嚢胞（ルテイン嚢胞）である場合が多く，症状がなければそのまま経過観察とする．黄体嚢胞であればほとんどの場合，妊娠 16 週までには消失または縮小する．5cm 以上であれば，真性腫瘍の割合が増加し，自然退縮の頻度も低下する．

▶ 手術療法

黄体嚢胞（ルテイン嚢胞）や内膜症性嚢胞など類腫瘍病変と考えられる場合は原則として経過観察とする[17]．手術の施行時期は，麻酔による胎児への影響や胎盤形成時期，子宮の大きさ，流産の可能性を考慮すると，妊娠 12 週以降が望ましい．最近では，腹腔鏡下による手術が多く施行され良好な成績を収めているが，開腹術に比べ優位性を示す前方視的研究はまだない．最近のメタ分析によると，腹腔鏡下手術は開腹術に比べ流産，早産は有意に増加していなかったと報告されている（流産：4.0% vs 2.8%，オッズ比 1.53（95%CI 0.67-3.52，早産：5.4% vs 6.2%，オッズ比 0.95 （95%CI 0.47-1.89）[18]．手術にあたっては悪性腫瘍あるいは境界悪性の可能性がある場合，原則として開腹術とし，術中に迅速病理診断が行えるように準備しておくことが重要であり，また，腹腔細胞診も施行する．腫瘤が 10cm 以上の場合や，妊娠中に増大してきている場合には，悪性腫瘍の可能性が十分に考えられるため，手術を施行した方がよいと考えられる．また，6 ～ 10cm の場合，単房性嚢胞であれば経過観察を，悪性腫瘍あるいは境界悪性が疑われる場合は手術を考慮する．

▶ 分娩管理

腫瘍による分娩遷延・停止の可能性がある場合には帝王切開を選択する．ダグラス窩に嵌入した大きな嚢胞性腫瘤の場合，腫瘤内容を穿刺吸引することによって，経腟分娩が可能になるが，悪性の場合，癌細胞が腹腔内に入る可能性があること，また，皮様嚢腫といった良性腫瘍であっても脂肪成分などが腹腔内に入り化学的炎症を起こす可能性があるため，帝王切開を推奨する考えもある．

▶ 悪性卵巣腫瘍合併妊娠の管理方針（図 2）

悪性腫瘍が疑われる場合，妊娠週数にかかわらず直ちに手術を行うことを原則とする．妊娠継続を希望する場合，十分なインフォームド・コンセントのもと，治療を行う．まず腹腔細胞診ならびに患側の付属器を切除（悪性を疑う程度によって核出術を行うこともある）を行い，迅速病理にて組織型を確認する．境界悪性あるいは悪性腫瘍であれば大網切除を追加する．境界悪性あるいはⅠA 期であれば妊娠の継続が可能であり，術後は正期・経腟分娩を原則とする．上皮性悪性腫瘍進行症例ならびに胚細胞腫瘍進行症例の場合，挙児の希望がなければ根治術を施行する．挙児希望がある場合，十分なるインフォームド・コンセントによる

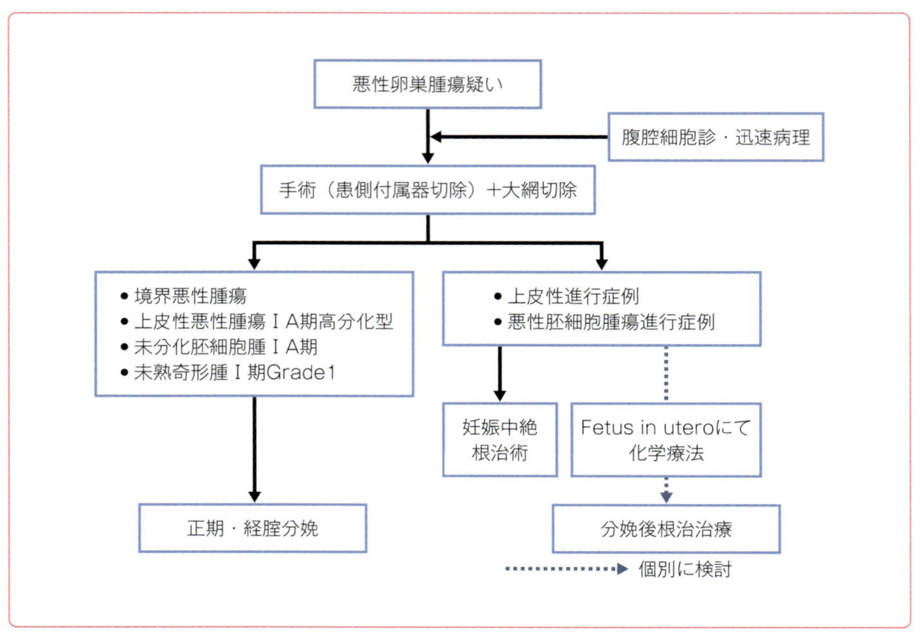

図2● 悪性卵巣腫瘍合併妊娠の管理方針

妊娠継続のもと化学療法が行われる．進行卵巣悪性腫瘍の場合，分娩後に標準術式が考慮されることもある．

3. 子宮筋腫

概念・疫学

子宮筋腫は婦人科良性腫瘍のうち最も多い腫瘍であり，生殖年齢にある女性の20～25%に認められるとされ，妊娠に合併する頻度は，近年の晩婚化，不妊治療の進歩，超音波診断技術の向上により，全妊娠の10%程度と予想される．

診　断

▶ 超音波診断

妊娠初期であれば経腟超音波により，妊娠中期以降では経腹超音波により診断する．頸部筋腫であれば，分娩障害となるかどうかを，妊娠後期に経腟超音波により児頭との位置関係を確認する．

①筋腫核の大きさ，②筋腫核の個数，③筋腫核の部位，④筋腫核と胎盤の位置関係，⑤筋腫核の変性・壊死の可能性，⑥他骨盤内腫瘍との鑑別，に注意して観察する．

▶ MRI

MRIは原則として子宮肉腫との鑑別が困難な場合や手術療法を考慮する場合に施行する．妊娠12週以降に行うことが望ましいとされ，上述したようにガドリニウム造影剤による造影は原則的には行わない．

▶ 血液・生化学的検査

貧血の有無を確認する．筋腫核に変性や壊死が生じている場合，白血球の増加やLDH，CRPの上昇を認めるので参考となる．

▶ 妊娠が子宮筋腫に及ぼす影響

子宮筋腫のサイズは，妊娠により，妊娠初期では不変〜増大，妊娠中期では小さい筋腫（2〜6cm）は不変〜増大，大きい子宮筋腫（6cm 以上）は縮小，妊娠後期では大きさによらず不変〜縮小傾向を示す[19]．また，増大の多くは妊娠初期（14 週）までに生じるとの報告もある[20]．妊娠中期・後期では，down regulation によってエストロゲンの作用が減弱するために縮小すると考えられている．また，子宮筋の伸展に伴う筋腫核への血流障害，あるいは胎盤血流量の増大に伴う筋腫核への血流減少のため，子宮筋腫の変性・壊死が起こることがあり，疼痛・圧痛などの症状が出現する場合がある．有茎性の筋腫では茎捻転を起こし，疼痛を伴うこともある．

▶ 子宮筋腫が妊娠・分娩・産褥に及ぼす影響

子宮筋腫が妊娠・分娩・産褥経過に全く影響を与えないことも多い．子宮筋腫が妊娠・分娩・産褥に及ぼす影響を表 2 に示す．筋腫の発生部位，大きさ，数によってその影響は異なる．一般的には筋腫が大きいほど，数が多いほど，また，胎盤付着部位に近いほど影響が大きくなる．

管　理

▶ 管理方針

基本的には待機的管理である．切迫流・早産になった場合には，安静および対処的治療を行う．特に，直径 6cm 以上の筋腫は妊娠中期に変性や壊死を生じると切迫流･早産の症状と伴に疼痛を訴えることが多く，子宮収縮抑制薬と鎮痛薬（アセトアミノフェンなど）の投与が必要となる．疼痛は 3〜10 日程度で消失することが多いが，無効例ではペンタゾシンや硬膜外麻酔による疼痛管理が必要となることもある．疼痛緩和を目的に，早産予防も兼ねてプロゲステロンが効果的な場合もある．感染の可能性がある場合には，抗菌薬の投与も考慮されるが，その必要性や有効性については十分検討されていない．

表 2 ● 子宮筋腫が妊娠・分娩・産褥に及ぼす影響

- （切迫）流産・早産
- 前期破水
- 胎児発育不全（FGR）
- 子宮内胎児死亡
- 胎位異常
- 胎児奇形・変形（頭蓋変形・耳介変形，斜頸，内反足・外反足など）
- 胎盤の位置・付着異常（前置胎盤，低位胎盤，癒着胎盤など）
- 常位胎盤早期剝離
- 臓器圧迫症状（腰痛，頻尿，水腎症，深部静脈血栓症など）
- 貧血
- 分娩障害
- 微弱陣痛
- 弛緩出血，子宮復古不全
- 子宮内反症
- 悪露停滞，子宮内膜炎

▶ 手術療法

妊娠中の筋腫核出術は，保存的に経過観察しても流･早産率に差がないとする報告が多いため，一般的には行われないが，個別評価が必要である．症状が強い場合には手術療法が考慮されることもある．適応として，①漿膜下筋腫茎捻転，②皮膜血管破綻による急性腹症，③保存療法では軽快しない圧迫症状や疼痛を呈する筋腫，④急速に増大し肉腫との鑑別が難しい筋腫，⑤大きさや位置が妊娠継続の障害となる筋腫，⑥子宮下部に発生し，児頭下降障害や悪露排出障害が予想される筋腫，⑦既往流・早産の原因と考えられる筋腫，などが挙げられる．また，悪露排出障害となる筋腫は帝王切開時の核出も考慮される．

▶ 合併症

常位胎盤早期剝離は，胎盤付着部に筋腫が存在した場合や，200cm³ を超える大きな筋腫に起こる可能性が高いと報告され[21]，血流不全による胎盤虚血や脱落膜壊死が原因と考えられる．分娩時，子宮頸部あるいは子宮下部に筋腫があり児頭下降障害が予想される場合や，胎位異常（骨盤位や横位など）により帝王切開になる場合も多い．しかしながら，妊娠後期になると子宮筋腫と児頭の位置関係が移動し，経腟分娩となる例も少なからず認められるため，予定帝王切開は急がず慎重に決定する必要がある．分娩後は弛緩出血になりやすいので，分娩後子宮収縮の程度と出血の観察は重要である．また，悪露の排出障害や停溜を起こすことがあるので，ドレーン留置が必要となる場合もある．

分娩後，子宮内感染や骨盤内感染を起こすと筋腫の変性・壊死を起こし，筋腫自体の感染を起こすことがあるので疼痛や発熱にも注意が必要である．場合によっては子宮摘出が必要となる場合がある．

また，筋腫合併妊娠の場合，切迫早産や疼痛のため長期臥床を余儀なくさせられること，帝王切開分娩が多いことから，分娩前後の深部静脈血栓症や肺塞栓症の予防が重要である．そのため，下肢の腫脹・疼痛に注意し，凝固系検査（D-ダイマーなど）や，帝王切開時の弾性ストッキングの着用あるいは間欠的空気圧迫法や，抗凝固療法などの血栓予防対策が必要となる．

4. 胞状奇胎娩出後

概念・疫学

胞状奇胎とは，胎盤絨毛における栄養膜細胞の異常増殖と間質の浮腫を特徴とする病変である．肉眼的には絨毛の水腫状腫大が特徴であるが，診断は2011年に改訂された『絨毛性疾患取扱い規約　第3版』により，肉眼診断から病理診断に変更されている[22]．全ての絨毛組織が異常である全胞状奇胎と，正常絨毛が共存する部分胞状奇胎に分けられる．組織学的に診断が困難な場合は，免疫組織化学染色（$p57^{Kip2}$抗体，TSSC3抗体）や遺伝子検査を行うことが望ましい．

胞状奇胎の発生頻度は日本を含む東南アジアで高く，わが国における2009～2013年の報告では，全胞状奇胎は出生1,000に対して0.69，部分胞状奇胎は0.84である[23]．

治療・管理[22]

胞状奇胎の治療の基本は，速やかな胞状奇胎組織の除去と，胞状奇胎娩出後の厳密なフォローアップである．診断後，子宮内容除去術を行い，超音波により遺残が疑われる場合には1週間後に再掻爬を行い，組織学的に確認する．

胞状奇胎娩出後は定期的（1～2週間隔）に血中hCG（human chorionic gonadotropin：ヒト絨毛性ゴナドトロピン）値を測定し，正常値になることを確認する．わが国での続発症の診断基準は，図3に示すように，胞状奇胎娩出後5週で1,000mIU/mL，8週で100mIU/mL，24週でカットオフ値以下の3点を結ぶ線を判別線とし，この線を下回る場合を経過順調型，いずれかの時期でこれを上回るものを経過非順調型とする．順調に経過すれば，通常14～16週間以内にhCGはカットオフ値以下に下降する．この間に経過非順調型を示す場合は，侵入奇胎に進展していることがほとんどであり，絨毛癌の可能性は極めて稀である．経過非順調型の場合，全身を検索して病巣の検出に努める．病巣の存在が確認できなければ胞状奇胎後hCG存続症と診断する．画像検査により病巣が確認された場合は，絨毛癌診断スコアを適用して診断する．胞状奇胎娩出後の一次管理の中で，全胞状奇胎の10～20%，部分胞状奇胎の2～4%に侵入奇胎の続発が認められ，また胞状奇胎娩出後にhCGがカットオフ値以下になってから，つまり二次管理中に全胞状奇胎の1～2%に絨毛癌の続発が認められる．

胞状奇胎娩出後，基礎体温を記録させ正常月経周期を3周期以上確認した場合，あるいはhCGのカットオフ値以下が約3～6カ月間続いていれば妊娠を許可してもよい．このフォローアップ期間中は確実な避妊を行うよう指導する必要がある．この期間中に新たに妊娠すると，hCGの結果の解釈が困難または不可能になり，管理が複雑になる．また，その後の妊娠時には，絨毛性疾患の発症の可能性を除外するために，妊娠結果にかかわらず，妊娠終了後6週間後にhCGレベルを評価することが推奨されている[24]．なお，胞状奇胎の既往が新たな妊娠の転帰（流産，早産，妊娠合併症などの発生率）に影響を及ぼすことはないとされている．

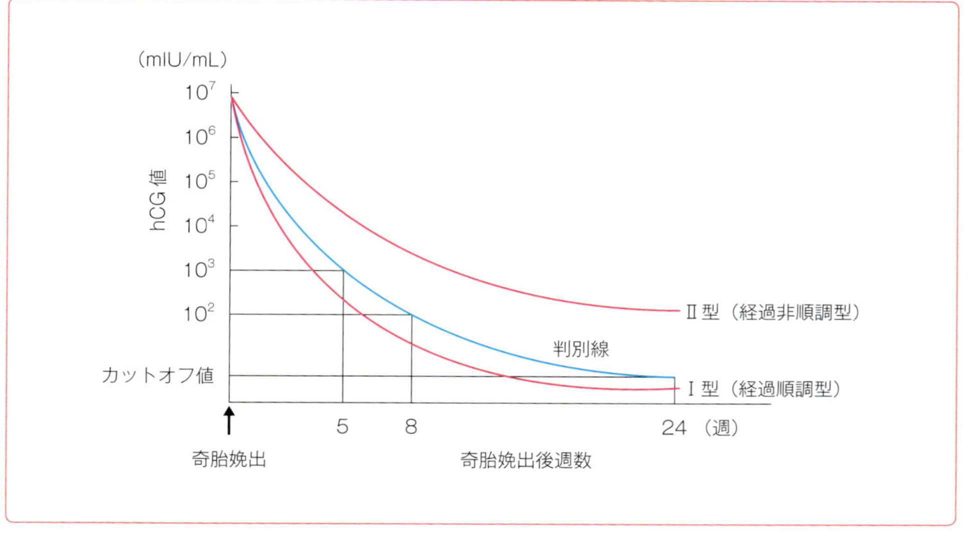

図 3 ● 胞状奇胎娩出後の hCG 値の減衰パターンの分類

胞状奇胎娩出後 1 ～ 2 週間隔で hCG 値を測定し，5 週で 1,000mIU/mL，8 週で 100mIU/mL，24 週でカットオフ値以下の 3 点を結ぶ線を判別線（discrimination line）とし，いずれの時点でもこの線を下回る場合を経過順調型（Ⅰ型），いずれか 1 つ以上の時点でこの線を上回る場合を経過非順調型（Ⅱ型）と分類する．

（文献 22 より引用）

引用・参考文献

1） 日本婦人科腫瘍学会編．“妊娠合併子宮頸癌の治療”．子宮頸癌治療ガイドライン 2017 年版．金原出版，東京，2017，168-77.
2） Shivvers SA. et al. Preinvasive and invasive breast and cervical cancer prior to or during pregnancy. Clin Perinatol. 24, 1997, 369-89.
3） ACOG Practice Bulletin No.140. management of abnormal cervical cancer screening test results and cervical cancer precursors. Obstet Gynecol. 122, 2013, 1338-67.
4） 日本産科婦人科学会・日本産婦人科医会編集・監修．“CQ502 妊娠中の子宮頸部細胞診が NILM 以外の場合の取り扱いは？”．産婦人科診療ガイドライン：産科編 2020．2020，281-3.
5） Hannigan EV. et al. Cone biopsy during pregnancy. Obstet Gynecol. 60, 1982, 450-5.
6） Kyrgiou M. et al. Obstetric outcomes after conservative treatment for intraepithelial or early invasive cervical lesions: systematic review and meta-analysis. Lancet. 367, 2006, 489-98.
7） Yoonessi M. et al. Cervical intra-epithelial neoplasm in pregnancy. Int J Gynaecol Obstet. 20, 1982, 111-8.
8） Kirkup W. et al. Colposcopy in the management of the pregnant patient with abnormal cervical cytology. Br J Obstet Gynaecol. 87, 1980, 322-5.
9） Lacour RA. et al. Management of cervical adenocarcinoma in situ during pregnancy. Am J Obstet Gynecol. 192, 2005, 1449-51.
10）佐藤章ほか．“悪性卵巣腫瘍・子宮頸癌”．合併症妊娠．改訂 3 版．村田雄二編．大阪，メディカ出版，2011，341-58.
11）Sood AK. et al. Surgical management of cervical cancer complicating pregnancy: a case-control study. Gynecol Oncol. 63, 1996, 294-8.
12）日本産科婦人科学会・日本産婦人科医会編集・監修．“CQ504 妊娠中に発見された付属器腫瘤の取り扱いは？”．産婦人科診療ガイドライン：産科編 2020．2020，286-7.
13）Jacob JH. et al. Diagnosis and management of cancer during pregnancy. Semin Perinatol. 14, 1990, 79-87.
14）Horowitz NS. Management of adnexal masses in pregnancy. Clin Obstet Gynecol. 54, 2011, 519-27.
15）Chen MM. et al. Guidelines for computed tomography and magnetic resonance imaging use during pregnancy and lactation. Obstet Gynecol. 112, 2008, 333-40.
16）小澤真帆．卵巣腫瘍合併妊娠．産科診療トラブルシューティング．東京，金原出版，2005，273-87.
17）日本産科婦人科学会・日本産婦人科医会編集・監修．“CQ504 妊娠中に発見された付属器腫瘤の取り扱いは？”．産婦人科診療ガイドライン：産科編 2020．2020，286-7.
18）Cagino L. et al. Surgical management of adnexal mass in pregnancy: a systematic review and meta-analysis. J Minim Invasive Gynecol. 28, 2021, 1171-82.
19）Lev-Toaff AS. et al. Leiomyomas in pregnancy: sonographic study. Radiology. 164, 1987, 375-80.
20）Vitagliano A. et al. Uterine fibroid size modifications during pregnancy and puerperium: evidence from the first systematic review of literature. Arch Gynecol Obstet. 297, 2018, 823-35.
21）Rice JP. et al. The clinical significance of uterine leiomyomas in pregnancy. Am J Obstet Gynecol. 160, 1989, 1212-6.
22）日本産科婦人科学会・日本病理学会編．“絨毛性疾患の臨床”．絨毛性疾患取扱い規約．第 3 版．東京，金原出版，2011，33-42.
23）松井英雄ほか．絨毛性疾患．周産期医学必修知識．第 8 版．周産期医学．46，2016，226-8.
24）Tsakiridis I. et al. Diagnosis and Management of Gestational Trophoblastic Disease: A Comparative Review of National and International Guidelines. Obstet Gynecol Surv. 75, 2020, 747-56.

福島県立医科大学 ● 藤森敬也

悪性腫瘍—乳がん，白血病—

概念・定義・分類・病態

妊婦が悪性腫瘍を合併する頻度は0.07～0.1%とされており，それほど高くはない．しかしながら，近年，女性の社会進出に伴い，妊娠年齢の高齢化など女性のライフスタイルは急激に変化しており，今後，妊娠中に悪性腫瘍が発見されるケースに遭遇する機会は増えると予想されるという指摘もある．原疾患の治療を最優先することは原則ではあるが，最近では，治療の選択のあり方として，これまでのエビデンス重視が見直され，患者と医療者が協同し意思決定を行うshared decision making（SDM）の有効性が着目されている．妊婦に対するがん治療の臨床試験は倫理的に問題があり，妊婦の生理的変化を考慮した有効な治療法や胎児への安全性の高い治療法について，高いエビデンスを構築することは基本的には不可能といえる．こうした不確実性の高い領域においては，特にSDMの有効性が指摘されている．医療者は医学的な情報を提供する一方で，患者が，自身の人生において最良の選択肢を選択することを目指す．医学的な情報を提供するにあたり，産婦人科医・腫瘍専門医・新生児科医など互いに専門的立場から話し合う必要がある．また，心理的サポート，産後の治療続行に伴う生活・育児への不安のサポートなどから，看護職，臨床心理士，ソーシャルワーカー，保健師など多職種が連携してサポートにあたることが望ましい．

なお，悪性腫瘍の治療後の生存例における次回妊娠に関しては，早産や低出生体重児の発症に注意する．

乳がん

現在，わが国の30～64歳の女性のがん死亡原因の第1位であり，妊娠期乳がんの頻度は3,000人に1人といわれており，妊娠中に診断されるがんの中でも最多である．そのため，参照できる情報も少なくなく，日本乳癌学会などのガイドラインに妊娠中の管理についての記載があり，それらを診療の参考にすることができる．

白血病

急性白血病は高齢者に発症頻度が高い疾患であり，妊婦に合併する頻度は75,000～100,000妊娠に1人といわれている．妊娠中に発症する白血病の多くは急性であり，2/3が骨髄性で，1/3がリンパ性とされている．各妊娠時期で発見される頻度はおおよそ同じであり，若干妊娠後期に多い．

参考　『日本乳癌学会による患者さんのための乳癌診療ガイドライン2019年版 第6版』Q66
『乳がん患者の妊娠・出産と生殖医療に関する診療の手引き2017年版 第2版』CQ30～33

1. 乳がん

注意すべき臨床症状・所見

しこりや血性の乳頭分泌などを認める場合には，専門医の診察を勧める．一般的には，妊娠性の生理的な変化に類似しているため，気づかれにくい．日本人における好発年齢は，45～49歳と60～64歳であるが，乳がんは5～10%が遺伝性であるといわれており，若年性である場合には遺伝性乳がんが考慮される．乳がんや卵巣がんなどを中心に悪性腫瘍について家族歴を聴取しておくとよい．必要に応じて，遺伝カウンセリングが行われる．

診　断

マンモグラフィーや超音波検査が実施され，後者が第一選択であり，妊娠期の診断能も高い．マンモグラフィーは，腹部遮蔽を行えば安全に実施できる．画像診断で悪性かどうかを診断できない場合には，穿刺細胞診や針生検による組織診によって診断する．腫瘍の広がりなどの評価のための造影 CT に関しては，胎児への被曝や造影剤の影響を考慮し，母体の疾患の評価におけるベネフィットと比較した上で実施を検討する．ガドリニウム造影剤が全妊娠期間において胎児へのリスクが報告されているため，さらに使用は限定すべきであるが，腰椎などの単純 MRI 検査の実施は考慮してよい．

治療・管理

乳がん治療は手術療法が主体であるが，薬物療法（抗がん剤，ホルモン薬，分子標的薬），放射線治療など多彩な治療が展開される疾患でもある．現時点で妊娠中に施行できる治療は，手術療法，化学療法の一部となっている．

妊娠中に発見される場合は，健診などで発見される場合と異なり，自覚症状が出現していることが多く，その場合にはすでに進行していることが多い．妊娠継続や出産そのものが，その後のがんの進行や再発には影響することはないという見解が示されている．したがって，妊娠継続を希望される場合には，以下に述べるような配慮をしながら，集学的管理を行う．

▶ 手術療法

手術時期に関しては，流産や麻酔薬などの器官形成期の影響を考慮し，妊娠 13 週以降，可能なら妊娠 16 週まで治療を待機する．

術式に関しては，乳房部分切除術は，非妊娠時と同等に検討するべきとされている．ただし，術後 20 週以内に放射線治療の開始が望ましく，開始が遅れた場合，局所再発や生命予後への影響などの指摘がある．妊娠中の放射線治療は実施できないことを踏まえ，妊娠前期での手術術式は乳房切除術が選択されることが多い．なお，一次乳房再建についても安全性が確立していない．センチネルリンパ節生検は，不要なリンパ節郭清を避けるメリットが大きく，妊娠中も施行したほうがよい．妊娠中は，アナフィラキシーの危険のある色素よりも胎児被曝も少ないことから，ラジオアイソトープ（Tc-99m）のほうが好んで使用される．

周術期管理は主に外科医が管理することが多いと思われるが，非妊娠時と比べ深部静脈血栓症（deep vein thrombosis；DVT）予防の必要性を共有しておく．鎮痛薬は，胎児への安全性を考慮し，妊娠後期には胎児動脈管の早期収縮が問題となる非ステロイド系抗炎症薬は避け，アセトアミノフェンを選択する．抗菌薬はニューキノロン系を避け，妊娠中の使用経験の多いセフェム系，ペニシリン系，を選択し，薬剤アレルギーなどがある場合には，エリスロマイシン，クリンダマイシンなども考慮する．

妊娠 32 週以降では，原則的には児の娩出後に手術実施が考慮される．治療をどのくらい急ぐべき状況か腫瘍専門医の意見を参考にし，新生児科とも連携し，娩出時期，娩出方法（帝王切開や陣痛誘発など）を検討する．

▶ 薬物療法

妊娠前期は原則として実施せず，器官形成期が終了した妊娠中期以降に開始する．化学療法として第一選択としては，AC 療法（ドキソルビシン，シクロホスファミド），FAC 療法（フルオロウラシル，ドキソルビシン，シクロホスファミド）となる．一方，タキサン系の薬剤はドキソルビシンに比較して十分なデータがないものの，最近では，妊娠中期以降であれば安全であるという報告が蓄積されつつある．したがって，ドキソルビシンが使用できない状況では投与について検討する．

妊娠中に特に注意する点としては，薬剤が胎盤で代謝される 3 週間は，児の骨髄抑制のリスクが残るため，娩出を避ける必要がある点が挙げられる．妊娠 32 週以後に診断された場合には，出産後に治療を開始する方針を検討する．この場合には，陣痛誘発などによる計画分娩を考慮する．分娩後は，感染徴候がなければ，産後 1 週間で化学療法を開始してよいとされている．そのほか妊娠中の化学療法を実施する際の周産期管理のポイントを表 1 にまとめた．

ホルモン療法において，タモキシフェン内服は，妊娠中は避けるべきである．妊娠後期ではエストロゲンレベルが上昇し，病勢進行が認められ，明らかな腫瘍縮小効果が認められていない．他方，頭蓋・顎顔面形成異常，外性器形成不全などのリスクが上昇することが知られている．GnRHアゴニストについても安全性に関するエビデンスが不十分であることから，投与すべきではないとされている．

分子標的治療薬であるトラスツズマブ（抗HER2モノクローナル抗体）は胎児の腎機能低下，羊水過少症などの合併症との関連が知られており，使用は避けるべきとされている．胎児にはHER2（human epidermal growth factor receptor type 2）は発現していることが知られている．なお，妊娠前に投与されていた場合には，投与終了後7カ月は避妊することが推奨されている．

▶ 放射線治療

原則的には妊娠中には実施しない．妊娠週数が進行すると，胎児の成長に伴い乳房照射野に胎児が近接するため，適切な遮蔽を行ったとしても胎児被曝のリスクが十分に減少できない可能性が指摘されている．

表1 ● 妊娠中の化学療法のポイント

- 制吐薬である制吐薬オンダンセトロン（5-HT3受容体拮抗薬），デキサメタゾン投与は可能である．
- 骨髄抑制に対しG-CSF製剤投与は，安全性のデータがまだ十分でないため，必要性が高いときのみなどに限定して使用する．
- 児の骨髄抑制の時期を避けるため，計画分娩では，投与後少なくとも3週間はあける．
- 胎児発育不全，子宮内胎児死亡がリスクとして知られており，胎児のモニタリングを行う．
- アントラサイクリン系を使用する場合には，超音波検査などで胎児心機能を評価しておく．
- 早産リスクが知られており，切迫早産にも注意する．

2. 白血病

急性白血病

▶ 注意すべき臨床症状・所見

一般に妊娠中は発見されにくい．妊婦健診で実施される血液検査で，貧血や血小板減少などが認められた場合には，慎重に経過観察を行うか，血液像（目視が望ましい）を追加して評価する．必要に応じて，原因検索として血液塗抹検査などを行う．

▶ 診　断

血液塗抹検査で芽球を認めた場合，肝機能腎機能検査，凝固能検査なども追加し，骨髄検査で確定診断を実施する．急性骨髄性白血病では，予後予測や治療法選択のために，白血病細胞の染色体核型，遺伝子変異解析などが実施される．

▶ 治　療

多剤併用化学療法が主体であり，治療の第一段階としては，妊婦であっても治療は遅れることなく寛解導入療法を開始し，完全寛解を目指す．参考として，妊娠時期に応じた治療の流れを図1に示している[5)]．その他の主なポイントを表2にまとめる．

その他の治療の選択肢として，同種幹細胞移植療法は妊娠中の報告はなく，妊娠中は禁忌と考えられる．また，妊娠初期に妊娠継続を強く希望し，寛解導入療法を開始する場合には，ダウノルビシン単独療法は検討してもよいかもしれない．

なお，急性リンパ芽球性白血病の中で，Philadelphia染色体やBCR-ABL1融合遺伝子が認められる場合には，イマチニブ（チロシンキナーゼ阻害剤）の有効性が示されている．しかし妊娠中は，催奇形性リスクが高く胎児への安全性が不明のため，投与を回避する報告が散見される．急性リンパ芽球性白血病の化学療法として使用される薬剤としては，ビンクリスチン，ダウノルビシン，シクロホスファミド，プレドニゾロンなどがあるが，これらは妊娠中期以降に投与された症例報告は散見される．シクロホスファミドは抗がん剤としては，妊娠中の使用経験が多い薬剤であり，ダウノルビシンとともに，妊娠中の乳がんに対する化学療法で使用されている．

▶ 周産期管理

化学療法の開始に伴い，腫瘍そのものや治療による

～13週	13～24週	24～32週	32～36週	36週～
• 流産リスク高い • 器官形成期であり催奇形性のリスク高い • 妊娠中絶が選択肢に挙がる	• 妊娠継続しての化学療法導入を検討する	• 抗がん剤による胎児のリスクより早産娩出によるリスクが上回る • 妊娠継続しての化学療法選択	• 児を娩出後の化学療法開始が考慮される • 娩出前に肺成熟目的のベタメタゾンを投与する	• 化学療法は原則禁忌 • 計画分娩を検討する

図1 ● 急性白血病の妊娠中治療について

（文献5をもとに作成）

表2 ● 妊娠期の急性白血病治療の注意点

- 細胞障害作用のある薬剤のほとんどが250～400kDaであり，胎盤を通過する．
- 単独療法より併用療法のほうが，奇形発症率が高くなる．
- 急性骨髄性白血病の標準的寛解導入療法では，シタラビン＋アントラサイクリン系薬剤併用療法である．アントラサイクリン系薬剤の選択では，胎盤通過性が高く胎児合併症の発症率も高いイダルビシンは避け，ダウノルビシンを選択する．
- 妊娠中期以降で，妊娠継続しながら化学療法を実施する場合，胎児発育不全，後期流産・早産のリスクが高いことに注意する．子宮内胎児死亡や新生児感染症による新生児死亡などのリスクがあることも注意する．

腫瘍融解に伴う発熱，感染症，播種性血管内凝固症候群（disseminated intravascular coagulation syndrome；DIC）の管理が必要になることもある．特に，敗血症は妊産婦死亡原因の一つであり，治療中は敗血症リスクが高くなっていることに留意して管理する．

輸血する場合には，先天性サイトメガロウイルス感染症予防のため，妊婦の抗体が陽性であっても，基本的にはサイトメガロウイルス抗体陰性血が望ましい．

分娩管理においては，分娩後異常出血のリスクが高いことを念頭に置いて管理する．例えば，分娩第3期における積極的管理や，子宮用バルーン留置などの準備など早めの対応が望ましい．また，易感染性のリスクにも注意し，前期破水や分娩処置では抗菌薬を投与する．

なお，まれではあるが，児や胎盤への転移の報告があるため，分娩後には病理学的に胎盤への転移の有無を検索する．児の長期的予後については，データが乏しいため，継続した経過観察が望まれる．

産後はDVTリスクが高いことを考慮し，血小板5万を超える場合には，抗凝固療法を検討する．授乳は原則的には中止する．

▶ 次回妊娠への留意点

再発の関係は証明されていないが，急性骨髄性白血病では，妊娠許可には短くても2～3年間の寛解期間をみたほうがよいとされる．

慢性骨髄性白血病

▶ 注意すべき臨床症状・所見

進行が緩徐であり，初期には症状がないことが多く，血液検査などで偶然見つかるケースが多いとされている．慢性期を維持する目的で，チロシンキナーゼ阻害薬（TKI）を内服しつづけることになり，この間に妊娠するケースもある．

▶ 治　療

前述のPhiladelphia染色体やBCR-ABL1融合遺伝子の存在が原因であり，これをターゲットとしたTKIが治療の主体となる．しかし，催奇形性や流産のリスクが高く，特に妊娠初期の投与は回避することが望ましい．妊娠初期に診断された場合には，治療を中期以降に延期できるか検討する．一方，白血球数が多いなど，ただちに治療開始が望ましい場合には，分子量が大きく胎盤通過性が低く胎児への安全性の高いインターフェロンαで治療を開始する．ヒドロキシカルバミドについては，妊娠中投与による報告がほとんどなく回避することが望ましい．治療中に妊娠を希望する場合には，分子遺伝学的寛解の1～2年以上の持続を確認し，TKI中止後，場合によりインターフェロンαへ変更続行し，妊娠を許可してもよいという意見がある．

妊娠中期以降のTKIの投与については，妊娠後期でのイマチニブ使用で児への短期的影響はなかったという報告が散見されており，他の治療法で効果が得られない場合などには投与を考慮してもよいという意見もある．

本態性血小板血症

▶診　断

60歳代に多い疾患であるが，妊娠可能な女性にも発症頻度が高いことが知られている．慢性骨髄性白血病とともに，骨髄増殖性腫瘍の一つであり，45万/μL以上の持続的な血小板増加や骨髄生検などで診断される．約半数がJAK2V617F変異を有するとされる．

▶治療・管理

約1/3に流産を認める．その他，血小板が機能しないため，出血や血栓のリスクが有り，死産などの妊娠合併症のリスクが高いともいわれている．特にJAK2V617F変異を有する場合には妊娠合併症が多くなることが知られており，積極的介入が望ましいとされている．介入としては，低用量アスピリンやインターフェロンα（保険適用外）が合併症を減少させることが示されている．『造血器腫瘍診療ガイドライン』（日本血液学会）[6]は，妊娠中は出産1～2週前まで低用量アスピリン投与を継続し，出産後出血リスクのないことを確認後ただちに再開し，産後6週間は投与することを推奨している．ただし，妊娠28週以降のアスピリン投与は保険適用外となる．静脈血栓塞栓症のリスクが高いことを留意し，その他のリスク因子など総合的に判断し，妊娠中から産後にかけて，必要に応じヘパリンなどの予防的抗凝固療法について検討する．

引用・参考文献

1） 日本乳癌学会編．日本乳癌学会による患者さんのための乳癌診療ガイドライン2019年版 第6版．東京，金原出版，2019，240p.
2） 日本がん・生殖医学会編．乳がん患者の妊娠・出産と生殖医療に関する診療の手引き2017年版 第2版．東京，金原出版，2017，212p.
3） Sanz MA. et al. Management of acute promyelocytic leukemia: updated recommendations from an expert panel of the European LeukemiaNet. Blood. 133(15), 2019, 1630-43.
4） Cardonick E. Pregnancy-associated breast cancer: optimal treatment options. Int J Womens Health. 6, 2014, 935-43.
5） Ali S. et al. : British Committee for Standards in Haematology. Guidelines for the diagnosis and management of acute myeloid leukaemia in pregnancy. Br J Haematol. 170(4), 2015, 487-95.
6） 日本血液学会．造血器腫瘍診療ガイドライン2018年版補訂版［2020年4月］東京，金原出版，2020，428p.

名古屋大学医学部附属病院 ● 小谷友美

14 妊娠前に与えるべき情報—プレコンセプショナルコンサルテーション，薬剤—

概念・定義

プレコンセプショナルコンサルテーションは，女性の健康および妊娠・分娩に関して，医学的，生活行動的，社会的に潜むリスクを特定し，女性の健康状態が妊娠に与えるリスク，妊娠が女性の健康状態に与えるリスクを評価し，妊娠・出産が可能かどうかも含めて適切な予防法・管理法を検討し，妊娠する前から準備できるように支援することを目的とする．女性のみを対象とするのではなく，パートナーや，育児にかかわる他の家族の理解も得られるようにすることが望ましい．適切な分娩施設の選択や，育児支援の在り方にまで焦点を当てた支援を考える．また，薬剤が妊娠に与える影響についても適切な情報を提供し，不用意な薬剤中断をすることがないように留意する．産褥健診時の次回妊娠に関する評価や，避妊に関する相談や炎症性疾患など一般婦人科受診した折などもコンサルテーションの良い契機となり得る．

- 妊娠・分娩，育児と母体のリスク評価
  - 母体の健康状態・基礎疾患が妊娠・分娩，育児に与える影響
  - 妊娠・分娩，育児が母体の健康状態・基礎疾患へ与える影響
- カップルがもっている胎児に対するリスクの評価

それぞれに評価して，実施可能な予防法や支援を検討する．

一般的事項

妊娠・出産を計画する女性は，妊娠に備えて健康状態を整えることが大切である．健康状態の評価には，基礎疾患の有無のみならず，体格，年齢，生活習慣などの因子を検討しておくことも含まれる．風疹をはじめとした胎児に影響を与える可能性がある，水痘，麻疹などの妊娠中には接種できないワクチン接種を済ませるほか，神経管閉鎖障害を減少させる葉酸 0.4mg/日の摂取，禁煙など，妊娠前から取り組めることを啓発する．

妊娠前の体格に関しては，妊娠前 BMI 18.5 未満のやせ女性は切迫早産，早産，低出生体重児のリスクが高くなり，一方，妊娠前 BMI 25 以上の肥満女性では妊娠高血圧症候群，妊娠糖尿病，帝王切開，死産，巨大児および児の神経管閉鎖障害などのリスクが高い[1]．

母体年齢については，15～19 歳では貧血，早産，妊娠高血圧腎症，性感染症の率が高いといわれている[2]．母体年齢が高くなるにつれ，受精卵での染色体異常の率が増え，流産・死産，染色体異常児の出生が増加する．妊娠高血圧症候群，妊娠糖尿病，前置胎盤，常位胎盤早期剥離，早産，低出生体重児などの産科合併症が増える．これらの増加は，母体年齢上昇に伴う生殖補助医療による妊娠の増加が影響している可能性も考えられる．一方で父親年齢の上昇に伴い，常染色体優性遺伝病などの遺伝子変異に伴う疾患の増加が知られているが，その疾患頻度が低いために上昇率は明らかではない．

母体の健康状態を把握するために，末梢血液検査や生化学的検査に加えて，性感染症の有無，肝炎やヒト免疫不全ウイルス（HIV）などの感染症の有無，風疹などのウイルス疾患の免疫状態などを調べる臨床検査も考慮する．

既往産科歴

流産歴

臨床的に確認された妊娠の15%が流産となるが，流産を2回繰り返した場合を反復流産，3回以上繰り返した場合を習慣流産と呼ぶ．「不育症外来」などの専門外来を設けている施設もある．原因や治療法にエビデンスがあるとは限らず，保険診療ではないものも多く，施設により治療方針が異なることも多い．母体年齢が高年齢でなければ，原因が特定できなくても，既往流産が3～4回の患者が次回妊娠で妊娠継続できるのは60～70%であるとされている[3]．

早産歴

日本の早産率は5～6%を推移しているが，早産歴がある場合の早産率は高くなることが知られている．早産の原因を特定し，対応策を検討する．切迫早産に対するヒドロキシプロゲステロンカプロン酸エステル125mgの週1回筋注法は切迫早産に対する保険適用となっているが，その有効性は明らかではない．妊娠中に急な入院となった場合の対応策や，早産になった場合に備えての分娩施設選びも重要である．

常位胎盤早期剝離の既往

常位胎盤早期剝離は単胎妊娠で1,000分娩当たり5.9件，双胎妊娠で12.2件といわれるが[4]，既往のある妊婦ではそのリスクは10倍程度になるといわれている．受診のタイミングを逃すことがないように，出血，腹痛，胎動減少などの初期症状について伝え，居住地に近い分娩施設の選択の重要性なども伝える．

妊娠高血圧症候群

妊娠高血圧症候群は，経産婦よりも初産婦に多い．しかし再発率も数倍から10倍程度ともいわれる[5]．次回妊娠時については，急な入院となったときの対応策，分娩施設の選択について相談し，特に妊娠高血圧腎症のときには妊娠初期からの低用量アスピリン投与を検討する[6]．

死産の既往

妊娠12週以降の死産の原因はさまざまである．死産があったときにその原因をできるだけ追求しておき，その再発率を推定することが望ましい．ただし，死産の1/4程度は原因が明らかではない．死産の既往がある場合，その原因特定を可能な限り行い，再発率を推定する．

基礎疾患のある場合

糖尿病

糖尿病罹患女性は，妊娠前から厳格な血糖コントロールを行うことにより，母児へのリスク（**表1**）を減少させることができる．特に妊娠初期の血糖管理を厳密に行うことは，いわゆる先天奇形を減らすために重要であり，そのためには妊娠前からの血糖管理が重要となる．

妊娠前の管理として望ましい状態とは，HbA1cが7.0%未満であること，網膜症は前増殖糖尿病網膜症以降に進行していない単純網膜症のレベルであること，糖尿病性腎症の5期までに分けられている病期が第2期までであることである．血糖管理には原則，インスリンを使用し，妊娠中使用するのに適したインスリン製剤を使用していることが望ましい．また，糖尿病性腎症や高血圧管理に用いられる，アンジオテンシン変換酵素阻害薬やアンジオテンシンⅡ受容体拮抗薬は胎児への影響があるため，他の降圧薬に切り替える必要がある．

脂質異常症に対する，プラバスタチンナトリウム（メバロチン®錠），シンバスタチン（リポバス®錠），アトルバスタチンカルシウム（リピトール®錠），ピタ

表1 ● 血糖管理不良の時の母児への影響

母　体	胎　児
1）糖尿病合併症 糖尿病ケトアシドーシス 糖尿病網膜症の悪化 糖尿病性腎症の悪化 低血糖（インスリン使用時） 2）産科合併症 流産 早産 妊娠高血圧症候群 羊水過多（症） 巨大児による難産	1）周産期合併症 胎児機能不全・胎児死亡 先天奇形 巨大児 肩甲難産による分娩障害 新生児低血糖症 新生児高ビリルビン血症 新生児低カルシウム血症 新生児多血症 新生児呼吸窮迫症候群 肥大型心筋症 胎児発育不全 2）成長期合併症 肥満 耐糖能異常 糖尿病

バスタチンカルシウム（リバロ®錠），ロスバスタチンカルシウム（クレストール®錠）などのHMG-CoA還元酵素阻害薬や，ベザフィブラート（ベザトール®錠），フェノフィブラート（リピディル®錠）などのフィブラート系という薬剤も妊娠中には使用を控える方がよい．

てんかん

日本神経学会『てんかん診療ガイドライン2018』では「てんかんの重症度や環境要因，併存障害の有無などに応じた生活能力を総合的に判断し，妊娠・出産が現実的か否かについて家族，産科医，小児科医などとも十分なアドヒアランスを構築することが望ましい．妊娠中の管理のみならず，育児にも焦点を当てて，妊娠出産の計画を考える必要がある．

てんかんをもつ女性の場合は，児にいわゆる先天奇形が起こる率が高くなる．これはてんかんそのものによるというよりは，抗てんかん薬による影響と考えられるようになってきている．妊娠前の1年間に発作がなかった場合は，妊娠中のてんかん発作が50～70%減少したという報告もあり[7]，妊娠前に良好なコントロールを得ておくことは重要である．またできるだけ単剤でのコントロールが望ましいといわれている．

表2に妊娠初期の単剤治療による先天性形態異常リスクを示す．バルプロ酸は他の抗てんかん薬と比べて，胎児に奇形をもたらす危険性が高く，避ける方が望ましい薬剤である．妊娠中に発作を起こすことは，母体の低酸素血症をもたらし，胎児への影響も危惧されるため，薬剤の胎児への影響を危惧して内服の自己中断をしないことの重要性も伝える．米国神経学会[8]は，2～5年間発作を起こしていない女性で，発作の種類は1つであり，正常な知能を有して，神経学的検査も正常で，脳波検査が正常化した場合は，抗けいれん薬の中止の検討を推奨している．

一部の抗てんかん薬は血中葉酸濃度を低下させることが知られており，『てんかん診療ガイドライン2018』でも神経管閉鎖障害発生の予防のためにも葉酸（0.4～0.6mg/日程度）の補充が推奨されている．

心疾患

心機能は妊娠の維持に大きな影響を与える．したがって早産になるリスクが高いほか，妊娠中の心血管イベントのリスクも問題となる．妊娠中のリスクのみならず，循環動態が非妊娠時に復するときに起こる産褥期のリスク，また哺育について母乳あるいは人工乳とするかも含めた育児負担に対するサポート体制にまで検討しておく必要がある．また，妊娠・出産が母体の心機能に与える将来的リスクをも考えながら，妊娠に向けての薬剤調整なども計画していく．疾患によって

表2● 妊娠初期の単剤治療による先天性形態異常リスク

抗てんかん薬（n）	Major Congenital Malformations n（%）	Relative Risk (95%CI)
非内服対照群（442）	5（1.1）	参照
ラモトリギン（1,562）	31（2.0）	1.8（0.7−4.6）
カルバマゼピン（1,033）	31（3.0）	2.7（1.0−7.0）
フェニトイン（416）	12（2.9）	2.6（0.9−7.4）
レベチラセタム（450）	11（2.4）	2.2（0.8−6.4）
トピラマート（359）	15（4.2）	3.8（1.4−10.6）
バルプロ酸（323）	30（9.3）	9.0（3.4−23.3）
フェノバルビタール（199）	11（5.5）	5.1（1.8−14.9）
オクスカルバゼピン（182）	4（2.2）	2.0（0.5−7.4）
ガバペンチン（145）	1（0.7）	0.6（0.07−5.2）
ゾニサミド（90）	0（0）	NA
クロナゼパム（64）	2（3.1）	2.8（0.5−14.8）

（文献2より引用）

は胎児への遺伝の可能性も考慮する必要がある．

リスク評価法に関しては，日本循環器学会が modified World Health Organization（WHO）分類を基本とし，これにわが国の現状を加味した概念が最も適切であると推奨している（p.42 表 1 参照）．

慢性腎疾患

妊娠により腎の構造や機能，血行動態の変化が起こる．腎機能の変化のみならず，血圧の変動に与える影響も大きく，高血圧ももたらしやすい．その結果，妊娠高血圧腎症，早産，低出生体重児などのリスクが高くなり，また分娩後にも妊娠前の腎機能に復するかどうかが問題となる．日本腎臓病学会から『腎疾患患者の妊娠：診療ガイドライン 2017』が出ている．CKD の重症度分類，「CKD 重症度分類の GFR 区分 G1，G2 であっても，妊娠合併症のリスクは高い」とされ，「CKD 重症度分類の GFR 区分 G3，G4，G5 は，腎機能障害が重症になるほど妊娠合併症のリスクは高く，腎機能低下，透析導入の可能性もあり，十分な説明が必要である」とされている（p.60 表 1 参照）．それぞれの病態に応じた妊娠のリスクは，同ガイドラインに記載がある．

膠原病

関節リウマチは病勢が安定しておらず疾患活動性が高いと妊孕性が低下する．疾患の活動性が落ち着いて，寛解または低活動期を維持してから妊娠を計画することが望ましい．『関節リウマチ診療ガイドライン 2020』では，従来型抗リウマチ薬の中では，サラゾスルファピリジン，タクロリムスは使用可能であるが，メトトレキサートは催奇形性が問題となるため，中止後 1 カ月を空けて妊娠可能とする．生物学的製剤のうち，TNF 阻害薬，トシリズマブ，アバタセプト，サリルマブはリスクとベネフィットを勘案して使用することが可能，または容認できると記載されている．妊娠中の関節リウマチの病態は改善する場合と悪化する場合とがある．産褥には悪化することが多いといわれている．

全身性エリテマトーデス（SLE）合併例では，活動性の場合，流早産や産科合併症のリスクが高く，SLE 悪化のリスクも高くなるため，6 カ月以上病勢が安定してから妊娠することが望ましい．抗リン脂質抗体陽性例では妊娠中の血栓症，妊娠高血圧症候群，常位胎盤早期剝離，胎児発育不全などのリスクが高く，抗 SS-A 抗体陽性例では胎児の房室ブロックや新生児ループスのリスクが高くなる．病状が落ち着いていれば妊娠に向けての治療薬剤を検討する．抗リン脂質抗体の有無にかかわらず，妊娠 12 週前からの低用量アスピリン投与は妊娠高血圧腎症や子宮内胎児発育不全のリスクを減少させるといわれている．

炎症性腸疾患（IBD）

潰瘍性大腸炎・クローン病は，活動期であると低出生体重児，早産，死産，妊娠高血圧症候群や妊娠糖尿病などの増加，再燃リスクが上がる可能性があるが，妊娠中に使用可能な薬剤により病勢がコントロールされた寛解期であれば，妊孕性低下の懸念もなく，おおむね安全に妊娠・出産を迎えられ，IBD（inflammatory bowel disease）治療内科医との連携のもとで産科一次施設での管理も可能である．ただし，肛門病変を有するクローン病患者では帝王切開を要することもある．治療薬による妊孕性への影響は，サラゾスルファピリジン投与を受けている男性では低下することが指摘されており，薬剤の中断が必要となることがある．メトトレキサートは催奇形性リスクがあるので，妊娠を計画する女性の場合は 1 カ月程度の休薬期間が必要となる．サラゾスルファピリジンは葉酸拮抗作用があるので，妊娠前からの葉酸補充が望ましいとされるが，量に関して一定の見解は示されていない（カナダの産婦人科学会では 1mg/ 日を推奨している[10]）．5-ASA 製剤，ステロイド剤，免疫抑制剤も妊娠中の投与は可能で，妊娠中の病勢コントロールが非常に重要である．生物学的製剤の場合は，新生児の免疫機能への影響を考慮してワクチン接種の時期を慎重に検討する必要がある．

遺伝性疾患

子どもに遺伝する可能性のある遺伝性疾患をもつ人には，遺伝カウンセリングが必要になるかもしれない．家族歴を詳細に検討し，遺伝性疾患リスクを評価する．主な遺伝カウンセリング実施施設は，全国遺伝子医療部門連絡会議のホームページから検索可能である．

神経管閉鎖障害の家族歴がある人には，妊娠前からの葉酸摂取は一般的な 0.4mg/ 日ではなく，4mg/日が推奨される．また本人がフェニルケトン尿症であった場合には，妊娠初期からの低フェニルアラニン食についての指導も必要である．

▶ 悪性腫瘍

悪性腫瘍を合併した人の妊娠・出産に関しては，原疾患の状態により妊娠可能かどうかを考える必要がある．妊娠中の化学療法も，慎重に行えば決して不可能ではない．また，妊孕性に影響を与える放射線や薬剤投与前に，精子や卵子，卵巣，胚の凍結などによる妊孕性温存療法も選択肢の一つとなる可能性がある．『乳がん患者の妊娠・出産と生殖医療に関する診療の手引き 2017 年版』には挙児を希望する場合の方法，留意事項などもまとめられている．

薬　剤

薬剤の胎児に与える影響は妊娠時期により異なる．催奇形性は胎児の臓器が作られる時期の問題であり，胎児毒性は胎児の臓器が出来上がった後にその発達や発育，機能に悪影響を与える問題である．

最終月経から妊娠 4 週未満の着床期は，薬剤の効果は「all or none」と呼ばれる時期である．分裂を続けている受精卵の多くの細胞が薬剤の影響を受けたときにはその胚そのものが死滅してしまい，逆に障害された細胞の数が少なければ，修復機構が働いて正常発達へと進んでいく．妊娠 4 ～ 10 週の胎芽期は各器官の形成が行われ，何らかの因子が加わったり，正常な過程が障害されたりすると胎児の構造異常を来す，すなわち奇形を起こす最も危険な時期であり，「絶対過敏期」と呼ぶ．妊娠 8 ～ 10 週以降の胎児期も，臓器の成熟と機能的な発達はこの時期も続き，臓器によって損傷の受けやすさに差があり，15 週までは「相対過敏期」と呼ばれる．妊娠 16 週以降は胎児毒性が問題となる．

これらを考慮しながら，胎児に影響を与える薬剤を使用中であれば，妊娠に向けて薬剤の変更を検討するなど，母体の健康管理に必要な薬剤を無断中断することがないように教育することが必要である．

虎の門病院や聖路加国際病院では，妊娠中の薬剤に関して，さまざまなデータから得られた情報を提供する相談外来を設けている．また国立成育医療研究センターは全国の病院と連携した「妊娠と薬」外来を開設している．

引用・参考文献

1) 日本産科婦人科学会／日本産婦人科医会 編集･監修．“CQ010 妊娠前の体格や妊娠中の体重増加量については？”．産婦人科診療ガイドライン：産科編 2020．東京，日本産科婦人科学会，2020，45-8.
2) Marlene M. et al. “Preconceptional Counseling”. Williams Obstetrics. 24th ed. New York, McGraw-Hill, 2014. (Kindle version).
3) 日本産科婦人科学会／日本産婦人科医会 編集・監修．“CQ204 反復・習慣流産患者の取り扱いは？”．前掲書 1．119-25.
4) 日本産科婦人科学会／日本産婦人科医会 編集・監修．“CQ308 常位胎盤早期剥離（早剥）の診断・管理は？”．前掲書 1．164-7.
5) 妊娠高血圧学会編．“CQ 産褥期の薬物療法と授乳は？”．妊娠高血圧症候群の診療指針 2015．東京，メジカルビュー社，2015，235.
6) 日本産科婦人科学会／日本産婦人科医会 編集・監修．“CQ309-2 妊娠高血圧症候群と診断されたら？”．前掲書 1．172-6.
7) Vajda FJ. Treatment options for pregnant women with epilepsy. Expert Opin Pharmacother. 9(11), 2008, 1859-68.
8) Jeha LE. et al. Optimizing outcomes in pregnant women with epilepsy. Cleve Clin J Med. 72(10), 2005, 938-40, 942-5.
9) 日本腎臓学会編．CKD 診療ガイド 2012．東京，東京医学社，2012，3.
10) Wilson RD. et al. SOGC CLINICAL PRACTICE GUIDELINE : Pre-conception Folic Acid and Multivitamin Supplementation for the Primary and Secondary Prevention of Neural Tube Defects and Other Folic Acid-Sensitive Congenital Anomalies. J Obstet Gynaecol Can. 37(6), 2015, 534-49.

参考サイト

• 国立国際医療研究センター．糖尿病情報センター．
http://dmic.ncgm.go.jp/general/about-dm/080/030/13.html [2020.5.22]
•「てんかん診療ガイドライン」作成委員会編．“てんかんと女性”．てんかん診療ガイドライン 2018．日本神経学会監修．2018．133-43.
https://www.neurology-jp.org/guidelinem/epgl/tenkan_2018_13.pdf [2021.12.12]
• 日本循環器学会 / 日本産科婦人科学会合同ガイドライン．心疾患患者の妊娠・出産の適応，管理に関するガイドライン（2018 年改訂版）.
https://www.j-circ.or.jp/cms/wp-content/uploads/2020/02/JCS2018_akagi_ikeda.pdf [2020.5.22]
• 日本腎臓学会編．腎疾患患者の妊娠：診療ガイドライン 2017.
https://cdn.jsn.or.jp/data/jsn-pregnancy.pdf [2020.5.22]
• 日本リウマチ学会編．関節リウマチ診療ガイドライン 2014.
https://minds.jcqhc.or.jp/n/med/4/med0064/G0000706/0053/0059 [2020.5.22]
• 全国遺伝子医療部門連絡会議．
http://www.idenshiiryoubumon.org/ [2020.5.22]

- 平成 30 年（2018 年）3 月厚生労働科学研究費補助金 難治性疾患等政策研究事業.「関節リウマチ（RA）や炎症性腸疾患（IBD）罹患女性患者の妊娠，出産を考えた治療指針の作成」研究班．全身性エリテマトーデス（SLE），関節リウマチ（RA），若年性特発性関節炎（JIA）や炎症性腸疾患（IBD）罹患女性患者の妊娠，出産を考えた治療指針【医師用 CQ】.
  https://ra-ibd-sle-pregnancy.org/doctor_toward/images/ishiyousshisin.pdf［2021.12.12］

聖路加国際病院 ● 山中美智子

後期流産―頸管無力症，巨大絨毛膜下血腫―

1．頸管無力症

概念・定義・分類・病態

典型的には第2三半期における無痛性頸管開大と特徴づけられ，妊娠24週未満に開大を認めることが多い．

参考 『産婦人科診療ガイドライン：産科編 2020』（以下，産科ガイドライン） CQ301 頸管無力症への対応は？

診　断

明確な診断基準はない．主に以下から診断することが多い．

1）妊娠歴から：2回以上の連続した第2三半期以降の流早産歴を有する．ただし，徴候（骨盤痛，子宮収縮，生理痛様の腹痛，背部痛，帯下の異常）がまったくないかあっても軽度のものに限る．

2）超音波所見による診断：妊娠24週未満に頸管長が25mm以下であった症例．

3）子宮収縮を伴わない，または弱い不規則であるにもかかわらず子宮口開大または軟化，胎胞露見または破水した症例も含む．

1）～3）のうち除外診断として，陣痛発来，感染，胎盤早期剥離，前置胎盤の出血は含まない．羊水検査等を行い，子宮内感染を否定する必要がある（子宮口が2cm以上開大していればこれらの患者の20～50%は子宮内感染しているといわれている[1]）．

4）他に，妊娠中期の3回以上の流早産既往は頸管縫縮術の適応とする文献[2]など散見される．

治療と管理

1）感染または炎症を認めたら抗菌薬3種（セフトリアキソン，クラリスロマイシン，メトロニダゾール）の投与を検討する[3]．

2）頸管縫縮術とプロゲステロン投与

①妊娠歴から必要と判断された場合：

妊娠12～14週に「予防的縫縮術」を行う（3回以上の流早産既往を適応とする報告もある[2]）．しかし，頸管無力症には明確な診断基準がないため，多くは原因不明の妊娠中期の流早産既往の症例となり，手術の適応については慎重になるべきである．ACOGでは対象となった症例の半数以上が手術不要であったという報告を示している[4,5]．

妊娠16週になったら36週までヒドロキシプロゲステロンカプロン酸エステルの週1回投与を検討する．手術との併用療法は手術単独群と比較し有用性のエビデンスは今のところない．

②超音波による診断の場合：

既往早産なく頸管短縮のみを認める例に対する「治療的縫縮術」は有意な早産減少や，周産期予後の改善を認めていない．ただし，頸管長が10mm未満の例（図1）では，子宮収縮抑制薬や抗菌薬を併用した管理で早産率が低下した[6]．一方で，ACOGでは流早産歴がなければ治療的縫縮術は早産減少につながらないとしている[7]．

妊娠17～33週の流早産既往がある妊婦で，妊娠16～22週で頸管短縮例（25mm未満）に対して「治療的縫縮術」を行った群では，妊娠35週未満の早産が減少した[8]。ACOGでは妊娠34週未満の早産既往があり，妊娠24週未満の頸管短縮例（25mm未満）に「治療的縫縮術」を推奨している．

ACOGでは流早産歴がない場合には腟内プロゲス

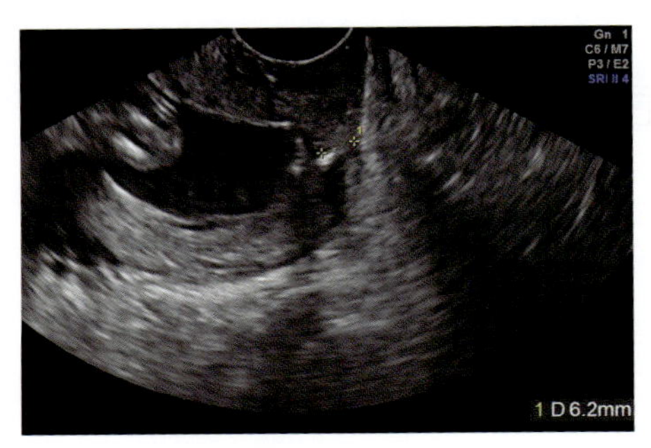

図 1 ● 子宮頸管長　6.2mm の例

テロン療法を勧めている．産科ガイドラインでは腟内プロゲステロン療法について，早産予防の効果は期待されているが，現時点では児の長期予後に関してその有効性を認めておらず，アジア人に対する早産予防効果はまだ確認されていない．

③子宮口開大または頸管軟化などで頸管無力症と診断した場合：

産科ガイドラインでは治療的縫縮術に関し，施行しなかった場合に比べ施行した群において妊娠予後が改善した報告[9]があり，手術を検討することが勧められている．

一方で 24 週以降の縫縮術は破水のリスクとなるため避けている医師は多い．しかし症例ごとにリスクと期待できる妊娠予後とを考え検討するべきである．

3) その他の内科的治療

胎胞膨隆症例では，頸管や子宮内の感染を伴う率が高く，保存的に対応する場合も存在する．他に，細菌性腟症や頸管炎に対してエビデンスはないが腟内の消毒や洗浄が有効である可能性が高く，UTI（Urinary Trypsin Inhibitor）の腟内投与を検討する[10]．

4) 多胎の場合，縫縮術のエビデンスは確立していない．

5) 双胎に対するヒドロキシプロゲステロンカプロン酸エステルの早産予防効果を検討したメタ解析[11]で，有効性は認められていない．

6) 生活指導（仕事の休職，禁欲，ベッド上安静）などの有効性は十分に証明されていない．頸管無力症と診断した場合は性行為を避けるよう指導している．性行為は，早産，または頸管の熟化のリスクがあり，早産のリスクに対する安全性のデータは十分ではないとされている．

7) 他の治療法

ペッサリーはまだ有効性を証明した文献はないが，完全に否定されてもない．

次回妊娠への留意点

縫縮術で成功した症例には次回妊娠時も行う．

超音波所見により診断された症例では，次回妊娠時に縫縮術が必要とは限らないが，頸管長短縮時には必要である．約 50%は再度縫縮術を必要としている[12]．

2. 巨大絨毛膜下血腫

概念・定義・分類・病態

胎盤血腫には以下がある．

1) 胎盤後血腫：胎盤と子宮筋層の間に形成される．

2) 絨毛膜下血腫：絨毛膜板と絨毛の間に形成される．

3) 羊膜下血腫：羊膜下，絨毛膜板上に形成される．

4) 絨毛膜板下血腫

注意すべき臨床症状・所見

絨毛膜下血腫のうち，厚さ 1cm 以上の病変が認められた場合には Breus' mole を疑う必要があり，胎児発育不全や子宮内胎児死亡を来す頻度が高く，児の予後が不良であることが多い.

診　断

超音波診断では，胎盤内もしくは辺縁に無血管像を認める．鑑別に腫瘍などがある．

治療と管理

後期流産の原因として最も多いのが絨毛膜下血腫である．多くの血腫においては臨床的意義は乏しいが，広範囲の胎盤後血腫や絨毛膜下血腫を合併した場合は流産や常位胎盤早期剝離，胎児発育不全，早産を高率に引き起こすため注意を要する．

3. 流　産

概念・定義・分類・病態

流産（abortion）とは，児の胎外生存が不可能な時期に妊娠が終結することを意味する．

周産期医療レベルの向上により，胎児の生育限界が妊娠 22 週となったことから，日本産科婦人科学会は，1993 年に流産を「妊娠 22 週未満の妊娠中絶」と定義している．

妊娠 12 週未満の流産を早期流産（early abortion），12 週以降 22 週未満の流産を後期流産（late abortion）と分類している．この流産が，自然に起こるものを自然流産（spontaneous abortion），人為的に行われるものを人工流産（induced 〈artificial〉 abortion）という．

1）切迫流産（threatened abortion）：胎芽・胎児および付属物が排出されていない状態で，流産へ進行する可能性があると判断される臨床症状（性器出血，腹痛，子宮頸管長短縮などの 1 つまたは複数）を呈する場合をいう．

2）進行流産（abortion in progress, inevitable abortion）：胎芽あるいは胎児およびその付属物がいまだ排出されていないが，流産は開始し，子宮頸管は開大し，子宮出血も増量している状態をいう．

3）完全流産（complete abortion）：流産の際に胎芽あるいは胎児とその付属物が完全に排出された状態をいう．

4）不全流産（incomplete abortion）：流産の際に，胎芽あるいは胎児および付属物が完全に排出されず，一部が子宮内に残存し，子宮が十分に収縮せず，子宮口も閉鎖しないで，出血などの症状が持続している状態をいう．

5）稽留流産（missed abortion）：胎芽あるいは胎児が子宮内で死亡後，症状がなく子宮内に停滞している状態をいう．

6）感染流産（infectious abortion, septic abortion）：子宮内感染によって流産が起こった状態，あるいは流産経過中に子宮内感染が起こった状態をいう．

頻　度

自然流産は妊娠 5 ～ 20 週において 11 ～ 22%にみられ[13]，妊娠 12 週未満の早期流産が 80%以上を占め[14]，12 週以降 22 週未満の後期流産の頻度は少ないとされている．

原　因

後期流産は胎児，母体のいずれにも原因が考えられるが，初期流産と比較して母体因子によるものが多くなる．

1）胎児因子

全流産のうち，約半数が染色体数の異常を伴わず，正常の染色体構造が認められる．染色体異常を原因とする流産の 75%は妊娠 8 週までに発生すると報告されている[15].

2) 母体因子

多くは母体の要因が大きいといわれ，正常核型の流産の発生率は約 13 週にピークを迎えると報告されている．原因は以下が挙げられる．

①内科疾患：管理不良な糖尿病，甲状腺疾患，全身性エリテマトーデスなど．

②悪性腫瘍：腹腔内・骨盤腔の放射線治療を受けた場合，後に流産の危険の増加の可能性がある．

③外科的処置・外傷：後期流産では外科的処置によるリスクは増加しないが，妊娠週数が進んだ場合の方が重症外傷により胎児死亡を引き起こしやすくなる．

④栄養：栄養素の欠乏が流産のリスクを増加させるかは明らかでないが，肥満は明らかに流産率を上昇させる．

⑤生活習慣因子：アルコールは催奇形性があり，初期においては喫煙もリスクとなる．また，カフェインの過剰摂取も流産リスクの増加と関連がある．

⑥職業および環境因子：ビスフェノール A，フタラート，ポリ塩化ビフェニル，ジクロロジフェニルトリクロロレタン（DDT）といった環境毒素は流産と関連するといわれている．また，消毒薬や X 線，抗がん剤に曝露する看護師ではわずかに流産率が増加するといわれている[16]．他に，毎日 3 時間以上笑気に曝露される歯科助手も流産率が上昇する[17].

後期流産のみを検討した報告[18]では，30 例のうち感染が 40%，頸管無力症が 23%，絨毛膜下血腫 13%，常位胎盤早期剥離 7%であった．

3) 父性因子

父親の高齢化も流産のリスクを明らかに増加させるといわれている[14].

治療と管理

1) 切迫流産

①頸管ポリープ

子宮頸管ポリープは成人女性の 2 ～ 5%にみられる疾患である. 出血がなくてもポリープ単独で後期流産，切迫早産，頸管長短縮，早産のリスクが上昇するといわれ，管理には注意を要する．切除の是非については一定の見解はないが，組織型によって decidual polyp は endocervical polyp に比して早産リスクが高いといわれている．また約 0.1 ～ 1.7%に悪性所見を認めるため組織型確認の必要性も論じられている[19].

②CAOS（chronic abruption oligohydramnion sequence）

• 病態

CAOS とは慢性胎盤早期剥離の状態であり，出血が数週間以上続き，羊水過少を伴う．多くの症例で初期より出血を認め，母体の貧血や児の死亡，慢性肺疾患などの合併で周産期予後が悪いといわれている．

CAOS の診断基準を**表 1** に挙げる[20]．病態としては, まず胎盤辺縁の静脈洞からの出血が血腫を形成し, その血腫が胎盤と子宮筋の間に拡大し胎盤後血腫を形成する．この出血が急速に増加していけば急性常位胎盤早期剥離となるが，CAOS では慢性化する．また血腫が脱落膜を伝って内子宮口から性器出血を認める．

表 1 ● CAOS の診断基準[20]

1．分娩 7 日以上前から持続する性器出血を認め，前置胎盤，外傷，子宮頸部病変などの出血性病変を認めない．
2．性器出血を初めて認めたときの羊水量が正常（AFI 5 ～ 25）である．
3．破水の所見を認めず，羊水過少（AFI < 5）に進展する．

AFI：amniotic fluid index

慢性化した状態が続くと，胎児胎盤血流が阻害され，羊水過少を呈する．また，他にもらせん動脈の発達異常により脱落膜の壊死や胎盤の炎症，梗塞に至り，最終的には血管の破綻を来し出血を生じる機序も考えられている．

• 鑑別診断

前置胎盤の警告出血や，低置胎盤などの胎盤辺縁からの出血，胎盤実質外の絨毛膜下脱落膜出血などと鑑別する必要がある．早期前期破水も鑑別の一つであるが，CAOS の経過中，卵膜が脆弱化し前期破水を生じる例や，卵膜の透過性が亢進することによりインスリン様成長因子結合蛋白 1 型（IGFBP-1）が腟分泌物より検出され破水と診断される例，出血の血漿成分の流出が水様帯下として排出され，肉眼的に破水と誤認されたりする例もあるため注意が必要である．

• 予後

この疾患を提唱した Elliot らは，初回性器出血が 20 週未満に認めた場合で周産期死亡率 43%と報告した[20]．

• 治療と管理

CAOS の管理，治療について確立されたものはない．妊娠終結が基本である．

CAOS の診断後に破水を併発した際は，抗菌薬投与が推奨されるが，子宮収縮抑制薬や絨毛膜羊膜炎に対する抗菌薬については，その使用について定まった見解がない．

羊水注入によって羊水中の Fe，LDH，酸化ストレスマーカーである 8-hydroxy-2'-deoxyguanosine（8-OHdG）の濃度が低下している状況を示した報告から，CAOS によるびまん性絨毛膜羊膜ヘモジデローシスの併発を予防し，結果的に児の予後良好につながった可能性があると考察している文献がある[21]．

③破　水

胎外生活可能な妊娠週数より以前の破水は 0.5%の妊娠において発生する．第 1 三半期の自然破水は，ほとんどかならず子宮収縮あるいは感染を引き起こし，妊娠終結になることが多い．第 2 三半期の自然破水は胎外生活可能になる以前に発生することが多く，40 ～ 50%が 1 週間以内に分娩に至り，70 ～ 80%が 2 ～ 5 週間以内に分娩に至る．平均的な潜伏期は 2 週間である．羊水注入に関しては，現時点では研究段階である．

医原性の破水の場合は，高位であることが多く，自然閉鎖することが多い．自己血小板とクリオプレシピテートの羊水腔内注入や amniopatch は現在，研究段階である[22]．

2）進行流産，不全流産

待機的管理または外科的治療を行う．

外科的治療の場合，妊娠週数が進むにつれ子宮壁が軟らかくなり子宮穿孔のリスクが高まり注意を要する．

流産後の出血の原因には表 2 などがある．出血時の対応を以下に示す．

①初期対応

上記原因を検索する．例えば，子宮復古不全を疑ったら双手圧迫，子宮収縮薬の投与などを行う．高血圧など禁忌でなければメチルエルゴメトリンの投与を行う．

②二次対応

大量出血の場合は輸液を行う．ヘモグロビン，ヘマトクリット，凝固因子を評価し，子宮動脈塞栓術を行う可能性があればクレアチニン値を評価，輸血の可能性があれば血液型検査，交差適合試験も行う．

子宮復古不全や子宮下節からの出血が疑われる場合には，フォーリーカテーテルや子宮内バルーンによるタンポナーデを考慮する．フォーリーカテーテルの容量は 30 ～ 60mL，子宮内バルーンは 120 ～ 250 mL の生理食塩水を用いると止血が得られることが多い．

③三次対応

止血が得られない場合は，子宮動脈塞栓術，腹腔鏡下手術，開腹手術，子宮全摘術を考慮する．

頸管裂傷を認めた場合，リング状の鉗子による圧迫，縫合止血などを行う．また，子宮内フォーリーカテー

表 2 ● 流産後の出血の原因

- 遺残
- 子宮復古不全
- 頸管裂傷
- 子宮穿孔
- 子宮破裂
- 胎盤（絨毛）位置異常・癒着胎盤（絨毛）
- DIC
- 感染
- 塞栓

テルの留置による圧迫止血も検討する．縫合止血は子宮頸部の3時および9時方向が有効である．それでも止血困難の場合は子宮動脈塞栓術や開腹術が必要となる．

3）完全流産

経過観察が基本となる．

4）稽留流産

稽留流産の場合，死胎児から遊離したトロンボプラスチンが母体循環へ流入して凝固機能障害（死胎児症候群）が発症する可能性がある．発症前の娩出が望まれ，プロスタグランジンE_1誘導体を使用することが多い．プロスタグランジンE_1誘導体は腟内に3時間ごと5錠まで挿入する．特に，子宮手術既往のある症例では注意が必要である．大量に出血している場合は外科的治療を行う．

5）感染流産

内容物排出が基本となる．

感染流産を引き起こす細菌の多くは正常腟内細菌叢を構成する菌の一部である．特にA群β溶血性連鎖球菌に起因する重篤な壊死性感染症や毒素性ショック症候群が特に重要視されている．まれであるが，クロストリジウム属による妊産婦死亡の報告もあり，10万件の流産において約0.58である[23]．これらを念頭に入れ，細菌検査，抗菌薬投与を検討する．

引用・参考文献

1） Romero R. et al. Infection and labor. VIII. Microbial invasion of the amniotic cavity in patients with suspected cervical incompetence：prevalence and clinical significance. Am J Obstet Gynecol. 167, 1992, 1086-91.
2） Final report of the Medical Research Council/Royal College of Obstetricians and Gynaecologists multicentre randomised trial of cervical cerclage. MRC/RCOG Working Party on Cervical Cerclage. Br J Obstet Gynaecol. 100, 1993, 516-23.
3） Oh KJ. et al. Evidence that antibiotic administration is effective in the treatment of a subset of patients with intra-amniotic infection/inflammation presenting with cervical insufficiency. Am J Obstet Gynecol. 221, 2019, 140 e1- e18.
4） Brown JA. et al. History- or ultrasound-based cerclage placement and adverse perinatal outcomes. J Reprod Med. 56, 2011, 385-92.
5） Berghella V, Mackeen AD. Cervical length screening with ultrasound-indicated cerclage compared with history-indicated cerclage for prevention of preterm birth：a meta-analysis. Obstet Gynecol. 118, 2011, 148-55.
6） Berghella V. et al. Cerclage for sonographic short cervix in singleton gestations without prior spontaneous preterm birth: systematic review and meta-analysis of randomized controlled trials using individual patient-level data. Ultrasound Obstet Gynecol. 50, 2017, 569-77.
7） Berghella V. et al. Effectiveness of cerclage according to severity of cervical length shortening：a meta-analysis. Ultrasound Obstet Gynecol. 35, 2010, 468-73.
8） Berghella V. et al. Cerclage for short cervix on ultrasonography in women with singleton gestations and previous preterm birth: a meta-analysis. Obstet Gynecol. 117, 2011, 663-71.
9） Ehsanipoor RM. et al. Physical Examination-Indicated Cerclage：A Systematic Review and Meta-analysis. Obstet Gynecol. 126, 2015, 125-35.
10）大槻克文．22, 23週【妊娠時期別にみた分娩の対応 - どうすれば児の予後を改善できるか？】22, 23週　母体・胎児　治療困難例（胎胞膨隆，CAOSなど）への対応．周産期医学．46，2016，829-33.
11）Schuit E. et al. Effectiveness of progestogens to improve perinatal outcome in twin pregnancies：an individual participant data meta-analysis. BJOG. 122, 2015, 27-37.
12）Suhag A. et al. Prior Ultrasound-Indicated Cerclage：Comparison of Cervical Length Screening or History-Indicated Cerclage in the Next Pregnancy. Obstet Gynecol. 126, 2015, 962-8.
13）Ammon Avalos L. et al. A systematic review to calculate background miscarriage rates using life table analysis. Birth Defects Res A Clin Mol Teratol. 94, 2012, 417-23.
14）Cunningham FG. et al. Williams Obstetrics. 25th ed ed：McGraw-Hill Education; 2018. xvi, 1328 p.
15）Kajii T. et al. Anatomic and chromosomal anomalies in 639 spontaneous abortuses. Hum Genet. 55, 1980, 87-98.
16）Lawson CC. et al. Occupational exposures among nurses and risk of spontaneous abortion. Am J Obstet Gynecol. 206, 2012, 327 e1-8.
17）Boivin JF. Risk of spontaneous abortion in women occupationally exposed to anaesthetic gases：a meta-analysis. Occup Environ Med. 54, 1997, 541-8.
18）長谷川ゆりほか．治療困難症例から学ぶ　後期流産の原因と次回妊娠への対策．日本周産期・新生児医学会雑誌．50，2014，139-40.
19）加藤慧ほか．妊娠初期の頸管ポリープと，後期流産及び早産との関連について．日本周産期・新生児医学会雑誌．55，2019，11-6.
20）Elliott JP. et al. Chronic abruption-oligohydramnios sequence. J Reprod Med. 43, 1998, 418-22.
21）Morita A. et al. Therapeutic amnioinfusion for chronic abruption-oligohydramnios sequence：a possible prevention of the infant respiratory disease. J Obstet Gynaecol Res. 40, 2014, 1118-23.
22）Richter J. et al. Amniopatch procedure after previable iatrogenic rupture of the membranes：a two-center review. Prenat Diagn. 33, 2013, 391-6.
23）Meites E. et al. C. sordellii Investigators. Fatal Clostridium sordellii infections after medical abortions. N Engl J Med. 363, 2010, 1382-3.

東京慈恵会医科大学 ● 宮　美智子 ● 佐村　修

2 異所性妊娠—頸管妊娠，帝王切開瘢痕部妊娠—

定義・頻度・病態・原因・要点

定　義

頸管妊娠（子宮頸管妊娠）は，「受精卵が正常な内膜に着床せず，子宮頸管に着床したもの」をいい，帝王切開瘢痕部妊娠は，「子宮下部横切開による既往帝王切開術等の瘢痕部に妊卵が着床し，同部の筋層方向へ絨毛が浸潤した病態」と定義される[1].

頻　度

異所性妊娠の頻度は全妊娠の約1%であり，卵管妊娠がその95%を占める．頸管妊娠や帝王切開瘢痕部妊娠は異所性妊娠の各々1%未満と比較的まれであるが，高度生殖医療普及や帝王切開術増加により，近年増加傾向である．

頸管妊娠は1,000〜95,000妊娠に1例[2]，体外受精後妊娠の1〜3%[3]とされる．帝王切開瘢痕部妊娠は2,000妊娠に1例，帝王切開既往妊娠の0.15%とされ，帝王切開既往のある異所性妊娠では6.1%を占める[4].

病　態

頸管妊娠では，妊卵が頸管粘膜に着床し，脱落膜が形成されず絨毛が頸管の薄い筋層へ浸潤して癒着胎盤を形成しやすい．

帝王切開瘢痕部妊娠は，妊卵が帝王切開瘢痕または近傍に着床し，絨毛が瘢痕部の筋層へ侵入する．帝王切開瘢痕部妊娠は組織学的に癒着胎盤と区別することは困難であり，瘢痕部妊娠はplacenta accreta spectrumの前病変とされる[5]．帝王切開瘢痕部妊娠は子宮破裂の原因にもなり，放置すると前置癒着胎盤への進展が高頻度に認められる[6, 7].

原　因

頸管妊娠，帝王切開瘢痕部妊娠ともに原因は不詳である．

頸管妊娠のリスクは，人工妊娠中絶術，帝王切開既往，Asherman症候群，子宮筋腫や子宮腺筋症，子宮内避妊具，体外受精により増加するが，特に子宮内膜掻爬術の既往を70%以上に認める[8].

帝王切開瘢痕部妊娠は，帝王切開が誘因となるが，帝王切開の回数や帝王切開からの経過年数は関係しないとされる．帝王切開術の回数は1回52%，2回36%，3回以上が12%と報告され，現在のところ，既往帝王切開の回数が増加するほど瘢痕部妊娠のリスクが高くなるとはいえない[9].

診療の要点

頸管妊娠や帝王切開瘢痕部妊娠は性器出血や下腹痛を訴えることもあるが，妊娠初期の健診で無症状のまま偶発的に発見される場合も少なくない．しかし，両疾患とも子宮内妊娠との鑑別は必ずしも容易でなく，流産や不用意な子宮内容除去術から突然大量の性器出血を来して，救命のため子宮全摘を余儀なくされる危険性がある．放置すると絨毛の筋層浸潤が進むため，緊急事態回避や妊孕性温存のためには，無症状であっても一刻も早い治療介入が必要である．

参考 『産婦人科診療ガイドライン：産科編2020』CQ203 異所性妊娠の取り扱いは？

注意すべき臨床症状

頸管妊娠では，85%が性器出血を呈し約 10%は無症状で発見される[10]．

帝王切開瘢痕部妊娠では，初期症状として出血や下腹痛が 75%に認められるが，25%は無症状で診断される[11]．下腹痛はないか，あっても軽度の症例が多い．

診断と分類

頸管妊娠，帝王切開瘢痕部妊娠は，ともに正常妊娠，稽留流産，進行流産，頸管のナボット囊胞との鑑別が重要である．

頸管妊娠の診断週数は平均妊娠 8 週[10]，帝王切開瘢痕部妊娠の平均診断週数は 7.5 ± 2.5 週である[9]．帝王切開瘢痕部妊娠は，妊娠 7 週以降になると子宮内腔底部に向かって胎囊が発育傾向を示しやすく，診断が初期よりもいっそう困難になる．

頸管妊娠，帝王切開瘢痕部妊娠はともに経腟超音波検査が重要で，カラードプラや MRI が補助的に用いられる．経腟超音波検査では，頸管妊娠の診断率は 82 ～ 87.5%[12]，帝王切開瘢痕部妊娠の診断率は 86.4%[5] とされ，正診率は高くない．MRI ではダイナミック造影検査のほうが精度が上がる．子宮頸管内もしくは帝王切開瘢痕部筋層内に血液成分を含む腫瘤が認められ，同部に造影早期に濃染する絨毛組織を認める．

▶ 頸管妊娠の診断基準[13, 14]

①子宮内腔が空虚
②頸管が樽状（子宮がだるま状・砂時計状）
③胎囊が子宮動脈より足方
④プローブを頸部に押し当てても胎囊の移動（スライディングサイン）がない
⑤カラードプラで胎囊周囲に血流

※頸管内の胎囊に胎児心拍があれば進行流産ではなく，頸管妊娠である．頸管妊娠の写真を**図 1，2** に示す．

▶ 子宮頸管妊娠の分類

妊卵の着床部位や発育方向について David らの分類がある[15]．

①Isthmico-cervical pregnancy
体部側に着床した妊卵の絨毛が峡部・頸管側へ発育，侵入する．

②Cervico-isthmic corporeal pregnancy
頸管に着床した妊卵が上方の峡部へ発育し羊膜腔の一部が体部まで侵入する．

③Cervico-isthmic pregnancy
頸管に着床し峡部へ発育し，胎盤は頸部および峡部にあり解剖学的内子宮口を越えない．

④Pure cervical pregnancy
一般的な頸管妊娠で，妊卵の着床・発育が頸部に限局する．

▶ 帝王切開瘢痕部妊娠の診断基準[16]

①子宮体部・頸部が空虚
②胎囊は子宮峡部の前壁にある
③膀胱と胎囊の間の筋層の菲薄化か欠損
④カラードプラで胎囊周囲の血流像

さらに，帝王切開瘢痕部妊娠では，以下のような妊娠早期における Placenta accreta spectrum（PAS）の兆候も参考になる[5]．

①帝王切開既往
②前傾後屈子宮

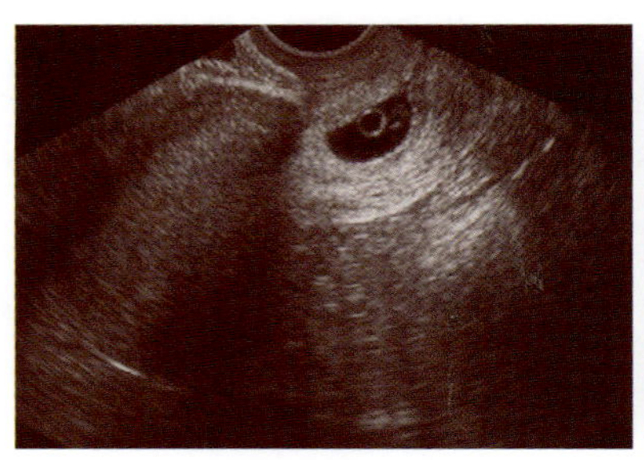

図 1 ● 頸管妊娠の超音波所見
子宮頸管内に胎囊を認める．

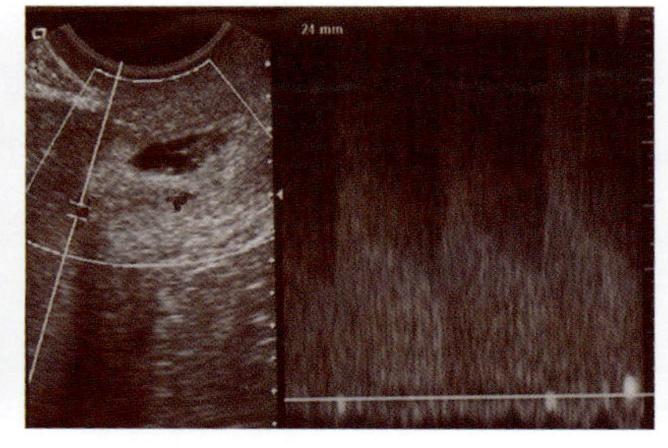

図 2 ● 頸管妊娠の超音波所見
子宮頸管の胎囊を取り囲む血流波形を認める．

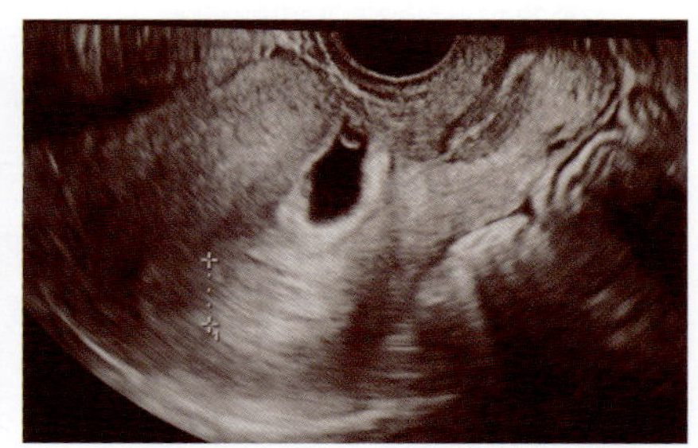

図 3 ● 帝王切開瘢痕部妊娠の超音波所見
帝王切開瘢痕部に胎囊を認める．

③子宮下部前方に位置する胎嚢（5～7週での診断が確実で，妊娠11～14週では23%にしか認められない）
④前置胎盤または前壁の低置胎盤
⑤妊娠7週以降のラクナの発達
⑥胎盤と膀胱間の筋層の菲薄化または欠損

帝王切開瘢痕部妊娠では，子宮前壁瘢痕部の胎嚢の形が崩れてラクナ様の不整形腫瘤を認めることもある[17]．また，子宮内腔に血液貯留を認め，胎嚢と紛らわしいことがある．帝王切開瘢痕部妊娠の例を図3～8に示す．

▶ 帝王切開瘢痕部妊娠の分類

妊卵が瘢痕部に侵入する深さはさまざまで，子宮内腔から瘢痕部にかけて発達する場合も，瘢痕部筋層が菲薄化し漿膜直下に胎嚢が突出する場合もある．帝王切開瘢痕部妊娠にはVialによる以下の分類がある[18]．
①type Ⅰ：胎嚢発育が子宮内腔に向かう．
②type Ⅱ：胎嚢発育が子宮漿膜面方向に向かう．

また，CaliらはCOS（Cross over sign）が帝王切開瘢痕部妊娠の予後判定の参考になるとしている．COSは妊娠6～8週時に子宮矢状断で子宮底部から子宮内膜を通って内子宮口を結ぶendometrial lineと，胎嚢の前壁と後壁を結ぶsuperior-inferior line（S-I line）を引き，2線の交わり方をみたもので，COS-1とCOS-2に分類した（図9）[19, 20]．
①COS-1：S-I lineの2/3以上がendometrial lineよりも子宮前壁側に位置し，穿通胎盤や大量出血のハイリスクである．
②COS-2：endometrial lineよりも子宮前壁側に位置するS-I lineの部分が2/3未満で，穿通胎盤や大量出血のリスクは相対的に低い．

治　療

▶ 基本方針

頸管妊娠・帝王切開瘢痕部妊娠ともに，不用意な掻爬術は大量出血の原因ともなり，帝王切開瘢痕部妊娠では子宮穿孔のリスクもある．従来，頸管妊娠，帝王切開瘢痕部妊娠とも，一般的には妊娠第1三半期で可及的速やかな妊娠の中断を勧められ，妊孕性温存希

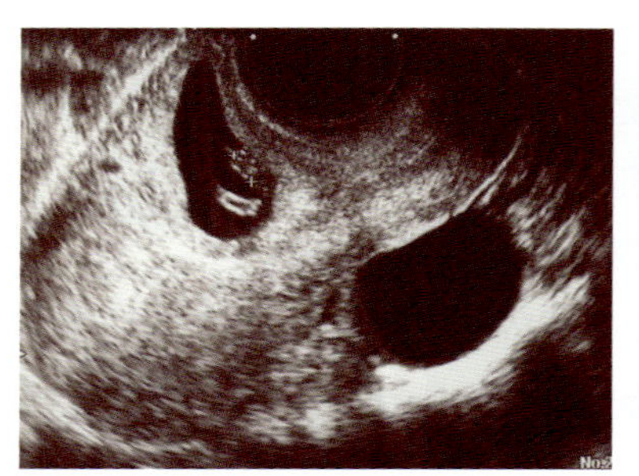

図4 ● 帝王切開瘢痕部妊娠

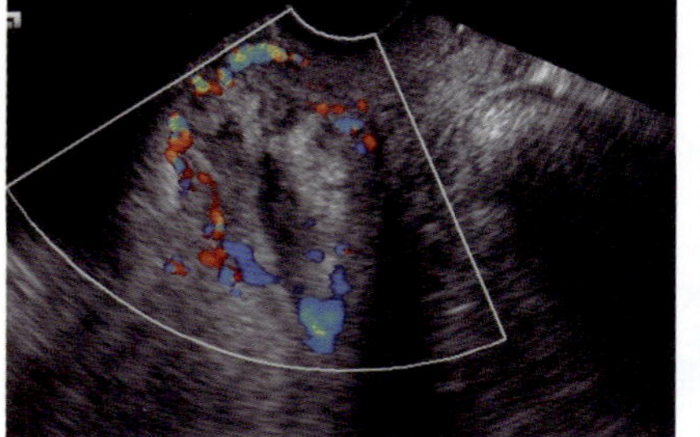

図5 ● 帝王切開瘢痕部妊娠
カラードプラで胎嚢周囲に血流を認める．

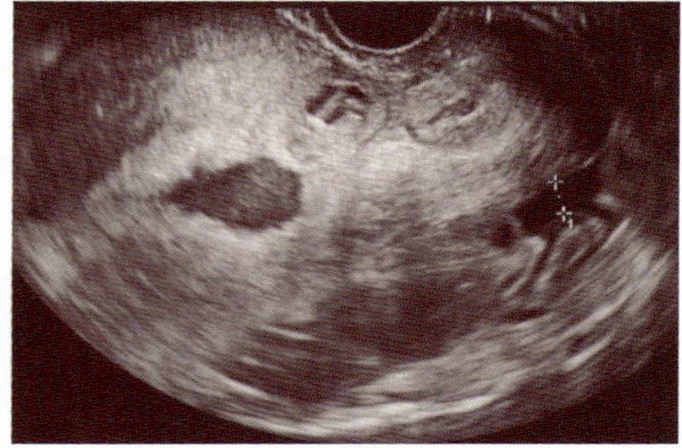

図6 ● 帝王切開瘢痕部妊娠
瘢痕部の胎嚢は不明瞭で，子宮内腔にエコーフリースペースを認める．

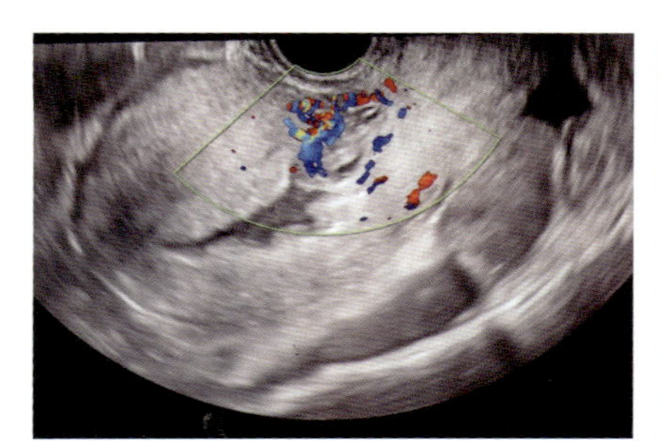

図7 ● 帝王切開瘢痕部妊娠
瘢痕部の胎嚢は不明瞭であるが，カラードプラで同部に血流を認める．

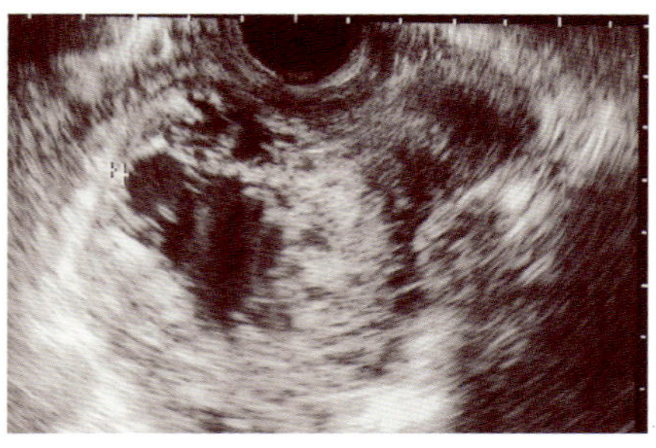

図8 ● 帝王切開瘢痕部妊娠
瘢痕部の胎嚢は不明瞭で，同部から広がるラクナ像を呈する．

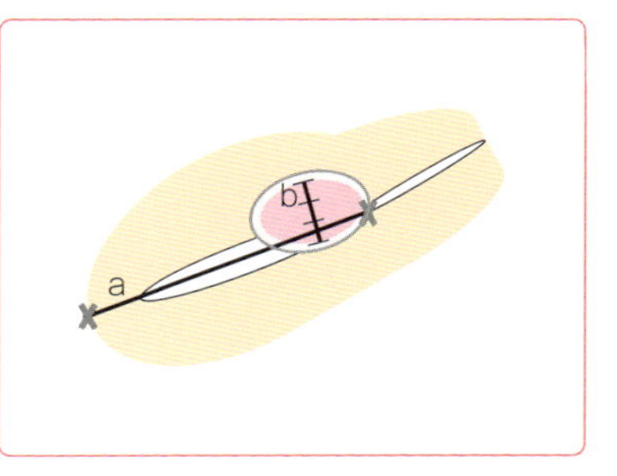

図9 ● COS（Cross over sign）
a：endometrial line
b：superior- inferior diameter of gestational sac

望がない場合は子宮全摘術が基本とされてきた.

近年は，子宮を温存する侵襲の少ない治療法が多数報告されているものの，治療法について決まったコンセンサスはない．症例に応じて高度な医療技術を複数組み合わせる場合も多く，高次施設で取り扱うべき疾患である.

もしも，子宮体下部から峡部・頸管にかけて発育する頸管妊娠や，子宮内腔に向かって発育する帝王切開瘢痕部妊娠などにおいて，生児を得るべく妊娠継続の方針とした場合は，非常なハイリスク妊娠となる．Cali らによる Systematic review によれば，帝王切開瘢痕部妊娠を待機的に管理した場合，胎児心拍陰性例は 69.1%が合併症なく流産し，30.9%が医療介入を要した．第 1 三半期での子宮破裂は 13.4%に発生したが，子宮全摘例はなかった．これに対し，児心拍陽性例では 13.0%のみが合併症のない流産となった．結果的に 76.9%もの症例が第 3 三半期に至ったが，そのうち 74.8%が癒着胎盤で，52.1%が穿通胎盤であった．子宮全摘は第 1 三半期の症例も含め結果的に 60.6%に必要であった[7].

このような疾患予後をふまえ 2020 年の米国の Society for Maternal-Fetal Medicine の推奨では，帝王切開瘢痕部妊娠の待機的治療は勧めないとし，以下の方針を提示した[21].

①外科的治療は子宮壁切除か超音波ガイド下吸引を推奨し，掻爬術単独は避ける.

②薬物治療はメトトレキサート（MTX）局注を単独もしくは他の治療との組み合わせで推奨し，全身投与単独は推奨しない.

③妊娠を継続した場合は妊娠 34 ～ 35 週での帝王切開を推奨する.

④次回妊娠のリスクについて informed consent を行い，適切な避妊指導を行う.

▶治　療

現時点での治療方針は，まず全身状態，出血量，診断週数，胎嚢・胎児の大きさ，児心拍の有無，絨毛浸潤・筋層菲薄化の程度・血流の豊富さ，血中 HCG 値により，個別に検討される．以下に治療の例を示す.

A 救命・止血目的

①大量出血があれば輸血，抗 DIC 療法，必要に応じ REBOA（resuscitative endovascular balloon occlusion of the aorta）を含む抗ショック療法を行う.

②子宮動脈塞栓術（UAE）

万一 UAE が不能であれば，子宮動脈結紮術や子宮動脈クリッピングを行う.

③子宮腔内または頸管内バルーン圧迫法

通常 10 ～ 30mL のバルーン拡張で圧迫する.

④バソプレシン局注

バソプレシン 20 単位 / 1mL を 99mL の蒸留水で希釈し，病巣近傍の筋層に局所注射する.

⑤ McDonald 頸管縫縮術

③に加えると，圧迫止血やバルーン滑脱防止に効果的である．頸管内や子宮腔内の侵襲的操作をする前に McDonald 糸をかけておき，処置後にすぐ結紮する.

B 病巣切除目的

⑥子宮 / 頸管内容除去術

単独ではなく②や③との組み合わせで施行する．UAE 施行後であれば UAE の 24 ～ 48 時間以内に行う.

妊娠早期で胎嚢が小さく絨毛の浸潤・血流の少ない症例や，MTX 治療を行い絨毛の血流が十分に低下した症例以外は勧められない．子宮壁菲薄化が著しい帝王切開瘢痕部妊娠には適さない.

⑦ダブルバルーン圧迫法

Timor-Tritsch は妊娠 6 ～ 8 週の頸管妊娠 3 例と瘢痕部妊娠 7 例に対して中央値 3 日間のバルーン留置による治療単独を行ったところ，全例に有効で大量出血もなく HCG は中央値 49 日後に正常範囲に低下し妊娠組織の退縮を得たと報告している[22].

⑧子宮鏡下手術[23, 24]

⑨帝王切開瘢痕部妊娠なら子宮壁楔状切除術（開腹または腹腔鏡下）

膀胱側に小さな胎嚢が突出する場合に良い適応がある.

⑩帝王切開瘢痕部妊娠なら腟上部切断術（開腹または腹腔鏡下）

⑪子宮全摘術（開腹または腹腔鏡下）

C 絨毛の筋層浸潤を止め脱落させる目的

⑫胎児心拍があれば feticide

穿刺ガイドつきの経腟超音波プローブで，20 ～

23G の PTC 針を使用して胎嚢穿刺を行い，胎児に KCl・高濃度グルコースを投与し児心拍陰性化を確認する．MTX の全身投与や局注では無効なことも多い．

- 塩化カリウム：KCl（10～20mM/10mL）を 1～4mL 投与
- 高濃度グルコース：20～50%ブドウ糖液を 3～5mL 投与

⑬MTX 局注

上記処置に引き続き胎嚢内の羊水を除去し MTX を注入する．羊水を除去したほうが MTX 濃度が高まるため効果的である．MTX の局注は全身投与より効果が高い．頸管妊娠では，妊娠 9 週以降，CRL 1cm 以上，血中 HCG10,000IU/L 以上の症例において MTX 全身投与の成功率は低いとされる[25]．

1 回目の胎児･胎嚢穿刺が成功すれば，その後胎児･胎嚢は不明瞭となり，血流に富む不整形の絨毛組織が観察されるようになる．

- MTX 局注：MTX 50mg/body もしくは 1mg/kg もしくは 50～75mg/m^2 を注射用蒸留水 2～3mL に溶解し局所注射

⑭MTX 全身投与

血中 HCG を 4 日目と 7 日目に測定する．7 日目の血中 HCG 値が 4 日目より 15～25%以上低下しなければ，十分な治療効果が得られなかったとして MTX 全身投与を 1 週ごとに反復する．帝王切開瘢痕部妊娠では MTX 投与法は局注と全身投与の組み合わせが最も有効で 77%である[26]．

- MTX 全身投与：MTX 50mg/m^2 筋肉注射

⑫～⑭により HCG 値が低単位～感度以下になり絨毛の血流がカラードプラで消失したら，上記②③を併用しながら病巣除去を考慮するが，妊娠組織の自然吸収ないしは脱落を待つ場合もある．

診療の工夫

子宮体下部に妊卵が着床した頸管妊娠全例，および妊娠継続希望がない帝王切開瘢痕部妊娠の場合は，児心拍陽性なら一刻も早くまず陰性化させ妊娠組織の発育を止めることが重要である．

頸管妊娠・帝王切開瘢痕部妊娠では，経腟超音波ガイド下にまず feticide を行うと同時に胎嚢内に MTX を局注する．さらに HCG の推移を見ながら MTX 全身投与を 1 週ごとに反復し，絨毛の血流消失と HCG 低下を確認する．症例によってはそのまま妊娠組織の自然吸収・脱落を待つ．子宮 / 頸管内容除去術を行う際は術前に UAE を施行してから子宮 / 頸管内容除去術を施行することが多いが，さらに子宮腔内 / 頸管内バルーンと頸管縫縮を併用する場合もある．帝王切開瘢痕部妊娠で筋層欠損が著しい場合，次回妊娠時の子宮破裂のリスクを考慮して子宮壁の部分切除・修復を行う場合もある．

次回妊娠への留意点

UAE 施行後には子宮壊死・感染，卵巣機能低下，Asherman 症候群を来し得ることにも注意する．治療侵襲に応じ，最低半年間など一定の避妊期間を設ける．

頸管妊娠・帝王切開瘢痕部妊娠では，次回妊娠でも癒着胎盤，流早産に留意する必要があり，帝王切開瘢痕部妊娠では上記に加え瘢痕部妊娠反復，子宮破裂にも注意する．もし挙児希望がなければ適切な避妊法について相談する．

引用・参考文献

1) 日本産科婦人科学会編集．産科婦人科用語集・用語解説集 改定第 4 版．東京，金原出版，2018.
2) Celik C. et al. Methotrexate for cervical pregnancy. A case report. J Reprod Med. 48, 2003, 130-2.
3) Abusheikha N. et al. Extra-uterine pregnancy following assisted conception treatment. Hum Reprod Update. 6, 2000, 80-92.
4) Ash A. et al. Caesarean scar pregnancy. BJOG. 114, 2007, 253-63.
5) Timor-Tritsch, IE. et al. Cesarean scar pregnancy. Diagnosis and pathogenesis. Obstet Gynecol Clin N Am. 46, 2019, 797-811.
6) Jayaram P. et al. Expectant management of caesarean scar ectopic pregnancy: a systematic review . J Perinat Med. 46, 2018, 365-72.
7) Cali G. et al. Outcome of cesarean scar pregnancy managed expectantly : systematic review and meta-analysis. Ultrasound Obstet Gynecol. 51, 2018, 169-75.
8) Jeng CJ. et al. Transvaginal ultrasound-guided treatment of cervical pregnancy. Obstet Gynecol. 109, 2007, 1076-82.
9) Rotas MA. et al. Cesarean scar ectopic pregnancies : etiology, diagnosis, and management. Obstet Gynecol. 107, 2006, 1373-81.

10) Murji A. et al. Conservative Management of Cervical Ectopic Pregnancy. J Obstet Gynaecol Can. 37, 2015, 1016-20.
11) Jurkovicm D. et al. Surgical treatment of Cesarean scar ectopic pregnancy : efficacy and safety of ultrasound-guided suction curettage. Ultrasound Obstet Gynecol. 47, 2016, 511-7.
12) Ushakov FB. et al. Cervical pregnancy : past and future. Obstet Gynecol Surv. 52, 1997, 45-59.
13) Hofmann HM. et al. Cervical pregnancy : case reports and current concepts in diagnosis and treatment. Arch Gynecol Obstet. 241, 1987, 63-9.
14) Jurkovic D. et al. Diagnosis and treatment of early cervical pregnancy : A review and a report of two cases treated conservatively. Ultrasound Obstet Gynecol. 8, 1996, 373-80.
15) David MP. et al. Cervico-isthmic pregnancy carried to term. Obstet Gynecol. 56, 1980, 247-52.
16) Godin PA. et al. An ectopic pregnancy developing in a previous caesarian section scar. Fertil Steril. 67, 1997, 398-400.
17) Sekiguchi A. et al. Ultrasound Detection of Lacunae-like Image of a Cesarean Scar Pregnancy in the First Trimester. Journal of Nippon Medical School. 80, 2013, 70-3.
18) Vial Y. et al. Pregnancy in a cesarean scar. Ultrasound Obstet Gynecol. 16, 2000, 592-3.
19) Calì G. et al. First-trimester prediction of surgical outcome in abnormally invasive placenta using the cross-over sign. Ultrasound Obstet Gynecol. 51, 2018, 184-8.
20) Calì G. et al. Natural history of Cesarean scar pregnancy on prenatal ultrasound : the crossover sign. Ultrasound Obstet Gynecol. 50, 2017, 100-4.
21) Society for Maternal-Fetal Medicine, Miller, R. et al. Society for Maternal-Fetal Medicine (SMFM) consult series #49: Cesarean scar pregnancy. Am J Obstet Gynecol. 222, 2020, B2-14
22) Timor-Trtisch IE. et al. A new minimally invasive treatment for cesarean scar pregnancy and cervical pregnancy. Am J Obstet Gynecol. 215, 2016, 351.e1-8.
23) Tanos V. et al. Hysteroscopic management of cervical pregnancy : Case series and review of the literature. J Gynecol Obstet Hum Reprod. 48, 2019, 247-53.
24) He Y. et al. Combined laparoscopy and hysteroscopy vs. uterine curettage in the uterine artery embolization-based management of cesarean scar pregnancy : a retrospective cohort study. BMC Women's Health. 14, 2014, 116.
25) Hung TH. et al. Prognostic factors for an unsatisfactory primary methotrexate treatment of cervical pregnancy : A quantitative review. Human Reprod. 13, 1998, 2636-42.
26) Maheux-Lacroix S. et al. Cesarean scar pregnancies : A systematic review of treatment options. J Minim Invasive Gynecol. 24, 2017, 915-25.

日本医科大学多摩永山病院 ● 関口敦子 ● 中井章人

切迫早産・前期破水

1. 切迫早産

概念・定義・分類・病態

早産（preterm birth）は周産期死亡の最も主要な原因であり，早産児には呼吸窮迫症候群，頭蓋内出血，未熟児網膜症など，生存児の intact survival を脅かす多くの疾患が合併する．早産は「妊娠 22 週以降から妊娠 37 週未満の分娩」と定義される．

また，切迫早産（threatened preterm delivery/labor）は，妊娠 22 週 0 日から妊娠 36 週 6 日までの妊娠中に，①規則的な子宮収縮が認められ，かつ②子宮頸管の開大度・展退度に進行が認められる場合，あるいは③初回の診察で子宮頸管の開大が 2cm 以上となっているなど，早産の危険性が高いと考えられる状態とされている．したがって，子宮頸管の短縮のみでは切迫早産には含まれない．『産婦人科診療ガイドライン：産科編 2020』（以下，産婦人科診療ガイドライン 2020）では，この頸管短縮を「早産ハイリスク」と認識し注意深く観察することが求められている．

分　類

早産は，週数が早いものほど児の周産期罹患率を上げることより，各分娩週数別に，

34 ～ 36 週（3 週間）：late preterm birth（LPT）

32 ～ 33 週（2 週間）：preterm birth（PT）

28 ～ 31 週（4 週間）：very preterm birth（VPT）

24 ～ 27 週（4 週間）：extremely preterm birth（EPT）

と区別して管理される．それぞれ，出産児の体重は，LPT 児で 2,000g，PT 児で 1,500g，VPT 児で 1,000g，EPT 児で 500g 以上，が目安となる．切迫早産の管理方法も各時期により異なってくる．

疫学（頻度）

早産は，わが国では，全分娩の 5%程度を占めるとされる．切迫早産は，15%程度と推定される．したがって，切迫早産管理された妊婦の約 1/3 が実際に分娩に至ると考えられている．特に 28 週未満の早産は全分娩の 0.3%程度である．

成　因

早産の約 70%は切迫早産と早産期前期破水が占め，残りの 30%は母体・胎児側の要因で早期に娩出となった症例である．母体疾患として，妊娠高血圧症候群，心疾患，腎疾患，糖尿病合併妊娠，前置胎盤，常位胎盤早期剝離，子宮筋腫，子宮腺筋症などがあり，胎児要因としては，胎児発育不全，胎児機能不全などがある．その他，妊娠中のストレスや歯周病も成因となる．

発現メカニズムとして，妊娠中の子宮筋および子宮頸部における妊娠維持機構の破綻が原因で起こると考えられている．したがって，エストロゲン／プロゲステロン比の増大，炎症性サイトカインの誘導などの原因により切迫早産を来し，早産に至るものと理解される．

要　点

①37 週未満に子宮収縮を認め，かつ子宮頸管開大 2cm 以上では切迫早産であると診断する．

②頸管短縮のみでは切迫早産と診断されず，早産ハイリスクと認識する．
③子宮収縮は常位胎盤早期剥離の初発症状であることを念頭に置いた診療を行う．
④胎児脳保護目的に硫酸マグネシウムが適応となることがある．
⑤子宮収縮薬は症状が軽減したら減量・中止を検討する．

参考『産婦人科診療ガイドライン：産科編 2020』 CQ302 切迫早産の診断と管理の注意点は？，CQ410 分娩中の胎児心拍数及び陣痛の観察は？，CQ603「正期産新生児の早発型 B 群溶血性レンサ球菌（GBS）感染症を予防するためには？」

診 断

▶ 子宮収縮および頸管の評価

切迫早産の診断の定義が示すように，陣痛および頸管熟化開大の評価により診断される．規則的な子宮収縮は，①本人の訴えによる自覚症状，②医師などの触診による他覚所見，③胎児心拍数モニタリング上の陣痛，のいずれかにより判断される．また頸管の評価は，①内診，②経腟超音波検査により行われる．経腟エコーによる頸管短縮および内子宮口開大などの所見は内診の参考となる．内診により子宮口開大 2cm 以上または展退の進行が認められる場合に切迫早産と診断できる．

子宮筋は通常状態にあっては Braxton-Hicks 収縮という生理的な子宮収縮を認める．この収縮を切迫早産における子宮収縮と誤解してはならない．切迫早産では，規則的な子宮収縮が認められることが特徴となる．米国産婦人科学会（ACOG）ではこの切迫早産を regular contractions before 37 weeks that are associated with cervical change と定義している[1]．

▶ 進行度の評価

進行度の評価は早産指数（tocolysis index）を用いて行う（**表 1**）．これは子宮収縮，破水，出血，子宮口開大の 4 項目を点数化して，切迫早産の予後判定を行うものである．3 点以上は入院治療が必要とされ，5 点以上の場合には短期間の妊娠延長しか望めないとされている．切迫早産の早期発見・治療のためには，子宮収縮が認められない，または不規則で，頸管開大が認められず，切迫早産の診断がなされない場合であっても，超音波検査上の子宮頸管短縮（25mm 未満）を生じている場合には，切迫早産の疑い（早産ハイリスク）として入院管理することも考慮すべきである．保険診療の面からも，妊娠 30 週未満の子宮収縮を認める切迫早産患者において，子宮頸管長 20mm 未満の症例では，ハイリスク妊娠管理加算（1 日 1,200 点）が算定できる．

▶ 子宮頸管の経腟超音波所見

子宮頸管長の短縮，および funneling，頸管腺領域の消失，sludge などの所見を認めると，早産のリスクが上昇する．妊娠 28 週未満における通常の子宮頸管長は 35 ～ 40mm であるとされており，25mm 未満では 40%程度が，20mm 未満では 75%程度の妊婦において結果として早産に至ることが明らかにされている[2]．

▶ 生化学的検査

子宮腟分泌液中癌胎児性フィブロネクチン（PTD チェック®）

フィブロネクチンは主に卵膜と子宮内膜を接着させる接着蛋白の一種である．子宮収縮により絨毛膜が損

表 1 ● 早産指数（tocolysis index）

	0	1	2	3	4
子宮収縮	無	不規則	規則的		
破 水	無	—	高位破水	—	低位破水
出 血	無	有			
子宮口開大	無	1cm	2cm	3cm	4cm 以上

傷されることで頸管を介して腟内に流出する．20週以前では生理的に腟分泌液中に存在するため，妊娠24週以降に測定される．50mg/mL以上を陽性と判断し，1～2週間以内に早産に至るものと推定される．予後予測に用いられる．介入試験の結果で，母児の予後を改善させないことが明らかとされ[3]，ACOGではルーチンでの検査を推奨していない[4]．

▶否定すべき疾患

下腹部痛と性器出血を伴う切迫早産の中には常位胎盤早期剝離が見逃されていることがあり，注意が必要である．このため，腹部超音波検査を必ず実施し，胎盤肥厚や胎盤周囲のエコーフリースペース，その他の早期剝離の所見を見逃さないことが重要である．胎児心拍数モニタリングで異常パターンがないかも確認する．また，臨床的絨毛膜羊膜炎や胎児感染を除外する．このためには，胎児心拍数モニタリングでの胎児頻脈（心拍数基線の160bpm以上への上昇），母体発熱（38℃以上），白血球数（15,000/uL以上），腟分泌物の悪臭などについて確認が必要となる．絨毛膜羊膜炎の確実な診断の目的で羊水の生化学的な検査が試みられ，比較的に良好な結果が報告されているが，現在までのところ羊水検査は保険適応とされていない．

管　理

▶子宮収縮抑制

切迫早産と診断された後で分娩を遷延させる必要がある場合には，子宮収縮抑制薬を投与する．自施設での管理および新生児治療が困難と判断される場合には，二次・三次医療施設への母体搬送を考慮する．現在わが国で用いられる薬剤は，リトドリン塩酸塩と硫酸マグネシウム水和物のみである．使用方法・禁忌・副作用を表2に示す．投与に際して安静臥床とする場合には，深部静脈血栓症の発症に留意する．

これまでわが国では，明確なエビデンスはないものの，リトドリン塩酸塩を長期間にわたり投与する維持療法（long-term tocolysis）が実施されてきた．副作用の面からも今後はステロイドが効果発現するまでの48時間に限定して使用される方法（short-term tocolysis）が推奨される．これは母体搬送の際にも使用し得る．

硫酸マグネシウム水和物は，リトドリン塩酸塩が使用できない場合に投与され，併用される場合もある．しかし最近，日本周産期・新生児学会が主体となって行った多数例の観察研究において，併用症例では出産児の生後48時間以内の新生児高カリウム血症（6.5 mEq/L以上）が有意に多いことが明らかにされており[5]，十分な認識のもとで使用するとともに，次報についても注意したい．

▶ステロイド（ベタメタゾン）

1週間以内に早産が予想される場合には，児の肺成熟や頭蓋内出血の発症予防を目的として，母体にベタメタゾンが投与される．34週未満の早産が予想される場合には，リンデロン®12mgを24時間ごとに2日間筋肉内投与する．しかし，22～24週までの早産児に対しての有効性については明らかにされていないため，施設ごとの基準で実施されるべきである．一方，妊娠34以降37週未満の早産児に対して呼吸障害を減少させるとの有効性が認められており[6]，ACOGはlate pretermにおいてもステロイドの使用を推奨しているが[7]，わが国では保険適用外である．

ステロイドの使用により母児感染を増悪させる懸念があるが，メタアナリシスの結果では因果関係は否定

表2 ● 各種子宮収縮抑制薬の投与方法と禁忌

	リトドリン塩酸塩	硫酸マグネシウム水和物
投与方法	50ug/分より開始，10～20分おきに50ug/分ずつ増量，最大量：200ug/分	初回投与：4g/30分，点滴静注 維持量：1～2g/時，点滴静注
投与禁忌	コントロール不良の糖尿病，肺高血圧症，虚血性心疾患	低Ca血症，重症筋無力症，腎不全
副作用	母体：肺水腫・急性心不全・無顆粒球症・低K血症・横紋筋融解症 新生児：心室中隔壁の肥大，腸閉塞 その他：頻脈，不整脈，血小板減少，振戦，高血糖，高アミラーゼ血症（唾液腺腫脹），頭痛，紅斑など	母体：肺水腫・呼吸不全・心停止・テタニー・筋麻痺，低血圧，顔面紅潮・体熱感・頭痛・腱反射低下・脱力感・麻痺性イレウス 新生児：骨の異常所見

されている．しかし，母体の糖代謝異常を引き起こすことが明らかとされており，糖尿病妊婦においては，インスリンによるコントロールが必要となることがある[8)]．

▶ 胎児脳保護目的の硫酸マグネシウム

硫酸マグネシウムは胎児の神経保護効果を有し[9)]，妊娠 32 週未満の症例に適応となる．『産婦人科診療ガイドライン：産科編 2020』でも推奨レベル C で実施を推奨している．

▶ 抗菌薬

切迫早産の子宮収縮抑制薬使用中にルーチンで抗菌薬を使用することは推奨されない．しかし，母体体温，白血球数，CRP 値などで子宮内感染が疑われる場合には，抗菌薬（アンピシリン）の投与も考慮する．『産婦人科診療ガイドライン：産科編 2020』でも推奨レベル C で実施を推奨している．

▶ 胎児心拍数モニタリング

児が小さいほど陣痛や分娩による影響は大きくなる．したがって早産の際には，分娩までの全経過を監視下におくことが大事である．低出生体重児では胎児機能不全を来しやすく，成熟児に比べると短期間のうちに重篤化しやすいので注意深い観察が必要である．

▶ 分娩時の注意

1）分娩介助（室温，臍帯血ミルキング）

児の分娩損傷を回避する意味でも経腟分娩に際しては，分娩台に早めに移動して会陰切開を実施する．週数が早い児では臍帯は短いため，児受台の高さを普段より高い位置にする．28 週未満の早産児の出生に備えて分娩室の温度は 26℃を維持するように努める．臍帯結紮については，遅延結紮（delayed clamping：30 ～ 180 秒の遅延）または NCPR の手順に沿って臍帯結紮を行う．

2）帝王切開

帝王切開を躊躇してはならない．その際に，未熟な週数では子宮下部の伸展が不十分であることが多く，子宮下部横切開よりも，U 字切開，J 字切開，時に古典的縦切開が必要とされることもある．ニトログリセリンを子宮切開前に 100ug を母体静脈内に投与する緊急子宮弛緩法は，古典的縦切開を回避するために用いられる．児推定体重 1,000g 未満の未破水例では，胎胞に包まれたままで児を娩出させる「幸帽児分娩（en caul delivery）」も有効である[10)]．詳細は 2 章 V-2「急速遂娩：早産期の帝王切開」を参照とされたい．

3）吸引・鉗子分娩

鉗子分娩に比べて吸引分娩では児への損傷の頻度が高いことより，極端に小さな早産児での吸引分娩は，頭蓋内出血の懸念から勧められない．しかし，2,000g 未満の児に行われた吸引分娩での児損傷発生率に有意差が認められていないとの後方視的な研究もあり[11)]，十分なコンセンサスは得られていない．『産婦人科診療ガイドライン：産科編 2020』では，吸引分娩は 34 週以降に限定されている．

4）抗菌薬

B 群溶血性連鎖球菌（Group B *Streptococcus*：GBS）をはじめとする病的な細菌検出例や分娩中の発熱例では，アンピシリンを投与する．

5）新生児科医の立ち会い

分娩時には新生児蘇生を適切に行える医師の存在が必須である．出生後直ちに新生児蘇生法（NCPR）の手順に従って，蘇生の処置を行い，呼吸・循環・体温の安定化を図った上で NICU に収容する．

Clinical Tips

●経腟超音波を実施する際には，子宮収縮時と陣痛間欠時の 2 ポイントで頸管所見を取得する．

両者の所見で，子宮頸管長短縮，内子宮口開大などが大きく変化する場合には，切迫早産の傾向が強いと判断する．

Braxton-Hicks 収縮や pressure test 時など軽度の子宮内圧亢進でも変化する場合には，頸管無力症の傾向（子宮頸管熟化が亢進している状態）が強いと判断する．

●母体搬送時には，前医から使用してきたリトドリンなどの子宮収縮抑制薬をいったん中止する．これにより切迫早産との診断がつきやすくなり，管理方針が立てやすくなる．

●切迫早産の管理入院時の採血では，白血球分画，アミラーゼ，CPK，甲状腺機能検査，Mg 濃度を忘れない．

切迫早産管理の際の副作用や甲状腺クリーゼを除外するためにも実施が望ましい．

●早産時の臍帯結紮遅延やミルキングに慣れる．

新生児予後を改善させるためにも，手技に慣れておく．

2. 前期破水

概念・定義・分類・病態

前期破水（premature rupture of the membranes；PROM）は，分娩開始以前に卵膜の破綻を来したものとされる．

分　類

妊娠 37 週未満の早産期に発症したものは，早産期前期破水（preterm PROM）とされ，早産管理上，対応に特に注意が必要とされる．

疫学（頻度）

PROM では，全分娩数の 10 〜 25%，preterm PROM では，早産の約 30%を占める．

成因（発症機序）

感染，羊水過多，多胎妊娠，子宮の奇形，胎児異常，羊水穿刺などの誘引で起こる．中でも腟内からの上行性感染により絨毛膜羊膜炎が起こり，破水に至る機序が明らかにされている．明らかな子宮内感染を認めない場合でも，子宮収縮やプロゲステロン消退の影響により，蛋白分解酵素活性が亢進し，卵膜破綻に至ることもある．

合併症

PROM に伴う合併症として，子宮内感染，早産，常位胎盤早期剝離が挙げられる．なお，絨毛膜羊膜炎（chorioamnionitis；CAM）も子宮内感染と同様の意味で使用されるが，胎盤レベルでの感染を示す histopathological CAM の意味で使われることが多い．さらに，臨床的 CAM（clinical CAM）が子宮内感染とほぼ同様の意味となる．

要　点

①PROM 発症の妊娠週数による管理方法の違いに注意する．
②26 週以降の PROM 症例での胎児健常性の確認にはノンストレステストを用いる．
③32 週未満の PROM 症例には，胎児脳保護目的に硫酸マグネシウムを用いる．

参考『産婦人科診療ガイドライン：産科編 2020』CQ303 前期破水の散り扱いは？，CQ410 分娩中の胎児心拍数及び陣痛の観察は？，CQ302　切迫早産の診断と管理の注意点は？，CQ412-1 分娩誘発の方法とその注意点は？，CQ603 正期産新生児の早発型 B 群溶血性レンサ球菌（GBS）感染症を予防するためには？

診　断

▶視　診

外陰部を十分に消毒し，滅菌した腟鏡を用いて視診を行う．大量の水様性帯下が外子宮口より持続的に漏出するのを確認する．羊水の持続流出を確認できれば以降の検査は不要となる．

▶帯下の pH 測定

帯下が pH7.1 〜 7.3 の弱アルカリ性であることを確認する．BTB 試験紙法またはニトラジン法（エム

表3 ● PROM 症例の管理方法

PROM 発症	積極的管理 分娩誘発	待機的管理	抗菌薬	子宮収縮抑制薬	母体ステロイド 投与	$MgSO_4$
PROM						
37 週～	24 時間以内 [B]	可 [B]	12 時間以降			
preterm PROM						
34～36 週	24 時間以内 [C]	可 [C]	ABPC [B]	不可		
32～33 週	可	原則 [C]	ABPC [B]	short（long）	可 [B]	
26～31 週	可	原則 [C]	ABPC [B]	short（long）	可 [B]	可 [C]
24～25 週		原則 [C]	ABPC [B]	short（long）	可 [B]	可 [C]
22～23 週	各施設の基準による					

PROM：前期破水，$MgSO_4$：硫酸マグネシウム，ABPC：アンピシリン，short：48 時間以内限定の陣痛抑制，long：待機管理期間中の陣痛抑制，
[B]/[C]：『産婦人科ガイドライン：産科編 2020』で示されているエビデンスレベル，
可：実施してもよい，不可：実施しない方がよい，原則：原則待機的管理を行う

ニケーター® など）で確認する．以上の 2 項目が確認されれば正診率は 93％まで上昇することが示されている[12]．

生化学的検査

羊水中にのみ特異的に存在する物質を生化学的に補足する検査を行う場合がある．現在ではインスリン様成長因子結合蛋白 1 型（insulin-like growth factor binding protein-1：IGFBP-1）や癌胎児性フィブロネクチン（oncofetalfibronectin：OFFN）が用いられている．それぞれチェック PROM®，イムノテスタ® として妊娠 22 週以降 37 週未満の早産期前期破水の診断に用いられる．出血を伴う場合には偽陽性を示すことがあり注意が必要である．

その他の破水の診断法

以前には，色素注入法や羊水鏡なども前期破水の診断に用いられていたが，近年生化学的検査法の発達により使用される頻度は少ない．詳細は成書を参考とされたい．

管　理

妊娠 22（または児が viable となる 24）週以降に PROM と診断された場合には，原則的に入院管理とする．

37 週以降の PROM 症例（表 3）

妊娠 37 週以降の PROM では，約 80％の症例で破水後 24 時間以内に自然陣痛が発来し分娩に至るため，そのまま待機としてもよいとされていた．しかし現在では，陣痛待機群に比べ，破水後 24 時間以内に介入した積極的な分娩誘発群において，CAM や分娩後の母体発熱の発症率を有意に低下させることが明らかにされており[13]，感染のリスクを考慮して積極的に 24 時間以内の分娩誘発が推奨される．分娩時の予防的抗菌薬の有益性は認められていない[14]．しかし，破水後 12 時間以降の症例においては抗菌薬の投与が子宮内感染を減少させることが示されている[15]．

37 週未満の preterm PROM 症例

preterm PROM の場合には，児の未熟性に加えて母児感染との相反する問題が共存するために，その管理は複雑となる．児娩出に際して留意すべき事項について以下に示す．ここに示した項目は，PROM と診断された時点で同時に実施されるべきである．またハイリスク新生児が管理可能な病院への母体搬送も考慮する．

1）妊娠週数・胎児発育・胎盤の評価

最終月経や妊娠初期の予定日算定根拠などの妊娠経過が明らかな場合であっても，preterm PROM 発症時点での胎児発育を評価する．羊水流出の結果，羊水過少を来している場合には，児頭の扁平化により児頭大横径（biparietal diameter；BPD）が過少に計測されるリスクも考慮する．明らかな常位胎盤早期剥離を否定するためにも，胎盤の位置・肥厚・臍帯付着部位などについて確認する．非頭位の場合には，臍帯脱

表 4 ● 臨床的絨毛膜羊膜炎の診断基準（Lencki ら，1994）

	臨床症状	A 項目＋B：1 項目	B：4 項目
A	母体発熱 38℃以上	○	
B	①母体頻脈 100/ 分以上	何れか 1 個○	○
	②子宮の圧痛		○
	③腟分泌物・羊水の悪臭		○
	④母体白血球数 15,000/uL 以上		○

↓ 臨床的絨毛膜羊膜炎と診断できる

出の可能性も考慮して超音波検査を実施する．

2) 胎児 well-being の評価

未破水例に比べて羊水の減少により，ノンストレステスト上の異常所見の出現頻度が高いとされていることより，定期的に確認が必要である．羊水量・臍帯位置・胎盤肥厚などの胎盤剥離の所見についても確認する．胎児機能不全と推定される場合には急速遂娩とする．臨床的 CAM の影響で，胎児感染を来す場合には，胎児心拍数基線は上昇する．基準心拍数が継続的に 160bpm を超えるような場合には娩出を考慮する．

3) 絨毛膜羊膜炎の評価（表 4）

臨床的 CAM の評価のため白血球，CRP を含む血液検査，および腟分泌物培養検査を行う．Lencki ら提唱の臨床的 CAM の診断基準は，A：母体発熱 38℃以上に加えて，B：以下の 4 項目中 1 項目以上の陽性（①母体頻脈 100/ 分以上，②子宮の圧痛，③腟分泌物・羊水の悪臭，④母体白血球数 15,000/uL 以上）を認めた場合に診断されることから，これらの症状の評価が必要である[16]．CRP は非特異的マーカーであることから，臨床的 CAM の診断に際しては参考程度にとどめるべきである．上記の A 項目を満たさず，B の 4 項目全てが陽性の場合においても臨床的 CAM と診断される．臨床的 CAM が顕性化するのは比較的に遅れるため，白血球数の上昇が認められるなど，診断基準に合致しなくても慎重に経過を監視・評価する．胎児肺成熟促進目的の母体ステロイド投与は，白血球数を上昇させることにも注意する．

4) 陣痛の評価

内診による子宮口の開大に加え，胎児心拍数モニタリング上の子宮収縮が 10 分以内に規則的に認められ，痛みを伴う場合には，分娩進行と判断する．破水例では予想外に分娩進行が早くなることがあるため，分娩準備は迅速に行う．

▶ 待機的管理

1) 待機的管理か積極的分娩誘発か

前項の 2）～ 4）に異常所見が認められなければ，待機的な管理が選択できる．その場合，1）～ 4）の評価を適宜実施する．2017 年に見直しされた Cochrane systematic review では，37 週未満の preterm PROM に対する待機的管理群は積極的分娩誘発群に比べ，母児の良好なアウトカムに関連すると結論付けている[17]．したがって，注意深いモニタリングを実施しながらの待機的管理が推奨される．しかし，ACOG Practice Bulletin では，34 週以降～ 37 週未満に限定した preterm PROM においては，37 週以降の PROM の管理と同様に分娩誘発を推奨している[18]．

2) 子宮収縮抑制薬の使用

わが国では歴史的に preterm PROM でも待機的管理中に予防的子宮収縮抑制薬を使用して妊娠を継続してきた（いわゆる long term tocolysis）．しかし諸外国でのこのような使用は一般的でないことより，高いエビデンスが示されていない．ガイドラインでも一概に本剤の使用を否定していないが，今後の検討が望まれる．一方，次項で述べる母体ステロイドを投与し効果が発揮される 48 時間以内に限定して子宮収縮抑制薬を使用する（いわゆる short term tocolysis）ことは考慮される．

3) 胎児肺成熟促進目的の母体ステロイド使用

待機的か分娩誘発を行うかの管理方法によらず，早産が予想される場合には，胎児頭蓋内出血予防の目的で母体へのベタメタゾン（12mg/ 日× 2 日間，筋肉注射）を 24 週以降の preterm PROM 症例には投与する．24 週未満の previable な時期においては，各施設の基準で投与する．

4) 胎児脳保護目的の硫酸マグネシウム使用

硫酸マグネシウムは胎児の神経保護効果を有することが示されており[9]，早産が予想される場合には妊婦への使用が推奨される．妊娠 32 週未満の症例が適応となる．娩出時の臍帯血中濃度を上昇させることで，その効果が得られると考えられている．ガイドラインでも推奨レベル C で実施を推奨している．

5) 抗菌薬の使用

耐性菌の問題より抗菌薬の不適切な使用は厳に慎むべきである．しかし，37 週未満の preterm PROM 症例の検討では，抗菌薬の投与により CAM 発生率は低下し，48 時間以内および 1 週間以内に分娩となる症例数も減少することが明らかにされている[19]．さらに，児の頭蓋内出血が減少することにも寄与している．推奨される抗菌薬はアンピシリン（ABPC；投与例スルバシリン® 3g × 4 回）である．B 群溶連菌未検症例においても容易に用いることができる．

▶ 積極的管理

積極的管理を行う場合でも，前項のステロイド・硫酸マグネシウム・抗菌薬については推奨される．内診により子宮頸管が十分に熟化し，経腟分娩が可能と判断される症例では，緊急帝王切開ができる環境下で分娩誘発を試みる．羊水過少による臍帯圧迫所見を認める場合には，羊水補充も考慮される．非頭位，臍帯脱出が懸念される場合，胎児推定体重が 2,000g 未満や 34 週未満などで吸引分娩が適応されない場合などには帝王切開も考慮される．

Clinical Tips

● リトドリン点滴は，リトドリン 3 筒 150mg（15mL）を 5%ブドウ糖液 235mL に溶解する．これにより 150mg/250mL 組成となり，50ug/ 分＝ 5mL/ 時，100ug/ 分＝ 10mL/ 時となり投与量の間違いが少ない．

引用・参考文献

1) American College of Obstetricians and Gynecologists; Committee on Practice Bulletins-Obstetrics. ACOG practice bulletin No. 127: Management of preterm labor. Obstet Gynecol. 119, 2012, 1308-17.
2) Shiozaki A. et al. Multiple pregnancy, short cervix, part-time worker, steroid use, low educational level and male fetus are risk factors for preterm birth in Japan: a multicenter, prospective study. J Obstet Gynaecol Res.40, 2014, 53-61.
3) Andrews WW. et al. Randomized clinical trial of metronidazole plus erythromycin to prevent spontaneous preterm delivery in fetal fibronectin-positive women. Obstet Gynecol.101, 2003, 847-55.
4) Committee on Practice Bulletins-Obstetrics, The American College of Obstetricians and Gynecologists. Practice bulletin No. 130: prediction and prevention of preterm birth. Obstet Gynecol.120, 2012, 964-73.
5) Yada Y. et al. Synergic interaction between ritodrine and magnesium sulfate on the occurrence of critical neonatal hyperkalemia: A Japanese nationwide retrospective cohort study. Sci Rep.10, 2020, 7804.
6) Gyamfi-Bannerman C. et al. Antenatal betamethasone for women at risk for late preterm delivery. N Engl J Med.374, 2016, 1311-20.
7) Committee on Obstetric Practice. Committee Opinion No. 713: Antenatal corticosteroid therapy for fetal maturation. Obstet Gynecol.130, 2017, e102-9.
8) Ogawa M. et al. Ritodrine should be carefully administered during antenatal glucocorticoid therapy even in nondiabetic pregnancies. ISRN Obstet Gynecol. 2013, 2013, 120735.
9) Doyle LW. et al. Antenatal magnesium sulfate and neurologic outcome in preterm infants: a systematic review. Obstet Gynecol.113, 2009, 1327-33.
10) 高木耕一郎．妊娠中毒症：どのように変わったか 幸帽児帝王切開法．臨床婦人科産科 .51, 1997, 305-7.
11) Thomas SJ. et al. The risk of periventricular-intraventricular hemorrhage with vacuum extraction of neonates weighing 2000 grams or less. J Perinatol.17, 1997, 37-41.
12) 松田義雄ほか．切迫早産の処置と治療：陣痛の抑制．産科と婦人科．64,1997,327-32.
13) Middleton P. et al. Planned early birth versus expectant management (waiting) for prelabour rupture of membranes at term (37 weeks or more). Cochrane Database Syst Rev.1, 2017.
14) Wojcieszek, AM. et al. Antibiotics for prelabour rupture of membranes at or near term. Cochrane Database Syst Rev. (10), 2014.
15) Tajik P. et al. Using vaginal Group B Streptococcus colonisation in women with preterm premature rupture of membranes to guide the decision for immediate delivery: a secondary analysis of the PPROMEXIL trials. BJOG.121, 2014, 1263-72.
16) Lencki SG. et al. Maternal and umbilical cord serum interleukin levels in preterm labor with clinical chorioamnionitis. Am J Obstet Gynecol.170, 1994, 1345-51.
17) Bond DM. et al. Planned early birth versus expectant management for women with preterm prelabour rupture of membranes prior to 37 weeks' gestation for improving pregnancy outcome. Cochrane Database Syst Rev.3, 2017.
18) ACOG Practice Bulletin No. 188. Prelabor rupture of membranes. Obstet Gynecol.131, 2018, e1-14.
19) Kenyon S. et al. Antibiotics for preterm rupture of membranes. Cochrane Database Syst Rev. (12), 2013.

東京女子医科大学 ● 小川正樹 ● 永田怜子

妊娠糖尿病

概念・定義・分類・病態

妊娠糖尿病（gestational diabetes；GDM）は「妊娠中に初めて発見または発症した糖尿病に至っていない糖代謝異常である」と定義され，「妊娠中の明らかな糖尿病，糖尿病合併妊娠は含めない」としている．

『産婦人科診療ガイドライン：産科編 2020』では，耐糖能のスクリーニング検査を全妊婦に行うことを推奨している（推奨レベル B）．スクリーニングは次のように二段階法で行う（B）．①妊娠初期に随時血糖測定，カットオフ値は各施設で独自に設定するが 95 もしくは 100mg/dL，②妊娠中期（24～28 週）に 50gGCT（≧140mg/dL を陽性），あるいは随時血糖測定（100mg/dL）を陽性とする．スクリーニング陽性妊婦には診断検査（検査法：妊娠初期は 75gOGTT か HbA1c，妊娠中期は 75gOGTT）を行う（B）．空腹時血糖値≧126mg/dL 時には 75gOGTT は行わず，「妊娠中の明らかな糖尿病（overt diabetes in pregnancy）と診断する（B）．随時血糖値≧200mg/dL 時には，直ちに 75gOGTT は行わず「妊娠時の明らかな糖尿病」の可能性について検討する（B）．

診断基準についてわが国では，国際妊娠糖尿病学会（International Association of Diabetes and Pregnancy：Study Group；IADPSG）が HAPO（Hyperglycemia and Adverse Pregnancy Outcome）study をもとに提案したものを用いている．すなわち，75gOGTT において次の基準の 1 点以上を満たした場合に診断する．

①空腹時血糖値　≧92mg/dL（5.1mmol/L）
② 1 時間値　≧180mg/dL（10.0mmol/L）
③ 2 時間値　≧153mg/dL（8.5mmol/L）

これにより妊娠中に発見される耐糖能異常（hyperglycemic disorders in pregnancy）は以下のように分類される．

1）妊娠糖尿病（GDM）
2）妊娠中の明らかな糖尿病（overt diabetes in pregnancy）
3）糖尿病合併妊娠（pregestational diabetes mellitus）
　①妊娠前にすでに診断されている糖尿病　②確実な糖尿病性網膜症があるもの

「妊娠中の明らかな糖尿病」は以下のいずれかを満たした場合に診断する．

- 空腹時血糖値≧126mg/dL
- HbA1c≧6.5%

妊娠時はインスリン分泌能，インスリン抵抗性ともに上昇するが，このバランスが破綻することが GDM の発症機序と考えられている．

GDM を含め妊娠時の耐糖能異常は**表 1** のように母体，胎児に種々の合併症を惹起するため，厳格な血糖管理が求められる．また，将来の母体の 2 型糖尿病の発症や児の生活習慣病の発症も考慮した指導が必要となる．

参考 『産婦人科診療ガイドライン：産科編 2020』CQ005-1 妊婦の糖代謝異常スクリーニングと診断のための検査は？ CQ005-2 妊娠糖尿病（GDM），妊娠中の明らかな糖尿病，ならびに糖尿病（DM）合併妊婦の管理・分娩は？

表 1 ● 妊娠時耐糖能異常による母児合併症

母体合併症	児合併症
糖尿病合併症	**周産期合併症**
糖尿病性ケトアシドーシス	胎児機能不全・子宮内胎児死亡
糖尿病網膜症の悪化	先天性形態異常
糖尿病腎症の悪化	巨大児
低血糖（インスリン使用時）	肩甲難産に伴う分娩障害
	胎児発育不全
産科合併症	新生児低血糖
流産	新生児高ビリルビン血症
早産	新生児低カルシウム血症
HDP（妊娠高血圧症候群）	新生児多血症
羊水過多（症）	新生児呼吸窮迫症候群
巨大児に基づく難産	肥厚性心筋症
	成長期合併症
	肥満・糖尿病

注意すべき臨床症状・所見

GDM は糖尿病合併妊娠，妊娠中の明らかな糖尿病と異なり，ケトアシドーシス発症，網膜症や腎症の増悪などが惹起されることは原則ないものと考えられる．しかし，児への影響を最小限にすべく高血糖に対する厳格な管理が必要であり，栄養指導を基本とし，十分なコントロールが得られなければインスリン導入が必要となることもある．

診　断

確定診断は 75gOGTT による．現在，わが国では IADPSG が HAPO study をもとに提案したものを用いている．HAPO study は世界 9 カ国，15 施設，25,505 妊婦が参加し，空腹時血糖 105mg/dL 以上，2 時間値血糖 200mg/dL の症例を除外し，母児の予後を検討したものである．primary outcome を出生時体重 90%タイル以上，初回帝王切開率，新生児低血糖，臍帯血 C ペプチド 90%以上，secondary outcome として早産，肩甲難産／分娩障害，高ビリルビン血症，NICU 管理，妊娠高血圧症候群とした．75gOGTT の負荷前，1 時間値，2 時間値の血糖値をそれぞれ 7 段階に分け，最も血糖値の低い群と primary outcome のオッズ比が 1.75 倍になる血糖値を診断基準とした．すなわち 75gOGTT において次の基準の 1 点以上を満たした場合に診断する．

①空腹時血糖値≧92mg/dL（5.1mmol/L）
② 1 時間値　≧180mg/dL（10.0mmol/L）
③ 2 時間値　≧153mg/dL（8.5mmol/L）

図 1 に管理指針の一例を示す．

治療・管理

GDM の管理の目的は母児の周産期合併症の予防とともに GDM 妊婦およびその児の将来の糖尿病，メタボリックシンドロームの予防である．

妊娠中の目標血糖値は，

- 早朝空腹時血糖　≦95mg/dL
- 食前血糖値　≦100mg/dL
- 食後 2 時間血糖値≦120mg/dL　とする．

▶ 基準 1 点のみ異常例に対する管理

- 非肥満女性：食事療法，運動療法，保健指導が主体となる．随時血糖，HbA1c，グリコアルブミンで経過観察とする．
- 肥満女性：SMBG（GDM のうち 2 点以上陽性あるいは肥満合併の 1 点異常は保険適応）＋食事療法／インスリン治療を行う．

▶ 運動療法

切迫流・早産，さらに腎合併症や妊娠高血圧症候群（hypertensive disorders of pregnancy；HDP）が認められない場合には，食後の適度の運動（家事やウォーキング）を取り入れる．ウォーキングの際には階段（特に下り）を使わないようにする．

▶ 妊娠時の食事療法

- 普通体格の妊婦（非妊娠時 BMI＜25）：

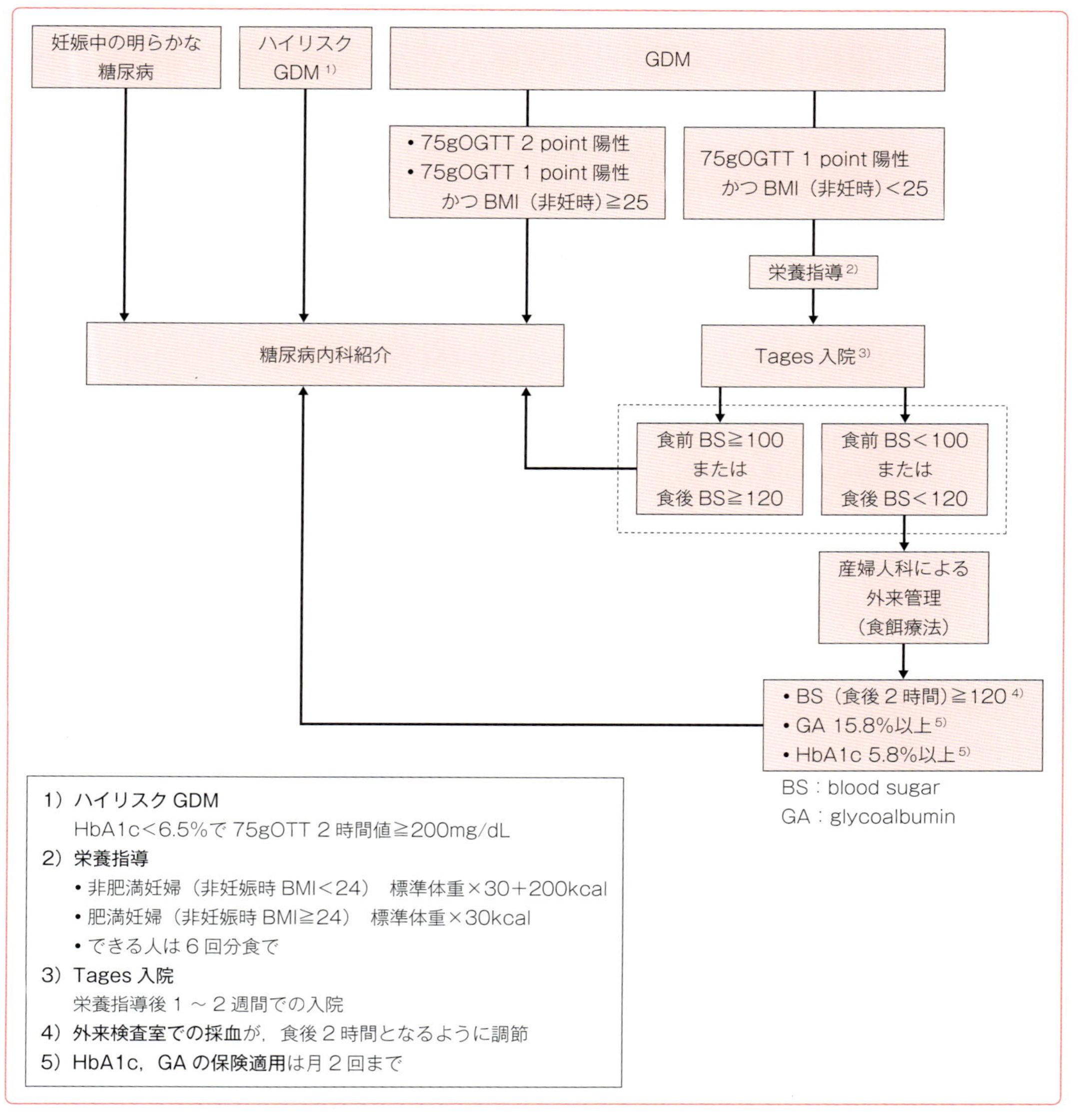

図● GDM 外来管理の一例

標準体重※× 30 + 200kcal

• 肥満妊婦（非妊娠時 BMI≧25）：
標準体重※× 30kcal

（※標準体重[kg]＝身長[m]×身長[m]×22）

妊婦にとって必要にして十分な栄養を与え極端なカロリー制限はしない．体重増加については肥満 I 度(妊娠前 BMI 25 ～ 29.9）7 ～ 10kg，II 度（妊娠前 BMI≧30）～5kg，非肥満～ 13kg 程度を目処にし，極端なカロリー制限とならないようにケトン体をチェックする．

▶ インスリン療法

食事療法，運動療法で十分な血糖コントロールが得られない場合にはインスリン治療が導入される．強化インスリン治療として頻回注射法（multiple insulin injection therapy：MIT）と持続皮下注入法（continuous subctaneus insulin infusion therapy：CSII）がある．

▶ 妊娠時の管理（産婦人科診療ガイドライン：産科編 2020）

妊娠時の管理については，『産婦人科診療ガイドライン：産科編 2020』CQ005-2（**表 2**）に，巨大児が疑われる場合は CQ310 に準じる[1]．

なお，授乳期間中は授乳のための付加カロリーとして，妊娠前摂取カロリーに 450kcal（肥満妊婦は 200kcal）程度加える．運動については，医師から特に制限指示がなければ，従前通りとする．経口糖尿

表 2 ● 妊娠糖尿病（GDM），妊娠中の明らかな糖尿病，ならびに糖尿病（DM）合併妊婦の管理・分娩は？

1. 未治療の糖代謝異常合併妊娠では，まず食事療法を行い，血糖測定のうえ，目標血糖値を達成できない場合にはインスリン療法を行う．（B）
2. 内服治療による血糖コントロールはインスリン療法への変更を基本とするが，急な内服中断による糖尿病悪化に注意する．（C）
3. 妊娠 32 週以降は胎児の健常性（well-being）を適宜評価し，悪化が懸念されれば入院管理を行う．（C）
4. 妊娠 37 週以降は胎児の健常性（well-being）を適宜評価するとともに以下のいずれかを行う（ただし血糖コントロール不良例，糖尿病合併症悪化例や巨大児疑い例では分娩時期，分娩法を個別に検討する．（B）
   1）頸管熟化を考慮した分娩誘発
   2）自然陣痛発来待機
5. 糖尿病合併産婦，" 妊娠中の明らかな糖尿病 " 産婦とコントロール不良な GDM 産婦は分娩中連続的胎児心拍数モニタリングを行う．（B）
6. 分娩時の母体血糖コントロールの目標値は 70 ～ 120mg/dL とする．（C）
   5% ブドウ糖液 100mL/ 時間の輸液を行い，1 ～ 3 時間おきに血糖値を測定する．
7. 分娩後はインスリン需要量が著明に減少するので，インスリン使用例では低血糖に注意し，血糖値をモニタリングしながらインスリンを減量もしくは中止する．（B）
8. 39 週未満あるいは予定日不詳の帝王切開例と，血糖コントロール不良例では，新生児呼吸窮迫症候群に注意する．（C）
9. GDM 女性には分娩後 6 ～ 12 週の 75gOGTT を勧め，その後もフォローを行う．（C）
10. "妊娠中の明らかな糖尿病" 女性に対しては再評価を行った上で，内科と連携し厳重なフォローを行う．（B）

（文献 1 より転載）

病薬は児に低血糖を引き起こす場合があるので，授乳中は使用しない．

次回妊娠への留意点など

GDM 妊婦は将来 2 型糖尿病を高率に発症する（表 3）ことが知られており[2]，フォローアップを内科医と協力して行う（表 4）．介入方法としては教育，生活習慣の改善（食事，運動），母乳哺育推進，probiotics などが挙げられる．一方，子宮内の高血糖が児の将来の生活習慣病発症に関連することが報告されている．産後の児に関して特異的な予防方法はないので一般小児に対する生活習慣指導，成長評価に順じて行う．産科退院時の指導として児が将来に肥満になったり，2 型糖尿病を発症したりするリスクが高いため長期間のフォローアップが必要であることを説明，指導する．ただし，母親は産後の精神的に不安定な時期でもあるので，悲観的にならないように伝えることが重要である．

GDM 妊婦の次回妊娠時の GDM 再発は，最近のメタアナリシスでは平均 48%とされる．再発率に影響する因子は人種，肥満，年齢，短い妊娠間隔，妊娠間の体重増加，妊娠中インスリン使用歴，分娩後 HbA1c などである．わが国での検討では平均 57.6 %（33.7 ～ 95.2%）と高率であり，産科医は既往 GDM 妊婦管理においてこの点に留意して妊婦を指導・管理しなければならない[3]．

表 3 ● GDM の将来 2 型糖尿病発症リスク

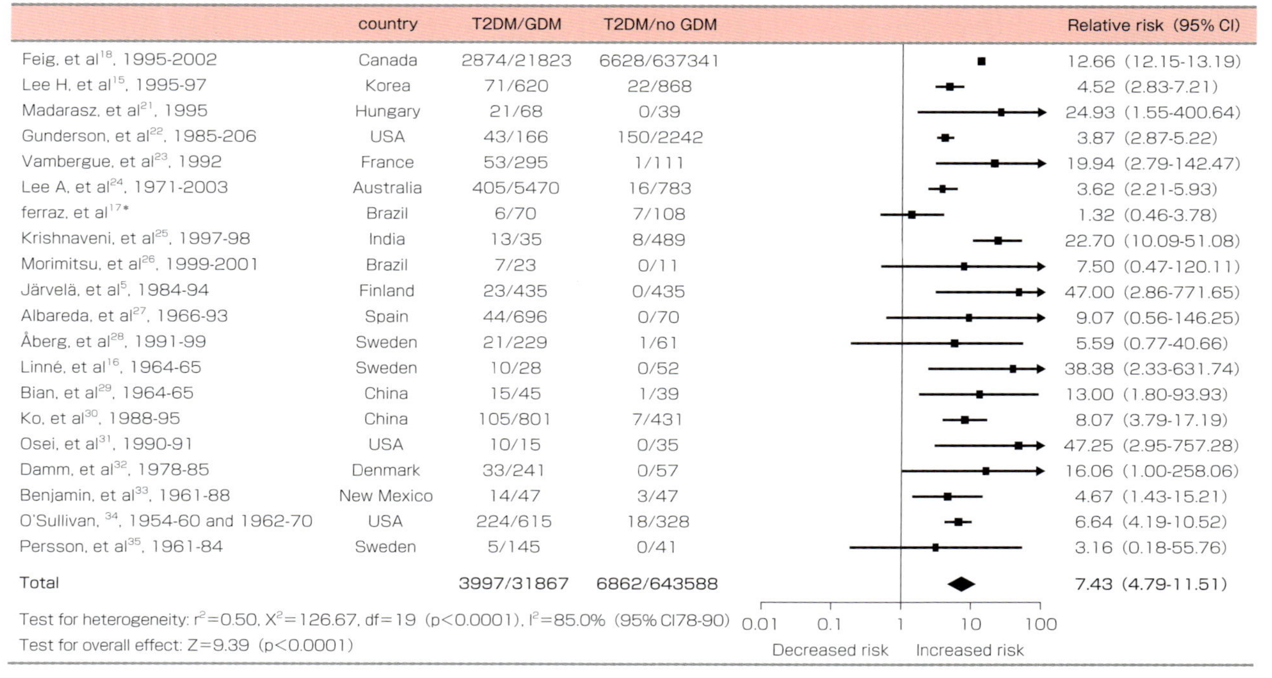

	country	T2DM/GDM	T2DM/no GDM	Relative risk（95% CI）
Feig, et al[18], 1995-2002	Canada	2874/21823	6628/637341	12.66（12.15-13.19）
Lee H, et al[15], 1995-97	Korea	71/620	22/868	4.52（2.83-7.21）
Madarasz, et al[21], 1995	Hungary	21/68	0/39	24.93（1.55-400.64）
Gunderson, et al[22], 1985-206	USA	43/166	150/2242	3.87（2.87-5.22）
Vambergue, et al[23], 1992	France	53/295	1/111	19.94（2.79-142.47）
Lee A, et al[24], 1971-2003	Australia	405/5470	16/783	3.62（2.21-5.93）
ferraz, et al[17]*	Brazil	6/70	7/108	1.32（0.46-3.78）
Krishnaveni, et al[25], 1997-98	India	13/35	8/489	22.70（10.09-51.08）
Morimitsu, et al[26], 1999-2001	Brazil	7/23	0/11	7.50（0.47-120.11）
Järvelä, et al[5], 1984-94	Finland	23/435	0/435	47.00（2.86-771.65）
Albareda, et al[27], 1966-93	Spain	44/696	0/70	9.07（0.56-146.25）
Åberg, et al[28], 1991-99	Sweden	21/229	1/61	5.59（0.77-40.66）
Linné, et al[16], 1964-65	Sweden	10/28	0/52	38.38（2.33-631.74）
Bian, et al[29], 1964-65	China	15/45	1/39	13.00（1.80-93.93）
Ko, et al[30], 1988-95	China	105/801	7/431	8.07（3.79-17.19）
Osei, et al[31], 1990-91	USA	10/15	0/35	47.25（2.95-757.28）
Damm, et al[32], 1978-85	Denmark	33/241	0/57	16.06（1.00-258.06）
Benjamin, et al[33], 1961-88	New Mexico	14/47	3/47	4.67（1.43-15.21）
O'Sullivan, [34], 1954-60 and 1962-70	USA	224/615	18/328	6.64（4.19-10.52）
Persson, et al[35], 1961-84	Sweden	5/145	0/41	3.16（0.18-55.76）
Total		3997/31867	6862/643588	7.43（4.79-11.51）

Test for heterogeneity: τ^2=0.50, X^2=126.67, df=19（p＜0.0001）, I^2=85.0%（95% CI78-90）
Test for overall effect: Z=9.39（p＜0.0001）

（文献 2 より引用）

表 4 ● GDM 合併妊婦の産後フォローアップ（『科学的根拠に基づく糖尿病診療ガイドライン 2013』『産婦人科診療ガイドライン：産科編 2020』）

組織（学会）	診断時期	診断法	診断基準	その後の検査	コメント or 推奨
日本糖尿病学会（JDS）	分娩後 6 週以上	75gOGTT	正常：PDG＜100 および 2 時間値＜140 IFG：FPG 100 以上 126 未満 IGT：2 時間値 140 以上 200 未満 2 型糖尿病：FPG 126 以上 or 2 時間値 200 以上 or 糖尿病症状を認め随時血糖 200 以上	記載なし	たとえ分娩後に正常化しても，高率に 2 型糖尿病を発症するので肥満防止など生活指導を行い，2 型糖尿病発症のハイリスク群として長期追跡管理が必要
日本産科婦人科学会 / 日本産婦人科医会	分娩後 6～12 週	75gOGTT	JDS に準じる	記載なし	JDS に準じる

FPG：fasting plasma glucose，IFG：impaired fasting glucose，IGT：impaired glucose tolerance

引用・参考文献

1）日本産科婦人科学会／日本産婦人科医会編集・監修．産婦人科診療ガイドライン：産科編 2020．東京，日本産科婦人科学会，2020，25-8．“CQ005-2 妊娠糖尿病（GDM），妊娠中の明らかな糖尿病，ならびに糖尿病（DM）合併妊婦の管理・分娩は？”．

2）Leanne Bellamy, et al. Type 2 diabetes mellitus after gestational diabetes: a systematic review and meta-analysis. Lancet. 373, 2009, 1773-9.

3）日本糖尿病・妊娠学会編．妊婦の糖代謝異常 診療・管理マニュアル．改訂第 2 版．東京，メジカルビュー社，2018．

4）日本産科婦人科学会／日本産婦人科医会編集・監修．“CQ005-1 妊婦の糖代謝異常スクリーニングと診断のための検査は？”．前掲書 1．22-4．

5）日本産科婦人科学会／日本産婦人科医会編集・監修．“CQ310 巨大児（出生体重 4,000g 以上）が疑われる妊婦への対応は？”．前掲書 1．181-5．

東京女子医科大学母子総合医療センター ● 正岡直樹

妊娠高血圧症候群―子癇，HELLP症候群―

1. 妊娠高血圧症候群

概念・定義

概念と病態

妊娠高血圧症候群（hypertensive disorders of pregnancy）は2018年に定義･分類の改訂が行われ，後述するように病型，定義，英文表記も変わった．しかし，その概念は以前同様，母児双方の妊娠結果（母体死亡や未熟児出生の主要疾患の一つ）に重要な影響を及ぼす疾患であることに変わりはない．発症頻度は，新定義・分類になってからの報告がないため詳細は不明であるが，病型に高血圧合併妊娠が加わったため増加することが予想される．

preeclampsiaの原因や病態の詳細は未だ不明であるが，現在はtwo-stage theoryが受け入れられている[1)]．免疫学的に異物である受精卵の許容が十分にできないと，脱落膜らせん動脈のremodeling不全が起こり，その結果胎盤循環でのhypoxia/ischemiaが起こり，絨毛細胞でVEGFの可溶型受容体であるsoluble fms-like tyrosine kinase 1（sFlt-1）やTGF-βの可溶型受容体であるsoluble endoglin（s Eng）の産生亢進とsFlt-1のリガンドであるplacental growth factor（PlGF）の産生抑制が起こる．sFlt-1の産生亢進とPlGFの産生抑制はfree VEGFを減少させ，胎盤での血管新生を抑制し，hypoxiaを増悪させる．s EngはTGF-β1の血管弛緩作用を抑制して胎児胎盤循環のhypoxiaを増悪させ[2)]，TGF-β3を抑制して絨毛の侵入を抑制し，らせん動脈のremodeling不全をさらに助長する[3)]．preeclampsiaでは妊娠初期から胎盤循環の低酸素状態の悪循環が起こっている（stage-1）．

sFlt-1，PlGF，s Engは胎盤通過性があり，胎児・胎盤循環系での低酸素状態の悪循環を形成すると同時に母体循環系にも移行し，母体循環系では血管内皮障害を起こしてpreeclampsiaでみられる高血圧や蛋白尿などの緒症状を出現させる（stage-2）[4)]．したがって，血管内皮障害とその結果起こる“血管攣縮”と“血液濃縮”がpreeclampsiaの病態の本質であり，高血圧が最も重要な臨床症状であることを示唆している．

定義・分類[5)]

2005年に欧米の定義・分類と整合性を取るため，新定義・分類が提案され，名称も妊娠中毒症から妊娠高血圧症候群に変更された．その後十数年経過する中で，再び欧米の定義・分類との相違が目立つようになったため，2018年に再度定義・分類の改訂が行われた（**表1，2**）．変更点は，①病型分類から子癇を削除し，高血圧合併妊娠を加えた4病型とする，②高血圧と母体臓器障害，子宮胎盤機能不全などを認める場合は，蛋白尿がなくても妊娠高血圧腎症とする．③重症度分類において，蛋白尿の多寡による重症分類は行わず，高血圧が重度の場合あるいは母体の臓器障害（肝機能障害，血小板減少，腎機能障害など），子宮胎盤機能不全を認める場合に重症とする．ただし，軽症という用語はハイリスクでないと誤解されるため，原則用いない．④早発型の定義を海外に合わせて，妊娠34週未満に発症するものとする，の4点である．

表1 ● 妊娠高血圧症候群の定義・分類

1. 名称：和文名称は「妊娠高血圧症候群」，英文名称は "hypertensive disorders of pregnancy（HDP）" とする．
2. 定義：妊娠時に高血圧を認めた場合，妊娠高血圧症候群とする．妊娠高血圧症候群は妊娠高血圧腎症，妊娠高血圧，加重型妊娠高血圧腎症，高血圧合併妊娠に分類される．
3. 病型分類

①妊娠高血圧腎症：preeclampsia（PE）

1）妊娠20週以降に初めて高血圧を発症し，かつ蛋白尿を伴うもので，分娩12週までに正常に復する場合．

2）妊娠20週以降に初めて発症した高血圧に，蛋白尿を認めなくても以下のいずれかを認める場合で，分娩12週までに正常に復する場合．

i）基礎疾患のない肝機能障害（肝酵素上昇［ALTもしくはAST>40 IU/L］，治療に反応せず他の診断がつかない重度の持続する右季肋部もしくは心窩部痛）

ii）進行性の腎障害（Cr>1.0mg/dL，他の腎疾患は否定）

iii）脳卒中，神経障害（間代性痙攣・子癇・視野障害・一次性頭痛を除く頭痛など）

iv）血液凝固障害（HDPに伴う血小板減少［<15万/mL］・DIC・溶血）

3）妊娠20週以降に初めて発症した高血圧に，蛋白尿を認めなくても子宮胎盤機能不全（*1 胎児発育不全［FGR］，*2 臍帯動脈血流異常，*3 死産）を伴う場合

②妊娠高血圧：gestational hypertension（GH）

妊娠20週以降に初めて高血圧を発症し，分娩12週までに正常に復する場合で，かつ妊娠高血圧腎症の定義に当てはまらないもの．

③加重型妊娠高血圧腎症：superimposed preeclampsia（SPE）

1）高血圧が妊娠前あるいは妊娠20週までに存在し，妊娠20週以降に蛋白尿，もしくは基礎疾患のない肝腎機能障害，脳卒中，神経障害，血液凝固障害のいずれかを伴う場合．

2）高血圧と蛋白尿が妊娠前あるいは妊娠20週まで存在し，妊娠20週以降にいずれかまたは両症状が増悪する場合．

3）蛋白尿のみを呈する腎疾患が妊娠前あるいは妊娠20週までに存在し，妊娠20週以降に高血圧が発症する場合．

4）高血圧が妊娠前あるいは妊娠20週までに存在し，妊娠20週以降に子宮胎盤機能不全を伴う場合．

④高血圧合併妊娠：chronic hypertension（CH）

高血圧が妊娠前あるいは妊娠20週までに存在し，加重型妊娠高血圧腎症を発症していない場合．

【補足】

*1 FGR（胎児発育遅延：fetal growth restriction）の定義は，日本超音波医学会の分類「超音波胎児計測の標準化と日本人の基準値」に従い胎児推定体重が−1.5SD以下となる場合とする．染色体異常のない，もしくは奇形症候群のないものとする．

*2 臍帯動脈血流異常は，臍帯動脈血管抵抗の異常高値血流途絶あるいは逆流を認める場合とする．

*3 死産は，染色体異常のない，もしくは奇形症候群のない死産の場合とする．

（文献5より引用）

表2 ● 症候による亜分類

1. 重症について

次のいずれかに該当するものを重症と規定する．なお，軽症という用語はハイリスクでない妊娠高血圧症候群と誤解されるため用いない．

（1）妊娠高血圧・妊娠高血圧腎症・加重型妊娠高血圧腎症・高血圧合併妊娠において，血圧が次のいずれかに該当する場合

収縮期血圧　160mmHg以上の場合

拡張期血圧　110mmHg以上の場合

（2）妊娠高血圧腎症・加重型妊娠高血圧腎症において，母体の臓器障害または子宮胎盤機能不全を認める場合

・蛋白尿の多寡による重症分類は行わない．

2. 発症時期による病型分類

妊娠34週未満に発症するものは，早発型（early onset type：EO）

妊娠34週以降に発症するものは，遅発型（late onset type：LO）

＊わが国では妊娠32週で区別すべきとの意見があり，今後，本学会で区分点を検討する予定である．

（文献5より引用）

診　断

原則的には，定義・分類に従って診断する．診断にあたっては，以下に示す点に留意する必要がある．

▶ 高血圧

外来での高血圧（収縮期血圧140mmHg and/or拡張期血圧90mmHg以上）の診断は，1度だけの血圧測定で行ってはいけない．血圧が高い場合，必ず再測定し（可能であれば30分後に再測定する），それでも血圧が高い場合に高血圧と診断する．また，病院で測定すると血圧が高くなる妊婦（白衣高血圧症）がいるので，妊娠初期より高血圧を呈する症例は，自宅で血圧を1日3回（朝，昼，晩）測定させ，その値を診断の参考にするとよい．白衣高血圧や仮面高血圧は家庭血圧を測定して初めて診断できるため，家庭血圧の重要性は近年注目されている[6]．内科領域では，

「高血圧治療ガイドライン 2019」で家庭血圧の基準値が示され，家庭血圧による管理の第一歩を踏み出した．妊婦の家庭血圧の基準値はまだ策定されていないため，現在のところ家庭血圧はあくまでも妊婦管理における参考として用いられている．

▶ 蛋白尿

外来で蛋白尿が認められた場合，false positive を除外するため，尿が濃縮していないかどうか，中間尿を採取したかどうか，食事の影響がないかどうかなどを必ず確認することが重要である．妊娠初期より正しい採尿の方法を指導しておくと良い．

管　理

▶ 妊婦健診における予知，予防と健診法

HDP を予知し早期に介入することは管理上重要である．具体的な strategy としては，HDP のリスク因子によるハイリスク妊婦の抽出と血液マーカーによる予知である．

①HDP のリスク因子

表 3 には HDP のリスク因子を示した[7]．

②予知

予知には，アンジオテンシンⅡ感受性試験[8]が以前より知られているが侵襲性のある検査法で一般化されていない．他に，子宮動脈血流波形分析，Roll over test などがあるが，十分な知見が得られているとはいえない．抗血管新生因子である sFlt-1 とそのリガンドである，PIGF を測定することにより（sFlt-1：PIGF 比が 38 以上），preeclampsia の予知が欧州人[9]でもアジア人[10]でも可能であるとの報告があり，測定キットが開発され保険収載予定となっている．

③妊婦外来での健診のポイント

外来で健診時に得られるデータを経時的に評価することが肝要である．第 1 に，血圧，尿蛋白，尿糖などは健診時必ず取得するデータで HDP 発症に気づく上で重要である．第 2 に，血液生化学・凝固検査（ヘマトクリット値，血小板数，血清クレアチニン値，尿酸値，肝酵素値（GOT，GPT，LDH），総コレステロール値，中性脂肪値など）や超音波所見（児発育，羊水量，子宮動脈血流計測値や臍帯動脈血流計測値など）を経時的に評価することは，HDP の重症度を評価し，管理方針決定に有用となる．

▶ 入院管理

『産婦人科診療ガイドライン：産科編 2020』（以後ガイドライン）[11]には，①妊娠高血圧腎症，②重症高血圧の HDP，は原則入院管理としている．2018 年に HDP の定義・分類の改訂が行われたが管理法に関しては変更点はない．

①ターミネーションの適応

HDP の治療の難しい点は，母体にとっては妊娠期間を短くすることは利点であるが，児にとっては未熟性を考慮すると妊娠期間を長くする方が利点がある．このため，母児双方の予後を同時に満足することは相反する帰結を望むことになる．したがって，児の未熟性を考慮すれば児の良好な長期予後が期待できる時

表 3 ● 妊娠高血圧症候群の主なリスク因子

妊娠前	妊娠関連
母体年齢≧35 歳，特に 40 歳以上	初産
高血圧，妊娠高血圧腎症家族歴（特に母親，姉妹）	妊娠間隔の延長（特に 5 年以上）
糖尿病家族歴	父親側リスク因子（primipaternity）
遺伝子多型，人種	前回妊娠高血圧症候群の既往
高血圧，腎疾患	妊娠初期母体血圧比較的高値
糖尿病	多胎妊娠
肥満，インスリン抵抗性	尿路感染症，歯周病など
自己免疫疾患（抗リン脂質抗体陽性を含む）	生殖補助医療
易血栓形成素因（thrombophilia）	
甲状腺機能異常	

（文献 7 より引用）

期，早くとも妊娠 28 週までは児を優先して可能な限り妊娠期間の延長を図るべきである．一方，児の肺成熟が完成する妊娠 34 週以降では母体を優先し，少しでも母体にリスクがある場合はターミネーションとすべきである．妊娠 28 ～ 34 週までは，母児双方のリスクの重軽を秤にかけターミネーションの時期を考えるべきである．

②降圧薬投与の適応基準とその目的

重症 HDP で妊娠期間の延長を目指す場合，安静入院および降圧薬による血圧コントロールが重要となる．重症高血圧は，脳血管障害をはじめとするさまざまな臓器障害を母体にもたらす可能性が高く，降圧は母体にとっては有益である．しかし，胎児にとっての降圧は末梢血管抵抗が亢進している胎児・胎盤循環系において血圧が下がるため，医原性の胎盤循環不全を惹起し，むしろ有害となる可能性がある．しかし，重度の高血圧に母体をさらすことは，高血圧脳症や子癇などの発症を招き，母体のみならず最終的には胎児へも重篤な悪影響を及ぼすことになるので，重症 HDP の降圧治療は必要である．降圧療法の適応は，収縮期血圧 160mmHg and/or 拡張期血圧 110mmHg 以上の場合である[12)]．

降圧剤の使用目的には 2 つの考え方がある．一つは高血圧緊急症を避けるために行う．すなわち，子癇，脳浮腫，脳出血などの母体の合併症を防ぎつつ，ターミネーションに備えるため（術前検査を含む帝王切開の準備，NICU のベッドの確保など）短期間（数時間～数日）行う．通常，重症妊娠高血圧腎症が対象となる．分娩直前・分娩・産褥期の母体の合併症を避けることを主目的として行うため，児へのメリットはほとんどない．もう一つの考え方は妊娠継続を目的に長期投与をする考え方である．妊娠高血圧腎症には必ずしも有効でなく，むしろ加重型妊娠高血圧腎症などに有効である可能性が高い．

③降圧レベルの目標と限界

降圧の基本的な考え方は，重度の高血圧による母体の危険を可及的速やかに回避しつつ，胎児・胎盤循環系，腎循環系などにおける循環血液量を維持し，胎児の恒常性を保つことにある．しかし，重症 HDP において血圧をどの程度下げることが妥当なのか，至適降圧レベルに関するエビデンスは現在のところない．

子癇，脳浮腫，脳出血などの母体の合併症を回避しつつ，胎児・胎盤循環を維持するためには，血圧を非重症域（収縮期血圧 140 ～ 155mmHg，拡張期血圧 90 ～ 100mmHg）に降圧させる[12)]か，平均動脈圧を 15%前後低下させ[13)]，安定させることが重要である．

④降圧薬の選択

HDP の経口投与が可能な降圧薬として，メチルドパ，ラベタロール，ヒドララジン，徐放性ニフェジピンが推奨される．いわゆる高血圧緊急症の場合は静注薬（ニカルジピン，ヒドララジン，ニトログリセリン）を用いる．また，経口薬で降圧が不十分な場合も上述した静注薬を用いるが，医原性の胎児・胎盤循環不全に留意し，投与時には必ず胎児心拍数モニタリングを行う[12)]．アンジオテンシン変換酵素（ACE）阻害薬，アンジオテンシン受容体拮抗薬（ARB）は胎児腎障害，無尿，羊水過少，肺低形成，四肢拘縮，頭蓋変形などを起こすので妊婦禁忌である[14, 15)]．非妊娠時にこれらの降圧薬を服用している婦人が妊娠したら直ちに服用を中止する．妊娠適齢期にある女性に降圧薬を投与する場合，挙児希望の有無を必ず確認し，挙児希望があれば ACE，ARB を避ける．ACE，ARB でないと血圧がコントロールできない場合は，妊娠を回避すべき病態であると考えるべきである．

2. HELLP 症候群

概念・疫学

概　念

長い間，preeclampsia に溶血，肝酵素の上昇，血小板数の減少が合併することが知られていたが[16)]，Weinstein はこの病態を重症 preeclampsia とは異なった症状や徴候を有する疾患と考え，1982 年に HELLP 症候群（H = hemolysis，EL = elevated liver enzymes，LP = low platelets）と命名した[17)]．partial HELLP 症候群という言葉は使われなくなり，日本妊娠高血圧学会は溶血，肝酵素上昇，血小板減少の 3 主徴で HELLP 症候群と診断している．国際的にコンセンサスの得られた診断基準はないが，**表 4** に示す 2 つの診断基準が存在する[18)]．わが国では Tennessee system classification が用いられる場合が多い．

疫　学

HELLP 症候群は全妊娠の 0.1 ～ 0.6%に発症し[19)]，重症 preeclampsia の 10 ～ 20%に発症する[20)]．一方，HELLP 症候群の 80% が HDP を合併するが，全てが HDP を合併するわけではない[21)]．また，HELLP 症候群の 70%は分娩前に発症（産褥 HELLP 症候群の発症率は 30%）する[22)]．

HELLP 症候群は母児双方に多くの合併症を発症させる．特に，妊娠 32 週未満の早産では周産期死亡率や新生児の罹病率は高い[23)]．また，HELLP 症候群の母体から生まれた新生児は，血小板減少症を発症する可能性が高く，脳出血や長期に渡る神経系の合併症のリスクを上げるので注意を要する[24)]．

表 4 ● HELLP 症候群の主な診断基準

Tennessee Classification	Mississippi Classification	
血小板≦100×10^9/L AST≧70IU/L LDH≧600IU/L	HELLP class 1	血小板≦50×10^9/L AST or ALT≧70IU/L LDH≧600IU/L
	HELLP class 2	血小板≦100×10^9/L AST or ALT≧70IU/L LDH≧600IU/L
	HELLP class 3	血小板≦150×10^9/L AST or ALT≧70IU/L LDH≧600IU/L

（文献 18 より引用）

臨床症状

典型的な臨床症状は右上腹部痛または心窩部痛，嘔気，嘔吐で，多くの症例では発症前に倦怠感がみられる[21)]．また，30 ～ 60%の症例に頭痛，約 20%に視力症状が見られる[21)]．通常，これらの症状は進行性であり，症状の強さはしばしば変化する．HELLP 症候群は夜間に増悪し，昼間は改善することが多い[25)]．

鑑別診断

通常，鑑別すべき疾患はウイルス性肝炎や細胆管炎，さらに他の急性疾患であるが，それ以上に鑑別すべき疾患は，比較的まれであるが病状が重篤で HELLP 症候群に類似した疾患である，特発性血小板減少性紫斑病（ITP），急性妊娠脂肪肝（AFLP），溶血性尿毒症症候群（HUS），血栓性血小板減少性紫斑病（TTP）などが挙げられる．これらの疾患は母体死亡のリスクが高く，長期の入院を必要とするもので，HELLP 症候群と治療法が異なるため，的確な鑑別診断が必要である．

管理・治療

HELLP 症候群の管理・治療には，妊娠週数を考慮して 3 つの原則がある[18, 21, 23]．①妊娠 34 週以上であれば，ただちにターミネーションを行う．②妊娠 27 〜 34 週の症例に対しては，診断後に母体の状態を安定させ，コルチコステロイドの投与を行った上で，48 時間以内に分娩を行う．分娩方法は原則として帝王切開とする．③ 48 〜 72 時間以上の待機療法は妊娠 27 週未満の症例に対して行われる．コルチコステロイドの投与は適宜行われる．原則として分娩方法は帝王切開であるが，状況に応じて（妊娠週数，子宮収縮の有無や状態，頸管長や子宮口の熟化の程度などを検討）経腟分娩が選択される場合もある．

コルチコステロイドの有効性に関しては賛否両論あるが，15 の論文を mata-analysis した報告[26]では，コルチコステロイドの投与は血小板数，血清 LDH 値，ALT 値の改善に有効で，NICU を含む入院期間の短縮には有効であったが，母体の死亡率や母児双方の罹病率の有意な改善はできなかった．『産婦人科診療ガイドライン：産科編 2020』でも，その効果は懐疑的であるが母体の重篤な合併症予防という見地から考慮してもよいと書かれている[27]．

引用・参考文献

1) Roberts JM. Gammill HS. Preeclampsia Recent insights. Hypertension. 46, 2005, 1243-9.
2) Wang A. et al. Preeclampsia：The role of angiogenic factors in its pathogenesis. Physiology. 24, 2009, 147-58.
3) Caniggia I. et al. Inhibition of TGF-beta 3 restores the invasive capability of extravillous trophoblasts in preeclamptic pregnancies. J Clin Invest. 103, 1999, 1641-50.
4) Ahmad S. et al. Autocrine activity of soluble Flt-1 controls endothelial cell function and angiogenesis. Vasc Cell. 13, 2011, 15.
5) 日本妊娠高血圧学会編．妊娠高血圧症候群　新定義・分類：運用上のポイント．東京，メジカルビュー，2019，8-15.
6) Mikami Y. et al. Provisional criteria for the diagnosis of hypertension in pregnancy using home blood pressure measurements. Hypertens Res. 40, 2017, 679-84.
7) 日本妊娠高血圧学会編．妊娠高血圧症候群の診療指針 2015．東京，メジカルビュー，2015，42-7.
8) Gant NF. et al. A study of angiotensin II pressor response throughout promigravid pregnancy. J Clin Invest. 52, 1973, 2682-9.
9) Zeisler H. et al. Predictive value of the sFlt-1:PIGF ratio in women with suspected preeclampsia. N Engl J Med. 374, 2016, 13-22.
10) Bian X. et al. Short-terrm prediction of adverse outcomes using the sFlt-1（soluble fms-like tyrosine kinase 1）/PIGF（placental growth factor）ratio in asian women with suspected preeclampsia. Hypertension. 74, 2019, 164-72.
11) 日本産科婦人科学会／日本産婦人科医会編集・監修．“CQ309-2 妊娠高血圧症候群と診断されたら？”．産婦人科診療ガイドライン：産科編 2020．東京，日本産科婦人科学会事務局，2020，172-6.
12) 日本妊娠高血圧学会編．妊娠高血圧症候群の診療指針 2015．東京，メジカルビュー，2015，94-101.
13) Seki H. Long-term treatment with nicardipine for severe pre-eclampsia. Int J Gynaecol. Obstet. 76, 2002, 135-41.
14) Cooper WO. et al. Major congenital malformations after first-trimester exposure to ACE inhibitors. N Engl J. Med. 354, 2006, 2443-51.
15) Sekine T, Endou H. Children's toxicology from bench to bed--Drug-induced renal injury（3）：Drug transporters and toxic nephropathy in childhood. J. Toxicol. Sci. 34, 2009, SP259-65.
16) Pritchard JA. et al. Intravascular hemolysis, thrombocytopenia and other hematologic abnormalities associated with severe toxemia of pregnancy. N Engl J Med. 250, 1954, 89-98.
17) Weinstein L. Syndrome of hemolysis, elevated liver enzymes, and low platelet count：a severe consequence of hypertension in pregnancy. 1982. Am J Obstet Gynecol. 142, 1982, 159-67.
18) Martin JN Jr. et al. Understanding and managing HELLP syndrome：the integral role of aggressive glucocorticoids for mother and child. Am. J Obstet Gynecol. 195, 2006, 914-34.
19) Jayawardena L, McNamara E. Diagnosis and management of pregnancies complicated by haemolysis, elevated liver enzymes and low platelets syndrome in the tertiary setting. Intern Med J. 50, 2020. 342-9.
20) Geary M. The HELLP syndrome. Br J Obstet Gynaecol. 104, 1997, 887-91.
21) Sibai BM. Diagnosis, controversies, and management of the syndrome of hemolysis, elevated liver enzymes, and low platelet count. Obstet Gynecol. 103, 2004, 981-91.
22) Sibai BM. et al. Maternal morbidity and mortality in 442 pregnancies with hemolysis, elevated liver enzymes, and low platelets（HELLP syndrome）. Am J Obstet Gynecol. 169, 1993, 1000-6.
23) Gul A. et al. Perinatal outcome in severe preeclampsia-eclampsia with and without HELLP syndrome. Gynecol Obstet Invest. 59, 2005, 113-8.
24) Ertan AK. et al. Clinical and biophysical aspects of HELLP-syndrome. J Perinat Med. 30, 2002, 483-9.
25) Koenen SV. et al. Is there a diurnal pattern in the clinical symptoms of HELLP syndrome?. J Matern. Fetal Neonatal Med. 19, 2006, 93-9.
26) Mao M, Chen C. Corticosteroid therapy for management of hemolysis, elevated liver enzymes, and low platelet count（HELLP）syndrome：A meta-analysis. Med. Sci. Monit. 21, 2015, 3777-83.
27) 日本産科婦人科学会／日本産婦人科医会編集・監修．“CQ312 妊産褥婦に HELLP 症候群・臨床的急性妊娠脂肪肝を疑ったら？”．前掲書 11，189-92.

埼玉医科大学 ● 関　博之

前置胎盤・癒着胎盤

概念・定義・分類・病態（頻度，疫学，リスク，予後）

前置胎盤（placenta previa）

胎盤が正常より低い部位の子宮壁に付着し，組織学的内子宮口を覆うかその辺縁が同子宮口にかかる状態をいう．組織学的内子宮口を覆う程度により，①全前置胎盤：胎盤が内子宮口を完全に覆っている状態，②部分前置胎盤：胎盤が内子宮口の一部を覆っている状態，③辺縁前置胎盤：胎盤の辺縁が内子宮口の直上に位置する状態の 3 つに分類される[1]．本分類は臨床上の概念として用いられてきたものであるが，2008 年に日本産科婦人科学会周産期委員会で前置胎盤の定義に関する改正案が作成され，現在も使用されている．その定義は，「内子宮口が閉鎖した状況での超音波断層法で，全前置胎盤：組織学的内子宮口を覆う胎盤の辺縁から同子宮口までの最短距離が 2cm 以上の状態，部分前置胎盤：同距離が 2cm 未満の場合，辺縁前置胎盤：同距離がほぼ 0 の状態」である[2]．前置胎盤の発症頻度は 1% 弱であり，帝王切開既往，子宮手術既往，高年齢，多産，喫煙，多胎妊娠などがリスク因子として挙げられる[3]．

癒着胎盤

癒着胎盤とは，胎盤絨毛が子宮筋層内に侵入し，胎盤の一部または全部が子宮壁に強く癒着して剝離が困難なものと定義され，絨毛の侵入の程度により，①単純癒着胎盤（placenta accreta）：絨毛が筋層の表面のみに癒着し，筋層内に侵入していないもの，②侵入胎盤（placenta increta）：絨毛が子宮筋層深くに侵入し，剝離が困難な状態になったもの，③穿通胎盤（placenta percreta）：絨毛が子宮壁を貫通し，漿膜面にまで及んでいるもの，の 3 つに分類される[1]．①～③の正確な分類は，子宮摘出標本の病理組織学的検査によって行われる．

癒着胎盤の病態について現在優勢の仮説は，何らかの原因（過去の子宮手術など）で子宮内膜・筋層が欠損した部位があると，妊娠時に同部位での正常な脱落膜化が生じず，結果的に絨毛が子宮筋層内深部へ浸潤してしまうという機序である[4]．癒着胎盤の発症頻度は上昇しており，経腟分娩後の診断例も含めると 4.6/10,000 分娩と報告されている[5]．帝王切開術既往のある前置胎盤で，胎盤が前回の子宮切開創を覆っている場合は特にハイリスクと考える．それ以外にも胎盤付着部位の脱落膜化が阻害されるような母体背景はリスクとなり得る（**表 1**）．前置癒着胎盤の頻度は，手術既往のない場合 3%，帝王切開既往が 1 回で 11%，2 回で 39%，3 回以上で 60% と報告されている[2]．

管理のポイント

- 前置胎盤が紹介されたら，妊娠出産歴や既往歴から癒着胎盤のリスク因子を抽出し，さらに画像所見（超音波，MRI）も参考にして，癒着胎盤の合併につき評価を行う．
- 平時より各関連診療科（麻酔科，放射線科，小児科，泌尿器科）および関連部署（手術部，輸血部など）と連携をとり，特に前置癒着胎盤に対する治療戦略を施設ごとで定めておくことが望ましい．

癒着胎盤の呼称：FIGO コンセンサスガイドラインより

2018 年，FIGO（International Federation of Gynecology and Obstetrics）は，癒着胎盤に関する用語について以下のような定義・分類を提唱した[5]．即ち，上記の単純癒着胎盤を「placenta creta」（accrete ではない），侵入胎盤を「placenta increta」，そして穿通胎盤を「placenta percreta」とし，これらを総じて placenta accreta spectrum（PAS）disorders と呼称するとしている．本分類も子宮

表1 ● 癒着胎盤の病態・リスク因子（前置胎盤を除く）（文献5より引用改変）

分類（病態）	リスク因子
（1）手術等による子宮内膜の直接的な損傷の既往がある	帝王切開術の既往
	子宮内容除去術，子宮内膜掻爬術の既往
	子宮粘膜下筋腫核出術，子宮腺筋症核出術の既往
	Asherman 症候群の既往
（2）手術等による子宮内膜の直接的な損傷の既往はないが，子宮内膜に変化を与え得る病態，治療歴が存在する	生殖補助医療による妊娠
	子宮動脈塞栓術の既往
	化学療法，放射線治療の既往
	子宮内膜炎の既往
	子宮内避妊具の装着既往
	胎盤用手剝離の既往
	癒着胎盤の既往
（3）元々子宮自体に何らかの異常がある	双角子宮
	子宮粘膜下筋腫，子宮腺筋症
	筋硬直性ジストロフィー

摘出標本の病理組織学的検査により確定される．

参考 『産婦人科診療ガイドライン：産科編 2020』CQ304 前置胎盤の診断・管理は？[2)]

注意すべき臨床症状・所見

警告出血は，その後の再出血による緊急帝王切開のリスクが高いため，注意を要する．全前置胎盤，胎盤前壁付着，経産婦，子宮頸管長短縮，児体重 3,000g 以上，頸管内の sponge like echo，子宮下節の早い時期からの開大は，前置胎盤の帝王切開時の多量出血との関連が指摘されている[2)]．

診　断

● 前置胎盤：妊娠中期の経腟超音波検査による子宮頸管長スクリーニングの際，内子宮口上を観察することにより前置胎盤のスクリーニングも行う．経腟超音波で前置胎盤を診断する際，子宮下節が閉じている状態だと，「見かけ上前置胎盤に見える」場合があるため，子宮下節が開大する妊娠 20 週以降に評価を行う[2)]．妊娠週数が進むにつれて placental migration が生じるため，妊娠中期に前置胎盤が疑われた場合，以後も適宜経腟超音波検査で胎盤位置を評価し，placental migration の有無を確認する．なお，妊娠 12 週から 15 週に経腟超音波検査で内子宮口上の胎盤の辺縁角を測定することで，分娩期の前置胎盤を否定し得るという報告もあり[6)]，同時期の経腟超音波検査画像の見直しは参考となる．

前置胎盤では妊娠 28 週以降に性器出血の頻度が増加し，人工早産のリスクが高まる[2)]．よって，妊娠第3三半期の早期（遅くとも妊娠 31 週）には診断を確定することが望ましいが，辺縁前置胎盤では低置胎盤となる可能性を考慮し，妊娠 34 ～ 36 週で経腟超音波検査により再評価を行う[7)]．

● 癒着胎盤：胎盤ごと摘出した子宮を病理学的検査することでなされる．実臨床では，分娩前に癒着胎盤を予測・診断することが極めて重要であり，既に述べたリスク因子の評価と画像検査（超音波・MRI）を用いて行う．

▶ 超音波検査所見

癒着胎盤の超音波検査所見を表 2 に示す．これは，癒着胎盤の超音波検査所見の標準化を目指して，European Working Group on Abnormally Invasive Placenta（EW-AIP）から提唱され，FIGO ガイドラインにも掲載されている[8)]．（1）の clear zone の消失は，胎盤絨毛が基底脱落膜を越えて子宮筋層に異常

表 2 ● EW-AIP が提唱する癒着胎盤の超音波所見

	超音波所見	EW-AIP が提唱する定義
〈2D グレースケール〉		
(1)	clear zone の消失	胎盤床直下の子宮筋に存在する低エコー輝度領域の消失，不整像
(2)	異常胎盤ラクナ	大きく，不整な多数の胎盤ラクナ（しばしば乱流が観察される）
(3)	膀胱壁の断裂	子宮漿膜と膀胱内腔との間に存在する高輝度エコー帯（膀胱壁）の消失，途絶
(4)	子宮筋層の菲薄化	胎盤が付着した子宮筋層の菲薄化（厚みが 1mm 未満，筋層自体観察不能）
(5)	胎盤の膨隆	隣接臓器（主に膀胱）に向かって胎盤が膨隆 子宮漿膜は綺麗に追えるが，隣接臓器側に湾曲
(6)	限局性の外向性腫瘤像	子宮漿膜を超えて観察される胎盤実質像（しばしば充満した膀胱内に突出する）
〈2D カラードプラ法〉		
(7)	子宮・膀胱壁間の過剰な血管増生	子宮壁と膀胱後壁との間に認められる多数の血流像 （血流方向はさまざまで，折り返し現象を生じる）
(8)	胎盤直下の過剰な血管増生	胎盤床に認められる多数の血流像 （血流方向はさまざまで，折り返し現象を生じる）
(9)	架橋血管	胎盤から子宮筋層，子宮漿膜を横断し，膀胱や他の臓器へ流入するように見える血管像
(10)	胎盤ラクナを栄養する血管像	子宮筋層から胎盤ラクナに流入する高流速の血流（入口部に乱流を伴う）
〈3D パワードプラ法〉		
(11)	胎盤内の過剰な血管増生	胎盤内に認められる多数の不整で捻れた血管像（血管径はさまざま）

伸展している状態を表しており，癒着胎盤の「直接所見」と考えられるが，検査者のプローブ操作（圧迫の程度など）で所見が変わる可能性があるため注意が必要である．図 1 に癒着胎盤の主な超音波検査画像を示す．

▶ MRI 検査所見

MRI 検査は，超音波検査で癒着胎盤が疑われた場合に追加で行われることが多い．妊娠 30 週を超えると胎盤の成熟により内部の信号が不均一となるため，MRI の最適な撮像時期は，妊娠 24 ～ 30 週とされる．MRI 検査の利点は，超音波検査で観察不十分となる後壁胎盤の評価が可能となることが挙げられる（図 2）．しかしながら現時点で，MRI 検査は癒着胎盤の術前診断において，超音波検査を凌ぐほどの有用性は証明されていない[9]．

超音波検査，MRI 検査とも比較的高い診断精度が報告されているが，いずれも 100% ではないことに留意すべきである．特に胎盤が既往帝王切開創を覆うような症例では，画像所見のみで癒着胎盤を完全に否定することは危険であり，癒着胎盤，術中多量出血を想定した準備を行った上で帝王切開術に臨む．

管　理

▶ 妊娠管理

前置胎盤で性器出血（警告出血）を認めた場合，原則入院管理とする．警告出血がなく有意な子宮収縮も認めない前置胎盤における管理入院の意義は不明であり，地域の周産期医療体制や患者の家庭環境に応じて考慮する．

輸血と子宮摘出術の可能性について，必ず事前に妊婦・家族へ説明しておく[2]．その際，妊婦が抱く多量出血に対する恐怖や子宮摘出への不安に対しても気を配り，心理面のサポートを行うことも肝要である．

治　療

▶ 帝王切開に向けた準備

前置胎盤，癒着胎盤の帝王切開では多量出血のリスクが高いため，手術に向けて同種血輸血・自己血輸血の準備を整える．母体に貧血を伴う場合，貯血に向けて早期より貧血を是正しておくことも肝要である．

癒着胎盤が想定される症例では，各関連診療科（麻酔科，放射線科，小児科，泌尿器科）および関連部署（手術部，輸血部など）と十分に情報を共有し，多量出血に対する十分な事前準備（輸血用血液の確保，内腸骨動脈血流一時遮断／動脈バルーン閉塞術の準備な

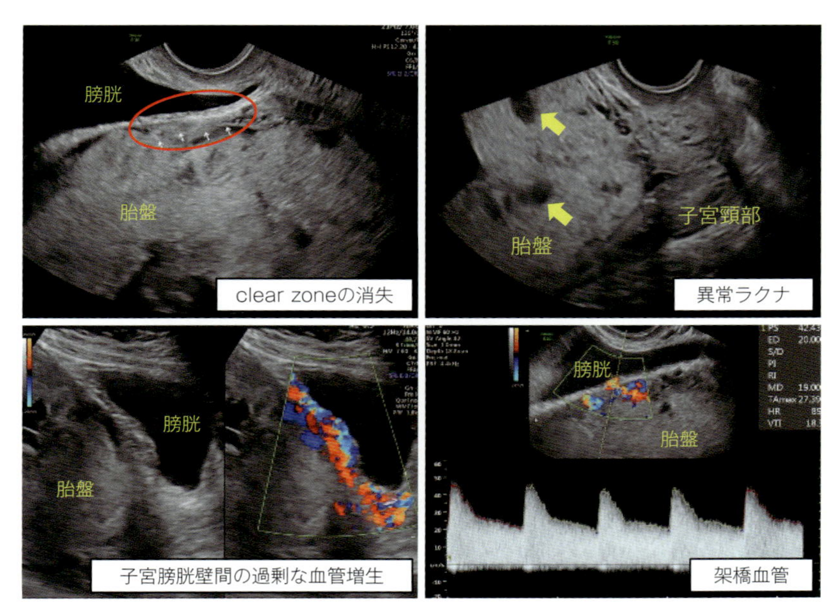

図1 ● 癒着胎盤の超音波検査所見の例

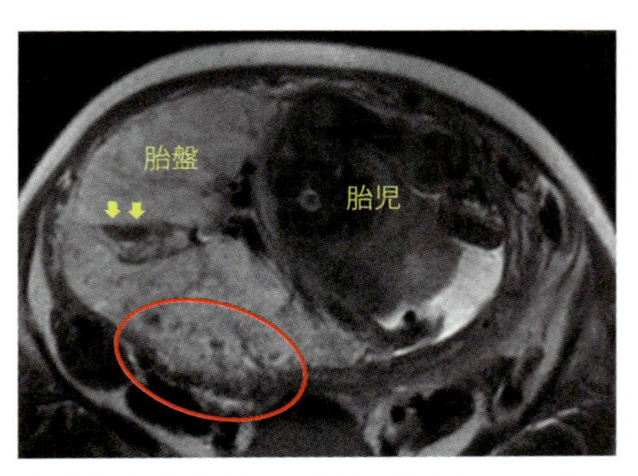

図2 ● 子宮後壁の癒着胎盤のMRI検査所見（T2強調画像・水平断）

⬇矢印：胎盤内フィブリン沈着を反映（T2 dark band sign）
○赤丸：胎盤が子宮壁側へ膨隆（placental buldging）し，子宮と胎盤との境界が断裂（disruption of uteroplacental zone）
帝王切開時，癒着胎盤の診断で子宮腟上部切断術を施行．病理組織学的検査で侵入胎盤と診断された．

ど）を整えて手術に臨む．

▶ 帝王切開施行時期

緊急手術や手術時の危機的出血のリスクが低いと判断される場合（「警告出血がない」「頸管長短縮がない」「癒着胎盤が疑われない」「内子宮口上の胎盤が厚くない」など）は，児の成熟と緊急手術のリスクに鑑み，妊娠37～38週までの帝王切開を計画する[2]．癒着胎盤が強く疑われる場合，施設の制約に応じて妊娠34～35週での予定帝王切開も考慮される[2]．

Clinical Tips

》前置胎盤に対する帝王切開

1) 癒着胎盤を疑わない前置胎盤に対する帝王切開

子宮筋切開は，胎盤の付着が後壁優位の場合は，胎盤を避けて通常の子宮下部（下節）あるいは体下部横切開を行う．胎盤の付着が前壁優位の場合，胎盤の損傷を回避するなら体部前壁切開とする．子宮下部横切開の筋層切開部から用手的に卵膜剥離を行い，卵膜を掴み出すことで羊水腔にアプローチする方法（Wardの手法）も有用である[10]．体部切開でも胎盤損傷を免れないくらい胎盤が子宮前壁を広範囲に覆っており，Wardの手法を用いることも困難と考えられる場合，底部切開を検討する．子宮底部横切開法は，より安全な前置胎盤の術式の確立を目指して考案された子宮切開法であるが[11]，次回妊娠に与える影響は未だ不明である．本法の帝王切開既往がある妊婦が，妊娠21週で自然子宮破裂を発症したとの報告もある[12]．したがって，本法は原則次回妊娠を想定しない術式と認識する必要がある[13]．術野で直接子宮壁に超音波を当てる経子宮超音波検査は，胎盤の辺縁を正確に把握することで最適な子宮筋切開部位を決定できるため，有用である．胎盤の付着が前壁優位の場合であっても，通常の子宮下部横切開により胎盤を貫通して児を娩出する方法もあるが，極めて迅速な娩出，止血処置が要求される．前置胎盤の胎盤剥離後は，剥離部位から湧き上がるような持続出血が生じる場合があり，子宮圧迫縫合（square suture, vertical compression suture），子宮腔内バルーンタンポナーデにより圧迫止血を試みる．

2）癒着胎盤が疑われる前置胎盤に対する帝王切開

皮膚切開は，下腹部正中切開とする．子宮筋切開位置の選択は 1）と同様であるが，Ward の手法や胎盤を貫通して児を娩出する方法は，多量出血のリスクが極めて高く危険であるため選択しないのが無難である．子宮筋切開部位が胎盤縁に近すぎると，児娩出後子宮収縮とともに胎盤が自然に剥離してしまう恐れがあるため，二期的手術を目指す場合などでは注意が必要である．

開腹した時点で，①子宮下部の膨張，②膀胱子宮窩腹膜周囲の子宮表面に発達する怒張した異常血管の増生，③子宮漿膜下の胎盤の透見といった所見を元に，癒着胎盤か否かを判断する．①〜③の所見が顕著な場合は，侵入胎盤，穿通胎盤を疑う．前置癒着胎盤と判断したら，胎盤を剥離せず，腹式子宮摘出術への移行が考慮される．胎盤の部分的な剥離による活動的な出血を認めない場合，腹式子宮摘出術を一期的（帝王切開と同時）に行うか，二期的（一旦閉腹して後日再開腹）に行うかは，施設毎で方針が分かれるところであろう．二期的手術は，子宮摘出まで時間を置くことと待機の間に動脈塞栓術を行うことで，子宮の退縮および子宮血流の減少が得られ，より安全な子宮摘出術が可能となる．二期的手術の良い適応は，上述した開腹時の子宮所見①〜③が顕著，あるいは絨毛の膀胱筋浸潤が明らかで，「膀胱剥離そのものが危険」と考えられるような症例であり，胎盤の剥離徴候を認めないことが前提条件となる[14]．

》前置胎盤，癒着胎盤における血管内治療（interventional radiology；IVR）

① 経カテーテル的動脈塞栓術（transcatheter arterial embolization；TAE）

TAE は，産科大量出血に対する止血成功率が 70〜90% と高く，妊孕性温存のために重要な治療方法である[15]．前置胎盤の帝王切開で圧迫止血でも止血効果が得られない場合，あるいは癒着胎盤の二期的手術や遺残胎盤の子宮鏡手術に向けての子宮血流の減少を目的に，本治療が選択される．

② 動脈バルーン閉塞術（arterial balloon occlusion；ABO）

全ての癒着胎盤の帝王切開で，一期的に子宮摘出術を行う可能性がある．ABO は，主に帝王切開時の一期的な子宮摘出術を行う際に，出血量を軽減させる目的で実施される．ABOの閉塞部位として，内腸骨動脈，総腸骨動脈，腹部大動脈が選択される．特に前置癒着胎盤の症例では，内腸骨動脈閉塞では血流遮断が不十分であることから，近年総腸骨動脈，腹部大動脈のバルーン閉塞術の有用性が報告されているが[16, 17]，下肢の血栓・虚血のリスクを伴うため，その効果と安全性については今後十分に検証される必要がある．

》癒着胎盤に対する conservative management について

conservative management とは，癒着胎盤と判断した際，胎盤の全部もしくは一部を子宮腔内に残し，胎盤の自然吸収・消失を狙う方法である．本治療の目的は，帝王切開時の子宮摘出によるトラブル（産科危機的出血や膀胱損傷など）の回避と妊孕性を温存することである．本法は，前置癒着胎盤に対しても試みられ，Sentilhes らは膀胱に達する穿通胎盤 8 例のうち 6 例は子宮温存に成功し，膀胱損傷を回避できたと報告している[18]．conservative management は前置癒着胎盤に対する一つのオプションであるが，長期間の経過観察を要し，制御不能の術後出血や感染による母体敗血症のリスクを孕んでいることから[18, 19]，下記が本対処を選択する必須条件と考える．

①本対処法のリスクと長期間の経過観察の必要性についてインフォームド・コンセントが得られている
②突如発生する制御不能な出血に対して対応可能な体制（癒着胎盤の緊急子宮摘出術が可能な人員〔産婦人科医，麻酔科医，放射線科医，手術部など〕の確保，輸血の確保など）が維持されている

次回妊娠への留意点

- 前置胎盤の帝王切開で，子宮筋切開が子宮体部や底部に及んでいる場合，次回妊娠では癒着胎盤，子宮破裂の合併に注意する．
- 癒着胎盤に対して conservative management が

成功した場合，次回妊娠で癒着胎盤の再発リスクが高いことに注意する．

• TAE 施行例では，子宮腔内癒着や卵巣機能低下による無月経・稀発月経の可能性が指摘されている[20)]．次回妊娠が成立した場合，癒着胎盤の合併に注意する（表 1）．

引用・参考文献

1) 日本産科婦人科学会編集．産科婦人科用語集・用語解説集．改定第 4 版．東京，日本産科婦人科学会，2017.
2) 日本産科婦人科学会・日本産婦人科医会 編集・監修．"CQ304 前置胎盤の診断・管理は？"．産婦人科診療ガイドライン：産科編 2020．東京，日本産科婦人科学会，2020，147-50.
3) Silver RM. Abnormal Placentation : Placenta Previa, Vasa Previa, and Placenta Accreta. Obstet Gynecol. 126(3), 2015, 654-68.
4) Jauniaux E. et al. Placenta accreta spectrum : pathophysiology and evidence-based anatomy for prenatal ultrasound imaging. Am J Obstet Gynecol. 218(1), 2018, 75-87.
5) Jauniaux E. et al. FIGO consensus guidelines on placenta accreta spectrum disorders : Epidemiology. Int J Gynaecol Obstet. 140(3), 2018, 265-73.
6) Shukunami K. et al. A small-angled thin edge of the placenta predicts abnormal placentation at delivery. J Ultrasound Med. 24(3), 2005, 331-5.
7) Vintzileos AM. et al. Using ultrasound in the clinical management of placental implantation abnormalities. Am J Obstet Gynecol. 213(4 Suppl), 2015, S70-7.
8) Collins SL. et al. Proposal for standardized ultrasound descriptors of abnormally invasive placenta (AIP) . Ultrasound Obstet Gynecol. 47(3), 2016, 271-5.
9) D'Antonio F. et al. Prenatal identification of invasive placentation using magnetic resonance imaging : systematic review and meta-analysis. Ultrasound Obstet Gynecol. 44(1), 2014, 8-16.
10) Ward CR. Avoiding an incision through the anterior previa at cesarean delivery. Obstet Gynecol. 102(3), 2003, 552-4.
11) Kotsuji F. et al. Transverse uterine fundal incision for placenta praevia with accreta, involving the entire anterior uterine wall : a case series. BJOG. 120(9), 2013, 1144-9.
12) Fujiwara-Arikura S. et al. Re:Transverse uterine fundal incision for placenta praevia with accreta, involving the entire anterior uterine wall : a case series. Spontaneous uterine rupture during the subsequent pregnancy after transverse uterine fundal incision for placenta praevia with accreta. BJOG. 125(3), 2018, 389-90.
13) 吉田好雄ほか編．帝王切開の強化書 Kaiser を極める．東京，金原出版，2017，66p.
14) 小西郁生編．OGS NOW 9 前置胎盤・前置癒着胎盤の手術．東京，メジカルビュー社，2012，82-93.
15) Yamashita Y. et al. Transcatheter arterial embolization of obstetric and gynaecological bleeding : efficacy and clinical outcome. Br J Radiol. 67(798), 1994, 530-4.
16) Ono Y. et al. Study of the utility and problems of common iliac artery balloon occlusion for placenta previa with accreta. J Obstet Gynaecol Res. 44(3), 2018, 456-62.
17) Chen L. et al. Clinical evaluation of prophylactic abdominal aortic balloon occlusion in patients with placenta accreta : a systematic review and meta-analysis. BMC Pregnancy Childbirth. 19(1), 2019, 30p.
18) Sentilhes L. et al. Maternal outcome after conservative treatment of placenta accreta. Obstet Gynecol. 115(3), 2010, 526-34.
19) Miyakoshi K. et al. Retrospective multicenter study of leaving the placenta in situ for patients with placenta previa on a cesarean scar. Int J Gynaecol Obstet. 140(3), 2018, 345-51.
20) 日本インターベンショナルラジオロジー学会．産科危機的出血に対する IVR 施行医のためのガイドライン 2017．http://www.jsir.or.jp/about/guide_line/sanka/［2021．11．14．閲覧］

福井大学 ● 川村裕士 ● 吉田好雄

常位胎盤早期剥離

概念・定義・分類・病態

定義：常位胎盤早期剥離（placental abruption）とは，正常位置に付着している胎盤が，妊娠中や分娩経過中の胎児娩出前に子宮壁より剥離するものをいう．

疫学（頻度）：全妊娠の0.3～1.2%に発症する．高齢はその発生リスクの一つであり[1]，近年の晩婚化や出産年齢の上昇に伴い，その頻度は今後も増加する可能性がある．常位胎盤早期剥離（早剥）の反復率は1.9～17.3%で，既往のない症例に比し10倍高くなる[2]．産科DICの約50%，母体死亡率のうちの5～10%を占め，周産期死亡率は通常の10倍以上高い．また，脳性麻痺の単一の原因のうち最も多いものであり[3]，その多くは症状出現から来院までに時間を要していた．そのため，来院までの時間短縮を図るために全妊婦に対して常位胎盤早期剥離に関する情報提供や保健指導を行うことが重要である．

分類：重症度は胎盤の剥離面積と最も相関し，これに臨床症状を加えたPageの分類（表1）[4]が一般に用いられている．

表1● 常位胎盤早期剥離の重症度分類：Pageの分類[4]

重症度		症状	胎盤剥離面積	頻度
軽症	0度	臨床的に無症状．児心音は大抵良好． 娩出胎盤観察により確認．	30%以下	8%
	1度	性器出血は中等度（500mL以下）．軽度子宮緊張感． 児心音，時に消失．蛋白尿は稀．		14%
中等症	2度	強い出血（500mL以上）．下腹部痛を伴う．子宮硬直あり． 胎児は入院時死亡していることが多い．蛋白尿はときに出現．	30～50%	59%
重症	3度	子宮内出血．性器出血 著明．子宮硬直 著明．下腹痛． 子宮底上昇．胎児死亡．出血性ショック．凝固障害の併発． 子宮漿膜面の血液浸潤．蛋白尿 陽性．	50～100%	19%

成因：早剥の成因は多岐にわたり，機械的な外力や子宮内圧の急激な低下により突然起こるものから，慢性的な血管攣縮，血管変性，血管低形成，局所の炎症，アポトーシスなどさまざまな機序が考えられている．臨床的には，妊娠高血圧症候群や慢性高血圧，腎疾患など高血圧や血管疾患に合併するもの，絨毛膜羊膜炎，前期破水，切迫流早産，FGRなど局所の感染や炎症，胎盤循環障害，絨毛・脱落膜発育障害などの要因も考えられている（表2）．早剥既往や喫煙もリスクとなる．

表2● 常位胎盤早期剥離の発症要因

妊娠高血圧症候群，HELLP症候群，高血圧症，慢性腎疾患
絨毛膜羊膜炎，前期破水，切迫流早産
FGR（fetal growth restriction）
腹部の外力（交通外傷，打撲，外回転術など）
子宮内圧の急激な低下（羊水過多の破水，羊水穿刺など）
早剥既往
子宮筋腫（筋腫上の胎盤付着），子宮奇形
胎盤異常（周郭胎盤，副胎盤など）
胎児奇形，臍帯の異常（臍帯過短，卵膜付着など）
高年齢，多産
血栓素因，抗リン脂質抗体症候群
喫煙，薬物使用（コカインなど），低栄養（貧血，葉酸欠乏）

病態：床脱落膜の出血から始まり，胎盤後血腫を形成し，さらに剥離につながる．子宮筋層や子宮漿膜面に血液浸潤が起こり（Couvelaire徴候），広間膜に及ぶこともある．胎盤や脱落膜の組織因子が母体血中へ流入すると，DIC（disseminated intravascular coagulation）を引き起こすと同時に，胎児は胎盤剥離により低酸素血症となる．胎盤の位置，剥離部位により外出血が見られる場合と血腫がconcealされ

外出血しない場合とがある.

参考 『産婦人科診療ガイドライン:産科編 2020』CQ308 常位胎盤早期剥離(早剥)の診断・管理は?

症　状

初発症状として妊産婦が認識した変調としては,腹痛,性器出血,腹部の張りや緊満が多くみられ,その他には腰痛,胎動消失,めまい,便意などを認識することもある.これらの症状は,分娩徴候や切迫早産との判別が困難である.実際,産科医療補償制度再発防止に関する報告書[5]では,早剥の事例 20 件のうち 14 例は妊産婦が自宅で変調を認識していたが,分娩期間への連絡まで 30 分以上時間を要した事例が過半数を占め,3 例は 3 時間以上経過してから医療機関に連絡をしていた.『産婦人科診療ガイドライン:産科編 2020』では,病状出現より入院までの時間の短縮のために,すべての妊婦に対し早剥の初期症状に関する情報を 30 週頃までに提供することを推奨しており[6],日ごろから妊婦健診や母親学級などで妊娠各期の異常な症状・徴候と,突然発症する常位胎盤早期剥離のような緊急事態への対応について指導・教育することは重要である.

▶ 疼痛・子宮収縮

疼痛は腹部膨満感,軽度の下腹部痛や子宮収縮様のものから突発的な激痛までさまざまである.時間経過とともに重症化し,胎盤剥離部に一致した圧痛および間歇期のない持続的子宮収縮となる.重症例では子宮は板状硬となり,胎児部分の触知は困難となる.子宮後壁付着では腰背部痛を訴えることがある.

▶ 性器出血

性器出血の特徴は暗赤色,非凝固性であり,少量ないし認められないこともある.外出血量と母児の予後や重症度とは相関せず,出血量が少ない concealed タイプでは診断が遅れ,児が予後不良であることも多い.ただし,分娩中では胎盤剥離による出血ではなく頸管や腟の裂傷などによる血液汚染が多く,約 1.5% に血性羊水を認め,常位胎盤早期剥離の発症や児の予後に関連する項目として,臍帯血 pH 低値,痙攣,虚血性脳症には関連性を認めないとする報告もあり,血性羊水のみでは必要以上の処置は避けるべきであるかもしれない[7].

▶ 胎動減少

胎動減少または消失が初発症状となることもあり,胎動の有無を必ず確認する.

診　断

▶ 外診・内診

初期には少量の出血や軽度の腹部緊満を認める.早剥が進行すると圧痛を伴い子宮は持続収縮し,板状硬となり子宮底の上昇を認める.

▶ 超音波検査

早剥を疑う症例では,超音波断層検査で,①胎児心拍および well-being の確認,②切迫早産や前置胎盤などの鑑別,③胎盤剥離の診断などを行う.

胎盤剥離の超音波所見として,Jaffe の分類(表3)[8]がよく用いられる.胎盤後血腫は胎盤剥離から時間が経過し重症化したもので認められることが多く,早期には胎盤辺縁の異常や胎盤の肥厚像(5.5cm 以上)として認められることが多い."いつもと違う胎盤"と感じたときは他の検査所見も含め総合的に早剥の診断を行う.また,ごく初期の段階では典型的な異常所見を示さないことが多いので,注意する必要がある.超音波所見を過信しないことも重要である.

表 3 ● 常位胎盤早期剥離の超音波所見:Jaffe の分類[8]

(1) retroplacental anechoicity:胎盤後血腫像
(2) intraplacental anechoicity:胎盤内血腫像
(3) placental thickness:胎盤の厚さが 5.5cm 以上に肥厚
(4) edge abnormalities round shape:胎盤が丸みを帯びている像 separated edge:胎盤辺縁が剥離する像

▶ 血液検査

発症初期には血液検査上，異常所見を認めないことが多いが，発症の要因となる妊娠高血圧症候群やHELLP症候群，子宮内感染徴候などにも注意する必要がある．症状が進行するに従い貧血や消費性凝固障害によるフィブリノゲン低下を起こし，DIC所見がみられるようになる．

血算（WBC，Hb，Ht，血小板），生化学検査（TP，AST，ALT，LDH，T-Bil，UA，BUN，Cre，CK，CRP），凝固系検査（血沈，APTT，PT，フィブリノゲン，AT-Ⅲ，FDP，D-dimer）などを行う．

▶ 胎児心拍数陣痛図（CTG）

胎児の低酸素状態を反映し，variabilityの減少，頻脈，sinusoidal pattern，late decelerationの出現などnon-reassuring fetal status（胎児機能不全）徴候がみられるようになる．子宮収縮曲線では不規則なさざ波様収縮や持続的収縮，過強陣痛などがみられる．

管理および治療

早剥の重症度・妊娠歴・妊娠週数・胎位・Bishop Score・母児の状態により，症例ごとへの対応が大切である．母体DICが高度で，すでに出血によるhypovolemiaが疑われる際は，帝王切開術そのものが母体生命を危険にさらす可能性があるため，その場合は児の状態により輸血製剤を投与し，母体状態安定化を優先させるか，これらの治療を急速遂娩と並行して行う（図1）．

▶ 分娩方法

早剥と診断した場合，母児の状況を考慮し，原則，急速遂娩を図る．一次施設で診断した場合でも児の予後を考えると早期の娩出が求められるが，術中術後管理の体制が整っていない場合は母体の不利益となる場合もあり速やかに高次施設に搬送する．それらの判断は地域の事情や搬送体制により異なるため，地域ごとの検討が必要である．

子宮内胎児死亡例では分娩様式により出血量，輸血

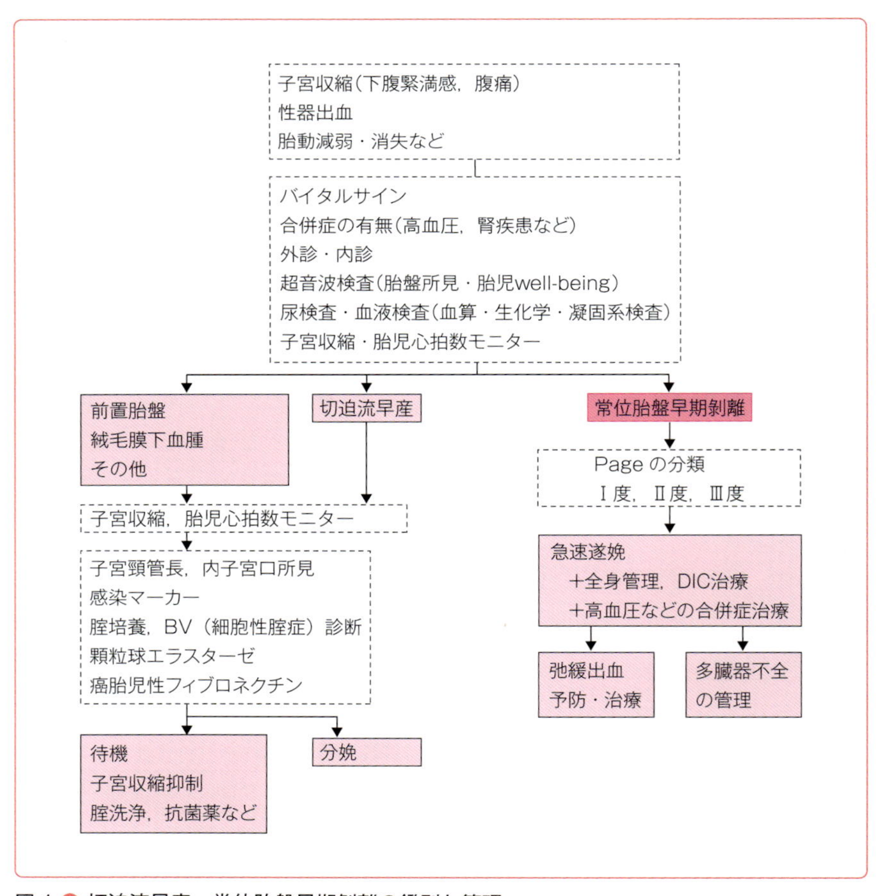

図1 ● 切迫流早産・常位胎盤早期剥離の鑑別と管理

率，DIC 発症率に差を認めない[9]ため，子宮口が開大し，分娩が見込める場合は経腟分娩を試みると良いが，分娩見通しが立たない場合には帝王切開も考慮される．分娩進行と羊水流出による子宮内圧上昇の軽減やトロンボプラスチンの血管内流入防止のため，人工破膜を実施することもあるが，その効果に関する科学的根拠はない．

▶ 術前管理

母体への酸素投与，バイタルサインのチェックを行うとともに，大量出血に備え最低 2 本以上の静脈路確保を行う．補充療法として RBC および FFP，クリオプレシピテート，フィブリノゲン製剤，AT 製剤，必要に応じ血小板輸血を準備する．抗ショック療法として速効性ステロイド，ウリナスタチン，ドパミン塩酸塩やドブタミン塩酸塩などの投与も考慮する．最も重要なのは母体 DIC の評価および治療であり，早期より補充療法と抗 DIC 療法を開始する．児が生存している場合は，帝王切開術までの間，緊急避難的処置としてリトドリン塩酸塩点滴などで陣痛を抑制する場合もある[10]．

▶ 術中管理

緊急帝王切開術における麻酔の方法はそれぞれの特徴を考慮して選択する必要がある．DIC を伴っている場合は脊髄周囲の血腫形成を避けるために全身麻酔が推奨される．全身麻酔では，麻酔薬導入し気管挿管を行ってからの手術ではかえって時間を要することもあるため，脊髄くも膜下麻酔に慣れている麻酔科医がいる場合は，より迅速な Single shot spinal による麻酔を行うのも良い．分娩中の早剥の発症で，無痛分娩のために硬膜外カテーテルの留置がある場合は硬膜外に麻酔薬を投与することも可能である．開腹は緊急性と止血操作を行う可能性を考慮し正中切開が望ましいと思われる．胎児および胎盤娩出後は弛緩出血を予防する目的で子宮マッサージやメチルエルゴメトリンマレイン酸塩，オキシトシンの投与を積極的に行い，子宮収縮促進に努める．剥離面の出血が多い場合は子宮腔内バルーンタンポナーデを行い，出血のコントロールがつけば腹腔内にドレーンを留置し閉腹する．バルーンタンポナーデでも出血のコントロールが困難である場合は子宮圧迫縫合術や，stepwise uterine devascularization 法　や transcatheter arterial embolozation（TAE）を考慮する[10]．子宮摘出は，かえって DIC を悪化させる原因となり得るため，十分な凝固因子の補充を行ってからとする．無用な子宮摘出を減らすためには上述のような薬剤投与や止血法を比較的低侵襲なものから順に早めに実施することが重要である．

▶ 術後管理

DIC からの早期離脱が最も重要である．術後も子宮収縮促進薬投与と抗 DIC 療法を積極的に行う．凝固因子の補充を目的とした輸血を心がけ RBC と FFP の比率が同程度もしくは FFP の方が多い比率での輸血を行う[11]．FFP 15 単位がフィブリノゲン 3g に相当することを考慮し，フィブリノゲンは 150 ～ 200mg/dL 以上，PT は 70%以上を目標に輸血を行う．またフィブリノゲン製剤，AT 製剤，クリオプレシピテートなどの濃縮製剤も用いて積極的に凝固因子の補充を行う[12]．このような濃縮製剤を用いることにより循環負荷を減らし肺水腫や心不全の発症を予防できる．輸血の後に血液データが改善するまでにはタイムラグがあるため，臨床像を重要視し早めの輸血療法を行う．通常，出血傾向は血小板 5 万 / μ L 以下で認められるが，DIC では急速に血小板値が低下するため，10 万 / μL 未満になった段階で早めの輸血準備を行う．輸血と同時に抗 DIC 療法・抗ショック療法などを行い，収縮期血圧が 90mmHg 以上，尿量が 0.5 ～ 1mL/kg/ 時以上となるように循環動態を維持する．RBC 輸血に伴うカリウム値の上昇にも留意する必要がある．早期に診断し迅速な対応をとることで，24 時間以内の DIC 離脱を目指す．また，厳重な経過観察，全身管理を継続し，術後起こり得る多臓器不全，血腫，感染，肺水腫，Sheehan 症候群など合併症の予防や早期発見に努める．

分娩後は，発症要因の分析，また，血栓素因や自己免疫疾患，高血圧の精査も行う．術後や妊娠高血圧症候群などの一般的な注意として，喫煙中止，ストレス回避，栄養・生活面などを指導する．

次回妊娠への留意点

次回妊娠においての早剥発症確率は高く，妊婦のみならず医療サイドでもハイリスク妊娠との認識をもつ．妊娠高血圧症候群や高血圧疾患をベースとして発症する症例が多いため，早剥再発のハイリスク妊娠であるという認識のもと周産期センターでの周産期管理が重要である．

切迫早産と早剥の鑑別診断

産科医療補償制度の原因分析や『産婦人科診療ガイドライン：産科編 2020』でも強調されていることであるが，早剥の対応として非常に重要なことは，同様に子宮収縮感，腹痛，性器出血という症状を呈することのある切迫早産との鑑別診断である．「症状」の解説で，妊婦に早剥の初期症状について教育することに触れたが，実際には早剥の症例が切迫早産として管理が開始されて，早剥の診断・対応が遅れることがないように，常に，過信することなく対応することが重要である．

引用・参考文献

1) Matsuda Y. et al. Impact of maternal age on the incidence of obstetrical complications in Japan. J Obstet Gynaecol Res. 37 (10), 2011, 1409-14.
2) 竹田省．常位胎盤早期剝離．産科と婦人科．11，1998，1506-9.
3) 公益財団法人日本医療機能評価機構産科医療補償制度再発防止委員会．第 10 回産科医療補償制度再発防止に関する報告書：産科医療の質の向上に向けて．http://www.sanka-hp.jcqhc.or.jp/documents/prevention/report/pdf/Saihatsu_Report_10_All.pdf [2021.11.14 閲覧]
4) Page EW. et al. Abruptio placentae：Dangers of delay in delivery. Obstet Gynecol. 3, 1954, 385-93.
5) 公益財団法人日本医療機能評価機構産科医療補償制度再発防止委員会．第 2 回産科医療補償制度再発防止に関する報告書：産科医療の質の向上に向けて．http://www.sanka-hp.jcqhc.or.jp/documents/prevention/report/pdf/Saihatsu_Report_02_All.pdf [2021.11.14 閲覧]
6) 日本産科婦人科学会／日本産婦人科医会 編集・監修．"CQ308 常位胎盤早期剝離（早剥）の診断・管理は？"．産婦人科診療ガイドライン：産科編 2020．東京，日本産科婦人科学会，2020，164-7.
7) Gluck O. et al. Bloody amniotic fluid during labor：Prevalence, and association with placental abruption, neonatal morbidity, and adverse pregnancy outcomes. Eur J Obstet Gynecol Reprod Biol. 234, 2019, 103-7.
8) Jaffe MH. et al. Sonography of abruptio placentae. AJR Am J Roentgenol. 137, 1981, 1049-54.
9) 川名有紀子ほか．子宮内胎児死亡を伴う常位胎盤早期剝離症例の分娩様式から見た予後の検討．日本周産期・新生児医学会誌．48，2012，22-6.
10) 山本智子．"常位胎盤早期剝離"．産科周術期管理のすべて．木下勝之，竹田省編．東京，メジカルビュー社，2005，334-8.
11) Takeda S. et al. A minimally invasive hemostatic strategy in obstetrics aiming to preserve uterine function and enhance the safety of subsequent pregnancies. Hypertens Res Pregnancy. 7, 2019, 9-15.
12) Takeda J. et al. Management of disseminated intravascular coagulation associated with placental abruption and measures to improve outcomes. Obstet Gynecol Sci. 62, 2019, 299-306.
13) Takeda J. et al. Hemostasis for Massive Hemorrhage during Cesarean Section. IntechOpen. DOI: 10.5772/intechopen.86394

順天堂大学 ● 竹田　純

臍帯異常

臍帯は胎児にとって出生するまでの唯一の命綱であり，臍帯によるトラブルは，分娩中のみならず妊娠中の胎児機能不全の原因となる．これらの異常を診断し，妊娠・分娩管理に役立てることが重要である．臍帯によるトラブルは，胎盤や臍帯の発生上の異常によるもの，正常の臍帯が偶発的にトラブルを引き起こすものに分けられる．

1. 臍帯の発生で起きる異常：①臍帯卵膜付着・前置血管

概念・定義・分類・病態

正常の臍帯は，胎動や子宮収縮などの外力から臍帯血流に影響を受けにくいように弾力のあるワルトン膠質に包まれている．臍帯卵膜付着では，臍帯が胎盤実質にではなく卵膜に付着し，ワルトン膠質に守られない卵膜血管が胎盤まで卵膜上を走行する状態である（図1）．全分娩の1～4%，双胎では約1割に認められる．脆弱な卵膜血管は，圧迫などによる臍帯血流不全によって胎児機能不全などを引き起こす可能性がある．また，破水時に卵膜血管が断裂することもある．

特に，卵膜血管が子宮口付近を走行する場合，前置血管と診断する．前置血管が分娩前に診断されておらず経腟分娩を試みれば，前置血管が断裂し，ほとんどの児は胎児機能不全，胎児死亡となる．子宮収縮や子宮口の状態にもよるが，破水・断裂のリスクを考慮すれば，早産期の予定帝王切開はやむを得ないと考える．そのため，高次施設での管理を行う．各国のガイドラインでは，妊娠34～35週での予定帝王切開などが提唱されている．

前置血管は，まれな異常であると考えられがちであるが，低置胎盤などの他の適応でたまたま帝王切開による分娩がなされていることもあり，妊娠初期から超音波検査で診断すると，1/500程度の頻度で見つかることが明らかになっている[1]．

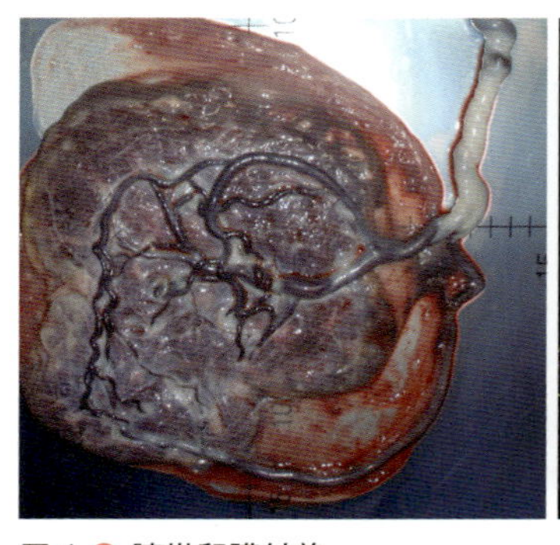

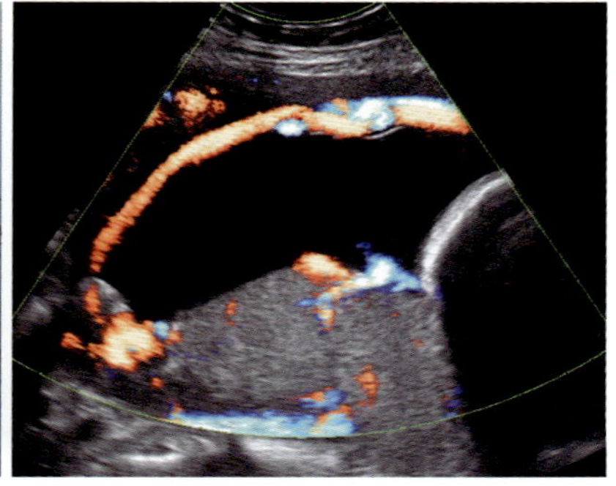

図1 ● 臍帯卵膜付着

診　断

臍帯卵膜付着は超音波検査で卵膜への臍帯付着部を描出するか，ワルトン膠質に守られない臍帯血管が卵膜上を走行する状態を描出することで診断する（図1）．卵膜付着と診断した場合は前置血管がないか経腟超音波でも確認する．妊娠週数が進むにつれて臍帯付着部位が描出されにくくなるので，妊娠 20 週頃までに見ておくのが良い．

妊娠中期の経腟超音波による頸管長や，前置胎盤の確認のときにも前置血管の有無を確認しておくのも有用である（図 2）．臍帯付着部位は，一度，胎盤や臍帯が形成された後に診断が変わることはないので，はっきりと描出できるまでは，安易に診断しないようにする．

常位胎盤であることと，胎盤実質上に臍帯付着部位にあることを確認するだけで，ほとんどの前置血管を否定することができる[2]ので，臍帯付着部位未確認の妊娠末期の紹介症例などにおいても，分娩前に胎盤と臍帯付着部位が正常にあることを確認することが望まれる．

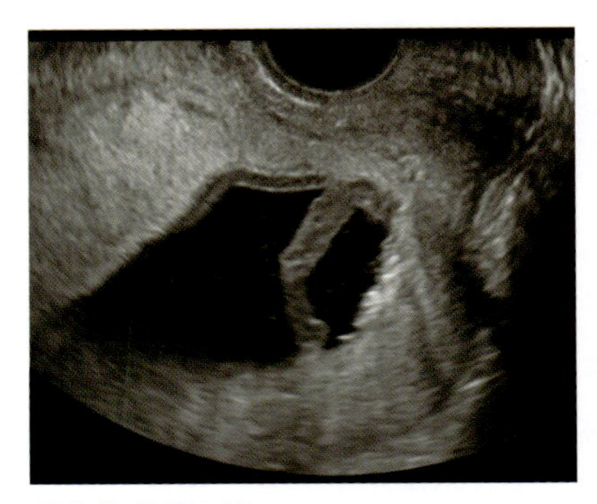

図 2 ● 前置血管
経腟超音波で内子宮口付近の卵膜血管と臍帯付着部を認める．

また，妊娠初期の超音波検査で臍帯付着部位が内子宮口に近い場合，その後，卵膜付着や前置血管などの臍帯・胎盤異常を合併することが多い[1,3]．妊娠初期の臍帯付着部位の超音波スクリーニングも有用である．

1. 臍帯の発生で起きる異常：②臍帯捻転異常

概念・定義・分類・病態

臍帯の生理的な捻転は，可動性を損なわずに牽引や圧迫などの外力の臍帯血流への影響を緩和するために存在する．しかし，生理的な範囲を超える捻転がある状態は過捻転で，ほとんど捻転がないものを過少捻転（ストレートコード）とし，まとめて臍帯捻転異常という（図 3）．生理的な捻転は，程よく安定した臍帯血流の維持に重要な役割を果たすが，過捻転でも過少捻転でも血流を悪化させることがあり，各種トラ

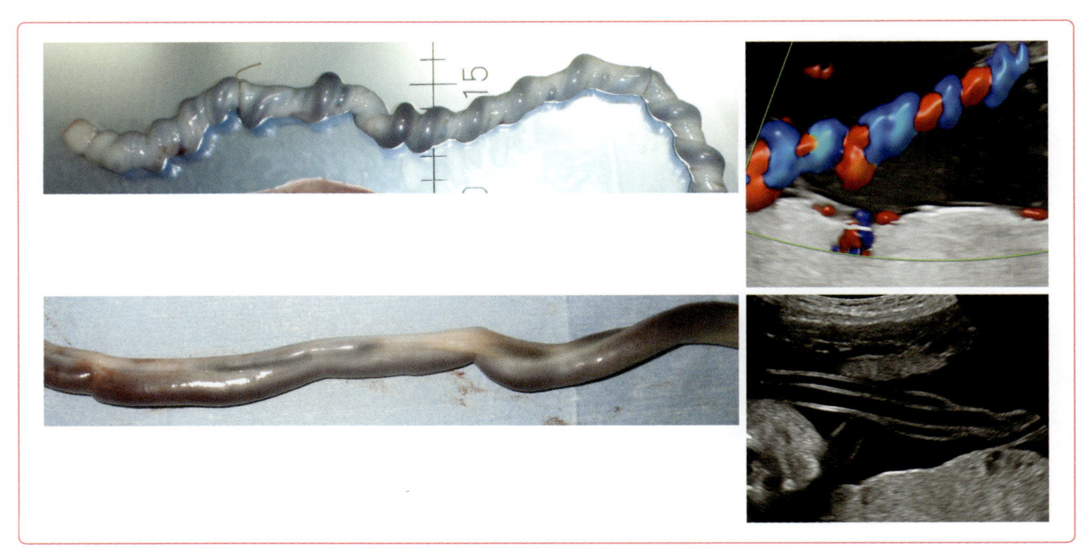

図 3 ● 臍帯捻転異常
上段：過捻転，下段：過少捻転

ブルの原因となることがある[4]．妊娠中の突然の胎児死亡例の原因から見ると，過捻転や過少捻転がしばしば見られる．特に過捻転は，慢性的な臍帯静脈の血流鬱滞により胎盤機能不全を引き起こし，胎児発育不全の原因となることもあるが，この胎児死亡は臍帯異常に起因するので，正常発育児にも突然起きることがあり予測不能である．しかし，過捻転も過少捻転があっても胎児にまったく影響を与えない場合がほとんどである．一概に危険な状態であるとはいえず，他の所見を参考に経過観察をする．

診　断

捻転の評価法としては，臍帯の縦断像を描出し，臍帯 1 周期の長さを測定して coiling index（1/1 周期の長さ〔cm〕求める方法（coiling index）などもあるが[5]，超音波検査中の見た目での判断でもよい（図 3）．妊娠週数が進むと臍帯を直線的に捉えにくくなるため，妊娠中期に全体的に確認しておくとよい．

1. 臍帯の発生で起きる異常：③単一臍帯動脈

概念・定義・分類・病態

単一臍帯動脈は全分娩の約 1% に認められる．発生機序は，2 本の動脈のうち一方の動脈がもともと無形成であるもの（無形成型）と，二次的な閉塞によって一方の動脈が退縮したもの（閉塞型）があると考えられている．

無形成型は，先天異常と関連する場合があり，染色体異常や何らかの症候群の一つの表現型として関連する場合があるので胎児異常にも気を付ける．しかし，他の胎児の合併異常のない単一臍帯動脈（isolated single umbilical artery）は，染色体異常のリスクを上げない．

一方，閉塞型は，妊娠中の何らかの胎盤や臍帯の異常で発生すると考えられ，その他の付属物の所見に気を付ける．いずれの型も胎児発育不全と関連するので，発育の評価にも注意を払う必要がある．

診　断

臍帯動脈の 1 本が描出されない場合を単一臍帯動脈と診断する（図 4）．臍帯のフリーループで診断してもよいが，胎児膀胱の水平断面にカラードプラをか

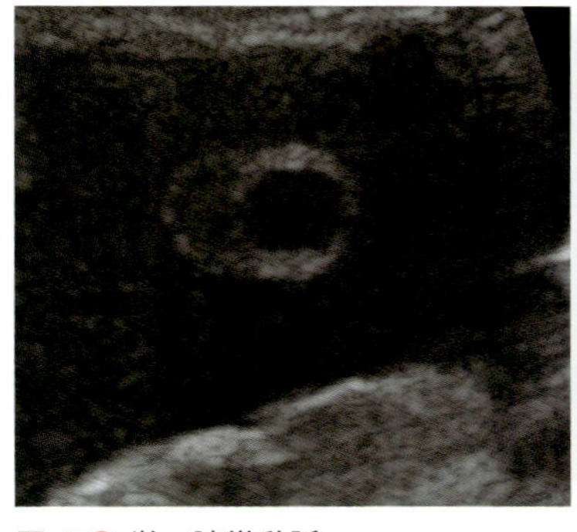
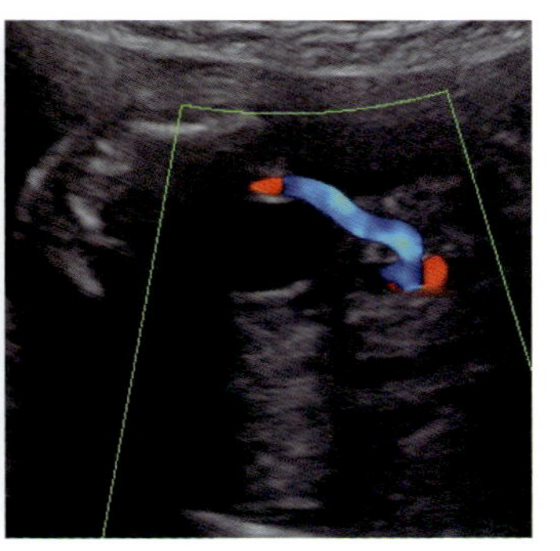

図 4 ● 単一臍帯動脈
左：フリーループ，右：膀胱近傍の臍帯動脈

け，両側に走行する胎内の臍帯動脈を描出するのが容易である．

無形成型と閉塞型の判別は，娩出した臍帯の病理組織で血管組織の有無をみることで可能であるが，超音波検査では判別できない．ただし，妊娠中に経時的に2本あったものが1本になれば閉塞型の可能性がある．しかし，妊娠の早い時期に起きた閉塞の場合，妊娠中に血管組織が退縮して病理診断できない場合もある．

2. 正常の臍帯に偶発的に発生する異常：①臍帯巻絡・真結節

概念・定義・分類・病態

臍帯巻絡は，正常の臍帯が，子宮内で胎動などによって身体のどこかに巻き付いてしまった状態である．1/3の児にみられるため，一概に異常とは言い難い．部位別では頸部巻絡が8～9割と最も多く，分娩前にも診断しやすい（図5）．

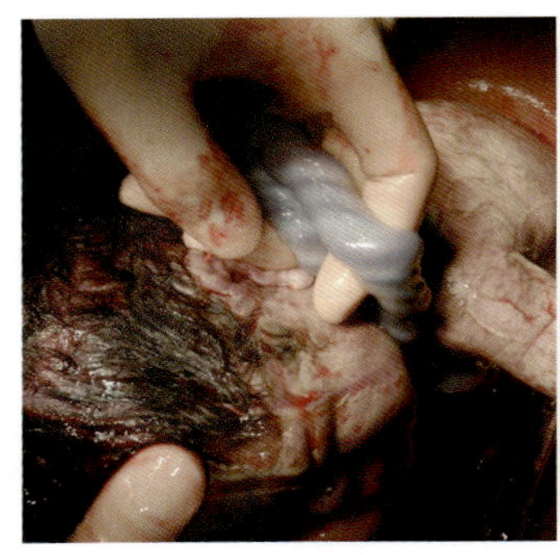
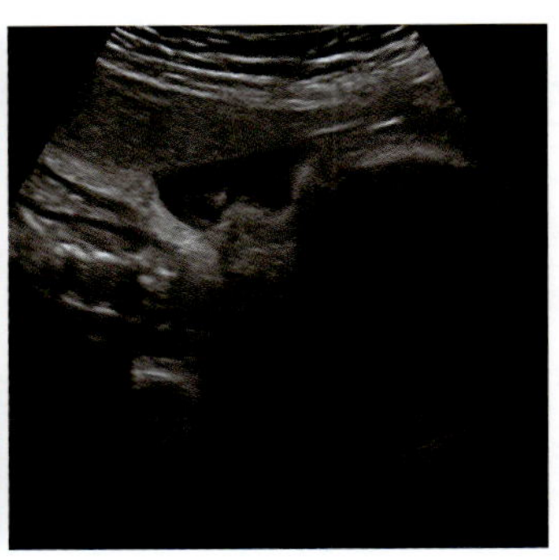

図5 ● 頸部2回巻絡

頸部巻絡の回数別に急速遂娩を要する頻度は，初産婦では頸部巻絡なし，1，2，3回でそれぞれ，13.3%，13.3%，20.9%，30.8%，経産婦では5.7%，6.6%，7.0%，25.0%であり，初産で2回以上，経産で3回以上の巻絡で急速遂娩の頻度が高くなる[6]．1回巻絡は巻絡なしと予後が変わらないと考える．臍帯巻絡は，他の臍帯異常と比較して頻度が高く，分娩前に超音波で見つかっている場合が少なくない．しかし，分娩時に医療介入や特別な管理を要する例は必ずしも多くなく，妊婦に不要な心配をかけないようにする．

臍帯巻絡の係蹄を完全にくぐりぬけてしまうと臍帯が結ばれ，真結節という（図6）．胎児機能不全児や死産児に真結節を認めることがあるが，全く問題のない妊娠分娩経過で，娩出後に発見される例も多い．分娩前に診断されるのは極めてまれであり，超音波スクリーニングをする意義はない．

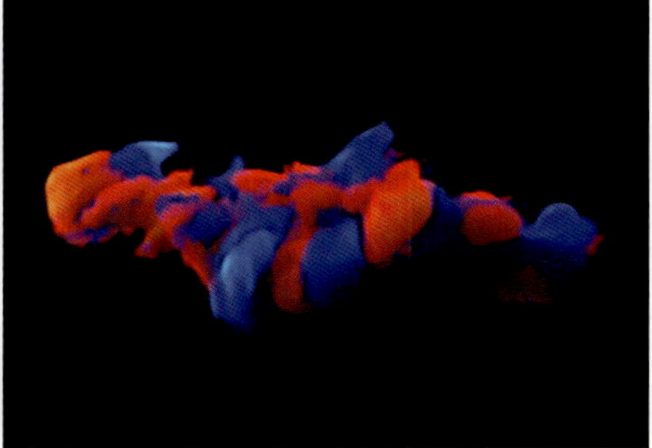

図6 ● 臍帯真結節

診　断

羊水量が多く胎児の動きのある妊娠中期には診断を保留とし，ある程度胎動の制限される妊娠末期に診断する．巻絡は体幹と四肢にも起き得るが，実際は頸部巻絡以外の診断は難しい．頸部巻絡の診断は，胎児の背側矢状断を描写し，頸部にできるくぼみを検索することから始める．くぼみがある場合は臍帯を描出し，それが頸部全周に巻いていることを確認し診断とする．この頸部巻絡が確かに全周を巻いているかをカラードプラでも確認する．

2. 正常の臍帯に偶発的に発生する異常：②臍帯下垂・脱出

概念・定義・分類・病態

臍帯下垂は，未破水の時に臍帯のループが胎児先進部よりも産道側に位置する状態である．臍帯下垂が破水して，臍帯が産道へ降りてきた状態が臍帯脱出である（図7）．臍帯脱出が起きると児の先進部と産道との間に挟まった臍帯が急激に圧迫されて胎児機能不全となる．周産期死亡率は9.0%に及び，妊娠36週以降の例に限っても，死亡や後遺症のないintact survivalの頻度は90%を下回る[7]．産科医療補償制度による調査で，胎盤早期剥離とならんで脳性麻痺の原因に占める割合は多い．

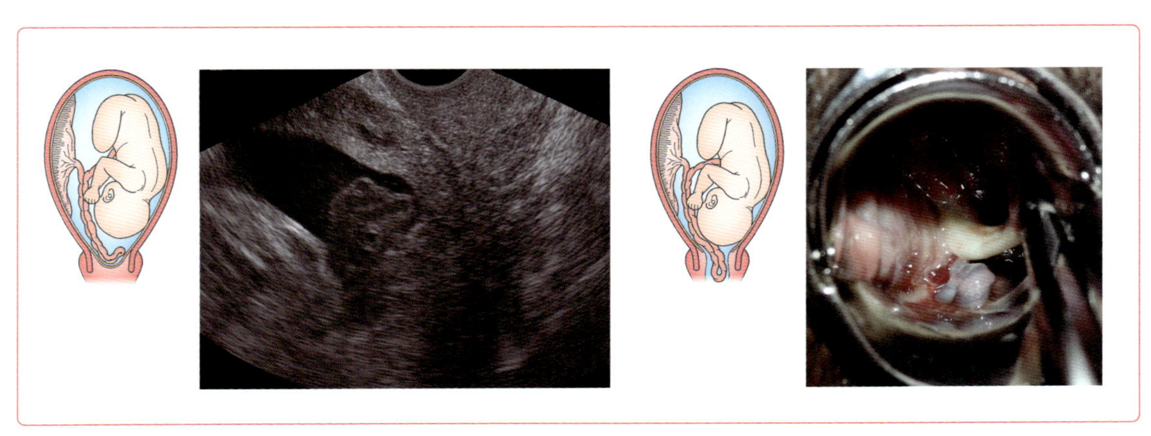

図7 ● 臍帯下垂と臍帯脱出

胎児先進部と産道との隙間の狭い頭位には少なく，先進部と産道の間に余裕のある横位，骨盤位，双胎などに多い．羊水過多では，胎児先進部が羊水腔内で浮動しているため，先進部と子宮壁の間の隙間に臍帯が入り込むことで起こりやすい．また，週数の早い切迫早産や頸管無力症の胎胞脱出症例は，胎児に対して相対的に羊水腔が広い状態であるので起きやすい．

医原性に臍帯下垂・脱出が起きることも知られており，内診，人工破膜，頸管拡張のためのメトロイリンテルの使用など，胎児先進部が上方へ持ち上げるよう操作には注意を払う．大容量のメトロイリンテルの方が臍帯下垂・脱出のリスクが高くなるが，ミニメトロでもリスクがないわけではない[8]．臍帯脱出の児の予後は悪いので，破水前の臍帯下垂の状態で発見すること，医原性に起こさないように注意を払う必要がある．

臍帯下垂は自然に整復される場合もあるが，分娩が近く，経過観察していても下垂した臍帯がかわらないときは，早めの帝王切開術が考慮される．一方，臍帯脱出が起きてしまった場合は，児の先進部と産道との間に挟まった臍帯が急激に圧迫され，胎児機能不全となるので，緊急帝王切開を行う．可能な施設では超緊急帝王切開（Grade A 帝王切開）の適応となる．緊急帝王切開による発見から児娩出までの時間が長くなると（20 分以上），予後が悪い事例が多くなることが明らかになっており，速やかに娩出をすべきである[7]．帝王切開の準備や移動の間には，臍帯に触れないように内診指で胎児先進部を押し上げて隙間を作る児頭挙上を行うことや，胸膝位をとらせる（図 8）．

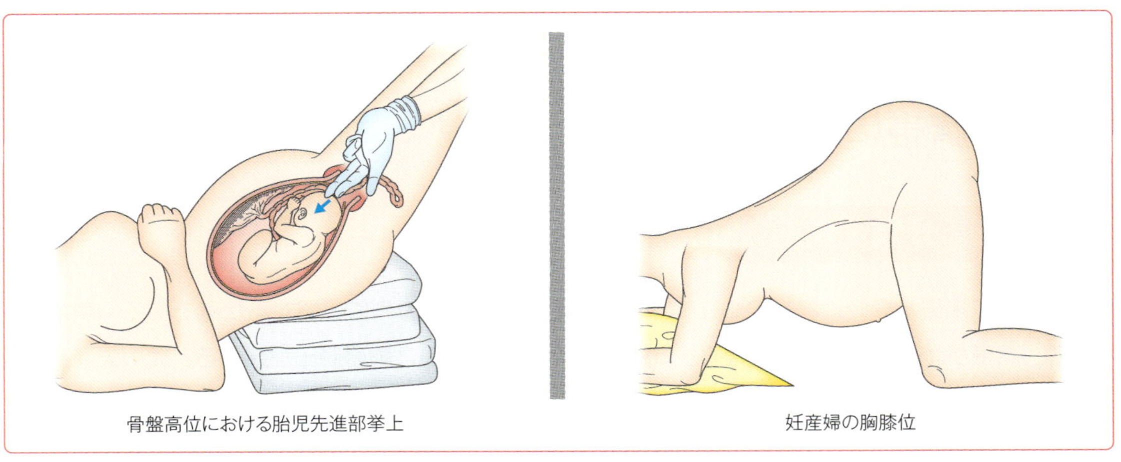

図 8 ● 臍帯脱出時の緊急帝王切開までの対応

脱出臍帯の用手還納は，臍帯に触れることで臍帯圧迫が起きるだけでなく，臍帯の血管攣縮を引き起こすため，行ってはならない[9]．臍帯脱出時の胎児心拍数低下は，臍帯の圧迫によるだけではなく，脱出臍帯の温度低下の血管攣縮に起因するため，待機しても改善の見込みはないと考える．

診　断

臍帯脱出は，腟鏡診，内診によって臍帯を直接観察することで診断するのに対し，臍帯下垂は，経腟超音波で診断される場合が多い（図 7）．破水前に胎児の前羊水の部分に臍帯のフリーループが存在すれば臍帯下垂と診断できるが，分娩期には，あまり経腟超音波を施行しないことから，内診で何かを触れたときに疑われ，腟鏡診や経腟超音波で明らかになる場合もある．

分娩中であっても，内診前後，メトロ使用前後などに経腟超音波で臍帯の位置を確認する習慣をつけておき，臍帯脱出を起こす前の臍帯下垂の状態で発見することが重要である．

臍帯異常の妊娠中のスクリーニングと臍帯異常例の分娩管理

臍帯異常がある場合，胎児心拍数モニタリングの異常，胎児機能不全，急速遂娩，低 Apgar スコア，胎児死亡との関連が示唆されている．これらの異常の出現に留意した妊娠・分娩管理を行う．臍帯異常がある場合，臍帯血流に脆弱な場所があると考え，各種臍帯異常を超音波スクリーニングしておき，診断例には，こまめに胎児心拍数陣痛図をとる．臍帯異常の胎児心拍数異常は，子宮収縮の強くない分娩第 1 期や陣痛発来前でも影響が出やすい[10]．そのため，帝王切開の準備の上，胎児心拍数のモニタリングをしながら分娩誘発を行うのも安全な分娩の方法である．臍帯異常のなかでもリスクは異なるため，リスクにあった分娩管理を行うことを推奨する[11, 12]．

臍帯異常はスクリーニングに適した時期がある．妊娠初期からの胎盤・臍帯異常の抽出を目的としたスクリーニング法を表 1，2 に示す[11]．

表 1 ● 臍帯異常スクリーニング

	評価点と異常所見
妊娠初期	臍帯付着部：子宮下部にないか 臍帯動脈の本数：単一臍帯動脈でないか
妊娠中期	臍帯付着部：辺縁付着，卵膜付着，前置血管でないか 臍帯動脈の本数：単一臍帯動脈でないか 臍帯の捻転：過捻転，過少捻転でないか
分娩直前	臍帯の状態：多重の頸部巻絡はないか，過捻転の再確認，単一臍帯動脈の再確認 臍帯の位置：臍帯下垂はないか
分娩誘発前・分娩中	臍帯の位置：臍帯下垂はないか （メトロ使用，人工破膜などの前には必ず確認）

表 2 ● 臍帯異常のリスク分類

分類		異常所見
High risk	予定帝王切開とする適応はないが，胎児機能不全の可能性が高い． （緊急帝王切開が 10%以上）	卵膜付着 子宮下部の辺縁付着 過捻転・過少捻転 複雑巻絡および頸部巻絡 3 回以上 単一臍帯動脈（閉塞型もしくは不明） 低置胎盤
Middle risk	通常管理より胎児機能不全の可能性が高く監視の強化が必要 （緊急帝王切開が 5 ～ 10%程度）	単一臍帯動脈（無形成型） 頸部巻絡 2 回
Low risk	胎児機能不全のリスクをあげる要因がない	上記がない

（文献 11 より）

引用・参考文献

1） Hasegawa J. et al. Prediction of risk for vasa previa at 9-13 weeks' gestation. J Obstet Gynaecol Res. 37, 2011, 1346-51.
2） Hasegawa J. et al. Analysis of the ultrasonographic findings predictive of vasa previa. Prenat Diagn. 30, 2010, 1121-25.
3） Hasegawa J. et al. Cord insertion into the lower third of the uterus in the first trimester is associated with placental and umbilical cord abnormalities. Ultrasound Obstet Gynecol. 28, 2006, 183-86.
4） Hasegawa J. et al. Detection of umbilical venous constriction by Doppler flow measurement at midgestation. Ultrasound Obstet Gynecol. 36, 2010, 196-201.
5） Strong Jr, TH. et al. The umbilical coiling index. Am J Obstet Gynecol. 170, 1994, 29-32.
6） 大瀬寛子ほか．臍帯巻絡の分娩経過に与える影響の部位・回数別検討．日本周産期・新生児医学会雑誌．49，2013，256-260.
7） Hasegawa J. et al. Clinical risk factors for poor neonatal outcomes in umbilical cord prolapse. J Matern Fetal Neonatal Med. 29, 2016, 1652-56.
8） Hasegawa J. et al. The use of balloons for uterine cervical ripening is associated with an increased risk of umbilical cord prolapse : population based questionnaire survey in Japan. BMC Pregnancy Childbirth. 15, 2015, 4.
9） Barrett JM. Funic reduction for the management of umbilical cord prolapse. Am J Obstet Gynecol. 165, 1991, 654-57.
10） Hasegawa J. et al. Do fetal heart rate deceleration patterns during labor differ between various umbilical cord abnormalities? J Perinat Med. 37, 2009, 276-80.
11） Hasegawa J. Ultrasound screening of umbilical cord abnormalities and delivery management. Placenta. 62, 2018, 66-78.
12） Takita H. et al. Antenatal ultrasound screening using check list before delivery for predicting a non-reassuring fetal status during labor. J Matern Fetal Neonatal Med. 31(1), 2018, 1-6.

聖マリアンナ医科大学 ● 長谷川潤一

血液型不適合妊娠

概念・定義・分類・病態

過去の妊娠・分娩時における胎児血の母体血流中への流入や輸血による感作が生じ，赤血球抗原に対するIgG抗体が産生され，その後の妊娠時に抗体が経胎盤的に胎児に移行した結果，胎児・新生児に溶血性疾患を来すものを血液型不適合妊娠（胎児・新生児溶血性疾患，hemolytic disease of the fetus and newborn；HDFN）という．母体が感作されても，胎児の赤血球に当該抗原が存在しない場合は発症しない．該当赤血球抗原の種類や抗体価，抗体の種類（IgG/IgM）により，臨床的に問題を来さない場合から，新生児期の黄疸，胎児期の貧血，胎児水腫，胎児死亡に至るまで種々の経過をとり得る．最も重要なものはRhD不適合であり，その他の血液型不適合の場合とに大別される．まれに妊娠初期の検査で抗体が検出されず，週数が進んでから抗体が検出されることがある．この場合は妊娠中に胎児血の母体流入による感作が起こった，もしくは以前に感作されているが抗体量が測定感度以下となっていたものが再度抗原刺激により急増した（anamnestic response）ことが考えられる．特別な病態として，抗K抗体（わが国では極めてまれ）やIgG型の抗M抗体では，胎児の増血障害による貧血を来すと考えられている．

管理のポイント

初期の不規則抗体スクリーニングで陰性であった場合の後期での再検査に関しては，HDFNの検出の観点からは否定的な意見もあるが，分娩時の予期せぬ大出血に備える意味でも有用と考えられる．

HDFNの原因となり得る不規則抗体が陽性の場合，一般的に間接クームス法で16倍以上で重症の胎児貧血を来す可能性があるとされている．ただし，抗K抗体やIgG型の抗M抗体では間接クームス法で2倍程度でも胎児貧血を来す可能性がある．

『産婦人科診療ガイドライン：産科編』2017年版および2020年版での改訂のポイント

1. 抗RhD抗体検査の時期は，検査が陰性の場合，妊娠初期，妊娠28週および分娩直後である．
2. 抗RhD抗体陽性の場合，児の溶血性貧血の既往がなく，かつ抗体価が高値でなければ，妊娠後半期は4週ごとに抗RhD抗体価を測定する．
3. 抗RhD抗体価が高値の場合，または前児に溶血性貧血の既往がある場合，妊娠後半期に1～2週ごとの超音波検査で胎児水腫および胎児貧血について評価する．
4. 不規則抗体陽性者に予期せぬ大量出血が起こり，緊急輸血が必要で適合血が間に合わない場合，ABO同型の赤血球製剤の使用を検討する．

参考 『産婦人科診療ガイドライン：産科編』2017年版／2020年版
CQ008-1 Rh（D）陰性妊婦の取り扱いは？
CQ008-2 抗Rh（D）抗体以外の不規則抗体が発見された場合は？
産科危機的出血への対応指針2017（日本産科婦人科学会他編）「緊急輸血の実際　3. RhD陰性，不規則抗体陽性の場合」

診　断

血液型不適合妊娠においてはRhD不適合が最も重要であり，まずはRhD不適合について述べる．母体がRhD陰性の場合でも，夫／パートナー（胎児の父）がRhD陰性の場合，血液型不適合妊娠にはならない．夫／パートナーがRhD陽性であった場合，RhDに関してヘテロ接合の場合は1/2の確率で胎児はRhD陰性となる．ただしDの対立抗原たるd抗原は存在しないので夫がホモ接合なのかヘテロ接合なのかは血清学的には調べることはできない．欧米ではRhD陰性が全体の約15%に見られ，日本人におけるRhD陰性の割合（0.5%）とはまったく事情が異なる．欧米においてはRhD陽性の夫／パートナーがヘテロ接合である確率は約60%（胎児がRhD陰性の確率30%）であり，母体血中の胎児血由来のcell-free DNA検査による胎児のRhD判定も一部で行われている．日本人ではRhD陰性妊婦の割合自体が少なく，さらにRhD陰性の母親とRhD陽性の父親からRhD陰性の児が生まれる確率が7%と低率であることもあり，基本的にはRhD不適合を念頭に置いた管理を行う．RhD陰性妊婦において妊娠初期に抗RhD抗体の有無を確認する．抗RhD抗体は不規則抗体スクリーニングで検出可能である．妊娠初期に抗RhD抗体陰性であった場合，妊娠28週前後および分娩後に抗体の有無をチェックする．

以前はRhD陰性結果であった妊婦に対してD^uの有無を検査していた．D^uはその後weak Dに呼称変更されたが，RhD陽性として扱われ，分娩後の免疫グロブリン投与の対象から外されていた．その後の研究で血清学的なweak Dには抗原発現量の少ないタイプと抗原のエピトープの一部が欠損するタイプがあり，前者では妊娠中の感作は起こり得ないが，後者では欠失したエピトープに対する感作が起こり得る．米国では輸血ドナーとしての検査ではweak Dも含めた検査を行い，妊婦に対してはweak Dの検査を行わないことが推奨されており，同一患者がD陽性と扱われたり陰性と扱われるなどの混乱が起こっている．ジェノタイプ検査で感作の起こらないタイプ（weak D type 1, 2, 3）か起こり得るタイプかの鑑別は可能であるが，現時点ではweak Dは妊娠時にはD陰性と同様に扱うことが推奨されている[1]．ただし，『産婦人科診療ガイドライン：産科編2020』では，Week D妊婦への抗D免疫グロブリンは投与すべきでない，とされている．

管　理

妊娠初期検査で抗D抗体が陽性の場合，その後は4週に1回抗体価を測定する．検査施設によりばらつきはあるものの，8～32倍以上の場合は抗体価が高値と判断され，その場合は妊娠後半期に1～2週毎の胎児貧血の評価を行う．ただし，胎児がRhD陰性であっても原因は不明ながら妊娠中に抗体価が上昇することがあり，注意を要する[2]．

以前は羊水の吸光度分析により胎児貧血の予測を行っていたが，近年では胎児中大脳動脈の最高流速（MCA-PSV）により評価することが推奨されている．MCA-PSVが週数における平均値の1.5倍（1.5 MoM）を上回れば胎児に中等度以上の貧血が存在することが予測される．この方法による胎児貧血の検出の感度／特異度はそれぞれ86%／71%と報告されており[3]，インターネット上で血流速度からMoM値を算出することができる（perinatology.com）．ただし，検出感度は胎児輸血を重ねるごとに低下するとされている[3]．胎児中大脳動脈の血流測定については他稿を参照されたい．

既往にRhD不適合による胎児輸血やHDFNに関連した胎児・新生児死亡がある場合は，母体の抗体価は胎児貧血の予測に有用でない可能性があるため，18週頃より胎児中大脳動脈の血流速度測定を開始する[4]．

治　療

▶臍帯穿刺—胎児輸血

MCA-PSVが1.5MoM以上の場合，胎児採血を行う．胎児採血用に25G臍帯穿刺針（八光）が開発されており，児へのリスクが少ない[5]．針が細いのでたわみやすい欠点も指摘されているがニードルガイドを使用することにより比較的容易に，また胎児貧血のない場合でも採血可能である．臍帯血のHtが30%（もしくは20%）以下の場合，胎児輸血の適応となる．輸血にはサイトメガロウイルス抗体陰性のO型Rh（D）（－）赤血球を用いる．海外では容量負荷を抑える目的でHt75～85%に調整した赤血球の使用が推奨されているが，粘稠で注入しにくいこともあり，通常の赤血球製剤の使用が推奨されている[5]．母体血漿との間接抗グロブリン試験による交差適合試験で適合のものを使用する．胎児水腫となった場合では治療予後の不良が指摘されており，胎児水腫に至る前の治療が望ましい．胎児輸血後ではMCA-PSVによる貧血の検出感度が低下することが指摘されており，その後のフォローの上で留意が必要である．胎児輸血の詳細については他稿を参照されたい．妊娠35週に達して胎児貧血が認められる場合には早期娩出を図る[6]．

▶ 血漿交換／免疫グロブリン大量療法

20～22週以前の胎児輸血は技術的に困難で，合併症リスクが高まる．既往妊娠の経過より，早期の胎児輸血の必要性が予測される場合に，血漿交換もしくは免疫グロブリン大量療法，またはそれらの併用療法が試みられている．妊娠12週より血漿交換を開始し，途中から免疫グロブリン大量療法を行い，前回妊娠よりも平均18日胎児輸血のタイミングを遅らせることができたとの報告[7]や，13週以前にグロブリン投与を行ったD不適合症例では有効であったとの報告[8]がなされている．

予　防

『産婦人科診療ガイドライン：産科編2020』に詳細に記載されており，簡単に触れるにとどめる．RhD陰性妊婦の分娩後，児の血液型がRhD陽性であることを確認ののちに，分娩後72時間以内に抗D免疫グロブリン1バイアル（250μg）を筋注する．分娩時の胎児血の母体への流入量が，30mLを超える場合，血液流入量の超過分に対して，30mLにつき1バイアルの抗D免疫グロブリンの追加筋注を要する．30mLを超える胎児血の母体への流入は0.3～0.5%にみられ[9]，分娩後のKleihauer-Betke試験にて評価が可能である（HbF（%）×50＝流入胎児血（mL）[4]）．

また，妊娠28週に抗D免疫グロブリンを筋注することで，妊娠末期での感作の率が2%から0.1%に減少するとされており，28週での1バイアルの抗D免疫グロブリンの筋注を行う．抗D免疫グロブリンの筋注後3週間以内に分娩となった場合は，分娩後のグロブリン投与は省略可能である．28週で抗D免疫グロブリンが投与されたのちに満期で分娩となった場合，投与された抗体が分娩後に検出されることがある．通常は4倍以下であり，その場合，通常どおりグロブリンを投与する．妊娠中に母体が感作され抗D抗体が産生された場合にはグロブリン投与は行わない．抗D免疫グロブリン投与が必要なのにもかかわらず投与されなかったことが後日判明した場合には，13日以内の投与であれば，ある程度の予防効果が期待できるとされており，Bowmanは分娩後28日以内であれば，抗D免疫グロブリンの投与を行うことを推奨している[10]．

分娩後以外にも，妊娠7週以降まで児生存が確認できた自然流産後，妊娠7週以降の人工流産・異所性妊娠後，腹部打撲後，妊娠中の検査・処置後（羊水穿刺・外回転術後等）に，抗D免疫グロブリンを投与することが勧められており，さらにACOGガイドラインでは胞状奇胎，子宮内胎児死亡，妊娠中期・後期での出血の際にも投与が勧められている[1]．基本的には投与するかどうか迷った場合には投与した方がよいとされている[11]．

RhD以外の血液型不適合妊娠

妊娠初期スクリーニングでの不規則抗体検査で抗体が検出された場合，HDFNを来し得る抗体（**表1**）であれば間接クームス方法で抗体価を測定する．HDFNの原因となり得る不規則抗体が陽性の場合，一般的に間接クームス法で16倍以上で重症の胎児貧血を来す可能性があるとされている．ただし，抗K抗体やIgG型の抗M抗体では2倍程度でも胎児貧血を来す可能性がある．

RhD不適合と同等の胎児貧血を来し得るものとして特に重要なものは抗K（わが国では極めてまれ），抗cである．ほかに抗E，抗e，抗Fy^aでも胎児輸血を

表1 ● 胎児・新生児溶血性疾患（HDFN）の原因になる不規則抗体

重要		c，K，Ku，k，Js^b，Jk^a，Fy^a，Di^a，U，PP_1P^k（p），anti-nonD（-D-）
可能性あり	高い	E，Kp^a，Kp^b，Js^a，Di^b，M
	低い	C，C^{w}*，e，Jk^b，Fy^b，S，s，LW，Jr^a
関与しない		Le^a，Le^b，Lu^a，Lu^b，P_1，Xg^a

（日本産科婦人科学会／日本産婦人科医会 編集・監修『産婦人科診療ガイドライン：産科編2020』CQ008-2表1を一部改変転載）
＊UpToDateではsevereに分類されている．

要することがある[4)].

抗C，抗E，抗eは，抗D抗体に付随して低い値で認められることが多い．抗C抗体が抗D抗体と同等以上のtiterで認められる場合，その抗体は抗RhG抗体である可能性がある．その場合抗体価によっては胎児に重症貧血を来すこともあり，また侵襲的処置の際や28週前後，分娩後に抗D免疫グロブリンを投与する必要がある[12)].

引用・参考文献

1) American College of Obstetricians and Gynecologists. ACOG Practice Bulletin No. 181. Prevention of Rh D Alloimmunization. Obstet Gynecol. 130(2), 2017, e57-70.
2) Moise Jr KJ. "RhD alloimmunization in pregnancy: Management". UpToDate. https://www.uptodate.com/contents/management-of-pregnancy-complicated-by-rhd-alloimmunization?topicRef=6820&source=see_link#H321054809(2022.1.25閲覧)
3) Martinez-Portilla RJ. et al. Performance of fetal middle cerebral artery peak systolic velocity for prediction of anemia in untransfused and transfused fetuses : systematic review and meta-analysis. Ultrasound Obstet Gynecol. 54(6), 2019, 722-31.
4) Moise Jr, KJ. "Red cell alloimmunization". Obstetrics Normal and Problem Pregnancies. 7th ed. Amsterdam, Elsevier, 2017, 770-85.
5) 日本周産期・新生児医学会編集．胎児輸血実施マニュアル．東京，日本周産期・新生児医学会，2017.
6) Klumper FJ. et al. Benefits and risks of red-cell transfusion after 32 weeks gestation. Eur J Obstet Gynecol Reprod Biol. 92(1), 2000, 91-6.
7) Ruma MS. et al. Combined plasmapheresis and intravenous immune globulin for the treatment of severe maternal red cell alloimmunization. Am J Obstet Gynecol. 196(2), 2007, 138.e1-6.
8) Zwiers, C. et al. Postponing early intrauterine transfusion with intravenous immunoglobulin treatment : the PETIT study on severe hemolytic disease of the fetus and newborn. Am J Obstet Gynecol. 219(3), 2018, 291.e1-9.
9) Moise Jr, KJ. "RhD alloimmunization: Prevention of RhD alloimmunization in pregnancy". UpToDate. https://www.uptodate.com/contents/prevention-of-rhd-alloimmunization-in-pregnancy?topicRef=6802&source=see_link#H3932833600(2022.1.25閲覧)
10) Bowman JM. Controversies in Rh prophylaxis. Who needs Rh immune globulin and when should it be given?. Am J Obstet Gynecol. 151(3), 1985, 289-94.
11) Cunningham FG. et al. "Fetal Disorders". Williams Obstetrics. 25th ed. New York, McGraw-Hill Education, 2018, 300-14.
12) Moise Jr KJ. et al. "Hemolytic Disease of the Fetus and Newborn". Creasy and Resnik's Maternal-Fetal Medicine. 8th ed. Amsterdam, Elsevier. 2019. 632-44.

倉敷中央病院 長谷川雅明

概論—児への感染経路，胎盤や羊水における感染・炎症，triple I—

妊婦から胎児・新生児への垂直感染とその経路[1〜3)]

妊婦に感染した病原微生物が母体を経由して胎児に到達するまでの経路は大きく 4 つある．

①上行性：妊婦の下部生殖管（腟や子宮頸管）から胎盤や羊水を介して胎児に移行する
②血行性：妊婦血液から胎盤を介して胎児に移行する
③医原的：羊水穿刺，経皮的臍帯血採取，胎児鏡，他の侵襲性検査により胎児に移行する
④逆行性：腹腔内から卵管を介して子宮内に到達し，胎児に移行する

頻度的に多いのは，①および②であり，それらを以下に概説する．

▶ 上行性経路

本来女性の腟内には，たくさんのラクトバチルス属が存在し，酸性を保っている．主に 4 種類のラクトバチルスが報告されており，それらの構成率は妊娠週数，人種や食事内容により大きく異なる．子宮頸管上皮にはバリア機構が存在する．頸管粘液が頸管内に充満して栓をして，腟内にいる病原菌の侵入を防いでいる．

腟内のラクトバチルス属が減少し，その代わりに複数の好気性菌や嫌気性菌が繁殖し始めると，帯下の性状が変化してきて，細菌性腟症・細菌性腟炎という状態に至る．そのような状態になると，子宮頸管上皮のバリア機構が破綻し，腟内病原微生物が上行性に頸管内に侵入し，やがては卵膜（羊膜・絨毛膜・脱落膜）へと移行していく．

頸管から上行した病原微生物は，内子宮口付近の脱落膜にいるが，その後隣接する絨毛膜や羊膜へと侵入し，やがては羊水中へと移行する．

病原微生物が卵膜に接触した際には，必ず卵膜の破壊（破水）が引き起こされるわけではなく，臨床的な症状（破水や陣痛）を起こす前に卵膜を通過し，羊水中へと移行することが起こり得る．そのため，羊水穿刺をして羊水を検査しない限り，羊水感染の有無はもちろん，羊水感染を引き起こしている病原微生物の特定ができない．

しばしば検出される病原微生物は，性器マイコプラズマ（特にウレアプラズマ属），Gardnerella vaginalis，*Fusobacteria* 属であるが，まれに真菌が検出される．羊水感染の約 3 割は多種の病原微生物からなる混合感染である．

▶ 血行性経路（図 1）

病原微生物は母体血管中を循環し，やがては子宮に到達する[1]．病原体が子宮内に達した後，らせん動脈を介して，母児接触面に存在する胎盤内の絨毛間腔に流入する[2]．

浮遊絨毛（floating villi）は外層の合胞体栄養膜細胞（syncytiotrophoblast；STB）および内層の細胞性栄養膜細胞（cytotrophoblast；CTB）からなる．

付着絨毛（anchoring villi）は脱落膜との接点を持っており，分化しつつある CTB が脱落膜内へと移行し，絨毛外栄養膜細胞（extravillous trophoblast；EVT）へと変化する．特に脱落膜組織内の血管や子宮筋層内のらせん動脈壁へと浸潤した EVT は，中間型栄養膜細胞（intermediate trophoblast）と呼ばれている．

絨毛間腔へと侵入した病原微生物は，特に EVT に親和性を持っており，EVT を感染させた後，付着絨毛内へと侵入する[3a]．さらに絨毛内の胎児血が循環している太い絨毛へと進行し[4]，やがて胎児へと移行する[5]．

浮遊絨毛の STB，CTB，基底膜は病原体に対するバリアの役目を果たしているため，通常，病原体は浮遊絨毛を通過しないとされているが，まれに浮遊絨毛を通過し[3b]，胎児へと移行していく．

マラリア原虫（*Plasmodium falciparum*）が直接 STB を破壊すること[4)]，またシャーガス病の原因菌であるトリパノソーマ（*Trypanosoma cruzi*）が STB を剥離させ，アポトーシスを引き起こすこと[5)]が知ら

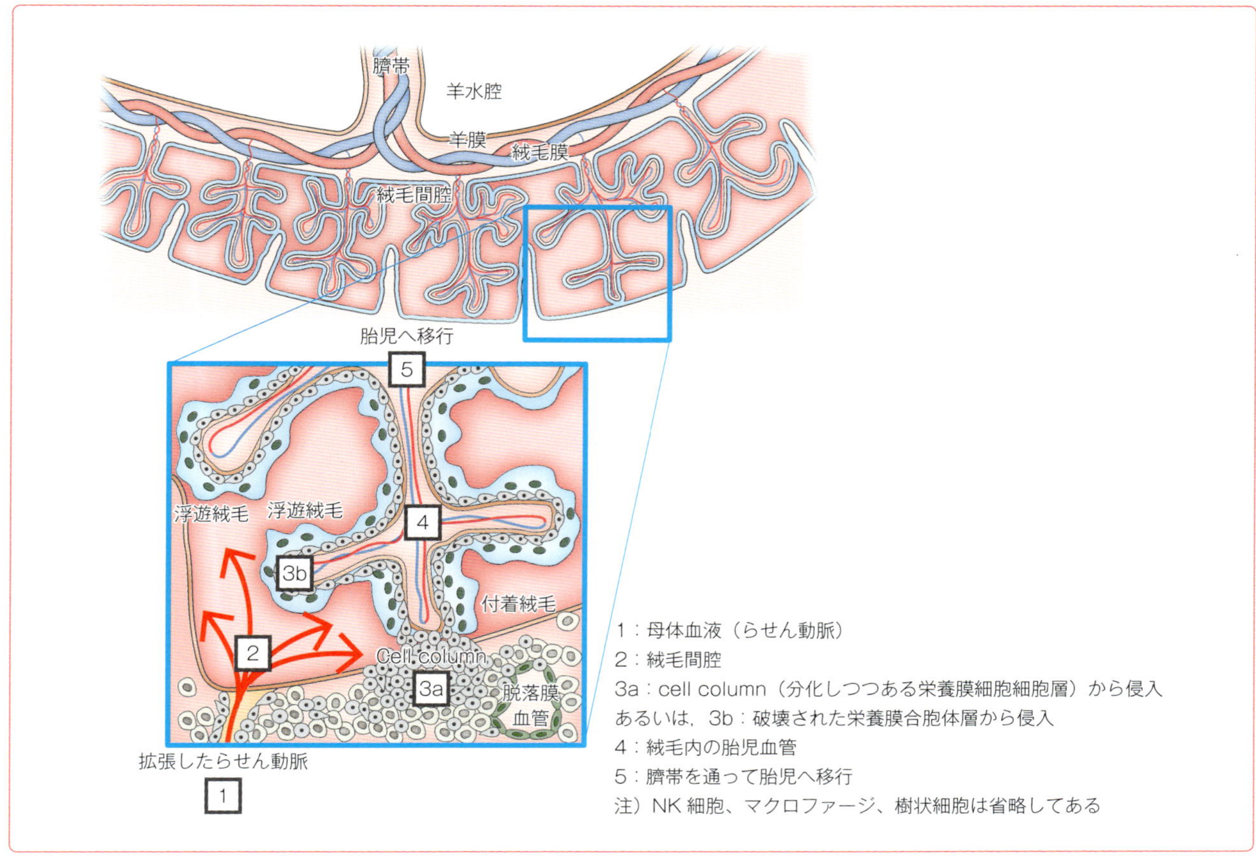

図 1 ● 病原微生物の移行経路

れている．その他に，リステリア（*Listeria monocytogenes*）やトキソプラズマ（*Toxoplasma gondii*）が酵素を出すことで STB を破壊し，その内層にある CTB にコロニーを形成することも報告されている[6, 7]．

妊娠中の先天感染症

妊娠中に生じる母児間の垂直感染症は，TORCH 症候群としてまとめられている．

T：Toxoplasma トキソプラズマ

O：Others（リステリア，パルボウイルス，ヒト免疫不全ウイルス，水痘帯状疱疹ウイルス，ジカウイルスなど）

R：Rubella 風疹ウイルス

C：Cytomegalovirus（CMV）サイトメガロウイルス

H：Herpesviruses（HSV-1，HSV-2）ヘルペスウイルス

病原微生物の種類として，細菌・ウイルス・原虫の 3 種類に大きく分けられる．それらによる主な母子感染症のまとめを表 1[1, 2, 7, 8] に示す．

Blanc による分類：胎盤における炎症のステージ分類

臨床的絨毛膜羊膜炎（chorioamnionitis；CAM）の概念が出てくるまでの間，分娩後に得られる胎児付属物（脱落膜・絨毛膜・羊膜からなる卵膜，胎盤，臍帯，羊水）のうち，絨毛膜（chorion）と羊膜（amnion）に注目して炎症のステージを決定したのが，病理学者の Blanc（ブラン）である[9]．

Blanc は母体由来の多形核白血球（polymorphonuclear leucocyte）がどこまで浸潤しているかによって，胎盤表面（羊膜腔と絨毛間腔との間に存在する絨毛膜と羊膜）における炎症を図 2 のように 3 つのステージに分類している．

中山による分類：臍帯における炎症のステージ分類

臍帯の炎症に関しては，中山分類が用いられている[10]．臍帯への白血球の浸潤の程度により，臍帯炎の重症度を Stage1（1 度）から Stage3（3 度）の 3 段階に分類する「中山分類」がある（図 3）．

表 1 ● 経胎盤感染する病原体（Arora ら[1]，Raricot ら[2]，Robbins ら[7]，Lee ら[8] の文献をまとめて作成）

	病原体	疾患名	主な伝播経路	周産期予後（△：まれなものも含む）							
				第１三分期胎児死亡	第２三分期胎児死亡	死産	早期陣痛	胎児発育不全	胎児水腫	児への影響	母体への影響
細菌	ブルセラ属菌（*Brucella* 属）	ブルセラ症（地中海熱，マルタ熱）	食物摂取	○	○	○	○	○			○
	コクシエラ菌（*Coxiella burnetii*）	Q 熱	吸入			○		○			○
	B 群溶血性連鎖球菌（溶連菌）*Streptococcus agalactiae*	GBS 感染症								○（新生児早産型 GBS 感染症）	
	リステリア菌（*Listeria monocytogenes*）	リステリア症	食物摂取	○	○	○	○			○	○
	結核菌（*Mycobacterium tuberculosis*）	結核	空気感染				○			○	○（喀血，呼吸困難）
	梅毒トレポネーマ（*Treponema pallidum*）	梅毒	性行為		○	○			○	○（先天梅毒）	○（バラ疹，中枢神経浸潤，初期硬結，硬性下疳，脊髄癆）
ウイルス	B 型肝炎ウイルス（hepatitis B virus）	B 型肝炎	血液，性行為							○（B 型慢性肝炎）	○（HBV キャリア，B 型慢性肝炎）
	C 型肝炎ウイルス（hepatitis C virus）	C 型肝炎	血液，性行為							○（C 型慢性肝炎）	○（C 型慢性肝炎）
	E 型肝炎ウイルス 1 型（hepatitis E virus type 1：HEV-1）	E 型肝炎	便口感染	○	○	○	○	○			○（急性肝不全）
	サイトメガロウイルス（cytomegalovirus：CMV）	CMV 感染症	直接接触（体液，血液，唾液，尿，母乳）	△	△		○	○		○（小頭症，難聴，視力低下，痙攣，知能低下）	△（抵抗力低下があると，網膜炎，結腸･食道の潰瘍）
	単純ヘルペスウイルス（herpes simplex virus：HSV）	HSV 感染症（口唇ヘルペス，性器ヘルペス）	経口，性行為	△	△	△		△		○（新生児ヘルペス）	○（水泡，潰瘍，びらん）
	リンパ球性脈絡髄膜炎ウイルス（lymphocytic choriomeningitis virus：LCMV）	リンパ球性脈絡髄膜炎，急性無菌性髄膜炎	食物摂取，吸入	○	○				○	○	○（インフルエンザ様症状）
	パルボウイルス B19（parvovirus B19）	伝染性紅斑（リンゴ病）	エアロゾール，唾液，血液	○	○	○	○		○（非免疫性胎児水腫）	○（胎児貧血）	○（インフルエンザ様症状）
	風疹ウイルス（rubella virus）	風疹（三日はしか）	エアロゾール，分泌液	○	○	○		○		○（CRS）	○（発疹，目の充血，リンパ節の腫れ，関節痛，発熱，軽い咳）
	水痘帯状疱疹ウイルス（varicella zoster virus：VZV）	水痘（みずぼうそう）	エアロゾール，水疱	○	○	○		○		○（CVS）	○（発熱，痛みを伴う水泡）
	ジカウイルス（Zika virus）	ジカ熱	蚊，性行為	○	○			○（小頭症）			○（ギランバレー症候群）
	ヒト免疫不全ウイルス（human immunodeficiency virus）	HIV（AIDS）	血液，体液	○	○	○					○（日和見感染症，悪性腫瘍のリスクを高める）
	ヒト T 細胞白血病ウイルス（human T-cell leukemia virus）	成人 T 細胞白血病（ATL）	血液，母乳								○（キャリア化，ATL）
	インフルエンザウイルス（influenza virus）	インフルエンザ	エアロゾール								○（重症化）
	新型コロナウイルス	新型コロナウイルス感染症（COVID-19）	エアロゾール，体液								○（肺炎）
原虫	リーシュマニア属（*Leishmania* spp.）	リーシュマニア症	媒介動物								○
	マラリア（*Plasmodium falciparum*）	マラリア	媒介動物		○	○		○		○	○
	トキソプラズマ（*Toxoplasma gondii*）	トキソプラズマ症	食物摂取	○	○		○			○	△（軽い発熱，筋肉痛）
	トリパノソーマ属（*Trypanosoma* spp.）	シャーガス病，アフリカヒトねむり病	媒介動物					○		○	△（慢性心筋症，巨大食道症，または巨大結腸症）

先天性 CMV 感染症：（症候性）FGR に伴う低出生体重，肝脾腫，脳室内石灰化，脳室拡大，肝機能異常，血小板減少，網膜炎，痙攣などの症状を伴う．（無症候性）難聴や精神運動発達遅滞，てんかんなど遅発性障害を伴う．
先天性風疹症候群 CRS（congenital rubella syndrome）：白内障，難聴，心疾患，小頭症など
先天性水痘症候群 CVS（congenital varicella syndrome）：発達遅滞を伴う種々の神経障害，頭頸部や四肢軀幹の片側性の萎縮性瘢痕などの多発先天奇形，白内障，小頭症，水頭症

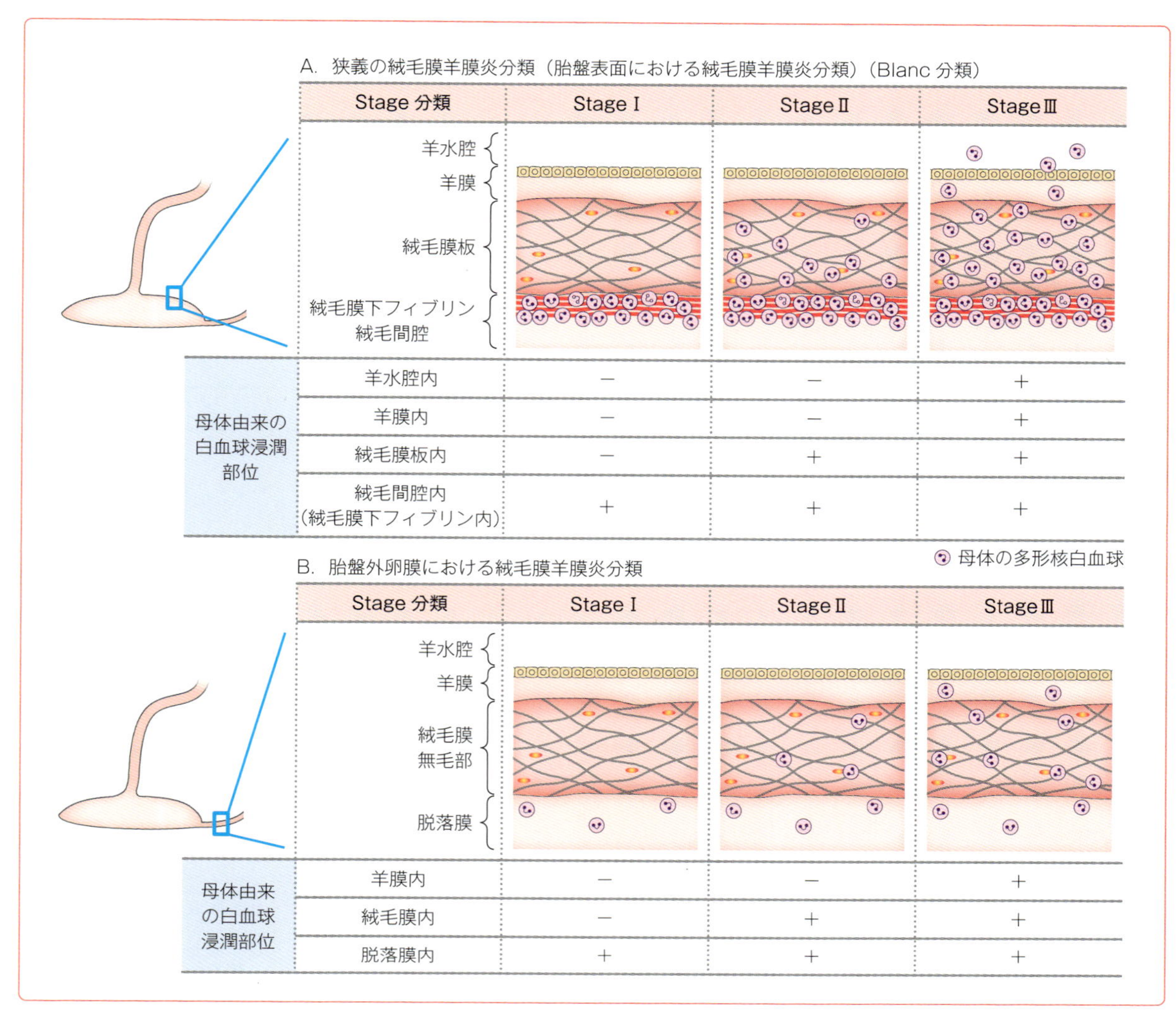

A. 狭義の絨毛膜羊膜炎分類（胎盤表面における絨毛膜羊膜炎分類）（Blanc 分類）

	Stage 分類	Stage Ⅰ	Stage Ⅱ	Stage Ⅲ
母体由来の白血球浸潤部位	羊水腔内	−	−	＋
	羊膜内	−	−	＋
	絨毛膜板内	−	＋	＋
	絨毛間腔内（絨毛膜下フィブリン内）	＋	＋	＋

B. 胎盤外卵膜における絨毛膜羊膜炎分類

	Stage 分類	Stage Ⅰ	Stage Ⅱ	Stage Ⅲ
母体由来の白血球浸潤部位	羊膜内	−	−	＋
	絨毛膜内	−	＋	＋
	脱落膜内	＋	＋	＋

図 2 ● 胎盤表面における絨毛膜羊膜炎分類（Blanc，1981）[9] ならびに胎盤外卵膜における絨毛膜羊膜炎分類

ステージⅠ：Intervillositis（Subchorionic）絨毛間腔炎（絨毛膜下）；母体由来の多形核白血球の浸潤が，絨毛間腔および絨毛膜下に限定されており，絨毛膜（板）に至っていないもの．

ステージⅡ：Chorionitis 絨毛膜（板）炎；母体由来の多形核白血球が，絨毛間腔から絨毛膜下から，さらに絨毛膜（板）まで浸潤しているが，羊膜には至っていないもの．

ステージⅢ：Chorioamnionitis 絨毛膜羊膜炎；母体由来の多形核白血球が，絨毛間腔，絨毛膜下，絨毛膜（板）から，さらに羊膜内，さらに羊水腔へと浸潤しているもの．

また，Blanc は臍帯における炎症のステージに関して記載していない．胎盤表面内の絨毛膜にある血管には胎児由来の血液が流れていることから，Blanc は funisitis（臍帯炎）および chorionic vasculitis（絨毛膜板血管炎）という用語を使用している．

胎盤外卵膜における絨毛膜羊膜炎分類を図 2B に示す．

Redline による分類：胎盤および臍帯における母体炎症反応ならびに胎児炎症反応のステージ分類・グレード分類（図 4A，4B，4C，4D）

胎盤の炎症と脳室周囲白質軟化症（periventricular leukomalacia；PVL）や慢性肺疾患（chronic lung disease；CLD）などの新生児の病態との間に強い関連性が明らかになるにつれて，羊水感染症における胎盤にみられる一般的な反応パターンを整理し，標準的な診断基準を用いて記載しようとする機運が高まってきた．2003 年，Redline らは「より詳細な記述を用いること，より特別な診断基準を用いること，標準化した診断用語を用いること」を目的として，胎盤ならびに臍帯における母体炎症反応ならびに胎児炎症反応を用いて胎盤および臍帯の病理診断を行うための新たな分類を提案した[11]．

この Redline による分類には，大項目として母体炎症反応，胎児炎症反応，それ以外の特徴的所見の 3 つがあり，さらに小項目として，母体と胎児の炎症反応についてのステージ分類（stage）とグレード分類（grade）がある．

- ステージ分類（stage）：疾患がどの程度進行してい

	Stage 分類	Stage Ⅰ	Stage Ⅱ	Stage Ⅲ
	臍帯静脈 臍帯動脈			
胎児由来の白血球浸潤	臍帯血管壁を越えている（Wharton 膠様質まで及んでいる）	−	−	+
	臍帯血管壁（筋層）まで及んでいる	−	+	+
	臍帯内皮にとどまる	+	+	+

図3 ● 臍帯炎の重症度分類（中山分類，1988年，一部改変）

ステージ1（1度）：白血球の浸潤が血管内皮にとどまり，血管壁には及ばないもの．
ステージ2（2度）：白血球の浸潤が血管壁にとどまり，血管壁を越えないもの．
ステージ3（3度）：白血球の浸潤が血管壁を越え，Wharton 膠様質にまで及んでいるもの．

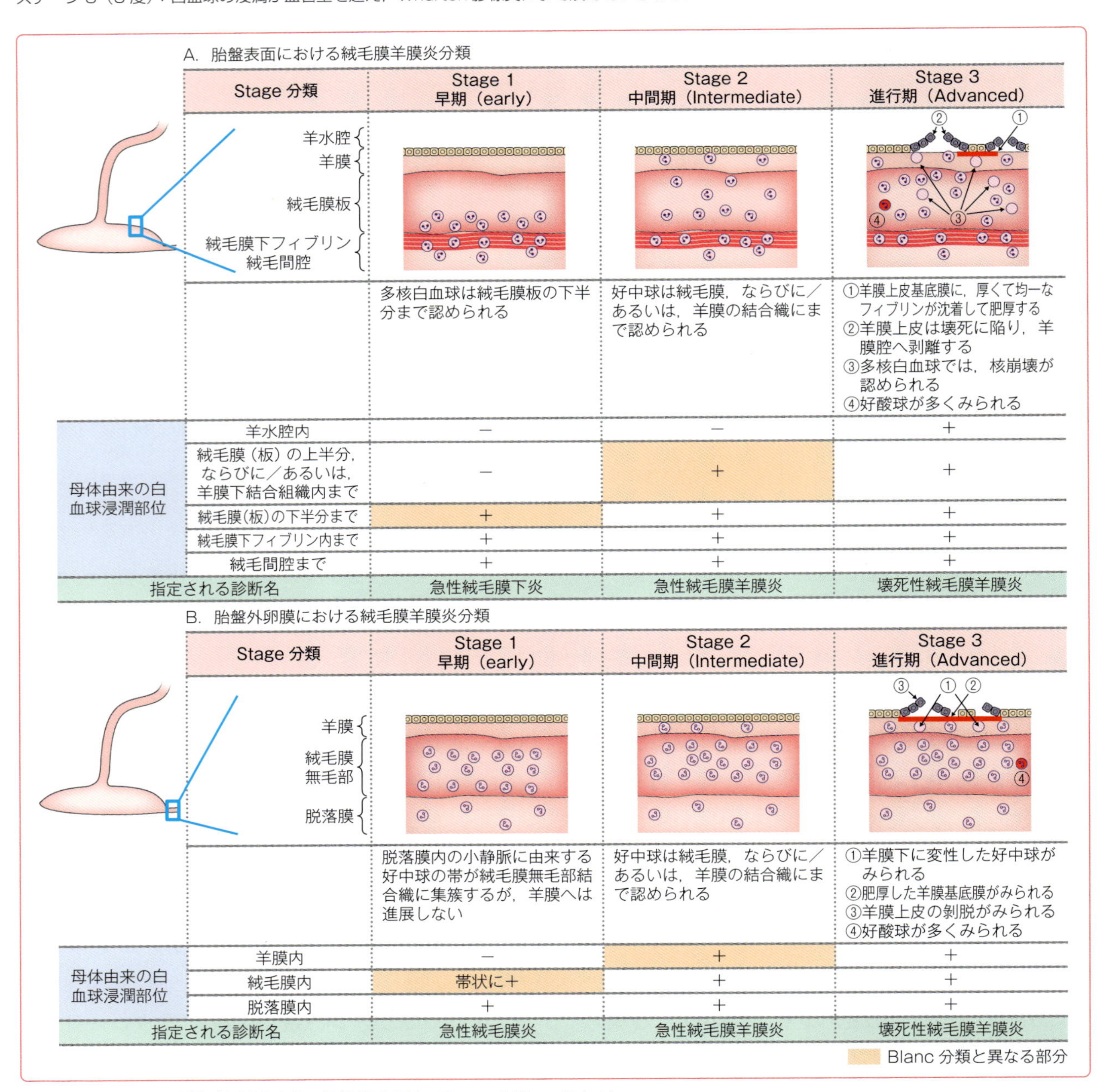

A．胎盤表面における絨毛膜羊膜炎分類

	Stage 分類	Stage 1 早期（early）	Stage 2 中間期（Intermediate）	Stage 3 進行期（Advanced）
	羊水腔 羊膜 絨毛膜板 絨毛膜下フィブリン 絨毛間腔			
		多核白血球は絨毛膜板の下半分まで認められる	好中球は絨毛膜，ならびに／あるいは，羊膜の結合織にまで認められる	①羊膜上皮基底膜に，厚くて均一なフィブリンが沈着して肥厚する ②羊膜上皮は壊死に陥り，羊膜腔へ剥離する ③多核白血球では，核崩壊が認められる ④好酸球が多くみられる
母体由来の白血球浸潤部位	羊水腔内	−	−	+
	絨毛膜（板）の上半分，ならびに／あるいは，羊膜下結合組織内まで	−	+	+
	絨毛膜（板）の下半分まで	+	+	+
	絨毛膜下フィブリン内まで	+	+	+
	絨毛間腔まで	+	+	+
指定される診断名		急性絨毛膜下炎	急性絨毛膜羊膜炎	壊死性絨毛膜羊膜炎

B．胎盤外卵膜における絨毛膜羊膜炎分類

	Stage 分類	Stage 1 早期（early）	Stage 2 中間期（Intermediate）	Stage 3 進行期（Advanced）
	羊膜 絨毛膜無毛部 脱落膜			
		脱落膜内の小静脈に由来する好中球の帯が絨毛膜無毛部結合織に集簇するが，羊膜へは進展しない	好中球は絨毛膜，ならびに／あるいは，羊膜の結合織にまで認められる	①羊膜下に変性した好中球がみられる ②肥厚した羊膜基底膜がみられる ③羊膜上皮の剥脱がみられる ④好酸球が多くみられる
母体由来の白血球浸潤部位	羊膜内	−	+	+
	絨毛膜内	帯状に+	+	+
	脱落膜内	+	+	+
指定される診断名		急性絨毛膜炎	急性絨毛膜羊膜炎	壊死性絨毛膜羊膜炎

Blanc 分類と異なる部分

図4A ● Redline 分類（2003年）：母体炎症反応（Stage 分類，一部改変）

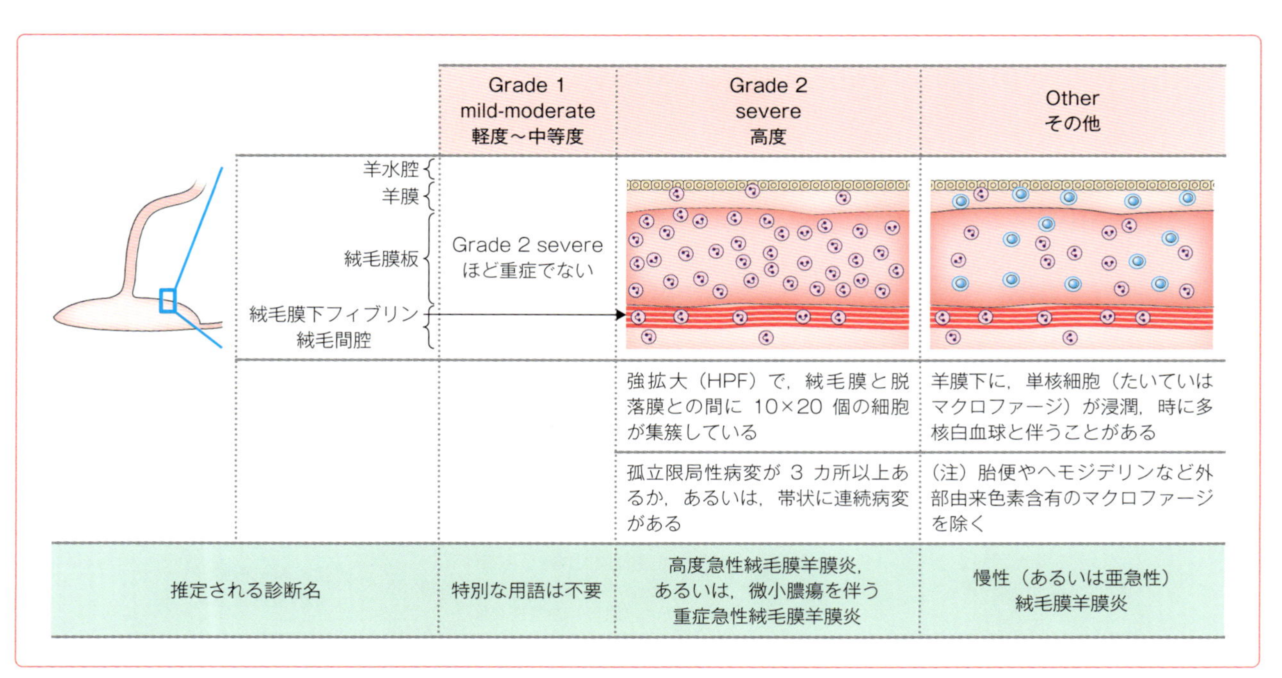

	Grade 1 mild-moderate 軽度～中等度	Grade 2 severe 高度	Other その他
羊水腔 羊膜 絨毛膜板 絨毛膜下フィブリン 絨毛間腔	Grade 2 severe ほど重症でない		
		強拡大（HPF）で，絨毛膜と脱落膜との間に 10×20 個の細胞が集簇している	羊膜下に，単核細胞（たいていはマクロファージ）が浸潤，時に多核白血球と伴うことがある
		孤立限局性病変が 3 カ所以上あるか，あるいは，帯状に連続病変がある	（注）胎便やヘモジデリンなど外部由来色素含有のマクロファージを除く
推定される診断名	特別な用語は不要	高度急性絨毛膜羊膜炎，あるいは，微小膿瘍を伴う重症急性絨毛膜羊膜炎	慢性（あるいは亜急性）絨毛膜羊膜炎

図 4B ● Redline 分類（2003 年）：母体炎症反応（Grade 分類，一部改変）

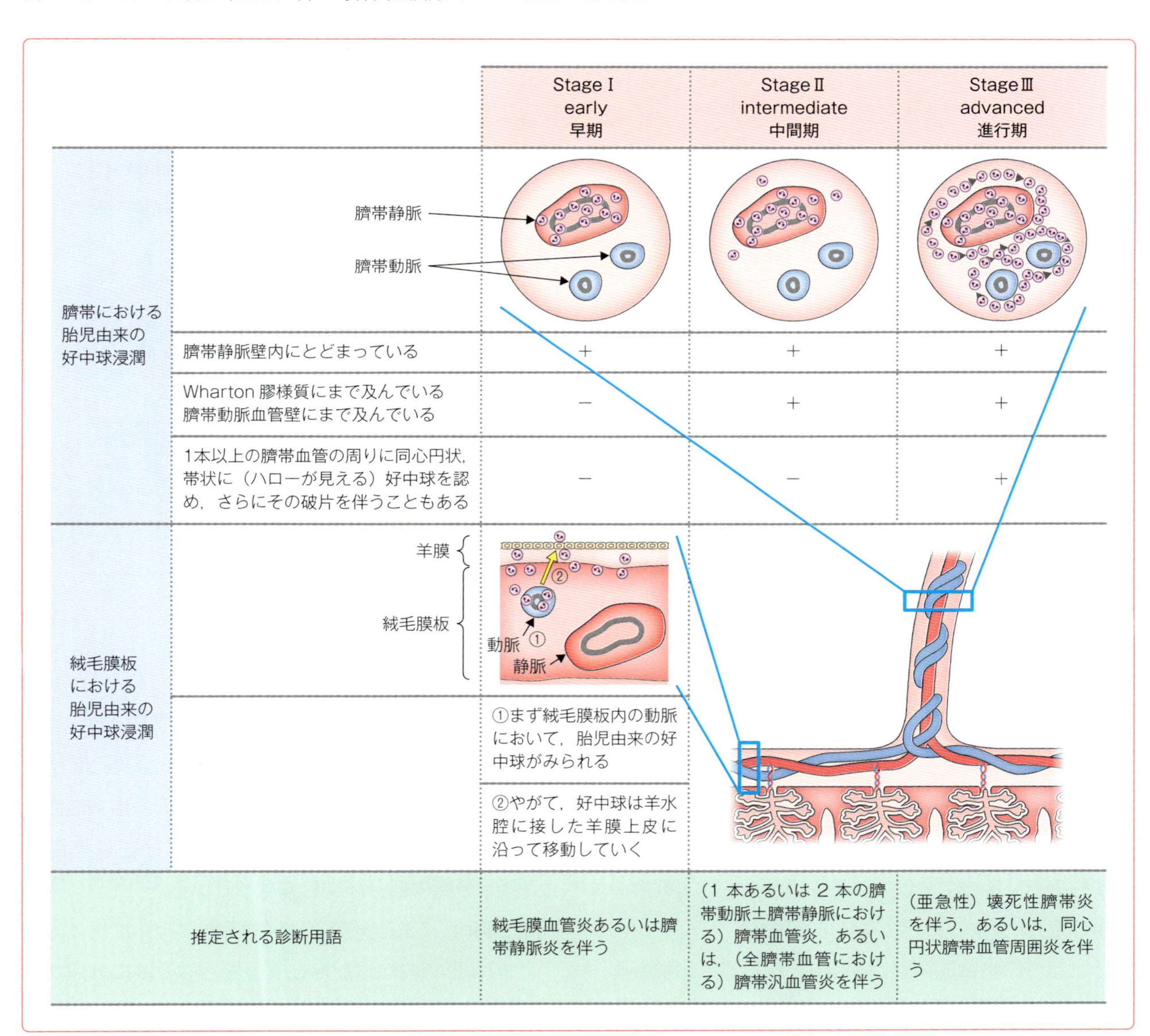

		Stage Ⅰ early 早期	Stage Ⅱ intermediate 中間期	Stage Ⅲ advanced 進行期
臍帯における胎児由来の好中球浸潤	臍帯静脈 臍帯動脈			
	臍帯静脈壁内にとどまっている	+	+	+
	Wharton 膠様質にまで及んでいる 臍帯動脈血管壁にまで及んでいる	−	+	+
	1本以上の臍帯血管の周りに同心円状，帯状に（ハローが見える）好中球を認め，さらにその破片を伴うこともある	−	−	+
絨毛膜板における胎児由来の好中球浸潤	羊膜 絨毛膜板	動脈 ① 静脈 ②		
		①まず絨毛膜板内の動脈において，胎児由来の好中球がみられる		
		②やがて，好中球は羊水腔に接した羊膜上皮に沿って移動していく		
推定される診断用語		絨毛膜血管炎あるいは臍帯静脈炎を伴う	（1 本あるいは 2 本の臍帯動脈±臍帯静脈における）臍帯血管炎，あるいは，（全臍帯血管における）臍帯汎血管炎を伴う	（亜急性）壊死性臍帯炎を伴う，あるいは，同心円状臍帯血管周囲炎を伴う

図 4C ● Redline 分類（2003 年）：胎児炎症反応（Stage 分類，一部改変）

	Grade 1 mild-moderate 軽度～中等度	Grade 2 severe 高度	Other その他
	右記ほど重症でない		
		絨毛膜血管，および／あるいは，臍帯血管の血管壁内にほぼぎっしりと多核白血球が集簇しており，血管平滑筋細胞の菲薄化／変性を伴っている	壁内多核白血球に関連して最近生じた血栓症
推定される診断用語	特別な用語は不要	重症胎児炎症反応を伴う，あるいは，極めて強い絨毛膜（臍帯）血管炎を伴う	関連する胎児血管の血栓症を伴う

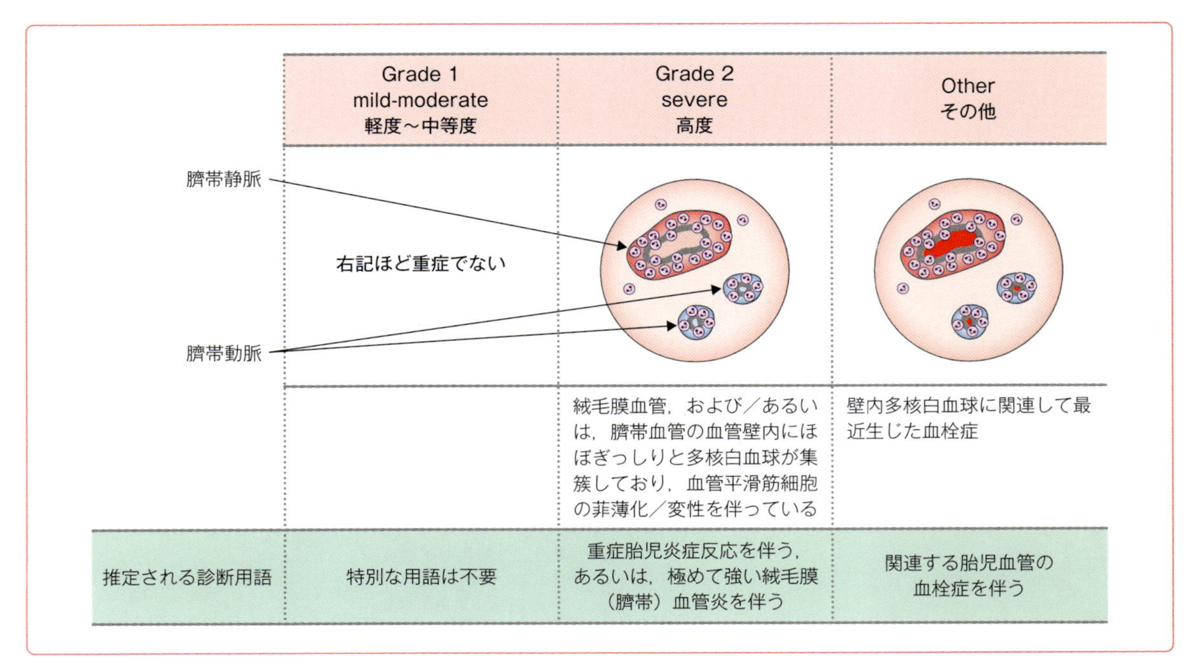

図 4D ● **Redline 分類（2003 年）：胎児炎症反応**（Grade 分類，一部改変）

臍帯周辺炎 (peripheral funisitis)	急性絨毛炎 (acute villitis)	絨毛間腔膿瘍を伴う 急性絨毛間腔炎 (acute intervillositis with intervillous abscesses)	脱落膜形質細胞 (decidual plasma cells)
臍帯表面に多核白血球が限局して集簇し，小さな点状で三角形をなす微小膿瘍を形成している	絨毛間質（あるいは，トロホブラストと間質との間〔トロホブラスト直下〕）に，胎児由来の多核白血球がみられる 時に絨毛間フィブリン内に好中球がみられる	絨毛間腔に多核白血球がほぼぎっしりと集簇しているが，隣接する絨毛間質への広がりは限局的である	被包脱落膜あるいは基底脱落膜層内に，形質細胞の小さな集合が明白に認められる

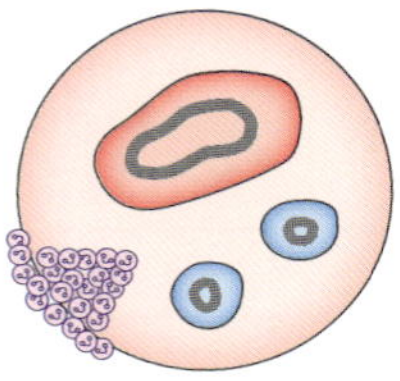

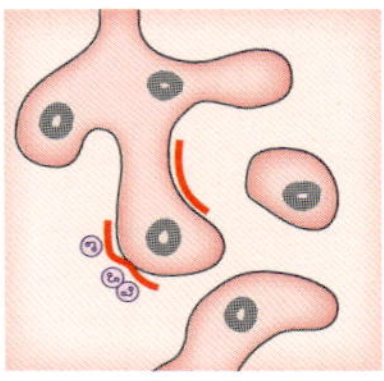

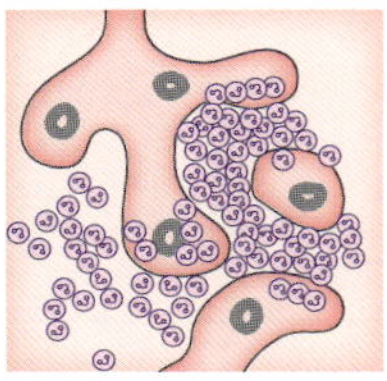

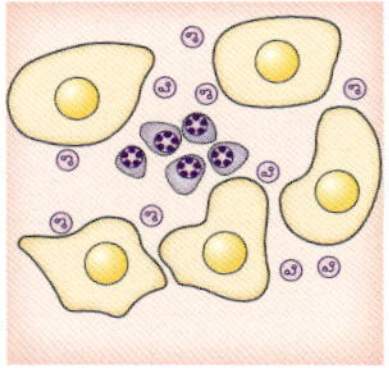

図 4E ● **その他の特徴的所見**（Redline 分類，2003 年，一部改変）

るかを示すもので，3 つのステージに分けている：ステージ 1（早期），ステージ 2（中間期），ステージ 3（進行期）．

- グレード分類（grade）：反応がどの程度強いかを示すもので，3 つに分けている：グレード 1（軽度～中等度），グレード 2（高度），その他．

それ以外の特徴的所見（**図 4E**）として，①臍帯周辺炎（臍帯の放射状の周辺または外面に位置する炎症），②急性絨毛炎，③絨毛間腔膿瘍を伴う急性絨毛間腔炎，④脱落膜形質細胞，を取り上げている．

Redline による分類と Blanc による分類とを比較すると，以下に示すように，母体由来の多形核白血球が絨毛膜板ならびに羊膜下結合織に存在する際の stage 分類の部分が少し異なっている．

1）Blanc による分類では，絨毛膜（板）に母体由来の多形核白血球が存在する場合はⅡ度に分類される．それに対し Redline による分類では，多形核白血球が絨毛膜（板）にあっても，その下半分（絨毛間腔側）にとどまっていれば，Ⅱ度ではなくⅠ度に分類する．

2）Blanc による分類では，羊膜下結合織に母体由来の多形核白血球が存在する場合はⅢ度に分類される．それに対し Redline による分類では，多形核白血球が羊膜下結合織にあれば，Ⅲ度ではなくⅡ度に分類する．

胎盤病理診断の新しい指針：Amsterdam placental workshop group consensus statement（2016）

Redline による分類は，Khong らによって 2016 年に発表された胎盤病理診断の新しい指針（Amsterdam placental workshop group consensus statement）の中の「上行性子宮内感染における母体炎症反応および胎児炎症反応のステージ分類とグレード分類」（表 2）[12] へと発展している．

臨床的 CAM

組織学的 CAM は絨毛膜や羊膜の中まで多形核白血球が急性で広範囲に浸潤している形態像を示すものである．組織学的 CAM を出生前に（児や胎盤の娩出前に）診断することはできない．一般的に組織学的 CAM は羊水内感染があることを示しているが，急性の組織学的 CAM は，「無菌性の（微生物が検出されない）羊水の炎症」が原因となることもある．感染がなくても白血球が増加することが知られており，特に母体へステロイドを投与すると白血球数増多が顕著になる．CRP などの炎症マーカーの経時的な測定による CAM 診断の有用性は明らかではなく，非特異的なマーカーの変化もあることに注意しながら管理する必要がある．羊水感染の診断は，羊水穿刺を行って羊水中の細菌の有無を調べることが必要であるが，全国どこの医療施設でもできるわけではなく，その有用性は現時点では確立されていない．

分娩後に組織学的 CAM と判明した母親から生まれた児において，PVL や CLD などの予後不良の後遺症を持った児がいることが明らかとなってきた．このような予後不良の児を減らすために，組織学的 CAM の症例を蓄積し，分娩前の母児の検査所見を後方的に検討が行われた．その結果，出生前に CAM の有無を母体および胎児の臨床的検査所見から予測しようとする臨床的 CAM という概念を用いることで，胎児に高度の感染や炎症が波及する前に，妊娠を終了するようになった．

現在では，Lencki ら（表 3）[13]，Romero ら（2015）（表 4）[14] や Gibbs ら（1988）（表 5）[15] のような臨床的 CAM の診断基準を用いて，子宮内や羊水内の感染の進行度を推定して，母児の管理が行われている．

しかしながら，肺炎，腎盂腎炎，虫垂炎，髄膜炎，インフルエンザなどの発熱を伴う疾患でも臨床的 CAM の診断基準を満たすことがあるので，母体発熱時にはこれらの疾患との鑑別が必要である．また，臨床的 CAM は必ずしも組織学的 CAM と一致しないこと，臨床的 CAM の症状は比較的遅い時期に出現することなどから，臨床的 CAM の診断基準を超えなくても，常に組織学的 CAM の可能性を認識した上で管理する

表 2 ● 上行性子宮内感染における母体炎症反応および胎児炎症反応のステージ分類とグレード分類（2016）（一部改変）

母体炎症反応			
ステージ 1	急性絨毛膜下炎または絨毛膜炎	グレード 1	グレード 2 の定義のような重症ではない
ステージ 2	急性絨毛膜羊膜炎：多形核白血球の線維性絨毛膜および／または羊膜内への進展	グレード 2	重症：ぎっしり重なり合っている（コンフルエントな）多形核白血球が存在する，または，それを伴う絨毛膜下微小膿瘍を認める
ステージ 3	壊死性絨毛膜羊膜炎：多形核白血球の核破裂，羊膜細胞壊死，および / または羊膜基底膜の好酸球増多		
胎児炎症反応			
ステージ 1	絨毛膜血管炎または臍帯静脈炎	グレード 1	グレード 2 の定義のような重症ではない
ステージ 2	臍帯静脈および 1 本以上の臍帯動脈が炎症を起こしている	グレード 2	重症：ほぼぎっしり重なり合っている（コンフルエントに近い）壁内の多形核白血球が存在し，血管平滑筋の減弱を認める
ステージ 3	壊死性臍帯炎		

表3 ● Lenckiらによる臨床的CAMの診断基準（Lenckiら，1994）

Ⅰ）母体に38.0℃以上の発熱が認められ，かつ以下の4項目中，1項目以上認める場合
①母体頻脈（≧100拍／分）
②子宮の圧痛
③腟分泌物／羊水の悪臭
④母体白血球数増多（≧15,000/μL）
Ⅱ）母体体温が38.0℃未満であっても，上記4項目すべて認める場合

表4 ● Romeroらによる臨床的CAMの診断基準（Romeroら，2015）

母体に37.8℃以上の発熱が認められ，かつ以下の5項目中，2項目以上認める場合
①子宮の圧痛
②悪臭のある腟分泌物
③胎児頻脈（>160拍／分）
④母体頻脈（>100拍／分）
⑤母体白血球数増多（>15,000/μL）

表5 ● Gibbsらによる臨床的CAMの診断基準（Gibbsら，1988）

母体に37.8℃以上の発熱＋破水が認められ，かつ以下の5項目中，2項目以上認める場合
①母体頻脈（>100拍／分）
②子宮の圧痛
③膿性あるいは悪臭のある羊水
④胎児頻脈（>160拍／分）
⑤母体白血球数増多（>15,000/μL）

ことが望ましい．

triple I（トリプル・アイ）

CAMと診断するためには，炎症が存在していることが必須である．「分娩中に母体に発熱を認めること」イコール「CAMが疑われる」という考え方は正しくないという理由から，CAMという用語の使用をやめて，新しく「triple I」という概念を用いることが，2015年に提案されている[16]．

「triple I」とは「子宮内炎症（intrauterine inflammation）」，あるいは「子宮内感染（intrauterine infection）」，あるいは「子宮内炎症＋子宮内感染」という3つの概念を合わせたもので，表6のように定義されている．

triple Iという概念を確定するためには，妊娠中の羊水穿刺，および，分娩後の胎盤病理提出が必須となる．胎盤病理検査は全国どこの施設でも検査可能であるが，妊娠中に羊水穿刺を行い，羊水中の検査（グラム染色，グルコース濃度測定，白血球数のカウント，羊水培養）を行うことは，ほとんどの病院では行われていない．筆者の施設では，これらの検査体制を確立

表6 ● triple Iの分類（Higginsら，2016）[16]

用　語	徴候およびコメント
isolated maternal fever 単発性の母体発熱 （"documented fever" カルテ文書として記載された発熱）	母体の口腔内温度を測定し，≧39℃（102.2℉）が1回以上であれば，"documented fever"（カルテ文書として記載された発熱）とする． もし母体の口腔内温度が≧38.0℃（100.4℉），≦39.0℃（102.2℉）である場合は，30分後に再検査を行う． 再検査においても≧38.0℃（100.4℉）である場合は，"documented fever"（カルテ文書として記載された発熱）とする
suspected triple I triple Iの疑い	①明らかな感染源のない母体発熱がある． かつ，以下の②〜④のうち，どれか1つでも認める． ②一過性頻脈・一過性徐脈・基線細変動の著しい増加を除いた部分において，胎児心拍数基線が160拍/分を超えた状態が10分以上認められる． ③コルチコステロイドを使用していないにもかかわらず，母体白血球数が15,000/μLを超えている． ④子宮口から明らかな膿状帯下がある．
confirmed triple I 確定されたtriple I	以下の①〜④のすべてを認める． ①明らかな感染源のない母体発熱がある． ②一過性頻脈・一過性徐脈・基線細変動の著しい増加を除いた部分において，胎児心拍数基線が160拍/分を超えた状態が10分以上みられる． ③コルチコステロイドを使用していないにもかかわらず，母体白血球数が15,000/μLを超えている． ④子宮口から明らかな膿状帯下がある． かつ，以下の⑤あるいは⑥のような，感染と診断できる客観的な検査所見を認める． ⑤羊水内の炎症を示す客観的な検査所見（細菌のグラム染色陽性，羊水グルコース濃度低値〔≦14mg/mL〕，血液混入がないのに羊水中の白血球数が高値〔>30個/mm^3〕，あるいは，羊水培養にて菌が陽性）． ⑥胎盤，胎児膜，あるいは臍帯血管に，組織学的な感染，あるいは，炎症，あるいは感染＋炎症が認められる（臍帯にあれば臍帯炎 funisitis） ※羊水検査を行うためには，羊水穿刺をすべきである． ※分娩後には胎盤病理検査を行う．

（注）これまでのCAMという用語の使用を中止する．

しており，羊水内感染と児の予後との関連性を報告している[17, 18]．

母子間の垂直感染の予防

感染症予防として，妊産婦向けの「赤ちゃんとお母さんの感染予防対策５ヶ条」（日本周産期・新生児医学会，2013年）を以下に抜粋する．

1. 妊娠中は家族，産後は自分にワクチンで予防しましょう！
2. 手をよく洗いましょう！
3. 体液に注意！
4. しっかり加熱したものを食べましょう！
5. 人ごみは避けましょう！

引用・参考文献

1) Arora N. et al. Microbial Vertical Transmission during Human Pregnancy. Cell Host Microbe. 21(5), 2017, 561-7.
2) Racicot K. et al. Risks associated with viral infections during pregnancy. J Clin Invest. 127(5), 2017, 1591-9.
3) León-Juárez M. et al. Cellular and molecular mechanisms of viral infection in the human placenta. Pathog Dis. 75(7), 2017, ftx093.
4) Crocker IP. et al. Syncytiotrophoblast degradation and the pathophysiology of the malaria-infected placenta. Placenta. 25(4), 2004, 273-82.
5) Duaso J. et al. *Trypanosoma cruzi* induces apoptosis in ex vivo infected human chorionic villi. Placenta. 32(5), 2011, 356-61.
6) Robbins JR. et al. Placental syncytiotrophoblast constitutes a major barrier to vertical transmission of Listeria monocytogenes. PLoS Pathog. 6(1), 2020, e1000732.
7) Robbins JR. et al. Tissue barriers of the human placenta to infection with Toxoplasma gondii. Infect Immun. 80(1), 2012, 418-28.
8) Lee JK. et al. Recent Updates on Research Models and Tools to Study Virus-Host Interactions at the Placenta. Viruses. 12(1), 2019, 5.
9) Blanc WA. "Pathology of the placenta, membranes, and umbilical cord in bacterial, fungal, and viral infections in man". Perinatal Disease. Vol. 22 in International Academy of Pathological Monography. Naeye, RL, et al. eds. Baltimore, Williams & Wilkins, 1981, 67-132.
10) 中山雅弘．"胎盤胎児面の観察とその異常"．目で見る胎盤病理．東京，医学書院，2002，19-25.
11) Redline RW. et al. Amniotic infection syndrome: Nosology and reproducibility of placental reaction patterns. Pediatr Dev Pathol. 6(5), 2003, 435-48.
12) Khong TY. et al. Sampling and Definitions of Placental Lesions: Amsterdam Placental Workshop Group Consensus Statement. Arch Pathol Lab Med. 140(7), 2016, 698-713.
13) Lencki SG. et al. Maternal and umbilical cord serum interleukin levels in preterm labor with clinical chorioamnionitis. Am J Obstet Gynecol. 170(5Pt1), 1994, 1345-51.
14) Romero R. et al. Clinical chorioamnionitis at term I: microbiology of the amniotic cavity using cultivation and molecular techniques. J Perinat Med. 43(1), 2015, 19-36.
15) Gibbs RS. et al. A randomized trial of intrapartum versus immediate postpartum treatment of women with intra-amniotic infection. Obstet Gynecol. 72(6), 1988, 823-8.
16) Higgins RD. et al. Chorioamnionitis Workshop Participants : Evaluation and management of women and newborns with a maternal diagnosis of chorioamnionitis: Summary of a Workshop. Obstet Gynecol. 127(3), 2016, 426-36.
17) Ueno T. et al. Eukaryote-made thermostable DNA polymerase enables rapid PCR-based detection of mycoplasma, ureaplasma and other bacteria in the amniotic fluid of preterm labor cases. PLoS One. 10(6), 2015, e0129032.
18) Yoneda S. et al. Antibiotic therapy increases the risk of preterm birth in preterm labor without intra-amniotic microbes, but may prolong the gestation period in preterm labor with microbes, evaluated by rapid and high-sensitive PCR system. Am J Reprod Immunol. 75(4), 2016, 440-50.

富山大学附属病院 ● 塩﨑有宏

GBS

概念・定義・分類・病態

B群溶血性連鎖球菌（Group B *Streptococcus*；GBS）感染症は，*Streptococcus agalactiae* による感染である．妊婦の保菌率は15～40%といわれ[1]，そのほとんどは無症候性保菌者であり，主に分娩時に経産道的に新生児に垂直感染する．絨毛膜羊膜炎の起因菌としても重要であり，時に上行性に胎内感染を引き起こし，胎児期における敗血症や胎児死亡の原因となる．新生児期の感染は早発型（生後1日以内）と遅発型（生後7日以降）がある．早発型GBS感染症は，呼吸器症状（無呼吸，あえぎ呼吸，陥没呼吸）や発熱を初発症状とし，敗血症，髄膜炎，肺炎などを呈する．遅発型GBS感染症は，主に水平感染により発症し，菌血症，髄膜炎，まれに蜂窩織炎，化膿性関節炎，肺炎を呈する．わが国では，早発型GBS感染発症率は0.09/1,000出生，遅発型GBS感染症発症率は0.12/1,000出生と推測されている[2]．以前は死亡率や後遺症の頻度が高かったが，最近では妊婦健診におけるスクリーニングの効果で早期対応が可能となったため，いずれも低下傾向にある．

要　点

わが国では妊娠35～37週に腟分泌物培養検査によるuniversal screening（全妊婦に対する検査）が推奨されている．米国産科婦人科学会（ACOG）は，2020年に検査時期の推奨を妊娠36～37週とした[3]．わが国でも，今後ガイドラインの推奨が変更される可能性がある．検査陽性妊産婦や，垂直感染のハイリスク妊婦（後述）へは，経腟分娩中もしくは前期破水後に予防的抗菌薬投与を行う（図1）．

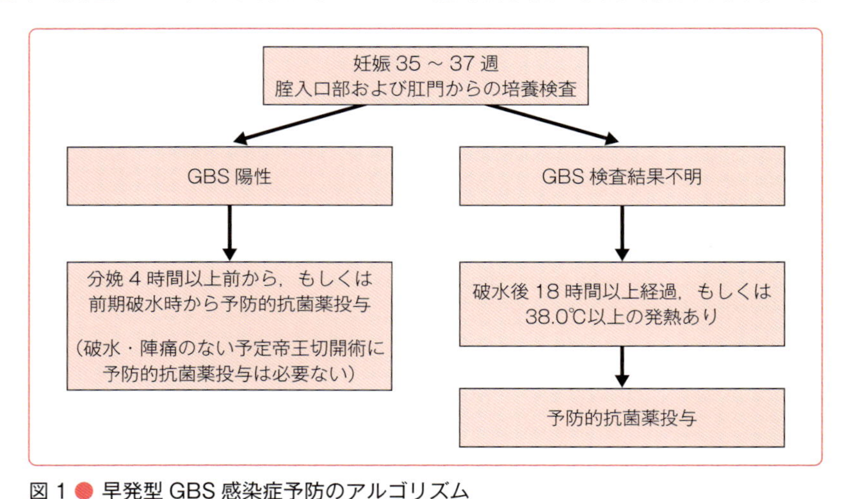

図1● 早発型GBS感染症予防のアルゴリズム

参考 『産婦人科診療ガイドライン：産科編2020』CQ603 正期産新生児の早発型B群溶血性レンサ球菌（GBS）感染症を予防するためには？[4]

診　断

妊娠後期の腟分泌物培養検査によるスクリーニングを行う．米国では，universal screeningにより，新生児早発型GBS感染症が1.7/1,000出生から0.32/1,000出生まで低下した[5]．わが国のガイドラインでも2008年から米国式のuniversal screeningを推奨している．2020年版のガイドライン[4]では，妊娠35～37週に腟入口部ならびに肛門から検体を採取することが推奨されている．検体の採取時期は，分娩前5週間以内が陽性的中率，陰性的中率ともに高い．したがって，前回検査から5週間経過し，まだ分娩に至っていない妊婦に対しては，再度検査を行うことが望ましい．ACOGは，2020年のCommittee Opinionにおいて，universal screeningの推奨を妊娠36～37週に変更した[3]．米国のように妊娠36週以降の検査を推奨するならば，正期産期に再度検査を行う必要はなくなる．また，GBSは腟内や腸管に多数存在する常在菌（*Lactobacillus*，*E.coli*など）によりsuppressionされ，直接培養法では検出感度が低下するため，ACOGではGBSの増菌培養ならびに選択培地の使用を推奨している[3]．しかしながら，この方法では検査に必要な時間が延長されること，検査費用が増大することなどの課題があり，わが国の検査体制の実情に鑑み，現段階では妊娠35～37週が推奨されている．近年，わが国でも増菌培養の有用性が報告されてきており[6, 7]，今後，検査時間や費用の問題が解決されれば，universal screeningの推奨時期や検査手法も変わってくることが予想される．

管　理

GBSスクリーニング検査陽性妊産婦へは，経腟分娩中もしくは前期破水後に予防的抗菌薬投与を行う．分娩の4時間以上前から抗菌薬投与を開始し，抗菌薬の血中濃度を維持することは，早発型新生児GBS感染症予防に有効である．抗菌薬はペニシリンを第1選択とし，ペニシリン過敏症のある妊婦へはクリンダマイシンやエリスロマイシンを選択する（表1）．また，スクリーニング検査結果が不明な妊産婦でも，「前児がGBS感染症を発症した既往がある」「今回妊娠中の尿培養でGBSが検出された」「GBS保菌状態不明で，破水後18時間以上経過，または38.0℃以上の発熱がある」場合には，早発型GBS感染症のハイリスクとみなし，予防的抗菌薬投与を行う（図1）．

早産児は，GBSの保菌が陰性の場合を除いて，新生児早発型GBS感染症のハイリスクと考えられている．ACOGのCommittee Opinionでは切迫早産での新生児早発型GBS感染症予防について，①切迫早産と診断し分娩が近いと判断されたら，まずGBS培養検査を行い，GBS感染症の予防のためにペニシリン系などの抗菌薬の点滴を開始すること，②そのまま分娩になれば，抗菌薬を分娩まで継続すること，③すぐに分娩にならなければ抗菌薬は中止し，GBS培養の結果を待つが，GBS陽性であれば分娩時に抗菌薬を投与すること，を推奨している[3]．わが国においても，切迫早産と診断したら，予防的抗菌薬投与とGBS培養検査を行い，新生児早発型GBS感染症の予防に努めることが重要である．

Clinical Tips

当院においてGBSのuniversal screeningを実施する際，従来の検査法に加えて増菌培養および選択分離培地の使用を行った場合に，臨床現場にどのようなインパクトがあるか試算した（図2）．当院ではGBSの分離培養法として4種類の培地を使用している．仮に，増菌培養とGBS選択分離培地を追加したならば，増菌培養で1日，さらに選択分離培地での培養で1日かかるため，検査時間は2日間延長することになる．また，1検体あたりの価格は増菌培地で180～300円，選択分離培地で250円程度増額すると試算された（いずれも定価から算出）．

表1 ● GBS保菌妊婦への予防的抗菌薬投与法[3]

- ペニシリンG
  初回：500万単位静注．以降4時間ごとに250万～300万単位静注（分娩まで）
- アンピシリン
  初回：2g静注．以降4時間ごとに1g静注（分娩まで）
- セファゾリン（ペニシリン過敏症がある妊婦に使用）
  初回：2g静注．以降8時間ごとに1g静注（分娩まで）（アナフィラキシー歴）
- クリンダマイシン（アナフィラキシーの危険が高い妊婦に使用）
  初回：900mg静注．以降8時間ごとに900mg静注（分娩まで）
- エリスロマイシン（アナフィラキシーの危険が高い妊婦に使用）
  初回：500mg静注．以降6時間ごとに500mg静注（分娩まで）
- バンコマイシン（アナフィラキシーの危険が高く，GBSがクリンダマイシン，エリスロマイシンに耐性がある場合に使用）
  初回：1g静注．以降12時間ごとに1g静注（分娩まで）

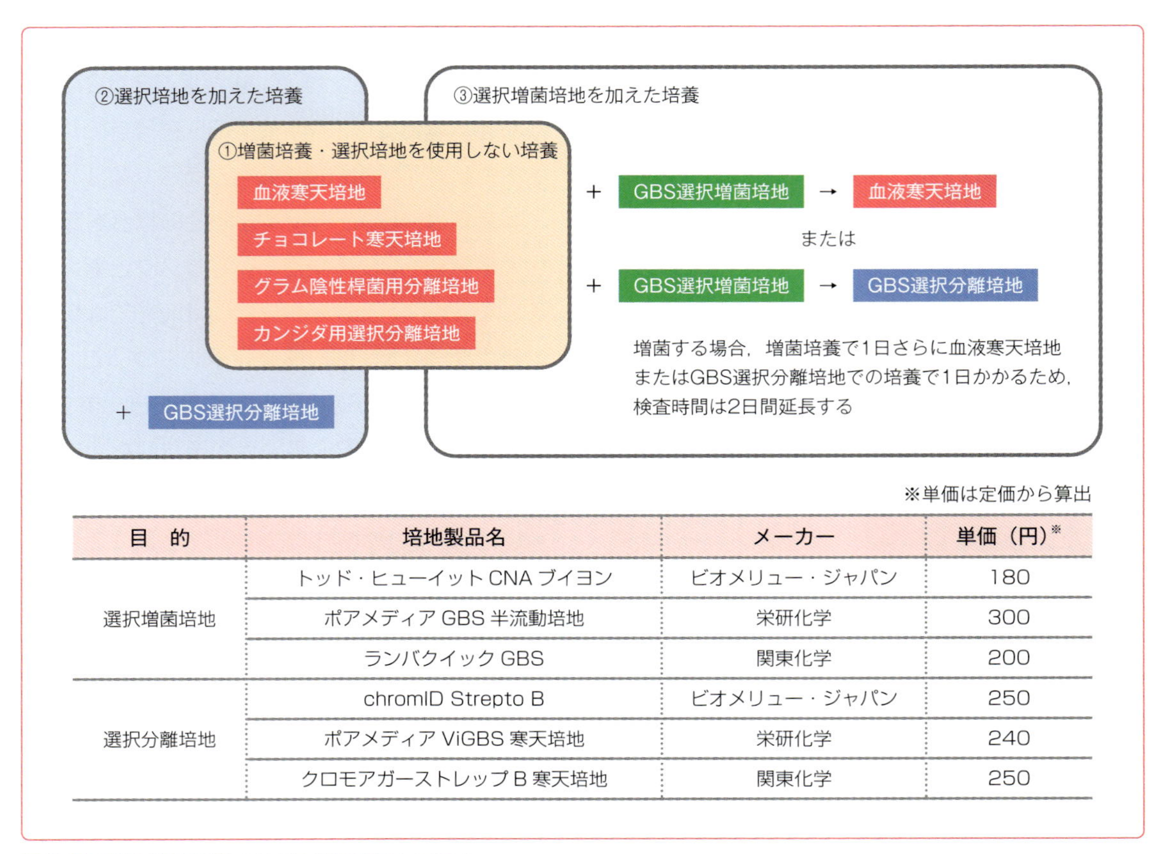

※単価は定価から算出

目　的	培地製品名	メーカー	単価（円）※
選択増菌培地	トッド・ヒューイット CNA ブイヨン	ビオメリュー・ジャパン	180
	ポアメディア GBS 半流動培地	栄研化学	300
	ランバクイック GBS	関東化学	200
選択分離培地	chromID Strepto B	ビオメリュー・ジャパン	250
	ポアメディア ViGBS 寒天培地	栄研化学	240
	クロモアガーストレップ B 寒天培地	関東化学	250

図 2 ● GBS 増菌培養にかかる検査時間とコスト

引用・参考文献

1) Regan JA. et al. The epidemiology of group B streptococcal colonization in pregnancy. Vaginal Infections and Prematurity Study Group. Obstet Gynecol. 77(4), 1991, 604-10.
2) Matsubara K. et al. Group B streptococcal disease in infants in the first year of life: a nationwide surveillance study in Japan, 2011-2015. Infection. 45(4), 2017, 449-58.
3) Prevention of Group B Streptococcal Early-Onset Disease in Newborns: ACOG Committee Opinion, Number 797. Obstet Gynecol. 135(2), 2020, e51-72.
4) 日本産科婦人科学会・日本産婦人科医会 編集・監修．"CQ603 正期産新生児の早発型 B 群溶血性レンサ球菌（GBS）感染症を予防するためには？"．産婦人科診療ガイドライン：産科編 2020．2020，297-9.
5) Verani JR. et al. Division of Bacterial Diseases, National Center for Immunization and Respiratory Diseases, Centers for Disease Control and Prevention (CDC). Prevention of perinatal group B streptococcal disease—revised guidelines from CDC, 2010. MMWR Recomm Rep. 59 (RR-10), 2010, 1-36.
6) 尾崎さゆ里ほか．多施設合同検討で得られた GBS スクリーニング検査における増菌培養の有用性．医学検査．70(2)，2021，267-72.
7) 丹野大樹ほか．GBS スクリーニング検査における新規 GBS 増菌培地の基礎的検討とラテックス凝集法併用の有用性．医学検査．70(1)，2021，15-22.

東邦大学医療センター大森病院 ● 早田英二郎

風　疹

概　要

ポイントは，スクリーニングを理解すること，風疹感染（疑いを含む）妊婦の対応，排除を目指したワクチン接種の徹底である．

妊婦が妊娠 20 週頃までに風疹ウイルスに感染すると，母子感染により胎児に白内障，感音性難聴，先天性心疾患，その他さまざまな病態を引き起こすことがあり，先天性風疹症候群（congenital rubella syndrome：CRS）と称する．近年では 2013 年前後の風疹流行により 45 例，2018 ～ 2019 年の風疹流行により 4 例の CRS が報告された（2020 年 4 月現在）．

感染時の妊娠週数が早いほど発生率が高く重症となる．抗体を持たない女性の初感染においてリスクが高い．母親が顕性感染した CRS 発生頻度は，『産婦人科診療ガイドライン：産科編』2020 年版では記載が外れたが，その前の 2017 年版までの記載では [1] 妊娠 4 ～ 6 週で 100%，7 ～ 12 週で 80%，13 ～ 16%で 45 ～ 50%，17 ～ 20 週で 6%，20 週以降では 0%とされている．一方，国立感染症研究所 website の記載では [2]，妊娠 1 カ月で 50%以上，妊娠 2 カ月で 35%，妊娠 3 カ月で 18%，妊娠 4 カ月で 8%と，かなり異なるので，情報提供の際には注意する．最終月経前の発症では発生しない．一方，不顕性感染や，まれに母親にワクチン接種歴のある場合でも CRS は発生し得るが，顕性初感染と比較すれば発生リスクは低い．

感染が成立してから CRS の発生率を下げる手段はなく，男女全員へのワクチン接種を徹底し風疹流行を排除することが唯一の発生予防法である．近年は成人男性が流行の中心であり，2019 ～ 2021 年度末の約 3 年間にかけて，これまで風疹の定期接種を受ける機会がなかった 1962 年 4 月 2 日～ 1979 年 4 月 1 日生まれの男性（同年代の女性は中学校で接種）を対象に，風疹の抗体検査を前置した上で定期接種（A 類）が行われているが，検査受検率は低迷している．

CRS は風疹流行により増加するが，実際の症例に遭遇することはほとんどなく，妊婦に無用な不安を与えてはならない．「風疹 HI 抗体価が高い」「風疹特異的 IgM が陽性」などの血清学的所見だけで CRS ハイリスク例とは判断されない．判断に迷う場合は，地区ブロックごとの相談窓口（二次施設）が利用できる．二次施設でのカウンセリング要請や，胎児診断等の希望がある場合には，二次施設へ紹介する．

参考 『産婦人科診療ガイドライン：産科編 2017・2020』CQ605 妊婦における風疹罹患の診断と児への対応は？
国立感染症研究所感染症疫学センター website

妊娠初期スクリーニング

まず問診を行う．発疹，発熱，頸部リンパ節腫脹（耳後部が特徴的），風疹患者との明らかな接触が聴取され，風疹感染が疑われたら，スクリーニングではなくペア血清で感染診断を行う．『産婦人科診療ガイドライン』[1] では問診項目に「小児との接触が多い就労」を含めているが，近年の風疹流行状況では小児より成人男性に患者が多く，実情にそぐわない．2013 年の風疹流行による CRS では受付業務・レジ業務従事者や通勤ラッシュなどが感染機会と考えられる例があり，本書の改訂 3 版では，不特定多数，特に当時の 20 ～ 40 代男性（現在では 30 ～ 50 代男性に相当）と接触する機会のある職業を問診項目に加えている．

妊娠初期に風疹抗体スクリーニングを行う最も大切

な目的は，抗体陰性・低抗体価の者に風疹感染を予防するよう注意喚起をすることであり，CRS のハイリスク例を抽出することではない．スクリーニングは感染診断とまったく別物であり，問診で何も聴取されない妊婦に対してスクリーニングの抗体価で CRS のリスク評価を行うことはそもそも意味がない．

わが国のスクリーニングでは，感染時の抗体価の動きなどが十分に検討されている HI 法が推奨されている．EIA 法による IgG 抗体の読み換えが感染症疫学センター website で公開されている[3]（表 1）．

妊娠初期，できれば妊娠の初診時に，風疹 HI 抗体価を測定する．初診時を推奨する目的は，抗体陰性および低抗体価の者をなるべく早く見つけ，注意喚起することにある．HI 陰性および 16 倍以下の者に対しては，妊娠 20 週頃までは人混みを避け，同居家族がワクチン未接種であれば接種を勧め，本人は妊娠の終了後にワクチン接種を受けるよう情報提供をする．

現在のガイドラインでは[1]，妊娠初期の検査で HI 抗体価が 256 倍以上の場合に高抗体価と判断し，問診とともに風疹感染診断を行うこととされているが，HI は個人差が大きく，実際，256 倍以上の妊婦は 11% おり（筆者施設，表 2），いずれも風疹感染ではなく CRS は 1 例もない．しかも，最近の感染でないにもかかわらず風疹特異的 IgM が陽性を示す persistent IgM が存在し，過去の自験例では非流行期でも HI 256 倍以上の者のうち±以上（0.80 以上）が 2.9%存在し（全体では 1.4%），CRS はなかった[4]．無症状かつ風疹患者接触のない妊婦のスクリーニングにおいて，HI の高値や IgM の陽性をきっかけに風疹感染が診断されることはまずない．風疹初感染では IgM が陽性となるが逆は必ずしも真ではなく，スクリーニングと感染診断は同一ではないことを理解し，妊婦に無用な不安を与えてはならない．非流行期であれば，問診を確認した上で，ワクチン接種歴や過去の抗体測定歴等を考慮すれば（例えば数カ月前にワクチン接種を受けた，前回妊娠でも HI が高かった等），再検査を省略しても実際には差し支えない．

表 1 ● HI と EIA の読み替えの目安[3]

【HI 価 1：16 以下】
⇒ EIA-IgG 価 8.0 未満
【HI 価：1：256 以上】
⇒ EIA-IgG 価 45.0 以上
【HI 価 4 倍以上の上昇】
⇒ EIA-IgG 価 2 倍以上の上昇

表 2 ● 風疹 HI 抗体価の分布

風疹 HI	人数（n = 4,024）	
<8	204	16 倍以下 784 例 (19.5%)
8	143	
16	437	
32	899	
64	1,083	
128	814	
256	332	256 倍以上 444 例 (11.0%)
512	102	
1,024	8	
2,048	2	

(2015 年 4 月～ 2019 年 1 月，横浜医療センター)

風疹感染（疑い含む）妊婦の対応

前項の通り，スクリーニングの過程で指摘された風疹特異的 IgM 陽性例において，ただちに風疹感染が疑われることはまずないが，判断に迷う場合は，各地区ブロック相談窓口（二次施設：表 3）に相談してもよい．本書の改訂 3 版では，紹介された二次施設での判断の一例として，①妊娠中の風疹発症がない，②風疹

表 3 ● 二次施設

北海道	北海道大学病院　産科
東北	東北公済病院　産科・婦人科
	宮城県立こども病院　産科
関東	青山会　ミューズレディスクリニック
	帝京大学医学部附属溝口病院　産婦人科
	横浜市立大学附属病院　産婦人科
	国立成育医療研究センター　周産期・母性診療センター
	杏林大学医学部付属病院　産婦人科
	国立病院機構横浜医療センター　産婦人科
	神奈川県立こども医療センター　産婦人科
東海	名古屋市立大学病院　産婦人科
北陸	石川県立中央病院　産婦人科・総合母子医療センター
近畿	国立循環器病研究センター　周産期・婦人科
	大阪母子医療センター　産科
中国	川崎医科大学附属病院　産婦人科
四国	国立病院機構 四国こどもとおとなの医療センター　産科
九州	宮崎大学医学部附属病院　産科
	九州大学病院　総合周産期母子医療センター

患者との濃厚接触がない，③周囲での風疹流行がない，④風疹 IgM 抗体が低値（ELISA 法で 2.0 以下）で横ばい（2 週間以上の間隔で ± 0.5 以内），であれば，妊娠中の感染の可能性は非常に低いとしている．筆者の相談例でも同様の例で CRS は一例も経験していない．IgM については時に 5 ～ 10 程度の症例も経験するが，その他の項目を満たしていればまず問題はない．ただし「大丈夫」との説明は勇気のいることであり，カウンセリングにあたっては，少なくとも全体の先天異常の頻度を大幅に上回る可能性は低いと説明すれば，納得することが多い．

流行期，症状あり，濃厚接触あり，など，風疹感染の可能性が高い場合は，感染した妊娠週数に応じた CRS のリスクがあり，羊水穿刺による風疹ウイルスの PCR 検査が考慮される．検査が必要な場合は二次施設に相談する．ただしすべての二次施設で検査可能ではないので，その場合二次施設は仲介を行う．胎児感染が認められてもあくまで感染の証明であり CRS を発症するとは限らない．

なお，CRS であればカップルは妊娠継続を望まない，と早合点してはならない．羊水検査を希望せず妊娠を継続することはまれではない．

管　理

▶ 胎児感染が証明されている例，可能性が高い例

風疹感染例で，風疹先天感染の児の管理ができない場合や，胎児超音波スクリーニングで先天性心疾患が疑われ対応困難な場合などでは，児の管理可能な施設へ紹介する．

感染成立後の CRS 発症リスクを下げる治療法は現時点で存在しないので，妊娠中の母体・胎児管理は，非感染例と区別はない．必要に応じて胎児超音波形態スクリーニングを詳細に行う．

分娩管理も通常だが，羊水に風疹ウイルスが排泄されているものとして，標準予防策を確実に行い対応する．新生児は，届出基準に沿って CRS の診断をする．届出基準は，web で「感染症　届出基準」と検索し，厚生労働省のサイト「感染症法に基づく医師の届出のお願い」から，5 類感染症の一部のなかに記載されているので参照する．診断された場合は，全数把握疾患のため 7 日以内に最寄りの保健所に届け出る．CRS が診断された場合には，風疹ウイルスが 1 ～ 2 年の長期にわたって排泄されるため，感染児を他の新生児および他の母親と隔離する．出産した母親本人は風疹感染後であり抗体を持つため隔離する必要はない．ワクチン未接種の家族はあらかじめ接種を済ませておく．

▶ 胎児感染の可能性が低い例

妊婦の風疹抗体スクリーニング過程で指摘されただけの IgM 陽性例など，前項の通り胎児感染の可能性が低いと考えられる場合は，新生児に CRS を疑う所見がなければ，通常の新生児として管理し，臍帯血の風疹 IgM を測定し陰性を確認する．もし陽性の場合は CRS の診断が必要であり，前項に準ずる．

ワクチン

CRS をなくすためには，男女全員を対象としたワクチン接種を徹底する．女性だけが対象と認識しない．

1）子どもの定期接種

現在，子どもの定期接種は，麻疹風疹混合ワクチン，1 歳（1 期）および小学校就学前 1 年間（2 期）の 2 回接種である．

2）成人男性の定期接種

2019 年～ 2021 年度末の約 3 年間にかけて，これまで風疹の定期接種を受ける機会がなかった 1962 年 4 月 2 日～ 1979 年 4 月 1 日生まれの男性（同年代の女性は中学校で接種）を対象に，風疹の抗体検査を前置した上で定期接種（A 類）が行われている．対象者にはクーポン券が送付され，全国の対象医療機関で使用可能である．HI 抗体価 8 倍以下が接種対象となる．

3）任意接種

定期接種対象者以外では，以下のような場合にワクチン接種が考慮される．

- クーポン対象外の成人男性

上記男性の下の世代，1979 年 4 月 2 日～ 1988 年 4 月 1 日生まれの男性にも風疹患者数が多い．ワクチン接種歴の記録がない成人男性への積極的な接種が求められる．

- 妊娠を希望する女性およびパートナー

自治体によっては検査や接種の助成制度がある．

• 妊娠初期検査で HI 16 倍以下の女性の妊娠終了後

妊娠中は風疹ワクチンを接種できない．妊娠終了後にワクチン接種を勧める．ただし妊婦への接種例に CRS の発生報告はなく，妊娠を中断する根拠はない．授乳中でも差し支えない．接種の必要性につき認識されないまま次子妊娠中に風疹感染した例があるので，確実に情報提供すべきである．産褥入院中や 1 カ月健診での接種を施設でルーチン化するなどの工夫により接種漏れのないようにする．

4) 抗体価上昇にこだわらない

HI = 8 倍未満の抗体陰性者の接種後陽転はほぼ 100%だが，8 倍，16 倍の低抗体価の者は，接種後次回妊娠の際に抗体価が同程度の例が多くみられる．HI 抗体価だけで感染防御力が規定されるものではなく，また個人の抗体価を 32 倍以上にすることが目的ではなく社会全体の抗体保有率を上げることに意義がある．3 回 4 回と接種を繰り返しても多くは変化せず，はっきりとした接種歴が 2 回あればよい．日本環境感染学会発行の「医療関係者のためのワクチンガイドライン」（web 検索で閲覧可）のフローチャートが参考になる[5]．

Clinical Tips（詳細は本文参照）

Q．IgM が陽性です（類：HI が 2,048 倍です）．最近の風疹感染ですよね？

A．症状がなく，流行期でなく，風疹患者との明らかな接触がなければ，最近の感染例はありません．

Q．IgM が陰性です．風疹感染は否定していいですか？

A．採血時期や，再感染例など，IgM の陽性を捉えられないことがあります．

Q．羊水 PCR が陽性です．CRS 確定ですか？

A．感染の証明にはなりますが，CRS の確定にはなりません．

Q．ワクチンを 2 回受けたことがありますが，HI が 16 倍でした．32 倍以上になるまで打ち続けなければなりませんか？

A．抗体価を 32 倍以上にすることが目的ではありません．はっきりと証明できる接種歴が 2 回あれば，3 回 4 回と打ち続ける必要はありません．

Q．HI が 32 倍以上であれば，CRS となるリスクはありませんか？

A．64 倍の測定歴がある例の CRS 報告があり，HI だけでリスクの有無は確定できません．

Q．IgM 陽性だが CRS の可能性がなさそうと自分で判断して説明するのは不安です．

A．二次施設をご利用ください（**表 3**）．

引用・参考文献

1) 日本産科婦人科学会／日本産婦人科医会 編集・監修．"CQ605 妊婦における風疹罹患の診断と児への対応は？"．産婦人科診療ガイドライン：産科編 2020．東京，日本産科婦人科学会，2020，304-7.
2) 国立感染症研究所・感染症疫学センター．先天性風疹症候群とは．https://www.niid.go.jp/niid/ja/kansennohanashi/429-crs-intro.html［2020. 4. 20］
3) 国立感染症研究所．HI 価と EIA 価の相関性および抗体価の読み替えに関する検討．改訂版．2020．https://www.niid.go.jp/niid/images/idsc/disease/rubella/RubellaHI-EIAtiter_Ver4.pdf［2020. 4. 20］
4) 奥田美加ほか．妊婦における風疹抗体価．産婦人科治療．95(1)，2007，55-60.
5) 日本環境感染学会．医療関係者のためのワクチンガイドライン 第 3 版．2020．http://www.kankyokansen.org/uploads/uploads/files/jsipc/vaccine-guideline_03(3).pdf［2021. 1. 18］

国立病院機構横浜医療センター 奥田美加

4 CMV 感染症

概念・定義・分類・病態

ヒトサイトメガロウイルス（cytomegalovirus；CMV）はヘルペスウイルス科βヘルペスウイルス亜科に属し，学名はヒトヘルペスウイルス（HHV）5である．βヘルペスウイルス亜科には突発性発疹の原因とされるHHV6やHHV7が含まれるが，これらのウイルスは種特異性が強く，ヒトに特異的に感染する．一般的には幼小児期に重篤な症状なく感染し，生涯にわたり潜伏感染しながら，宿主の免疫が低下すると再活性化して種々の病態を引き起こす．先天性感染以外の感染経路としては母乳，感染小児の唾液や尿のほか，輸血や性行為による感染もみられる．CMV感染が症状を呈するのは，主に胎児（先天性感染），早産児・低出生体重児，免疫不全患者，免疫抑制状態（移植後やAIDS患者）で，肝機能異常，間質性肺炎，単核球症等を引き起こす．思春期以降に初感染した場合は，健常人でも伝染性単核症様の症状を呈することがある．CMVはヒトの幅広い組織に親和性があるため，腸炎，網膜炎，脳炎を引き起こすこともある．

CMVはTORCH症候群の中で最も高頻度に胎児感染（先天性感染）を起こし，日本では毎年約1,000人の乳幼児に神経学的な後遺症を来す[1]．4歳児幼児の聴覚障害の原因の1/4は先天性CMV感染である[2]．これまで，症候性先天性感染のリスク因子として妊娠中の初感染が最も重要とされていたが，近年の報告では，先天性感染児の症候性・無症候性の割合や後遺症リスクは，母体の妊娠中のCMV初感染・非初感染の別にかかわらず同程度とされる[3, 4]．つまり，妊娠初期にCMV IgGが陰性の妊婦（日本では約30%）のうち，1～2%が妊娠中に初感染を起こし，その約30～40%が胎児感染（1～2/1,000妊娠）に至るほか，妊娠初期にCMV IgGが陽性の妊婦（同70%）においても再感染や再活性化により0.5～1%が胎児感染（3～7/1,000妊娠）を起こす．主たる症候性CMV感染胎児の症状は，胎児発育不全（fetal growth restriction；FGR），肝脾腫，小頭症，頭蓋内石灰化，脳室拡大，腹水などであり，全感染胎児の10%未満が最重症のため死亡する．出生感染児のうち母体初感染／非初感染に関係なく20～30%が症候性の先天性CMV感染（CCMVI）児として，70～80%が無症候性のCCMVI児として出生し，症候性のCCMVI児の90%に，無症候性児でも10～15%に精神遅滞・運動障害・難聴などの障害を残す（図1）．母体感染を防ぐ臨床的に有用なワクチンはないが，症候性感染児に対する抗ウイルス薬治療により，後遺症リスクを6割に減少させる効果が期待される[5]．

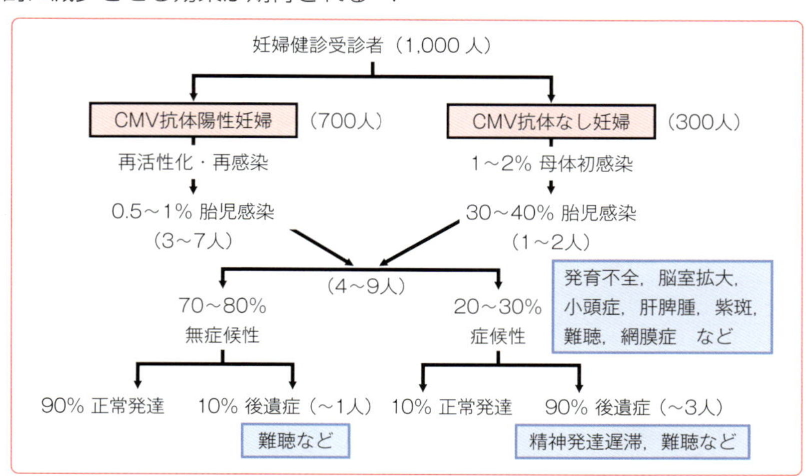

図1 CMV母子感染と先天性感染児の後遺症リスク

これまで多くの感染児は出生時に見逃され，一部は難聴などを発症していたと考えられるが，2018 年より先天性 CMV 感染の診断を目的とした，新生児尿 CMV 核酸検査が保険適用となり，新生児聴覚スクリーニングでリファー（要再検）となった児などに対する先天性 CMV 感染の検査が可能となっている．

参考 「サイトメガロウイルス妊娠管理マニュアル」(http://cmvtoxo.umin.jp ないし https://www.med.kobe-u.ac.jp/cmv/index.html より最新版をダウンロード可能）
『産婦人科診療ガイドライン：産科編 2020』 CQ609 サイトメガロウイルス（CMV）感染の母児への検査と対応は？

診　断

▶ 妊娠中のサイトメガロウイルス検査

妊婦が CMV に初感染しても多くは無症状で時に感冒症状を呈するのみである．**表 1** の超音波異常があれば先天性 CMV 感染を疑って精査を行う．

1) CMV-IgG/IgM

母体の CMV 感染の診断には，通常は保険適用のある血清学的検査（CMV IgG，IgM）が用いられる．CMV IgG は症状発現から 2 〜 3 週間で陽性となり，通常生涯にわたって陽性が持続する．IgG 抗体の陽転化は初感染を示唆し，ペア血清での 4 倍以上の抗体価の上昇は初感染または再活性化を示唆する．CMV IgM は症状発現から 1 〜 2 週間で陽性となり，その後は数カ月以上かけて陰性化するが，1 年以上にわたって陽性が続く（persistent IgM）こともある．実際に，IgM 陽性者の約 7 割は妊娠中の本当の初感染ではなく，persistent IgM や偽陽性とされる．

2) 母体血 IgG avidity

IgG avidity は，IgG と抗原の結合力を表し，感染後の時間経過に伴い IgG avidity は上昇するため，感染時期の推定に用いられる．CMV IgG avidity index (AI) 高値は半年以上前の感染（既往感染）と推定され，低値では最近の初感染が推定される．CMV IgM 陽性の妊婦において，本当の初感染者を見つけるために有用ではあるが，標準化や保険収載されておらず検査値の判断基準が決まっていない．

表 1 ● 先天性 CMV 感染を疑う超音波所見

頻度の高いもの	その他の所見
胎児発育不全	胎盤肥厚
小頭症	腸管高輝度
脳室拡大	羊水量の異常
頭蓋内石灰化	脳室周囲嚢胞
腹水	小脳低形成
肝脾腫	大槽拡大

3) ウイルス検査

ウイルスの存在を証明する上で培養同定法は確実な方法であるが，検査に時間を要する．実際には，CMV 抗原検査や核酸検査を行う．アンチゲネミア法は，末梢血白血球に発現する CMV の構造蛋白である pp65 抗原をモノクローナル抗体により検出する抗原検査法で，AIDS 関連や移植医療において保険適用があるが，血液検体のみに限られる．先天性 CMV 感染や初感染妊婦の診断には保険適用がない．核酸検査は，CMV DNA を増幅して検出するもので，感度が高く，新生児や妊婦の尿および羊水中の CMV 検出に頻用される．新生児尿の等温核酸増幅法以外の CMV 核酸検査は保険収載されていない．

▶ 出生児のサイトメガロウイルス検査

先天性 CMV 感染の診断は，出生後 3 週間以内の新生児の尿 CMV 核酸検査によって行う．2018 年 1 月より，先天性 CMV 感染のリスクを有する新生児を対象に先天性 CMV 感染の診断を目的とした，等温核酸増幅法による新生児尿の CMV 核酸検出が保険適用となった．体外診断用医薬品として「ジェネリス CMV」（株式会社シノテスト）が販売され，主要臨床検査業者で検査を受託している．後天的な経母乳感染では尿核酸検査が陽性となるのに 3 週間程度要するため，後天性感染と区別するためには生後 3 週間以内に採取された尿での検査を要する．以前から保険適用となっている CMV IgM 検査は先天性 CMV 感染児であっても約半数で陰性となるため[6]，感度が低く，新生児尿の CMV 核酸検査とは同時に保険算定できないので注意する．

注意すべき臨床症状・所見

先天性 CMV 感染のリスクを示す臨床症状・所見を

表2● 先天性 CMV 感染のリスクを示す臨床症状・所見

1）妊娠中母体の症状・所見	3）新生児の症状・所見
•妊娠中母体の感染徴候（発熱やリンパ節腫脹） •血中 CMV-IgM 陽性ないし妊娠中に CMV-IgG が陽転化した母体	•小頭症 •水頭症，脳室拡大 •脳室周囲石灰化 •大脳皮質形成不全 •肝脾腫大，肝機能障害，黄疸 •出血斑，ブルーベリーマフィン斑 •聴力障害（聴性脳幹反応異常） •網膜脈絡膜炎 •SGA（small for gestational age） など
2）胎児期の異常所見	
•胎児発育不全 •胎児超音波検査での異常所見 脳室拡大，頭蓋内石灰化，小頭症，脳室周囲嚢胞 腹水，肝脾腫 腸管高輝度　など（表1参照）	

表2に示す．これらに該当する新生児は先天性 CMV 感染のリスクを有する新生児として保険適用で新生児の尿 CMV 核酸検査を行う．

また，新生児聴覚スクリーニングで，リファーになる新生児の中に，先天性 CMV 感染が 5～6%の頻度で存在する[7, 8]ため，新生児聴覚スクリーニングでリファーとなった児は，生後3週までに産科施設で新生児尿核酸検査を行う．その後，耳鼻咽喉科で聴覚の精密検査を実施する．

管理（母体）

これまでは妊娠中の初感染をターゲットにスクリーニングや精査が行われてきたが，先天性 CMV 感染児の 70%は非初感染妊婦から出生するため[3]，初感染のみをターゲットにした精査では多くの先天性感染児が見逃される．超音波異常，切迫早産，早産，FGR，多胎，発熱・感冒症状が先天性 CMV 感染発生のリスク因子であり[3, 7, 8]，これらの兆候を認めた場合，母体血 CMV IgG を測定し，IgG が陽性であれば，新生児尿核酸検査を行う．CMV IgM や IgG avidity は，初感染の診断のための補助的検査とする．

胎児感染予防や胎児治療として確立された治療はなく，妊娠中の抗体検査により偶然に直近の初感染が疑われた場合でも胎児超音波検査異常のない無症候性感染児の多くは正常に発達すること，非初感染妊婦でも先天性感染が起こることを説明し，適宜胎児超音波検査を行いつつ妊娠経過を観察し出生児の精査・診断を行う．

先天性 CMV 感染の出生前診断の必要があれば，羊水中の CMV DNA を PCR 法により確認する．羊水 PCR の感度は母体感染から6週間以上経過した症例では高くなるが[9]，母体の感染時期は明確でないことがほとんどであり，妊娠 22 週未満では偽陰性が多くなることに注意する．羊水 PCR 法による先天性感染の出生前診断は精度の高い検査法であるが，事前のカウンセリングなど慎重な対応を要する．羊水 CMV DNA 陽性の場合，出産時期と新生児治療について新生児専門医を含めて相談し方針を決める．

管理と治療（新生児）

尿 CMV 核酸検査が陽性となった場合には小児科にて精密検査を行う．実際には症候性と無症候性の鑑別のため，血算，生化学検査，CMV IgG・IgM の検査，さらには脳画像検査（頭部超音波，CT，MRI），聴覚検査（聴性脳幹反応），眼底検査などの精査を行う．また，先天性 CMV 感染に伴う幼児期発症の難聴，自閉スペクトラム症を含むさまざまな発達障害も経過を追うことで早期診断・早期介入することができるため，就学前までの発達と聴力のフォローアップが望まれる．

症候性感染児に対してはガンシクロビル（GCV）やバルガンシクロビル（VGCV）治療を行うことで，難聴の改善効果が期待できる[5, 10]．ただ，GCV や VGCV は好中球減少（まれに発疹，発熱，高窒素血症，肝障害，悪心，嘔吐）などの副作用が懸念される薬剤である．いずれの薬剤も現状では先天性 CMV 感染への保険適用はなく，治療経験を有する施設で十分なインフォームド･コンセントのもと同意を得て使用する．2020 年2月より医師主導の第Ⅲ相臨床試験として「症候性先天性サイトメガロウイルス感染児を対象としたバルガンシクロビル塩酸塩ドライシロップの有効性および安全性を評価する多施設共同非盲検単群試験」（https://jrct.niph.go.jp/latest-detail/jRCT

2051190075）が実施され（予定人数に達し登録は終了），わが国で保険承認に向けた取り組みが進んでいる．

感染予防のための妊婦の教育と啓発

ほとんどの妊婦はCMVについての知識を持たず，先天感染から児に障害を生じる可能性について知らない．妊娠初期に症状・感染経路・児への影響を説明した上で，CMVを含んでいる可能性のある小児の唾液や尿との接触を回避し，十分な手指衛生を心がけるように教育・啓発する（表3）．妊娠12週以降の母体感染（IgG抗体の陽転化）率は1～2%とされるが，妊婦CMV抗体スクリーニングおよび抗体陰性者に対する感染予防教育・啓発によって，0.19%に低下したとの報告がある[11]．

表3 ● 感染予防のための妊婦の教育と啓発

CMVを含んでいる可能性のある小児の唾液や尿との接触を回避する	
• 子どもと食べ物，飲み物，食器を共有しない	
• おしゃぶりを口にしない	
• 歯ブラシを共有しない	
• キスの際は唾液接触を避ける	
• おもちゃ，カウンターなど，子どもの唾液や尿と触れそうな場所を清潔に保つ	
小児の唾液や尿との接触の可能性のある下記の行為の後は，頻回に石鹸と流水で15～20秒間は手洗いする	
• オムツ交換	• 子どもの鼻水やヨダレを拭く
• 子どもへの給餌	• 子どものおもちゃを触る

Clinical Tips

全妊婦に対してCMV IgG，IgMによるスクリーニングを行っても，先天性感染の半数以上を占める非初感染母体からの先天性感染児を見逃す．そこで，以下のような全スクリーニングとターゲットスクリーニングを組み合わせたスクリーニング法を提案する．

1）教育と啓発

- 全妊婦を対象に，妊娠初期に感染予防のための教育と啓発を行う．
- 妊娠初期のCMV IgG全スクリーニングを行った場合，陰性妊婦は妊娠34～35週でCMV IgGを再検し，陽性化があれば初感染と診断する．

2）ターゲットスクリーニング

- 先天性CMV感染のハイリスクである超音波異常，切迫早産，早産，FGR，多胎，発熱・感冒症状を認める妊婦では，CMV IgGとIgMを測定する．IgG陽性であれば，先天性感染疑いとして新生児尿CMV核酸検査を保険適用で行う．IgM陽性者は初感染疑いと判断する．
- 新生児聴覚スクリーニングでリファーとなった場合，生後3週以内に産科施設で尿CMV核酸検査を行う．

引用・参考文献

1） 山田秀人（研究代表者）．先天性サイトメガロウイルス感染症対策のための妊婦教育の効果の検討，妊婦・新生児スクリーニング体制の構築及び感染新生児の発症リスク同定に関する研究．厚生労働科学研究費補助金（成育疾患克服等次世代育成基盤研究事業）平成23～24年度総合研究報告書．
2） Morton CC, Nance WE. Newborn hearing screening - A silent revolution. N Engl J Med. 354(20), 2006, 2151-64.
3） Tanimura K. et al. Universal Screening with Use of Immunoglobulin G Avidity for Congenital Cytomegalovirus Infection. Clin Infect Dis. 65(10), 2017, 1652-8.
4） Puhakka L. et al. Primary versus non-primary maternal cytomegalovirus infection as a cause of symptomatic congenital infection?：register-based study from Finland. Infect Dis (Auckl). 49(6), 2017, 445-53.
5） Yamada H. et al. A cohort study of the universal neonatal urine screening for congenital cytomegalovirus infection. J Infect Chemother. 26(8), 2020, 790-4.
6） Kobayashi Y. et al. Low total IgM values and high cytomegalovirus loads in the blood of newborns with symptomatic congenital cytomegalovirus infection. J Perinat Med. 43(2), 2015, 239-43.
7） Yamada H. et al. Clinical factor associated with congenital cytomegalovirus infection in pregnant women with non-primary infection. J Infect Chemother. 24(9), 2018, 702-6.
8） Uchida A. et al. Clinical factors associated with congenital cytomegalovirus infection: A cohort study of pregnant women and newborns. Clin Infect Dis. 71(11), 2020, 2833-39.
9） Liesnard C. et al. Prenatal diagnosis of congenital cytomegalovirus infection: prospective study of 237 pregnancies at risk. Obstet Gynecol. 95(6), 2000, 881-8.
10） Kimberlin DW. et al. Valganciclovir for Symptomatic Congenital Cytomegalovirus Disease. N Engl J Med. 372(10), 2015, 933-43.
11） Vauloup-Fellous C. et al. Does hygiene counseling have an impact on the rate of CMV primary infection during pregnancy?：Results of a 3-year prospective study in a French hospital. J Clin Virol. 46 (SUPPL. 4), 2009, S49-53.

神戸大学大学院 ● 出口雅士 ● 谷村憲司
手稲渓仁会病院 ● 山田秀人

トキソプラズマ

概念・定義・分類・病態・要点

トキソプラズマ原虫は，さまざまな中間宿主を経てヒトに経口感染をする寄生虫である．妊娠中の初感染により，約3割に胎児に感染し，このうち約15%が脈絡網膜炎などの眼症状や水頭症などの中枢神経系症状を持つ顕性の先天性トキソプラズマ症となる．流産や死産の原因となることもある．妊娠初期の母体感染では胎児感染率は低いが胎児に感染した場合は重症なことが多く，後期では胎児感染率は高いが不顕性感染が多くなる．日本では成人の抗体保有率は近年6%前後といわれており，妊娠中の初感染は0.2%前後である．

日本では妊娠初期のトキソプラズマ抗体スクリーニングを行っている施設も増えてきている．検査結果に関しては一部に解釈上注意が必要であり，胎児所見がない場合はIgM陽性のうち7割がpersistent IgMまたは偽陽性で妊娠中の初感染ではないことや，妊娠中期以降の検査の場合IgM陰性のみでは妊娠中の感染を否定できないことなどを理解して検査にあたる．

スピラマイシンを母体感染後3週間以内に開始することで，有意に胎児の予後が良くなるため，なるべく早い治療開始が望ましい．

トキソプラズマ抗体を有していない妊婦には，妊娠中感染対策を取るように指導する．

参考 『産婦人科診療ガイドライン：産科編2020』CQ003 妊娠初期の血液検査項目は？
CQ604 妊婦のトキソプラズマ感染については？

注意すべき臨床症状・所見

トキソプラズマ原虫の感染は，主に汚染された生肉や加熱不十分な肉や生肉加工品，汚染された土壌（園芸や砂遊び）や水，あるいは洗浄不十分な果物や野菜，生の魚貝類の摂取による．ネコ科動物を最終宿主（トキソプラズマの繁殖サイクルを完了できる唯一の動物）とするが，ネコが感染してから感染性の高いオーシストを排泄するのは一生に3週間のみであるため，ネコを飼うことと急性感染との関連性は低い．成人の急性感染は約9割が無症状である．症状があったとしても発熱・悪寒・頭痛・筋肉痛・リンパ節腫脹・皮疹など非特異的なものであり，数週間で回復する．妊娠中の初感染時の胎児感染率と児の有症状率は，表1[1)]のように週数によって大きく異なる．ただしこの報告では症例の94%がピリメタミンとスルファジアジン併用やスピラマイシン単独などの抗寄生虫薬での治療を受けているため，無治療での児の感染率や有病率はこれより高いと考えられる．

胎児感染を疑う超音波所見としては，頭蓋内の高輝度エコー（石灰化など），脳室拡大，水頭症，腸管高輝

表1 ● トキソプラズマIgM陽性化週数と胎児感染率・症候性感染率

抗体（トキソプラズマIgM）陽性化週数	胎児感染率	胎児感染児のうちの症候性感染率	母体感染のうちの児の症候性感染率
妊娠13週	6	61	3.6
妊娠26週	40	25	10
妊娠36週	72	9	6.5

（文献1より一部改変）

度，肝脾腫，肝内の石灰化・高密度化，発育制限，胸水・心囊液，胎児水腫，胎児死亡，胎盤肥厚・高輝度などがある．ただし，これらもトキソプラズマに特異的なものではないため，このような所見がある場合は他の感染症や染色体疾患・胎児疾患などを鑑別する必要がある．欧州の前向き研究で，218 人のトキソプラズマ感染胎児のうち超音波で頭蓋内所見があったのは 14 人（6%），このうち重篤な神経学的後遺症や死亡は 5 人であり，これらは初期の感染や未治療が多かった．また，症状のある新生児の 3 分の 2 は中等度の疾患（頭蓋内石灰化，末梢性脈絡網膜炎），3 分の 1 は重度の疾患（播種型，水頭症，黄斑性脈絡網膜炎）であった．

胎児への感染は，母体感染後，血清反応が発現する前の数日間の寄生期に起こることもあれば，胎盤への感染後に二次感染することもある．また，胎児異常は，母体の感染と胎児への感染から数週間または数カ月を経てから明らかになったり悪化したりすることがある．このため妊娠中のトキソプラズマ初感染では所見がなくても月 1 回程度は超音波検査をするとよい．

妊娠前の感染では通常は胎児感染は起こらないと考えられるが，妊娠前 1 〜 2 カ月以内に感染した胎児感染例が報告されている．また，免疫抑制状態の母体の再活性化・再燃もまれであるがあるため注意が必要である．

中南米の株は欧州・北米のものよりも病原性が高い．異型の株への再感染が報告されているため，妊娠中に移動する場合は抗体をもっていても注意は必要である．

診断・管理

『産婦人科診療ガイドライン：産科編 2020』では，妊娠初期のトキソプラズマ抗体のスクリーニングは推奨レベル C とされている．しかし，スピラマイシンが 2018 年に「先天性トキソプラズマ症の発症抑制」の適応で保険診療が承認されてから，妊娠初期にスクリーニングを行う施設も多くなってきた．「トキソプラズマの妊婦スクリーニング法」を『トキソプラズマ妊娠管理マニュアル』[2)]より図 1 に引用する．スクリーニングの目的は，未感染者の生活上の注意を促すことと，無症候性の母体感染を早期に発見し治療することで胎児の感染や障害を防ぐことである．後者に重点を置いて，IgM をスクリーニングに使用する施設もある．治療は母体感染から 3 週間以内に開始することが望ましいとされているため，IgM 陰性者の妊娠中の無症候性の初感染を捉えるには頻回の検査が必要となる．

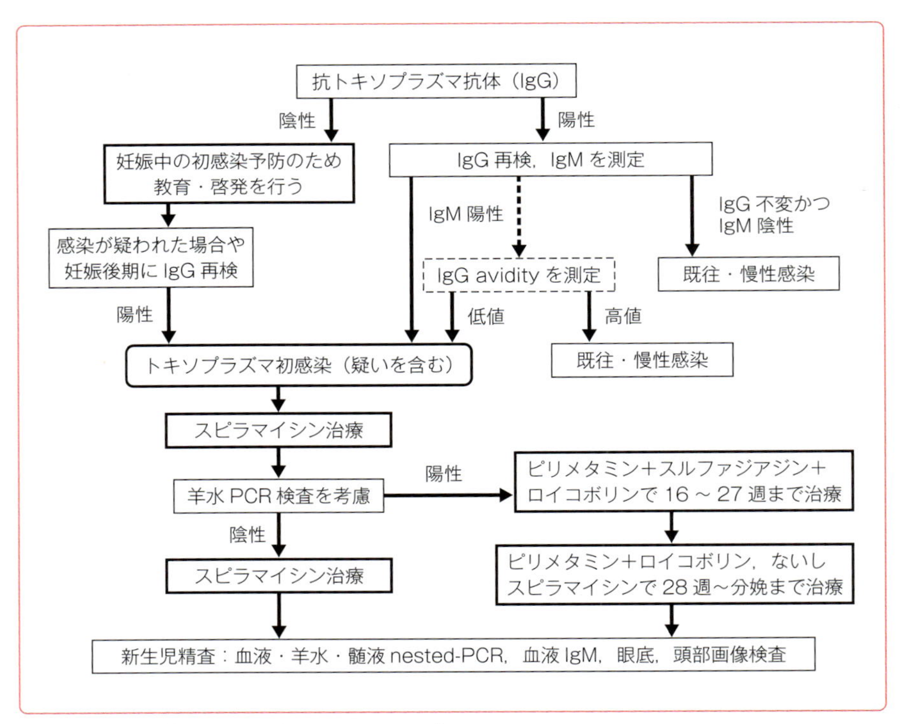

図 1 ● トキソプラズマの妊婦スクリーニング

（文献 2 より引用）

何らかの胎児所見があり原因検索のためにTORCH検査として検査される場合は，IgMとIgGを同時に測定して判定する．

胎内感染が疑われるまたは否定できないときには両者を経時的なフォローやIgG avidityや羊水PCR検査などの追加検査も考慮する．

1) IgG

陽性は既往感染を意味する．IgMよりゆっくりと上昇し，1～2カ月でピークに達するため，感染の初期は陰性である．経過中にIgGが陰性から陽性になった場合はその間の感染といえる．判断が難しいときにIgGの抗体価の推移をみて感染時期を推測することもあり，3週間をおいて採取した検体をペア血清として同時に検査した場合に2倍以上になっている場合は最近の感染を示唆している．

2) IgM陰性

妊娠早期に確認されたIgM陰性は，妊娠初期の初感染をおおむね否定できる．一方，妊娠中期以降の検査結果では，IgMからGへのセロコンバージョン後の検査の可能性もあり，IgGが陽性であれば妊娠中の感染を否定できない．また，感染のごく初期はまだ陰性であるため，生肉食などで感染したとしても数日以内の検査では陰性の可能性もあり検査時期について注意が必要である．

3) IgM陽性

IgMは，通常1週間以内に陽性化し数週間で陰性化するが，感染後2週間から数年「IgM陽性」が持続するpersistent IgMという状態もある．国内での検査では，胎児所見のないIgM陽性の7割は，persistent IgMかキットの交差反応などによる偽陽性である．このため，妊娠第1三半期にIgMおよびGともに陽性だった場合に胎児感染が発生する確率は1～3%程度である．また，IgM陽性・IgG陰性で，IgGが数週間経っても陽転化しないものは，偽陽性と考えてよい．

4) IgG avidity

persistent IgMの鑑別にIgG avidityの検査が有用なこともある．ただしavidityも，「高い」場合は感染から4カ月以上経過しているといえるが低い値が何年も持続することもあり，確定はできない．また，検査値の判断については検査キットにより異なるため注意が必要である．

5) 羊水PCR

胎内感染の有無の鑑別に，羊水中のトキソプラズマPCRが有効である．偽陰性の可能性を低くするために，妊娠18週以上，セロコンバージョンが確認されてから2週間後以降または母体感染推定日から4週間後以降とする（感度90%）．また，少ないが偽陽性もある（特異度98.3%）．PCRが陰性の場合，胎児感染の可能性は第1～2期では1%，3期では16%の残存リスクとなる．偽陰性は，通常羊水穿刺日以降の胎盤から胎児への感染によるものである．ただし，母体治療が行われている場合（特にピリメタミンとスルファジアジン）や妊娠33週以降にセロコンバージョンが起こった場合は偽陰性となる可能性が高くなる．

6) 胎盤病理

絨毛膜内や臍帯表面直下の組織でトキソプラズマシストがみられることが多いが，検出率は低い．リンパ球－形質細胞性の絨毛炎や，肉芽腫様の絨毛炎がみられることもある．PCRでの診断をする方法もある．

7) 抗体未保有者の感染予防

妊娠中の感染源を避けるように指導する．つまり，ろ過されていない水は飲まない，土を触れた後は手指の消毒を徹底する，果物や野菜は食べる前に洗う，生肉・加熱不十分な肉・生の貝類は食べない，調理道具やカウンター・シンクは調理後に洗う，調理していない肉を扱うときは粘膜に触れない，念のためネコを飼っている妊娠中の女性は（新鮮な糞は感染しないが）誰かほかの人に毎日のトイレ交換をしてもらう，などである．

8) 非妊娠時の感染

感染がわかっていれば，1～3カ月後以降の妊娠を考慮する．

治　療

母体治療は，先天的に感染した児の重篤な神経学的後遺症や死亡のリスクを減少させる．日本ではスピラマイシン（1回2錠を1日3回経口投与〔スピラマイシンとして1日900万国際単位〕）のみ母体から胎児への感染抑制を目的として保険適用となっている．スピラマイシンの抗原虫作用はトキソプラズマの増殖抑制であり殺原虫効果はないことから，胎児の感染治療効果は確立されていない．一度母体感染すると妊娠期間を通して胎盤の感染が継続し妊娠期間中いつでも胎児感染に至ることがあるため，胎児感染が確認されない場合には妊娠期間を通じて分娩までスピラマイシンを投与する．胎児感染が確認された場合（羊水PCR陽性など）は妊娠16週以降にピリメタミンとスルファジアジンでの治療を考慮する（ピリメタミンは葉酸合成阻害作用があるため開始から使用中止後1週間までフォリン酸も加えて投与する）が，わが国では未承認のため国内では通常入手できない．これらの治療薬が必要な場合には，国立国際医療研究センター病院国際感染症センター国際感染症対策室熱帯病治療薬研究班（tel: 03-3202-7181）で相談し，原則的にはこの研究班に参加する薬剤使用機関（https://www.nettai.org/研究班と中央保管機関）で薬剤を投与する．

スピラマイシンよりピリメタミンとスルファジアジンの方が胎児の発症抑制や重症化予防に優れているという報告があり，欧米では妊娠14週以降は分娩までピリメタミンとスルファジアジンが使用されている地域もある．日本の『産婦人科診療ガイドライン：産科編2020』では，スルファジアジンは分娩直前まで使用すると新生児核黄疸の原因になるため妊娠28週以降は投与しないとされている（妊娠28週以降はピリメタミン＋フォリン酸またはスピラマイシンでの治療）．

薬剤の使用は，セロコンバージョン後3週間以内に開始した方が，8週間以上経過してからの開始より児の予後がよいためなるべく早めに開始する．

Clinical Tips

● IgGのみまたはMのみを測定している場合，血清が残っている期間であれば残血清を用いて必要な検査を追加依頼する．

● IgM陽性など母体感染を示唆する検査結果が出た場合は，すべての検査結果を待った場合に治療効果が高い3週間以内の開始時期を過ぎてしまうことがある．このため本人と相談し，すべての結果は待たずスピラマイシンの治療を開始して後日継続するかどうか判断することも多い．

引用・参考文献

1） Dunn D. et al. Mother-to-child transmission of toxoplasmosis: Risk estimates for clinical counselling Lancet. 353(9167), 1999, 1829-33.
2） 母子感染の予防と診療に関する研究班．トキソプラズマ妊娠管理マニュアル 2020年1月10日（第4版）．http://cmvtoxo.umin.jp/doc/toxoplasma_manual_20200116.pdf［2021. 12. 26］

千葉大学医学部附属病院 ● 尾本暁子

結　核

概　要

わが国の新規結核登録患者は年々減少傾向にあるものの，いまだ年間 1.5 万人程度と欧米諸国に比較して多く，中蔓延国と認定されている．2018 年の罹患率（人口 10 万対）は全体 12.3 に対して 70 代では 19.7，80 代で 51.2，90 代で 82.8 と高齢ほど高いが，一方で 20 代は 10.1，30 代は 6.0 と若年患者の増加も目立つ．昨今増加する外国籍患者の内でも 20 代の患者数は 57.7% に達しており[1]，生殖年齢女性の結核患者も相当数存在すると考えられる．

発症様式

結核の感染様式は多くが飛沫核感染（空気感染）である．空気中に飛沫が喀出されると速やかに水分が蒸発して結核菌だけの飛沫核となり，長時間空中に浮遊する．これを肺に吸入し結核菌が増殖して感染が成立する．免疫が正常な結核菌感染者の初感染では約 10 %が発病し残りの約 90% は生涯発病しない．感染しても症状を呈さない状態を潜在性結核と呼び，宿主の免疫状態が減弱すると数十年以上経過していても発病する可能性がある．HIV 感染，免疫抑制剤使用，血液透析，コントロール不良の糖尿病，高用量副腎皮質ステロイド治療中など低免疫状態の患者や，最近（2 年以内）の結核感染，未治療の陳旧性結核等の患者では発病前の治療を検討する[2]．

注意すべき症状・所見（表 1）

肺結核の半数以上で慢性の咳嗽があり，2 週間以上続く咳は結核を疑うべきである．その他，微熱，全身倦怠感，易疲労感，食思不振などの非特異的な症状が多く無症状のことも多い．

妊婦中の結核診断はしばしば難しいが，その要因は①倦怠感，易疲労感，食思不振など妊娠に伴う愁訴と結核の全身症状が判別しづらいこと，②妊娠による体重増加で体重減少がマスクされること，③胸部 X 線検査や胸部 CT 検査が敬遠されがちなことがある．そのため，われわれ医療者が結核の可能性を積極的に意識して診療にあたることが重要である．

表 1 ● 肺結核の症状

無症状	**呼吸器の症状**
全身症状	咳嗽
発熱	喀痰
盗汗（寝汗）	血痰
全身倦怠感	喀血
易疲労感	胸痛
体重減少	呼吸困難
食思不振	
不快感	**肺外結核の症状**
衰弱感	侵される臓器によりその症状を来す

個々の症状には結核特有のものはないが，各症状の組み合わせが結核を示唆する．妊娠に伴う変化で症状がマスクされる可能性を念頭に置く．

また，結核はあらゆる臓器に発症し得るため，結核性胸膜炎，粟粒結核，腸結核，脊椎結核，性器結核，結核性髄膜炎などの肺外結核にも注意を要する．肺外結核を疑う際には，尿，血液，骨髄，胸腹水，子宮内膜組織，髄液などの検体がしばしば有用である．

肺結核を合併しない例もあり，発熱，倦怠感などの全身性症状に加え，各臓器の症状にも注意を払う必要がある．

妊娠への影響

初期に重症化した場合には流産が増えるとの報告[3]や，活動性肺結核の妊婦では早産，低出生体重児のリスクが高まるとの報告もあるが[4]，適切に治療された場合の影響は少ないと報告されている[5]．

妊娠による影響

妊娠によりT-ヘルパー1細胞（Th1）活性が低下して炎症反応が抑制され全身症状が現れにくくなるが，妊娠により結核に罹患しやすくなったり潜在性結核から活動性結核に進行しやすくなったりすることはなく，治療効果も変わらないとされている．一方，産後は症状が増悪するが，これは①妊娠によるTh1活性抑制が解除され炎症反応が正常化すること，②妊娠中は増大子宮が横隔膜を挙上し酸素需要の強い結核菌の増殖が抑制されるが，産後は圧迫が解除され結核菌の増殖が活発化することが原因として考えられる[3]．

診　断（図1）

結核は喀痰検査，胸部X線検査，ツベルクリン反応，インターフェロン-γ遊離試験（interferon-gamma release assays；IGRA）などで診断する．検査の内容や順序は症状の疑わしさや接触歴に応じて判断する．喀痰検査は抗酸菌塗抹および培養検査を連続3日間，内1回は結核菌PCR検査を行う．診断の原則は培養陽性の確認だが培養検査は判定に約6週間要し，一方でPCR検査は迅速で感度も高いが偽陽性も多いため，他の診断方法も併用する．ツベルクリン反応は妊娠中も母児へ影響がなく，妊娠もツベルクリン反応に影響を及ぼさないとされるが[6]，わが国ではBCG接種の影響で陽性となることが多く，診断的価値は高くない．IGRAはBCG接種の影響を受けない免疫学的検査法で，結核菌に特異的な蛋白抗原でリンパ球を刺激するとインターフェロンγが遊離することを利用しており，クオンティフェロン（QTF）検査とT-spotがある．妊娠中は細胞性免疫低下によりIGRAの反応が低下する可能性があるが，Jenniferらは妊娠中も妊娠週数にかかわらず非妊時と同等に有用と報告している[6]．結核患者との接触者，HIV感染等の免疫抑制状態の者はIGRAでスクリーニングし，陽性例は胸部X線撮影を行い異常なければ潜在性結核と診断する．

治　療

▶ 活動性結核

薬剤感受性確認までは未治療耐性の可能性を考え3剤以上の併用が必須であり，イソニアジド（INH）＋リファンピシン（RFP）＋ピラジナミド（PZA）＋エ

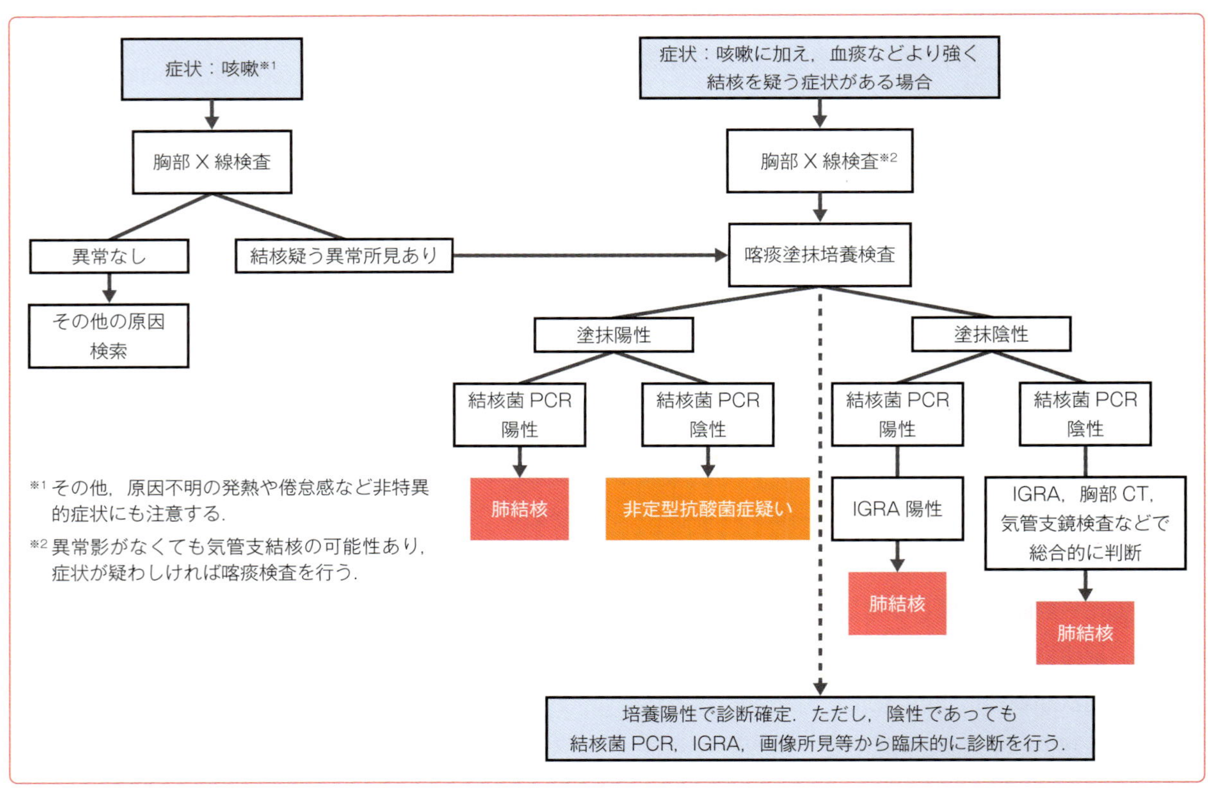

図1 ● 肺結核の診断

IGRA：interferon-gamma release assays

タンブトール（EB）またはストレプトマイシン（SM）の４剤を初期２カ月間，以後 RFP+INH を４カ月間使用する標準治療を原則とする．PZA 投与ができない際には例外的に PZA を除く３剤を２カ月間投与し，以降 RFP+INH を７カ月使用する３剤投与方式を行う．３剤とも胎盤通過性があるが催奇形性はないとされ，わが国では妊婦は後者が推奨される．米国胸部疾患学会（American Thoreacic Society；ATS）も妊婦での十分な安全性データがない PZA は避けるよう勧告しているが，WHO では使用を認め４剤の標準治療を推奨している[7]．なお，SM は胎児の第８脳神経障害による先天性難聴のリスクがあり妊婦では禁忌である．WHO は INH の副作用の末梢神経障害は妊婦で生じやすいとして，ビタミン B_6 25mg/ 日投与を推奨している．ATS，米国疾病予防管理センター（Centers for Disease and prevention；CDC）の合同声明は INH 内服中の母親から母乳栄養を受ける乳児にも内服を勧めている[8]．

▶ 潜在性結核（latent tuberculosis infection；LTBI）

未発病で体内の菌数が少ないため１剤で治療され，INH 単剤を６カ月または９カ月内服する[2]．妊婦はわが国では妊娠中期以降または産後に治療を行うが，ATS/CDC のガイドラインは HIV など結核発症リスクが高い場合は妊娠初期でも治療を開始し，HIV 感染がなく最近の結核感染でなければ肝障害のリスクが減少する産後２～３カ月で治療を勧めている[9]．

管　理

結核は「二類感染症」であり，保健所へ届出を行い施設の感染管理部門と連携して治療にあたる．

▶ 母体管理（図２）

疑わしい症状（表１）を有するなど結核感染の可能性を考える症例では，周囲への感染リスクを考慮して陰圧個室での対応が望ましい．胸部Ｘ線検査や胸部

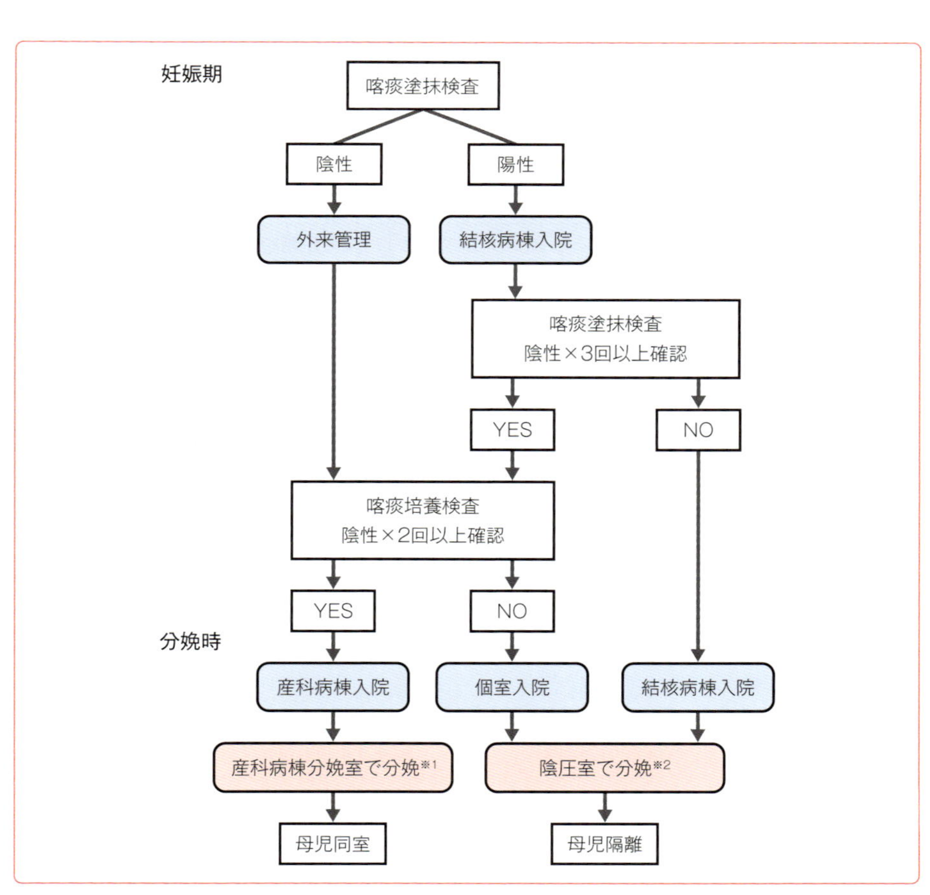

図２● 母体の管理

※１　分娩方法は産科適応で決定

※２　医療者への感染リスクを考慮して陰圧手術室にて帝王切開が選択されることが多いが，施設状況などを考慮して核施設で決定する．

CT 検査についても積極的に検討する.

一般に喀痰塗抹検査陽性の場合は結核病棟で治療を開始し，2 週間以上経過後，臨床症状が消失し喀痰検査が 3 回連続陰性となると外来管理可能となる[2]．分娩に際し，母児の管理，周囲への感染対策のために改めて感染性を評価する．検査内容の標準化はされておらず各施設の状況に応じて個別の対応が必要であるが，塗抹検査が 3 回陰性で培養検査が 2 回陰性であれば産科一般病棟での管理が検討されることが多い[9, 10]．培養陰性が確認できない際には結核病棟ないし個室病棟に入院し，経腟分娩は体液からの飛沫感染リスクが高いため，医療者の感染リスクを考慮して陰圧手術室での帝王切開が選択されることが多い.

授乳に関しては，抗結核薬は母乳移行するが移行量は完全母乳であっても乳幼児結核治療量よりはるかに少なく，乳児の副作用出現リスクは非常に低い．そのため，治療中で感染性のない母親は授乳可能である．なお，母乳中の抗結核薬による乳児の予防効果は期待できないため，活動性結核または潜在性結核の乳児には抗結核薬治療が必要である.

▶ 胎児・新生児管理（表 2）

結核高蔓延期には先天性結核は高率に死亡していたが，現在は診断や治療の進歩により先天性結核や新生児結核の報告はまれである. 先天性結核は経胎盤感染，羊水を介する経気道感染があるが，主に経胎盤感染のため，妊婦の粟粒結核や子宮内膜結核は子宮内への結核菌移行により先天性結核のリスクとなる．臍帯静脈を経由して生じる肝臓病変が特徴とされ，予後は不良である．症状は非特異的で，呼吸障害，肝脾腫，発熱，哺乳力不良，活動性低下／過敏，腹部膨満，体重増加不良等がある．生直後に症状を呈する例もあるが，生後 3 週頃に症状を呈する例が多く，先天性結核の可能性がある場合は出生後約 1 カ月間の症状出現に注意を払うことが必要である[11]．出生後は羊水・胎盤の抗酸菌検査・病理検査，児の胃液の抗酸菌塗抹・培養検査，経腹超音波検査，胸部 X 線撮影等を行う．なお，潜在性結核母体においても初感染後に不顕性血行散布があった場合などに子宮内膜に結核結節が形成され先天性結核発症に至る可能性も否定はできないため，上記の検査が考慮される.

新生児結核は主に母体からの空気感染であり，出産

表 2 ● 出生後の対応

	先天性結核や新生児結核を発症するリスクが高い場合	先天性結核や新生児結核を発症するリスクが低い場合
	• 母の喀痰塗抹陽性，肺内に空洞性病変を伴う肺結核で，治療開始後 2 カ月未満の出生 • 妊娠中の粟粒結核，肺外結核罹患	• 母の有効な治療が 2 カ月以上適用された後の出生 • 母の喀痰検査で陰性化（3 回培養陰性）確認後の出生 • 母の結核の診断根拠が画像のみ
母の検査	• 胎盤・子宮内膜組織の病理・結核菌培養検査 • 胸部 X 線または胸部 CT（出産後の排菌評価目的） • 羊水の塗抹検査，培養検査，PCR 検査	
児の検査	• 胃液の塗抹検査，培養検査，PCR 検査（出生時と可能ならばその後 2 日間） • 各施設の通常の臍帯血検査，本人血検査 • 胸部 X 線撮影	
	• 腹部超音波（肝門部リンパ節腫大や肝脾腫の評価） • ツベルクリン反応（日齢 1） • IGRA（可能な場合のみ）※1	
母児接触	出生直後に母子分離 （母の喀痰培養陰性を最低 1 回確認後に分離解除可否検討）	可
母　乳	直接母乳不可（希望があれば搾乳して対応）	直接母乳可
児の扱い	原則として他児との隔離は不要 ※2 （羊水，胃液検査で菌塗抹陽性を除く）	他児との隔離は不要
児の潜在性結核感染症治療	INH 6 カ月内服 （母体結核菌感受性不明の場合は INH ＋ RFP の 2 剤併用）	不要

INH：イソニアジド
※1　IGRA が先天結核の診断に有用であるとする報告はなく，新生児では偽陰性の可能性もありまた採血量も多いため，可能な範囲で行う.
※2　各施設の設備に応じて個室隔離（陰圧も含めて），クベース内隔離することを否定しない.

時母体が感染性のある際は分娩直後から感染性がなくなるまで新生児を隔離する．

母の結核の病型，病勢，治療状況などから先天性結核や新生児結核のリスクを評価することが重要であり，そのリスクに応じて児の検査，感染予防策，予防的治療について慎重に判断する必要がある．

医療者の対応

1) 感染予防

空気感染予防に結核妊婦はサージカルマスク着用，接触する医療者はN95マスクを着用し，分娩時の体液からの飛沫感染予防に分娩介助者はガウン，フェイスシールドを着用する．

2) 接触者健診

高頻度または長時間の接触のあった者，狭いまたは換気不良な空間で患者に接触した者や，不適切な防御のまま咳やエアロゾルを誘発する医療行為（経腟分娩が該当すると考える）に携わった者は「濃厚接触者」として，また，免疫抑制要因がある接触者は「ハイリスク接触者」として積極的に結核感染のスクリーニングを行う．前述のIGRAと胸部X線検査を行い，IGRA陽性でX線で異常がない場合，潜在性結核として前述の治療を行う．なお，IGRA陽転まで2，3カ月を要するため，通常はその後に検査を行う．

引用・参考文献

1) 厚生労働省．平成30年結核登録者情報調査年報集計．
https://www.mhlw.go.jp/stf/seisakunitsuite/bunya/0000175095_00002.html［2020. 5. 7］
2) 日本結核病学会．結核診療ガイド．東京，南江堂，2018，154p.
3) Mathad JS. et al. Tuberculosis in pregnant and postpartum women:epidemiology, management, and research gaps. Clin Infect Dis. 55, 2012, 1532-49.
4) Jana N. et al. Perinatal outcome in pregnancies complicated by pulmonary tuberclosis. Int J Gynaecol Obstet. 44, 1994, 119-24.
5) Tripathy SN. Tuberclosis and pregnancy. Int J Gynaecol Obstet 80：247-253, 2003
Casper GR. et al. Management guidelines for M. tuberculosis in pregnancy. Aust N Z J Obstet Gynaecol. 35, 1995, 401-5.
6) Jennifer LF. et al. Performance of an Interferon-Gamma Release Assay to Diagnose Latent Tuberculosis Infection During Pregnancy. Obstet Gynecol. 119, 2012, 1088-95.
7) World Health Organization. WHO Guidelines for treatment of tuberculosis 4th edition. Geneva. 2010.
8) Lewinsohn DM. et al. Official American Thoracic Society/Infectious Diseases Society of America/Centers for Disease Control and Prevention Clinical Practice Guidelines: Diagnosis of Tuberculosis in Adults and Children. Clin Infect Dis. 64, 2017, 111-5.
9) 松田美奈子ほか．当院における結核合併妊娠の6例．産婦人科の実際．68，2019，125-9.
10) 水主川純ほか．当院における結核合併妊娠症例に関する検討．臨床婦人科産科．64，2010，901-5.
11) 結核予防会結核研究所．小児結核診療のてびき（改訂版）．2021，167p.

亀田総合病院 門岡みずほ
杏林大学 田嶋 敦
国保旭中央病院 鈴木 真

梅　毒

概念・定義・分類・病態・要点

概念・定義・分類・病態

梅毒は *Treponema pallidum* subspecies *pallidum*（Tp）感染症で，主として性行為または類似の行為により感染する性感染症の代表的疾患である．一般に，皮膚や粘膜の小さな傷から *T. pallidum* が侵入することによって感染し，数時間後に血行性に全身に散布されて，さまざまな症状を引き起こす全身性の慢性感染症である．胎児が母体内で胎盤を通して感染したものを先天梅毒と呼び，それ以外を後天梅毒と呼ぶ．さらに皮膚，粘膜の発疹や臓器梅毒の症状を呈する顕症梅毒と，症状は認められないが梅毒血清反応が陽性である無症候梅毒とに分けられる．感染症法では，梅毒は五類感染症で，医師は全例を都道府県知事に7日以内に届け出ることになっている[1]．

要　点

2012年以降，日本国内で梅毒の流行が始まった．2013年以降は男性異性間性行為感染や女性の罹患者が増え始め，それ以前と比べると女性罹患者数は10倍近くになっている[2]．女性梅毒患者の罹患年齢のピークは25歳前後であり妊娠年齢とも合致することから，先天梅毒も増加してきた．先天梅毒児の全数報告数は，2014年から毎年10例前後を維持されている．それ以前は年間報告数が5例前後であったことを考えると，梅毒の流行は母子感染症としても広がっている．

日本産科婦人科学会の感染症実態調査委員会による全国調査「性感染症による母子感染と周産期異常に関する実態調査」では，14万分娩をカバーしている地域中核病院へのアンケート調査において2012～2016年の5年間に約160例の梅毒合併妊婦が報告され，20例の先天梅毒が発生していた[3]．先天梅毒の報告数の推移を図1に示す[4]．

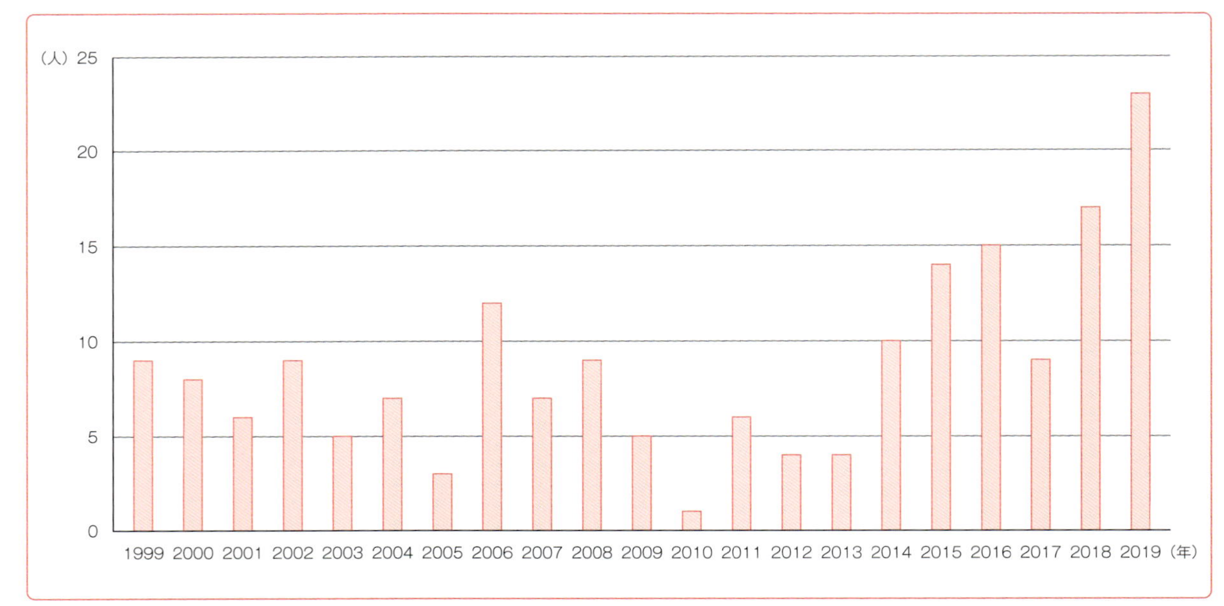

図1 ● 先天梅毒患者数の推移[4]

指針および管理のポイント

梅毒の診断・治療のガイドラインは，大幅な改訂が行われている．そのポイントは母子感染（先天梅毒）の診断には，児血のFTA-ABS法による梅毒特異的なIgM抗体を用いること，2期梅毒（バラ診，扁平コンジローマなど：感染1～3カ月）ではRPR陽性かつTPHA陽性となり典型的な梅毒と診断できるが，1期梅毒（硬性下疳など：感染1カ月以内）では，RPRもしくはTPHAのどちらかのみ陽性ということもあり得ること，さらに症状がある場合は，どちらも陰性だとしても梅毒を否定せずに再検する必要があること，また，症状が自然消失しても，潜伏梅毒の可能性があり，2期梅毒として再燃することがあるので，梅毒抗体検査を確認し，必ず加療すること，を挙げている．

また治療のポイントとして第一選択薬は，アモキシシリン（AMPC：サワシリン®）を用いる．効果判定では，RPR法が病勢を反映する指標となる．治療前のRPR値と比べて，自動化法ならRPR値が1/2以下になれば治療は完遂されたと考える（従前のSTSが8倍以下というのは用いないこと）．二倍希釈法のRPR値では1/4以下になるまで内服を継続する．概ね4週間の内服で完治することが多いとされている[5]．

アルゴリズム

梅毒の管理に関するアルゴリズムとして以下の2つが参考となる．

『梅毒診療ガイド』（2018年6月15日）の図1「梅毒疑い患者への対応の概略」および図2「免疫応答正常者における『梅毒』の自然経過」

最新ガイドラインの変更点

『産婦人科診療ガイドライン：産科編2020』CQ613の変更点として以下の点が挙げられる．

①検査方法においてSTS法がわが国においてRPRのみとなったこと．

②妊娠中に診断された梅毒の5%は中期以降の発症であり，妊娠中の梅毒症状の出現もしくは性的接触による感染が疑われる場合には妊娠中期以降に梅毒検査を再検査する必要があること，および感染機会の有無と抗体価の推移に注意を払う必要があること．

③治療法がアモキシシリンの4週間投与を基本とすること．

参考 **『性感染症 診断・治療ガイドライン2016』（日本性感染症学会）http://jssti.umin.jp/pdf/guideline-2016_v2.pdf** [2020. 5. 4]
『梅毒診療ガイド』（日本性感染症学会）（2018年6月15日）http://jssti.umin.jp/pdf/syphilis-medical_guide.pdf [2020. 5. 4]
『産婦人科診療ガイドライン：産科編2020』CQ613 妊娠中の梅毒スクリーニングと感染例の取り扱いは？

注意すべき臨床症状・所見

梅毒はあらゆる臓器に慢性炎症を来し，全診療科にわたるさまざまな自他覚症状を起こし得る．初診の段階では，the great imitator（偽装の達人）という異名のとおり，他疾患と間違えられることもしばしばであり，初診・侵襲的検査時・入院時など，折々にRPRと梅毒トレポネーマ抗体を測定してみないと診断がつかないことがあり，産婦人科医では診断が難しい場合もあるので専門医に相談することも重要である．

診　断

▶臨床所見

1）顕症梅毒

①第1期梅毒

感染後，数時間で血行性に中枢などの全身に散布されるが，約3週間経過すると，*T. pallidum*の侵入部位である感染局所に小豆大から示指頭大までの軟骨様の硬度を持つ硬結が生じてくる．これを初期硬結と呼ぶ．やがて初期硬結は周囲の浸潤が強くなって硬く盛り上がり，中心に潰瘍を形成して硬性下疳となる．初期硬結，硬性下疳は，一般に疼痛などの自覚症状はなく，単発であることが多いが，多発することもまれではない．好発部位は，男性では冠状溝，包皮，亀頭部，女性では大小陰唇，子宮頸部である．口唇・手指などの陰部以外にも生じることがあり，陰部外初期硬結あるいは陰部外下疳と呼ばれるが，発生頻度は2～3%以下と低い．初期硬結や硬性下疳の出現後，やや遅れて両側の鼠径部などの所属リンパ節が，周囲に癒着することなく無痛性に硬く腫脹してくる．大きさは示指頭大で，数個認められることが多い．これらの症状は放置していても2～3週間で消退し，約3カ月後に2期疹が出現するまでは無症状となる．

②第2期梅毒

全身の皮膚・粘膜の発疹や臓器梅毒の症状がみられるものを第2期梅毒という．第2期でみられる発疹は多彩である．出現頻度は，丘疹性梅毒疹，梅毒性乾癬が高く，これに梅毒性バラ疹，扁平コンジローマ，梅毒性アンギーナ，梅毒性脱毛が続き，膿疱性梅毒疹は低い．多彩な臨床像を示しながら，自然に消退して無症候梅毒となるが，再発を繰り返しながら第3期，4期に移行していくことがある．

③第3期梅毒

感染後3年以上を経過すると，結節性梅毒疹や皮下組織にゴム腫を生じてくることがある．第3期梅毒は，現在ではほとんどみられない．

④第4期梅毒

梅毒による大動脈炎，大動脈瘤あるいは脊髄癆，進行麻痺などの症状が現れることがある．第4期梅毒も，現在ではほとんどみられない．

2）無症候梅毒

臨床症状は認められないが，梅毒血清反応が陽性のものをいう．*T. pallidum* を抗原とする検査によって，生物学的偽陽性反応（biological false positive；BFP）を除外する必要がある．

3）神経梅毒

中枢神経系に *T. pallidum* が感染して起こる疾患の総称．感染後，数時間で *T. pallidum* は血行で髄液に運ばれ，脳および脊髄の髄膜腔および血管に沿って広がり，さらに実質を侵していく．第1期梅毒，第2期梅毒で生じる早期神経梅毒，それ以降で起こる晩期神経梅毒に分類される．さらに無症候性神経梅毒，症候性神経梅毒に分類される．無症候性神経梅毒は，神経症状を認めないもので，早期梅毒患者の約40%にみられる．

症候性神経梅毒は，感染1年以内の早期にみられる髄膜型，10年後に生じる髄膜血管型，20年以降にみられる実質型（進行麻痺，脊髄癆）に分類される．晩期神経梅毒は，抗菌薬の発達した現在，まれである．

4）先天梅毒

先天梅毒は，梅毒トレポネーマにより引き起こされ，胎盤を通じて胎児に伝播される多臓器感染症である．先天梅毒の早期の兆候は，特徴的な皮膚病変，リンパ節腫脹，肝脾腫，発育不全，血液の混入した鼻汁，口周囲の割れ目，髄膜炎，脈絡膜炎，水頭症，痙攣，精神遅滞，骨軟骨炎，偽性麻痺である．また，晩期の兆候は，ゴム腫性潰瘍，骨膜病変，麻痺，癆，視神経萎縮，間質性角膜炎，感音性難聴，歯牙奇形などである．先天梅毒は通常胎盤が完成する妊娠15～16週以降に胎児に感染する．

▶検　査

確定診断は *T. pallidum* の検出または梅毒血清反応によりなされる．病原体を同定するという感染症診断の鉄則からすると，病変部位（主として皮膚・粘膜）から滲出液のスメア検体をPCRなどの核酸増幅検査（保険未収載）に供し，確定することが望ましい．硬性下疳，扁平コンジローマ，粘膜疹には梅毒トレポネーマの数が多いので，このような病変を選ぶとよい．ただし，梅毒PCRは，検体採取に習熟していないと検出感度が良くないことが知られている．すなわち，PCR陰性でも梅毒を否定できない．経験を積んだ医師が丁寧に行うべき検査である．したがって，代理指標（surrogate marker）として，血清中の梅毒抗体を測定し，診断することが現実的である．

梅毒抗体（RPR，梅毒トレポネーマ抗体）にはそれぞれ従来の2倍系列希釈法（検査技師が手作業で行う）と自動化法（自動測定汎用機もしくは専用機で行う）があるが，細かく変動が捉えられ，測定誤差の少ない自動化法でRPRと梅毒トレポネーマ抗体を同時に測定することが勧められている．特異的検査としてTPHA（Treponema pallidum hemagglutination test）法，FTA-ABS（fluorescent treponemal antibody absorption test）法のいずれかを用いる．RPRが梅毒の活動性を示すことに異論はないが，近年，

RPR陰性で梅毒トレポネーマ抗体のみ陽性の早期梅毒の報告が増えてきたので，梅毒の診断には特異性の高い梅毒トレポネーマ抗体の陽性を重視すべきであるとされている．梅毒トレポネーマ抗体陰性の場合，基本的には梅毒を否定できるが，梅毒を疑う病変や症状を認める場合，血清学的潜伏期（ごく初期の早期梅毒）の可能性を考慮して，1カ月後に再検査を行う．したがって『産婦人科診療ガイドライン：産科編2020』において妊娠初期に，非特異的検査（serological test for syphilis；STS）（RPR法）と，*T. pallidum* そのものを抗原とする特異的検査（TPHA法，FTA-ABS法のうち1法）を組み合わせてスクリーニングを行い，妊娠経過中に梅毒を疑わせる自覚症状・所見や，パートナーが梅毒と診断されたなど感染機会がある場合には梅毒抗体検査の再検査を行うことを推奨している．現時点で全例に妊娠初期スクリーニングが行われているが，妊娠末期の再検査の必要性には議論があるところだが，ハイリスクと考えられるときには同意の上で再検査を考慮する．

管　理

▶検査結果の評価と妊娠中の対応

妊娠初期のスクリーニング検査において梅毒を疑う症状・所見があり，感染機会がありRPRおよび特異的検査ともに陽性の場合あるいは抗体検査が陰性で再検査で少なくとも1つが陽転した場合，および梅毒を疑う症状・所見がなく，梅毒抗体検査のいずれかが陽性で，再検査で抗体値が上昇あるいは上記抗体検査がいずれも陽性で，再検査で抗体値が上昇した場合には抗菌薬治療を行うとされている．抗菌薬治療を行った妊婦では，妊娠28～32週と分娩時にSTS法を行い，治療効果を判定するとともに妊娠中期に超音波検査での胎児スクリーニング（胎児肝腫大，胎児腹水，胎児水腫，胎盤肥厚の有無，胎児貧血の有無など）を行う[2]．感染妊婦から出生した児は，先天梅毒の診断を行う．母子感染（先天梅毒）の診断には，上記症状に加えて児血のFTA-ABS法による梅毒特異的なIgM抗体を用いる．さらに梅毒は五類感染症全数把握疾患であり，診断後7日以内に所轄の保健所に届け出る必要がある．「感染症法に基づく届出基準」では，陳旧性梅毒とみなされる感染者を除くため，無症候陽性者ではSTSで16倍以上を届出対象としている．加えて妊婦本人のみならずパートナーの感染の有無の診断とともに治療を行うことも重要である．

▶治　療

第一選択としてアモキシシリン（500mg/錠）1日3錠，4週間の内服を行う．非妊婦であれば第二選択薬として，ペニシリンアレルギーがある場合は，ミノサイクリンを用いるが，妊娠中は禁忌であるため，ペニシリンアレルギーがある場合にはアセチルスピラマイシンか，ペニシリンに対する脱感作を行った上でアモキシシリン（AMPC）の投与が選択肢となるが，感染症専門医への紹介を考慮する．効果判定では，RPR法が病勢を反映する指標となる．治療前のRPR値と比べて，自動化法ならRPR値が1/2以下になれば治療は完遂されたと考える．二倍希釈法のRPR値では1/4以下になるまで内服を継続する．

▶次回妊娠への留意点

梅毒を本人ならびにパートナーとともに抗菌薬治療で完治させておくことが次回妊娠にとって重要となる．治療が終了して再感染がなければ次回妊娠に影響を及ぼすことはない．

引用・参考文献

1）厚生労働省．感染症法に基づく医師及び獣医師の届出について：梅毒．http://www.mhlw.go.jp/bunya/kenkou/kekkaku-kansenshou11/01-05-11.html［2020. 5. 4］
2）国立感染症研究所感染症疫学センター・細菌第一部．日本の梅毒症例の動向について（2020年4月1日現在）．https://www.niid.go.jp/niid/ja/syphilis-m-3/syphilis-idwrs/7816-syphilis-data-20180105.html［2020. 5. 4］
3）Takamatsu K. et al. Annual report of the women's health care committee, Japan Society of Obstetrics and Gynecology, 2017. J Obstet Gynaecol Res. 44, 2018, 13-26.
4）国立感染症研究所感染症疫学センター．発生動向調査年別報告数一覧（全数把握）．2019. https://www.niid.go.jp/niid/ja/ydata/10068-report-ja2019-30.html［2022. 3. 18］
5）川名敬．産婦人科感染症の最前線：拡がり続ける感染にどう対策するか：HPV，梅毒．日本産科婦人科学会雑誌．71，2019，652-9．

川崎医科大学　下屋浩一郎

麻　疹

定義・病態・要点

麻疹は，麻疹ウイルスの空気感染による急性熱性発疹性疾患である．感受性者（免疫を持たない人）が麻疹ウイルスに曝露されると90%以上が感染し，ほぼ100%が発症する．1人が抗体獲得までに周囲に感染を起こす平均の人数はインフルエンザの1～2人に対し，麻疹は12～18人とされる．多くは自然回復するが，いったん発症すると特異的な治療法はない．麻疹ウイルスはTリンパ球に親和性を持ち，感染すると細胞性免疫低下を引き起こし，重篤な合併症に肺炎と脳炎がある．先進国でも死亡率は約1,000人に1人である．

麻疹ウイルスはパラミクソウイルス科に属するRNAウイルスでエンベロープを有し，アルコールにより容易に不活化される．血清型は単一であるが，A～Hのクレードに分類され，23種の遺伝子型が報告されている．ワクチン株は遺伝子型Aで，日本の土着株は遺伝子型D5である．日本は1978年に定期接種が始まり1990年4月から2回接種が開始（2006年からMRワクチンを使用）され，第1回（1歳）と第2回（就学前）が対象になっている．2007年に大学生を中心に麻疹が大流行したため補足的接種（2008年から5年間）として，第3回（中1）と第4回（高1）の2回のワクチンが追加投与された．2015年に土着株消失により，日本はWHO西太平洋地域事務局から麻疹排除が認定されたが，2019年は744件の麻疹報告（臨床診断例：n＝19，検査診断例：n＝524，修飾麻疹〔検査診断例〕：n＝203）があった．輸入例の増加や平成2年（1990年）4月以前の生まれは1回だけのワクチン接種であり，抗体保有率の低下が危惧される．

妊婦が麻疹に罹患することでの問題点は，妊婦の重症化，高い流早産率，子宮内胎児死亡，先天性麻疹・新生児麻疹である．催奇形性は否定的である．有害事象の報告はないものの，妊娠中のワクチン接種は禁忌である．ヒト免疫グロブリン予防投与が発症を抑制する．検査診断については厚生労働省のアルゴリズムに準ずる[1]．

以上のことを踏まえ本稿では，麻疹患者接触妊婦，麻疹感染妊婦への対応について解説する．

注意すべき臨床症状・所見

▶ 臨床症状

1) カタル期：3～5日

潜伏期（約10日）後，発熱，カタル症状（咳，鼻汁，結膜充血）を認める．倦怠感・咽頭部違和感の訴えが強く，時に酸素飽和度の低下など重症感がある．熱が一時下がるときにコプリック斑が頬粘膜に出現する．コプリック斑は麻疹特有ではなく，2～3日で消失する．

2) 発疹期：4～5日

一時下降した熱が再び高くなり，耳の後部や頸部・顔面から赤く小さな斑状発疹が出現する．翌日には，体幹部，上腕に及び，2日後には四肢末端に及ぶ．この時期高熱が続き，カタル症状が一層強くなる．

3) 回復期：10～14日

解熱し，皮疹は癒合し，色素沈着を残し消失する．

▶ 合併症

肺炎，脱水症，咽頭・喉頭炎，血小板減少症，播種性血管内凝固（DIC），脳炎，亜急性硬化性全脳炎（SSPE）.

▶ 麻疹妊婦の症状

妊娠中に麻疹に罹患すると発熱・脱水・上気道症状により，流早産のリスクが高まり，また高熱や発熱の合併により胎児は低酸素血症を生じやすくなると考えられる．58 例の麻疹妊婦の報告によると[2]，非妊婦女性 748 例と比較して，入院率は 1.8 倍，肺炎の合併は 2.6 倍，死亡率は 6.4 倍であった．また 30 ～ 40%が流早産，早産の 90%は母体発疹後 2 週間以内とされる[3, 4]．

妊婦から新生児への感染は，経胎盤感染と産後の経気道感染があるが，新生児の発疹出現が 10 日以内であれば経胎盤感染（先天麻疹），生後 14 日以内に発疹が出現すれば経気道感染した後天性麻疹（新生児麻疹）と考えられる．先天麻疹は，成熟児の場合一般的には軽症で経過する．新生児麻疹も年長児の麻疹に比べれば，軽症で全身状態が良好なことが多いが，細胞性免疫の著明な低下が見られるとの報告もあり，肺炎，脳炎の可能性には留意する[5, 6]．母体発疹出現後 7 日以降は，移行抗体により感染を防げる．母乳感染はない．クベース収容とし，スタンダードプリコーションを行う．カーテン隔離は空気感染には意味をなさない．

診　断

▶ 臨床的診断

- 一般的には，臨床経過や所見からの臨床診断が可能である．
- 新生児：母親からの移行抗体がある場合は，生後 3 ～ 4 カ月まで罹患せず，5 ～ 6 カ月までの罹患はまれで，8 カ月までに罹患しても軽症である．

▶ 血清学的診断

確定診断のためのウイルス学的検査には以下の方法がある．

①咽頭ぬぐい液，血液（EDTA 採血），尿の 3 点セットで麻疹ウイルス分離または検出（PCR 法）
②急性期と回復期のペア血清で麻疹特異的 IgG 抗体が陽転あるいは 2 倍以上の上昇（EIA 法）
③同じくペア血清で IgG 抗体値の有意上昇で 4 倍以上の上昇（PA 法）

上記いずれかが確認できれば麻疹と検査診断できる．ただし発疹出現から 3 日以内は，IgM が偽陰性のときがあるので注意を要する．発疹期は白血球が減少し，相対的リンパ球増加を認める．LDH は高値を示すことが多い．好中球増多，CRP 高値は細菌感染合併を疑う．

管理と治療

特異的治療はない．症状に応じた治療と合併症に対する治療を行う．麻疹患者入院時の管理を表 1 に示す．

▶ 感受性妊婦が麻疹患者に接触した場合

発症前であれば，接触後 6 日以内（72 時間以内が効果的）に母体に免疫グロブリン製剤 1 回 15 ～ 50mg/kg（0.1 ～ 0.33mL/kg）を筋肉内注射する．妊婦にワクチンは用いない．その後経過観察し，15 日以内に分娩になったときは母児を別々に隔離し，いずれも児が発症していないことを確認して，児に免疫グロブリン製剤投与を考慮する．

＊感受性者とは，麻疹抗体陰性・ワクチン接種なし・ワクチン接種 1 回のみ・罹患歴なしのいずれか 1 つ以上を認める者とする．

＊接触とは，①感染可能期間内（麻疹発症〔発熱，カタル症状，発疹のいずれかが初めて出現した日〕の 1 日前から解熱後 3 日を経過するまで．なお発熱がない修飾麻疹の場合は発疹出現後 5 日を経過するまで）の麻疹患者と直接接触した者，②飛沫感染可能な範囲（患者から 2m 以内）で患者の咳，くしゃみ，もしくは会話などによって飛沫を浴びた可能性のある者，さらには，③空気感染のため，患者から離れていても同一の時間（麻疹ウイルスはいったん空気中に出ると，その生存期間は 2 時間以内と考えられている）に空間（麻疹患者が行動した院内，行動した病棟内・階全体．空調が共通の空間すべてを含む）を共有した者が該当する．

▶ 感受性妊婦が麻疹を発症した場合

移行抗体を考え母体発疹出現後 7 日までは，流早産，子宮内胎児死亡に注意しながら妊娠継続をはかる．麻

表 1 ● 麻疹患者入院時の管理

患者配置	①原則的に個室，病室は独立換気の陰圧室とする．空気を再循環させるには，回路内（ダクト内）に HEPA フィルターを設置し隔離する． ②ゾーニングを行い，病室のドアは常時閉鎖する． ③搬送中含め突発性の発症の際，陰圧調整室がない場合は，これらが可能な医療機関を紹介することも検討する．疑わしい症状があるときも含め，患者の対応にあたるスタッフは，麻疹抗体価検査によりすでに抗体陽性が確認されているか，麻疹に罹患したことが確実なもの，麻疹含有ワクチンの接種歴が 2 回記録で確認されている者に限定する．
隔離解除基準	①個室，陰圧空調室隔離の期間は，発疹出現後 6 日目までとする．
患者移送	①個室隔離中は，極力室外に出ない． ②やむを得ず移送する場合，患者はサージカルマスクを装着する．
防護具の着用	手袋：標準予防策に従い，必要時に着用する． ビニールエプロン：標準予防策に従い，必要時に着用する． マスク：入室時に N95 マスクを着用する． ゴーグル：標準予防策に従い，必要時に着用する．
手指衛生	①隔離病室への入室の前後に，アルコール手指消毒剤による手指消毒を行う． ②標準予防策の基本に従い必要な手指衛生を行う．
周囲環境対策	①標準予防策に従って通常の清掃を行う． ②担当者は N95 マスクを装着する． ③麻疹に免疫のない職員入室を禁ずる．
廃棄物	①院内廃棄物の処理方法に従って処理する．
リネン	①汚染リネン以外のものは，特別な対応は必要としない．標準予防策に従って処理する．
食器の処理	①食器・哺乳瓶は，通常の対応を行う．
使用済み器材の処理	①標準予防策に従って処理する． ②電子カルテ端末はバーコード付きネームバンドを病室の入り口に貼付し，持ち込まない．

疹では免疫グロブリン製剤の静注用に保険適用はないが，肺炎，脳炎など重症感染症ではγグロブリン製剤を，製剤ごとの投与時間の違いに注意しながら投与することもある．ただ，血液製剤であり慎重な対応が求められる．N95 マスクを使用の上，抗体保有のスタッフが分娩に立ち会うが，産科的適応により帝王切開分娩も考慮する．分娩になった場合，新生児に発症がなければ母児とも別々に隔離して児に免疫グロブリン製剤の投与を考慮し，児が発症しないか経過を観察する．児が発症すれば，母児ともに隔離する．すでに発症した児に免疫グロブリンを投与すると，その投与によって血管炎が増強され，症状増悪のリスクになる．ワクチンまたは免疫グロブリン製剤投与により，潜伏期間の延長や臨床症状の非典型化がみられることがあり注意を要する．

▶ 届出のポイント

第 5 類全数把握疾患のため医師は，24 時間以内に最寄りの保健所に届ける義務があり，地方衛生研究所で全例の検査診断が行われる．

届出基準は以下の 3 つに分けられる．

①麻疹（検査診断例）：発熱，発疹，カタル症状の 3 つ全てを認め，かつ検査診断されている．

②麻疹（臨床診断例）：発熱，発疹，カタル症状の 3 つ全てを認める．

③修飾麻疹（検査診断例）：発熱，発疹，カタル症状のどれかを認め，かつ検査診断されている．

届出票は，厚生労働省のウェブサイトからダウンロードできる[7]．

Clinical Tips

》院内感染対策

当院における 2 次感染予防策のフローチャートを示す（図 1）．

1）発生部署の管理者は，直ちに感染管理室へ報告する．

2）感染管理室は，発症者の行動範囲，感染経路，感染期間から接触者の対象範囲を決定し（表 2），発生部署管理者と接触者リストを作成する．

3）ワクチン接種・免疫グロブリン投与を受けた接触者への対応

①患者

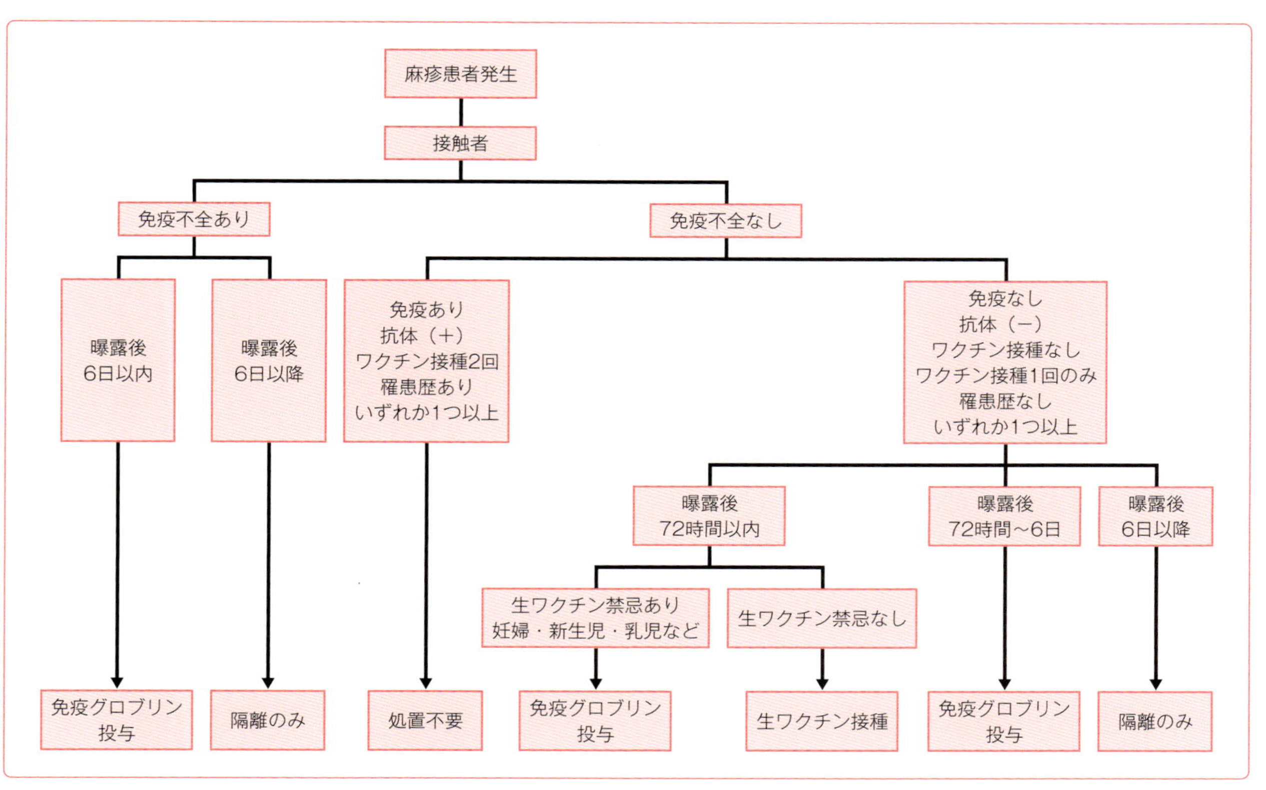

図 1 ● 2 次感染予防策のフローチャート（仙台赤十字病院）

生後 1 カ月未満の児は，母体の抗体価検査での代用も可能とし，出生 28 週未満，もしくは出生体重 1,000g 以下の早産児の場合，母親の罹患歴・抗体価陽性に関係なく，免疫はないものとする．

表 2 ● 接触者の対象範囲

感染経路	発症者の行動範囲	接触者の対象範囲
空気感染	病室内	• 病棟内の入院患者（新生児を含む） • 付添い者 • 病棟職員（感染期間に立ち入った他部署職員，委託職員を含む）
	病棟内	• 病棟内の入院患者（新生児を含む） • 付添い者 • 病棟職員（感染期間に立ち入った他部署職員・委託職員を含む）
	病棟外	• 外来受診，検査等により確実に接触している他病棟入院患者 • 外来，検査，手術時に対応した職員 • 小児病棟：院内学級生徒および教員

• 退院が可能であれば，退院して経過を見る．
• 入院を継続する場合は，最初の接触から 5 日後より最終の接触から 12 日後まで，陰圧空調室に収容して経過を観察する．免疫グロブリンを投与した場合は，さらに 7 日間延長し，最終の接触から 19 日後までとする．

②職員，委託職員，実習生，ボランティア
• 最初の接触から 5 日後より最終の接触から 12 日後まで，勤務，実習，ボランティア活動を控える．免疫グロブリンを投与した場合は，さらに 7 日間延長し，最終の接触から 19 日後までとする．

次回妊娠への留意点

産科における感染防御の基本は，ワクチン接種による抗体の獲得に尽きる．当科では妊娠初期に，水痘・麻疹・風疹・ムンプス抗体価を測定し，2 回接種既往例は除き抗体価が低い妊婦には，当院薬剤師から接種のリスクとベネフィットを説明の上，産後ワクチン接種を勧めている．

引用・参考文献

1） 国立感染症研究所麻疹対策技術支援チーム．改訂：最近の知見に基づく麻疹の検査診断の考え方．2016．http://www.nih.go.jp/niid/images/idsc/disease/measles/pdf01/arugorizumu2016.pdf［2020. 3. 23］
2） Eberhart-Phillips JE. et al. Measles in pregnancy: a descriptive study of 58cases. Obstet Gynecology. 82, 1993, 797-801.
3） 奥田美加ほか．周産期管理から見た麻疹・風疹感染対策．日本周産期・新生児医学会雑誌．44，2008，910-2.
4） 笠井正志ほか．麻疹：妊娠中の麻疹罹患への対応と新生児期の麻疹感染．周産期医学．32，2002，853-6.
5） Sonja A. et al. What Obstetric Health Care Providers Need to Know About Measles and Pregnancy. Obstet Gynecology. 126, 2015, 163-70.
6） 本田義信．水痘，麻疹の胎内感染．周産期医学．44（増刊），2014，431-5.
7） 国立感染症研究所感染症疫学センター．医療機関での麻疹対応ガイドライン第七版．https://www.niid.go.jp/niid/images/idsc/disease/measles/guideline/medical_201805.pdf［2020. 3. 23］

仙台赤十字病院 ● 鈴木久也

水痘・帯状疱疹

病態（頻度，疫学，リスク，予後）

水痘はヘルペスウイルス科の一種である水痘－帯状疱疹ウイルス（varicella-zoster virus；VZV）の初感染によって引き起こされ，発熱，発疹を伴う伝染性疾患である．他のヘルペスウイルス属と同様に初感染後に知覚神経に潜伏感染し，再活性化することで帯状疱疹を発症する[1)]．VZV の感染力は極めて強く，感染経路は空気感染（飛沫核感染）と水疱内容物の接触感染であり，家庭内接触での感染率は 90%である[1, 2)]．潜伏期間は 14 ～ 16 日で，感染時期が強いのは皮疹の出現の 1 ～ 2 日前から発疹出現当日であり，発疹の出現から 6 日以降，発疹が痂皮化してからは感染力が弱まる[1)]．その高い感染力から発症の多くは小児期であり，わが国の若年成人の水痘抗体保有率は約 90%程度と推測されるが，近年その保有率が低下傾向にあるため妊婦の管理においてはその水痘既往およびワクチン接種歴について明らかにしておくことが重要である[3)]．臨床経過の多くは軽症であるが，成人発症の一部は重症化し水痘肺炎を起こし死亡に至る報告もある．特に妊産婦は重症化しやすく，水痘肺炎のハイリスクである[2, 4)]．また妊娠中の水痘感染では先天性水痘症候群および新生児水痘に留意しなければならない．

先天性水痘症候群はその症状として四肢皮膚瘢痕，四肢低形成，眼症状（小眼球症，網脈絡膜炎など），神経障害（小頭症，水頭症，脳内石灰化，Horner 症候群など）がみられる[3)]．妊婦の初感染では VZV は経胎盤的に胎児に移行し，その発症率は妊娠 13 週未満で 0.4%，妊娠 13 ～ 20 週で 2%程度と報告される[5)]．一方，妊娠 21 週以降の VZV の初感染からの先天性水痘症候群の発症は症例報告にとどまっており，その頻度はまれである[2, 6)]．なお問題となるのは VZV による初感染であり，帯状疱疹を発症した妊婦からの先天性水痘症候群の報告はみられない[5)]．

母体が水痘を発症してから 5 日以内に分娩に至るか，もしくは分娩後 2 日以内に母体が水痘を発症した場合，新生児に抗 VZV 抗体がないため，新生児水痘を発症し重篤化するリスクが高まり，その死亡率は 20%に及ぶため[7)]，この時期に分娩にいたる場合には母児ともに特別な対応を要する．

要　点

- 妊婦は水痘の重症化のハイリスク群であり，注意を要する．
- 妊娠中の水痘感染は先天性水痘症候群および新生児水痘の発症のリスクがあり留意する．

参考 『産婦人科診療ガイドライン：産科編 2020』CQ611 妊産褥婦の水痘感染については？

診　断

症状としては発熱，発疹が特徴的である．水痘は 5 類感染症であるため，指定医療機関において届け出が義務付けられており，その基準は①全身性の紅斑性丘疹や水疱の突然の出現，②新旧種々の段階の発疹（丘疹，水疱，痂皮）が同時に混在することの 2 点を満たすことである．臨床所見から診断可能ではあるが，血清 VZV-IgM 抗体の検出，血清抗体価の上昇 VZV 抗原の検出，水疱からのウイルス分離などにより確定できる[3)]．

管　理

妊婦が水痘患者に接触した場合と水痘を発症した場合に分けて記述する．

水痘患者に接触した場合の対応のフローチャートを図1に示す．妊婦が水痘患者に接した場合，まずは妊婦の水痘既往およびワクチン接種歴を聴取する．妊娠した際には，水痘感染の既往やワクチン接種の有無を事前に把握しておくことが望まれる[3]．いずれかが明らかな場合は特別な対応が不要であるが，いずれも不明である場合，VZV 抗体検査を行って陰性である場合，もしくは検査結果が出るまで時間を要する場合には，早期のガンマグロブリン静注（2.5～5g IV）を考慮する[3]．米国では水痘患者と濃厚接触した妊婦にはできるだけ早期の水痘免疫グロブリン（varicella-zoster immune globulin；VZIG）の投与が推奨されているが[8]，わが国では入手困難であり，一般的に使用できないため，上記静注用ガンマグロブリンの使用を考慮する．

妊婦が水痘を発症した場合の対応のフローチャートを図2に示す．妊婦が水痘に罹患した場合はアシクロビルの投与を考慮する．アシクロビル投与による先天性水痘症候群の発症リスクの低減の報告はないが，妊婦へのアシクロビル投与による胎児毒性の報告はみられず，妊婦は水痘の重症化のハイリスク群であるため，積極的な治療を考慮する．妊婦の水痘肺炎に対してアシクロビルの静注を行い，死亡率が低下したとする報告があり[9]，水痘肺炎を発症するような重症例にはアシクロビルの静脈投与を考慮する．水痘に罹患した妊婦が入院する場合には，空気感染がみられるため，院内感染予防の観点から陰圧室での管理が望ましい[1]．また分娩が5日以内に起こる可能性が高い妊婦，あるいは分娩後2日以内に褥婦が水痘を発症した場合には特別な対応を要する．これらの期間に妊婦が水痘を発症した場合，児は移行抗体を獲得していないため，重篤化し死亡率も高まるため[7]，出生直後の児にIVIG投与（200mg/kg）を行い，児が水痘を発症した場合にはアシクロビルの投与が必要である．またこの時期の分娩を避けるため，保険適用はないものの，子宮収縮抑制薬投与による妊娠期間の延長も考慮される．

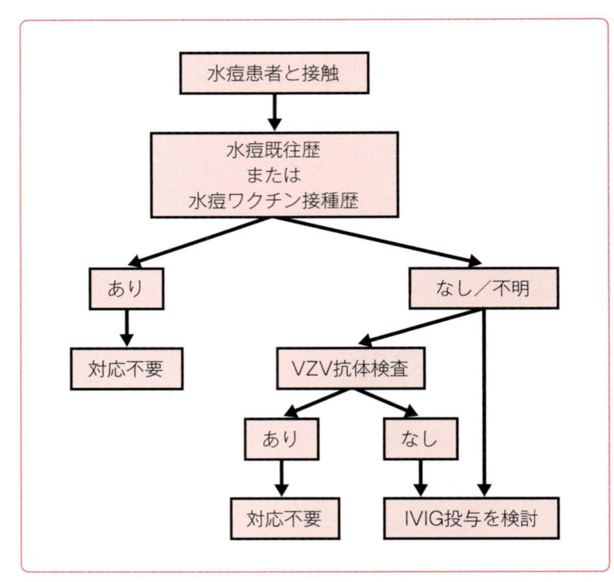

図1 ● 妊婦が水痘患者と接触した場合の対応
IVIG；intravenous immunoglobulin，VZV；varicella-zoster virus
IVIG 投与量 2.5～5.0g

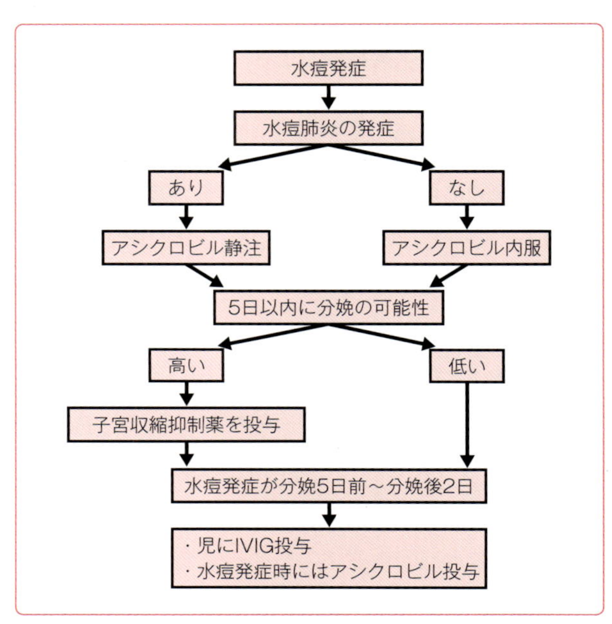

図2 ● 妊婦が水痘を発症した場合の対応
IVIG；intravenous immunoglobulin
母体…アシクロビル内服 800mg/回 1日5回7日間，アシクロビル静注 10mg/kg 8時間ごと
児…IVIG 投与量 20mg/kg，アシクロビル 10～15mg/kg1日3回7日間

次回妊娠への留意点

水痘ワクチンは生ワクチンであり，妊娠期の接種は禁忌であるため，妊娠を考えている女性で水痘罹患歴やワクチン接種歴がない場合には，水痘ワクチンの接種を検討する．水痘ワクチンの接種後は2カ月の避妊が望ましいとされるが，ワクチン接種後に妊娠が判明した場合も，妊娠判明前3カ月以内または妊娠初期の偶発的な水痘ワクチン接種において先天性水痘症候群の発症の報告はないことから[10]，人工妊娠中絶術の必要性はない．授乳期の水痘ワクチン接種は可能である．

引用・参考文献

1） 国立感染症研究所．水痘とは．2020．（online）https://www.niid.go.jp/niid/ja/kansennohanashi/418-varicella-intro.html [2020. 2. 7]
2） Marin M. et al. Prevention of varicella: recommendations of the Advisory Committee on Immunization Practices（ACIP）. MMWR Recomm Rep. 56（RR-4）, 2007, 1-40.
3） 日本産科婦人科学会／日本産婦人科医会 編集・監修．"CQ611 妊産褥婦の水痘感染については？"．産婦人科診療ガイドライン：産科編2020．東京，日本産科婦人科学会，2020，323-5.
4） Lamont RF. et al. Varicella-zoster virus (chickenpox) infection in pregnancy. BJOG. 118(10), 2011, 1155-62.
5） Enders G. et al. Consequences of varicella and herpes zoster in pregnancy: prospective study of 1739 cases. Lancet. 343(8912), 1994, 1548-51.
6） Koren G. Congenital varicella syndrome in the third trimester. Lancet. 366(9497), 2005, 1591-2.
7） Sauerbrei A. et al. Neonatal varicella. J Perinatol. 21(8), 2001, 545-9.
8） Updated recommendations for use of VariZIG--United States, 2013. MMWR Morbidity and mortality weekly report. 62(28), 2013, 574-6.
9） Smego RA, Jr. et al. Use of acyclovir for varicella pneumonia during pregnancy. Obstet Gynecol. 78(6), 1991, 1112-6.
10）Shields KE. et al. Varicella vaccine exposure during pregnancy: data from the first 5 years of the pregnancy registry. Obstet Gynecol. 98(1), 2001, 14-9.

横浜市立大学附属市民総合医療センター ● 小畑聡一朗 ● 青木 茂

その他の感染症（HBV，HCV，HTLV-1，HIV，インフルエンザ）

概　要

HBV，HCV，HTLV-1，HIV は，日本国内であれば妊娠初期もしくは中期のスクリーニング検査で必ず行われる感染症で，特に症状がなくてもスクリーニング検査で初めて明らかとなる症例も少なくない．上記の各感染症に関しては，『産婦人科診療ガイドライン：産科編 2020』で CQ が設けられており，本稿と共に熟読して対応する必要がある．

B 型肝炎に関して，日本では HBV キャリアの主要な感染経路であった母子（垂直）感染に対して，世界に先駆けて 1985 年から母子感染防止事業が開始された．この結果，1986 年以降に出生した集団における小児期の HBs 抗原陽性率は 0.02 ～ 0.06%まで激減したと報告されている[1]．この予防処置を完全に実施できれば，94 ～ 97%と高率に母子感染を防ぐことができることも明らかにされた．この B 型肝炎の母子感染防止事業であるが，時折変更が行われており，常に最新の情報を知っておく必要がある．

一方で，C 型肝炎・成人 T 細胞性白血病に関しては，妊娠中に治療することは一般には行われず，分娩様式（経腟分娩か帝王切開か）や授乳の有無などといった方法で母子感染のリスクを低減させる方法がとられる．

HIV 感染は頻度が少ないとはいえ，今後増えていく可能性のある感染症である．分娩様式・授乳の有無に加えて妊娠中の薬剤治療が考慮される．

インフルエンザウイルスによる感染症は上記 4 感染症とは一線を画すものであり，妊娠中の診断・治療が確立されつつあり，母子感染という観点からすると上記感染症より重要度は低い．ただし，対応を誤ると重症化する可能性があり，適切な対応が求められる．

1. B 型肝炎[1～3]

参考 『産婦人科診療ガイドライン：産科編 2020』CQ606 妊娠中に HBs 抗原陽性が判明した場合は？

B 型肝炎は，B 型肝炎ウイルス（hepatitis B virus；HBV）の感染によるもので，慢性肝炎・肝硬変・肝臓がんへと進行することのある疾患である．一般に HBV は血液を介して感染するため，当然，母子感染もその感染経路として重要な位置を占める．そのため日本では全妊婦に対して HBs 抗原検査がスクリーニング検査として行われている．

注意すべき臨床症状・所見

HBV 陽性の妊産婦の多くがキャリアであり，臨床症状を呈していることは極めてまれである．急性肝炎では顕性感染となり，全身倦怠感・食欲不振・嘔吐，進行すれば黄疸などを呈し，このような場合にはすぐに消化器内科へのコンサルトが必要である．

診　断

スクリーニング検査で HBs 抗原陽性が確認されたら，まず妊婦本人に「HBV は血液や性行為で感染し，HBV 未感染者は HB ワクチン接種により感染が防げること，B 型肝炎母子感染防止対策を適切に行えば児のキャリア化をほぼ予防することが可能である」と説明する．さらにHBe抗原／抗体および肝機能と調べる．特にHBe抗原陽性であれば，母子感染はもちろん医療従事者を含めた感染力が高いことを示唆するので，HBe抗原の有無は管理上で重要な所見である．日本での妊婦におけるHBe抗原陽性率は約0.2～0.4%で，HBs抗原陽性妊婦の約25%がHBe抗原陽性である．

治　療

急性で症状を伴う顕性感染でない場合には母体に対する妊娠中の治療は必要としない．まれではあるが5%未満で胎内感染が起こると報告されており，危険因子として母体高HBV-DNA量（>6または>8 log copies/mL）と活動性肝炎（HBe抗原陽性・ALT高値）が挙げられている．この場合には妊娠末期に抗ウイルス薬を投与して母体HBV-DNA量を減らすことにより胎内感染を予防することが行われる．この場合には消化器内科と緊密に連携をとって治療に臨むことが不可欠である．

管　理

HBs抗原陽性が確認されたら母体への説明およびHBe抗原／抗体および肝機能のチェックを行うことがメインであり，それ以外に妊娠中の母体への特別な管理が必要であることはほとんどない．重要なのは出生後の児に対する管理である．

HBs抗原陽性の妊婦より出生した児すべてが「B型肝炎母子感染防止対策」の対象である．HBe抗原の結果や肝機能異常の有無は関係ない．このためにもHBs抗原陽性となった時点で「B型肝炎母子感染防止対策」の対象であることを妊産婦本人に確実に説明しておく必要がある．さらにカルテや引継ぎなどを通して産科・小児科・看護スタッフ間でしっかり確実に情報が共有されることが不可欠であることは言うまでもない．

2020年現在のB型肝炎母子対策感染防止対策プロトコールは以下のとおりである（図1）．

なお，出生体重が2,000g未満の低出生体重児の場合には4回接種など別途指針が作成されている．

1）HBs抗原陽性妊婦のHBe抗原検査ならびに母子感染危険度の把握と妊婦の健康管理

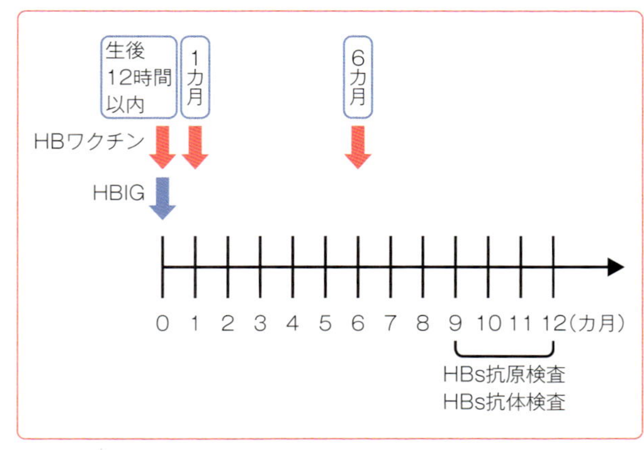

図1 ● B型肝炎母子対策感染防止対策プロトコール

2）出生直後（12時間以内が望ましいが，遅くなった場合でも可及的早期に）にHBIGとHBワクチンの2種類を投与
- HBIG 1.0mL（200単位）を2カ所に分けて筋肉注射（大腿前外側部）
- HBワクチン0.25mL皮下注射（上腕後外側部，三角筋中央部または大腿前外側部）

HBIGはヒト血漿製剤であることを両親に伝えて同意を得る．またHBIGとHBワクチンは同じ部位には注射しない．

3）生後1カ月にHBワクチン0.25mLを児に皮下注

4）生後6カ月にHBワクチン0.25mLを児に皮下注

5）生後9～12カ月にHBs抗原・HBs抗体検査
HBs抗原陰性かつHBs抗体≧10mIU/mL…予防処置終了
HBs抗原陰性かつHBs抗体＜10mIU/mL…HBワクチン追加接種
HBs抗原陽性…専門医療機関へ紹介

6）母乳に関しては，母乳栄養児と人工栄養児との間でキャリア化に差が認められないことより母乳栄養を禁止する必要はない．

Clinical Tips

HBs抗原は全妊婦を対象としたスクリーニング検査であり，検査をすりぬけることはないと考えられる．しかし上記の通り，出生後の児の管理は出生直後・1カ月・6カ月と，産科から小児科に管理が移行する場合が多いことから，しっかりと確実に引き継がれることが不可欠である．リスクマネジメントの観点からも，産科側から妊産婦本人に「B 型肝炎母子感染防止対策」に関して確実に説明することが重要である．

次回妊娠への留意点

HBs 抗原が陰性化する頻度は低いとされ，次回妊娠でも同様の管理が必要であると考えられる．

2. C 型肝炎[4, 5]

参考 『産婦人科診療ガイドライン：産科編 2020』CQ607 妊娠中に HCV 抗体陽性が判明した場合は？

C 型肝炎は，C 型肝炎ウイルス（hepatitis C virus；HCV）の感染によるもので，日本の慢性肝炎のうち約 70%を占める．B 型肝炎と同様に慢性肝炎・肝硬変・肝臓がんへと進行することのある疾患である．HCV は血液を介して感染するため，当然，母子感染もその感染経路として重要な位置を占める．そのため日本では全妊婦に対して HCV 抗体検査がスクリーニング検査として行われている．

注意すべき臨床症状・所見

HCV に感染した人の 80%は無症状であり，臨床症状を呈していることは極めてまれである．急性肝炎では顕性感染となり，全身倦怠感・食欲不振・嘔吐，進行すれば黄疸などを呈し，HCV 感染特有の症状はない．このような場合にはすぐに消化器内科へのコンサルトが必要である．

診　断

スクリーニング検査で HCV 抗体陽性が確認されたら，HCV-RNA 定量検査と肝機能検査を行う．HCV 抗体陽性には HCV 感染既往と HCV 持続感染（キャリア）が含まれ，それらを鑑別するために HCV-RNA 定量検査を行う．HCV-RNA 定量検査が陰性であれば母子感染の心配はないと考えられ，一方で陽性であれば母子感染のリスクがあり，その旨を妊産婦本人に説明する．HCV は無治療のままでは肝硬変・肝細胞がんへの移行率が高いことから，妊娠で初めて HCV-RNA 定量検査で陽性が確認されたのであれば内科受診を勧め，分娩後にも継続してフォローする必要がある．一般妊婦の HCV 抗体陽性率は 0.3 ～ 0.8%であり，その 7 割が HCV-RNA 陽性である．

治　療

顕性感染はまれであるが，症状に応じて必要であれば消化器内科医と連携の上，治療を行う．治療は肝炎であればインターフェロンや肝庇護剤などを用いることになり，肝硬変になれば蛋白製剤の補給，肝細胞がんであれば手術・動脈塞栓など肝臓の状態にあわせてさまざまな治療法が検討される．

管　理

▶ 母体管理

HCV-RNA 定量検査が陰性であれば特別な管理は不要だが，妊娠中に HCV-RNA 量が変動することがあり，妊娠後期に再検することが望ましい．

HCV-RNA 定量検査が陽性の場合，母子感染率は 10%以下と報告されている．母子感染の危険因子は HIV 重複感染と血中 HCV-RNA 量高値（10^6 コピー/mL 以上とする報告が多い）である．

分娩様式に関して，予定帝王切開が HCV 母子感染を予防できるかに関しては，肯定的な意見と否定的な意見が混在しており，controversial である．そのため，分娩様式に関しては以下を説明の上，患者家族の意思を尊重すべきとの意見がある．

1）HCV-RNA 陽性かつ HCV-RNA 量高値の場合には，予定帝王切開により母子感染を減少させる可能性がある．
2）母子感染が成立しても児の 3 割は 3 歳頃までに陰転化し，陽性児にはインターフェロン療法で半数は HCV を排除できる．
3）HCV が臨床で問題となるのは数十年後であり，母子感染したとしてもそれまでに新たな治療法が開発される可能性がある．
4）帝王切開・経腟分娩にはそれぞれ長所と短所があ

り，いずれかが優れているとはいい難いが，日本の分娩の３割程度が帝王切開で安全に行われている．

母乳栄養と母子感染率には関連がないと報告されており，母子感染予防目的に授乳を制限する必要はない．

▶出生後の児の管理

1）HCV-RNA 陽性妊婦からの出生児

出生３～４カ月に AST/ALT/HCV-RNA を検査する．HCV-RNA 陽性の場合は生後６カ月以降半年ごとに AST/ALT/HCV-RNA/HCV 抗体を検査し，感染持続の有無を確認する．HCV-RNA 陰性化例でも乳児期に再度陽性化することもあり，数回の検査を行うと共に HCV 抗体（母体からの移行抗体）が陰性化することを確認する．母子感染例の約 30%は３歳頃までに血中 HCV-RNA が自然消失するので，原則として３歳までは治療を行わない．

2）HCV 抗体陽性かつ HCV-RNA 陰性妊婦からの出生児

HCV-RNA 陽性妊婦からの出生児に準じるが，生後１年までの検査は省略し，生後 18 カ月以降に HCV 抗体を検査して，これが陰性であることを確認する．まだ HCV 抗体陽性の場合には HCV 感染があったと考え，HCV-RNA/AST/ALT の検査を行って，感染か既往か，現在も持続しているかを確認する．

Clinical Tips

Ｂ型肝炎と異なり，出生後３～４カ月後に最初の検査が行われることから，基本的には児の管理は小児科医にゆだねられる．したがって，小児科医にしっかり確実に情報が引き継がれることが必要である．リスクマネジメントの観点からも，妊産婦に出生後の児の管理についてしっかりと説明しておく必要がある．

次回妊娠への留意点

次回妊娠でも HCV 抗体陽性が持続している可能性が高く，同様に慎重な対応が求められる．

3. 成人Ｔ細胞白血病[6, 7]

参考 『産婦人科診療ガイドライン：産科編 2020』CQ612 HTLV-1 検査と陽性例の取り扱いは？

HTLV-1（human T-cell leukemia virus type-1）の感染によってキャリアとなった成人において，CD4 陽性Ｔ細胞の腫瘍性増殖が起こることがあり，これが成人Ｔ細胞白血病（adult T-cell leukemia；ATL）である．HTLV-1 は ATL の原因ウイルスであり，他に HTLV-1 関連脊髄症（HTLV-1 associated myelopathy；HAM）を始めとした HTLV-1 関連疾患の原因ウイルスでもある．

ATL 患者の大多数は母子感染に起因する成人キャリアからの発症である．ATL は発症から１年以内に約 80%が死亡する予後不良の白血病であり，有効な治療法はまだ確立されていない．しかし HTLV-1 キャリアからの ATL 生涯発症率は３～7%程度であり，ATL の平均発症年齢は 60～70 歳代と高齢であることも特徴である．一方で HAM は ATL より早期に発症し，予後も不良である．

HTLV-1 の感染経路として，母子感染・輸血・臓器移植・性交による感染と考えられ，針刺し事故による HTLV-1 感染の可能性はほとんどないと考えられている．

注意すべき臨床症状・所見

上記の通り，特に ATL では発症年齢が 60～70 歳代であるため，妊娠可能年齢で症状を呈している可能性は極めて低い．参考までに ATL では皮膚の発疹・リンパ節腫脹・高カルシウム血症が起こる場合が多い．HAM では下肢の運動障害・歩行障害・排尿障害・便秘などがある．

診　断

全妊婦を対象にHTLV-1のスクリーニング検査が行われており，PA法·EIA法·CLIA法が用いられる．しかしこれらスクリーニング検査には非特異反応による偽陽性が少なからず存在するため，必ずウエスタンブロット（WB）法による確認検査が必要である．したがってスクリーニング検査が陽性でも「偽陽性が多いため確認検査が必要である」旨を十分に説明する必要がある．WB法による確認検査が陽性であった時点で，初めてHTLV-1感染（キャリア）診断がなされる．しかしWB法による確認検査でも「判定保留」となる例が10～20%程度存在し，その場合にはPCR法の結果が参考になる．WB法が判定保留でPCR法が陰性の場合は母子感染の可能性は極めて低いと考えられるが，WB法が判定保留でPCR法が陽性の場合にはキャリアと診断して母子感染予防策を講じる．

治　療

上記の通り，特にATLでは妊娠可能年齢で発症している例はほとんどなく，治療は必要としない．しかもHTLV-1ウイルスの増殖を抑える有効な薬剤は現時点では開発されていない．

管　理

▶ 本人への説明

将来のATL発症率などHTLV-1に関する正しい知識を提供する．いたずらに不安をかきたてるような説明は避けるべきである．『HTLV-1母子感染予防対策保健指導マニュアル』がwebで取得でき（http://www.jsog.or.jp/public/knowledge/img/HTLV_1.pdf），それが参考になる．家族への説明は，妊婦本人が希望した場合にのみ行う．希望しない場合には，家族への説明は医師からは行わない．

▶ 母子感染予防

HTLV-1は主に経母乳感染し，母子感染ルートの主体は感染したTリンパ球を含む母乳である．キャリアの母から出生した児の乳汁栄養法別の感染率は完全人工栄養児では3.3%，生後90日を超えている母乳栄養児では17.7%であった．

これまで経母乳母子感染予防の観点から，①人工栄養（推奨），②凍結母乳栄養，③生後90日までの短期間母乳栄養という3つの選択肢を提示していたが，2017年8月に原則として完全人工栄養を勧めるように改められた．母乳による感染リスクを十分に説明してもなお母親が母乳を与えることを強く望む場合には，②凍結母乳栄養，③生後90日までの短期間母乳栄養という選択肢を説明するが，これらの方法は母子感染予防効果のエビデンスが確立されていないことを十分に説明する．また乳汁栄養法の選択は分娩前に決定しておくことが望ましい．詳細に関しては以下のURLでアクセス可能な「HTLV-1母子感染予防対策マニュアル」を参照されたい．

https://www.mhlw.go.jp/bunya/kodomo/boshi-hoken16/dl/06.pdf

次回妊娠への留意点

次回妊娠でもHTLV-1陽性であることはまず変わることがなく，同様の対応が必要である．

4. HIV[8, 9]

参考 『産婦人科診療ガイドライン：産科編2020』CQ610 HIV感染の診断と感染妊婦取り扱いは？

後天性免疫不全症候群（acquired immunodeficiency syndrome；AIDS）は，ヒト免疫不全ウイルス（human immunodeficiency virus；HIV）感染によって生じ，適切な治療が施されないと重篤な全身性免疫不全により日和見感染症や悪性腫瘍を引き起こす状態をいう．近年，治療薬の開発が飛躍的に進み，早期に服薬治療を受ければ免疫力を落とすことなく，通常の生活を送ることが可能となってきた．しかし日本での新規感染者およびAIDS患者数は累計で2.7万人を突破しており，国内での新規AIDS患者および HIV 感染者は毎年 1,500 件程度報告されている．HIV 陽性妊婦は日常的に遭遇する状況ではないとはいえ，知識としてはもっておくべきと考えられる．

現在の日本では 99%以上の施設でスクリーニング検査として妊婦に HIV 検査を行っている．スクリーニング検査で陽性の場合には，後述するように必ず確認検査を行う必要がある．

注意すべき臨床症状・所見

発熱・倦怠感・リンパ節腫脹など免疫不全による症状が認められるが，特異的な症状はない．HIV 陽性妊婦の多くは無症状である．しかし active な性行為感染症（梅毒，淋病，コンジローマ，クラミジアなど）や，肝炎，繰り返す帯状疱疹・ヘルペス，結核や口腔カンジダなどをきっかけに HIV 感染が判明することも少なくない．

診　断

早期発見・早期治療，母子感染予防の観点から，妊娠初期にスクリーニングとして HIV 抗体検査を行う．HIV 抗体検査が陽性の場合，HIV-1 ウエスタンブロット法（HIV 抗体価精密測定）と HIV-1 PCR 法（HIV 核酸増幅定量精密検査）の両者による確認検査を行う．国内では HIV 感染妊婦が少ないため，スクリーニング検査で陽性となった症例のうち確認検査で陽性となるの（陽性的中率）は 5%程度と低率であるため，スクリーニング検査陽性の場合でも 95%偽陽性であることを本人に説明する必要がある．

治療および管理

確認検査陽性例の取り扱いに関しては，各地域の産婦人科標榜のエイズ治療拠点病院に相談する．その場合には，本人に致死性の疾患ではなく慢性の経過をとる感染症であることを事前に伝え，感染者の心理的重圧に配慮しながらも確実に紹介先を受診するように説明する．

近年の HIV 治療は多剤併用療法が主流であり，抗 HIV 薬を組み合わせた cART（combination antiretroviral therapy）が行われるようになり，予後は著明に改善した．妊娠中でも早期に cART を開始することで母子感染のリスク低減につながる．重篤な副作用に関する厳重な注意も喚起されており，妊娠中の抗 HIV 薬投与に関しても感染症専門医と連携をとって治療にあたる必要がある．上記の通り国内では HIV 感染妊婦は少ないため，エイズ治療拠点病院に集約して管理する必要がある．

HIV 母子感染は，胎内感染・産道感染・母乳感染の 3 経路により成立すると考えられる．

胎内感染に関しては，妊娠中から cART を行うことでリスク低減が可能である．分娩方法に関しては，これまでの多くの大規模調査で選択的帝王切開により母子感染率が減少すると報告されていることから，現時点では選択的帝王切開分娩が選択される．さらに cART を行っても HIV RNA 量が検出感度以上の場合には，帝王切開時に母体に点滴用ジドブジン（AZT）を投与し，さらに新生児にも AZT シロップ単独あるいは AZT シロップを含めた多剤併用療法を 6 週間投与する（点滴用 AZT および AZT シロップは国内未承認薬であり，厚生労働省エイズ治療薬研究班から入手する）．哺乳に関しては，人工乳により母子感染率が低下することが報告されており，出生直後より人工栄養哺育が勧められる．

Clinical Tips

上記の通り頻繁に遭遇する疾患ではないため，産婦人科および感染症専門医を有するエイズ治療拠点病院での管理が必須である．治療薬には国内未承認薬が含まれており，施設内で使用するにあたり承認を得る必要がある．したがって，可及的速やかに関係各部署に連絡をして調整する必要がある．

次回妊娠への留意点

分娩中も出産後も原則として cART が必要である．したがって基本的には次回妊娠前からの cART を行っているはずであり，HIV RNA 量がコントロールされていれば，妊娠中もそのまま cART を継続する．いずれにせよ，エイズ拠点病院にて感染症専門医との連携の上で慎重な管理が必要なことは言うまでもない．

5. インフルエンザ[10)]

参考 『産婦人科診療ガイドライン：産科編 2020』CQ102 妊婦・褥婦へのインフルエンザワクチンおよび抗インフルエンザウイルス薬の投与について尋ねられたら？

インフルエンザは主に冬季に流行するインフルエンザウイルスによる感染症である．8割以上の症例に38℃以上の発熱があることが特徴で，半数以上で悪寒・頭痛を認め，他に関節痛・筋肉痛などを認める．多くの症例では無治療でも1～2週間で自然治癒するが，乳幼児・65歳以上の高齢者・慢性呼吸器疾患など基礎疾患がある場合には重症化しやすく，死に至る場合もある．妊産婦ではインフルエンザ流行中に心肺機能が悪化し入院するリスクは非妊時によりも高く，妊娠末期に近づくほどリスクが高いと報告されている．

インフルエンザ感染症の重症化を予防する最も有効な手段はインフルエンザワクチン接種であり，妊婦に関しても有効性は証明されている．日本で使用できるインフルエンザワクチンは不活化ワクチンであり，妊婦・胎児には問題なく，実際にCDC，ACOGを含めて妊娠中のいかなる時期でもインフルエンザワクチン接種を推奨している．また妊婦にインフルエンザワクチンを接種することで生後6カ月後までのインフルエンザ罹患率を減少させるという報告もあり，母児双方にとって利益をもたらす可能性がある．インフルエンザワクチンを接種してから効果が発現するまで2～3週間を要し，また接種から3～4カ月の防御免疫能を有することから，ワクチン接種時期は流行シーズンが始まる10～11月が目安となる．

注意すべき臨床症状・所見

通常の感冒様症状に加えて急に38℃以上の発熱を認め，関節痛・倦怠感といった症状が出る．しかしインフルエンザ感染症特有の症状はほとんどなく，症状だけで診断するのは困難である．

診　断

多くの病院で採用されている「迅速抗原検出キット」で，短時間で判定が可能である．最短10分程度で検査でき，健康保険が適用される．またA型かB型かを特定可能である．鼻腔もしくは咽頭ぬぐい液や鼻腔吸引液などで簡便に診断可能である．しかし，一定量以上のウイルスがなければ判定できないため，ウイルスが少ない発症前や，検査時にウイルスの採取が不十分な場合は，インフルエンザウイルスに感染していても陽性にならないことがあり得るので注意が必要である．

治　療

日本で使用できる抗インフルエンザウイルス薬としてオセルタミビル錠（商品名タミフル）やザナミビル吸入（商品名リレンザ）があり，これらの薬剤は感染した細胞からウイルス粒子を遊離させるために働くノイラミニダーゼ活性を阻害し，インフルエンザウイルスの増殖を抑制する．このため，発症から48時間以内に服用を開始することで発熱期間は1～2日短縮されウイルス排出量も減少し重症化を予防することができる．インフルエンザ感染症患者と濃厚接触した場合のタミフルあるいはリレンザ投与は70～90%の予防効果があるとされており，インフルエンザ発症により重症化しやすい妊婦および分娩後2週間以内の褥婦に対しては予防投与が勧められる．現在までにタミフルやリレンザの妊婦への投与による胎児への有害事象は報告されていない．授乳に関しても母乳に移行する量は極めて少なく，抗インフルエンザ薬の授乳中の使用は問題にならない可能性が高いと考えられる．

他の点滴としてペラミビル（商品名ラピアクタ）や吸入剤であるラニナミビル（商品名イナビル）が使用できる．しかし使用できるようになってから日が浅く，安全性に関しては今後の検討が待たれる．

管　理

呼吸管理が必要な重症例を除いては，外来管理が可能である．抗インフルエンザウイルス薬の服用に加えて，十分な睡眠・安静が必要である．また周囲に感染が広がらないように，マスク・うがい・手洗い・消毒・換気など，一般的な感染症対策が必要である．

家族がインフルエンザに罹患した場合には，以下のような対策をとる．

- 感染者は部屋を分け睡眠も食事も別にする．
- タオルの共有を避け，使い捨てのペーパータオルを使用する．
- 十分に換気し，感染者の部屋の入口にアルコール手指消毒剤を置いてこまめに消毒する．
- トイレや洗面所では感染者がマスクをする．
- 解熱しても 2 日間は外出を控える．

周囲の人がインフルエンザに罹患した場合，妊娠中であれば予防的に抗インフルエンザ薬を使用することが可能である．

Clinical Tips

簡便かつ迅速に検査が可能であること，陽性の場合には隔離などの措置が必要であることから，急な高熱を認めた場合には，躊躇せずに検査を行うことが重要である．

次回妊娠への留意点

全妊婦に対していえることだが，インフルエンザワクチン接種を強く勧めることが重要である．

引用・参考文献

1) 白木和夫．Infectious Agents Surveillance Report. 21, 2000. 74-5.
2) 白木和夫．B 型肝炎ワクチンと母子肝炎防止．モダンメディア．50(12)，2004，279-85.
3) 日本小児科学会，日本小児栄養消化器肝臓学会，日本産科婦人科学会．B 型感染ウイルス母子感染予防のための新しい指針．2013．http://www.jpeds.or.jp/uploads/files/HBV20131218.pdf［2022. 3. 26 閲覧］
4) 「C 型肝炎ウイルス等の母子感染防止に関する研究」班．C 型感染ウイルス（HCV）キャリア妊婦とその出生児の管理指導指針．2005. https://www.mhlw.go.jp/shingi/2005/04/dl/s0412-8f1.pdf［2022. 3. 26 閲覧］
5) 田尻仁（ガイドライン作成委員長）．C 型肝炎母子感染小児の診療ガイドライン．日本小児栄養消化器肝臓学会雑誌．34(2)，2020，95-121.
6) 板橋家頭夫（研究代表者）．HTLV-1 母子感染予防対策マニュアル．厚労行政推進調査事業補助金・成育疾患克服等次世代成育基盤研究事業．https://www.mhlw.go.jp/bunya/kodomo/boshi-hoken16/dl/06.pdf［2022. 3. 26 閲覧］
7) 日本産婦人科医会・日本小児科医会編．HTLV-1 母子感染を防ぐために．2017．http://www.jaog.or.jp/wp/wp-content/uploads/2017/05/HTLV-1.pdf［2022. 3. 26 閲覧］
8) 日本産婦人科感染症学会．HIV 感染妊娠に関する診療ガイドライン第 2 版．2021．http://hivboshi.org/manual/guideline/2021_guideline.pdf［2022. 3. 26 閲覧］
9) 喜多恒和（研究代表者）．HIV 母子感染予防対策マニュアル第 8 版．2019．http://hivboshi.org/manual/manual/manual8.pdf［2022. 3. 26 閲覧］
10) 安井良則（主任研究者）．新型インフルエンザ対策（A/H1N1）妊娠中の人や授乳中の人へ．2009．https://www.mhlw.go.jp/bunya/kenkou/kekkaku-kansenshou04/pdf/ninpu_1217_2.pdf［2022. 3. 26 閲覧］

日本大学医学部附属板橋病院 ● 小松篤史

1 出血性ショック

概念・定義

ショックとは，生体に対する侵襲あるいは侵襲に対する生体反応の結果，重要臓器の血流が維持できなくなり，細胞の代謝障害や臓器障害（多臓器不全）が起こり，生命の危機に至る急性の症候群である．収縮期血圧90mmHg以下への低下あるいは通常の血圧より30mmHg以上の血圧低下を指標とすることが多い．

産科ショックとは，「広義には偶発合併症によるものも含め，妊産褥婦がショック状態に陥った場合のすべてをいうが，一般には妊娠もしくは妊娠に伴って発生した病的状態に起因するショックを産科ショックと称する．多くは出血性ショックであり，その他，子癇，羊水塞栓症，感染流産などがその基礎疾患となり得る．また仰臥位低血圧症候群，産科手術時の腰椎麻酔によるショックなどもこれに含まれる」と定義されている[1]．

分類・病態

循環障害の要因によるショックの分類では4つに大別される（表1）．

原　因

産科における出血性ショックの原因を表2に，産後の過多出血（postpartum hemorrhage；PPH）のリスク因子を表3に示す．

表1 ● 循環障害の要因によるショック

①循環血液量減少性ショック（hypovolemic shock）：
　出血，脱水，腹膜炎，熱傷など
②心原性ショック（cardiogenic shock）：
　心筋梗塞，弁膜症，重症不整脈，心筋症，心筋炎など
③血液分布異常性ショック（distributive shock）：
　アナフィラキシー，脊髄損傷，敗血症など
④心外閉塞・拘束性ショック（obstructive shock）：
　肺塞栓，心タンポナーデ，緊張性気胸，仰臥位低血圧症候群など

表2 ● 産科における出血性ショックの原因

- 弛緩出血
- 産道裂傷
- 後腹膜血腫
- 子宮破裂
- 子宮内反症
- 癒着胎盤
- 異所性妊娠
- 前置胎盤
- 常位胎盤早期剝離
- 羊水塞栓症
- 仮性動脈瘤
- 外傷　など

表3 ● 産後の過多出血（PPH）のリスク因子

- 初産
- 肥満
- 巨大児
- 多胎妊娠
- 羊水過多
- 分娩遷延
- 早産
- 短時間の分娩
- 妊娠高血圧症候群　など

診　断

産科ショックのほとんどは循環血液量減少性ショック（hypovolemic shock）に分類される出血性ショックである．血圧低下に加え，①心拍数の増加，②頻脈・徐脈，③爪先の毛細血管のrefill遅延，④意識障害，⑤乏尿・無尿，⑥皮膚蒼白と冷や汗または39℃以上の発熱の6つの臨床症状を参考とし，このうち3項目以上に該当するとショックと診断される（表4）[2]．

臨床症状は，ショックの5徴候（ショックの5P's）と同様である（表5）．

経腟分娩の出血量は500mL，帝王切開分娩では1,000mLとされ，これを超えた場合には産後の過多出血（postpartum hemorrhage；PPH）あるいは産科危機的出血に移行する可能性を念頭におき，原因

表4 ● ショックの診断基準[2)]

1. 血圧低下：収縮期圧　90mmHg以下
   平時の収縮期血圧が150mmHg以上の場合：平時より60mmHg以上の血圧下降
   平時の収縮期血圧が110mmHg以下の場合：平時より20mmHg以上の血圧下降

2. 小項目（3項目以上を満足）
   ①心拍数　100回／分以上
   ②微弱な脈拍
   ③爪床の毛細血管のrefilling遅延（圧迫解除後2秒以上）
   ④意識障害（JCS 2桁以上またはGCS10点以下），不穏，興奮状態
   ⑤乏尿・無尿（0.5mL/kg/hr以下）
   ⑥皮膚蒼白と冷汗，または39℃以上の発熱（感染性ショックの場合）

※血圧低下と小項目3項目以上でショックと診断する．
※JCS：Japan Coma Scale，GCS：Glasgow Coma Scale

表5 ● ショックの5徴候（ショックの5P's）

- 皮膚・顔面蒼白（Pallor）
- 発汗・冷や汗（Perspiration）
- 肉体的・精神的虚脱（Prostration）
- 脈拍微弱（Pulselessness）
- 呼吸不全（Pulmonary insufficiency）

検索を行い治療の準備を開始する必要がある．

分娩時の出血の速度と量の多さは，分娩に立ち会っていれば容易に把握できるので出血性ショックの診断に窮することはほとんどない．しかし最も問題となる出血量に関しては，寝具・覆布類に吸収されること，羊水が混入していること，腹腔内や後腹膜腔内の出血量は容易に評価できないこと，裂傷縫合などの処置中に急速に進行していくことなどから，その全体量を正確に把握することは困難である．また，大量出血直後のヘモグロビン値は出血量に見合わない高値を示すこともよく知られている．

したがって，分娩時出血量は，血圧と脈拍より算出された循環動態の指標であるショックインデックス（Shock Index；SI）を用いて評価する必要がある（図1）．

循環血液量不足はSI値上昇として反映される．すなわち，循環血液量の不足状態に応じて，脈拍数は増加し，収縮期血圧は低下する．通常出血量（L）はSI値と同等とされSI＝1.0は1L，SI＝2.0は2Lの出血量と推定される．正期産期の妊婦の場合には，約40%の循環血液量の増加がみられるため，SI＝1.0は1.5L，SI＝1.5は2Lの出血量に相当する．

SIは簡単に計算される数値であるが，これにより分娩時ばかりではなく分娩後異常出血によるショック時の出血量評価も客観的に行うことができるので，救急搬送症例では重要な指標となる．ショックの程度は，このSI値に加えて実測の外出血量，気分不快などの訴えや四肢冷感，意識レベルに注意して総合的に判断することになる．

妊娠中・分娩時の子宮破裂あるいは外傷は，予期せぬ出血性ショックの原因となる．外出血が認められない場合も多く，突然の腹部激痛の自覚や腹壁直下に胎児部分を触知するなどの臨床症状，超音波検査・CTなどの画像検査所見を参考に診断する．子宮破裂では，帝王切開分娩の既往，間質部異所性妊娠の既往，子宮筋腫核出術後，腹腔鏡下帝王切開瘢痕部修復術後など既往歴に注意する（図2，図3）．交通外傷では，母体の受傷状況，シートベルトの着用方法を確認するとともに，産科的に子宮破裂，常位胎盤早期剝離，胎盤後血腫の有無と胎児の状態を評価する．たとえ初期の外傷症状が軽度であっても，時間とともに母児間輸血症候群が発症することなどがあるので注意して診断を進める．

$$\text{ショックインデックス Shock Index (SI)} = \frac{\text{1分間の心拍数（脈拍数）}}{\text{収縮期血圧（mmHg）}}$$

↓

循環血液量不足≒SI値上昇
循環血液量の不足状態に応じて，脈拍数は増加，収縮期血圧は低下

↓

通常，出血量（L）はSI値と同等：SI＝1.0は出血量1L，SI＝2.0は出血量2L　と推定
正期産期の妊婦（循環血液量約40%増加）：SI＝1.0→1.5L，SI＝1.5→2Lの出血量に相当

図1 ● ショックインデックスと出血量の目安

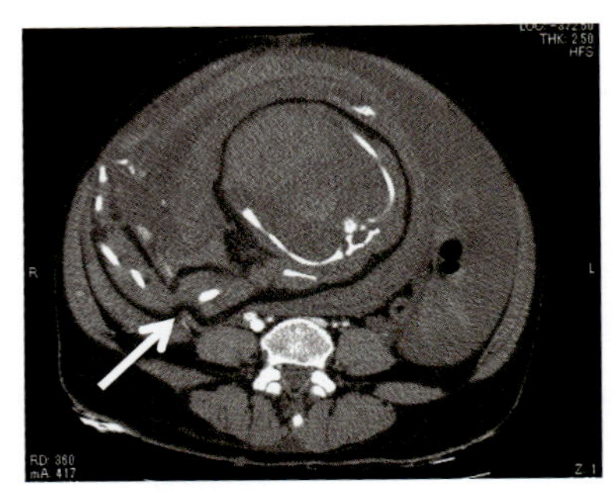

図 2 ● 子宮破裂
子宮外に上肢が脱出している.

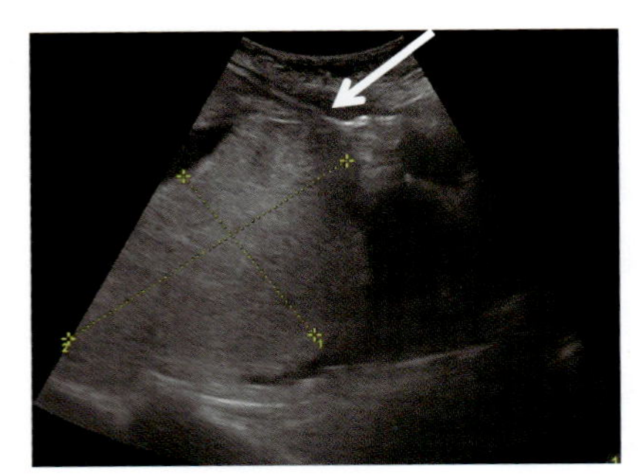

図 3 ● 子宮破裂による絨毛膜下血腫
腹腔鏡下帝王切開瘢痕部修復術部位が破裂した例.

治　療

経腟分娩後・帝王切開分娩後に出血性ショックと診断される症例では，ショックの治療開始時点までに出血の原因検索およびその除去・止血が試みられているのが通常である．止血のため，オキシトシン（5 ～ 10 単位＋乳酸リンゲル液 500mL，点滴），メチルエルゴメトリンマレイン酸塩（0.2mg，静注），$PGF_{2\alpha}$（1,000 μg ＋ 5% ブドウ糖液 500mL，点滴）などの薬剤投与に加えて，子宮マッサージ，子宮双手圧迫止血法，ガーゼ充填法，子宮内バルーンタンポナーデ法（Bakri® バルーン，Foley カテーテル，オバタメトロ®，フジメトロ® など）などの物理的止血法が同時に試みられる[3]．分娩室や救急カートに常備しておく医薬品・物品については，『産婦人科診療ガイドライン：産科編 2020』CQ401 が参考となる[4]．

経腟分娩では 1L 以上，帝王切開分娩では 2L 以上の出血が認められた場合，あるいは SI 値が 1.0 を超えた場合，速やかに 2 本以上の血管を確保（14 ～ 20G）して輸液を開始する．出血性ショックは循環血液量減少性ショック（hypovolemic shock）であるから，循環血液量を回復し血圧を上昇させることが輸液の主な目的となる．同時にパルスオキシメーターによる SpO_2 のモニタリングも開始する．SpO_2 が 90 %以下の場合 PaO_2 は 60Torr 以下と考えられ，90 ～ 92%以上の維持を目標としてリザーバーマスクによる酸素投与（10L/ 分）が必要である．

意識レベル・血圧・心拍数・出血量を継続的に評価し，血液検査にて Hb 値・血小板数・凝固系の評価を実施する．処置の妨げにならなければ尿量の評価（0.5 ～ 1.0mL/kg/ 時以上）も開始する．体温保持も重要である．

これらの処置にもかかわらず出血が続き，より高度な出血性ショックに移行すると判断された場合には，『産科危機的出血への対応指針 2017』[5]（図 4）に従って対応する．

すなわち，すみやかに輸血を開始しつつ，IVR（Interventional Radiology）による動脈塞栓術の適応，開腹による子宮圧迫縫合術（compression suture）の適応，子宮摘出術の適応などを検討する．同時に，高次施設への搬送も検討する．

産科危機的出血とは，「妊産褥婦の生命にかかわる産科出血を総称し，迅速な輸血（赤血球濃厚液だけではなく新鮮凍結血漿あるいは血小板濃厚液）と集約的なチーム管理を必要とする危機的状態をいう．ショックインデックス（心拍数／収縮期血圧）を重視し，1.5 以上，産科 DIC スコア 8 点以上，あるいはフィブリノゲン 150mg/dL 以下となれば，産科危機的出血と診断される．なお，乏尿・末梢循環不全があれば産科危機的出血と判断してよい」と定義されている[1]．産後の過多出血（PPH）から急速に進行し，時間的猶予のないことがしばしばである．常位胎盤早期剥離症例では，潜在性に消費性凝固障害が進行し出血性ショック時にはすでに DIC に陥っていることがあるので，予期的な検査・対応が求められる．なお，産後出血については別項をご参照いただきたい（第 2 章Ⅴ -3 産後出血）．

▶ 輸液療法

循環血液量は体重の約 7%である．患者は循環血液量の 10 ～ 15%の出血には耐えられ，唯一の他覚所見は頻脈である．15 ～ 30%の出血で不安感を呈するようになり，心拍数の上昇（100 回 / 分以上）と呼吸数の増加（20 ～ 30 回 / 分）がみられる．30

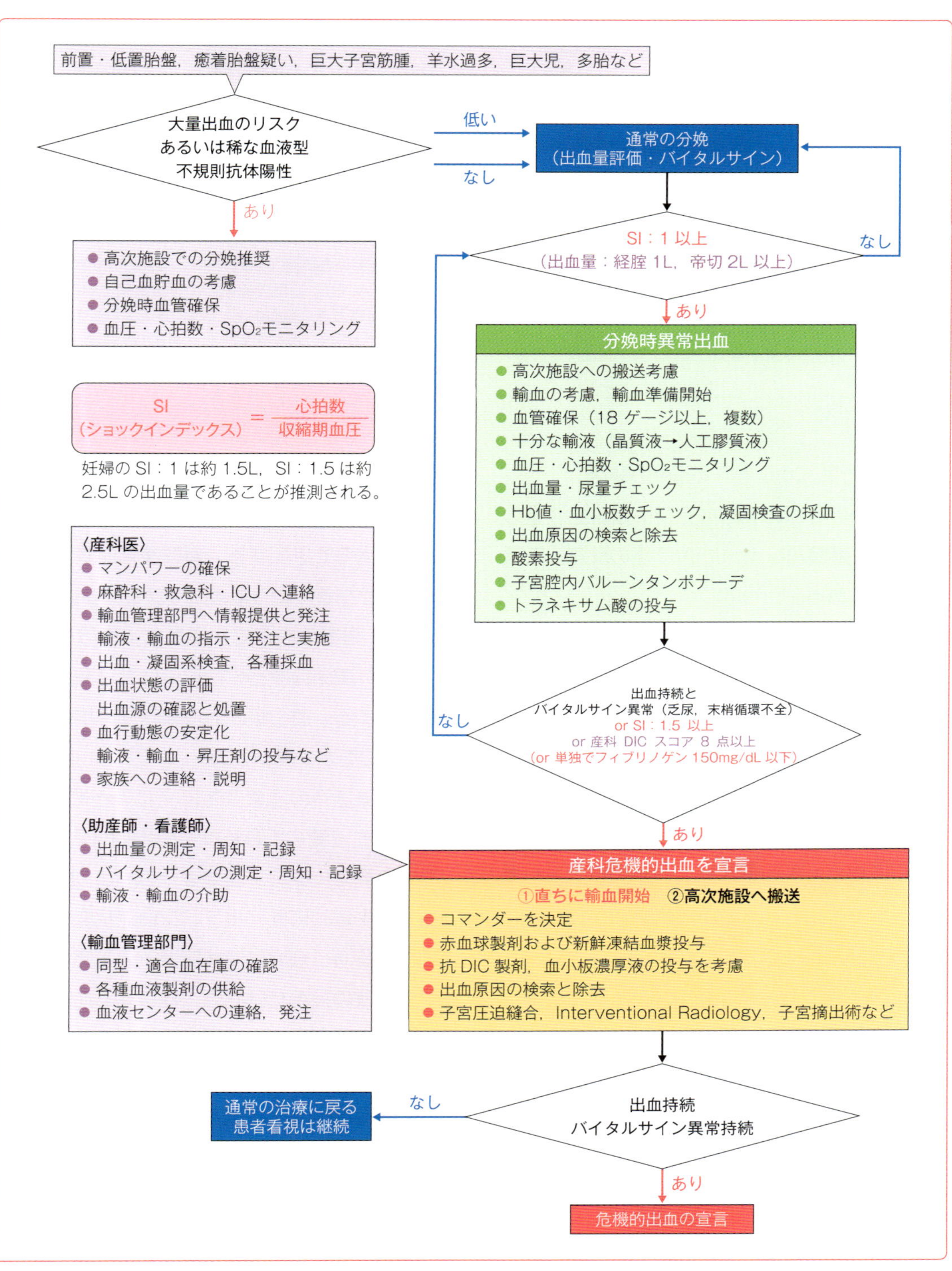

図 4 ● 産科危機的出血への対応指針 2017

（文献 5 より引用）

～ 40％の出血で血圧は低下し，心拍数は 120 回 / 分以上となり，不安・不穏が増強する．40％を超える出血では低血圧が顕著となり，嗜眠傾向・意識消失，無呼吸に陥る[6]．

非妊時体重 50kg の妊婦では，正期産期での循環血液量は，50kg × 0.07（7％）× 1.4（妊娠による増加）＝ 4,900mL と計算される．20％の出血量は 1,000mL に相当し，通常この程度の出血までは耐えられるが，40％以上の出血量（2,000mL）ではショックに陥ることになる．

輸液負荷には細胞外液補充液（乳酸リンゲル液，酢酸リンゲル液などの晶質液）を用い，1,000 ～ 2,000 mL を急速に輸液する（表 6）．人工膠質液は多量投与による凝固障害や腎機能障害が指摘されているの

表 6 ● 輸液時の注意点

細胞外液補充液 1,000mL を輸液した場合
細胞間質液：血管内液＝ 3：1 に分布するので，血管内には 250mL が残留する．
理論的には，1,000mL の出血に約 4,000mL の細胞外液補充液の輸液が必要と計算される．
糖液
1,000mL の 8%（80mL）しか血管内に留まらないので，循環血液量の増加を目的とした使用には不適．
人工膠質液（6%ヒドロキシエチルデンプン液など）
血管内に留まり，水分を引き付けて循環血漿量を増やす．
等張アルブミン製剤（5%人血清アルブミン）
人工膠質液と同様に循環血漿量を増加させる．腎機能障害のある症例にも使用可能．

で，輸液上限の 1,000mL を守る必要がある．

輸液量が適正かどうかの判断ならびに循環血液量の評価には，超音波断層法を用いた IVC 径の計測，緊張度の観察が有用である．

▶ 輸血・血液製剤療法

産科出血性ショックに陥ると，急速に全身状態の悪化が進行し，容易に希釈性凝固障害，産科 DIC（播種性血管内凝固症候群）を併発する．『産科危機的出血の対応指針 2017』においては，SI：1 以上で輸血の準備を開始し，SI：1.5 以上を輸血開始の目安としている．また，出血が持続し，バイタルサイン異常（乏尿，末梢循環不全）が認められ，産科 DIC スコア 8 点以上，単独でフィブリノゲン 150mg/dL 以下の場合にも輸血開始が推奨されている．

厚生労働省の「血液製剤の使用指針（改訂版）」（2017 年）[7] によれば，赤血球液使用のトリガー値は Hb 7g/dL，新鮮凍結血漿は 150mg/dL またはこれ以下に進展する危険性がある場合，血小板濃厚液は血小板数を 5 万 /μL 以上に維持するように使用を開始することが推奨されている．また，2019 年の改定では，大量出血時の輸血に当たっては，各輸血用血液製剤の投与単位の比が新鮮凍結血漿：血小板濃厚液：赤血球液＝ 1：1：1 となることが望ましいと明記された．トラネキサム酸の使用に関しても，抗線溶療法により患者の予後を改善させる可能性があるので，早期からの投与が推奨された．産科出血では早期に 2 ～ 4g（生理食塩水 50 ～ 100mL）を 1 時間で投与し，出血・凝固系検査の結果を参照しながら追加投与を検討する．

表 7 ● 輸血時の注意点

新鮮凍結血漿と赤血球液の比率を 1：1 以上で投与する場合
輸血関連循環過負荷（TACO）* に注意する必要がある．
新鮮凍結血漿投与
輸血関連急性肺障害（transfusion-related acute lung injury；TRALI）を引き起こす可能性が指摘されている．
多量の赤血球液輸血時
高カリウム血症，低カルシウム血症に注意する．

* 輸血関連循環過負荷（transfusion-associated circulatory overload；TACO）：過量の輸血による量負荷や急速投与による速度負荷などが原因で，輸血中または輸血終了後 6 時間以内に現れる心不全，チアノーゼ，呼吸困難，肺水腫等の合併症．

したがって通常は SI を参考にして，Hb 7g/dL，フィブリノゲン 150mg/dL 以下とならないうちに新鮮凍結血漿と赤血球液をそれぞれ 4 単位以上，1：1 以上の比率で手配する．新鮮凍結血漿は解凍するのに時間がかかるため，早めに（フィブリノゲン値が 200 mg/dL 程度の時点で）準備を始めることが大切である．新鮮凍結血漿と赤血球液は到着順に速やかに使用を開始する．血小板は血液検査値の推移をみて 10 ～ 20 単位をオーダーする．

輸血療法時の注意点を**表 7** にまとめる．

循環血液量の 50%以上の出血（2,500mL 以上）では血清アルブミン濃度は 3.0g/dL 未満に低下する．妊婦は生理的に低アルブミン血症状態にあるが，ショック治療時に細胞外液補充液，人工膠質液および赤血球濃厚液の投与だけでは，さらなる血清アルブミンの低下により肺水腫や乏尿が出現する危険性がある．適宜，等張アルブミン製剤を投与する（250 ～ 500 mL：12.5 ～ 25g）．また，ショック状態から離脱した後にも低アルブミン血症に起因する肺水腫や著明な浮腫が出現する場合には，高張アルブミンの投与を考慮する．

産科出血性ショックでは，緊急のため適合血液が間に合わない状況が想定される．その場合，躊躇することなく未交差同型血を使用する．また超緊急時には異型適合血輸血も考慮する（**表 8**）[8]．O 型赤血球製剤と AB 型新鮮凍結血漿は超緊急時に使用可能である．

Rho（D）陰性の患者には陽性血を使用しても良い．新鮮凍結血漿および血小板に関しては血液型が一致する製剤を用いる．ABO 同型の新鮮凍結血漿が入手困難な場合には，原則として AB 型を使用する．

フィブリノゲンの補充には，クリオプレシピテート，

表 8 ● 緊急時の適合血の選択[8)]

患者血液型＼輸血製剤	赤血球液 (RBC)	新鮮凍結血漿 (FFP)	血漿板濃厚液 (PC)
A	A > O	A > AB > B	A > AB > B
B	B > O	B > AB > A	B > AB > A
AB	AB > A = B > O	AB > A = B	AB > A = B
O	O のみ	全型適合	全型適合

異型適合血を使用した場合，投与後の溶血反応に注意する．

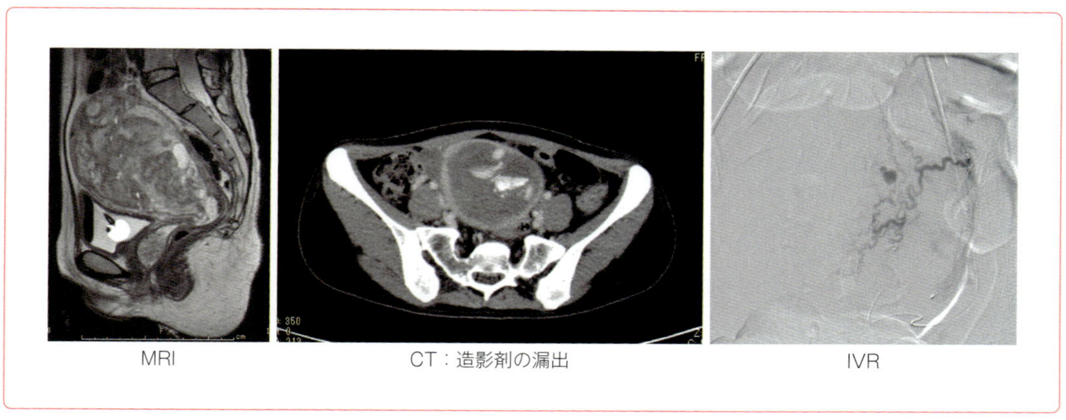

図 5 ● 胎盤遺残に対する IVR

乾燥フィブリノゲン製剤（1g/ バイアル，施設登録が必要）も選択肢としてあげられる．また，出血コントロールのため，血栓症や DIC の発症に注意する必要はあるが，遺伝子組換え活性型血液凝固第 7 因子製剤（ノボセブン®）の使用も考慮する．

DIC には，乾燥濃縮人アンチトロンビンⅢ製剤を 1 日 3,000 単位静注し，ガベキサートメシル酸塩（20 ～ 39mg/kg/ 日）やナファモスタットメシル酸塩（0.06 ～ 0.2mg/kg/ 時）の 24 時間持続点滴を行うのが通常である．抗ショック作用の強いウリナスタチン（urinary trypsin inhibitor；UTI）も有効である可能性があり，30 万単位／日を 3 回に分けて静注する．

ダナパロイドナトリウム（1 日量 2,500 抗第 Xa 因子活性単位）の 12 時間おき 1,250 単位ずつの静注や，遺伝子組換えトロンボモジュリン（リコモジュリン®）380 単位 /kg の 1 日 1 回点滴静注も行われることがある．

▶ 循環動態管理

血圧は収縮期血圧 100mmHg 以上を目標とするが，止血され状態が安定するまでは 80 ～ 90mmHg 以上を維持するよう努める．頸動脈が触れない場合は収縮期血圧 60mmHg 以下，大腿動脈が触れる場合は収縮期圧 70mmHg 以上，橈骨動脈が触れる場合は収縮期血圧 80mmHg 以上と判断する．

出血性ショックの治療中においてはカテコラミンの使用を差し控えるが，止血が得られた後にも血圧維持が困難なことがある．このような場合には血圧維持にカテコラミン（ドパミン塩酸塩 2 ～ 10 μg/kg/ 分，ドブタミン塩酸塩 2 ～ 10 μg/kg/ 分，ノルアドレナリン 0.05 ～ 0.5 μg/kg/ 分）の使用を考える．ドパミン塩酸塩 3 μg/kg/ 分，ドブタミン塩酸塩 1 μg/kg/ 分から，血圧・尿量を確認しながら慎重に併用投与を開始する．

▶ IVR（Interventional Radiology）について

「産科危機的出血に対する IVR 施行医のためのガイドライン 2017」[9)] が日本 IVR 学会から公表されている．『産科危機的出血への対応指針 2017』においては，子宮圧迫縫合術，子宮摘出術と同列に位置づけられている．弛緩出血，前置胎盤・癒着胎盤，胎盤遺残，産道裂傷，仮性動脈瘤破裂，子宮摘出後の出血など，適応疾患は広範囲にわたる（図 5）．手術的対応に比べて迅速性，侵襲性に優れ，妊孕性の温存も期待でき

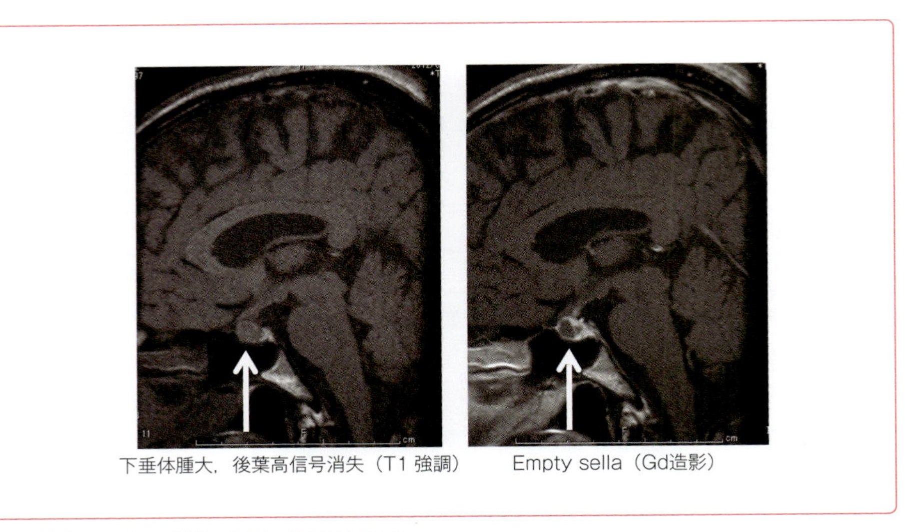

図 6 ● シーハン症候群　MRI（産褥 7 日目）

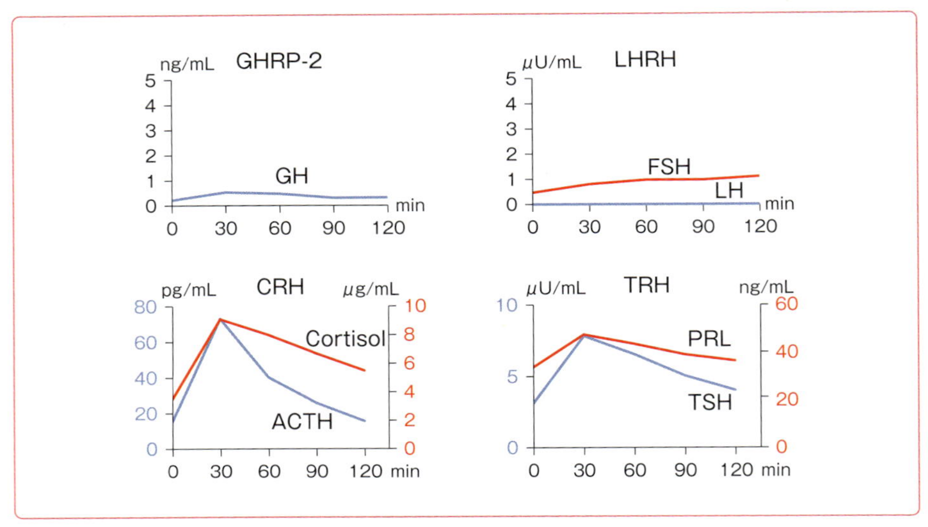

図 7 ● 下垂体前葉ホルモンの分泌刺激試験（産後 14 日目）
ACTH，TSH 以外は無反応または低反応で汎下垂体機能不全．

る．実施可能な施設では，産科危機的出血の宣言と同時に依頼を考慮しておくべき手技である．

■シーハン症候群（Sheehan's syndrome）

分娩時の大量出血または梗塞により下垂体が壊死となるために産褥期に起こる汎下垂体機能低下症をいう．下垂体ホルモンの分泌が全体的に低下するので，乳汁分泌欠落（プロラクチンの欠落による），無排卵性無月経，性器萎縮（ゴナドトロピンの欠落による），耐寒性減弱，基礎代謝低下（甲状腺刺激ホルモンの欠落による），無力症，腋毛や恥毛の脱落，低血圧，低血糖（ACTH および成長ホルモンの欠落による），胃液の低酸，心電図の低電位などの症状を呈する．GnRH に対するゴナドトロピンの分泌反応が不良である．慢性的に経過する例も存在する[1]．

本症例は，妊娠 39 週に前期破水ならびに陣痛発来で前医に入院し，急速遂娩（クリステレル，吸引，会陰切開）にて 3,200g の女児を経腟分娩した．胎盤母体面に広汎な血腫が認められたことから，常位胎盤早期剥離，出血性ショック，DIC の診断で救命救急センターに搬送された．分娩時の出血量は 2,900mL で，搬送時の SI 1.47，Hb 7.6g/dL，Plt 5 万 /mm^3，フィブリノゲン 98mg/dL，産科 DIC スコア 15 点であった．Uterine artery embolization（UAE）2 回および腟壁血腫除去術で対応した．出血量は 4,880mL に達し，RCC 24 単位，FFP 39 単位，血小板 30 単位を使用した．

貧血は改善傾向を示し，産後 3 日目・4 日目には

表 9 ● 血液製剤投与量の目安となる計算式メモ

循環血液量（dL）＝ 70（mL/kg：体重 1kg あたりの循環血液量）×体重（kg）/100
循環血漿量＝循環血液量×（1-Ht/100）～約 40mL/kg

(a) 体重 70kg 成人（循環血液量：4,900mL）に，400mL 血液由来（2 単位）赤血球液（投与 Hb 量：56g，14g/dL）を輸血した場合の予測上昇 Hb 値は，56g/49dL ＝ 1.1g/dL となる．
予測上昇 Hb 値（g/dL）＝投与 Hb 量（g）/ 循環血液量（dL）

(b) 凝固因子を止血効果が期待できる最低濃度（正常値の 20 ～ 30%）まで上昇させるのに必要な新鮮凍結血漿投与量
体重 70kg 成人（循環血漿量：2,800mL）では凝固因子の血中回収率を 100%とすると，560 ～ 840mL（4.5 ～ 7 単位）となる（200mL 血液由来の新鮮凍結血漿 1 単位は 120mL）．
フィブリノゲンの回収率は約 50%なので必要量は 9 ～ 14 単位と計算されるが，150mg/dL 時点で投与を開始すれば初期必要量は 4 ～ 6 単位程度となる．

(c) 体重 70kg 成人（循環血液量：4,900mL）に血小板濃厚液 10 単位（2.0×10^{11} 以上の血小板を含有）投与すると，27,000/μL 以上の増加が見込まれる．

$$\text{予測血小板増加数}（/\mu L）= \frac{\text{輸血血小板総数}}{\text{循環血液量}（mL）\times 10^{3}} \times 2/3$$

（血小板濃厚液：1 単位～ 0.2×10^{11} 個以上の血小板を含む）
[体重 50kg の妊婦の循環血液量：50kg × 70mL/kg × 1.4=4,900mL ～ 70kg 成人に相当]

児に面会のため外出可能であったが，産後 5 日目から水様性下痢が始まり，産後 6 日目には高度の倦怠感に加えて低 Na 血症（109mEq/L）を発症した．産後 6 日目の深夜帯に意識障害と低血糖が出現し，下垂体機能不全疑いで撮影した MRI 検査（図 6）および産後 14 日目に施行した内分泌刺激試験（図 7）からシーハン症候群と診断された．

Na 補正とステロイド投与で治療を開始し，産後 9 日目からは中枢性尿崩症の合併も認められたためデスモプレシン（DDAVP）が追加投与された．

その後の経過は順調で，DDAVP は 3 カ月後，ステロイドは 2 年後に離脱可能となった．甲状腺ホルモンの補充療法は必要なく，月経不順には 8 カ月後よりカウフマン療法が開始された．乳汁分泌は認められなかった．

頻度は高くないが，産科出血性ショックの後遺症として注意すべき病態である．本症例は低 Na 血症の検索により産後 1 週間で診断に至ったが，十数年を経て診断される症例も多い．したがって出血性ショック治療後の症例には，将来の体調不良の出現に関してわかりやすく説明しておく必要がある．

Clinical Tips

輸血・血液製剤投与に関連して，投与量の目安となる計算式を表 9 にまとめたので，参考にしていただきたい．

引用・参考文献

1) 日本産科婦人科学会編．産科婦人科用語集・用語解説集．改訂第 4 版．2018．
2) 鈴木昌．シリーズ：内科医に必要な救急医療　ショック．日本内科学会雑誌．100，1084-8，2011．
3) 日本産科婦人科学会／日本産婦人科医会 編集・監修．“CQ418-1 産後の異常出血の予防ならびに対応は？”．“CQ418-2「産科危機的出血」への対応は？”．産婦人科診療ガイドライン：産科編 2020．2020，260-7．
4) 日本産科婦人科学会／日本産婦人科医会編集・監修．“CQ401 緊急時に備え，分娩室または分娩室近くに準備しておく医薬品・物品は？”．前掲書 3．193-5．
5) 日本産科婦人科学会，日本産婦人科医会，日本周産期・新生児医学会，日本麻酔科学会，日本輸血・細胞治療学会．産科危機的出血への対応指針（2017 年 11 月改定）．
6) 日本外傷学会外傷初期診療ガイドライン改訂第 5 版編集委員会．“第 3 章　外傷と循環”．外傷初期診療ガイドライン改訂第 5 版．東京，へるす出版，2016，43-59．
7) 厚生労働省医薬・生活衛生局．血液製剤の使用指針．2017．
https://www.mhlw.go.jp/file/06-Seisakujouhou-11120000-Iyakushokuhinkyoku/0000161115.pdf［2021. 5. 11 閲覧］
8) 日本麻酔科学会，日本輸血・細胞治療学会．危機的出血への対応ガイドライン．2007．
9) 日本 IVR 学会．産科危機的出血に対する IVR 施行医のためのガイドライン 2017．

市立札幌病院 ● 奥山和彦

敗血症性ショック

概説

敗血症とは感染に対する制御不能な宿主反応に起因した生命を脅かす臓器障害が生じる臨床症候群であり，敗血症性ショックとは敗血症の定義を満たし，重篤な循環，細胞内代謝異常を有する状態である．好中球機能が障害され，外毒素やさまざまなサイトカインが放出された結果，数時間で多臓器不全，死に至ることもある．死亡率は 12 ～ 28% と報告[1～3] されている．感染源，原疾患別に起因菌が異なるが，頻度が高い感染源は尿路系と生殖系（表 1）である．GAS（group A *streptococcus*）は妊産褥婦における敗血症性ショックの中で最頻の起因菌である．妊娠末期から産褥早期に生じやすい．

表 1 ● 妊産褥婦における敗血症の原疾患

腎盂腎炎
子宮内膜炎
ガス壊疽
骨盤内膿瘍
Retained products of conception
肺炎
細菌性（ブドウ球菌，マイコプラズマ，肺炎球菌）
ウイルス性（インフルエンザ，ヘルペス，水痘）
壊死性筋膜炎
会陰裂傷創
帝王切開創
腹腔内炎症
急性虫垂炎
急性胆嚢炎
壊死性膵炎

臨床症状・検査所見（表 2）

発熱と局所炎症所見を示すことが多いが，GAS 敗血症では発熱に加え，上気道炎症状，筋肉痛などの非特異的なウイルス感染症様症状で発症することが多い．悪寒は伴うときと伴わないときがある．病態がより重症であると頻脈と頻呼吸を伴いながら，低体温になることもあるので，注意する．劇症化した場合，急速に病状が重篤化し，多臓器不全に陥る．子宮内胎児死亡になることも多い．また，子宮収縮が頻回になり，陣痛発来することがある．常位胎盤早期剝離をはじめとした他疾患との鑑別（表 3）を要する．血液検査上，白血球は増加するが，より重度になると白血球は減少する．血清クレアチニン増加を認め，組織灌流の低下から嫌気性代謝経路の活性化に伴う，乳酸上昇がみら

表 2 ● 敗血症性ショックでみられる臨床症状，検査所見

臨床症状
発熱
低体温
頻脈（>100/ 分）
頻呼吸（>20/ 分）
発汗
嘔気，嘔吐
低血圧
乏尿
意識変容（昏迷，意識レベル低下）
検査所見
白血球増多，白血球減少
低酸素血症
血小板低下
代謝性アシドーシス
乳酸値増加
血清クレアチニン増加
血糖値上昇
DIC 所見

表 3 ● 敗血症性ショックの鑑別疾患

常位胎盤早期剝離
羊水塞栓
肺塞栓
急性妊娠性脂肪肝
急性副腎不全
急性下垂体不全
急性膵炎
輸血後副反応
薬剤投与後副反応

表 4 ● SOFA スコア

		0 点	1 点	2 点	3 点	4 点
意識	Glasgow coma scale	15	13～14	10～12	6～9	<6
呼吸	PaO_2/FiO_2（mmHg）	≧400	<400	<300	<200 および補助呼吸	<100 および補助呼吸
循環		低血圧（－）	平均血圧<70mmHg	DOA5γ未満または DOB の併用	DOA5～15γまたはノルアドナリン≦0.1γ	DOA>15γまたはノルアドレナリン>0.1γ
肝機能	血漿ビリルビン値（mg/dL）	<1.2	1.2～1.9	2.0～5.9	6.0～11.9	≧12.0
腎機能	血漿クレアチニン値（mg/dL）	<1.2	1.2～1.9	2.0～3.4	3.5～4.9 または	≧5.0
	尿量（mL/day）				<500	<200
凝固機能	血小板数（$\times 10^3/\mu L$）	≧150	<150	<100	<50	<20

SOFA; Sequential organ failure assessment

れるが，妊婦の場合に乳酸上昇と重症度が相関するのか，明確なデータはない．

診　断

Sequential organ failure assessment（SOFA）スコア[4] 2 点以上（表 4）で敗血症と診断するが，SOFA スコアは点数づけが煩雑であるため，簡便化した quick SOFA（qSOFA）[5]（表 5）を最初に用いる．qSOFA は感染症が疑われ，①呼吸数≧22/ 分，②意識変容，③収縮期血圧≦100mmHg，の 3 項目のうち 2 項目以上を満たす場合は敗血症の疑いが強いと判断し，SOFA スコアリングに移行するとともに集中治療管理を考慮する．さらに，敗血症と診断された患者において，十分な輸液にもかかわらず，①平均血圧≧65mmHg の維持に血管作動薬を必要とする，②血清乳酸値>2mmoL/L（18mg/dL）をともに満たす場合に敗血症性ショックと診断する[6]．血圧が低め，または呼吸回数が多い健常妊婦が存在するため，産科用に改変した qSOFA スコア（血圧 100mmHg→90mmHg，呼吸数 22/ 分→25/ 分）での運用を推奨する考え方もある．これらのスコアリングは，妊婦では非妊娠時と呼吸・循環状態が異なるため，十分に検証されたとは言い難いが，参考にすべきである．

検　査

抗菌薬投与前に感染源同定のための細菌培養検査を各部位（血液，咽頭，尿，腟分泌物）から採取する．迅速な起因菌同定のため，細菌培養に並行してグラム染色も行うことが望ましい．血液培養は皮膚などからの細菌混入による偽陽性を防ぐために 2 カ所以上から

表 5 ● quick SOFA スコア

以下の 3 項目のうち 2 項目以上を満たすとき敗血症の疑いが強い
1．呼吸数≧22/ 分
2．意識変容（レベル変化）
3．収縮期血圧≦100mmHg

表 6 ● 敗血症性ショックの起因菌

細菌性
Group A-beta-haemolytic *Streptococcus*（GAS）
Escherichia coli
Group B *Streptococcus*（GBS）
Klebsiella pneumoniae
Staphylococcus aureus
Streptococcus pneumoniae
Proteus mirabilus
嫌気性菌

採取する．頻度の高い起因菌を表 6 に挙げる．敗血症性ショックの起因菌としては最頻にみられるのは GAS で，大腸菌が続く[7]．培養検査と並行して，血算，凝固検査，動脈血液ガス分析，乳酸値測定，尿検査，胸部 X 線検査，non-stress test，胎児超音波検査を行う．CT 等の画像検索も必要と判断すれば，妊婦だからといって躊躇するべきではない．

管理・治療（図 1）

まず，救急処置の ABC（airway，breathing，circulation）が担保されているか確認する．全身状態不良の場合，集中治療室への転棟やこれを有する病院への転院を考慮し，集中治療の専門医・スタッフとともに管理・治療するのが理想である．上記の検査を施行しながら，起因菌の同定を待たずに抗菌薬を投与する．抗菌薬開始は培養採取後，可及的速やかな開始が望ましく，1 時間以内を目標にする．抗菌薬投与時

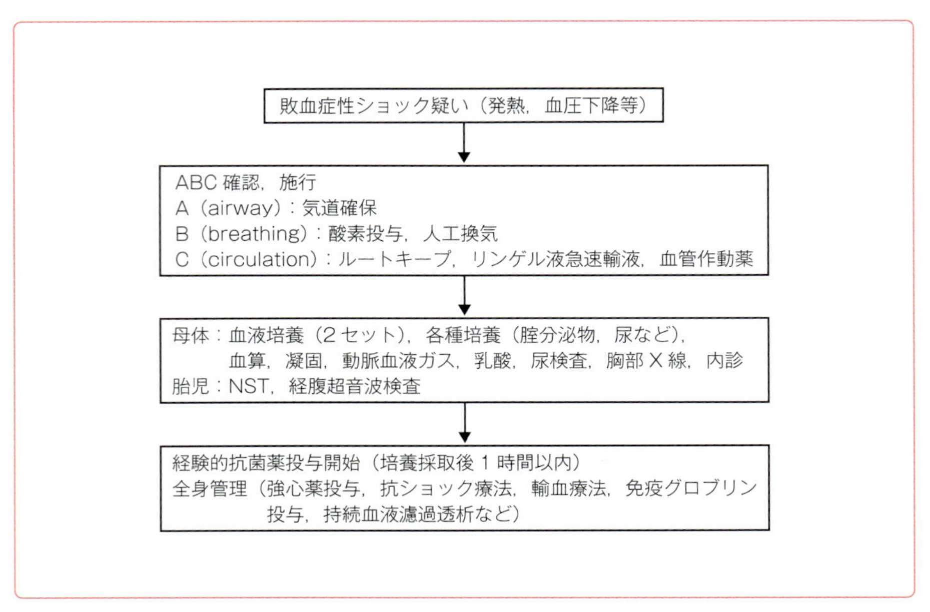

図 1 ● 初期検査，治療の流れ

には起因菌は同定されておらず，広域の抗菌薬（経験的抗菌薬）を投与する．呼吸不全を示すときは酸素投与や人工換気を行う．循環不全に対してリンゲル液を最初の 3 時間で 30mL/kg のペースで輸液する．血圧低値（平均血圧 < 65mmHg）の場合はドパミンやノルアドレナリンなどの循環作動薬の投与を考慮する．また，ヘモグロビン 7g/dL 未満など必要があれば輸血を躊躇すべきでない．

胎児心拍数モニタリングに関しては胎児心拍数陣痛図を装着し，胎児機能不全を示した場合は，娩出を検討する．母体発熱に伴い，児心拍は頻脈を示すことが多い．病状によって抗ショック療法，免疫グロブリン投与，持続血液濾過透析も並行して行う．敗血症のもとになる病巣除去が可能なときはこの除去（表 7）を考慮する．経験的抗菌薬は漫然と持続投与するのではなく，起因菌が同定され，感受性結果判明後は，これに従った標的治療薬に変更する判断，いわゆるデ・エスカレーションを行う．デ・エスカレーションへの変更は経験的抗菌薬開始後 72 時間を目標にする．一方で，最初はペニシリン系などから始めて，効果がなければ抗菌スペクトラムを広げていく方法をエスカレーションという．薬剤耐性菌の誘導予防やコスト削減のため，デ・エスカレーションを目指すべきで，この方法が一般的になりつつある．しかし，原因菌が判然としないときには経験的抗菌薬を継続せざるを得ない場合もある．これ以外に血栓塞栓予防，ストレス潰瘍予防，血糖管理を行う．

表 7 ● 敗血症性ショックに伴う病巣除去

感染創
感染 retained products of conception
壊死子宮
閉塞を伴う膿尿
虫垂炎
胆嚢炎
その他の膿瘍

経験的抗菌薬レジメン

経験的抗菌薬選択に関して一つの文献[1]から以下を参考に挙げるが，文献毎にレジメンが異なっている．患者の状況に加え，わが国の医療事情を勘案した抗菌薬を選択すべきである．

- 初回ゲンタマイシン 1.5mg/kg 静脈内投与後，ゲンタマイシン 1.0mg/kg 8 時間毎＋クリンダマイシン 900mg 静脈内投与　8 時間毎＋ペニシリン 300 万単位静脈内投与 4 時間毎
  または
- バンコマイシン 15mg/kg 静脈内投与＋タゾバクタム・ピペラシリン 4.5g 静脈内投与 6 時間毎

劇症型 GAS 感染症，別名 Streptococcal toxic shock syndrome（STSS）について[8〜12]は，2 章 Ⅳ -4 を参照いただきたい．

最後に，最も重要なことは，症状から敗血症を疑い，アプローチすることであり，それにより早期診断・早期治療介入することである．

引用・参考文献

1） Barton JR. et al. Severe sepsis and septic shock in pregnancy. Obstet Gynecol. 120, 2012, 689-706.
2） Hensley MK. et al. Incidence of Maternal Sepsis and Sepsis-Related Maternal Deaths in the United States. JAMA. 322, 2019, 890-92.
3） Bauer ME. et al. Risk Factors, Etiologies, and Screening Tools for Sepsis in Pregnant Women：A Multicenter Case-Control Study. Anesth Analg. 129, 2019, 1613-20.
4） Vincent JL. et al. The SOFA（Sepsis-related Organ Failure Assessment）score to describe organ dysfunction/failure. On behalf of the Working Group on Sepsis-Related Problems of the European Society of Intensive Care Medicine. Intensive Care Med. 22, 1996, 707-10.
5） Seymour CW. et al. Assessment of Clinical Criteria for Sepsis: For the Third International Consensus Definitions for Sepsis and Septic Shock（Sepsis-3）. JAMA. 315, 2016, 762-74.
6） 一般社団法人日本集中治療医学会・一般社団法人日本救急医学会 日本版敗血症診療ガイドライン 2020 特別委員会編集．日本版敗血症診療ガイドライン 2020．日本集中治療医学会雑誌．28，Suppl, 2021.
7） Royal College of Obstetricians & Gynaecologists. Bacterial sepsis in pregnancy. Green-top Guideline 2012. No. 64a.
8） Acosta CD. et al. Severe maternal sepsis in the UK, 2011-2012：a national case-control study. PLoS Med. 11, 2014, e1001672.
9） Tanaka H. et al. The most common causative bacteria in maternal sepsis-related deaths in Japan were group A Streptococcus：A nationwide survey. J Infect Chemother. 25, 2019, 41-44.
10）Yamada T. et al. Invasive group A streptococcal infection in pregnancy. J Infect. 60, 2010, 417-24.
11）宇田川秀雄ほか．劇症型 A 群連鎖球菌感染症「分娩型」の臨床像．日本産科婦人科学会雑誌．51，1999，1141-49．訂正 52，2000，657.
12）小林康祐．劇症型 A 群レンサ球菌感染症「分娩型」における血液凝固線溶系．Thrombosis Medicine．9，2019，42-46.

自治医科大学 ● 高橋宏典 ● 松原茂樹

妊婦の心肺停止・死戦期帝王切開

妊娠中の心肺停止は 1/30,000 の確率で発生するといわれており，その特殊な病態に遭遇することは極めてまれであるといえる．しかし，万が一に備えて妊婦に関わるすべての職種がその概念を理解し，シミュレーションをしておく必要はある．本稿ではまず妊婦の心肺蘇生について述べ，次いで死戦期帝王切開について述べる．

概　要

妊婦の心肺蘇生は，基本的には非妊婦と同様である．子宮が大きい場合には循環を改善するために，子宮を左方圧排するとともに死戦期帝王切開を考慮する．

妊婦心肺蘇生としての死戦期帝王切開

死戦期帝王切開は以下に述べるように新しい蘇生法ではない．むしろ古典的な蘇生法といえる．本項では帝王切開の歴史をひもとくことで妊婦の心肺蘇生法について理解が深まると考え，死後帝王切開の概念からひもといてゆくこととする．

死後帝王切開（postmortem cesarean）

死後帝王切開は文字通り妊婦の心肺停止後に施行する胎児娩出法であり，その概念はギリシャ神話に登場するほど古い．ローマ時代の遺児法（Lex Caesarea：妊婦が死亡したとき胎児を子宮から取り出す前に埋葬することを禁ずる法律）は「帝王切開」の語源になった可能性が指摘されており，皇帝シーザーが死後帝王切開で出生したとする説もあるほどである．また古代インドの記録にも死後帝王切開後に胎児の生存の記述がみられる．これら古く記録にある死後帝王切開は帝王切開の起源に行き当たるとされているが，それがすべからく母体心停止後の急速遂娩であったという点は興味深い．

死後帝王切開が妊婦の心肺蘇生になる可能性が学術的に考察されたのは 1982 年になってからで，Marx や DePace らが母体心停止後帝王切開を施行して母児が救命できたと報告し，研究が始まったという経緯がある．

参考　『産婦人科診療ガイドライン：産科編 2020』CQ903-1 突然発症した妊産婦の心停止（状態）への対応は？
『AHA ガイドライン』Scientific Statement, Cardiac Arrest in Pregnancy

死戦期帝王切開術（perimortem cesarean delivery；PMCD）とは

1986 年には Katz らは 100 例の死後帝王切開を review し，死後帝王切開後に心拍再開がみられた症例があると報告した[1]．また，母体心停止後 5 分以内に胎児を娩出した症例で児の神経学的予後が良好になり，加えて一般成人では心停止後 4～6 分で不可逆的な脳障害を起こすとされていることから，妊婦の蘇生法として心停止後 4 分以内の PMCD 開始と開始後 1 分の児娩出により母児の予後を改善させるという概念を提唱した（4 分ルール）．

1992 年には American Heart Association（AHA）のガイドラインに PMCD が採用され，その後 2005 年の Katz らの検討では PMCD を施行した 38 症例のうち 60% の妊婦で心拍再開し[2]，また 31.7%の PMCD 症例で明らかな蘇生上の有益性が示された[3]ことから 2015 年以降，AHA のみならず ERC（European Resuscitation Council）や JRC（日本蘇生協議会；Japan Resuscitation Council）で PMCD が推奨され，また，日本産科婦人科学会のガイドラインにも 2014 年版に PMCD について記載されるに至っている．

▶ PMCD の条件

前述のごとく，AHA ガイドラインを嚆矢として各ガイドラインに示されている PMCD は，単胎で妊娠 20 週以降または子宮底が臍高以上の場合，大動静脈が子宮に圧迫され循環に悪影響を与えるため，それを解除するために施行するとされている（AHA ガイドライン）．すなわち，娩出された新生児については生死を問わず，母体の蘇生のためのみに施行するというのが PMCD の概念である．妊婦が心停止になった場合の予後を規定する因子に関して，前述 Einav らの reviews によれば，94 症例中，PMCD は 87.2%（86 例）の症例に行われており，心停止から分娩までの平均時間は 16.6 ± 12.5 分であった．54.3%の母体が生存退院しているが，神経学的予後が良好であったのは 9.8%であった．母体の予後予測因子は院内発生であることと，10 分以内に PMCD を行うことであった．児に関しては 84 症例を検討し，心停止からの時間は生存児（14±11 分），死亡児（22±13 分）であった．単胎生存率 63.6%のうち神経学的予後が良好は 26%，多胎生存率 63.1%のうち神経学的予後良好は 58.3% であり，児の予後予測因子は院内発生の心停止のみという結果であった[3]．この review は妊婦の心停止は可及的速やかに PMCD を含む蘇生処置を行うことが母体の予後の改善につながるということを示唆している．しかし，これらの推奨の元となる報告は院内発生の CPA の解析が多く，外傷など院外発生の心停止症例では PMCD を施行すべきかどうかは未だ明確なエビデンスはない．

では AHA のガイドラインに示されているように 4 分以内に PMCD を開始するべきなのであろうか？ ここで矛盾が生じる．前述のごとく，「4 分ルール」は Katz が示した母体脳損傷と胎児神経学的予後の改善が見込める時間帯であり，AHA などのガイドラインでは胎児の生死は問わないとされている．娩出された新生児の蘇生は必要ないのか？ 妊婦の心肺蘇生は 4 分で中断し PMCD を施行すべきなのか？ PMCD はどこで，どのような条件で施行されるべきなのか？

以降本書ではその観点から PMCD について言及したいと考える．

妊婦の心肺蘇生

妊婦の心肺蘇生の機会はまれであるが，近年報告は増加傾向にある．基本的に妊婦の蘇生は非妊産婦と同じであるが，決定的に違う点は，妊婦の場合には母体と胎児という複数の命が同時に危険にさらされることである．さらに心肺蘇生における周産期の特殊性も加わり，従来の心停止と比較して，一般的にその救命は困難とされる．この困難な状況を打破し，複数の命を同時に救うためには，周産期の特殊性を理解しつつ適切に心肺蘇生を行い，確実に母体を救命することを最優先すべきであると考える．

心停止患者を救命し社会復帰に導くためには，以下に示すように，救命のための 4 つの輪（救命の連鎖）が有機的につながることが重要であるとされるが，それは以下のようなものである（図 1）[4]．

▶ ①心停止の予防

まずは心停止の予防が重要である．ハイリスク妊産

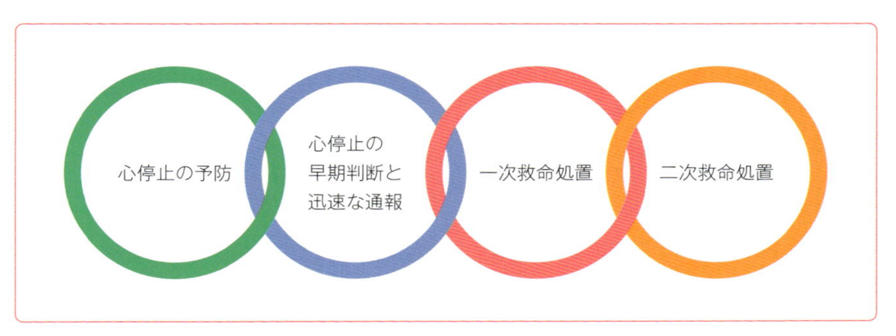

図 1 ● 救命の連鎖

婦に対し，心停止前に適切に診療を開始することができれば，心停止に陥ってから診療するよりも良好な転帰が期待できることは言うまでもない．ハイリスク妊産婦の詳細は本書他項に譲る．

▶ ②心停止の早期判断と迅速な通報

次に心停止の早期判断と迅速な通報である．「心肺蘇生を開始すべき状況」を早期に判断し，医療資源（医療スタッフや治療器具など）を迅速に集めることが重要である．ポイントとして以下がある．

第一印象として，まずは妊婦が危機的な状況かどうかを判断する．この際，血圧や脈拍の確認は必要ない．以下の点について素早く所見をとる．人や物を集める際にオーバートリアージでも構わない．

1）反応の確認

意識と合目的な運動を確認する．これらが認められなければ反応がないと判断する．合目的な運動とは，声かけへの反応や痛み刺激に対する逃避運動など，明確な目的を伴った体動のことを指し，痙攣や不随意な運動は合目的な運動とはみなさない．

2）人／物を集める

反応がない場合，心停止である可能性が高い．よって，この時点で心停止を予測した活動を開始することが重要である．心肺蘇生に必要な医療スタッフや治療器具を集めることが必要である．

3）呼吸の確認

頭部後屈あご先挙上法で気道確保を行い，呼吸を確認する．気道確保を行い，少し離れて俯瞰的に見下ろすようにして，胸部と腹部の呼吸性の動きを観察する．死戦期呼吸は呼吸なしと同等である．また，呼吸有無の判断に自信がもてない場合も，呼吸なしとして扱う．以上の方法で心停止の早期判断を行うが，このとき脈の触知は必須ではないとされる．

▶ ③一次救命処置

蘇生の根幹になるのは一次救命処置である．その骨格は「絶え間ない胸骨圧迫と換気」および「迅速な電気ショック」である．近年 J-MELS（Japan Maternal Emergency Life-saving）など妊産婦の急変時対応のセミナーが行われているが，基本はBLS（basic life support）である．

以下のポイントを参考に蘇生を実行し，2 分おきに心拍の有無を確認する．

1）胸骨圧迫

心肺蘇生を開始すべき状況と判断したら，直ちに胸骨圧迫を開始する．その際，位置・深さ・速さ・リコイルが適正であることを常に意識して行う．妊娠 20 週以降の妊婦の場合，妊娠子宮により横隔膜が挙上し，心臓の位置が通常より高いことを想定し，胸骨圧迫の位置は通常（胸骨の下半分）よりもやや高めで設定するとより効果的である．また，仰臥位においては，妊娠子宮により下大静脈が圧排され，循環の改善を阻害するため，人員に余裕があれば，用手的に子宮左方移動（もしくは体幹部の左側傾斜）を行う（図 2）．

2）換気

ポケットフェイスマスクやフェイスシールドなどの感染防御具が手元にある場合，人工呼吸が可能である．人工呼吸を行う際には，気道を確保した状態を保ったまま，傷病者の鼻をつまみ，1 秒かけて息を吹き込む．息を吹き込む量は，軽く胸が挙上するのが視認できる程度とする．胸骨圧迫と人工呼吸は 30：2 の比率で行う．感染防御具が手元にない場合は，バッグバルブマスクなどの気道管理器具の準備が整うまで，換気は実施せず，胸骨圧迫のみを継続する．

3）AED による ECG リズムの解析

自動体外式除細動器（automated external defibrillator；AED）があれば装着する．AED は電気ショックが必要な ECG リズムかどうかを自動的に診断するとともに，必要な処置を音声やディスプレイにより指示してくれる．準備ができ次第電源を入れ，あとは AED の指示に従う．AED は自動的に 2 分ごとの心拍再開を確認するようプログラムされている．AED の代わりにマニュアルの除細動器を利用してもよい．

なによりも最優先されるのは胸骨圧迫である．換気の重要性は胸骨圧迫や AED による電気ショックより低いため，人や蘇生器具が集まるまでは胸骨圧迫を続けるべきである．

▶ ④二次救命処置

一次救命処置が BLS であれば二次救命処置は ALS（advanced life support）である．これは気管挿管やアドレナリンなどの薬剤投与を含む高度な救命処置

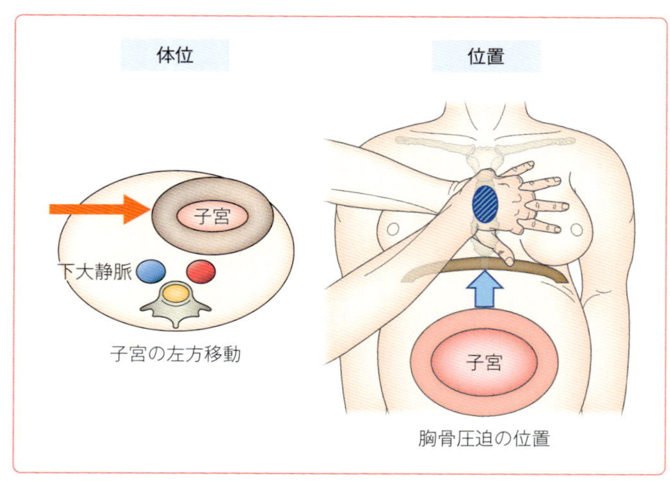

図2 ● 妊婦心肺蘇生の留意点

表1 ● BEAU-CHOPS

Bleeding	出血，産科 DIC
Embolism	塞栓症（冠動脈，肺，羊水）
Anesthetic complications	麻酔合併症
Uterine atony	子宮弛緩症
Cardiac disease	心疾患（虚血，解離，心筋症）
Hypertension/preeclampsia/eclampsia	高血圧，子癇前症，子癇
Others	その他
Placenta abruption/previa	胎盤早期剝離，前置胎盤
Sepsis	敗血症

であり，二次施設以上の施設で施行されるべき処置といえる．

1）心停止の原因検索と対応

心停止症例の救命のためには，心肺蘇生を行うとともに原因を検索し，それを解除するための治療を可能な限り並行する必要がある．AHA は，妊産婦における心停止の原因として，BEAU-CHOPS を鑑別し治療すべきであると提唱している（表1）．具体的な原因検索方法としては，入院中であればカルテなどから，救急搬送された場合には家族への聴取から原因をある程度推定し，血液ガス・超音波（FASP〔fetal anomaly screening programme〕を含む）・胸部 X 線など簡単な検査から優先的に施行する．なお，妊産婦の心停止においては，初期診療として一般的に輸液負荷が有用であることが多いとされている．

2）輸液路確保と薬剤投与

妊産婦の二次救命処置において輸液路を確保する場合，妊娠子宮の影響を鑑み，横隔膜より上のレベル（上肢など）に静脈路を確保したほうがよい．心停止時に使う主な薬剤としては，アドレナリン 1mg（3～5分ごと）やアミオダロン（難治性心室細動に対し，初回 300mg，追加投与 150mg）があるが，非妊産婦の心停止時と変わらないことを蘇生者間で情報共有しておく必要がある．

3）高度な気道確保

気道確保を行う際には，低侵襲で容易なものから，高侵襲で難しいものにシフトするように対応する．低侵襲で容易なものとしてはバッグバルブマスク（BVM）が挙げられるが，胃内容による誤嚥が危惧されるため BVM を推奨しない指針もある．また容易な方法で十分な気道確保が可能であると判断した際には，より高度な気道確保をあえて追加することは必須ではない．気管挿管を必要とする場合は，熟練者が行うべきである．妊産婦の上気道は浮腫等により非妊産婦と比較して細いため，高度な気道確保として気管挿管を施行する際の挿管チューブは，通常より 0.5～1mm 程度細いもの（6.5mm 程度）を選択する．

4）死戦期帝王切開（PMCD）

PMCD は心肺停止妊婦を蘇生する手段の一つで，ここでは二次救命処置として扱う．前述のごとく PMCD は児を娩出させることで母体循環の改善を図る蘇生術であり，基本的に児の生死は問わない母体蘇生手技である．

PMCD を成功させる鍵はまずは確実な一次救命処置である．そして的確に組織化された多科・多職種がチームを組み，二次救命処置としてチーム全体が蘇生戦略上 PMCD の必要性を共有している必要がある．そのためには施設内であらかじめ off the job training やシミュレーションを行っておくことが極めて重要であろう．以下にその参考となり得る知見をまとめる．

• いつ？

Benson らは 74 例の PMCD 施行例を検討し，後障害のない生存率を調べることにより 4 分ルールの妥当性を review した．それによると，心停止から児娩出までの時間は短いほど予後は良好であったが，心停止から児娩出までの時間が 4 分から 5 分になっても予後に大きな差はなかった．また，後障害のない生存率が 50%となる心停止から児娩出までの時間は母体 25 分，新生児 26 分であった[5]．このことから，PMCD の施行は早いほどよいが，4 分ルールに拘泥するあまり十分な人員や資材なく PMCD を施行することが果たして良いかどうかの議論をすべきであると考えられる．

• どこで？

AHA ガイドラインでは妊婦の院内心停止は手術室に移動することなくその場で施行すべきであると述べられており（Class Ⅱ a, Level B），全英で行われた The CAPS study[6] でも移動せずに PMCD を施行した妊婦は有意に生存率が高かったとの結果になった．一方 Goto[7] らは PMCD 施行による心拍再開後に子宮からの出血が増加し，凝固系の補充や子宮摘出などの高度な産科処置が必要になったと報告している．

以上の報告から，院内発生の妊婦心肺停止はできるだけ早期に PMCD を施行すべきではあるものの，二次・三次施設の院内以外での妊婦の心停止に移動することなく PMCD を施行すれば，心拍再開後にさらに危険な状況になり得ることを示唆している．したがって「救命の連鎖」下でのみ PMCD は施行すべきという Battaloglu らの提言[8] に準拠し，本書では PMCD を二次蘇生の項で述べた．

Clinical Tips

上記のごとく，PMCD は心停止後短時間で施行しなければならないが妊婦の蘇生のみならず新生児蘇生も必要であり，それには確実な胸骨圧迫や熟練者による気道確保，心拍再開後に起こり得る大量出血への対処や蘇生後の集中治療が必要となる．Goto らの報告では，経皮体外循環（percutaneous cardiopulmonary support；PCPS）や damage control resuscitation（DCR）の概念を用いた蘇生が必要とされ，これはすなわち，産科医のみならず救命医，麻酔医，新生児科医，助産師，看護師，臨床工学技士，検査技師など多職種が関わる総力戦となる．

例えば PMCD により静脈灌流量の増加を期待できるが，胸骨圧迫と帝王切開の術者が交錯し，どちらも質の高い手技の続行が困難になるのを避けるにはどうしたらよいか？　心停止で凝固系が破綻している患者が心拍再開後に直面する産科的出血にどう対処すればよいか？　できるだけ移動を避けるために PMCD の現場で新生児蘇生が必要であるが，新生児蘇生台はどう搬入し，各種配管にどうアクセスするか？　これら細部の問題は尽きない．筆者の施設ではまず PCPS を導入して循環と酸素化を確実なものとし，次いで帝王切開後速やかに子宮摘出をして止血を容易にし，完全に閉腹せずに出血時に腹腔内にアクセスできるようにし，事前に新生児蘇生台の設置位置を酸素や吸引の配管に近い位置に決めておくなどのシミュレーションを行っている．PMCD の成功のためには，多職種間でのディスカッションと off the job training が必須であると考える．

引用・参考文献

1）Katz V. et al. Perimortem cesarean delivery. Obstet Gynecol. 68, 1986, 571-6.
2）Katz V. et al. Perimortem cesarean delivery: were our assumptions correct? Am J Obstet Gynecol. 192, 2005, 1916-20.
3）Einav S. et al. Maternal cardiac arrestand perimortem caesarean delivery: evidence or expert-based? Resuscitation. 83, 2012, 1191-200.
4）Perinatal Critical Care Course 運営協議会. 周産期初期診療アルゴリズム：PC^3 ピーシーキューブ公式コースガイド. 荻田和秀ほか編. 大阪, メディカ出版, 2017, 128p.
5）Benson MD. et al. Maternal collapse: Challenging the four-minute rule. EBioMedicine. 6, 2016, 253-7.
6）Beckett VA. et al. The CAPS study: incidence, management and outcomes of cardiac arrest in pregnancy in the UK: a prospective, descriptive study. BJOG 124(9), 2017, 1374-81.
7）Goto M. et al. Perimortem cesarean delivery and subsequent emergency hysterectomy: new strategy for maternal cardiac arrest. Acute Med Surg. 4(4), 2017, 467-71.
8）Battaloglu E. et al. Management of pregnancy and obstetric complications in prehospital trauma care: faculty of prehospital care consensus guidelines. Emerg Med J. 34(5), 2017, 318-25.

りんくう総合医療センター　荻田和秀

劇症型A群レンサ球菌感染症

概念・定義・分類・病態・予後・要点

概　念

A群レンサ球菌（GAS：*Streptococcus pyogenes*）は，日常の臨床で遭遇する最も病原性の高い細菌の一つであり，咽頭炎や扁桃炎，丹毒や心内膜炎などの原因菌となるが，まれに敗血症性ショックや播種性血管内凝固症候群（disseminated intravascular coagulation；DIC），多臓器不全に至る非常に重篤な病態を呈し，黄色ブドウ球菌のtoxic shock syndrome（TSS）との類似性からtoxic shock-like syndrome（TSLS）やStreptococcal toxic shock syndrome（STSS）とも呼ばれている．

わが国では1993年に清水ら[1)]が劇症型A群レンサ球菌感染症（以下「劇症型」）の名称で初めて報告し，産科領域でも宇田川ら[2)]が，妊娠時に発症した後に急速に分娩に至り，母体死亡となった症例を劇症型A群レンサ球菌感染症「分娩型」（以下「劇症分娩型」）と命名して国内で初めて報告し，以後日本各地より報告されている．

定　義

A群レンサ球菌を原因とし，突発的に発症して急激に進行する敗血症性ショック病態である．まれにA群以外のβ溶血を示すレンサ球菌を起炎菌とすることもある．妊娠中や産褥期での感染・発症も認められ，非妊娠時と同様に致死性の高い疾患である．

分　類

特に妊娠末期に発症した場合，「GASが上気道から侵入したのち，血行性に広がり，最終的に子宮筋層内に感染することで，陣痛を誘発し分娩を進行させるとともに，急激に敗血症性ショックが進行して高率に胎児，母体の死亡をもたらす病態」と定義されている[2)]．妊娠時発症の場合は，通常の「劇症型」に比べて，壊死性軟部組織炎の頻度が低いことや，経過が異なることから，宇田川らは劇症型A群レンサ球菌感染症「分娩型」（以下「劇症分娩型」）という名称を用いた．

病　態

「劇症分娩型」がGASの感染により発症することは明らかであるが，発症機序や病態において未だ十分な解明がされているとはいえない．

1）GASが「劇症型」を発症する機序

「劇症型」となるGASでは，ScpC/SpyCEPやストレプトリジンOをコードする遺伝子の発現量が増大し，好中球の機能障害が起こりやすいことがわかっている[3)]．また，GASはさまざまな外毒素を産生するとともに，極めて多くのスーパー抗原を有することで多くのサイトカインが放出され，多臓器不全に至ると考えられている．

しかし，同じGAS菌型でもT細胞が活性されにくく，「劇症型」になりにくい人もいることがわかっており，また家族内発症や院内感染を認めないことからも宿主側因子も発症に関わっていることが示唆される．

2）「劇症分娩型」がより激烈となる理由（仮説）[4)]

GASは上気道粘膜から組織へ侵入し，血行性に広がった後に子宮筋層に定着し，急速に増殖する．そして，妊娠末期の子宮筋が強い収縮運動を繰り返し，異常増殖をしたGASが周辺組織へ圧出され，血流中に多量に放出され全身を駆け巡る．これが「劇症型」の中でも，とりわけ「劇症分娩型」が急激な激しい敗血症性ショックを起こす原因であると考えられている．

予　後

「劇症分娩型」の頻度は極めてまれであるが，いったん発症すると高頻度に母体死亡に至る．所らは，1996年以降の症例報告から，母体死亡率は46.9%，児死亡率は64.6%と報告している．ただし，2000年以降は，「劇症分娩型」という疾患や治療の周知が関与しているのか，母体死亡率は34.4%と改善されているようだが，児の死亡率は62.5%と依然高い死亡率のままである[5]．

要　点

「母体安全への提言2017 Vol.8」に以下のような提言が挙げられている．

劇症型A群レンサ球菌感染症の早期発見・医療介入をする．

1. Centor criteriaを参考にGAS感染症（咽頭炎）の早期発見に努める．
2. 妊婦では十分な検討がなされていないが，qSOFA（quick SOFA）を参考にして，重症化リスク評価を行い，早期に高次医療機関への搬送，専門チームへのコンサルトを行う．
3. 子宮内感染を疑い，子宮内胎児死亡を合併している症例は劇症型A群レンサ球菌感染症（「劇症分娩型」）の可能性を考慮した対応に移行する．

参考 **「母体安全への提言2017 Vol.8」提言2**
『産婦人科診療ガイドライン：産科編2020』CQ506 まれではあるが妊産婦死亡を起こし得る合併症は？

注意すべき臨床症状・所見

▶一般的な「劇症型」の症状・所見

多くの症例で上気道炎が前駆症状となるが，軽度の外傷や打撲が契機となっていることもある．上気道炎症状と発熱がいったん軽快をした頃に再度の発熱で発症することもあり，その際には呼吸困難，悪心･嘔吐，筋痛および精神症状を伴う．そして，受診後数時間以内に突然血圧が低下するか心停止を来す．

壊死性軟部組織炎は半数程度の症例に発症する．その経過は血圧の低下と同時期に四肢末端周囲に複数の水疱を伴い，次第に拡大して相互に癒合して破綻する．そして破綻後の表皮が壊死状態に陥り，数時間で一肢全体から軀幹にまで波及する．腎不全，成人型呼吸窮迫症候群およびDICはほぼ全例に見られる．

▶「劇症分娩型」の症状・所見

1）典型的な臨床経過を示す[3, 6]．

①妊娠末期の妊婦に高熱と上気道炎様症状，全身倦怠感が認められる．いったん軽快し，再度増悪することも多い．

②陣痛が発来する．強度の子宮収縮を伴うようになり，時に常位胎盤早期剝離を疑わせる急性腹症も出現する．

③胎児心拍数異常が出現する．

④緊急帝王切開術，あるいは急速に分娩が進行して経腟分娩となる．しかし，この時すでに児が死亡していることも多い．

⑤帝王切開施行中や分娩経過中，または分娩の数時間後に母体の血圧低下や意識混濁などが突然出現し，羊水塞栓や肺塞栓に似た経過をとる．

⑥急速に状態が悪化し，母体死亡に至ることも多い．

- 全経過は1，2日に過ぎない．症状の順序は前後入れ替わることもある．
- 非妊娠時の「劇症型」にみられる軟部組織壊死は通常認めない．

2）「劇症分娩型」は，「劇症型」に妊娠という修飾因子の加わることで，より急激で激烈な進行となると推定され，敗血症性ショックによる子宮循環不全や常位胎盤早期剝離様症状に上気道感染症状が加われば，「劇症分娩型」を考慮する．

診断

▶GASによる上気道感染の診断

GASによる上気道感染の大部分は，劇症化することもなく軽快していくことになるが，劇症化する場合，GAS による上気道症状を劇症化する前に認める症例も多いため，妊婦が上気道症状を発症した場合，GAS によるものかどうかを検討することは重要である．しかし，GAS による上気道感染と診断し，抗菌薬を投与した場合でも後に劇症化している症例があるので，上気道感染の治療を行っても注意が必要である．

一般的に GAS による上気道症状は，咳が出にくいなどウイルス性のものとは異なる特徴を有することが多いため，咽頭痛を訴える成人の患者における GAS 咽頭炎の可能性を評価するものとして Centor criteria を活用する（表 1）[7]．なお，GAS の培養同定を用いなくても，簡易的な GAS 免疫学的迅速試験を用いた診断が，菌の同定には非常に有用となっている．

▶「劇症型」の診断

1993 年に，米国 CDC が STSS 診断基準を提示しているが[8]，近年 GAS 以外の β 溶血を示すレンサ球菌による「劇症型」の発症報告もあることから，わが国の「劇症型」の診断基準（表 2）では，A 群以外の β 溶血を示すレンサ球菌の検出や神経学的異常所見を含むことなどの若干の相違がある．

現時点では「劇症分娩型」の確定診断のための診断基準は存在していないが，血液培養や子宮を含めた臓器からの GAS の検出と臨床症状から「劇症型」の診断基準に準じて診断しているのが現状である．しかし，「注意すべき臨床症状・所見」で述べたように，非妊娠時の「劇症型」と妊娠時の「劇症分娩型」とでは，臨床経過が異なることが多いので，注意を要する．

なお前項で述べたように，上気道炎症状の起炎菌同定には簡易的な GAS 免疫学的迅速試験を用いた診断が，非常に有用なものとなっていることは同様である．

また，本疾患は感染症法に基づく都道府県知事に全例届出が必要な疾患である（表 2）．

管理・治療

「劇症分娩型」あるいは「劇症型」の管理・治療は，基本的には「日本版敗血症診療ガイドライン 2020」における敗血症・敗血症性ショックの管理・治療方法に準じたものとなる[9]．

2020 年版ガイドラインからは，敗血症の定義が「感染症によって重篤な臓器障害が引き起こされる状

表 1 ● Centor criteria とその解釈[7]

C	Cough absent	咳がないこと
E	Exudate	滲出性扁桃炎
N	Nodes	圧痛を伴う前頸部リンパ節腫脹
T	Temperature	38℃以上の発熱
OR	Young OR old modifier	15 歳未満は＋1 点，45 歳以上は－1 点

上記の項目をそれぞれ 1 点としてカウントする．
0～1 点：溶連菌感染の可能性は低い（10%未満）抗菌薬の処方はしない
2～3 点：溶連菌迅速検査を行って診断する（2 点 15%，3 点 32%）
4～5 点：40% 以上の可能性，速やかな抗菌薬の投与を考慮

（「母体安全への提言 2017 Vol.8」より引用）

表 2 ● 劇症型溶血性レンサ球菌感染症の届出基準

ア．届け出のために必要な臨床症状
　（ア）ショック症状
　（イ）以下の症状のうち 2 つ以上
　　肝不全，腎不全，急性呼吸窮迫症候群，DIC，軟部組織炎（壊死性筋膜炎を含む），全身性紅斑性発疹，痙攣，意識消失などの中枢神経症状
イ．病原体診断の方法
　検査方法：分離・同定による病原体（β 溶血を示すレンサ球菌）の検出
　検査材料：通常無菌的な部位（血液，髄液，胸水，腹水），生検組織，手術創，壊死軟部組織

• 医師は診断をした場合には，感染症法第 12 条 1 項の規定による届出を 7 日以内に行わなければいけない．
• A 群に限らず，B，C，G 群などの他の溶血性レンサ球菌も含む（7 割が A 群）．

（厚生労働省ホームページより引用）

態」とされ，集中治療室（ICU）に入院した上でSOFA（sequential sepsis-related organ failure assessment）スコアが2点以上増加した場合に敗血症と確定診断となる．ただし，救急外来や一般病棟などで（つまり非ICUにて）感染症が疑われた場合，妊婦では十分な検討がなされてはいないものの，qSOFA（quick SOFA）を参考にして，その2項目以上を満たす場合に，敗血症を疑い，ICU管理を考慮する（表3）．

抗菌薬は，GASがペニシリン系抗菌薬に良好な感受性を示すために，ペニシリン系抗菌薬の大量単独投与かクリンダマイシン（CLDM）との併用が推奨されている[6]．

アンピシリン（ABPC）2g静注4時間ごと（計12g/日）± CLDM 600～900mg静注8時間ごと

さらに「劇症分娩型」は，分娩前後の時期という特殊な状況下であり，胎児心拍数異常の出現や，常位胎盤早期剝離・羊水塞栓を疑う症状が高率に出現するために，急速遂娩や母体・児の蘇生を同時に行わなければならなくなることが想定される．あわせて，子宮内腔からのコントロール不良の出血を伴ったDICに対しては，他の敗血症の治療とは異なり，凝固因子，特にフィブリノゲンの十分な補充を行いつつ，抗DIC療法を行う必要がある．また，子宮の摘出も検討しなければならないこともあるが，リスクも大きく子宮摘出を積極的に行うか否かは症例ごとに検討するべきである．

表3 ● qSOFA（quick SOFA）基準

• 意識変容
• 呼吸数≧22回/min
• 収縮期血圧≦100mmHg

• 救急外来や一般病棟などで（つまり非ICUにて）感染症が疑われ，qSOFAのうち上記2項目以上を満たす場合に，敗血症を疑い集中治療（ICU）管理を考慮する．
• 敗血症の確定診断は，合計SOFAスコアの2点以上の急上昇による．

（文献9より引用）

Clinical Tips

「劇症分娩型」の発症経過を見てみると，胎児機能不全の出現や腹部症状から，当初は常位胎盤早期剝離と診断されて分娩対応をし，分娩時や分娩直後に突然母体が急変することで，今度は羊水塞栓や肺塞栓が発症したかのように思われる症例が多い．来院時，常位胎盤早期剝離と鑑別できないことが多いのは病態上，仕方のないことと思われるが，いままで経験してきた常位胎盤早期剝離と何かが異なる，例えば，意識変容が前面にでているとか，発熱などの感染を示唆する所見を認める，あるいは数日前に上気道感染を認めていたなど，何かが違うと感じたならば，早期の段階で抗菌薬投与開始，救命医やICU医師との連携，あるいは高次施設への搬送を図るといった対応を開始することが重要である．

次回妊娠への留意点

「劇症分娩型」を発症した妊婦の，次回妊娠分娩における予後の評価は行われていないのが現状であるが，基本的には，次回の妊娠時に再度「劇症分娩型」が発症する可能性は極めて低いと思われる．しかし，前回の分娩時の対応（分娩方法や産褥経過）などを踏まえて，妊娠分娩管理を慎重に検討することが重要である．

引用・参考文献

1） 清水可方ほか．A群溶血性連鎖球菌によるToxic schock syndromeの1例．感染症学雑誌．67，1993，236-9．
2） 宇田川秀雄ほか．A群溶連菌の激烈な敗血症により双胎胎児と母体が突然死した症例．感染症学雑誌．67，1993，1219-22．
3） Ato M. et al. Incompetence of neutrophils to invasive group A streptococcus is attributed to induction of plural virulence factors by dysfunction of a regulator. PLoS ONE. 3, 2008, e3455.
4） 宇田川秀雄．A群レンサ球菌．産婦人科の実際．55，2006，363-70．
5） 所伸介ほか．当院で経験した劇症型A群レンサ球菌感染症「分娩型」の一例．滋賀県産科婦人科雑誌．7，2015，55-60．
6） 宇田川秀雄ほか．劇症型A群レンサ球菌感染症「分娩型」の臨床像．日本産科婦人科学会雑誌．51，1999，1141-9．（訂正記事52，2000，657．）
7） Centor RM. et al. The diagnosis of strep throat in adults in the emergency room. Med Decis Making. 1, 1981, 239-46.
8） The working group on severe streptococcal infection. Definiting the group A streptococcal toxic shock like syndrome. JAMA. 269, 1993, 390-1.
9） 日本版敗血症診療ガイドライン2020特別委員会編．CQ1：敗血症の定義と診断．日本版敗血症診療ガイドライン2020．日本集中治療医学会雑誌．28（Suppl），2021，S21-6．

国保旭中央病院 ● 小林康祐

周産期心筋症

概念・定義

概念・定義

周産期心筋症は，1800年代にVirchowらによって，妊娠に関連した心不全として初めて報告された疾患である[1, 2]．その後，New OrkeansやDemakisなどによって，まとまった周産期心筋症の報告がなされ[3～5]，1971年にDemakisらによって初めて定義された[6]．周産期心筋症は，心疾患の既往のなかった女性が，妊娠・産褥期に心不全を発症し，拡張型心筋症に類似した病態（左室のびまん性収縮障害と左室拡大）を示す特異な心筋症であるが，特異的な検査所見はなく，除外診断であり，あくまでheterogeneousな疾患である．

診断基準

1971年にDemakisらが定義した診断基準に，具体的な左心機能低下を追加したものを以下に示す[6]．また，各国の診断基準を表1に示す．

①分娩前1カ月（または妊娠中）から分娩後5カ月以内に新たに心不全の症状が出現．（『周産期心筋症診療の手引き』では妊娠中から分娩後6カ月以内）

②心疾患の既往がない．

③他に心不全の原因となる疾患がない．

④心エコー上の左心機能低下；左室駆出率（LVEF）：45%未満，左室短縮率（%FS）：30%未満など．

これら4つの条件を満たす場合に「周産期心筋症」と診断する．

表1 ● 周産期心筋症の診断基準

欧州心臓病学会の心筋症分類	非家族性で拡張型心筋症の遺伝背景を持たない、妊娠に関連した心筋症
米国心臓協会の心筋症の分類と診断基準	左室機能障害と拡張、心不全を呈する、希少性後天性の原発性心筋症
米国NHLBIと希少疾患対策局のワークショップ	①分娩前1カ月から分娩後5カ月以内に新たに心不全の症状が出現 ②心疾患の既往がない ③他に心不全の原因となるものがない ④左室駆出率（LVEF）<45%もしくは左室短縮率（%FS）<30%
欧州心臓病学会の周産期心筋症ワーキンググループ	①妊娠の最後のほうから産後数カ月までの間に、左室収縮機能障害により心不全を呈する、特発性心筋症 ②そのほかに心不全の原因がない（常に除外診断である） ④左室はあまり拡張していないが、ほぼ全例で左室駆出率（LVEF）<45%

NHLBI：National Heart, Lung, and Blood Institute

参考 『産婦人科診療ガイドライン：産科編2020』CQ309-2 妊娠高血圧症候群と診断されたら？
『周産期心筋症診療の手引き』

疫　学

発症頻度は国・人種によって異なるとされている．わが国やヨーロッパでの発症頻度は低く1/10,000～15,000である[6～9]．人種別での周産期心筋症の発症率は，黒人>アジア人>白人>ヒスパニックの順で，それぞれ1/1,421，1/2,675，1/4,075，1/9,861

であったと報告されている[9]．周産期心筋症の発症頻度は低いものの，わが国の妊産婦死亡原因疾患としては重要な疾患である[10]．

発症の危険因子

診断基準を提唱したDemakisらは，多産，高齢，多胎，妊娠高血圧症候群，アフリカ系人種をリスク因子としてあげている[6]．ほかに，子宮収縮抑制薬の使用や慢性高血圧，喫煙，肥満なども危険因子であることが指摘されている[11〜13]．周産期心筋症の危険因子を表2に示す．

病　因

周産期心筋症の病因についてはさまざまな説があり[14, 15]，未だ原因不明である．原因として考えられている代表的なものとして，ウイルス感染，異常免疫反応，切断プロラクチン，血管新生阻害などが挙げられる．病態が拡張型心筋症に類似していることから，妊娠・出産の心負荷により潜在していた拡張型心筋症が顕在化したものや心筋炎であるという説もあるが，特発性拡張型心筋症や心筋炎の発症率よりも高率で妊産褥婦に発症することから，妊娠自体が発症に関与している別な病態と考えられている[16]．

症状・診断

周産期心筋症は心不全による症状を呈するため，息切れ，咳，浮腫，倦怠感，動悸，体重増加などが自覚症状である．しかし，これらの症状は，正常妊産褥婦でも訴え得る症状でもあるため，慎重に診察を行い，心不全による症状を訴え，危険因子（多産，高齢，多胎，妊娠高血圧症候群，アフリカ系人種，子宮収縮抑制薬（β刺激薬）の使用や慢性高血圧，喫煙，肥満）を有する症例では，積極的な心不全スクリーニングが求められる．心不全スクリーニングとは，心臓超音波検査に加えて，心拡大の有無を評価するための胸部X線検査や急性冠症候群等の鑑別のための12誘導心電図，心不全マーカーである脳性ナトリウム利尿ペプチド（BNP），もしくはNT-ProBNPの評価を行い診断する．BNPでの評価は，心臓超音波検査がすぐに実施できない施設でも，簡便な血液検査によりスクリーニングができるため，特に産婦人科医にとっては重要なマーカーである．

周産期心筋症は除外診断であることを念頭に，診断のためには，肺炎，肺血栓塞栓症，肺水腫（リトドリン塩酸塩や妊娠高血圧腎症による），心筋梗塞，たこつぼ心筋症，心筋炎，羊水塞栓症などを除外することが重要である．

また，妊娠中に発症した拡張型心筋症との鑑別は非常に困難である．拡張型心筋症は家族性であることがあるため，家族歴を聴取することや遺伝子検査が鑑別の一助となる．

表2 ● 周産期心筋症の危険因子

- 多産
- 高年妊娠
- 多胎
- 妊娠高血圧症候群
- リトドリン塩酸塩の使用
- 高血圧
- 肥満
- 喫煙

治　療

治療は一般的な心不全に対する治療が広く行われている．重症例では，急性期にカテコラミン治療に加え，大動脈内バルーンパンピング（intra-aortic balloon pumping；IABP）や経皮的心肺補助装置（percutaneous cardiopulmonary support；PCPS）を使用する．慢性期には，ACE阻害薬やβ遮断薬，利尿薬などの内服治療が行われるが，治療抵抗性の症例では，心臓移植や死に至ることもある．また，心不全に対する対症療法以外にも，心筋炎を疑う症例での免疫抑制剤の使用や，切断プロラクチン説に基づく抗プロラクチン療法なども行われているが，いずれも有効な治療法としては確立していない．周産期心筋症は，専門的かつ集学的治療を要するため，疑われた場合は専門施設への搬送を考慮する．

予　後

予後については，さまざまな国や施設で検討されたが，左室機能が改善する率が7〜50%，死亡率が4〜80%と報告ごとに大きく異なっている．予後予測因子としては，初診時もしくは発症2カ月後の左室駆出率，左室拡張末期径（LVDd），左室内血栓の有無，人種などが挙げられている．わが国での全国調査では，死亡率が4%，補助人工心臓装置（left ventricular assist device；LVAS）を要する重度の左室機能低下が2%と報告されている．またこの全国調査において，慢性高血圧や妊娠高血圧症候群に合併した周産期心筋症患者は，慢性期に心機能が回復しやすいことが判明している[17]．

Clinical Tips

》早期スクリーニング法

一般的には，心不全症状を呈した場合に，心臓超音波検査，12誘導心電図，胸部単純X線検査などの心不全スクリーニングを実施するが，三重大学では早期発見，早期治療が予後に関与すると考え，独自の早期スクリーニング法（図1）を実施している．

危険因子の中でも，特に発症と高い関連を有する多胎・妊娠高血圧症候群・リトドリン塩酸塩の使用のいずれか1つを満たす場合に，BNPを測定している．多胎を満たす場合は32週以降より測定し，リトドリン塩酸塩の使用は内服ではなく持続静注に限定して測定している．

BNPが100pg/mL未満の場合は，その後2週間ごとに測定し観察する．分娩となった場合は，産褥3日目以内に測定する．

BNPが100pg/mL以上の場合は，12誘導心電図，心臓超音波検査，胸部X線検査を実施し，異常を認める場合には，鑑別診断・治療を始める．その場合は，循環器内科と共同で進めることが望ましい．異常がない場合には，再びBNPでのスクリーニングを定期的に行う．

最新の話題

周産期心筋症が疑われる場合には，先に述べたように一般的な心不全治療を実施する．特異的治療としては，抗プロラクチン療法の有効性が示されているわけではないが，周産期心筋症を疑った時点で抗プロラクチン療法を開始している．三重大学では，ブロモクリプチン2.5mg/日を1週間のプロトコールで投与している．その他には，8週間プロトコール（5mg/日：2週間→2.5mg/日：6週間）も報告されているが，われわれは1週間プロトコールを採用している．ブロモクリプチンによって，乳汁分泌は抑制されるが，原則として授乳は行わない．

多施設共同研究PREACHER

わが国では，「周産期（産褥性）心筋症の，早期診断スクリーニング検査の確立と抗プロラクチン療法の有効性の検討を含む，診断・治療ガイドライン作成研究（研究代表者：神谷千津子）」が進められた．本研究は，周産期（産褥）心筋症全国多施設共同前向き症例登録研究（PREgnancy Associated Cardiomyopathy and Hypertension Essential Research：PREACHER）を基盤として，①周産期（産褥性）心筋症の早期診断スクリーニング検査確立のための研究（PREACHER Ⅱ）ならびに②抗プロラクチン療法による治療介入研究の2つの研究を中心に行った．

PREACHERに先行して2009年にわが国初の周

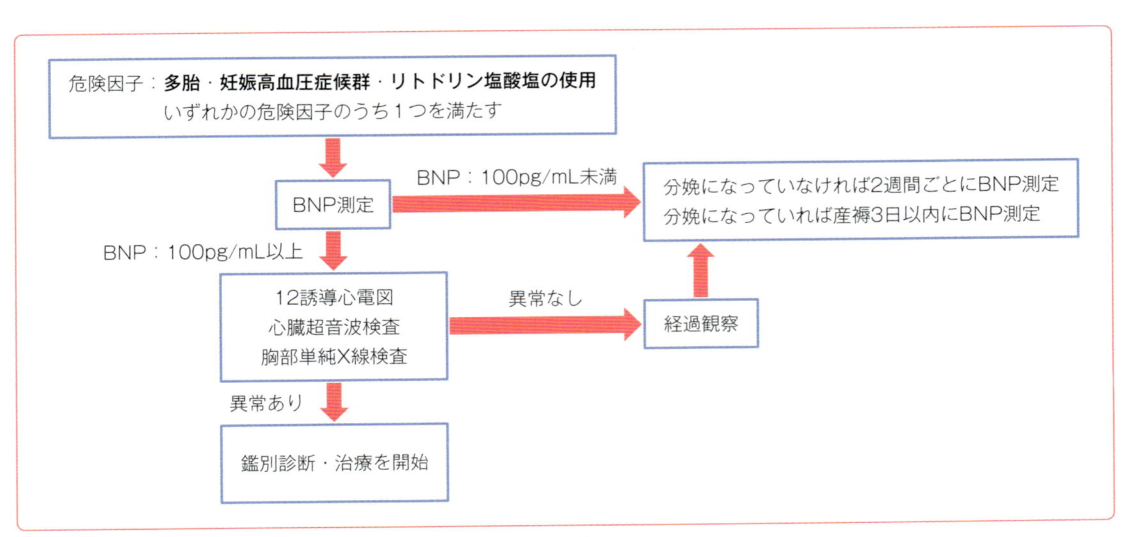

図1 ● 三重大学における周産期心筋症の早期スクリーニング法

産期心筋症の全国調査が行われ，危険因子が高齢，妊娠高血圧症候群，多胎，子宮収縮抑制剤使用であることなどを明らかにした[17]．2010年より開始されたPREACHERは，2019年3月に登録が終了しており，現在，解析結果が待たれているところである．両研究により，8割以上が前述の危険因子を有し，うち半数が複数の因子を合併していることが明らかになった．そこで，PREACHER Ⅱとして，周産期心筋症の危険因子を有する妊産褥婦を対象に，**図1**で示したプロトコールに沿って心不全スクリーニングを行い，心筋症・心不全の有無を確認した．周産期心筋症では，診断時の心機能が予後に関与するため，スクリーニング検査による早期診断で，重症化・慢性化の阻止など，予後の改善が期待される．

次回妊娠への留意点

再妊娠による再発については，慢性期での心機能低下症例では心機能改善症例に比べ，約2倍の再発率で母体死亡例もあったとの報告がある[18]．慢性期にも心機能低下（EF 40％未満）が持続している症例では，再妊娠を回避するか，または妊娠する場合においても患者への十分な説明の上で慎重な妊娠管理が必要である．

引用・参考文献

1) Porak C. De L'influence reciproque de la grossesse et del maladies du Coeur [thesis] . Medical Faculty of Paris, France, 1880.
2) Ritchie C. Clinical contribution to the pathology, diagnosis, and treatment of certain chronic diseases of the heart. Edinburgh Med Surg J. 185, 1849, 333-42.
3) Hull E. et al. Toxic postpartal heart disease. N Orleans Med Surg J. 89, 1937, 550.
4) Hull E. et al. Postpartal heart failure. Southern Med J. 31, 1938, 265.
5) Demakis JG. et al. Peripartum cardiomyopathy. Circulation. 44, 1971, 964-8.
6) Demakis JG. et al. Natural course of peripartum cardiomyopathy. Circulation. 44, 1971, 1053-61.
7) Gunderson EP. et al. Epidemiology of peripartum cardiomyopathy: Incidence, predictors, and outcomes. Obstet Gynecol. 118, 2011, 583-91.
8) Witlin AG. et al. Peripartum cardiomyopathy: Anominous diagnosis. Am J Obstet Gynecol. 176, 1997, 182-8.
9) Brar SS. et al. Incidence, mortality, and racial differences in peripartum cardiomyopathy. Am J Cardiol. 100, 2007, 302-4.
10) Tanaka H. et al. The increase in the rate of maternal deaths related to cardiovascular disease in Japan from 1991-1992 to 2010-2012. J Cardiol. 69, 2017, 74-8.
11) Bello N. et al. The relationship between pre-eclampsia and peripartum cardiomyopathy: a systematic review and meta-analysis. J Am Coll Cardiol. 62, 2013, 1715-23.
12) Kao DP. et al. Characteristics, adverse events, and racial differences among delivering mothers with peripartum cardiomyopathy. JACC Heart Fail. 1, 2013, 409-16.
13) Fong A. et al. Clinical morbidities, trends, and demographics of eclampsia: a population-based study. Am J Obstet Gynecol. 209, 2013, 229.e1-7.
14) Kolte D. et al. Temporal trends in incidence and outcomes of peripartum cardiomyopathy in the United States: a nationwide population-based study. J Am Heart Assoc. 3, 2014, e001056.
15) Halkein J. et al. MicroRNA-146a is a therapeutic target and biomarker for peripartum cardiomyopathy. J Clin Invest. 123, 2013, 2143-54.
16) Pearson GD. et al. Peripartum cardiomyopathy: National Heart, Lung, and Blood Institute and Office of Rare Diseases (National Institutes of Health) workshop recommendations and review. JAMA. 283, 2010, 1183-8.
17) Kamiya CA. et al. Different characteristics of peripartum cardiomyopathy between patients complicated with and without hypertensive disorders: Results from the Japanese Nationwide survey of peripartum cardiomyopathy. Circ J. 75, 2011, 1975-81.
18) Elkayam U. et al. Maternal and fetal outcomes od subsequent pregnancies in women with peripartum cardiomyopathy. N Engl J Med. 344, 2001, 1567-71.

三重大学 ● 田中博明 ● 田中佳世

羊水塞栓症

概念・定義・分類・病態

羊水塞栓症は，まれだが，急激に呼吸循環動態が悪化し，母体死亡につながる疾患の一つである．羊水塞栓症の診断はもともと症例の死後，剖検で肺血管内に胎児・羊水成分を確認することとされているが，この診断方法は臨床現場で目の前の症例に全く適応できない．そのためわが国では臨床的羊水塞栓症のエントリー基準[1]が使用されている（表1）．

表1 ● 臨床的羊水塞栓症エントリー基準

①妊娠中または分娩後12時間以内に発症した場合
②下記に示した症状・疾患（1つまたはそれ以上でも可）に対して集中的な医学治療が行われた場合
　A）心停止
　B）呼吸不全
　C）播種性血管内凝固症候群（DIC）
　D）分娩後2時間以内の原因不明の大量出血（1,500mL以上）
③観察された所見や症状が他の疾患で説明できない場合

「羊水塞栓症血清診断事業」に登録する基準を示したもので，これを満たす症例は臨床的羊水塞栓症を考慮する．

羊水塞栓症は初発症状および主病態が，①呼吸循環不全（ショックおよび心不全・呼吸不全）・DICと，②弛緩出血・DICの2つに分類される．症例の生死にかかわらず，病理解剖や組織検査が行われなければ臨床的羊水塞栓症である．初発症状等の臨床経過から①，②が主体であるものをそれぞれ臨床的羊水塞栓症（心肺虚脱型），（子宮型）と呼ぶ（図1）．国際的には，臨床的羊水塞栓症（心肺虚脱型）はamniotic fluid embolism（AFE）と表現されている[2]一方で，わが国における分類である子宮弛緩症とDICを主体とする臨床的羊水塞栓症（子宮型）はUterine AFEと紹介され[3]，その病理学的所見も英文誌に報告されている[4〜6]．

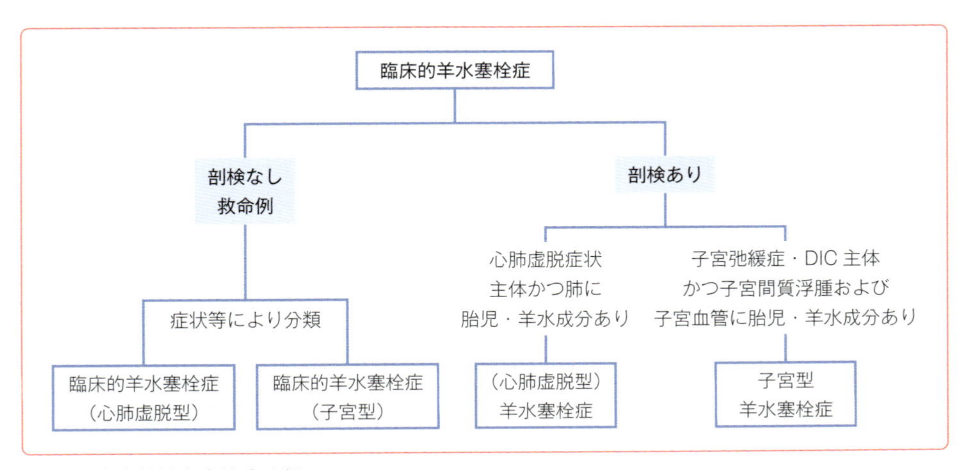

図1 ● 臨床的羊水塞栓症分類

羊水塞栓症の病態について，従来，羊水胎児成分が肺血管に塞栓することで発症すると考えられていたが，現在は肥満細胞や補体系の関与したアナフィラクトイド反応が主病態とされている[1]．図 2 に関連する症状と病態をまとめた．羊水塞栓症の肺や子宮[5, 6]には活性化した肥満細胞や補体受容体を発現した炎症細胞の浸潤が認められる．また，子宮浮腫に関わるキニン系活性化もみられる[7]．血液凝固障害については消費性凝固障害と線溶亢進を併せ持つ著明な線溶亢進型 DIC である[8]．発症時にはフィブリノゲンを含む血液凝固因子が急激に消費され，フィブリン分解物質が著明に増加する一方で，血小板数は初期には横ばい〜やや低下程度にとどまる．しかし，羊水そのものは血液凝固を促進したが，線溶亢進は起こさなかった[9]．

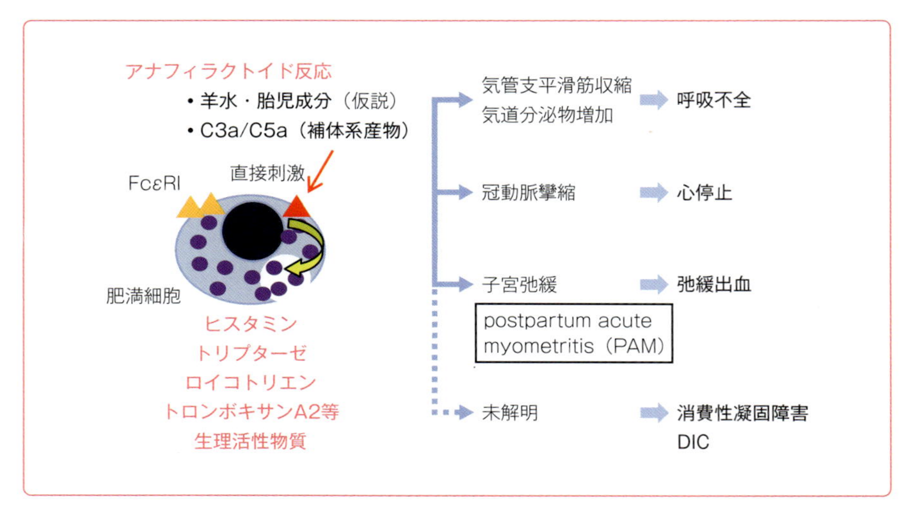

図 2 ● 羊水塞栓症の症状と病態

要　点

- 分娩期に突然生じた呼吸困難，意識障害，ショック，弛緩出血，重度の DIC は臨床的羊水塞栓症を考え，まず呼吸循環管理を行い，弛緩出血への対応と十分な輸血療法を行う．
- 治療において，同時に複数の処置が必要であり，院内横断的に多職種スタッフを迅速に集める．
- 羊水塞栓症の診断には，血液検査，摘出子宮組織，病理解剖による評価が有用である．

注意すべき臨床症状・所見

臨床症状として，妊娠中，分娩中，分娩後に呼吸困難，意識レベル低下，痙攣，ショック，分娩後に出血が続くという症状があれば羊水塞栓症を鑑別疾患に挙げる．ほかの鑑別疾患は脳卒中，肺血栓塞栓症や，周産期心筋症，子癇発作などを考慮する．

臨床所見として，呼吸不全（呼吸数増加，SpO_2 低下など），循環不全（ショック）については第一に評価する．呼吸数は通常妊娠中に変わらず，10〜20 回 / 分が正常所見である．頻呼吸は低酸素，強い痛み，ショックの遷延などによって生じるため，注意が必要な所見である．胸部聴診では肺水腫を反映して湿性ラ音 coarse crackles や呼気性喘鳴 wheeze が聴取されることがある．羊水塞栓症かどうかを鑑別する際に，子宮収縮が得られない，流出している血液の性状（非凝固性かどうか），鼻出血，口腔内出血，導尿時の血尿，穿刺部位からの止血が得られない，硬膜外カテーテル挿入部から非凝固性出血が続くという所見は有用である．これは出血傾向を示しており，フィブリノゲン値を含め凝固因子が不足し，DIC を合併している際にみられる．

診　断

診察，処置，検査に必要な物品はあらかじめ用意しておくとよい（表 2）.

表 1 に示したエントリー基準を満たし，血液検査でDIC を認める場合，臨床的羊水塞栓症と診断する．診断時にはほかの疾患を鑑別するために，腹部超音波検査（腹腔内出血，子宮収縮の状況をチェック），心臓超音波検査（心機能，右室負荷所見をチェック），頭部単純 CT/ 造影 CT（胸部，腹部，骨盤部）（脳出血，肺血栓塞栓症，動脈性出血をチェック）などの画像診断が用いられることが多い．実際の臨床現場では，妊娠中，分娩進行中，分娩後に図 3 に示すような症状，異常を認めた場合はすぐにヘモグロビン濃度，フィブリノゲン値と D ダイマーを評価する．①ヘモグロビン／フィブリノゲン比（H/F ratio）（後述）≧100，または② H/F ratio＜100 かつフィブリノゲン値＜150mg/dL のどちらか一方と D ダイマー値上昇を認めた場合は，臨床的羊水塞栓症を考える．そうでなければほかの疾患（脳卒中，麻酔副作用，肺血栓塞栓症，アナフィラキシーショックなど）を考える．

■

筆者らは血液凝固障害を早期に検出するための指標を報告した[10]．臨床現場では羊水塞栓症発症時，ヘモグロビン濃度がある程度保たれているにもかかわらず，フィブリノゲン値が低下する，つまり両者の値に乖離が見られることが多い．これは出血量に見合わない血液凝固障害，いわゆる消費性凝固障害が存在することを示している．より早期に重症の消費性凝固障害を検出し，治療を行うためにヘモグロビン／フィブリノゲン比（hemoglobin/fibrinogen；H/F ratio）という指標を考案した．ヘモグロビン濃度（g/dL）÷フィブリノゲン値（mg/dL）× 1,000 で算出する．この指標を用いた以下の管理法（図 4）[11] を提案する．臨床的羊水塞栓症の発症時の H/F ratio≧100 であれば，フィブリノゲン値にかかわらず輸血等で凝固因子の補充を進める．H/F ratio＜100 であれば，フィブリノゲン値＜150mg/dL（1.50g/L）の場合に輸血等で凝固因子の補充を行う．フィブリノゲン値≧150mg/dL の場合，血液凝固機能の評価を繰り返し行い，血液凝固障害が進行してこないかチェックする．

▶ 子宮型羊水塞栓症

臨床的羊水塞栓症の中で，子宮弛緩症，血液凝固障害が臨床症状の主体であり，子宮組織を検討すると子宮間質浮腫および子宮血管に胎児・羊水成分や補体受容体を発現した炎症細胞の浸潤を認めるものをいう．

特に実際の臨床現場において使用する目的で，以下の子宮型羊水塞栓症の早期臨床診断基準（案）[12] が提案されている．

発症時

①子宮底長が臍上 2 指以上（3 ～ 4cm 以上）

②子宮筋層が非常に柔らかい

③フィブリノゲン値が 150mg/dL 以下

臨床的羊水塞栓症のエントリー基準を満たすもので，上記３項目を満たすものを子宮型羊水塞栓症の早期臨床診断とする．

当教室では臨床的羊水塞栓症を疑った症例の血液検体（血清，血漿）中の亜鉛コプロポルフィリン - I（ZnCP-1），シアリル Tn（STN）を羊水の母体循環への流入マーカーとして，補体 C3，C4，C1 インヒビター（C1-INH）をアナフィラクトイド反応のマーカーとして測定している．また，摘出された子宮・肺などの組織検体も同様の観点から特殊染色，免疫染色を行っている．羊水塞栓症補助診断法として有用であるため，羊水塞栓症の観点から浜松医科大学産婦人科教室において，全国から血液検体，子宮・肺組織検体

表 2 ● 診察・処置用物品リスト

診察用器具	検査・処置	輸液・輸血製剤
• 超音波診断装置（経腹・経腟エコー） • 大きい腟鏡（L 型・産褥用クスコ腟鏡，ジモン腟鏡） • 鑷子，頸リス鉗子，リスター鉗子 • 滅菌シーツ（清潔野作成用），滅菌ガーゼ（多め） • 消毒用綿球，膿盆	• 術前一式採血管（動脈血液ガス用シリンジを含む） • バイタル測定用器具（体温計，血圧計，パルスオキシメータ，心電図モニター） • 末梢点滴留置針（なるべく 18 ゲージより太いサーフロー） （• 中心静脈カテーテルキット） （• 骨髄針）	• 代用血漿剤（ボルベン®，サリンヘス® など） • O 型 RBC，AB 型 FFP の在庫数確認（異型輸血の可能性を考慮） • 血液型に適合した RBC と FFP の在庫数確認 （• フィブリノゲン濃縮製剤） （• 遺伝子組換え活性化第Ⅶ因子製剤：ノボセブン®）

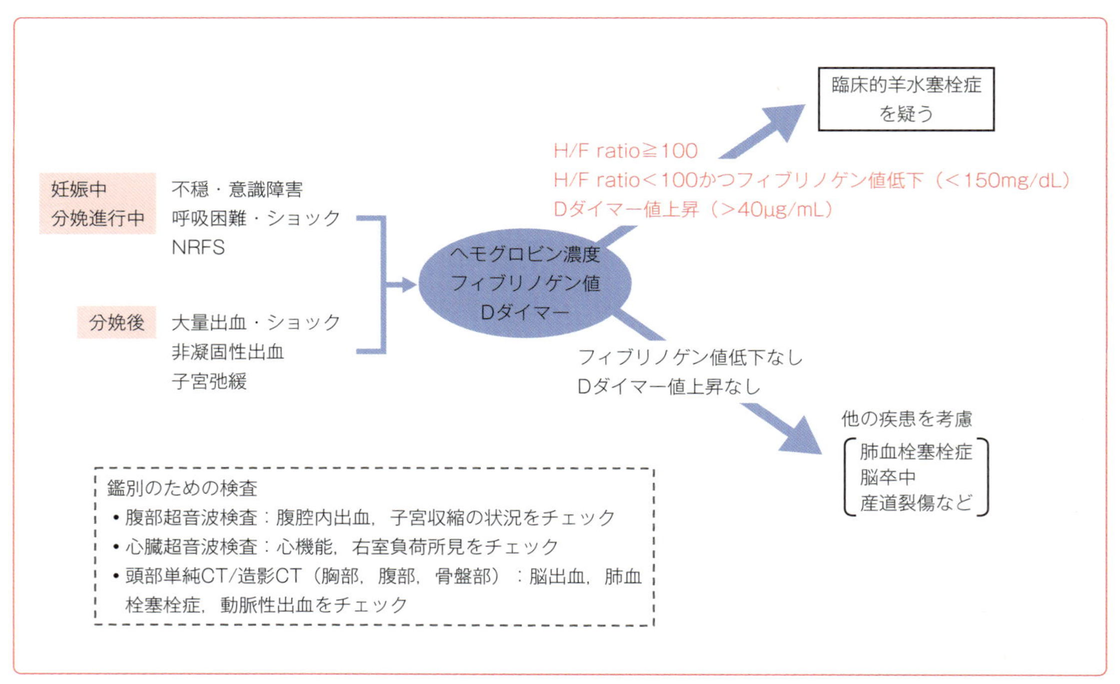

図3● 実際の臨床現場での鑑別方法

H/F ratio＝ヘモグロビン濃度（g/dL）÷フィブリノゲン値（mg/dL）×1,000

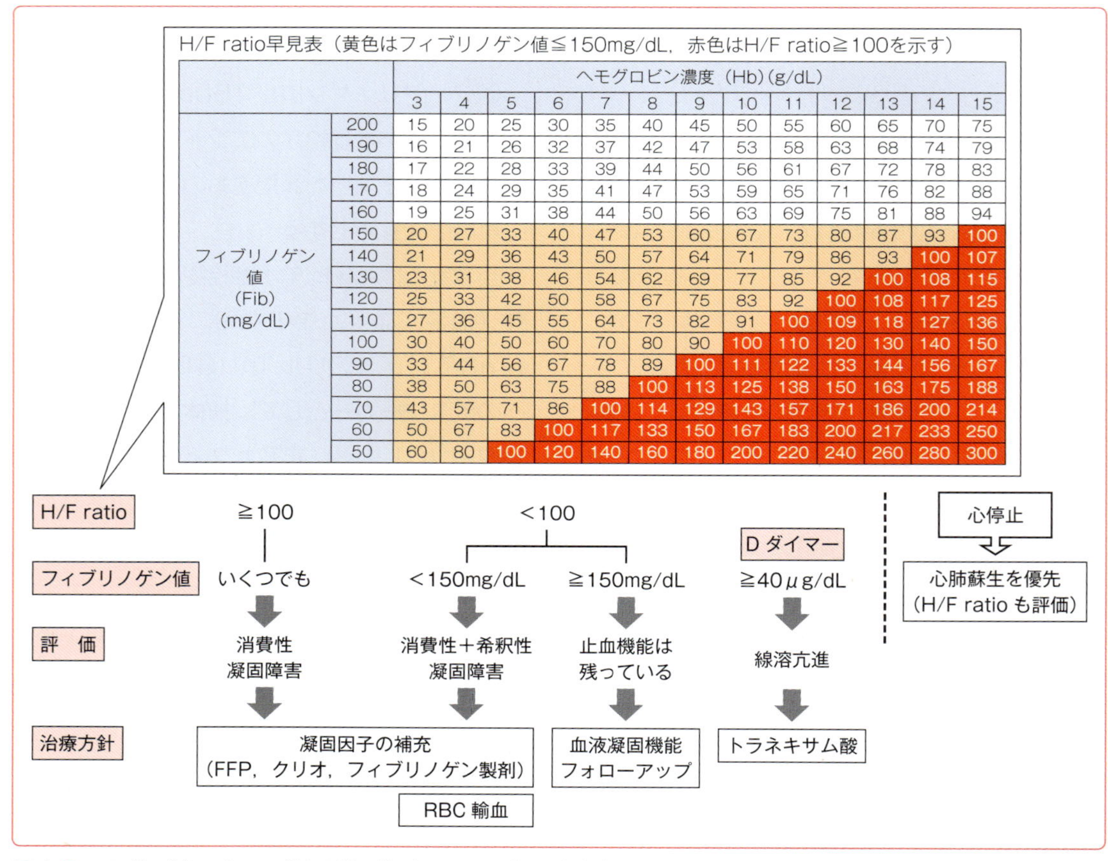

H/F ratio早見表（黄色はフィブリノゲン値≦150mg/dL，赤色はH/F ratio≧100を示す）

フィブリノゲン値 (Fib) (mg/dL) ＼ ヘモグロビン濃度（Hb）(g/dL)	3	4	5	6	7	8	9	10	11	12	13	14	15
200	15	20	25	30	35	40	45	50	55	60	65	70	75
190	16	21	26	32	37	42	47	53	58	63	68	74	79
180	17	22	28	33	39	44	50	56	61	67	72	78	83
170	18	24	29	35	41	47	53	59	65	71	76	82	88
160	19	25	31	38	44	50	56	63	69	75	81	88	94
150	20	27	33	40	47	53	60	67	73	80	87	93	100
140	21	29	36	43	50	57	64	71	79	86	93	100	107
130	23	31	38	46	54	62	69	77	85	92	100	108	115
120	25	33	42	50	58	67	75	83	92	100	108	117	125
110	27	36	45	55	64	73	82	91	100	109	118	127	136
100	30	40	50	60	70	80	90	100	110	120	130	140	150
90	33	44	56	67	78	89	100	111	122	133	144	156	167
80	38	50	63	75	88	100	113	125	138	150	163	175	188
70	43	57	71	86	100	114	129	143	157	171	186	200	214
60	50	67	83	100	117	133	150	167	183	200	217	233	250
50	60	80	100	120	140	160	180	200	220	240	260	280	300

図4● ヘモグロビン／フィブリノゲン比（H/F ratio）の臨床応用

を集め，研究を行っている．

治　療

羊水塞栓症発症時に**図5**に示すように呼吸循環不全，DIC，子宮弛緩・弛緩出血それぞれに対して同時に対

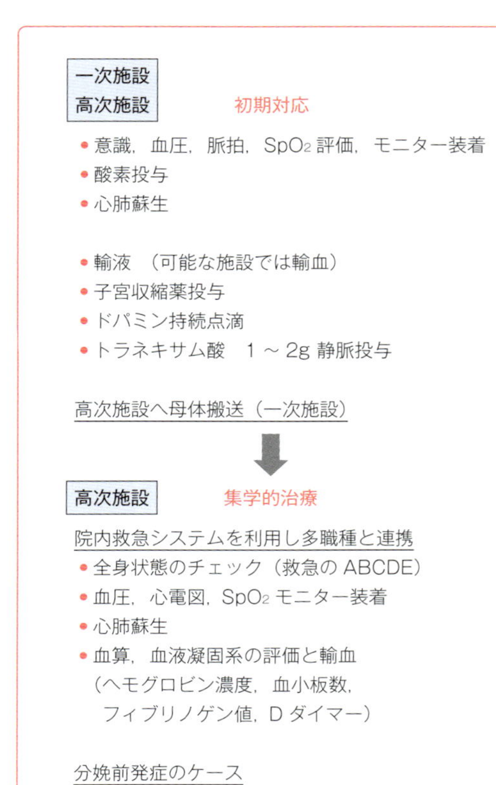

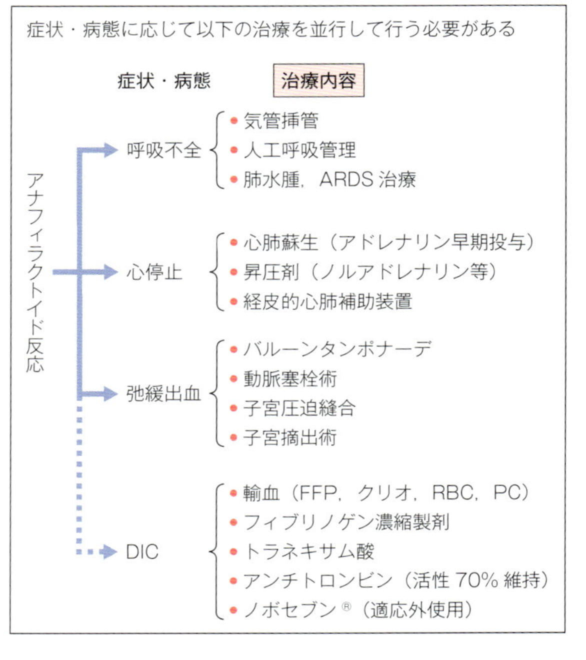

図 5 ● 発症時の対応と治療内容

応が必要である．人手を集めることが何より重要である．

本症を疑っても自施設では十分な治療ができない場合は高次施設への搬送を躊躇しない．搬送受入れ後は，酸素を投与し，末梢静脈ルートを複数あるいは中心静脈ルートを確保する．分娩前発症の場合，経腟分娩が可能な場合は急速遂娩，難しいなら帝王切開を行う．分娩後発症の場合は心肺虚脱型，子宮型どちらでも全身状態のチェック（救急の ABCDE），必要時心肺蘇生を行う．いずれの場合も並行して血液凝固系（フィブリノゲン，D ダイマー）の評価と輸血等による凝固因子の補充を行う．

病態から考えると，アナフィラクトイド反応（肥満細胞活性化）を抑制するために発症早期のアドレナリン 0.2～0.5mg を大腿外側に筋注することは効果的と考えられる．効果が乏しい場合，5～15 分ごとに投与を繰り返す．血圧低下に対してノルアドレナリン，心不全に対してドブタミンやミルリノンを状態に応じて使用する．肺高血圧や右心不全に対して一般的にシルデナフィル，プロスタグランジン I_2 製剤，一酸化窒素投与などは使用されるが，特に臨床的羊水塞栓症（心肺虚脱型）で有効性は確立されていない．

輸血に関しては，前医に確認して患者の血液型を把握しておき，輸血部に異型輸血を想定して O 型濃厚赤血球液（RBC）と AB 型新鮮凍結血漿（FFP），そして適合した血液型の RBC と FFP の在庫を確認しておく．出血性ショックで搬送されてきた患者に異型輸血をためらってはならない．FFP 12～15 単位の輸血は血中フィブリノゲン濃度を約 100mg/dL 上昇させる．出血が持続している場合，赤血球濃厚液（RBC），血小板濃厚液（PC）はそれぞれヘモグロビン濃度 7g/dL，血小板数 5 万 /μL を保つように投与する．FFP/RBC 比 1.5 以上を目指す．フィブリノゲン濃度が著明に低下している場合は，フィブリノゲン濃縮製剤 3g 点滴静注は，上記 FFP 12～15 単位輸血と同等の血中フィブリノゲン濃度上昇を見込める．溶解も容易で迅速に点滴静注できる．産科危機的出血に伴う後天性低フィブリノゲン血症に対して 2021 年 9 月に保険適用となった．羊水塞栓症による産科危機的出血にも有用である．凝固亢進状態を抑制するためアンチトロンビン製剤を投与し，アンチトロンビン活性 70% を維持する．また線溶亢進に対してトラネキサム酸 1 ～ 2g を投与する．D ダイマーが下降するまで投与を繰り返す．

輸血療法，抗 DIC 療法で子宮からの出血がコントロールできないとき，外科的止血法として動脈塞栓術，compression suture，子宮摘出術を行う必要性が生じる．動脈塞栓術の最中には症例のバイタルを含めた全身状態の把握，心停止時の対応が遅れがちになるので注意する．救命のために子宮摘出を躊躇しないことは重要であるが，輸血等凝固因子補充を行い，血中フィブリノゲン値>50 mg/dL となってから行うのが望ましい．血液凝固機能が不十分なまま外科的止血法を行わざるを得ない症例では，初回手術で重要部分の止血のみ行い，閉腹せず，血液凝固機能の改善，復温，アシドーシス補正の後に再手術を行う damage control surgery[13] の方針をとる．

心肺停止状態が続く場合は，経皮的心肺補助装置（percutaneous cardiopulmonary support；PCPS）や大動脈バルーンパンピング（intra-aortic balloon pumping；IABP）の導入を検討する．臨床的羊水塞栓症で生じる心停止は non-shockable rhythm（PEA〔無脈性電気活動〕や asystole）が多い．心肺蘇生を行いつつ，心停止の原因として一般的な 6H6T の中でも特に，循環血液量減少（hypovolemia），低酸素血症（hypoxia），電解質異常（hyper/hypokalemia），アシドーシス（hydrogen ion），低体温（hypothermia），低血糖（hypoglycemia）に注意する．

治療中のピットフォール

呼吸補助または人工呼吸により可及的に酸素化を改善させる．心停止した場合は有効な心肺蘇生を行い，早急な心拍再開を目指す．DIC から早急に離脱するために，輸血を迅速に行う．この際，体温と血中電解質異常には注意する．心拍が再開した場合でも全身の酸素化が不良であれば心停止を繰り返す原因になり得る．また DIC により全身の臓器，体腔どこからでも出血する可能性があり，超音波検査や CT で評価して必要なら動脈塞栓術，開腹止血術を行う．手術時に確実に止血したと思っていても，術後にドレーン排液や輸血が必要な状態が続く場合は造影 CT を撮影して出血源を検索する．これを必要であれば複数回行う．注意しなければならないのは，画像検査，動脈塞栓術に向かう前提としてバイタルが安定していることを確認する必要がある．出血が続きショックバイタルのままこれらの検査・処置を急ぐと，その最中に容体が急変し，対応が遅れることがある．

羊水塞栓症事業登録例において，心停止を経験したが幸いにも救命された症例であってもその 3 割は重篤な高次脳機能障害を合併あるいは数カ月後に死亡している．胎児に関しても母体救命例・死亡例にかかわらず，その半数が子宮内胎児死亡あるいは新生児死亡となっている．長期にわたる人工呼吸器管理では気管切開が必要である．

Clinical Tips

治療に関して，病態から考えると C1-INH 投与による病態改善が期待される．すでに C1-INH（乾燥濃縮人 C1- インアクチベーター製剤ベリナート®）は遺伝性血管浮腫の治療薬として保険適応されている．われわれは臨床的羊水塞栓症（子宮型）において C1-INH 投与により子宮収縮および分娩後出血が改善した症例を報告した[14]．さらに臨床的羊水塞栓症に対する C1-INH 濃縮製剤の有効性・安全性に関する多施設共同研究（UMIN000015686）を行い，C1-INH を 11 例に投与し，7 例に子宮収縮改善効果を認めた．C1-INH 投与が臨床的羊水塞栓症の子宮弛緩に対して有効である可能性がある．

次回妊娠への留意点

妊娠分娩歴に特に異常がなかった経産婦が羊水塞栓症を発症することもあるが，羊水塞栓症を発症した経産婦の次の分娩は特に問題ないことが多い[15]．しかし，羊水塞栓症経験者の 3 割はなんらかの永久的不妊手術（卵管結紮術，精管結紮術など）を受けており，次回妊娠を避ける傾向にあることが報告されている[16]．

おわりに

家族は，それまで健康だった妊婦が分娩時に急速に状態が悪化する中で，何が起こっているのかわからず混乱している．医師（担当医師でなくてもよい）は可能な限り早期に説明を行うように心がける．また，家族の希望を聞いた上で，蘇生処置を含めた治療現場を見てもらうことでその切迫感をじかに伝えることができる．医療サイドの説明不足に起因する係争を避ける意味で効果は大きい．

発症初期から呼吸循環不全を来す症例，心停止後自己心拍再開に至らない症例は，残念ながら上記のような集中管理を行っても死亡を回避できないこともある．不幸な転帰の場合の対応として，妊産婦死亡症例に遭遇したときには病理解剖を行うように努める．日本産婦人科医会と各都道府県産婦人科医会に妊産婦死亡連絡票を提出し，その後事例についての詳細を日本産婦人科医会に調査票を用いて報告する．施設長に届け出て，調査システムに沿って対応する．血清，血漿を遮光して保存し，当教室に送付することを推奨する．

引用・参考文献

1) Kanayama N. et al. Amniotic fluid embolism: pathophysiology and new strategies for management. J Obstet Gynaecol Res. 40, 2014, 1507-17.
2) Clark SL. Amniotic Fluid Embolism. Obstet Gynecol. 123, 2014, 337-48.
3) Clark SL. et al. Proposed diagnostic criteria for the case definition of amniotic fluid embolism in research studies. Am J Obstet Gynecol. 215, 2016, 408-12.
4) Oda T. et al. Japanese viewpoint on amniotic fluid embolism. Am J Obstet Gynecol. 217, 2017, 91.
5) Farhana M. et al. Histological characteristics of the myometrium in the postpartum hemorrhage of unknown etiology: a possible involvement of local immune reactions. J Reprod Immunol. 110, 2015, 74-80.
6) Jain D. et al. Acute inflammation in the uterine isthmus coincides with postpartum acute myometritis in the uterine body involving refractory postpartum hemorrhage of unknown etiology after cesarean delivery. J Reprod Immunol. (in press)
7) Shen Y. et al. Elevated bradykinin receptor type 1 expression in postpartum acute myometritis: Possible involvement in augmented interstitial edema of the atonic gravid uterus. J Obstet Gynaecol Res. 45, 2019, 1553-61.
8) 小田智昭ほか．死戦期における血液凝固線溶系の病態生理：羊水塞栓症における血液凝固線溶系と補体系．Thrombosis Medicine．9，2019，36-41．
9) Oda T. et al. Amniotic fluid as a potent activator of blood coagulation and platelet aggregation: Study with rotational thromboelastometry. Thromb Res. 172, 2018, 142-9.
10) Oda T. et al. Consumptive Coagulopathy Involving Amniotic Fluid Embolism: The Importance of Earlier Assessments for Interventions in Critical Care. Crit Care Med. 48, 2020, e1251-9.
11) 妊産婦死亡症例検討評価委員会／日本産婦人科医会．母体安全への提言 2020．2021，76-7．
12) 日本産科婦人科学会周産期委員会．羊水塞栓症の子宮所見の臨床的検討．日本産科婦人科学会雑誌．69，2017，1467-9．
13) 溝端康光．Damage control surgery：理論的背景と実際．救急・集中治療．26，2014，995-1003．
14) Todo Y. et al. Therapeutic application of C1 esterase inhibitor concentrate for clinical amniotic fluid embolism: a case report. Clin Case Rep. 3, 2015, 673-5.
15) Clark SL. Successful pregnancy outcomes after amniotic fluid embolism. Am J Obstet Gynecol. 167, 1992, 511-2.
16) Moaddab A. et al. Reproductive decisions after the diagnosis of amniotic fluid embolism. Eur J Obstet Gynecol Reprod Biol. 211, 2017, 33-6.

浜松医科大学 ● 小田智昭 ● 金山尚裕

深部静脈血栓症（DVT）・肺血栓塞栓症（PTE）

定義・病態・発症頻度

定　義

深部静脈血栓症（deep vein thrombosis；DVT）とは，深筋膜より深い部分を走行する深部静脈に生じた血栓症をいう．深部静脈は，上肢・頸部からは腕頭静脈，上大静脈へ交通し，下肢の静脈からは腸骨静脈，下大静脈に連絡し心臓に還流する．

肺塞栓症（pulmonary embolism；PE）とは，静脈系で形成された血栓，脂肪，空気あるいは羊水中の胎児成分等が血流に乗って肺動脈を閉塞する急性および慢性の肺循環障害をいう．このうちの多くはDVTからの血栓遊離による肺血栓塞栓症（pulmonary thromboembolism；PTE）である．肺血栓塞栓症（PTE）と深部静脈血栓症（DVT）は一連の病態であることから，静脈血栓塞栓症（VTE）と総称される．

病　態

血栓形成には，静脈内皮障害，血液凝固亢進，静脈血流停滞の3つの成因があり[1]，妊娠中はこれらのすべてのリスクが増加する上，さらに複数の危険因子が作用して発症する．先天性血栓性素因を示す症例は少なく，多くは凝固因子増加，増大子宮による静脈圧上昇などの他，プロテインC凝固制御系の抑制など後天性血栓性素因に起因すると考えられている[2～4]．

肺動脈が血栓塞栓子により閉塞する疾患がPTEであり，塞栓源の約90%は下肢または骨盤内の静脈で形成された血栓である．PTEは大きく急性PTEと慢性PTEに分けられるが，本項では急性PTEについてのみ言及する．急性PTEは新鮮血栓が塞栓子として肺動脈を閉塞する病態である．下肢の深部静脈で大きな血栓が形成され遊離して塞栓化した場合，肺血管床の閉塞具合によりショック状態や突然死に至る可能性がある．主たる病態は，急速に出現する肺高血圧や右心負荷，および低酸素血症である．

発症頻度

DVT・PTEはこれまで欧米と比較して日本では稀と考えられてきたが，生活習慣の欧米化などにより近年約1/4程度にまで急増している．わが国の疫学的調査によると，日本静脈学会からDVTは1997年に506人との報告があったが，2006年の厚生労働省による調査では年間14,674人と推計され10年間に約30倍増加している．PTEの1年間の診断数は1996年約3,500人，2006年約8,000人，2011年には1万5,000人余と15年間で約4倍増加している．

妊婦に関しても高年妊娠の増加，帝王切開率の上昇，生活習慣の欧米化に伴う肥満妊婦の増加などにより増加傾向にある．わが国の妊婦に関する調査は2004年に日本産婦人科新生児血液学会により行われており，PTEの発症率は全分娩数の0.02%で，経腟分娩では0.003%，帝王切開で0.06%であり，78%が分娩後の発症であった[5]．

参考 『産婦人科診療ガイドライン：産科編2020』CQ004-1 妊娠中の静脈血栓塞栓症（VTE）の予防は？
CQ004-2 分娩後の静脈血栓塞栓症（VTE）の予防は？
CQ004-3 妊娠・産褥期に深部血栓塞栓症（DVT）や肺血栓塞栓症（PTE）の発症を疑ったら？
『肺血栓塞栓症および深部静脈血栓症の診断，治療，予防に関するガイドライン（2017年改訂版）』

診　断

▶ DVT の診断[6, 7]

DVT は早期の治療介入により予後改善が見込めるため，速やかな診断が必要である．病歴，症状や臨床所見のみから診断するのは困難であり，下肢超音波検査などの画像による確定診断が必要となる．医療面接では現病歴（症状の始まった時期，両側性か片側性か，部位について），既往歴（特に血栓症の既往），家族歴，生活歴などの情報収集を行い，DVT の特異的症状や特徴的発症状況，危険因子の有無などを確認する．身体診察では，バイタルサイン（血圧，脈拍，呼吸数，SpO_2 モニターなど），視診，聴診，触診（Homans テストなどを含む）を行う．典型的症状は急性に発現する下肢の腫脹，疼痛，暗赤色への色調変化などである．血栓存在部位より末梢側にうっ血性の腫脹を来すことが多いため，症状が下肢全体か下腿のみであるかも診察する．また左下肢に発症することが多く，左右差も診断の補助となる．Homans 徴候は足関節を強く背屈させると腓腹部に強い疼痛が生じる所見だが，特異性は高くはなくあまり使用されなくなってきている．

非妊娠時の DVT・PTE のスクリーニングでは D ダイマー検査が行われるが，妊娠中期から凝固系が亢進するため妊産褥婦では DVT や PTE がなくても高値を示す場合が多い．医療面接や身体診察で DVT を強く疑う場合には，D ダイマー値は参考にとどめ，下肢静脈エコーを行う．また，常に PTE の併存も疑って診断を進める．

▶ PTE の診断[7, 8]

PTE は致死性疾患であり，死亡は発症早期に多い．したがって，本症を疑った場合には早急に診断を行う必要があるが，すでに意識消失している場合や全身状態が不安定な場合には，検査よりも治療を優先し母体救命に努める．

PTE には特異的症状や理学所見，一般検査がないことから診断は難しいが，代表的な自覚症状としては突然の呼吸困難，胸痛，頻呼吸があり，97%の症例でこれらがみられたとの報告もある．呼吸困難は最も高頻度に認められ，他に説明ができない呼吸困難や突然の呼吸困難で発症し，危険因子（表 1）がある場合には急性 PTE を鑑別診断に挙げなくてはならない．その他，頻脈，ショック，低血圧，失神などを認めることもある．

また安静解除直後の初回歩行時，排便・排尿時，体位変換時など特徴的な発症状況から PTE を疑う場合も，胸部 X 線撮影，心電図，動脈血ガス分析，血算・生化学・血液凝固検査，心エコー，下肢静脈エコーを行うなどして診断を進める（図 1）[8, 9]．PTE が疑われる場合，パルスオキシメータが有用である．SpO_2 90%が呼吸不全の目安となり，それ以下は危険徴候である．SpO_2 は PaO_2 Torr に相当する．SpO_2 が 95% 以下の場合は精査を要する．

胸部 X 線写真では 7 割に心拡大や肺動脈中枢部の拡張がみられ，1/3 に肺野の透過性亢進が認められる．心電図としては右側前胸部誘導の陰性 T 波（右室の虚血所見），洞頻拍が高頻度にみられる．動脈血ガス分析検査では，低酸素血症，低二酸化炭素血症，呼吸性アルカローシス（pH≧7.45，HCO_3^-<23mEq/L）が特徴的所見である．動脈血酸素分圧（PaO_2）が 80Torr（mmHg）未満となり，肺胞気－動脈血酸素分圧較差（A-aDO2）も開大することが多いが，急性 PTE の 30%で PaO_2 が正常であったとされ，PaO_2 が 80Torr 以上や A-aDO2 が 20Torr 以下でも本症は否定できない．心エコーでの有用な所見は，右室拡大，心尖部の壁運動が保たれたまま右室自由壁運動が阻害される McConnell 徴候である．バイオマーカーとしては，脳性ナトリウム利尿ペプチド（BNP）などは陰性的中率が高く，予後良好な患者群を区別するのに有効である．非妊娠時の BNP のカットオフ値は 75 ～ 100pg/mL とされる．妊婦の BNP 値と心血管疾患との関連の報告は少ないが，100pg/mL を超えなかった症例では，心血管疾患合併症を起こさなかったとの報告はある．

VTE の誘因として凝固線溶系異常が多数知られており，そのうち日本人に一般的なのは抗リン脂質抗体症候群，プロテイン C 欠乏症，プロテイン S 欠乏症，アンチトロンビン欠乏症である．プロテイン C，プロテイン S，上述の D ダイマーなどは非妊娠時とは変化しているため，解釈には注意が必要である．例えば，プロテイン S は妊娠中に生理活性が低下し，正常妊婦でも非妊娠時の 30%程度にまで低下する例がある．生

表 1 ● VTE の主な危険因子

	後天性因子	先天性因子
血流停滞	長期臥床 肥満 妊娠 心肺疾患（うっ血性心不全，慢性肺性心など） 全身麻酔 下肢麻痺，脊椎損傷 下肢ギプス包帯固定 加齢 下肢静脈瘤 長時間座位（旅行，災害時） 先天性 iliac band，web，腸骨動脈による iliac compression	
血管内皮障害	各種手術 外傷，骨折 中心静脈カテーテル留置 カテーテル検査・治療 血管炎，抗リン脂質抗体症候群，膠原病 喫煙 高ホモシステイン血症 VTE の既往	高ホモシステイン血症
血液凝固能亢進	悪性腫瘍 妊娠・産後 各種手術，外傷，骨折 熱傷 薬物（経口避妊薬，エストロゲン製剤など） 感染症 ネフローゼ症候群 炎症性腸疾患 骨髄増殖性疾患，多血症 発作性夜間血色素尿症 抗リン脂質抗体症候群 脱水	アンチトロンビン欠乏症 プロテイン C 欠乏症 プロテイン S 欠乏症 プラスミノーゲン異常症 異常フィブリノーゲン血症 組織プラスミノーゲン活性化因子インヒビター増加 トロンボモジュリン異常 活性化プロテイン C 抵抗性（第 V 因子 Leiden *） プロトロンビン遺伝子変換（G20210A *） *日本人には認められていない

日本循環器学会．肺血栓塞栓症および深部静脈血栓症の診断、治療、予防に関するガイドライン（2017 年改訂版）より転載
https://www.j-circ.or.jp/cms/wp-content/uploads/2017/09/JCS2017_ito_h.pdf（2022. 4. 15 閲覧）

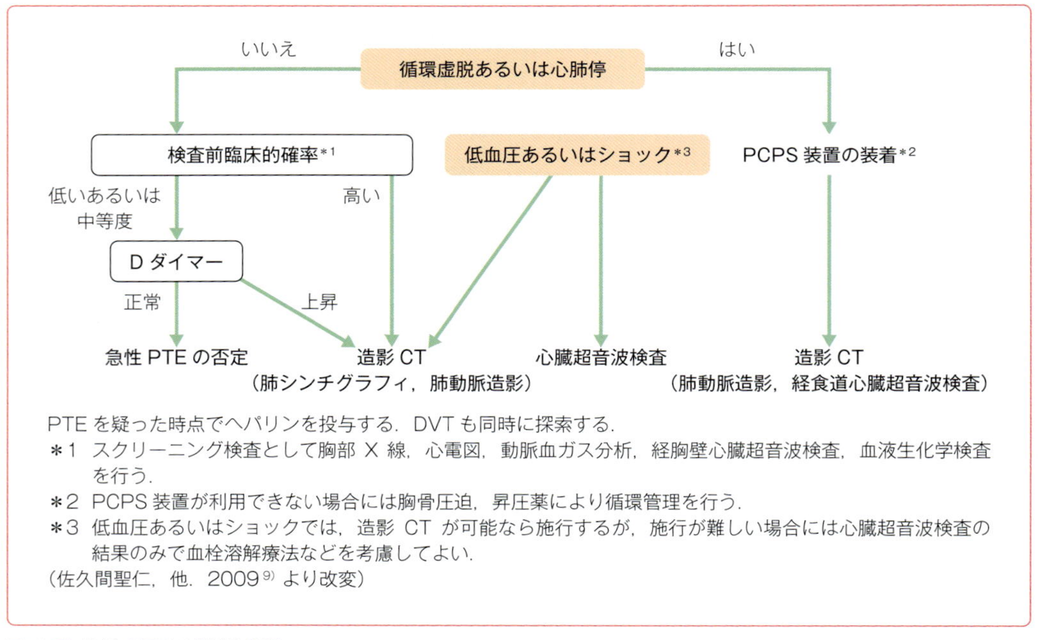

図 1 ● 急性 PTE の診断手順

（文献 8 より引用）

理的活性変化がどの程度 VTE 発症に関与するのかは不明である．また，妊娠産褥期は，活性化プロテイン C に対する感受性が低下し，特に DVT 症例では血漿の活性化プロテイン C に対する感受性が優位に低下している．活性化プロテイン C- プロテイン S 制御系が，DVT・PTE 発症に重要な役割を果たしている可能性が推測されている[2, 4]．プロテイン C 活性が 50 〜 60％になると，VTE 発症リスクが 6 〜 12 倍になるという報告もある[10]．

PTE 発症が疑われ全身状態が安定している場合，非妊娠時であれば造影 CT，肺動脈造影，肺シンチグラフィのうち 1 つ以上を行うのが一般的で，妊娠中でも PTE を強く疑う場合には造影 CT，肺動脈造影を考慮する．マルチスライス CT 血管撮影法（MDCTA）は，撮像時間が短く放射線被曝量が非常に少ないため，PTE を強く疑い検査所要時間を短縮したい場合には妊娠中でも施行を考慮する．可能であれば，施行や結果判定は専門の検査技師，循環器内科医，放射線診断医などに依頼する．

管理・治療

▶ DVT の管理・治療[6, 7]

DVT では，常に PTE の併存も疑って診断・治療を進める．治療の主目的は局所症状の改善，PTE 防止であり，中枢型なら抗凝固療法を，末梢型なら経過観察あるいは抗凝固療法を施行する．

急性期には，抗凝固療法と歩行などの運動により血栓を遊離させて PTE が生じる危惧があり，またヘパリンの持続点滴治療が施行されることが多く，これまでベッド上安静が行われてきた．例えば，PTE 予防のため，血栓が大腿静脈から腸骨静脈にかけて存在する場合や浮遊血栓を認める場合には治療開始後 1 週間程度は安静にしながらヘパリン療法を行い，約 2 週間は間欠的空気圧迫法（IPC）使用や弾性ストッキング（CS）着用は避けるべきとの見解もある．しかし，『肺血栓塞栓症および深部静脈血栓症の診断，治療，予防に関するガイドライン』では，抗凝固療法を施行していれば早期に歩行を行っても新たな PTE 発症は増加せず DVT の血栓伸展は減少し疼痛も改善したとして，「下肢疼痛が強くない」，「巨大な浮遊血栓を伴わない」，「一般状態が良好」などの条件がそろえば，早期歩行させることで DVT の悪化防止と患者の QOL の向上が期待できるとしている．また，浮腫や疼痛といった下肢症状の改善，後遺症予防と治療のため，弾性ストッキングなどによる圧迫療法も勧められてきた．しかし，急性期の弾性ストッキング着用の是非については結論が出ておらず，一律な着用は勧められていない．

下大静脈フィルターは，DVT の進展を防止するものではないが，急性 PTE の予防を目的とする．しかし，その適応に関しては十分なエビデンスはない．妊婦の場合は，妊娠といった生理的過凝固状態の負荷が一次的にかかった結果の発症であることから PTE 予防のための永久型下大静脈フィルター留置は推奨されない．また，一次的下大静脈フィルター留置についても，約 20％に感染，血栓形成などの合併症があることからその留置は慎重に行うべきであり，その対象は以下の場合などに限られる．

①妊娠 34 週前後での基質化していない遊離血栓が存在する
②ヘパリン抵抗性血栓が存在する
③抗凝固療法困難例

▶ PTE の治療[7, 8]

急性 PTE では早期の診断・治療が重要だが，重篤な急性 PTE では救命処置が優先される．自施設で対応不可能と考えられる場合には，高次施設や専門他科（循環器内科医・循環器外科医など）へ紹介する．可能であれば薬物療法が開始されるまでの初期対応（呼吸・循環管理）を行う．循環虚脱あるいは心肺停止がある場合には，専門医などに対応を依頼する．経皮的心肺補助装置を装着するが，利用できない場合には心臓マッサージ，昇圧薬により循環管理を行う．

薬物療法としては，禁忌でない限り抗凝固療法（未分画ヘパリン）を第 1 選択とし，なるべく早期に投与を開始する．診断が未確定であっても強く疑われる際には，初期治療を開始した方がよい．投与法は**表 2** を参照する．

分娩後の長期治療の際にはワルファリンへ変更する（「分娩後の予防」参照）．

なお，帝王切開時には，術後の腹腔内出血や硬膜外チューブ抜去時の血腫形成に注意する（「妊娠中の予防」参照）．

表2 ● 急性PTEならびにDVTに対する初期治療（未分画ヘパリンの使用法を含む）

■初期治療の開始前あるいは同時にすべき初期対応
①呼吸管理：
- 動脈血酸素分圧 PaO_2≦60mmHg（SpO_2≦90%）で酸素療法を開始する
- 無効であれば挿管ならびに人工換気を導入（循環器内科や呼吸器内科にコンサルト）する

②循環管理：
- 輸液（特に，急性PTEにおける閉塞性ショックに有効な場合がある）
- 薬物療法（第1選択：ドパミン・ドブタミン，第2選択：ノルエピネフリン・ノルアドレナリン）を開始する
- 薬物療法に反応が悪い進行性血圧低下の場合には，循環器内科などにコンサルトする
- 心肺停止の場合には，蘇生処置を行いながら，速やかに救急部などに応援を依頼する

■初期治療（自施設で対応困難な場合には，高次施設や専門他科へ紹介する.）
＊わが国では，ヘパリン治療は原則的に入院に限定する
＊急性PTEでは，強く疑われる場合や確定に時間を要する場合は疑診段階でも初期治療を開始する
＊抗凝固療法が無効な場合には，循環器内科医・循環器外科医などへコンサルトする
①診断後ただちに未分画ヘパリン5,000単位を単回静脈投与する
②以後は
PTEでは，未分画ヘパリン1,300単位/時（31,200単位/日）の持続静注を開始する
DVTでは，未分画ヘパリン10,000～15,000単位/日を24時間で持続点滴を開始する
APTTがコントロール値の1.5～2.5倍となるように調節する

（文献7より転載）

急性PTEの抗凝固療法は，可逆的な危険因子がある場合には3カ月間，誘因のないVTEでも少なくとも3カ月間の投与を行う.

予　防

▶ 妊娠中の予防[11, 12]

ホルモン作用，凝固系の変化により妊娠自体が血栓症発症のリスクを増大させるため，リスク因子を有する女性では妊娠初期あるいは妊娠前からVTEのリスク因子を評価し，妊娠中の抗凝固療法の導入について検討する．そして，妊娠中に新たなリスク因子が生じた場合には予防を再検討する.

妊娠中の予防的抗凝固療法については，『産婦人科診療ガイドライン：産科編2020』に従う．対象となる女性の目安を**表3**に示す．リスク判断においてVTE既往の有無とその回数が特に重要である．また，妊娠中に入院，手術などの必要が生じた場合やリスク因子となり得る合併症が生じた場合には，抗凝固療法の必要性についてあらためて検討する.

表3のリスク因子を有する女性には発症リスクを説明し，下肢挙上，膝の屈伸，足の背屈運動，弾性ストッキング着用なども勧める.

妊娠中の抗凝固療法には未分画ヘパリンを用いる．低分子量ヘパリンの血栓予防に対するわが国の保険適用はVTEの発症リスクの高い腹部手術施行患者に限られるため，未分画ヘパリン（5,000Uを12時間ごとに皮下注射）が推奨されている．血栓傾向が強い場合には，用量調節未分画ヘパリン（ヘパリン投与後4～6時間後のAPTTが使用前の1.5～2倍程度に延長するよう12時間ごとの皮下注射）も考慮されるが，投与量調節に専門的知識を要し有害事象増加が懸念されるため，専門施設で治療する．未分画ヘパリンによる有害事象等のため例外的に低分子量ヘパリンが用いられる場合があるが，わが国では認可されていないため，あらかじめ文書による同意が必要である.

未分画ヘパリン投与患者の2.7%に副作用としてHIT（heparin-induced thrombocytopenia）が出現したとの報告[13]があり，ヘパリン投与時には定期的にPT，APTT，血小板数，肝機能などを評価する必要がある．HITは死亡例や下肢切断例もある重篤な副作用であることから，血小板数の50%以上の低下や血栓症状に十分注意する．通常は投与開始から5～14日を経て血小板減少が始まり，しばしば血栓症を生じる. HITの出現時にはただちにヘパリンを中止し，アルガトロバンなどの抗トロンビン薬投与を検討する．また，肝機能（凝固因子は肝臓で産生，有害事象として肝機能異常）や腎機能（ヘパリンは腎から排泄される）についても留意する.

ヘパリンの副作用である出血を少なくするため，陣痛発来後はいったんヘパリンを中止する．自然陣発例では陣発以降ヘパリン投与を中止し，計画分娩や手術の際には持続点滴での未分画ヘパリンは3～6時間

表3● 妊娠中のVTEリスク分類

第1群．VTEの高リスク妊娠
●以下の条件に当てはまる女性は妊娠中の抗凝固療法を行う． 1）2回以上のVTE既往 2）1回のVTE既往，かつ以下のいずれかが当てはまる． a）血栓性素因*がある． b）既往VTEはi）妊娠中，ii）エストロゲン服用中のいずれかで発症した． c）既往VTEは安静・脱水・手術などの一時的なリスク因子がなく発症した． d）第1度近親者にVTE既往がある． 3）妊娠成立前よりVTE治療（予防）のための抗凝固療法が行われている．
第2群．VTEの中間リスク妊娠
●以下の条件に当てはまる女性は妊娠中の抗凝固療法を検討する． ●以下の条件に当てはまる女性は妊娠中手術後には抗凝固療法を行う． 1）1回のVTE既往があり，それが安静・脱水・手術など一時的リスク因子による． 2）VTE既往がないが以下の条件に当てはまる． a）血栓性素因*がある． b）妊娠期間中に以下の疾患（状態）が存在． 心疾患，肺疾患，SLE（免疫抑制剤の使用中），悪性腫瘍，炎症性腸疾患，炎症性多発性関節症，四肢麻痺・片麻痺等，ネフローゼ症候群，鎌状赤血球症（日本人にはまれ）
第3群．VTEの低リスク妊娠（リスク因子がない妊娠よりも危険性が高い）
●以下の因子を3つ以上有する女性は妊娠中の抗凝固療法を検討する． ●以下の因子を1から2つ有する女性は妊娠中のVTE発生に留意する． VTE既往がないが以下の因子を有する． 35歳以上，妊娠前BMI 25kg/m^{2}以上，喫煙者，第1度近親者にVTE既往歴，安静臥床，長時間の旅行，脱水，表在性静脈瘤が顕著，全身感染症，妊娠中の手術，卵巣過剰刺激症候群，妊娠悪阻，多胎妊娠，妊娠高血圧腎症

血栓性素因*：先天性素因としてアンチトロンビン，プロテインC，プロテインSの欠損症（もしくは欠乏症），後天性素因としては抗リン脂質抗体症候群が含まれる．

（文献11より転載）

前，皮下注での未分画ヘパリンは12時間以上前には中止する．また，硬膜外麻酔などの刺入操作／カテーテル抜去などを行う場合にも適切な時間間隔を設ける．脊椎麻酔や硬膜外麻酔時には硬膜外血腫形成の危険が非投与時の3倍となり，血腫による圧迫のため神経障害を残す場合がある．その回避のため，刺入操作等の時にはヘパリン投与から4時間以上あけ，刺入後のヘパリン投与は1時間以上あける．カテーテル抜去は静注では最終投与から2～4時間以上，皮下注では最終投与から6～10時間程度してから行うようにする．

妊娠前からワルファリンが投与されている場合，ワルファリンは第1三半期では催奇形性，第2三半期では神経系に対する影響や胎児出血の可能性があることから，例外を除いて速やかに未分画ヘパリンに切り替える．ワルファリンは抗血栓性が強いため，母体の心臓の機械弁置換術例で血栓傾向が極めて強い場合，あるいはそれ以外でも血栓傾向が極めて強くヘパリンでの調節が困難と判断された場合には例外的にワルファリンを継続する．

▶ 分娩後の予防[14)]

分娩後は脱水の回避を図るとともに，早期離床を勧める．離床は可能な限り術後1日目までが望ましい．脱水はVTEのリスク因子のため，経腟分娩および帝王切開分娩を問わず飲水，輸液による母体の脱水回避が必要である．下肢の挙上，足関節運動，早期離床，弾性ストッキング着用などはVTEの予防効果が示唆されており，表4に示すリスク因子を有する女性に対しては分娩前からそれらについても指導を行っておく．

帝王切開の際，砕石位は下肢の静脈うっ滞を生じやすいため，開脚位あるいは仰臥位で行うのが望ましい．また，帝王切開を受ける女性には，弾性ストッキングあるいは間欠的空気圧迫法を行い早期離床を勧める．早期離床が困難な場合には，代替策として下肢の挙上やマッサージ，足関節運動を実施する．

分娩後の予防的抗凝固療法および間欠的空気圧迫法については『産婦人科診療ガイドライン：産科編2020』（表4）に従う．

薬物投与による抗凝固療法の方が予防効果は高いが，出血・血腫形成の副作用の危険性があるため，ACCP

表 4 ● 分娩後の VTE リスク分類

第 1 群．分娩後 VTE の高リスク
●以下の条件に当てはまる女性は分娩後の抗凝固療法あるいは分娩後抗凝固療法と間欠的空気圧迫法との併用を行う
1）VTE の既往
2）妊娠中に VTE 予防のために抗凝固療法が行われている

第 2 群．分娩後 VTE の中間リスク
●以下の条件に当てはまる女性は分娩後の抗凝固療法あるいは間欠的空気圧迫法を行う．
1）VTE 既往はないが血栓性素因*があり，第 3 群に示すリスク因子が存在
2）帝王切開分娩で第 3 群に示すリスク因子が 2 つ以上存在
3）帝王切開分娩で VTE 既往はないが血栓性素因*がある
4）母体に下記の疾患（状態）が存在
分娩前 BMI 35kg/m^2 以上，心疾患，肺疾患，SLE（免疫抑制剤の使用中），悪性腫瘍，炎症性腸疾患，炎症性多発性関節症，四肢麻痺・片麻痺等，ネフローゼ症候群，鎌状赤血球症（日本人にはまれ）

第 3 群．分娩後 VTE の低リスク
（リスク因子がない妊娠よりも危険性が高い）
●以下の条件に当てはまる女性は分娩後の抗凝固療法あるいは間欠的空気圧迫法を検討する．
1）帝王切開分娩で下記のリスク因子が 1 つ存在
2）VTE 既往はないが血栓性素因*がある
3）下記のリスク因子が 2 つ以上存在
35 歳以上，3 回以上経産婦，分娩前 BMI 25kg/m^2 以上 BMI 35kg/m^2 未満，喫煙者，分娩前安静臥床，表在性静脈瘤が顕著，全身性感染症，第 1 度近親者に VTE 既往歴，産褥期の外科手術，妊娠高血圧腎症，遷延分娩，分娩時出血多量（輸血を必要とする程度）

表に示すリスク因子を有する女性には下肢の挙上、足関節運動、弾性ストッキング着用などを勧める。ただし、帝王切開を受けるすべての女性では弾性ストッキング着用（あるいは間欠的空気圧迫法）を行い、術後の早期離床を勧める。
血栓性素因*：先天性素因としてアンチトロンビン、プロテイン C、プロテイン S の欠損症（もしくは欠乏症）
後天性素因としては抗リン脂質抗体症候群が含まれる。

（文献 14 より転載）

2012 では間欠的空気圧迫装置を含めた器械的予防策も薬物療法の代替になり得るとしている[15]．第 2 群，第 3 群の女性に対する抗凝固療法の継続期間についてのエビデンスはないが，1 週間程度が一般的である．

ワルファリンは内服開始から効果発現に時間がかかるため，分娩後の抗凝固療法は未分画ヘパリン，低分子量ヘパリンのいずれかを用いる．一方，低分子量ヘパリン，選択的 Xa 因子阻害薬の保険適用は手術後 24 時間以降に限られる．しかし，未分画ヘパリンと比べて低分子量ヘパリンの方が血腫形成などの副作用が少ないことから，欧米では帝王切開後早期からの低分子量ヘパリン投与が一般的である．このためインフォームド・コンセントを得た上であれば，24 時間を待たない低分子量ヘパリン投与も考慮される．経腟分娩後の低分子量ヘパリン予防投与についても保険適用がないので文書による同意取得が必要である．

長期の抗凝固療法が必要な場合にはワルファリンへの切り替えを行うことが可能だが，内服開始から効果が得られる（目標 INR 2 ～ 3）までの期間はヘパリンを併用する．ただし，プロテイン C，プロテイン S 欠損症（もしくは欠乏症）ではプロテイン C，プロテイン S の活性低下により皮膚壊死が生じる危険性があるため，ヘパリン併用下に少量から開始し慎重に増量する．

母乳については，未分画ヘパリンは乳汁移行がないとされ授乳中の投与は安全である．ただし添付文書上禁忌となっているため，患者へ説明を行った上で授乳を行う．低分子量ヘパリンも添付文書上「授乳を避けることが望ましい」と記載されているが，乳汁中への分泌は少量で児に抗凝固作用を生じるリスクは極めて低いため，ACCP では授乳継続を推奨している[15]．Xa 因子阻害薬については授乳を介した児への影響については安全性が確立していない．ワルファリンは母乳に移行しないため授乳中の投与は安全である．

間欠的空気圧迫法を行う場合，帝王切開や産褥期の手術の場合にはできれば執刀開始前より開始し，手術後は歩行開始以降に中止する．DVT が疑われる場合には下肢静脈エコーなどの精査を行い，もし静脈血栓があれば間欠的空気圧迫法は禁忌である．下腿にある無症候性の小さな静脈血栓については間欠的空気圧迫法は禁忌とはいえないが，無症候性であっても静脈内に浮遊している血栓は肺塞栓症を生じる危険性が高い点

には留意が必要である．また，経腟分娩後では歩行困難な期間のみ行う．

引用・参考文献

1） Meissner MH. et al. "The epidemiology and natural history of acute deep vein thrombosis". Handbook of venous disorders. Gloviczki P. et al. eds. London, Arnold, 2001, 38-48.
2） Sugimura M. et al. Detection of decreased response to activated protein C in venous thrombosis associated with pregnancy by endogenous thrombin potential-based assay. Semin Thromb Hemost. 25, 1999, 497-502.
3） Hirai K. et al. A rapid activated protein C sensitivity test as a diagnostic marker for a suspected venous thromboembolism in pregnancy and puerperium. Gynecol Obstet Invest. 72, 2011, 55-62.
4） Sugimura M. et al. Detection of marked reduction of sensitivity to activated protein C prior to the onset of thrombosis during puerperium as detected by endogenous thrombin potential-based assay. Thromb Haemost. 82, 1999, 1364-5.
5） 小林隆夫ほか．産婦人科血栓症調査結果の最終報告と静脈血栓症予防ガイドラインについて．日本産婦人科・新生児血液学会誌．14，2004，5-6.
6） 肺血栓塞栓症および深部静脈血栓症の診断，治療，予防に関するガイドライン改定班．"深部静脈血栓症"．肺血栓塞栓症および深部静脈血栓症の診断，治療，予防に関するガイドライン（2017 年改訂版）．2018，52-68.
7） 日本産科婦人科学会／日本産婦人科医会 編集・監修．産婦人科診療ガイドライン：産科編 2020．東京，日本産科婦人科学会，2020．18-21．"CQ004-3 妊娠・産褥期に深部静脈血血栓症や肺血栓塞栓症の発症を疑ったら？"．
8） 肺血栓塞栓症および深部静脈血栓症の診断，治療，予防に関するガイドライン改定班．"急性肺血栓塞栓症"．前掲書 6．6-40.
9） 佐久間聖仁．急性肺血栓塞栓症の診断：今後の方向性．Ther Res．30，2009，744-7.
10）Lockwood C. Thrombosis, thrombophilia, and thromboembolism:clinical updates in women's health care. American College of Obstetrics and Gynecologists. Vol.6, 2012.
11）日本産科婦人科学会／日本産婦人科医会 編集・監修．前掲書 7．8-12．"CQ004-1 妊娠中の静脈血栓塞栓症（VTE）の予防は？"．
12）肺血栓塞栓症および深部静脈血栓症の診断，治療，予防に関するガイドライン改定班．"肺血栓塞栓症／深部静脈血栓症の予防"．前掲書 6．68-77.
13）Warkentin TE. et al. Heparin-induced thrombocytopenia in patients treated with low- molecular-weight heparin or unfractionated heparin. N Eng J Med. 332, 1995, 1330-5.
14）日本産科婦人科学会／日本産婦人科医会 編集・監修．前掲書 7．13-7．"CQ004-2 分娩後の静脈血栓塞栓症（VTE）の予防は？"．
15）Bates SM. et al. VTE, thrombophilia, antithrombotic therapy, and pregnancy. American College of Chest Physicians Evidence-Based Clnical Practice Guidelines（9th Edition）. Chest. 141, 2012, 691736.

弘前大学　田中幹二

意識障害

概念・定義・分類・病態（頻度，疫学，リスク，予後）

意識障害とは，①意識の清明度（覚醒度）の低下（傾眠，昏睡など）と，②意識の内容（認識）の変化（認知や行動障害など）のどちらか，または両方を指す．覚醒には中脳橋被蓋から視床までに存在する上行性網様体賦活系が関与し，認識には広範な大脳皮質が関与している．解剖学的には，脳幹網様体，間脳（視床，視床下部，視床上部，視床後部），大脳半球の構造的障害により意識障害に至る．また，脳血流の障害や脳代謝・神経伝達の障害といった機能的障害により意識障害に至ることもある．

母体安全への提言2018には，提言1として「妊産婦の意識障害を早期に認識し，全身状態の悪化に対応できるようにする」と記載されている．わが国の妊産婦死亡の事例解析（2010～2017年）によると，慢性期疾患や後発妊産婦死亡などを除いた急性発症例351例のうち初発症状が意識障害であったものは58例（17%）であった．最も多いのは，脳出血（36%）であり，心肺虚脱型羊水塞栓症（21%），肺血栓塞栓症（17%），産科危機的出血（10%），心大血管疾患（7%），感染症（5%）と続く．このように，意識障害の原因は頭蓋内に病変がある頭蓋内疾患と，低酸素や出血性ショックなど頭蓋外に原因がある全身性疾患に分けられる．

上記のような持続する意識障害とは異なり，意識障害の持続が短く，かつ意識が自然に回復するものを一過性意識障害という．一過性意識障害は，「血圧低下に伴う全脳の血流低下による一過性意識障害」である失神と，失神以外の発作（てんかんを含む痙攣，脳血管障害，代謝性疾患，頭部外傷，中毒，精神疾患など）に分類される．原因には予後良好なものから不良なものまであり，ハイリスク症例を見逃さないことが重要である．

要点：指針になるもの，管理のポイント，アルゴリズム

意識障害の妊産婦本人から病歴を聴取することができないため，院外発生時は搬送元病院からの情報提供に加え，家族など現場に居合わせた人や救急隊員から患者背景（妊娠・分娩経過，既往歴，家族歴，薬剤内服歴など）や発見された時の様子，意識障害の経過を詳細に聴取することが重要である．

意識障害を呈する妊産婦をみたら，まずバイタルサインを確認しながら，「ABCDアプローチ（Airway：気道，Breathing：呼吸，Circulation：循環，Dysfunction of CNS：中枢神経異常）」による評価を行う．ABCが不安定な状態でDの評価を行うと，ABCの異常に起因する不穏や「何となく普通ではない」意識状態と，中枢神経異常との鑑別が困難となる（表1，2）．ABCの異常を認めた場合は，意識障害のアプローチではなく緊急度の高い呼吸困難やショックのアプローチを優先し，ABCが安定化している状態でDの評価を行う．問診や身体所見（表3，4）より脳卒中が疑われる場合は直ちに頭部CT検査を施行し，脳外科医へコンサルトする（図1）．

脳卒中の症状は，脳の局所が担っている機能が壊れたときに起こる巣症状と，出血や脳浮腫により頭蓋内圧が上昇したときの頭蓋内圧亢進症状の2つが組み合わさって起こる．突然，片側に起こることが，脳卒中の初発症状の特徴である．

参考
- 日本産婦人科医会妊産婦死亡症例検討評価委員会．母体安全への提言2018．Vol.9．提言1「妊産婦の意識障害を早期に認識し，全身状態の悪化に対応できるようにする」
- 日本母体救命システム普及協議会（J-CIMELS）総監修．J-MELS「日本母体救命システム」アドバンスコース プログラム開発・改定委員会監修．母体救命アドバンスガイドブックJ-MELS編集委員会編集．母体救命アドバンスガイドブックJ-MELS．189-206.

表 1 ● 発症様式から予想される意識障害の原因疾患

突発性	脳血管障害（脳梗塞，脳出血，くも膜下出血），急性心筋梗塞，致死的不整脈，大動脈解離，大動脈瘤破裂，肺塞栓症，てんかんなど
急　性	感染症（髄膜炎，脳炎，脳膿瘍，敗血症），炎症，自己免疫疾患（SLE による中枢神経障害），薬剤，中毒，電解質異常，代謝異常（低血糖，高血糖，糖尿病性ケトアシドーシス，肝障害，妊娠悪阻によるウェルニッケ脳症），内分泌疾患（甲状腺クリーゼ，褐色細胞腫クリーゼ），外傷（慢性硬膜下血腫），精神疾患（統合失調症，ヒステリー）など
慢　性	炎症，代謝疾患，変性疾患，腫瘍，心因性など

表 2 ● 意識障害の原因推定に役立つ血液・尿検査項目

血液検査	血算，肝機能，腎機能，電解質（Na，K，Ca，Mg，P），アンモニア，甲状腺機能，凝固機能など
簡易血糖測定	血糖
動脈血液ガス分析	アシドーシス，アニオンギャップ，乳酸値，O_2，CO_2，CO
尿検査	ケトン体，トライエージ（乱用薬物検査キット）

表 3 ● 脳卒中を疑う身体所見

	障害部位	症状
巣症状	前頭葉・頭頂葉	顔面の半分，身体の片側が動かない
	前頭葉・小脳	話せない，呂律が回らない
	後頭葉	視野の片側が見えなくなる
	小脳・脳幹	めまい，歩行困難
頭蓋内圧亢進症状	意識がおかしくなる	
	激しい頭痛	
	繰り返す嘔吐	

表 4 ● 脳ヘルニア徴候

意　識	意識障害の進行性増悪（GCS スコア 2 以上の悪化）
瞳　孔	瞳孔不同（0.5mm 以上の左右差） 両側瞳孔散大（径≧5mm） 対光反射の左右差
運動反応（姿勢）	除脳姿勢（刺激により四肢を突っ張る） 除皮質姿勢（脇を締めた上肢屈曲・下肢伸展の姿勢）

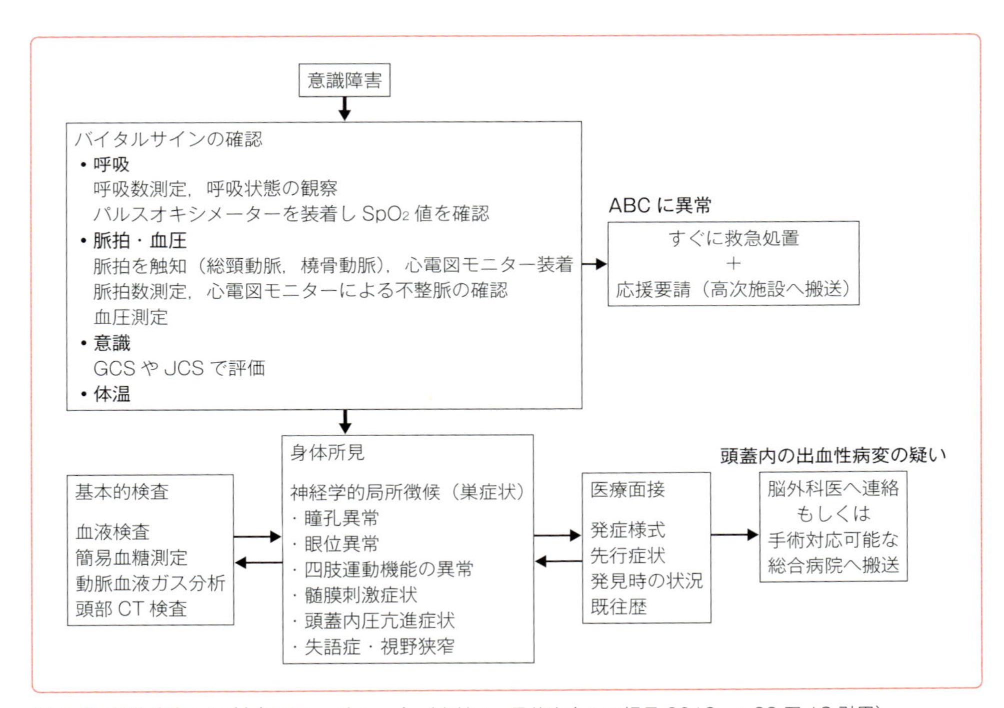

図 1 ● 意識障害への対応フローチャート（文献 1，母体安全への提言 2018，p.39 図 19 引用）

注意すべき臨床症状・所見

▶ 意　識

「妊産婦の意識障害を早期に認識する」ためには，患者の開眼の様子，呼びかけや刺激に対する反応を注意深く観察し続けることが重要となる．意識障害の程度の表現には Japan Coma Scale（JCS，表 5）や Glasgow Coma Scale（GCS，表 6）による表記が使用される．GCS は言語機能や運動機能を評価することができるが，JCSI-1（意識清明であるが今ひとつはっきりしない）でしか表現できない軽度の意識障害を見落とす可能性があることに注意する．

表5 ● Japan Coma Scale（JCS）[8)]

大分類	小分類	JCS
1桁（Ⅰ）： 刺激しないでも覚醒している状態（自発開眼あり）	1．だいたい意識清明だが，今ひとつはっきりしない 2．見当識障害がある（今は何月だか，どこにいるのか，家族のことがわからない，など） 3．自分の名前，生年月日が言えない（普遍的な記憶が障害されている）	Ⅰ-1 Ⅰ-2 Ⅰ-3
2桁（Ⅱ）： 刺激すると覚醒する状態―刺激をやめると眠り込む―	10．普通の呼びかけで容易に開眼する（離握手ができたり言葉が出る） 20．大きな声または体をゆさぶることにより開眼する（離握手ができたり言葉が出る） 30．痛み刺激を加えつつ呼びかけを繰り返すとかろうじて開眼する（離握手ができたり言葉が出る）	Ⅱ-10 Ⅱ-20 Ⅱ-30
3桁（Ⅲ） 刺激をしても覚醒しない（開眼しない）状態	100．痛み刺激に対し，払いのけるような動作をする（刺激部位に手をもってくる） 200．痛み刺激で少し手足を動かしたり，顔をしかめる 300．痛み刺激に反応しない	Ⅲ-100 Ⅲ-200 Ⅲ-300

意識清明を0と評価し，意識状態がある場合は覚醒の状態で1～3桁の3段階にわける．JCS30よりも悪い反応の場合は，重症な意識障害として緊急度が高い．

表6 ● Glasgow Coma Scale（GCS）[9)]

大分類	小分類	スコア
開眼（E）	自発的に開眼	4
	呼びかけで開眼	3
	痛み刺激で開眼	2
	まったく開眼しない	1
発語（V）	見当識あり	5
	混乱した会話	4
	混乱した言葉	3
	理解不能な音声	2
	発声がみられない	1
運動による最良の応答（M）	命令に従う	6
	痛み刺激の部位に手足をもってくる	5
	痛みに手足を引っ込める（逃避屈曲）	4
	上肢を異常屈曲させる（除皮質肢位）	3
	四肢を異常伸展させる（除脳肢位）	2
	まったく動かさない	1

開眼，言語，運動の3項目の合計点数で意識障害の重症度を判定する．8以下は重症である．特にM3（除皮質肢位），M4（除脳肢位）は脳ヘルニアの進行を示す緊急度の高い所見である．

▶ バイタルサイン

1）呼　吸

頻呼吸と徐呼吸の繰り返しや，深呼吸と浅呼吸の繰り返しなど，通常の呼吸と明らかに異なるパターンの呼吸を認める場合は，中枢神経障害を疑う．

2）クッシング徴候（高血圧＋徐脈）

頭蓋内圧が亢進すると脳還流が低下し，代償性に収縮期血圧が上昇し，脈圧が拡大し，圧受容体の反射で徐脈となる．高血圧＋徐脈は頭蓋内圧亢進を疑う徴候である．

▶ 瞳孔，眼位，眼球運動

1）瞳　孔

正常の瞳孔径は2～5mmであり，2mm以下は縮瞳，5mm以上は散瞳となる．瞳孔不同（左右の瞳孔径の差が1mm以上ある）は脳ヘルニアにより中脳にある動眼神経が引き延ばされて起こる危険な徴候である．両側瞳孔散大も脳ヘルニアの徴候である．両側縮瞳（pin hole）は橋出血を示唆する．

脳卒中以外でも瞳孔異常を認める場合がある．例えば，低血糖発作では瞳孔不同，もしくは交感神経が刺激され両側散瞳することもある．代謝性脳症による交感神経障害により両側縮瞳を認めることもある．

表 7 ● 意識障害の鑑別疾患：AIUEOTIPS

A	Alcohol（急性アルコール中毒），Alchol withdrawal（アルコール離脱症候群），Wernicke-Korsakoff syndrome（ウェルニッケ - コルサコフ症候群），Alcohol ketoacidosis（アルコール性ケトアシドーシス）
I	Insulin（**hypoglycemia 低血糖** / **hyperglycemia 高血糖**）
U	Uremia（尿毒症）
E	Encephalitis（脳炎）/ Encephalopathy（脳症），**Endocrinopathy（甲状腺クリーゼ**，副腎不全，褐色細胞腫クリーゼ，粘液水腫性昏睡，副甲状腺機能亢進症），Electrolyte（電解質異常 Na，K，Ca，Mg，P）
O	Opiate（オピオイド中毒），Overdose（薬物中毒），decreased O_2（低酸素，一酸化炭素中毒），CO_2 ナルコーシス
T	Trauma（頭部外傷），Temperature（高体温，低体温），Tumor（腫瘍，傍腫瘍症候群），Toxin（中毒）
I	**Infection（感染）**，Inflammation（炎症）
P	**Psychogenic / Psychiatric（心因性 / 精神性）**，Porphria（ポルフィリア）
S	**Seizure（痙攣），Shock（ショック），Stroke（脳卒中），Subarachnoid Hemorrhage（くも膜下出血）**，Senile（認知症，せん妄）

2) 眼　位

両眼瞼を他動的に開眼させて評価する．大脳病変では，刺激性病変（てんかんの焦点）があれば病巣と反対を見つめ，脳卒中のような破壊性病変の場合は病巣側を見つめるといわれている．脳幹の橋病変では病巣と反対を見つめる．下方への眼球偏位（鼻先凝視）は視床出血や中脳の障害で認められる．垂直性の眼振は小脳出血による外転神経麻痺を示唆する．

3) 眼球運動

眼球がゆっくり左右に揺れ動く現象（roving eye movement）は，代謝性脳症など大脳皮質全体の障害で認められる．脳幹の眼球運動支配が正常であることを示唆する．

診断と管理

意識障害の原因は，脳の器質的異常に由来するものと代謝異常（低血糖，電解質，内分泌異常，感染症，低酸素，薬物，中毒，アルコールなど）に由来するものがある．特に血圧が低い場合（収縮期血圧 90mmHg 以下）は頭蓋内疾患である可能性は低くなり，代謝異常による可能性を念頭におく必要がある．「すべての意識障害患者は低血糖発作を否定してから」と救急の現場ではよくいわれているが，糖尿病の既往がなくとも，必ず簡易血糖測定を行う．

▶ 意識障害を来す疾患

意識障害の鑑別疾患として AIUEOTIPS（表 7）がよく知られている．この中でも，低血糖／高血糖（糖尿病），甲状腺クリーゼ（甲状腺機能亢進症），感染（劇症型溶連菌感染症），精神神経疾患（てんかん），ショック（出血性ショック，敗血症性ショック），脳卒中，くも膜下出血は妊娠中に発症，または顕在化することがあるが，妊娠に伴う生理変化がこれらの基礎疾患の鑑別をより困難にする場合がある．意識障害を来す妊娠合併症としては妊娠高血圧症候群，子癇，HELLP 症候群，急性妊娠性脂肪肝，羊水塞栓症がある．これらの疾患の詳細に関しては本書の各項目を参照されたい．

▶ 一過性意識障害

一過性意識障害とは意識障害の持続が短く，かつ意識が自然に回復するものである．来院時（診察時）に意識消失を認める場合は意識消失が遷延していると認識されるので一過性意識障害ではない．本人のみならず目撃者から，前駆症状の有無，直前の行動・誘因，発作時や発作後の様子，既往歴，家族歴，薬物の服用歴など詳細な病歴を聴取することが重要である．

一過性意識障害は全脳の血流低下に起因する「失神」と，血流低下に起因しない「失神以外の発作」に分けられる．「失神」は脱力を伴い，姿勢が保持できなくなるが，数分（多くは 30 秒以内，長くても 5 分以内）で自然に元の状態に戻る．元の状態への戻りが遅い場合，例えば来院時の意識レベルが「なんとなくはっきりしない場合（JCSⅠ-1）」は，失神以外の意識障害と考える（図 2）．

▶ 痙　攣

「失神以外の発作」の中で頻度が高いものは痙攣で

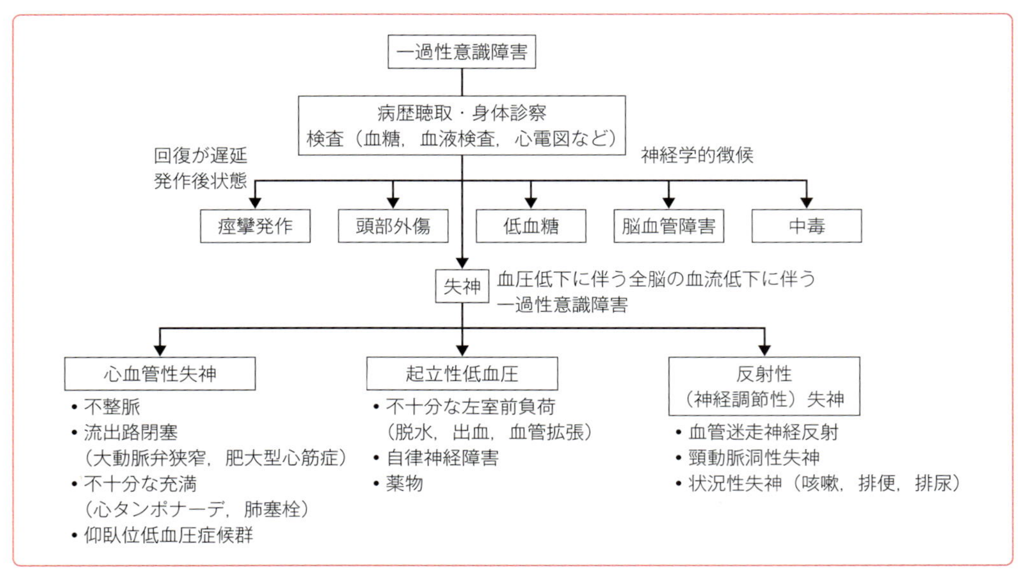

図 2 ● 一過性意識障害の鑑別診断

ある．失神では発作中の顔色は蒼白であり，痙攣様の不随意運動を認めることもあるが，ミオクローヌス様（ぴくつき）で持続は 15 秒以内と短く，回復も早い．一方，痙攣の場合は努責で赤くなり，1 分以上持続し，意識消失時間は 60 秒以上 2 分以内であり，意識朦朧としたままゆっくり回復する．院外発生の場合，来院時には痙攣発作は消失していることが多く，目撃者からの病歴聴取が重要となる．

▶ 痙攣の初期対応

痙攣の診断と治療を同時進行で行う．

1）ABC の評価・安定化

バイタルサインチェック，用手的気道確保，酸素投与を行う．静脈路を確保すると同時に，採血，簡易血糖測定を行う．低血糖（60mg/dL 以下）を認めた場合は，50%ブドウ糖 40mL を静脈内投与する．心室性不整脈により痙攣が起こることもあるため心電図モニターを装着する．痙攣発作中は呼吸筋も痙攣しているため，十分な換気ができず，全身が低酸素に陥る．痙攣が 10 分以上持続すると脳への酸素供給は著しく低下し，30 分以上持続する重責状態では，脳の高次機能は不可逆的なダメージを受ける．そのため，痙攣発作中はバッグ・バルブ・マスクで補助換気を行いながら痙攣を直ちに止める必要がある．

2）抗痙攣薬による痙攣抑制

痙攣抑制の第 1 選択はジアゼパム（セルシン®）である．5mg を静脈内投与し，無効であれば 5 分ごとに同量を最大 20mg まで投与することができる．痙攣発作時は静脈路の確保が困難であることこともある．その場合は，10mg 筋肉注射も有効である．なお，セルシン® の規格は 5mg/1mL と 10mg/2mL の 2 種類があることに留意する．第 2 選択はフェニトイン（アレビアチン®，5 ～ 20mg/kg 点滴静注）であり，無効である場合は，フェノバルビタール（ノーベルバール®，15 ～ 20mg/kg 点滴静注）を投与する．

痙攣の原因が子癇である場合は，硫酸マグネシウム水和物（初回 4g を 20 分以上かけて静脈内投与，その後 1 ～ 2g/ 時間にて持続投与）を痙攣抑制・再発予防目的に投与する．ジアゼパムとの併用も可能である．

3）痙攣の原因検索と治療

痙攣を来す基礎疾患は多岐にわたる（**表 8**）．神経

表 8 ● 痙攣の原因疾患

妊娠関連	子癇，重症妊娠悪阻（ビタミン B_1 欠乏症／ウェルニッケ脳症）
てんかん	特発性，症候性
脳血管障害	脳梗塞，脳出血，くも膜下出血，脳動静脈奇形
頭部外傷	硬膜下血腫，硬膜外血腫，脳挫傷
脳腫瘍	原発性，転移性
感染症	髄膜炎，脳膿瘍
自己免疫疾患	SLE（CNS ループス），血管炎，ベーチェット病，サルコイドーシス，自己免疫性脳炎
脳　症	甲状腺クリーゼ，甲状腺機能低下症，低血糖，高血糖，肝性脳症，尿毒症，電解質異常，
薬　物	抗精神薬，リチウム，ベンゾジアゼピン系（離脱症状），テオフィリンなど

学的所見から脳卒中が疑われる場合は，痙攣消失し安定後に頭部CT検査を行い，脳神経外科，脳神経内科などとの共同管理を行う．

4）胎児の状態の評価（妊娠中の場合）

子癇発作の場合は，母体状態の安定化後に児の早期娩出を図る．母体の痙攣中の低酸素により一過性徐脈を認めることがあるが，痙攣発作後には回復することが多い．回復しない場合は常位胎盤早期剝離の可能性も念頭におく．

引用・参考文献

1）日本産婦人科医会妊産婦死亡症例検討評価委員会．母体安全への提言2018．Vol.9．東京，日本産婦人科医会，2019.
2）日本母体救命システム普及協議会（J-CIMELS）総監修．J-MELS「日本母体救命システム」アドバンスコース プログラム開発・改定委員会監修．母体救命アドバンスガイドブック J-MELS編集委員会編集．母体救命アドバンスガイドブック J-MELS．東京，へるす出版，2017，328p.
3）日本産科婦人科学会／日本産婦人科医会監修・編集．“CQ309-3 妊産褥婦がけいれんを起こしたときの対応は？”．産婦人科診療ガイドライン：産科編2020．東京，日本産科婦人科学会，2020，177-80.
4）循環器病の診断と治療に関するガイドライン合同研究班．失神の診断・治療ガイドライン．2012年改訂版．東京，日本循環器学会，2012.
5）日本臨床検査医学会ガイドライン作成委員会．臨床検査のガイドライン JSLM2018．東京，日本臨床検査医学会，2019.
6）日本神経学会監修，「てんかん治療ガイドライン」作成委員会．てんかん治療ガイドライン2018．東京，日本神経学会，2018.
7）日本母体救命システム普及協議会・京都産婦人科救急診療研究会編著．産婦人科必修　母体急変時の初期対応．第3版．2020，大阪，メディカ出版，368p.
8）太田富雄ほか．急性期意識障害の新しいGradingとその表現方法（いわゆる3-3-9度方式）．第3回脳卒中の外科研究会講演集．1975，161-9.
9）Jennett, B. et al. Aspects of coma after severe head injury. Lancet. 1, 1977, 878-81.

近畿大学　川﨑　薫

9 母体蘇生—JMELS，BLS，ACLS，ICLS—

概　要

母体死亡をゼロにすることは産科診療に携わる者の永遠の課題である．ゼロにすることは困難であっても限りなくゼロに近づける努力を継続することは怠ってはいけない．最も重要なことは心停止とならないように管理することである．そのためには状況を正確かつ迅速に把握することであり，これは通常の状態ではない，ただちに対応しないと心肺停止になり，救命できない状況であると認識することである．そして，人を集めて医療機関のすべての資源を使って心停止にしないことである．次に大切なのは心停止になっている，もしくは心停止になる可能性が極めて高い状況であるということを認識することである．そのためには患者の状態を常に把握していることが必須である．基本的には，①リスクの評価，②予防対応，③状況モニタリングを行い早期認識，④初期対応（救命対応），⑤根本治療，⑥振り返りと改善策，⑦教育（座学よりシミュレーションが望ましい）が重要である．

参考
「産科危機的出血への対応指針」
「無痛分娩の安全な提供体制の構築に関する提言」
『産婦人科診療ガイドライン：産科編 2020』CQ418-1 産後の異常出血の予防ならびに対応は？　CQ418-2「産科危機的出血」への対応は？
「産科医療補償制度再発防止に関する報告書・提言」
「母体安全への提言」

母体死亡の原因

産科危機的出血は 2010 ～ 2019 年の累計では全体の 20% と最も多い原因であるが，年ごとの推移を見ると 2010 年 27% から徐々に低下して 2018 年には 12% となっている．近年では出血だけでなく多岐にわたる原因で死亡していることからも，初期対応と原因の検索，それに合わせた全身の安定化と対応が重要となってきていると考えられる．

予　防

心停止を起こしてから脳の回復が困難となる目安は 3 ～ 4 分，蘇生を実施しないと 1 分ごとに 7 ～ 10

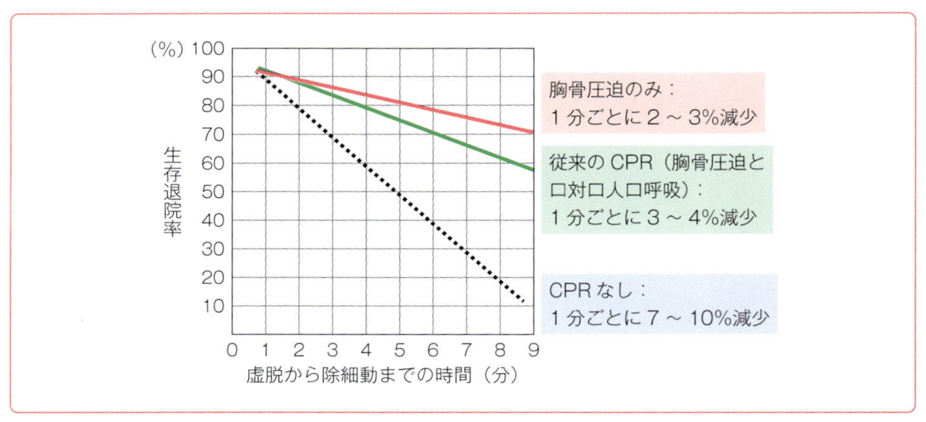

図 1 ● 心停止後の対応による生存率

虚脱から除細動までの時間と生存退院率．CPR なし vs. 従来の CPR vs. 胸骨圧迫心臓マッサージのみ．
(SOS-KANTO. Lancet. 369, 2007., AHA guidelines 2005. Circulation. 112, 2005., Nagao K. Current Opinion in Critical Care. 15, 2009)

%生存退院率が低下する（図 1）．一方で，蘇生行為である胸骨圧迫を実施することにより 1 分ごとの生存退院率の減少は 2 ～ 3% となり，AED の使用により生存率が約 2 倍になることが報告されている．このことから心停止となった時から傍にいた人が心肺蘇生（cardiopulmonary resuscitation；CPR）をただちに開始し，AED を装着し，必要に応じて実施されることが極めて重要である．このような知識と技術，そしてチームワークが命を救うことになるので，すべての産科プロバイダーが一時救命処置（basic life support；BLS）および二次救命処置（advanced cardiovascular life support；ACSL）を習得していることが望ましい．

しかし，最も重要なことは心停止を起こさないことである．このためには異常を早期に察知して対応することが重要である．

異常の覚知

母体の危険な状態への変化が認知されなければ対応は実施されないので，危機的状態が迫っていることを認識することが最も重要である．しかしこれが最も困難な問題で，正常性バイアスにより「これは正常だ」「これは一時的なものだ」と正常範囲の変化であると認識しようとする脳の反応特性がある．このことから異常に気が付くためには，「正常である」ことを定期的に観察する必要がある．訪室のたびごとに「大丈夫ですか？」「どうですか？」と尋ねることは正常であることを観察するために行っている行為であることを認識している人は少ないかもしれない．この質問に対して「変わりありません」「陣痛が強くなってきました」など通常の反応を示した方は，気道開通しており，心肺に異常がなく，意識清明である，つまり ABCD チェックで正常であると認識していることになる．これはあくまでもスクリーニングのようなものであり，これだけでは不十分であるので，気道の状態，血圧，脈拍数，意識障害や見当識についても確認してさらに異常がないことを確認するのである．

英国 NICE のガイドラインでは急性期病棟に入院したすべての妊婦に対して Maternity Early Warning Score（MEWS）として体温，血圧，心拍数，呼吸数，意識レベル，SpO_2 を記載できるチャートを記入して，観察に漏れがないようにしている（図 2）．このような標準化された観察により早期に異常を発見するようになる．

▶ 意識レベルの確認方法

代表的なものが Japan Coma Scale（表 1）である．覚醒状態であることと，刺激により覚醒するか，

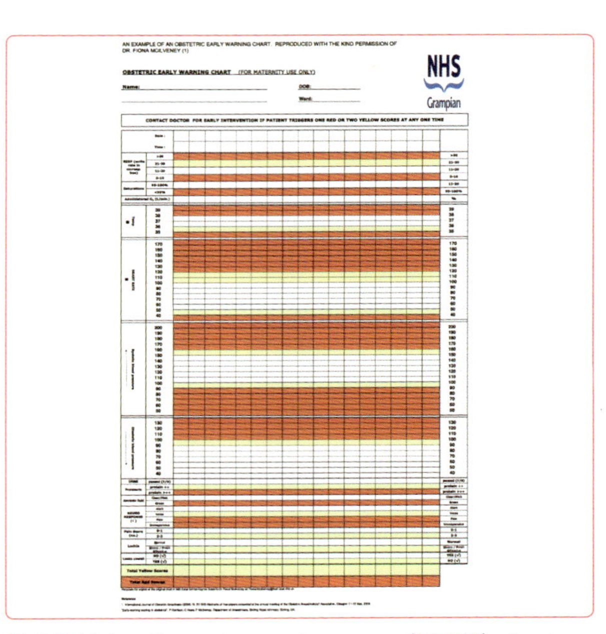

図 2 ● Maternity early warning score (MEWS) chart Obstetrics

表 1 ● Japan Coma Scale

Ⅰ	覚醒	0	意識清明
		1	ほぼ意識清明だが，はっきりしない
		2	見当識障害がある
		3	自分の名前，年月日が言えない
Ⅱ	刺激で覚醒	10	普通の呼びかけで，容易に開眼する
		20	大声，または揺さぶりで開眼する
		30	痛みを加え，呼びかけると辛うじて開眼する
Ⅲ	覚醒しない	100	痛みを与えると，払いのける動作をする
		200	痛みを与えると，少し手足を動かしたり顔をしかめる
		300	痛みに全く反応しない

表 2 ● Glasgow Coma Scale

E 開眼	E-4 自発的に開眼する	4 点
	E-3 呼びかけで開眼する	3 点
	E-2 痛み刺激を与えると開眼する	2 点
	E-1 開眼しない	1 点
V 言語反応	V-5 見当識の保たれた会話	5 点
	V-4 混乱した会話（会話困難）	4 点
	V-3 混乱した言葉のみ	3 点
	V-2 意味不明の音声	2 点
	V-1 なし	1 点
M 運動反応	M-6 命令に従う	6 点
	M-5 払いのける	5 点
	M-4 四肢の屈曲	4 点
	M-3 四肢の異常屈曲	3 点
	M-2 四肢伸展	2 点
	M-1 全くなし	1 点

もしくは覚醒しないかにより 3 段階の桁を変えて数値で表現するものがある．もう一つは Glasgow Coma Scale である（表 2）．開眼の状況，言語反応，運動反応で評価して合計点で示される．

▶ 気道の評価

呼吸音，口腔内異物の有無，上気道狭窄音（stridor：吸気性喘鳴），下気道狭窄音（wheeze：笛声）を確認する．

- 呼吸音が確認できなければ額を後方へ，顎を挙上して気道確保を行った上で再度確認する．それでもない場合には呼吸停止と判断する．
- stridor が聞こえれば不完全閉塞であるが，進行すれば完全閉塞になるので，口腔内観察を行い，除去する．
- 口腔内を観察し，吐物，血液などの気道閉塞の原因となるものがないか確認し，除去する．泡沫状の液体は肺水腫の可能性を示唆する．
- wheeze は吸気や呼気の終末にヒューヒューという音として聞こえる．この場合には喘息や肺うっ血など気管支の狭窄状態を示唆する．

▶ 呼吸の評価

呼吸数と呼吸の状態を観察する．

- 呼吸数は 20 回 / 分以上あれば頻呼吸で低酸素，呼吸不全，ショックの可能性がある．10 回未満は徐呼吸で呼吸が止まりかけている状態であり，補助呼吸が必要である．気道確保を行っても呼吸が観察されなければ呼吸停止と判断する．
- 下顎呼吸（死戦期呼吸）は下顎を上下させて，あたかも努力して呼吸をしているように見えるが、無呼吸の状態と同様で心停止が近づいている状況で起こる．
- 努力呼吸は 1 回の換気量が増えている状態であり，低酸素やショックが疑われる．
- 胸郭運動に左右差がある場合には気胸，緊張性気胸が疑われる．

表 3 ● MET 起動基準例

気　道	閉塞の確認もしくは閉塞音聴取
呼　吸	呼吸数 5 回 / 分未満もしくは 35 回 / 分以上
循　環	心拍数 40 回 / 分未満もしくは 180 回 / 分以上
中枢神経	意識レベル低下

▶ 循環の評価

皮膚色・冷感，皮膚湿潤・発汗，脈拍数，脈拍触知を評価する．

- 皮膚蒼白・冷感・発汗・湿潤はいずれもショックや強い痛みによる交感神経亢進の表現である．
- 脈拍数：頻脈は 100 回 / 分以上で，循環血液量の減少，脱水，強い疼痛，発熱，交感神経亢進などが示唆される．
  徐脈は 60 回 / 分未満で副交感神経の亢進，仰臥位低血圧症候群などが考えられる．
- 脈拍触知：触知不能の場合は意識，呼吸と合わせて判断し，循環（頸動脈の脈拍，心尖拍動）を確認できなければ心停止と判断してただちに胸骨圧迫を開始する．脈拍微弱の場合，頸動脈は脳，大腿動脈は重要臓器，橈骨動脈は末梢組織への血流が保たれていることの大まかな目安である．

表 3 の 4 項目についてそれぞれの施設でコール基準を決めることが必要である．当院では Medical Emergency Team の起動基準（表 3）を設けている．Medical Emergency Team（MET），Rapid Response System（RRS）は心停止を起こす前兆に気づいて，迅速かつ適切に対応することで患者の予

表 4 ● iSBAR

I	Introduction	導入	
S	Situation	状況	何が起こっていますか？
B	Background	背景	どんな患者さんですか？
A	Assessment	評価	どう考えますか？
R	Recommendation/Request	推奨 / 希望	どうしますか？

表 5 ● 一次対応

1. 人員確保	上級産婦人科医，熟達した助産師・看護師，小児科医，新生児科医，麻酔科，集中治療医，救急救命医，薬剤師，臨床検査技師など
2. ひだり側臥位（分娩前）	仰臥位低血圧症候群予防と循環血液量の確保
3. 気道確保	頭部後屈顎先挙上 気管挿管は熟練者のみ行う
2. 酸素投与	リザーバー付きマスクで 10L/ 分
4. 静脈路確保と輸液	18G 以上で可能なら 2 本
5. モニタリング	心電図，酸素飽和度，血圧

後を改善するためのチームもしくはシステムとして近年導入が推奨されている．これを利用することにより前述した「正常性バイアス」による発見の遅延を防ぐことができる．また，もう一つの重要な項目はスタッフが「何かいつもと違う」「なんとなく不安である」という数値や言葉にはできない感覚をもったときにもコールできるようにすることである．このような小さな異常かもしれないと思うことをチームとして受け入れ，精査をする組織文化が必要であり，何でも言える環境，「心理的安全」の保たれた組織がチームとして患者の異常を早期に認知できる最も良い環境とされている．

チーム内，チーム間では情報伝達と情報共有を有効に行う手法として SBAR もしくは iSBAR がよく使われる（表 4）．

対　応

▶ 1 次対応（呼吸・循環状態の安定化）

一次対応は呼吸循環の安定化が目的である．ABCD サーベイの結果として意識がなければ，心拍と呼吸を確認し，いずれもない，もしくは確認できなければ心肺停止と判断して緊急コールになり，CPR を開始する．心停止でなくとも前述したような状況があれば人員（Medical Emergency Team や Rapid Response Team）を招集して対応する（表 5）．

1）心肺停止と判断した場合の対応（図 3）

- 応援要請と安全確保：必要な人員を確保するために院内コールなどで応援要請をする．同時に AED と救急カート（必要物品，薬剤など）を要請する．現場の安全性を確保するために，衝立を設置したり，状況によっては移動したりすることを考慮する．外来などでは事前に蘇生する場所を設定することも有用である．
- 胸骨圧迫：直ちに胸骨圧迫を行う．重要なことは「強く」「速く」「絶え間なく」実施することであり，「強く」は『JRC 蘇生ガイドライン 2020』で推奨されている胸郭の圧迫の深さを 5 ～ 6cm とする．「速く」は 1 分間に 100 ～ 120 回の速さで行う．「絶え間なく」は，中断はなるべく避け，心拍確認は換気時に行う工夫をし，やむを得ず中断する場合は 10 秒以内とする．これらを総合すると一人で行うことは困難であり，人を集めて交替しながら実施することが現実的である．
- 気道確保と人工呼吸：頭部後屈顎先挙上法（図 4）や経鼻エアウェイなどで気道を確保する．妊婦の気管挿管は困難なことがあり，まずバッグ・バルブ・マスクによる換気を基本とする．換気が適切に行われていることの評価は胸の上がりで確認する．胸骨圧迫と人工呼吸は 30 対 2 で実施する．
- AED：電源を入れると音声指示が始まるので，そ

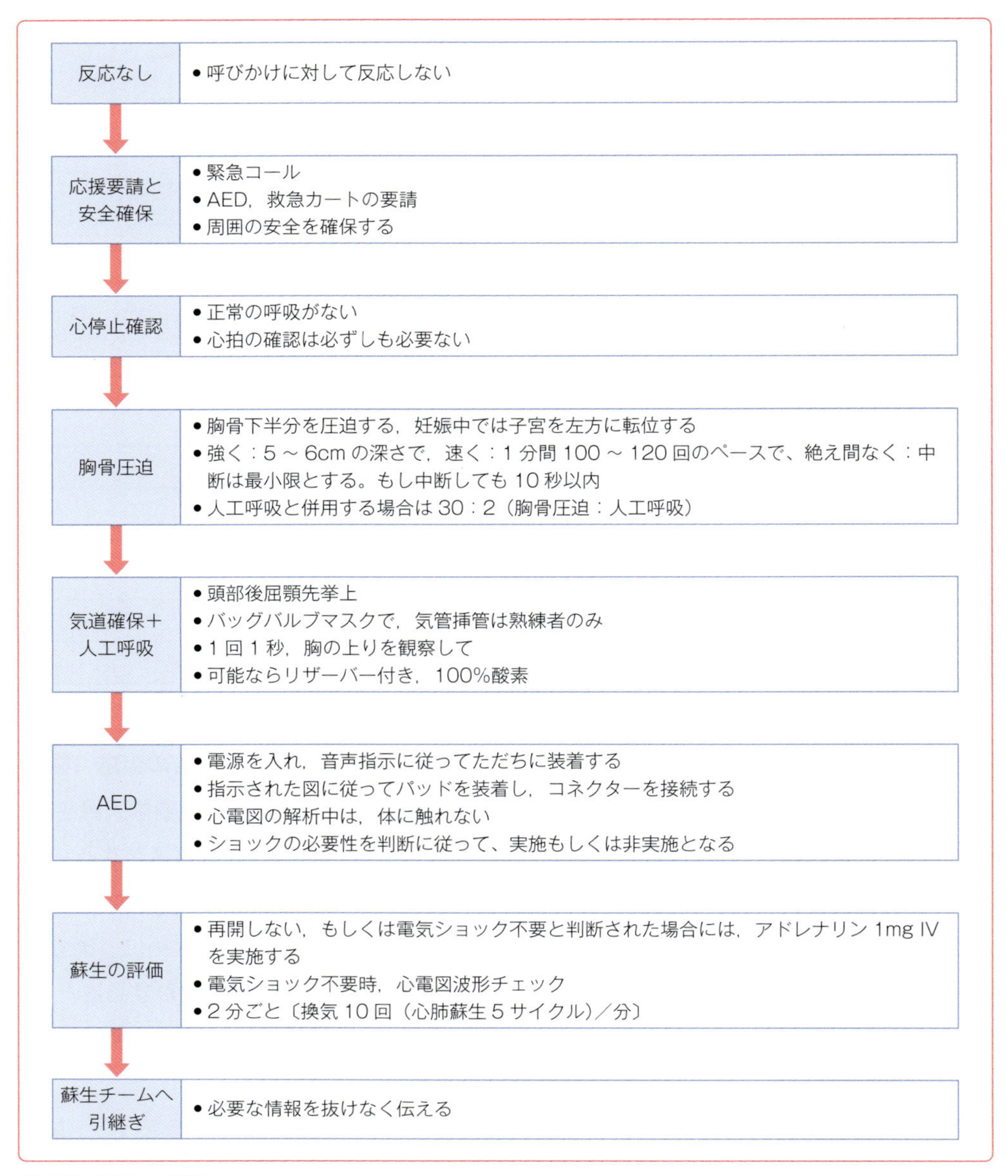

図3● CPRの手順

の内容に従う．通常は「パッドを装着して，コネクターを接続してください」と指示されるので，図に従ってパッドを装着し，コネクターを接続する．続いて「心電図を解析しています．体に触れないでください」と指示が出るので，メンバーに患者に触れないように注意喚起する．ショックの必要性を判断されるのに従って，実施もしくは非実施，CPRの再開となる．

- 静脈路の確保とアドレナリン投与：AEDの実施と並行して，アドレナリン1mgの投与を実施する．

2) 心停止でない場合

心停止でなかった場合には，蘇生時と同様に頭部後屈顎先挙上の体勢として，経鼻エアウェイなどを用いた気道確保を行い，リザーバー付きマスクで10L/分の酸素投与を行う．18G以上で静脈路を確保して，禁忌がない限りは1Lの生理食塩水を急速投与する．順次，心電図，酸素飽和度，血圧のモニタリングを行う．

▶2次対応（原因精査と原因に対する根本的対応）

全身状態の安定化を維持しつつ，原因精査を進める．

発熱，無呼吸，頭痛，腹痛，下痢，不安（不穏）などの自覚的症状，神経学的所見を含めた他覚的所見をとる（表6）．さらに検体検査，血液ガス分析，心電図，CT，超音波検査などの画像診断，投与薬剤のチェッ

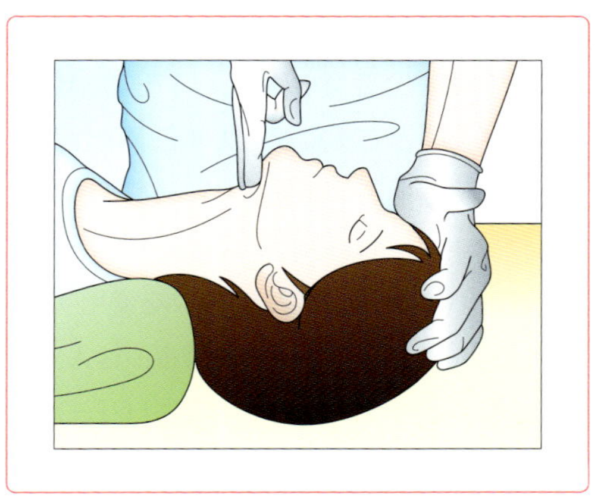
図 4 ● 頭部後屈顎先挙上

表 6 ● 2 次対応における確認項目

頭　部	反応はどうか？（AVPU：Alert，Voice，Pain，Unresponsive）
心　臓	CRT，脈拍数と不整脈の有無
肺	両肺の呼吸音は良好か？
腹　部	急性腹症か？　反跳痛は？　圧痛は？ 児は生存しているか？ 開腹術，分娩とすることが必要か？
膣	出血しているか？ 分娩進行の状況はどうか？ 子宮内反はあるか？

表 7 ● 考えられる心停止の原因

脳神経系	子癇発作，てんかん，脳血管障害，迷走神経反射
循環器系	心筋梗塞，不整脈，周産期心筋症，大動脈解離，先天性心疾患
低酸素症	喘息，肺塞栓，肺水腫，アナフィラキシー
出　血	常位胎盤早期剝離，弛緩出血，産道損傷，子宮破裂，子宮内反，大動脈瘤破裂
全身・ハザード	低血糖，羊水塞栓症，敗血症，外傷，麻酔合併症

表 8 ● ショックの原因

循環血液量減少性ショック	出血，脱水，腹膜炎，熱傷など
心原性ショック	心筋梗塞，心筋症，不整脈など
血液分布異常性ショック	アナフィラキシー，敗血症，熱傷など
心外閉塞・梗塞性ショック	肺塞栓，心タンポナーデ，緊張性気胸

クなどを行い，原因の究明に努める．

原因としては脳神経系，循環器系，低酸素血症に伴うもの，出血などが考えられる（表 7）．またショック状態であれば，①循環血液量減少性ショック，②心原性ショック，③血液分布異常性ショック，心外閉塞・梗塞性ショックの 4 つのいずれかとなる（表 8）．

ショックから離脱が難しい状況では，帝王切開で児を娩出することが循環状態を安定化させるために有効な場合がある．また敗血症が少し疑われるなら，抗菌薬を早期に使用することが状態の改善に寄与するため最優先で投与されるべきである．当然，産婦人科単科で管理することには限界があるので，集中治療が必要であれば ICU などへの入室を考慮する．

シミュレーション・ドリル

シミュレーショントレーニングには大きく分けると挿管，特に DAM（difficult airway management）のようなスキルを学ぶものと，状況に応じた対応を学ぶシナリオシミュレーショントレーニングがある．前者はあくまでも個人の技術向上にフォーカスされている．後者は状況の付与により，個人だけでなくチームとしてどのように情報を集め，評価し，意思決定をして介入するかということを学ぶものとなり，チームコミュニケーション，チームワーク，リーダーシップなどが重要な要素となる．また，研修の場所としては，さまざまに医療機関から研修者を集めて行う集合型研修と，特定の医療機関で日頃働いているチームとしてその現場で行う in-situ シミュレーショントレーニングの 2 つがある．目的に応じて効率的かつ効果的な方法を選択する．

産科出血，特に分娩後大出血において，産科プロバイダーは止血をすることに注力しがちであるが，最も大切なことは呼吸循環の安定化であり，外傷と同様の戦略で対応するという考え方をもつことである．そのことからコマンド&コントロールによるチームダイナミクスを念頭においた戦略の策定，実施が重要である．シミュレーショントレーニングはこれらを臨床現場で実施するためには欠かすことのできない手法であり，定期的に実施することが求められる．

COVID-19に対する蘇生

2020年4月9日付で，アメリカ心臓協会のジャーナル『Circulation』に「Interim Guidance for Basic and Advanced Life Support in Adults, Children, and Neonates With Suspected or Confirmed COVID-19」が掲載された．感染予防の観点から以下の3点が挙げられている．①個人用防護具（PPE）装着，②人員の制限，③気管挿管を優先である．

感染防御としてPPEの装着は必須である．ガウン，手袋，マスク（可能であればN95マスク），フェイスガードもしくはアイガード，キャップを装着する．病院のリスクを考え，必要最低限の人員で実施する．胸骨圧迫を実施することで感染が拡大する可能性があり，人工呼吸は，気管挿管が優先される．気管挿管ができない場合にはポケットマスクやフェイスシールドなどは使用せず，バッグ・バルブ・マスクを使用する．さらにバッグ・バルブ・マスクがない場合には人工呼吸は実施せず，酸素投与が可能な状況ではリザーバー付きマスクを装着する．

おわりに

最初にも書いたが，状況を認識し把握しなければ評価さえも始まらない．定期的な観察により正常でないことを認識し，評価し，状況によって個人ではなくチームでアプローチすることで，正常性バイアスに左右されることなく正しい判断をすることが必須である．そのためには日頃からのトレーニング，日々振り返り，日々改善が重要である．

引用・参考文献

1）妊産婦死亡症例検討評価委員会／日本産婦人科医会．母体安全への提言2019（Vol.10）．2020, 83p.
2）日本母体救命システム普及協議会ほか．産婦人科必修 母体急変時の初期対応 第3版：JCIMELS公認講習会ベーシックコーステキスト．大阪，メディカ出版，2020, 368p.
3）Perinatal Critical Care Course運営協議会．周産期初期診療アルゴリズム：PC³公式コースガイド．荻田和秀ほか編．大阪，メディカ出版，2017, 128p.
4）The PROMPT Editional Teams. PROMPT（Practical Obstetric Multi-Professional Training）3rd Edition. Cambridge, Cambridge University Press. 2018, 328p.
5）Paterson-Brown S. Managing Obstetric Emergencies and Trauma: The MOET Course Manual 3rd Edition. Cambridge University Press. 2016, 510p.

国保旭中央病院 ● 鈴木 真

1 急速遂娩—超緊急帝王切開—

概　念

超緊急帝王切開に明確な定義はない．2010年に出された厚生労働省の周産期医療体制整備指針では，地域周産期母子医療センターでの職員配置の中に，「帝王切開が必要な場合に迅速（おおむね30分以内）に手術への対応が可能となるような医師およびその他の各種職員の配置をすることが望ましい」とされている[1)]．古くは1989年にACOGが緊急帝王切開は30分以内に始められるようにと施設基準として要望したことに始まる[2)]．

英国のNICE（National Institute for Human Health and Care Excellence）は緊急帝王切開をその緊急度で4つに分類している（表1）[3)]．そのうちカテゴリー1は「母体，胎児に生命の危険が切迫している状態」とされており，高度の徐脈，臍帯脱出，子宮破裂，児頭採血でpH<7.2などが含まれており超緊急帝王切開に相当すると考えられる．カテゴリー別に，推奨される手術決定から児娩出までの時間（decision-to-delivery interval；DDI）が記載されており，カテゴリー1は手術の決定後できるだけ早く帝王切開を行う，おおむね30分以内としている．一方で，この30分は施設の監査基準であり，臨床的な基準ではないことが付記されている．臨床的には個々の症例で判断すべきであり，臍帯脱出などでは30分では遅いと判断され，母体の安定化を図る必要があればもっと遅くても止むを得ないという判断となる．さらに，DDIとApgarスコア5分値が7点未満の割合とは相関しなかったとも報告されている[4)]．

児娩出までの時間短縮の要点

カテゴリー1（表1）と判断した際に迅速に帝王切開を行うには，産科のみならず，新生児科，手術部門，臨床検査部門などの協力体制が必須であり，一刻を争う状況下で遅滞なく準備が進むことが必要である．そのためには日々各部門との連携を密にし，in situシミュレーションを重ねていくことが重要である．

NICEはDDIが長くなる要因として，

- 医療スタッフの超緊急帝王切開に対する経験値
- さまざまな領域の医療スタッフの個々の技術
- 役割分担がうまくなされているか
- 情報伝達の手段
- 症例の発生時刻
- 超緊急帝王切開のシミュレーションの有効性と医療スタッフの参加状況

などを挙げている．日本でも超緊急帝王切開の取り組みが多くの施設でなされており，以下のような手術決定から児娩出までの各段階で時間を短縮する試みが必要である．

1. 本人および家族への説明と同意
2. 電子カルテ上の各種オーダー
3. 各部門への連絡
4. 手術室への移動
5. 手術室内での準備

▶ 本人および家族への説明と同意

臍帯脱出や子宮破裂のような超緊急帝王切開の施行前に書面による同意は必要ないとRoyal College Obstetricians and Gynecologists（RCOG）はそのガイドラインで記載している[5, 6)]．一方で，書面による同意は必要とする意見も見られる[7)]．いずれにせよ，状況を本人に十分説明することが必要である．外来の妊婦健診の際に，分娩時の処置に関して説明し事前の同意取得が一般的になされているが，その項目の

表 1 ● NICE による帝王切開の緊急度と推奨される児娩出までの時間（DDI）

緊急度	定　義	推奨する DDI
カテゴリー 1	母体，胎児に生命の危険が切迫している状況	できるだけ早期（おおむね 30 分以内）
カテゴリー 2	母体，胎児に生命の危険が切迫している状況ではないが，危機的な状況	30 分以内あるいは 75 分以内
カテゴリー 3	早期の分娩が望まれるが，母体・胎児は危機的な状況ではない	
カテゴリー 4	母体，スタッフの都合に合わせてよい状態	

（文献 3 より改変して引用）

一つにあらかじめ分娩時に起こり得ることへの対処法の一つとして超緊急帝王切開を含めておくのも一つの方法である．術後に再度詳細に説明をする際の一助となる．

各種説明書・同意書はあらかじめ超緊急帝王切開用に準備しておく．家族への説明のために帝王切開が遅れるようなことは避けなければならず，その場合は事後に説明と同意を得る．

麻酔に関する説明・同意も同様に術後に行う．麻酔科当直医がいない地域周産期母子医療センターでは，超緊急帝王切開時の麻酔方法について分娩予定者全員から事前に同意を取得しておき，救急部の医師が麻酔科医師の到着までの間，麻酔を担当するという工夫も報告されている[8]．

▶ 電子カルテでの各種オーダー

電子カルテ上の手術申し込みが必須である施設が一般的かもしれない．超緊急手術の場合には通常より内容が簡略化され短時間でオーダーできる方法や事後入力が可能な方法を準備し，手術開始が遅れることのないようにすべきである．

輸血用血液の準備についても種々の工夫が必要となる．電子カルテ上でのオーダー方法，輸血部や検査部への連絡方法，O 型 Rh（＋）血液への統一，クロスマッチの省略，夜間や休日の血液の運搬方法など，それぞれのプロセスでの簡略化について院内の各部門との協力が必要である．

▶ 各部門への連絡

超緊急帝王切開を決定した際，その決定を産婦人科，新生児科，麻酔科の各医師，助産師，手術部看護スタッフへ迅速に伝達するシステムの構築は必須である．①誰が（情報発信者），②誰に対して（情報受信者），③どのような方法で（PHS，インターホン，院内放送，携帯電話など），④何を（必要最小限の情報）伝達するのかについて，関連スタッフおよび関連部署で共有しておく．「超緊急帝切です」「コード A です」などのあらかじめ決められた統一用語を用い，それ以外の情報は「追加しない」「確認しない」を原則とする．新生児科医の要望で妊娠週数を追加している施設もあるが，各施設の状況に応じてコンセンサスを得ておく．

▶ 手術室への移動

手術室は産科病棟と同じフロアに近接していること，日勤帯，夜間帯のいずれにおいても超緊急帝王切開用に専用の手術室が確保され，超緊急帝王切開用器材が常備されているのが理想である（当院では専用手術室を確保している）．しかし，多くの周産期センターでは産科病棟と手術部は別フロアに設置されており，その距離をいかに迅速に患者搬送するか，超緊急帝王切開用の手術室をいかに確保するか，などについての工夫が必要である．分娩室での帝王切開は一つの理想形であるが，麻酔科医の確保が課題である．産科病棟から手術室への迅速な患者搬送は，in situ シミュレーションの訓練項目の一つである．

▶ 手術室での役割分担

超緊急帝王切開では，産科のみならず，麻酔科，手術室も十分な人員確保や準備がされないまま手術しなければならない状況となる．限られた人数で個々が自分の役割を果たすことが迅速な準備につながる．麻酔器や手術に関する機材の準備，インファントウォーマ一の準備とNICU医師の介助，妊婦の手術台への移乗・創部消毒・術衣の装着介助などの一連の役割分担に関するシミュレーションが必要である．

創部の消毒は“splash and dash”で行う[9]．ボールにイソジン液を入れ清潔なガーゼを浸して拭くことも可能である．正確にはsplashではないが，迅速に清潔野の作成ができる．医師は通常の白衣の上に手術着を着用し，手洗いはしない．器械カウントはしないが術後のX線撮影は必ず行い，遺残物の確認を行う．

麻酔は原則的に全身麻酔が選択される．手術に対するリスクがある場合は，帝王切開の準備の際に麻酔科医に口頭で伝える．

帝王切開術

下腹部正中切開がより早く腹腔内に到達し，出血が少なく伸展も良好である[10]が，通常やり慣れた方法で開腹を行うのがよい．他臓器の損傷には十分な注意を払う．

シミュレーション

迅速な超緊急帝王切開の実施のために，輸血部，NICU，手術部を含めてシミュレーションを行い，改善を重ねていくことが肝要である．最も人手の少ない夜間の発生や救急外来での発生など，さまざまな状況を想定して訓練を行う．年に数回，シミュレーションを実施し，タイムキーパー，動画撮影者を置き反省会を行うことも有益である．動画撮影をもとに各担当者が作業を行っていない時間を割り出し，作業の再分担と効率化を図ったという報告もある[11]．

まとめ

児娩出までの時間をどうすれば短縮できるかは各施設の状況によって異なるため，個々に検討し改善していく必要がある．①電子カルテなどの施設のシステムに関係すること，②各部門内で工夫できること，③各個人で実施できることに分けて検討するとよい．シミュレーションを定期的に行うことによって手術開始までの手順の簡略化やマニュアルの見直しを行うことが大切である．

引用・参考文献

1) 厚生労働省．周産期医療体制整備指針．2010.
2) American College of Obstetrics and Gynecologists Committee on Professional Standards. Standards for obstetrics-gynecologic services. 7th ed. Washington, DC, 1989.
3) National Institute for Health and Care Excellence. Cesarean section guidline. London（UK）: National Institute for Health and Care Excellence ; 2011.
4) Tolcher MC. et al. Decision-to-incision time and neonatal outcomes. Obstet Gynecol. 123, 2014, 536-48.
5) Royal College of Obstetricians and Gynecologists. Umbilical cord prolapse. Green-top Guideline no.50. London（GB), RCOG, 2014.
6) Steer PJ. Written consent should not be obtained at the time of emergency caesarean section. BJOG. 125, 2018, 1757.
7) Chervenak FA, McCullough LB. Written consent should not be obtained at the time of emergency caesarean section : AGAINST : Written consent should be obtained. BJOG. 125, 2018, 1756.
8) 吉村聖子ほか．麻酔科当直体制でない当院での超緊急帝王切開への取り組み．日本臨床麻酔学会誌．38，2018，S232.
9) Baskett TF. Preparedness for emergency “Crash”caesarean section. J Obstet Gynecol Can. 37, 2015, 1116-7.
10) Burke II JJ. “Chapter 7 Incisions for Gynecologic Surgery”. Te Linde's Operative Gynecology. 12th ed. Handa VL, Le LV. eds. Philadelphia, Wolters Kluwer, 2020, 128-55.
11) 鈴木眞嗣ほか．超緊急帝王切開シミュレーションの振り返りにおける4画面動画再生の有用性の検討．分娩と麻酔．100，2018，8-11.

和歌山県立医科大学附属病院 ● 南　佐和子

急速遂娩―早産期の帝王切開―

概　要

早産期は，正期産に比べ非頭位の頻度が高く，帝王切開は緊急で行われる場合が多いという特徴がある．帝王切開の適応として子宮内感染，前期破水による非頭位での分娩進行，多胎（特に三胎）妊娠，FGR（fetal growth restriction）および NRFS（non-reassuring fetal status），母体合併症や HDP（hypertension disorder in pregnancy），前置胎盤や臍帯下垂・脱出，既往帝王切開や既往子宮手術など適応は正期産の場合と変わらないが，胎児が小さく未熟である点が異なる．娩出時に骨折など外傷を起こすことがある．

帝王切開時の子宮切開法については，子宮下部の横切開が一般的である．早産期，特に 30 週未満の場合，子宮下部筋層の伸展が不十分で児娩出に十分なスペースをとれない場合や，非頭位，特に横位の場合に，子宮切開後に児が娩出困難になる場合がある．そのため，児を安全に娩出する目的で古典的縦切開が選択されることがある．古典的縦切開は，次回妊娠で子宮下部横切開に比較し子宮破裂の可能性が高くなる，胎盤が切開創部に付着する可能性が高くなるなどの危険性もあり，現在では U 字や J 字，体部低位横切開が選択される場合もある．また横切開で児娩出が困難となった場合に，切開部の延長を目的に逆 T 字切開を追加し行う場合がある（図 1）．強い子宮収縮に加え羊水過少がある場合や横位などにより，子宮下部横切開以外の切開法を行っても娩出困難になる場合がある．児をスムーズに娩出する工夫として，子宮筋弛緩を目的にニトログリセリンの母体への投与や幸帽での娩出が試みられる．

直前にリトドリン塩酸塩や硫酸マグネシウムなどの子宮収縮抑制薬を投与している場合の弛緩出血や術中術後の肺水腫，子宮内感染からの子宮創部感染，腹膜炎などについても注意が必要である．

早産期の分娩に至る危険性の高い患者に関しては，常に帝王切開に備えた準備および上記に留意したインフォームド・コンセントを得ておくべきである．また早産期に帝王切開を行った際には，早産に至った状況や帝王切開術の適応・術式・術後経過などについての的確な診療録記載を行う．次回以降の妊娠・分娩管理のために必要な情報であり，他施設での管理の際の情報提供にも役立つ．母子健康手帳の分娩記録にも必要最低限の情報を記載しておくとともに，患者にも分娩経過などを十分説明しておく必要がある．

頻度・適応

わが国の早産は，2010 年以降出生数全体の 5.6 ～ 5.7%で推移している．2017 年の 28 週未満の早産は全体の約 0.2%，2,237 例[1]で，これらのほとんどは，総合周産期もしくは地域周産期センターでの分娩と推測される．帝王切開率については，スウェーデン[2]からの報告では，妊娠 28 週未満の平均帝王切開率は 22 ～ 25 週では 38%，26 ～ 27 週では 66%であったが，妊娠 22 ～ 25 週では 34 ～ 69%，妊娠 26 週～ 27 週では 59 ～ 80%と施設間で差がみられた．米国では，妊娠 25 週未満，出生時体重 1,000g 未満での帝王切開率は 34.4%と報告されている[3]．当院での妊娠 28 週未満の帝王切開率は 46%で，国や施設によって差がある．超早産児の予後などから実施施設での帝王切開の適応が異なるためと考えられる．

帝王切開の適応は，母体適応，胎児適応ともに正期産でも早産期でも同様である．しかし，『母子保健の主なる統計』から推定される正期産での帝王切開率が約 25%に対し，早産期の帝王切開率が高い理由の一つは，非頭位率が高いことである．骨盤位の頻度は妊娠 37 週以降の 2.4%に対し，妊娠 24 ～ 27 週では 23.5%との報告があり[4)]，骨盤位の帝王切開分娩が一般化している日本において，早産期の帝王切開の適応として大きな比率を占めていると考えられる．

早産期帝王切開の実際

帝王切開術の術式は基本的には，正期産と同様である．しかし，週数が早いほど母体腹部の伸展が少なく，子宮下部の筋層も厚いという特徴がある．胎児も非頭位の割合が多く，前期破水や陣痛発来後の帝王切開が多く，子宮切開後の娩出困難にしばしば遭遇する．早産児，特に 1,000g 未満の児は出生後の循環が不安定であり，圧迫や子宮切開から娩出までの時間が長いなどのストレスで循環動態が悪化して初期蘇生がスムーズに運ばない危険性や，無理に児を牽引した場合には骨折や皮膚損傷などの trauma を起こす危険性がある．このような正期産との違いを十分考慮し，児にストレスが少なくなるような娩出を工夫する必要がある．

▶ 開腹

皮膚切開は正期産同様，下腹部正中切開（縦切開）か横切開で行われる．週数が早い場合，母体の皮膚の伸展が悪く特に初産の場合は腹直筋が固いため，横切開で開腹すると十分な視野が得られにくい場合もある．超早産の帝王切開の場合，児が皮膚切開創を通過する際のストレスの軽減や，どのような子宮切開法にも対応するためにも，十分な皮膚切開が必要である．

また，術前から古典的縦切開や子宮体部の高位に近い部分を切開することが予想される場合には，下腹部縦切開が推奨される．既往帝王切開などですでに下腹部に皮膚切開痕がある場合には，それに沿って皮膚切開が行われるが，癒着などで視野が得られない場合もあり，皮膚切開の延長などを行い十分な視野を確保する．児や子宮が小さいから皮膚切開は小さくてよいという判断は勧められない．

開腹後，腹水の有無を確認する．子宮内感染の腹腔内への波及や妊娠高血圧症候群で腹水貯留を認めることがある．術前に子宮内感染が疑われている場合，腹水を採取し性状の確認や培養を提出することも術後の治療の一助となる場合もある．妊娠高血圧症候群で腹水貯留を認める場合には，術後も腹水貯留が持続し，腸管の動きが悪い場合があり術後イレウスなどを併発する可能性があるため，術後管理の注意点の一つとなる．

▶ 子宮切開

1）子宮筋切開法の選択

子宮筋切開法には，一般的な子宮下部横切開（従来法）以外に，古典的縦切開，子宮体部低位縦切開，子宮体部低位横切開，子宮下部から体部にかけての U 字切開，J 字切開や子宮下部横切開で児の娩出が困難な場合に追加される逆 T 字切開などが行われている．代表的な切開法を図 1 に示す．

30 週未満，1,000g 未満の場合は特に児へのスト

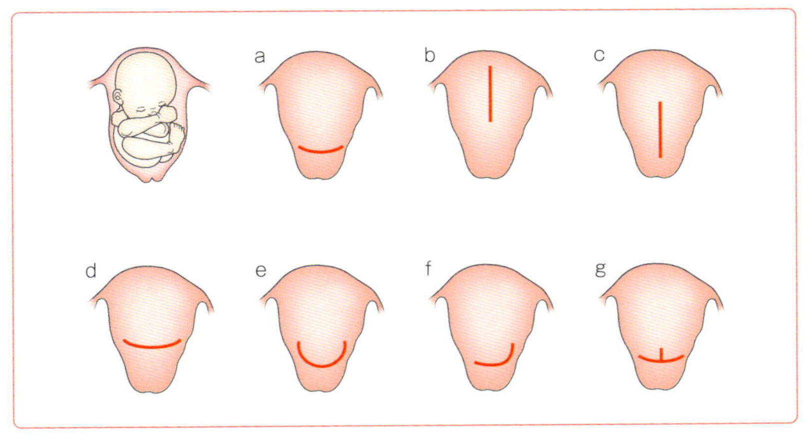

図 1 ● 子宮切開法

a．子宮下部横切開（従来法）　b．体部（高位）縦切開（古典的切開）
c．体部（低位）縦切開　d．体部（低位）横切開　e．U 字切開　f．J 字切開
g．逆 T 字切開（子宮下部横切開で娩出困難な場合に行うことがある）

レスを軽減することを第 1 目標として子宮切開法を決定する．子宮下部横切開（従来法）の場合，次回妊娠での子宮破裂の可能性が古典的縦切開に比べ少ない，癒着が少ない，正期産で手技に習熟しているなどのメリットがある一方で，早産期では子宮下部の伸展が十分ではなく筋層も厚く，切開部のスペースが限られ，非頭位，特に子宮底に近い横位の場合には児に到達できない場合がある．そのため，児を愛護的に娩出することが困難になる場合が多い．

一方，古典的縦切開のメリットとしては，非頭位でも比較的娩出が容易で，娩出困難となっても子宮切開創の延長が容易で，延長しても膀胱や尿管損傷のリスクが少ない点である．しかし術中出血量の増加，次回以降の妊娠での子宮破裂や癒着胎盤の危険性，癒着などの問題がある．

子宮体部低位横切開では，膀胱損傷のリスクがなく十分な切開創を確保でき，癒着胎盤のリスクも古典的縦切開よりは少ないと考えらえる．しかし，児が娩出困難となった場合には切開創の延長が困難で，子宮下部横切開と同様，逆 T 字切開を追加する必要が出てくる．それに伴い，次回以降の子宮破裂や癒着胎盤の可能性が古典的縦切開と同様になる可能性がある．

U 字切開や J 字切開の場合，子宮下部横切開から体部へ切開創を延長する切開法で，十分な児娩出のスペースを確保することが可能になり，創の延長も容易である．子宮下部横切開に近い位置での切開のため，術後の癒着や癒着胎盤のリスクは古典的縦切開より低いと考えられる．

子宮切開法については，現在明らかなエビデンスはないが，児を愛護的に娩出するために破膜を行わず卵膜に覆われたまま児を娩出する幸帽児娩出が試みられる．幸帽児娩出を成功させるためには，十分なスペースが必要であり術前に子宮切開法について検討するが，実際開腹後に子宮の状態を確認しその時に決定すること多く，上記以外の切開になる場合もある．

2) 子宮切開の実際

ここでは，子宮下部横切開は正期産帝王切開と同様であるため，体部を切開する古典的縦切開について最初に示す．

子宮を切開する前に，子宮のローテーションを必ず確認し，子宮体部中央をメスで縦切開する．メスはできるだけ筋層に垂直に当て 5cm 程度切開を行うが，子宮筋層が非常に厚く，徐々に切開を進めていくうちに切開創が小さくなるため，最初の切開は通常より長くするとよい．慎重に切開を進めて卵膜が透見できるようになったところで，破水を避けるために曲ペアン鉗子を卵膜透見部位に当て，曲ペアン鉗子を開きながら残された筋層や絨毛膜を圧排し卵膜表面に到達する．子宮壁と卵膜の間に左右の示指を挿入し，上下に卵膜を剥離しつつ筋層を牽引し切開創を上下に拡張した後，左右にも牽引し，児転出に十分な大きさまで鈍的に広げる．

特に週数が 26 週未満のような超早産の場合や，子宮腺筋症などで子宮筋層が非常に厚い場合には，鈍的に筋層切開部が拡大できない場合がある．そのため，曲ペアン鉗子を使用し卵膜表面に到達した後，切開する方向に示指もしくは示指と中指をそろえて卵膜に沿って挿入し，子宮筋層と卵膜を剥離する（このとき手のひらを子宮筋層側に挿入する）．2 本の指を挿入したままクーパーを使用し，筋層を切開するとよい．

子宮体部低位横切開は，膀胱子宮窩腹膜反転部より 1 横指程度子宮底側の正中をメスで数 cm 横切開を行う．そこからの手順は上記古典的縦切開と同様に卵膜表面まで到達し，両側示指で筋層切開を左右に鈍的に拡大した後，上下にも拡大する．切開創の拡張が困難な場合には，クーパーで切開部を拡大する．古典的縦切開と子宮体部低位横切開は，膀胱子宮窩腹膜反転部を切開する必要がない．

U 字および J 字について説明する．下部横切開と同様に膀胱子宮窩腹膜反転部を横切開し，尾側に少し剥離する．剥離した子宮筋層部位正中にメスで数 cm 切開し，卵膜が透見できたところからは，曲ペアン鉗子を透見部位に当て，曲ペアン鉗子を開きつつ残った筋層や脱落膜を圧排し卵膜表面に到達する．筋層切開を行う方向に向かって示指と中指で子宮壁と卵膜を剥離しつつ，少しずつ体部側に U 字あるいは J 字をイメージしつつクーパーで筋層切開を拡張する．示指で鈍的に左右に切開創を拡大すると下部横切開になるため，U 字あるいは J 字切開を行う場合にはクーパーで切開を延長する．

逆 T 字切開は，すでに下部横切開や子宮体部低位横切開で十分なスペースが確保できない場合に追加で行う切開法で，切開部の正中を子宮底に向かって切開する．切開部位を決定し，子宮壁と卵膜もしくは児の間に示指および中指を挿入したまま子宮筋層を切開する．子宮筋層が薄い場合にはクーパーで切開するが，子宮筋層が厚い場合にはメスである程度子宮筋層を切開後，クーパーで切開する．

▶ 児娩出

児を愛護的に娩出するために，特に30週未満の早産の場合には幸帽児娩出を試みることを勧める．幸帽児娩出を成功させるコツとしては，子宮切開後の子宮収縮を抑制することが重要である．なぜなら子宮切開を開始すると子宮収縮が増強し，胎胞が子宮切開創から膨隆し破水するリスクが高くなるため，また胎胞内に羊水が移動し胎児が子宮筋層に挟まれ娩出困難になるためである（いわゆるhug-me-tight-uterus）．子宮切開時の子宮収縮抑制方法および幸帽児娩出の方法について説明する．

1）子宮切開時の子宮収縮抑制

以前は子宮収縮を抑制する方法として，リトドリン塩酸塩の投与，吸入麻酔薬であるセボフルランの吸入が行われてきた．

リトドリン塩酸塩の急速投与は，過強陣痛などにも使用されるが効果が出るまでに時間がかかり，帝王切開には勧められない．しかし，帝王切開前からリトドリン塩酸塩の投与が行われている症例においては，あえて帝王切開決定時や入室時に中止せず，執刀もしくは子宮切開時まで継続投与し，一時的に投与量を増量することで子宮収縮を抑制できる場合もある．全身麻酔下での帝王切開の場合，吸入麻酔薬のセボフルランを使用し子宮収縮を抑制する．吸入麻酔薬の使用は出生直後の児にも麻酔薬の影響が出る（sleeping baby）が，早産期の帝王切開の場合には必ず小児科医が帝王切開に立ち会うため，あらかじめ蘇生担当の小児科医にセボフルランの使用を連絡することで児の対応は可能と考える．セボフルランの子宮収縮抑制作用は非常に有効であるが，児娩出後の子宮収縮が不良となりやすいため注意が必要である．

最近はリトドリン塩酸塩，セボフルランに代わってニトログリセリンの静脈投与を行う施設が増加している（rapid tocolysis）．ニトログリセリンの静脈投与は，即効性があり作用時間が短く，静脈投与であるため脊椎麻酔や硬膜外麻酔で帝王切開を行う場合にも使用可能である．作用時間が短いため，スムーズに児が娩出できなかった場合には，再度投与することも可能である．投与のタイミングとしては，子宮筋層切開開始直前もしくは同時にニトログリセリン100μgを静脈投与する場合と，子宮切開後切開創の伸展が十分でないと判断した場合に投与する場合がある．胎胞が子宮収縮に伴い子宮切開創から大きく膨隆し破水のリスクが高くなるため，当科では前者を実施している．また，児娩出中に子宮収縮が強くなった場合には，再度100μgずつ投与する．

2）幸帽児娩出

幸帽児娩出には，卵膜および胎盤を子宮壁から完全に剥離し，児と羊水が卵膜内にある状態で子宮外に娩出する完全幸帽児娩出と，卵膜と胎盤の一部を子宮壁から剥離し，児の大部分が子宮切開創から娩出したところで破膜する半幸帽児娩出がある．

完全幸帽児娩出法の手技は，子宮切開創から露出した卵膜に沿って子宮筋層に手を挿入し，全周性に卵膜および胎盤を子宮筋層から剥離する．破水をしないように自分の手のひらをヘラのように使って，筋層と卵膜の間を滑らせるように動かし剥離を行う．指で卵膜や胎盤を内腔側に押すように剥離すると，破水や胎盤断裂になる危険性ある．剥離後，児の先進部をゆっくり誘導し，児の先進部が徐々に胎胞内に下降し児の体の半分程度が切開創から外へ出たところで，自然の子宮収縮もしくは子宮底を術者が圧迫することで全体を娩出する．幸帽児娩出の場合は剥離中に子宮底を圧迫する必要はなく，逆に十分な子宮弛緩が必要であるため，子宮収縮がある場合にはニトログリセリンの追加投与を行う．

完全幸帽児娩出となった後，そのまま蘇生台へ移動し新生児科医によって破膜する場合と，術野で産科医が破膜し臍帯結紮・切断をして児を蘇生台へ移動する場合がある．蘇生台で破膜した場合には，必要であれば臍帯血を児に輸血することが可能である一方，羊水や胎盤からの出血で蘇生台が汚染される．術野で破膜する場合でも，臍帯を胎盤に近い部分で切断することで臍帯血を児に輸血することは可能であるが，移動の間の体温低下や皮膚へのストレスが考えらえる．どちらの方法にするかは，各施設で蘇生を担当する小児科医と確認しておく必要がある．

幸帽児娩出は主には推定児体重が 1,500g 未満の児に適応されることが多く，推定体重が 1,000g 未満の場合には完全幸帽児娩出が優先される場合が多く，1,000 ～ 1,500g の場合には半幸帽児娩出になることが多い．児が大きくなるほど子宮内宮が広いため，卵膜・胎盤剝離を全周性に行うことが困難になる場合も多いことが理由の一つである．

すでに破水している場合や，子宮切開時や卵膜剝離中に破水した場合でも，そのまま剝離を継続し幸帽児娩出を可能な限り行うことを勧める．それにより術者の指が直接児を圧迫することが少なく，外傷のリスクが軽減するためである．

▶ 子宮切開創の縫合と閉腹

子宮縫合前に，子宮内の遺残を十分確認する．特に古典的縦切開や体部低位横切開の場合，子宮底側の遺残だけではなく子宮下部にも遺残がないか必ず確認する．

古典的縦切開や体部低位横切開の場合でも 2 層縫合が基本で，子宮筋層が厚い場合には 3 層縫合を行う．1 層目は下部筋層から内膜を単結紮縫合し，2 層目は 1 層目との間に死腔を作らないように漿膜から上部筋層に運針し単結紮縫合を行う．間隔は 1 ～ 1.5cm で単結紮し，2 層目については連続縫合も可能である（図 2）．

U 字および J 字切開の場合にも 2 層縫合を行い，方法は下部横切開と同様の縫合とする．逆 T 切開となった場合には，追加した体部縦切開部分は古典的縦切開と同様に単結紮 2 層縫合を行い，横切開部分も下部横切開同様に縫合を行う．横切開部分との接点部分はギャップが生じないように注意が必要で，縦切開部分の左右下端部と横切開部の尾側筋層に Z 縫合の追加を行っている．

子宮内感染が強い場合で羊水が腹腔内に流れ出た場合などは，生理食塩水での腹腔内洗浄が考慮される．腹腔内の出血などを取り除いたのち，子宮切開創部に癒着防止シートを貼付し型のごとく閉腹する．

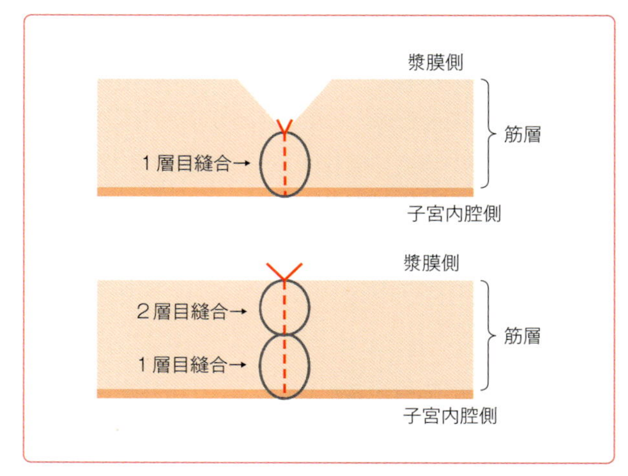

図 2 ● 古典的縦切開・体部低位横切開法の縫合イメージ

次回妊娠への留意点

次回妊娠での分娩方法について『産婦人科診療ガイドライン：産科編 2020』[5] では，古典的帝王切開，子宮底部横切開による帝王切開については TOLAC (trial of labor after cesarean delivery) を避けることを推奨している．次回妊娠までの期間について言及している文献は少ないが，帝王切開後 16 カ月未満の分娩は子宮破裂リスクが高くなるとの報告がある[6]．当院で経験した古典的帝王切開後の子宮破裂は，前回 23 週で腟内胎胞脱出，子宮内感染，骨盤位，分娩進行のため古典的帝王切開術を施行した症例であった．妊娠 32 週で子宮収縮の増強とともに腹部瘢痕部の一部が膨隆してきたため子宮破裂と診断し，緊急帝王切開を実施した（図 3）．子宮筋層は完全に離開し，卵膜が胎胞状に子宮筋層から膨隆していた．本症例も前回帝王切開から子宮破裂を来すまで 15 カ月であった．

早期産に至った状況や帝王切開術の適応・術式・術後経過などについての的確な診療録記載を必ず行い，それらは次回以降の妊娠・分娩管理のために必要な情報であり，他施設での周産期管理の際の情報提供にも役立つ．患者に対し早産になった経緯および原因，帝王切開の術式，術後の経過等に関して情報共有し，次回妊娠を希望されている場合には，次回妊娠・分娩のリスクについても情報提供することを勧めるとともに，母子健康手帳の分娩記録にも必要最低限の情報を記載することを勧める．

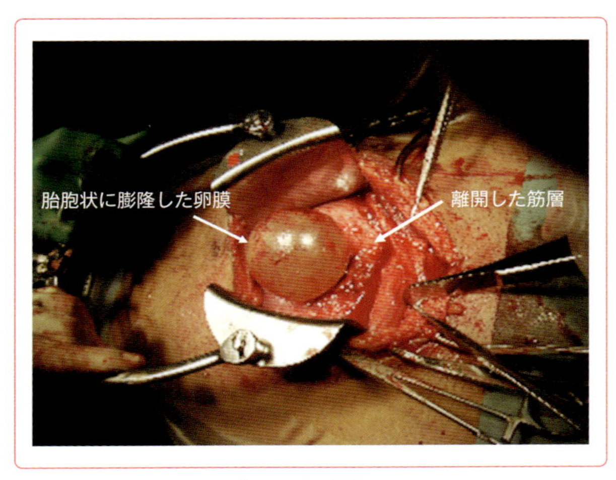

図3 ● 古典的帝王切開後の子宮破裂

Clinical Tips

》ニトログリセリンの投与量

ニトログリセリンの投与量については，100μgもしくは200μg投与が多く，海外では250μgもしくは500μgが使用されている．ニトログリセリンの投与において最も心配される点は，母体および出生後の新生児への影響である．母体については，短時間の血圧低下を認めることがあるが，輸液量の増量で対応可能な程度で昇圧剤の使用が必要となるような症例は少なく，術中出血量への影響は報告されていない[7]．また，母体に250μg，500μgを投与した場合，臍帯静脈血と母体静脈血の濃度比は，1：400と1：164と報告されており，出生後の児のApgarスコアや循環パラメーターへの影響の報告はない[8]．

児の娩出のしやすさもしくは十分な子宮弛緩については，主観的な評価であるため意見が分かれるところである．大阪府立母子保健総合医療センター（現・大阪母子医療センター）からの報告[9]では，ニトログリセリン200μgを投与した14症例の全例について子宮弛緩度は非常に軟らかいもしくはやや軟らかいと産婦人科医が感じているが，海外からの報告では，娩出のしやすさについては差がないとの報告もある[7]．そのため，帝王切開時の母体ニトログリセリン投与の有効性については今後検討が必要と考えられるが，特に推定児体重1,000g未満症例の場合には，児娩出時の児へのストレスや外傷のリスクを考慮すると，ニトログリセリンの使用は考慮される選択肢であると考える．

引用・参考文献

1）母子衛生研究会編．母子保健の主なる統計．平成30年度．東京，母子保健事業団．2019，49.
2）Hogberg U. et al. Infant mortality of very preterm infants by mode of delivery, institutional policies and maternal diagnosis. Acta Obstet Gynecol Scand. 86, 2007, 693-700.
3）Redman ME. et al. Cesarian delivery rates at the threshold of viability. Am J Obstet Gynecol. 187, 2002, 73-6.
4）Toijonen AE. et al. A comparison of risk factors for breech presentation in preterm and term labor: a nationwide, population-based case-control study. Archives of Gynecology and Obstetrics. 301, 2020, 393-403.
5）日本産科婦人科学会／日本産婦人科医会 編集・監修．"CQ403 帝王切開既往妊婦が経腟分娩（TOLAC, trial of labor after cesarean delivery）を希望した場合は？"．産婦人科診療ガイドライン：産科編2020．東京，日本産科婦人科学会，2020，199-201.
6）Al-Zirqi I. et al. Risk factors for complete uterine rupture. Am J Obstet Gynecol. 216, 2017, 165.e1-8.
7）David M. et al. Nitroglycerin to facilitate fetal extraction during cesarea delivery. Obstet Gynecol. 91, 1998, 119-124.
8）David M. et al. Nitroglycerin application during cesarean delivery; Plasma levels, fetal/maternal ratio of nitroglycerin, and effects in newborns. Am J Obstet Gynecol. 182, 2000, 955-61.
9）松田千栄ほか．帝王切開中に子宮弛緩目的で使用したニトログリセリン200μgの効果．麻酔．62，2013，390-4.

長野県立こども病院 ● 髙木紀美代

産後出血
—弛緩出血，子宮内反症，産道裂傷，凝固異常—

概念・定義・分類・病態（頻度，疫学，リスク，予後）

分娩時出血量は分娩中および分娩後2時間までの出血量と定義されている[1]．分娩時異常出血は，分娩第1期，第2期にみられる出血と分娩第3期とその直後から2時間までにみられる出血の2種類に大別される．これまで500mL以上が分娩時異常出血と定義されていたが，日本産科婦人科学会周産期委員会による「本邦における分娩時出血量の90パーセンタイル値（表1）」を診断の参考とする．しかし，計測された出血量は実際の出血よりも少ないとされており，分娩時異常出血は計測された出血量に加え，ショックインデックスなどのバイタルサインの異常を考慮し，判断しなければならない．

分娩後異常出血（postpartum hemorrhage；PPH）は胎盤娩出後から産後12週までの時期に発生した産後の異常出血と定義されている[1]．

表1 ● 分娩時出血量の90パーセンタイル値

	経腟分娩	帝王切開
単　胎	800mL	1,500mL
多　胎	1,600mL	2,300mL

（日本産科婦人科学会周産期委員会，253,607分娩例，2008年）
※帝王切開時は羊水込み．

分　類

1）早期分娩後異常出血（primary PPH）：分娩後24時間以内に発症する異常出血である．つまり，「胎盤娩出後から分娩後2時間まで」は分娩時異常出血と共通であり，分娩時異常出血のほとんどを占める．軟産道の裂傷，弛緩出血，胎盤遺残，血液凝固障害などが原因となる．

2）晩期分娩後異常出血（secondary PPH）：分娩後24時間から12週までの異常出血である．子宮復古不全，胎盤遺残・胎盤ポリープ（retained products of conception；RPOC），子宮内膜炎，子宮動脈仮性動脈瘤，先天性血液凝固異常などが原因となる．

疫　学

妊産婦死亡の原因として，わが国ではPPHに続発して起こる産科危機的出血が最も多く，19%を占めている[2]．

成因（発生機序）：「4つのT（The Four Ts)」が広く周知されている[3]．

①Tone（弛緩出血）：PPHの70%を占める．通常は子宮双手圧迫法と子宮収縮薬投与で改善する．子宮腔内バルーンが使用される場合もある．難治性の場合には子宮型羊水塞栓症が関与している場合もあるので注意が必要である．

②Trauma（分娩外傷）：PPHの20%を占める．子宮破裂，子宮内反，頸管裂傷，腟壁裂傷，会陰裂傷，腟・会陰血腫などが含まれる．頸管裂傷は動脈性出血のことがあるので早急な対応が必要であり，また子宮内反も早期発見が重要である．この2つ以外は，とりあえずは圧迫で止血可能なので，時間をかせぎつつ全身状態の安定化を図り，十分安定していることを確認してから産科的修復に臨む．

③Tissue（胎盤遺残，癒着胎盤）：PPHの10%を占める．胎盤が娩出されないまま出血が増量した場合には用手剥離法も考慮されるが，全身状態の十分な安定化が確認できてから行うようにする．

④Thrombin（血液凝固障害）：PPHの1%を占める．血液系疾患の合併や妊娠高血圧症候群関連の播種性血管内凝固（DIC），出血による消費性DICの他，突発するDICとして子宮型羊水塞栓症に注意が必要である．

危険因子

1）子宮筋の過伸展：巨大児，多胎妊娠，羊水過多症
2）子宮筋の疲労：陣痛誘発・促進，難産（分娩進行が緩慢），急速進行分娩，絨毛膜羊膜炎
3）子宮収縮抑制薬の使用など：子宮収縮抑制薬の長期間投与後の分娩，吸入麻酔薬の投与
4）その他：弛緩出血の既往，妊娠高血圧腎症

要　点

PPH に遭遇した場合は初期治療（全身管理）と同時に原因検索を系統的に行うことが極めて大切である．PPH の系統的原因検索としては，「4 つの T（The Four Ts）」を念頭に置き，弛緩出血，産道損傷，子宮内反，子宮破裂，胎盤遺残，癒着胎盤，血液凝固異常などを網羅的に検索することが必要である．

参考『産婦人科診療ガイドライン：産科編 2020』CQ418-1 産後の異常出血の予防ならびに対応は？

注意すべき臨床症状・所見

産後の出血量が経腟分娩では 500mL，帝王切開では 1,000mL を超えてなお活動性の出血がある場合，もしくは持続する 100bpm 以上の頻脈，ショックインデックスが 1.0 以上の場合には，産科危機的出血になることを予防するための対処として初期対応を行う．細胞外液の補液を 18 ～ 20G の静脈ラインを確保し急速投与，生体モニタリング（心電図，血圧計，パルスオキシメータ）を実施，気道確保と酸素投与を行う．さらに，血算，PT，APTT，フィブリノゲン，クロスマッチ，その他の血液検査を行う．全身状態が安定するまでは産科的診察は腹部の触診や超音波検査にとどめ，子宮底の輪状マッサージや冷却などを行う．急変時には，速やかにその原因を鑑別することに目がいきがちであるが，産科的診察・処置は，全身状態が安定してから（あるいは全身状態を管理する人員が十分に投入されてから）行うことが重要である．

診断（臨床所見）

▶ 分娩後異常出血の鑑別

分娩後異常出血に遭遇したら，視診，触診などの理学的診察や超音波検査（FASO；focused assessment with sonography for obstetrics，図 1）の情報を参考に原因の鑑別を行いながら，治療（止血処置）を並行して行う．最も頻度の多い弛緩出血への対応をしながら，鑑別しやすい順にチェックしていくことが重要である．

見落としを避けるためにも，いつも同じ手順で確認，鑑別を行っておくことやシミュレーションによる訓練を行うことで，急変時であっても冷静に対処することができる．

	胎児なし	胎児あり
FASO	【子宮内腔】 □凝血塊 □胎盤卵膜遺残 □子宮内反 【胸腹物】 □ダグラス窩 □脾周囲＋左胸腔 □モリソン窩＋右胸腔 □心嚢液＋IVC	【子宮内腔】 □胎位 □胎児心拍 □胎児徐脈 □胎盤後血腫 □胎盤付着位置 【胸腹部】 □ダグラス窩 □脾周囲＋左胸腔 □モリソン窩＋右胸腔 □心嚢液＋IVC

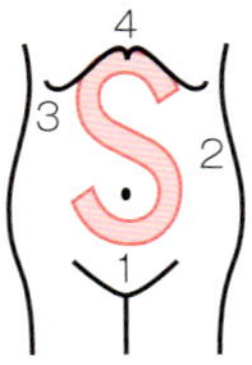

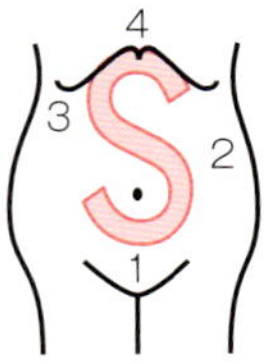

図 1 ● FASO（Focused Assessment with Sonography for Obstetrics）[4]
FASO では，1 分くらいで子宮内，子宮の形状，ダグラス窩，モリソン窩，脾腎境界，下大静脈を観察する．妊娠中，分娩後の子宮は大きくなっているため，これらのチェックは経腟超音波を使わなくても十分に可能である．

表 2 ● 弛緩出血に対する子宮収縮薬の投与

（『産婦人科診療ガイドライン：産科編 2017』CQ311-1 より改変）[5]

薬　剤	用量・用法	投与回数	備　考
オキシトシン	a）5 ～ 10 単位の筋注もしくは 5 ～ 20 単位を 500mL 晶質液に希釈し，600mL/ 時で開始，子宮収縮を確認できたら 60 ～ 120mL/ 時へ減量[6～8] b）10 ～ 20 単位を 500mL 晶質液に希釈し，150mL/ 時で投与[6～8]	静注：持続投与	非希釈原液を静注しない．低血圧を引き起こす．高濃度で長時間投与することによる水中毒に注意．
エルゴメトリン	1 回　0.2mg　筋注，静注 （欧米では，子宮筋注も可）	2 ～ 4 時間ごと	高血圧症，妊娠高血圧症候群（PIH）には禁忌，静脈投与は，冠動脈攣縮に注意．
$PGF_2\alpha$	1,000 μg を 500mL ブドウ糖液で希釈し，0.1 μg/kg/ 分で点滴静注	持続投与	喘息および緑内障患者への投与は避ける．下痢，発熱，頻脈の副作用がある．子宮筋層内投与は原則として行わない．やむを得ずに使用する場合は過量投与にならないよう注意する．
トラネキサム酸	4g を 50 ～ 100mL 生理食塩水で希釈し，1 時間で点滴静注．その後，1g/ 時で 6 時間．	持続投与	
ミソプロストール	経口，舌下，経直腸 600 ～ 1,000 μg	単回投与	発熱，悪寒戦慄（弛緩出血には，保険適用外）

▶ 産道裂傷の確認

分娩後の出血の原因としてまずは軟産道裂傷の有無をチェックする．内診，クスコ氏腟鏡診などで直視下に裂傷の有無と出血源となる場所を確認し，裂傷があれば縫合止血する．頸管裂傷や後腟円蓋まで及ぶ腟壁裂傷の確認は難しいので，ジモン式腟鏡や頸リス鉗子を用いて丁寧に観察する．手前の会陰裂傷を先に縫合してしまうと，頸管裂傷などの観察が難しくなってしまうため，最初に奥まで念入りに確認しておく．また，裂傷はなくとも腟壁や後腹膜に血腫が形成されることもあり，両手で直腸診指と内診指で挟んで確認することも必要である．

▶ 子宮内反症の確認

裂傷の確認と同時に子宮内反の有無を確認する．子宮収縮薬の使用は，内反の場合不利に働くことも少なくないので，最初に否定しておくことが重要である．子宮内反は，腟内に内反した子宮をクスコ氏腟鏡診もしくは内診で診断する．胎盤母体面に似た腫瘤として見える．FASO で典型的な子宮像が得られないときは子宮内反も疑う．

▶ 弛緩出血への対応

裂傷からの出血や内反がなく，子宮口からの出血が持続する場合，弛緩出血を考える．ルーチンケアとして子宮底の輪状マッサージや冷却を行うが，弛緩出血と判断した場合，オキシトシンやメチルエルゴメトリンなどの子宮収縮薬を用いて，より積極的に子宮収縮を促す（表 2）[5]．

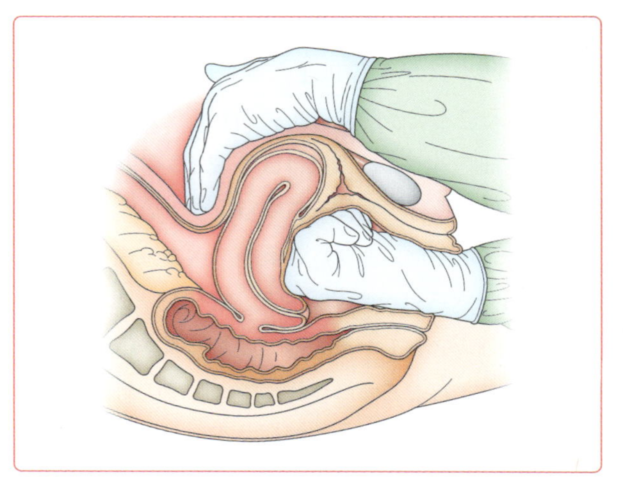

図 2 ● 子宮双手圧迫法

腹部に置いた外手と腟内から前腟円蓋に置いた内手で子宮体部をしっかりと把持し圧迫，さらに規則的な後陣痛を起こさせるように外方の手でマッサージすることで止血をはかる方法．

子宮収縮により止血が得られるまで，子宮双手圧迫法を行う（図 2）．片方の手で子宮頸部を固定した状態で子宮底部を経腹的に反対の手で圧迫し，子宮体部を持ち上げながら，母体腹壁と垂直になるように子宮を包み込むように圧迫する．

それでも出血が持続するときは，子宮内ガーゼ充填や Bakri バルーン[9] などを用いた子宮内タンポナーデを行う．

▶ 子宮体部の異常の鑑別のための超音波検査（FASO）

弛緩出血は，巨大児や長時間の分娩後などの子宮収縮が機能的に悪くなっている場合に起こる状態であるが，それ以外にも子宮体部に何らかの子宮収縮を妨げる要因がある場合にも二次的に発生する．前述の双手圧迫などの子宮収縮を促す処置によっても改善が認められない場合は，子宮破裂や，卵膜や胎盤遺残などによる二次性の弛緩出血を疑う．

- 子宮破裂の確認：子宮破裂は，器械分娩やクリステレル胎児圧出法の後や，帝王切開などの子宮手術の既往がある場合に起こりやすい．頸管裂傷の傷が延長して子宮破裂となることもある．子宮破裂があると腹腔内出血となるため，FASO で腹腔内にエコーフリースペースを認める．
- 胎盤・卵膜遺残：子宮内に胎盤や卵膜の遺残があると，生物学的結紮による止血機転が阻害され，弛緩出血となる．出血が多く凝血塊が貯留しているだけでも弛緩出血を助長する．超音波検査で子宮内腔の拡張像や遺残物の像があればこれらを疑い，経腹超音波ガイド下に子宮内容除去術を行う．
- 癒着胎盤：単なる胎盤遺残でなく，子宮筋層に絨毛組織が侵入する癒着胎盤であった場合は，子宮内容除去術がうまくいかず，出血が増悪する．このような場合は，無理をせず癒着胎盤と診断し，開腹手術や動脈塞栓術（transarterial embolization；TAE）に移行する．

管理（治療）

▶ 動脈塞栓術（TAE）

放射線医（interventional radiologist）の協力を得て行う．開腹止血術に先立って行われることが多い．成功率は 90% 以上，合併症は 6%程度である．合併症は塞栓術後の発熱が最も多い．まれな合併症として，穿刺部血腫形成，大殿筋壊死，血管穿孔，感染症などがある[10]．

手技の直前までに，凝固異常を是正しておくことが理想的である．

塞栓術待機中や手技の途中でバイタルサインの安定が保てない場合，躊躇することなく開腹による止血を決断する．塞栓術が不成功なら開腹術へ変更するが，その際，総腸骨もしくは大動脈でバルーンカテーテルを膨らませておくことで，一時的に術中の出血量を減少させることが可能である．

▶ 圧迫縫合止血（compression suture）

①B-Lynch suture：帝王切開術後，子宮切開創縫合前に子宮前壁と後壁にループ状に縫合糸を置くことで，用手的に圧迫止血しているのと同様な状態を作る止血方法である[11]．モノクリル 1 号の 90cm 長などの吸収糸を用いる（図 3）．帝王切開術後の弛緩出血に対し，容易に施行でき，非常に効果的である．

②square suture：子宮壁の前後を直針などで貫き，正方形に縫合，圧迫を行う[13]．子宮内反の観血的整復（Huntington 法）施行後の弛緩出血，再内反防止目的で試みることがある（図 4）．合併症として子宮留膿腫や Asherman 症候群などが報告されている．

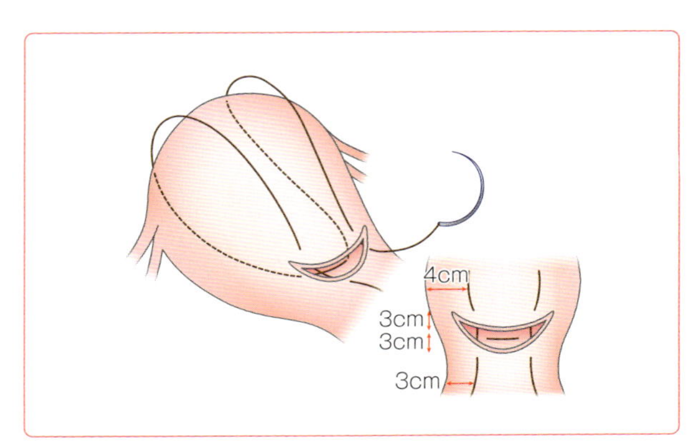

図 3 ● B-Lynch suture（文献 12 より引用改変）
B-Lynch suture 施行後，帝王切開創部を通常の方法で縫合閉鎖し，助手に子宮体部を用手的に圧迫・把持させながら，B-Lynch suture の縫合糸を結ぶ．

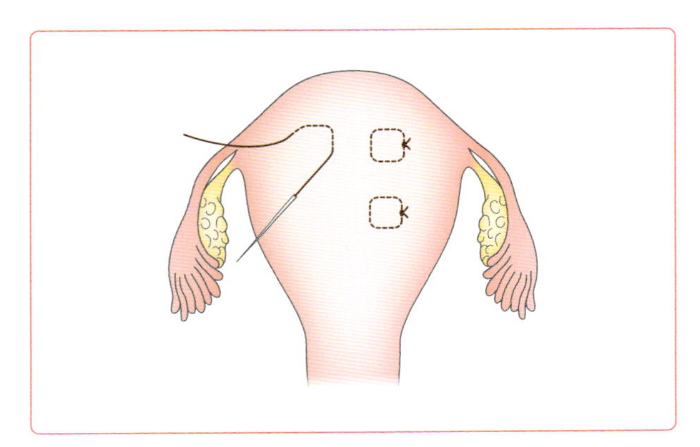

図 4 ● square suture（文献 12 より引用改変）
子宮壁の前後を直針で吸収糸を用いて縫合，圧迫する．

▶ 子宮全摘術

全分娩の 0.05 ～ 0.1%で施行される．止血困難な産後出血の救命における最終手段である．「早すぎず，遅すぎず，摘出の決断を下す」ことが重要である．子宮摘出を決断するのが遅くなると凝固異常が悪化し，術中の止血が困難を極める．

産褥子宮による術野の悪さが尿管・血管損傷を招くので，十分な視野確保のために腹壁切開創の拡大や適切な開創鉤の選択を行う．

産褥子宮は，子宮頸部の確認が経腹だけでは難しいため，同時に助手の協力を得て経腟的にも行うか，腟管に進入する際に縦切開を施行し，頸管と腟円蓋部を確認する．

▶ 集学的治療

各種止血術に反応しない子宮からの多量出血，急激なショック症状，それに伴う意識障害を認める場合は羊水塞栓症を疑う．羊水塞栓症は，胎児成分が子宮の血管を介して母体血液に侵入することで起こる急激なアナフィラクトイド反応で，急激な DIC，著しいフィブリノゲンの低下を伴うため，子宮全摘，多量輸血などの集学的治療を要する．

また，最初は前述したような弛緩出血などの他の原因による出血であったが，それが持続したために二次的に DIC に陥って，止血困難になっている可能性もある．胎盤早期剥離があった場合なども，このようになりやすく，凝固因子の消費が速い．最初の出血の原因が除去されていたとしても，凝固異常を起こしてしまっていると，ますます悪循環に陥る．

これらは，開腹して子宮全摘などを行わなければ改善する見込みの少ない状態であり，すでにこれまでの多量出血があるため輸血が必要で，ショックや多臓器不全に対する救急医学科，麻酔科などを含めた集学的治療を要する状態と考えなければならない．施設内で日頃から連携しておくことが重要である．

Clinical Tips

》造影 CT 検査

分娩後異常出血による母体救命搬送症例を受け入れた場合，まずは救急科と協同で診療にあたり，採血や血管確保，必要な血液製剤や子宮収縮薬の投与などを行い，循環動態を安定させた後，FASO に加えて，積極的に造影 CT を施行している（**図 5**）．これにより，活動性出血の有無や部位を診断し，TAE などの適切な治療につなげることができる．弛緩出血の診断で搬送された症例でも，実際には子宮破裂を含む産道裂傷や胎盤遺残であった症例があり，注意を要する [14]．

》フィブリノゲン濃縮製剤の使用

産科大量出血では産科 DIC による消費性凝固障害に加えて，出血多量に対して凝固因子補充が追いつかないことによる希釈性凝固障害が起こり，低フィブリノゲン血症を生じやすい [15]．凝固障害改善のため，迅速なフィブリノゲンの補充が必要となるが，新鮮凍結血漿（FFP）を急速大量投与すると肺水腫などの合併症を起こしやすい．当センターでは保険適用される前から院内倫理委員会の承認を得て，産科大量出血時にフィブリノゲン濃縮製剤の投与を行っており，良好な成

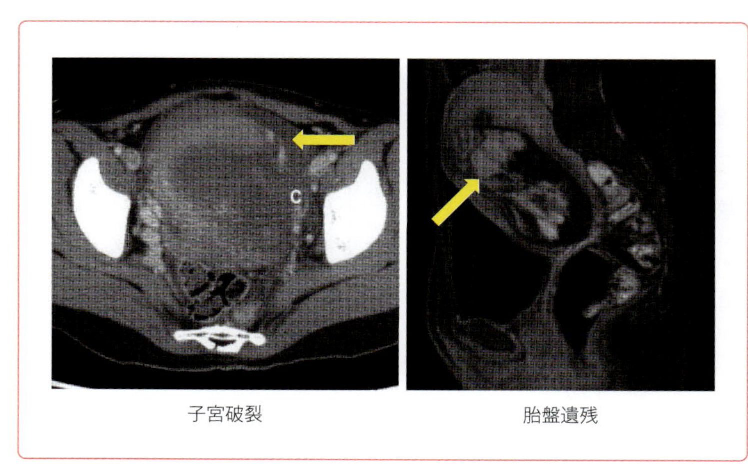

図 5 ● 産後出血における造影 CT 検査

績を得ている.

次回妊娠への留意点

産後の異常出血の再発は前1回の15%（対照の3.0倍），前2回の27%（対照の6.1倍）と高率である[16]．したがって，次回分娩時にも産後の異常出血を反復しやすいことを説明することや，既往に産後の異常出血がある場合には分娩に際して異常出血に備えて管理することが必要である.

引用・参考文献

1) 日本産科婦人科学会編．産科婦人科用語集・用語解説集 改訂第4版．東京，金原出版，2018，326.
2) 妊産婦死亡症例検討評価委員会／日本産婦人科医会．"妊産婦死亡報告事業での事例収集と症例検討の状況について：2010～2019年に報告され，事例検討を終了した428例の解析結果：妊産婦死亡原因"．母体安全への提言 2019 Vol.10．2020，11-15.
3) Anderson JM. et al. Prevention and management of postpartum hemorrhage. Am Fam Physician. 75, 2007, 875-82.
4) 日本母体救命システム普及協議会監修．母体救命アドバンスガイドブック．東京，へるす出版，2017，17.
5) 日本産科婦人科学会／日本産婦人科医会 編集・監修．"311-1 産後の過多出血の予防ならびに対応は？"．産婦人科診療ガイドライン：産科編2017．2017，241-9.
6) WHO. WHO recommendations for the prevention and treatment of postpartum haemorrhage. 2012. http//apps.who.int/iris/bitstream/10665/75411/1/9789241548502_eng.pdf［2021. 10. 22.］
7) Cunningham FG. et al." Normal Labor and Delivery". Williams Obstetrics. 23 rd ed. Stanford, Appleton & Lange, 2010, 374-409.
8) Leduc D. et al. Active manangemnet of the third stage of labor：preventation and treatment of postpartum hemorrhage. J. Obstet. Gynecol. Can. 31, 2009, 980-93. PMID：19941729 (Guideline).
9) Bakri YN. Balloon device for control of obstetrical bleeding. Eur J Obstet Gynecol Reprod. 86, 1999, S84.
10) Vedanthham S. et al. Uterine artery embolization: an underused method of controlling pelvic hemorrhage. Am J Obstet Gynecol. 176, 1997, 938.
11) B-Lynch C. et al. The B-Lynch surgical technique for the control of massive postpartum haemorrhage: analternative to hysterectomy? Five cases reported. Br J Obstet Gynecol. 104, 1997, 372-5.
12) 橋口幹夫．"分娩時異常出血"．改訂3版MFICUマニュアル．全国周産期医療（MFICU）連絡協議会編著．大阪，メディカ出版，2015，456-63.
13) Cho JH. et al. Hemostatic suturing technique for uterine bleeding during cesarean delivery. Obstet Gynecol. 96, 2000, 129-31.
14) 大村美穂ほか．母体搬送を受け入れた症例のうち，産道損傷による分娩後異常出血症例の解析．日本周産期・新生児医学会誌．56，2020，31-6.
15) 山本晃士．産科大量出血の病態と輸血治療．Japanese Journal of Transfusion and Cell Therapy．58，2012，745-52.
16) Oberg AS. et al. Patterns of recurrence of postpartum hemorrhage in a large population-based cohort. Am J Obstet Gynecol. 210, 2014, 229.e1-e8.

日本赤十字社医療センター 宮内彰人

子宮内反症（整復方法）

概念・定義・分類・病態

概　念

子宮内反症とは「子宮が内膜面を外方に反転した状態をいい，子宮底が陥没または下垂反転し，時には子宮内壁が腟内または外陰に露出する」病態であると日本産科婦人科学会用語集[1]に定義されている．産褥期発症のものがほとんどを占める．胎児娩出後，特に胎盤娩出時に子宮が反転し，胎盤が剥離あるいは未剥離の状態で子宮内膜面が腟内や腟外に露出する産科救急疾患である．頻度は高いわけではないが，発生した場合迅速に認識，対処されないと産科危機的出血に至り，母体が危機的な状況に陥る可能性があるものとして，疾患について対処法まで十分に理解，周知する必要がある．

分　類

脱出の程度による分類[2]（図 1）

①子宮圧痕（子宮陥凹，子宮嵌頓）：子宮底部の陥凹が子宮内腔にとどまり頸部に達しない状況（第 1 度）

②不全子宮内反症：子宮翻転により子宮底部が頸管の入り口に達するか越えないもの（これも第 1 度；incomplete inversion）

③完全子宮内反症：子宮翻転により子宮底部が頸部を越えるもの．そのうち子宮底部が腟にとどまるものが第 2 度（complete inversion；いわゆる腟内脱出），子宮底部が腟外に脱出するものが第 3 度（uterine prolapse）

④全子宮内反症：完全に子宮および腟が腟外に脱出しているもの（第 4 度；total uterine and vaginal inversion）

時間経過による分類

①急性：分娩後 24 時間以内に診断されたもの

②亜急性：分娩 24 時間後から産褥 4 週までに診断されたもの

③慢性：産褥 4 週以降に診断されたもの

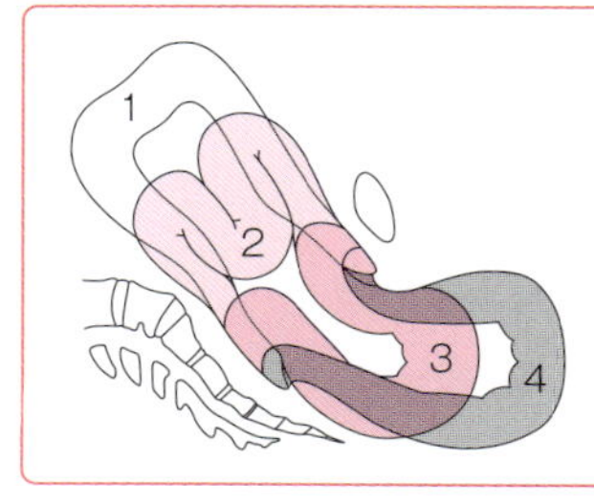

1. 子宮圧痕（子宮陥凹、子宮嵌頓；第 1 度）
2. 不全子宮内反症（第 1 度）
3. 完全子宮内反症（子宮底部が腟内にとどまる；第 2 度、子宮底部が腟外に脱出；第 3 度）
4. 全子宮内反症（第 4 度）

図 1 ● 子宮内反の診断および程度の評価　　（文献 2 より引用改変）

発症時期と発症頻度

子宮内反症は 3,500 ～ 20,000 分娩に 1 例といわれ[3～6]，比較的まれではある．上記の分類では，第 1 度は 10%程度，90%以上は第 2 度以上で，急性が 83.4%，亜急性が 2.6%，慢性が 13.9%という報告がある[7]．

原　因

胎盤娩出時の臍帯牽引，Credé 胎盤圧出法（子宮底部を圧迫する）による胎盤娩出などの医療行為が誘因となりやすいとされているが，統計学的に有意な原因は明らかではないのが実状である[8, 9]．

危険因子

危険因子を有する症例は半数より少ないとされている．危険因子として巨大児，急産，遷延分娩，臍帯過短，重症妊娠高血圧症候群，子宮弛緩薬の使用，初産婦，子宮奇形，子宮筋腫，胎盤遺残，癒着胎盤がある[4, 6]．帝王切開分娩時に臍帯牽引により発生することもある．胎盤付着部の子宮筋層が薄く非付着部が厚いという筋層の不均衡が内反に関与するともいわれている．

診　断

▶ 臨床症状

- 性器出血（軽度から重度まで）
- 下腹部痛（軽いこともある）
- 表面平滑で丸い腫瘤が子宮頸部あるいは腟から脱出している
- 尿閉

この中で分娩第三期の多量出血が初発症状となることが多く，しばしば出血性ショックに至る．一方で内反によって骨盤内の副交感神経が刺激され，迷走神経反射を起こす結果，神経原性ショックに至ることも少なくなく，この場合は出血量に合わない臨床像を呈する．神経原性ショックと認識した場合も，出血量を過小評価しないよう十分注意が必要である[10]．

▶ 診察所見

1）外診（腹部からの触診所見）

双合診では，外診指で子宮底部を触知できないか，あるいはその高さが異常に低い．あるいは陥凹した子宮上端を触知する．

2）内　診

反転した子宮底部が腟内に触知し，筋腫分娩と勘違いされることもあるが，双合診で，腹部から子宮底部が臍高の辺りで触知できない．子宮内反の症例の 10 %程度は不全子宮内反症であり，完全子宮内反症に比較し出血量なども少ないため，注意深く診察しないと数日から数週間診断されないことがある．時間が経過すると頸部が収縮してくるため，整復には外科的な介入が必要になることが多くなる．さらに子宮の浮腫，感染のリスクが増大するため，注意が必要である．

▶ 検　査

1）超音波断層法

子宮頭側上端は通常の子宮底のような丸みがなく，下部は膨らんでいるため，全体としてやや尖った形態で，いわゆる蕾状となる．また子宮の中央に内反した低輝度の筋層があり，その外側に高輝度な内膜が折り重なり，さらに最外側に低輝度の筋層を認めるため，全体として三層構造を呈する．カラードプラでは内反した子宮の中央部に，本来子宮の外側にあるはずの靱帯などの血流を認めることがある[11]．

2）CT，MRI

本疾患は迅速な診断と対応が必須であり，超音波断層法が補助診断法として有用である．全身状態が安定していない状況下での CT，MRI 実施は困難である．

3）血液検査

分娩第 3 期の大量出血の際には出血性ショックと DIC 発症を念頭に置いた迅速な血液検査を実施する．

管　理

ポイントは，子宮の整復，産科出血への対応，内反の再発防止の 3 つである．

▶ STEP 1：初療での処置

- 子宮収縮薬の中止
- 人員の確保
- OMI（oxygen monitor IV access）の実践
- 早めの輸血準備：バイタルについては，子宮内反による骨盤内組織の伸展に伴う副交感神経反射によって，ショック状態は複雑となり得ることを認識する[2, 3]．

• 胎盤の剥離は試みない（自然に剥離する場合は除く）
• 迅速に徒手的整復を試みる

患者の全身状態が不安定である場合は速やかに観血的整復に切り替えることも重要である（Step 1 から Step 3）．全身状態が許容するのであれば子宮弛緩を行い STEP 2 へ進める．

▶ STEP 2：非観血的整復

内反が発生してから整復までのタイミングが早いほど成功率は高い．直後であれば無麻酔で比較的容易に整復が可能であることが多い．

原則として胎盤剥離は大量出血への対応が可能となった後で行う．癒着胎盤の可能性も否定できない上，内反した胎盤剥離面からの大量出血となるリスクを回避するためである．

子宮内反症発症直後の整復が不成功であった場合には，麻酔下で以下の方法を試みる．この時点では出血性ショックへの対応と人員確保は必須である．

胎盤があれば胎盤ごと内反した子宮底部を開いた手で包み込むように持ち，可及的に高く頭側へ押し上げ，そのまま5分間ほど保つ．かなりの力を要する．当初，絞扼輪があっても子宮内反部を用手的に圧迫したまま3～5分保持すると絞扼輪が広がり子宮底部が挙上されていく．この時に産褥子宮の頭側への伸展・移動を抑えて整復を容易にするために，内診指で子宮底部を頭側に挙上するのみならず，さらに外診指で腹壁から陥凹した子宮を下方へ圧迫する．

①Harris 法[11, 12]：反転した子宮内膜面の先端に内診指をあて，外診指で子宮の位置を確認しながら，ゆっくりと腟の長軸方向に沿って押し戻す．

②Johnson 法（図 2）[13]：反転した子宮の内膜面を包み込むように把持し，子宮腔内に押し戻す．この手技で重要なことは子宮底部をいきなり整復しようとするのではなく，子宮頸部に近い部分から順次整復していくことである．

▶ STEP 3　観血的整復

①Huntington 法（図 3）[14]：開腹による観血的整復術で，陥凹した内反漏斗の部分をたぐるように少しずつ鉗子で挟鉗し頭側へ引き上げる方法．同時に経腟的に内反した子宮底を用手的に挙上するとよい．

②Haultain 法[15, 16]：Huntington 法で整復できないとき，内反した子宮の絞扼輪を通るように子宮後壁を縦切開して内反部分を引き上げ整復し，その後縫合する方法．

③Küstner 法（図 4）[16]：経腟的に Douglas 窩を解放し，子宮後壁正中を子宮底部まで切開する方法．

④Spinelli 法[16]：Küstner 法とは逆に，子宮前唇を横切開し子宮前壁正中を子宮頸部まで切開する方法．

▶ STEP 4：子宮全摘術

整復が完遂できない，子宮に虚血性変化が見られる，子宮内反症が反復する，整復した子宮収縮が不良で止血することができない，などの場合には子宮全摘術を考慮する．その際，分娩直後のため子宮腟部の同定が困難であったり，内反症のために周囲組織がうっ血し組織剥離が困難になっていたりすることがあるので注意が必要である．平松らが提唱している逆行性子宮全摘術（平松法）は子宮腟部の残存が回避できる，尿管損傷を回避できるなどのメリットがあり考慮される[16]．

▶ 麻酔法，補助薬剤

発症直後であれば無麻酔で整復できる．少し時間が経過して患者が強い疼痛を訴える場合には，麻酔を要する．多くの場合この時点で出血多量となっていることが多く，全身麻酔と輸血が可能な施設での対応を考慮すべきである．搬送までに時間を要する場合でも，輸血準備，十分な補液と全身管理に努める．全身麻酔下では子宮弛緩作用を有するセボフルランが推奨される．子宮収縮薬を投与している場合はその投与を中止する．

1）子宮筋弛緩方法

子宮が弛緩しているときは無麻酔でも用手整復が可能な場合もあるが，絞扼輪が形成され弛緩が不十分なら子宮筋の弛緩を図る．

①ニトログリセリン：筋弛緩が発現するまでに 1 分と即効性があり，かつ半減期が 2 分と短く 3～5 分の子宮筋弛緩が可能であり，整復後の子宮収縮促進に有利である．100～200 μg を静注[17, 18]し，一時的な血管拡張に伴う血圧降下に対してエフェドリンやネオシネジンなどの昇圧薬を投与する．

②硫酸マグネシウム：子宮弛緩効果の発現は緩徐であ

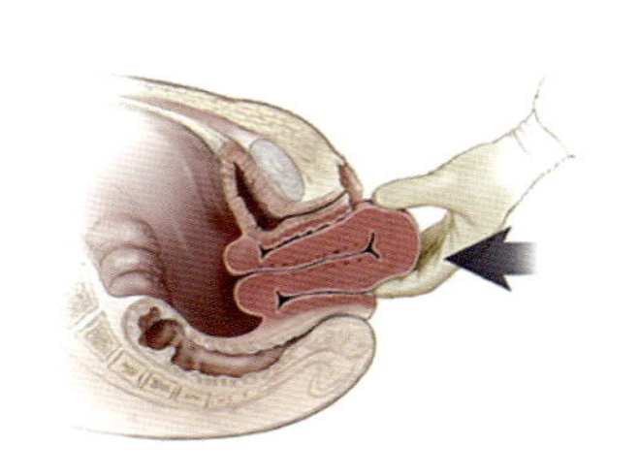

A．反転した子宮底部を内診指で包み込むように把持する．

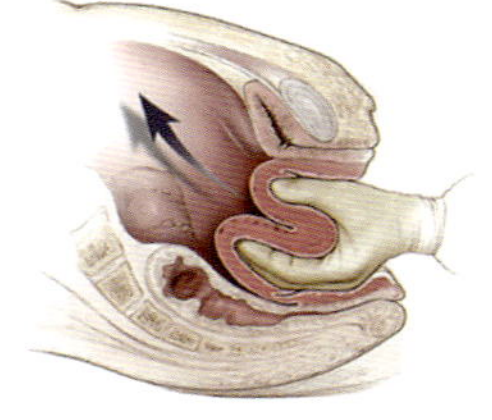

B．包み込んだ内診指を臍の高さより上方に向かって押し上げるようにして整復する．

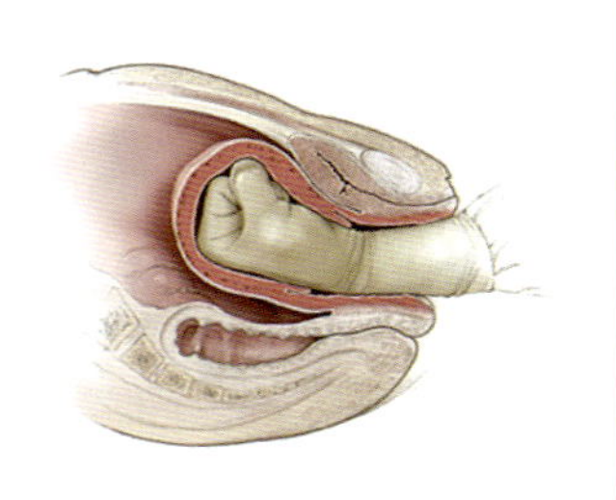

C．ほぼ整復されたら内診手を拳にし，臍方向に引き続き圧迫し完全に整復する．

図2 ● Johnson 法

（文献 13 より引用改変）

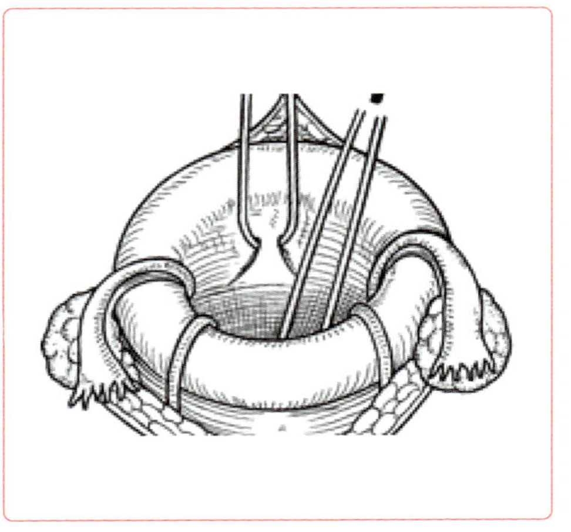

図3 ● Huntington 法

開腹し，漏斗のようになった内反子宮の内側の前後あるいは左右に鉗子をかけて引き上げ，さらに奥を把持牽引することによって修復する．

（文献 16 より引用）

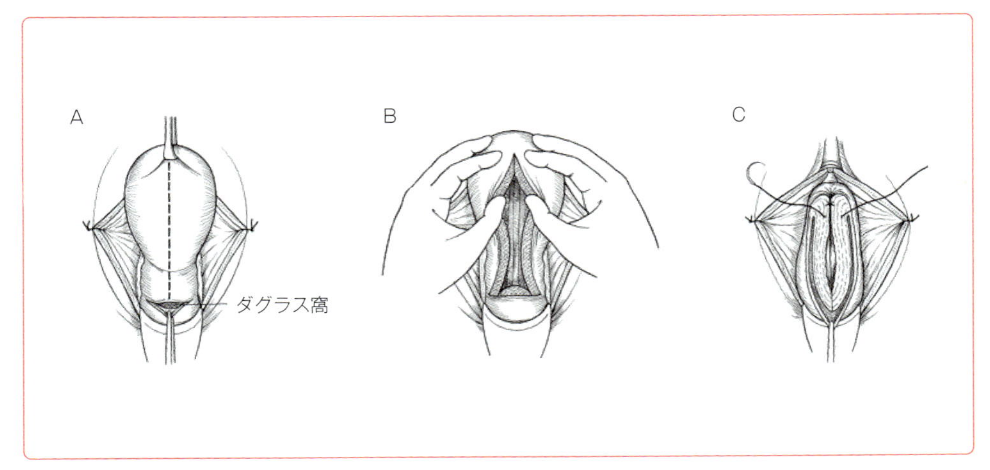

図4 ● Küstner 法

A：ダグラス窩を開き，子宮後壁正中を縦切開する．
B：用手的に子宮を反転する．
C：子宮筋層縫合する．

（文献 16 より引用）

る．4～6gを15～20分で投与する．

③吸入麻酔薬：セボフルラン，イソフルランなどは有用であるので，観血的処置の前に麻酔として導入するには良い選択肢となる．

▶ 整復後の管理（再発の防止）

最も憂慮されるべきことは子宮内反症の再発である．子宮整復後に子宮収縮促進を開始し，術者が子宮の収縮が改善し，安定したと考え得るまで整復した状態で保っておくことが重要である．子宮収縮促進薬（メチルエルゴメトリン静注，オキシトシンやプロスタグランジン$F_{2\alpha}$点滴など）は整復後24時間以内は持続投与する．一方，整復が不十分な状況での子宮収縮促進薬の使用は，再発の助長のみならず，内反した子宮が前後の子宮に絞扼されて疼痛によるショックを招いたり，再整復が困難となったりするため，全身状態を把握しつつ，整復後の子宮筋層の状態変化について超音波断層法を用いて頻回に観察する．また抗菌薬の使用を適宜考慮する．子宮内反症の再発に対する子宮縫合の試みも報告されている[19]．

予　後

諸家の報告では子宮内反症の37.7%に分娩後異常出血を認め，22.4%に輸血，6.0%に観血的整復，2.8%に子宮摘出を要する[4]．急速な発症から短時間で産科危機的出血に至る疾患であり，常に本疾患の発症を念頭に置いて迅速な診断，ショックに対する治療，子宮筋弛緩と整復が重要である．次回の妊娠で再発するリスクについては明らかではない．

予　防

子宮内反症で最も重要なことは予防である．発症の多くは外因性，ことに胎盤剥離前の臍帯の過度の牽引といわれている．胎盤剥離兆候にはさまざまなものがあるが，これらの兆候は確実ではないので，胎盤剥離の確認は内診指によって胎盤が子宮口まで下降しているのを触知した後，安全性をさらに高めるためにBrandt-Andrews法を用いて胎盤を娩出することが望まれる（図5）[13]．Credé胎盤圧出法の安易な使用は控えるべきである．

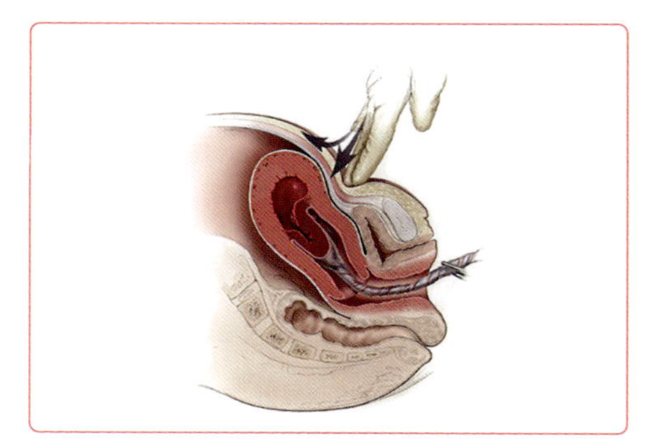

図5● Brandt-Andrews法

（文献13より引用）

引用・参考文献

1) 日本産科婦人科学会編．産科婦人科用語集・用語解説集　改訂4版．東京，日本産科婦人科学会，2018，130.
2) Cunningham FG, et al. “Chapter 41 Obstetric hemorrhage”. Williams Obstetrics. 24th ed. New York, McGraw-Hill Professional, 2014, 780-8.
3) Baskett TF. Acute uterine inversion：a review of 40 cases. J Obstet Gynaecol Can. 24(12), 2002, 953-6.
4) Coad SL, et al. Risk and consequences of puerperal uterine inversion in the United States, 2004 through 2013. Am J Obstet Gynecol. 217, 2017, 377.e1.
5) Ogah K, Munjuluri N. Complete uterine inversion after vaginal delivery. J Obstet Gynaecol. 31(3), 2011, 265-6.
6) Witteveen T, et al. Puerperal uterine inversion in the Netherlands：a nationwide cohort study. Acta Obstet Gynecol Scand. 92(3), 2013, 334-7.
7) Dali SM, et al. Puerperal inversion of the uterus in Nepal: case reports and review of literature. J Obstet Gynaecol Res. 23(3), 1997, 319-25.
8) Deneux-Tharaux C, et al. Effect of routine controlled cord traction as part of the active management of the third stage of labour on postpartum haemorrhage: multicentre randomised controlled trial (TRACOR) . BMJ. 346, 2013, f1541.
9) Pena-Marti G, Comunian-Carrasco G. Fundal pressure versus controlled cord traction as part of the active management of the third stage of labour. Cochrane Database Syst Rev. (4), 2007, CD005462.
10) Beringer RM, Patteril M. Puerperal uterine inversion and shock. Br J Anaesth. 92(3), 2004, 439-41.
11) Pauleta JR, et al. Ultrasonographic diagnosis of incomplete uterine inversion. Ultrasound Obstet Gynecol. 36(2), 2010, 260-1.
12) Harris BA, Jr. Acute puerperal inversion of the uterus. Clin Obstet Gynecol. 27(1), 1984, 134-8.
13) Anderson JM, Etches D. Prevention and management of postpartum hemorrhage. American family physician. 75(6), 2007, 875-82.
14) Robson S, et al. A new surgical technique for dealing with uterine inversion. Aust N Z J Obstet Gynaecol. 45(3), 2005, 250-1.
15) Sangwan N, et al. Puerperal uterine inversion associated with unicornuate uterus. Arch Gynecol Obstet. 280(4), 2009, 625-6.

16) 平松祐司．子宮内反症整復術．産婦人科治療．94(2)，2007，215-21．
17) Vinatier D, et al. Utilization of intravenous nitroglycerin for obstetrical emergencies. Int J Gynaecol Obstet. 55(2), 1996, 129-34.
18) Axemo P, et al. Intravenous nitroglycerin for rapid uterine relaxation. Acta Obstet Gynecol Scand.77(1), 1998, 50-3.
19) Matsubara S, et al. Uterine compression suture against impending recurrence of uterine inversion immediately after laparotomy repositioning. J Obstet Gynaecol Res. 35(4), 2009, 819-23.

昭和大学江東豊洲病院 ● 山下有加 ● 近藤哲郎 ● 大槻克文

1 帝王切開術後経腟分娩（TOLAC）

概念・定義

帝王切開術既往妊婦に対し経腟分娩を試行することを trial of labor after cesarean delivery（TOLAC）といい，それが成功した結果を vaginal birth after cesarean delivery（VBAC）という．一方，反復して選択的帝王切開術を行うことを elective repeat cesarean delivery（ERCD）という．

リスクとベネフィット

TOLAC のリスクは子宮破裂である．TOLAC 時の子宮破裂率は 0.2 ～ 0.7%で，ERCD に比べ高い．子宮破裂が起こった場合には，迅速な帝王切開術を心がけても，5%の新生児死亡と 6%の神経学的障害が起こる可能性がある．また，母体は約 20%で子宮を摘出せざるを得ないことがある．一方で，TOLAC のベネフィットは帝王切開術の合併症（手術損傷，感染，輸血，子宮摘出，複数回の帝王切開術による前置胎盤・癒着胎盤の増加）の回避と入院期間の短縮である．TOLAC 成功率は 60 ～ 80%と報告されている．

ERCD のリスクは，手術合併症（手術損傷，感染，輸血，子宮摘出など）である．また，繰り返し帝王切開術を行うことにより前置胎盤・癒着胎盤は増加し，手術合併症も増加する．一方で，ERCD のベネフィットは，子宮破裂のリスク軽減である．

子宮破裂の分類

子宮破裂には，完全破裂（uterine rupture）と不全破裂（uterine scar dehiscence）がある．

要　点

TOLAC，ERCD のいずれの分娩方法を選んでもリスクはある．妊婦・家族がそれぞれのリスクとベネフィットを理解し，分娩方法を選択することが重要である．その中で，TOLAC を行う際には，妊婦・家族および施設が以下の条件を満たす必要がある．

1）妊婦・家族が TOLAC の利益（ベネフィット）と危険性（リスク）を理解し，書面による同意をしている．
2）緊急帝王切開および子宮破裂に対する緊急手術が可能である．
3）既往帝王切開数が 1 回である．
4）既往帝王切開術式が子宮下節横切開で術後経過が良好であった．
5）子宮体部筋層まで達する手術既往あるいは子宮破裂の既往がない．
6）TOLAC 中は，分娩監視装置による胎児心拍数の連続モニタリングが行える．

参考『産婦人科診療ガイドライン：産科編 2020』CQ403 帝王切開既往妊婦が経腟分娩（TOLAC, trial of labor after cesarean delivery）を希望した場合は？[1)]

帝王切開術後の分娩方法は，子宮破裂の危険性から Cragin が 1916 年に語った「一回帝王切開したら，常に帝王切開」の言葉がよく引用されていた．しかし，帝王切開術後経腟分娩（TOLAC）の観察研究の集積により，子宮破裂の頻度は決して高いものではなく，破裂しても迅速な緊急帝王切開により新生児の予後不良例が高頻度ではないことが分かり，TOLAC が選択肢の一つになった．TOLAC が成功（VBAC）すれば，母体のベネフィットは大きい．しかし，子宮破裂は，母体や胎児・新生児に与える影響が大きいため，安全に TOLAC を行うためには，一定の条件と準備が必要である．ここでは，TOLAC を中心に選択的帝王切開術（ERCD）についても解説する．

TOLAC のリスクとベネフィット

▶ 母体のリスクとベネフィット

TOLAC における母体のリスクは，子宮破裂の増加，不成功に伴う母体合併症である．一方，ベネフィットは母体死亡率の低下と，成功した場合の反復帝王切開による合併症の回避，入院期間の短縮である．

最大のリスクは子宮破裂である．TOLAC は，ERCD に比べ子宮破裂の頻度が高く，0.2 ～ 0.7%と報告されている[1～3]．Guise らのレビューによると，子宮破裂の頻度は，TOLAC で 0.47%に対し，ERCD は 0.026%であり，相対リスクは 20.7 倍と報告されている[2]．また，TOLAC 不成功の場合は，輸血や子宮内膜炎の発生率が増え，入院期間が延長する（表 1）[4]．一方で，TOLAC が成功した（VBAC）場合，そのベネフィットは大きい．帝王切開術に伴う合併症を避けることができるし，入院期間も短縮される．何よりも，複数回の帝王切開術に伴うリスクを回避できる．複数回の帝王切開術では，前置胎盤・癒着胎盤の増加，手術合併症が有意に増加することが知られている[5]．そのため，今後も挙児希望がある夫婦には TOLAC は良い選択肢になる．また，37 万人を対象にしたシステマティックレビューによると，TOLAC の母体死亡率は 1.9 ／ 10 万分娩であり，ERCD の 9.6 ／ 10 万に比較して有意に低い[2]．

母体合併症について，TOLAC と ERCD を比較した報告を表 2 に示した[2]．その他，子宮摘出率や輸血率は変わらない報告もあれば，TOLAC の方が半分であったという報告や，輸血率や感染率は TOLAC の方が有意に高い報告[4]があり一定していない．

▶ 胎児・新生児のリスクとベネフィット

TOLAC における新生児のリスクは周産期死亡率，新生児死亡率の増加である．この上昇は TOLAC に関連した子宮破裂に起因する．一方で，この死亡率の増加は統計学に有意ではあるが，絶対差としては 0.058%のわずかな上昇である．死亡率は変わらない報告もある[4]．TOLAC を行うことによる低酸素性虚血性脳症（hypoxic ischemic encephalopathy；HIE）の頻度について一定した見解はないが，子宮破裂が起こった場合の，HIE の発生頻度は高い（下記の「子宮破裂」の項を参照）．胎児・新生児合併症について，TOLAC と ERCD を比較した報告を表 2 に引用した[2]．

選択的帝王切開術（ERCD）のリスクとベネフィット

ERCD を選択した場合，リスクは手術合併症（手術損傷，感染，輸血，子宮摘出など）で，約 3%に母体に重篤な合併症がある[2, 4]．さらに，反復して帝王切開術を行うことにより前置胎盤·癒着胎盤は増加し，手術合併症も増加する（図 1）[5]．また，ERCD の方が新生児一過性多呼吸症候群の頻度がやや上昇する．一方で，ベネフィットは子宮破裂のリスク軽減と胎児·新生児の死亡を含めた合併症の頻度の低下である．

表 1 ● TOLAC 成功と不成功の母体合併症[4]

合併症	TOLAC 不成功群 n = 4,759	TOLAC 成功群 n = 13,139	オッズ比（95% CI）	*P* 値
子宮破裂	110 (2.3)	14 (0.1)	22.18 (12.70-38.72)	< .001
子宮不全破裂	100 (2.1)	19 (0.1)	14.82 (9.06-24.23)	< .001
子宮摘出	22 (0.5)	19 (0.1)	3.21 (1.73-5.93)	< .001
血栓・塞栓症	4 (0.1)	3 (0.02)	3.69 (0.83-16.51)	< .09
輸血	152 (3.2)	152 (1.2)	2.82 (2.25-3.54)	< .001
子宮感染	365 (7.7)	152 (1.2)	7.10 (5.86-8.60)	< .001
母体死亡	2 (0.04)	1 (0.01)	5.52 (0.50-60.92)	< .17
その他の有害事象	63 (1.3)	1 (0.01)	176.24 (24.44-127.05)	< .001
複合合併症	669 (14.1)	309 (2.4)	6.81 (5.93-7.83)	< .001

数（%），TOLAC：帝王切開術後経腟分娩試行，95% CI：95%信頼区間

表 2 ● 帝王切開術後経腟分娩試行と選択的反復帝王切開術の正期産を対象とした母児転帰[2)]

	合併症	TOLAC 群（%）	ERCD 群（%）	リスク比（95% CI）もしくは絶対差（95% CI）	*P* 値
母体合併症	感染	4.6	3.2	–	NS
	手術損傷	0.37-1.3	0.30-0.60	–	–
	輸血	0.66	0.46	1.30　(1.15-1.47)	＜0.001*
	子宮摘出	0.14	0.16	–	0.672
	子宮破裂	0.71	0.02	20.74　(9.77-44.02)	＜0.0010*
	母体死亡	0.0019	0.0096	0.27　(0.09-0.85)	0.025*
胎児・新生児合併症	分娩前胎児死亡	0.10	0.21	–	–
	分娩時死亡	0.01-0.04	0-0.004	–	–
	周産期死亡	0.13	0.05	1.82　(1.24-2.67)	0.041*
	新生児死亡	0.11	0.06	0.058%　(0.019-0.117%)	–*
	NICU 入院率	0.8-26.2	1.5-17.6	–	–
	新生児低酸素性虚血性脳症	0-0.89	0-0.32	–	–
	呼吸障害	5.4	2.5	2.5%　(0.72-5.0%)	–*
	一過性多呼吸	3.6	4.2	−0.83%　(−3.35-1.7%)	NS

TOLAC：帝王切開術後経腟分娩試行，ERCD：選択的反復帝王切開術
95%CI：95% 信頼区間，—：データなし，NS：有意差なし，*：有意差あり

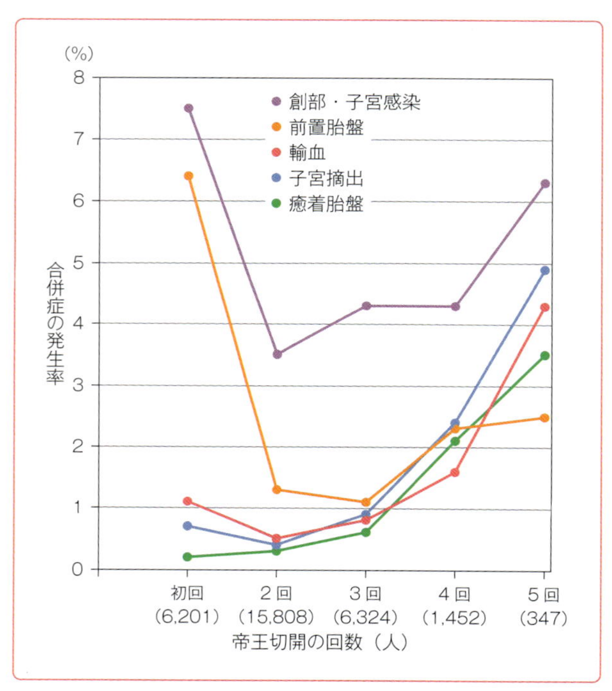

図 1 ● 帝王切開の回数と合併症の発生率

TOLAC 成功に関わる因子

TOLAC の成功率は 60 ～ 80%と報告されている[3)]．TOLAC の成功率は，前回帝王切開の適応，経腟分娩経験の有無，陣痛促進・分娩誘発の有無，胎児体重，分娩予定日超過の有無，母体年齢，肥満の有無によって異なる（**表 3**）．前回帝王切開の適応が骨盤位の場合や自然陣痛による TOLAC の場合は，成功しやすい．

子宮破裂

TOLAC における一番のリスクは子宮破裂である．子宮破裂の発生頻度については 0.2 ～ 0.7%とする報告が多い[1～3)]．TOLAC を行う施設は，迅速な緊急帝王切開術および子宮破裂に対する緊急処置が可能でなければならない．子宮破裂は，①完全破裂（子宮筋層と子宮漿膜ともに裂けて，子宮内腔が腹腔に交通する状態）と，②不全破裂（子宮筋層は裂けているが漿膜までは達してなく，子宮内腔と腹腔に交通を認めない状態）の 2 つに分類される．完全破裂に比べて，不全破裂は母児に対する影響が少ないため，同じ破裂でも臨床的意義は異なる．

▶ 子宮破裂の所見

子宮破裂が起こった場合，最初に見られる所見は胎児心拍数異常である．これには，特異的なパターンはない．徐脈，遷延一過性徐脈，遅発一過性徐脈が最も多いが，反復する変動一過性徐脈も子宮破裂の最初のサインとして出現することがある．その他，児頭の挙上，陣痛の消失，母体の腹痛・胸痛（腹腔内出血による腹膜・横隔膜への刺激），出血性ショックなどがある．しかし，破裂しても子宮収縮が消失しない場合もある．

表3 ● TOLAC 成功に関連する因子と成功率[3)]

1）前回帝王切開の適応	
児頭骨盤不均衡（分娩停止）	50～67%
胎児機能不全（non-reassuring fetal status）	73%
骨盤位や横位	89%
2）経腟分娩経験の有無	
無	63%
1回	87%
≧2回	90～91%
3）陣痛促進・分娩誘発の有無	
自然分娩	81%
陣痛促進	74%
分娩誘発	67%
4）出生体重	
<2,500g	77%
2,500～3,999g	75%
≧4,000g	62%
5）分娩予定日超過	
<妊娠40週	79%
≧妊娠40週	69%
6）母体年齢	
<30歳	67%
30～39歳	64%
≧40歳	60%
7）BMI（body mass index）	
BMI < 30	79%
BMI ≧ 30	68%

また，VBAC後に症状が明らかになることもあり，分娩後異常出血，腹痛・胸痛，母体頻脈，出血性ショックなどの出現は破裂を疑う所見である．

▶ 子宮破裂のリスク因子

子宮破裂のリスク因子としては，前回帝王切開の切開方法，前回分娩と今回分娩との間隔[6)]，分娩誘発・陣痛促進の有無，子宮収縮薬の種類，前回帝王切開の時期[7)]，超音波評価による full lower uterine segment thickness（妊娠34週0日～38週6日に計測された体下部における膀胱と子宮筋層とを合わせた厚み）[8)]，子宮破裂既往の有無などがある（表4）．子宮切開部の縫合方法（一層縫合もしくは二層縫合）の違いによって，子宮破裂のリスクが異なるかどうかは結論が出ていない．

▶ 子宮破裂の予後

母体死亡はまれである．システマティックレビューによると，TOLAC中の子宮破裂に伴う母体死亡は認めなかった[2)]．しかし，出血や修復が困難なため約14～33%が子宮摘出を必要とし，その他に膀胱損傷，腸管損傷，感染などの重篤な合併症の併発が報告されている[2)]．

表4 ● 子宮破裂に関わる因子と子宮破裂率[3, 6～8)]

1）前回帝王切開の子宮切開方法	
体下部横切開1回	0.2～0.9%
体下部横切開2回	0.9～1.8%
体下部縦切開	0.8～1.1%
古典的縦切開	2～9%
逆T字切開	4～9%
2）分娩の間隔	
分娩間隔<18カ月	2.3%
分娩間隔≧18カ月	1.1%
分娩間隔≧24カ月	0.9%
3）分娩誘発の有無	
自然分娩	0.4%
陣痛促進	0.9%
分娩誘発	1.1%
4）子宮収縮薬の種類	
子宮収縮薬の使用なし	0.4%
オキシトシン	1.1%
プロスタグランジン	1.4%
ミソプロストール	2.5%
5）超音波評価（妊娠34週0日～38週6日）による full lower uterine segment thickness	
<2.0mm	10%
2.0～2.4mm	5.6%
≧2.5mm	0%
6）前回帝王切開の時期（切開方法は体下部横切開に限定）	
妊娠20～26週での帝王切開術	1.8%
正期産での帝王切開術	0.4%
7）子宮破裂既往の有無	
前回子宮切開下方への破裂	6%
前回子宮切開上方への破裂	9～32%

胎児の予後は，胎児の軀幹が子宮内にどれだけ留まっているか，胎盤機能がどれだけ保たれているか，破裂から娩出までの時間などに依存する[9)]．胎児が腹腔内に脱出した場合の死亡率は50～75%である[9)]．子宮破裂を起こした35例の検討によると，徐脈を認め分娩を決定してから18分未満に分娩した17例はすべて重篤な障害なく生存できた．一方で，18分以上かかった18例のうち，3例は神経学的障害を認め，それぞれ31分，40分，42分であった[10)]．このように，迅速な娩出により神経学的予後も含めて新生児転帰は良好であったとする報告がある一方，迅速な対応を試みても，新生児死亡を5%に認め，救命できた新生児の6%はHIEを発症したという報告もある[11, 12)]．最善の管理が最高の予後を保証するものではないことを夫婦に理解してもらうことも重要である．

TOLACの条件

TOLACが成功しやすい因子や子宮破裂のリスク因

表5 ● TOLACの条件[1]

1）緊急帝王切開および子宮破裂に対する緊急手術が可能である.
2）既往帝王切開数が1回である.
3）既往帝王切開術式が子宮下節横切開で術後経過が良好であった.
4）子宮体部筋層まで達する手術既往あるいは子宮破裂の既往がない.

子を加味して，TOLACの条件が提示されている[3]．『産婦人科診療ガイドライン：産科編2020』で示されている条件を**表5**に示す[1]．妊婦および施設がこれらの条件を満たしている場合に，TOLACが選択肢になり得る．それぞれの分娩方法についてのリスクとベネフィットを本人だけでなく夫（パートナー）にも説明し，十分に理解を深めた上で分娩方法の選択に関する主体的な意志を確認する．いずれの方法においても書面による同意を得る．

TOLACの管理

▶ 外来での準備

TOLAC希望の妊婦には，まず，TOLACが可能かどうか検討する．前回帝王切開の手術所見情報をもとに前回帝王切開の適応，切開部位，縫合方法，術後経過を確認する．手術所見が得られなくとも，前回の分娩状況より体下部横切開と推測される場合は，子宮破裂率は増加しないとの報告もある[13]．

▶ 分娩管理

陣痛発来で入院したら，胎児心拍数モニタリングを開始する．分娩時期を問わず連続胎児心拍数モニタリングを行う．特に子宮破裂が起こりやすい活動期に入ったら細心の注意を払う．子宮破裂に備えた準備として，ルートの確保，ベースラインとなるHb値の評価，タイプ＆スクリーン検査を行う．入院時に麻酔科への事前連絡を行う施設もある．分娩中は，子宮破裂のサイン（胎児心拍数異常）の有無に留意する．分娩誘発・陣痛促進は禁忌ではないが，子宮破裂のリスクが増加するという報告もある[4]．分娩誘発・陣痛促進を行うかどうかは施設の基準による．プロスタグランジンは有意に子宮破裂のリスクが上昇するため禁忌である．硬膜外麻酔は子宮破裂の痛みをマスクすることが危惧されるが，禁忌ではない．

VBAC完了後も引き続き，子宮破裂のサイン（活動性の出血，腹膜刺激症状，胸痛，頻脈，低血圧）の有無を観察する．VBAC後の0.2%に子宮破裂や不全破裂が診断される．内診で子宮切開瘢痕部の連続性をルーチンに確認する意義は明確になっていない．活動性の出血がなければ，切開瘢痕部の診察は必ずしも必要ないが，出血を認めた場合は，切開部の診察も含めて出血原因を検索する．破裂所見があれば，外科的な修復が必要となる[3, 9]．

Clinical Tips

当院では，TOLACに対して分娩誘発や陣痛促進は行っていない．陣痛が42週までに発来しない場合，医学的な理由で誘発が必要な場合，微弱陣痛で分娩進行を認めない場合には帝王切開術の方針としている．この方針のもと，TOLAC希望者の13%が選択的帝王切開術になった．また，自然陣痛発来後の15%が，分娩停止や胎児機能不全のため緊急帝王切開術になった．子宮破裂率は0.3%で，母児の死亡例や神経学的後遺症例はなかった．このポリシーでのTOLAC成功率は73%であった[14]．これらのデータは，過去の報告と比較して遜色のないものであり，受け入れられるポリシーと考えられる．

引用・参考文献

1）日本産婦人科学会・日本産婦人科医会編集・監修．"CQ403 帝王切開既往妊婦が経腟分娩（TOLAC, trial of labor after cesarean delivery）を希望した場合は？"．産婦人科診療ガイドライン：産科編2020．東京，日本産科婦人科学会事務局，2020，199-201．
2）Guise JM. et al. Vaginal birth after cesarean: new insights. Evid Rep Technol Assess (Full Rep) 2010, 1-397.
3）Landon MB. et al. Vaginal Birth after Cesarean Delivery. 7th ed. Obstetrics: Normal and Problem Pregnancies. Gabbe SG. ed. Philadelphia, Elsevier, 2017.
4）Landon MB. et al. Maternal and perinatal outcomes associated with a trial of labor after prior cesarean delivery. N Engl J Med. 351, 2004, 2581-9.
5）Silver RM. et al. Maternal morbidity associated with multiple repeat cesarean deliveries. Obstet Gynecol. 107, 2006, 1226-32.
6）Huang WH. et al. Interdelivery interval and the success of vaginal birth after cesarean delivery. Obstet Gynecol. 99, 2002, 41-4.
7）Lannon SM. et al. Uterine rupture risk after periviable cesarean delivery. Obstet Gynecol. 125, 2015, 1095-100.

8) Bujold E. et al. Prediction of complete uterine rupture by sonographic evaluation of the lower uterine segment. Am J Obstet Gynecol. 201, 2009, 320 e1-6.
9) Cunningham FG. et al. Prior Cesarean Delivery, in Williams Obstetrics. New York, McGraw-Hill Education, 2018, 591-603.
10) Holmgren C. et al. Uterine rupture with attempted vaginal birth after cesarean delivery: decision-to-delivery time and neonatal outcome. Obstet Gynecol. 119, 2012, 725-31.
11) Kaczmarczyk M. et al. Risk factors for uterine rupture and neonatal consequences of uterine rupture: a population-based study of successive pregnancies in Sweden. BJOG. 114, 2007, 1208-14.
12) Spong CY. et al. Risk of uterine rupture and adverse perinatal outcome at term after cesarean delivery. Obstet Gynecol. 110, 2007, 801-7.
13) Landon MB. et al. The MFMU Cesarean Registry: factors affecting the success of trial of labor after previous cesarean delivery. Am J Obstet Gynecol. 193, 2005, 1016-23.
14) Nakamura K. et al. Labor after cesarean delivery managed without induction or augmentation of labor. Birth. 44, 2017, 363-8.

大阪母子医療センター 金川武司

骨盤位経腟分娩

概念・要点

概　念

骨盤位経腟分娩は，帝王切開との比較において，出生児の周産期予後を悪くするのか変わらないのか，その議論は現在も続いており，明確な結論は出ていないと言ってよい．現状では，わが国を含めた先進国のガイドラインにおいて，正期産単胎骨盤位は，児と母体双方のリスクとベネフィットについての説明・同意を得て，医師や施設が対応できる状況においてのみ，経腟分娩を選択することは可能，とされている．

しかしながら，これまでに行われてきた報告や議論の大部分は正期産に関するもので，早産や低出生体重児であることが予測される児，すなわち児の未熟性，ストレスに対する脆弱性が予想される症例での無作為比較試験は未だ行われておらず，報告は少ない．周産期母子医療センター従事者に向けた本書の読者が主として遭遇する早産や低出生体重児が予想される症例での骨盤位経腟分娩が児に与える影響，その周産期予後について，科学的な検証に基づく結論は全く出ていない．骨盤位経腟分娩が児にとってストレス負荷となる可能性は高く，また，早産児においては子宮頸管の開大が不十分なまま体幹が腟内に下降し，後続児頭娩出困難となるリスクも加わる．

『産婦人科診療ガイドライン：産科編 2020』では，推奨度は C であるが，経腟分娩を予定していても帝王切開を選択すべき条件として，早産，低出生体重児，膝位，足位，児頭骨盤不均衡のいずれか，またはそれを疑わせる場合，を挙げている．一方，帝王切開の方針としていた場合でも，思わぬ分娩の進行からアクシデンタルに経腟分娩を余儀なくされる場合もあり，予期せぬ経腟分娩に備えて，シミュレーショントレーニングを活用するなど，骨盤位牽出術の技術習得に日ごろから努めることが大切である．スタッフ間でその適応を含めて理解し，共通認識を持っておくことが重要である．

要　点

- 正期産単胎骨盤位では，児と母体双方のリスクとベネフィットについての説明・同意を得て，医師や施設が対応できる状況においてのみ，経腟分娩を選択することは可能である．
- 早産児や低出生体重児の骨盤位経腟分娩のリスク，分娩方法の選択について検討した報告は少なく実証は得られていないものの，児の未熟性が骨盤位経腟分娩においてリスクとなると考えることは妥当である．早産児では後続児頭娩出困難となるリスクも高くなる．どの週数で経腟分娩の適応があると考えて経腟分娩を施行するかは，各施設で協議し共通認識をもって臨むべきである．
- 骨盤位分娩を予定していても間に合わずに経腟分娩を余儀なくされる場合もあり，日ごろから骨盤位分娩，骨盤位牽出術のシミュレーショントレーニングの機会を得るなど，その手技の習得に努めるべきである．

参考 『産婦人科診療ガイドライン：産科編 2020』CQ402 単胎骨盤位の取り扱いは？

診　断

骨盤位の診断は，内診，超音波検査によって容易であり，あえて述べるまでもない．本項では骨盤位経腟分娩の適応について概説する．

近年の骨盤位経腟分娩に対する考え方は，2000年に Term Breech Trial Collaborative Group からの大規模 RCT の報告[1]，「正期産単胎，初産婦の骨盤位経腟分娩では，選択的帝王切開を行った方が児の周産期死亡率が有意に低い」という結果に大きく影響を受け，ほとんどの骨盤位で選択的帝王切開が施行されるに至っている．その後に本研究の問題点が指摘され，正期産単胎骨盤位経腟分娩と選択的帝王切開では，厳密な適応を守れば児の合併症に差はない，という前方視的・後方視的研究が相次ぎ，現在でもその議論は続いている．適応を満たさない経腟分娩トライアルは，予期せぬやむを得ない場合を除いて，計画的に行うべきではない．

『産婦人科診療ガイドライン：産科編 2020』では，経腟分娩を予定していても帝王切開を選択すべき条件として，早産，低出生体重児，膝位，足位，児頭骨盤不均衡のいずれか，またはそれを疑わせる場合，を挙げている．すなわち，正期産であって，単殿位，複殿位であること，および児頭骨盤不均衡がないことが，骨盤位経腟分娩の適応となる．妊婦や家族へのリスク・ベネフィットについての十分な説明と同意があることは大前提である．

米国産婦人科学会では，2001 年，Term Breech Trial Collaborative Group からの結果を踏まえて，「正期産骨盤位経腟分娩は，経腟分娩を試みることなく，選択的帝王切開をすべき」としていた．その後，2018 年に，経腟分娩トライアルの条件を絞った検討での良好な結果を踏まえて，表にまとめるような児の予後が良好である条件を挙げつつ，患者が経腟分娩を希望して，かつ十分な説明と同意の基に，厳格な管理が行える施設においては，各々に条件を設定しつつ経腟分娩を選択してもよい，というスタンスに変わっている[2]．

表● 出生児の予後良好である経腟分娩の条件

- 37 週以降であること
- 単殿位，複殿位
- 胎児の異常がない
- 十分な骨盤腔の広さがある
- 推定胎児体重：2,500 ～ 4,000g
- その他：屈位，十分な羊水量，オキシトシンを使用しない，分娩の進行が正常

（文献 2 より）

管　理

以下に著述する管理についての内容は，あくまで方針の一例であり，具体的には各施設で協議し，あらかじめ厳格に定めておくことが望ましい．

▶ 妊娠中（陣痛発来前）

①妊娠週数，推定胎児体重，胎位，胎児異常の有無，羊水量，児頭の屈曲・進展の度合い，など表に例として挙げた条件が満たされているかを確認する．また，先進部を越えて臍帯がないか，臍帯の位置についても確認しておく．経腟分娩の適応が満たされない場合は，帝王切開を選択する[3]．

②米国や英国など多くの先進国で外回転術が推奨されている．1）緊急帝王切開が可能であること，2）子宮手術の既往がないこと，3）妊娠 36 週以降など児が成熟していること，という条件が満たされる場合は，外回転術を考慮してもよい[4]．

③児頭骨盤不均衡の検討のために，画像診断による骨盤計測を考慮する．

④経腟分娩の有益性と危険性について説明し，同意を得る．経腟分娩を選択する際には，あらかじめ経腟分娩とともに，緊急帝王切開についても文書による説明と同意を取得しておく．

▶ 分娩進行中

①分娩進行中はいつでも帝王切開に移行できるように，ダブルセットアップで臨み，胎児心拍は連続モニタリングとする．

②臍帯の位置と先進部の位置を確認する．臍帯下垂は，破水時の臍帯脱出のリスクが高く，診断がつき次第，緊急帝王切開とする．臍帯が先進部を越えてはいないが先進部付近にある場合は，厳重な経過観察が必要であり，帝王切開も選択肢である．

③できる限り自然陣痛で分娩に至ることが望ましい．分娩進行が緩徐な場合のオキシトシン使用に関しては賛否両論で意見が分かれる．硬膜外麻酔による無

痛分娩では，オキシトシン使用は許容されるかもしれない．活動期の遷延分娩は比較的狭骨盤（児頭骨盤不均衡）の徴候の可能性があり，オキシトシンによる分娩促進よりも，帝王切開の適応かもしれない[5]．

④分娩には骨盤位牽出術の経験が十分にある医師が立ち会い，新生児科医の立ち会いも必須である．

引用・参考文献

1) Hannah ME, et al. Planned caesarean section versus planned vaginal birth for breech presentation at term: a randomized multicenter trial. Term Breech Trial Collaborative Group. Lancet.356, 2000, 1375-83.
2) ACOG committee opinion No.745. Mode of Term Singleton Delivery. Obstet Gynecol. 132, 2018, e60-3.
3) 竹田省ほか編. CG 動画でわかる！ 肩甲難産・骨盤位への対応. 東京, メジカルビュー社, 2019, 124p.
4) 日本産婦人科学会・日本産婦人科医会編集・監修. "CQ402 単胎骨盤位の取り扱いは？". 産婦人科診療ガイドライン：産科編 2020. 東京, 日本産科婦人科学会事務局, 2020, 196-8.
5) Hofmeyr GJ. Delivery of the singleton fetus in breech presentation. UpToDate®. May 2021. https://www.uptodate.com/contents/delivery-of-the-singleton-fetus-in-breech-presentation［2021. 7. 29.］

東京大学医学部附属病院 ● 入山高行

双胎児経腟分娩

概　要

双胎分娩では胎位異常がみられやすく，第1児（先進児）と第2児（後続児）の組み合わせにおいて，分娩時に第1児が頭位である頻度は71%，第1児，2児共に頭位である頻度は約40%である[1]．妊娠中および分娩時には頭位－頭位では胎位が変わることはあまりないが，その他の胎位の組み合わせでは胎位が変わることが多い．特に，胎児が小さい場合や羊水過多症の場合，また，妊婦が経産婦であるときは顔位，額位，足位などの胎位，胎勢異常を起こしやすく，したがって，臍帯脱出なども珍しくない．このため，分娩前に超音波検査により，①推定体重，②胎位，胎勢，③羊水量，④臍帯下垂の有無，の項目を確認することが重要である．

分娩開始以降は，両児ともに胎児心拍数モニタリングを連続的に行い，胎児機能不全の早期発見と陣痛異常の有無を監視する．第1児娩出後に，胎位異常，臍帯脱出，胎児心拍数モニタリング異常，胎盤早期剝離が起こりやすいので注意を要する．また，新生児科医師，麻酔科医師と密に連絡をとり，いつでも帝王切開術ができるようにダブルセットアップの状態で患者を管理することが重要である．

管　理

多胎妊娠は単胎妊娠に比較し，早産や胎位異常，分娩中の微弱陣痛，臍帯下垂や脱出，常位胎盤早期剝離，分娩後弛緩出血などの合併が多い．したがって，その分娩に際しては，これら合併症の発症を予測しながら管理を行う．

▶ 双胎経腟分娩管理体制

1) 人員確保

分娩時，特に後続児娩出時の胎位異常や変化に備えて，子宮内操作に熟練した産科医が立ち会わなければならない．このために少なくとも2人の産科医が必要となる．低出生体重児や新生児仮死に備えて新生児科医師が必要である．加えて，助産師，看護師の働きも重要で，すべてのマンパワーが揃うことが緊急時の母体と児の予後を左右する．胎児回転術や緊急帝王切開術に備えて，麻酔科医に待機を依頼し，緊急対応の可能性について情報を共有する必要がある．

2) モニタリング

分娩開始から終了まで，常時監視する．熟練した医師が常時対応する．経腟分娩に際しては双胎用分娩監視装置で，あるいは単胎用分娩監視装置2台を用いて，連続的に胎児心拍数モニタリングを行う．胎児機能不全の早期発見と陣痛異常の有無を監視する．原則的には間接モニタリングを行うが，先進児において破水があり子宮口が開大していれば直接モニタリングが可能である．

3) 準備物品

胎位の確認や第2児の経腹的誘導を容易にするための超音波診断装置は必要不可欠であり，すぐに使える位置に設置しておく．分娩開始時には輸液ラインの確保を行う．急激な出血に備えて，タイプ&スクリーンなどを利用して輸血の準備を行う．分娩時は脱水にならないように注意し，十分な輸液を行う．分娩チームが効率的に動ける十分な広さの分娩室が望ましい．加えて，母体，胎児・新生児の急変に対して，すぐに処置できるように蘇生器，麻酔器，薬剤などが必須である．

▶ 合併症とその対策

1) 胎児機能不全

分娩中の両児同時の胎児心拍数モニタリングは必須である．特に第 2 児の胎児機能不全を早期に発見するために重要である．第 1 児娩出後，すぐに内診を行い，第 2 児の先進部や胎位および産道との位置関係を確認する．臍帯下垂の確認には超音波検査（カラードプラ）が有用である．

2) 第 2 児の分娩困難

第 2 児の先進部が固定していれば，術者は破膜し臍帯脱出や常位胎盤早期剝離による出血がないことを確かめる．胎児心拍数異常がなければ分娩を急ぐ必要はないが，有効な陣痛でない場合はオキシトシンによる分娩促進が必要な場合がある．また，第 1 児と第 2 児との出生時間差と第 2 児の臍帯動脈血 pH には負の相関関係がみられるとの報告[1]もあり，第 2 児の分娩第 2 期をできるだけ短縮するように心がける．もし先進部が固定していない場合，子宮底をゆっくり圧迫し骨盤底に誘導する．このとき，第 2 児が非頭位であれば超音波下に外回転を行い，頭位として娩出させる方法もあるが，現在はすべきでないとされている．児が骨盤内に進入しない場合や胎盤剝離による出血が増加してきたら，分娩を急ぐ必要がある．熟練した産科医がいれば，十分な子宮筋弛緩の後，内回転（internal podalic version，図 1）[2]を行い，骨盤位牽引術によって娩出させることもある．超音波ガイド下に外回転術と内回転術を行った比較においては胎児心拍数異常が少なかった点で内回転術が優れていたと報告されている[3]．熟練した医師がいない場合や十分な子宮弛緩が得られない場合，また第 1 児娩出後，時間的経過が長く，子宮頸管が狭縮した場合などにおいては帝王切開術をためらってはならない．子宮切開に際しては，横位などの場合は子宮頸部が展退していたとしても，横切開よりも縦切開としたほうが安全なことがある．第 1 児娩出後の帝王切開術の適応は，第 2 児が明らかに大きく非頭位となった場合や，物理的に娩出不可能である状態で胎児徐脈（胎児機能不全）などが起こった場合である．

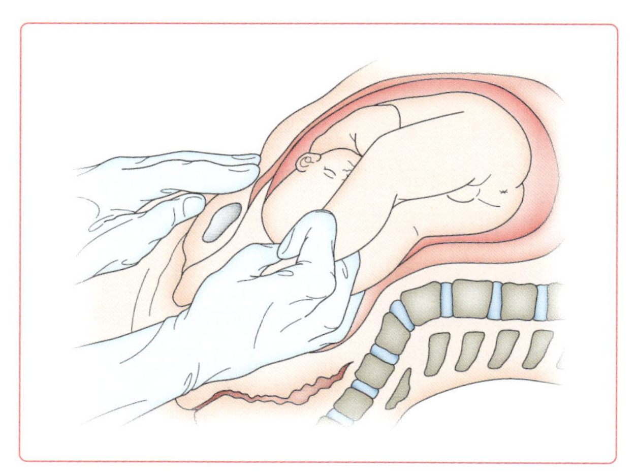

図 1 ● internal podalic version
恥骨上から児頭を押し上げ，足を牽引する．
（文献 2，p.890 より改変して作成）

3) 仰臥位低血圧

多胎妊娠では仰臥位低血圧を起こしやすいため，体を左側に傾け子宮による腹部大血管の圧迫を避ける必要がある．

4) 分娩後出血

双胎経腟分娩は産後の異常出血のリスク因子であり，分娩第 3 期には積極的管理を行う．異常出血が起こった場合は『産婦人科診療ガイドライン：産科編 2020』[4]に準じて治療を開始する．

▶ 分娩のタイミング

多胎では早産となることが多く，分娩が予定日を超えることは少ない．双胎妊娠の周産期死亡率は妊娠 37 ～ 38 週が最も低く，平均分娩週数は 37 週とされている[5]．この時期を超過すると胎内死亡や早期新生児死亡（周産期死亡）が増加するため，双胎で 37 週以降の症例では胎児 well-being に注意しなければならない．分娩誘発に関しては，経腟分娩が可能であり，産科的に適応があれば，子宮収縮薬による分娩誘発は可能であるが，『産婦人科診療ガイドライン：産科編 2020』[6]では慎重投与としている．一般的に双胎分娩では単胎に比較し，latent phase は短く active phase は長い．これは分娩開始時の子宮口開大度に差が見られるためである．また，active phase の遷延は物理的な子宮過伸展による微弱陣痛のためであり，分娩経過にあわせてオキシトシンによる陣痛促進が必要となることが多い[2]．

1) 二絨毛膜二羊膜双胎（DD）

妊娠 37 週を双胎妊娠の予定日ととらえ，以降を過期妊娠とした管理が必要かもしれないが，合併症のない DD 双胎において妊娠 37 週での計画分娩と待機療法を比較検討したメタアナリシス[7]では周産期予後に差は認められなかった．ACOG[8]は38週での分娩を選択肢の一つとしている．経腟分娩が可能であり，産科的に適応があれば，陣痛促進薬による分娩誘発は可能である．

2）一絨毛膜二羊膜双胎（MD）

後方視的検討では，妊娠36週での分娩の予後が最も良かったとされている．このためACOG[8]は34～37週での分娩を選択肢の一つとしているが，十分なエビデンスはなく，MDにおいては双胎以外に産科的合併症がない場合，37週まで待機する選択肢もある．

3）一絨毛膜一羊膜双胎（MM）

分娩時期に関しては，胎児の肺成熟を認めるか，妊娠32週を超えた場合は胎児死亡を避けるため，32週から34週での分娩を奨める意見がある[8]．一方では妊娠32週を超過した例では37週までの胎児死亡はなかったとして，37週までの待機的管理が可能であるとの報告[9]もあり，一定していない．今後のさらなる検討が待たれる．

▶ 分娩様式の決定

双胎特有の問題を考慮し，児の予後を改善させるために，より適切な分娩様式の選択は重要である．一羊膜性双胎を除いては双胎というだけで帝王切開の適応はない．生殖医療の発達に伴い多胎の増加は著しいが，ART（assisted reproductive technology）と多胎がともに危険因子とされる病態に前置血管がある．妊娠中期における子宮頸管長のスクリーニング時での診断が重要である．前置血管が診断された場合は肺成熟後または35週前後での帝王切開が推奨されている[10]．

1）膜　性

①二絨毛膜二羊膜双胎（DD）

DDというだけでの帝王切開の適応はない．

②一絨毛膜二羊膜双胎（MD）

MDというだけでの帝王切開の適応はない[11, 12]．双胎間輸血症候群での分娩様式に関する検討はなされていないが，胎児血行動態をさらに悪化させないため帝王切開を選択するのが一般的と考えられる．

③一絨毛膜一羊膜双胎（MM）

帝王切開により明らかに周産期予後が改善される病態として，結合双胎とMMが挙げられる．MMにおいては分娩児に臍帯相互巻絡による胎児死亡の可能性があるため帝王切開を選択する．

2）胎位の組み合わせ

胎位異常は経腟分娩か帝王切開分娩かの分娩様式を選択する際に大きな問題となる．分娩様式のエビデンスレベルは高くなく，32週未満でのコンセンサスは得られていない[8]が以下の方法を参考にする．

①頭位－頭位

第1児が頭位で第2児が頭位である場合は経腟分娩を選択することが多い．

②頭位－非頭位

第1児が頭位で第2児が非頭位である場合，帝王切開の有意性は示されていない[13]．第2児が骨盤位であった場合は単胎骨盤位分娩法[14]に準ずるか，またはそれぞれの施設の能力に応じて決定されるべきである．

③第1児が非頭位

第1児が非頭位（骨盤位，横位）であれば帝王切開の選択が一般的である．

新生児予後に対する胎位と分娩様式の影響に関するmeta-analysis[15]において，第1児の死亡率，罹病率は胎位と分娩様式に影響されず良好であった．また，分娩様式の新生児予後に対する影響は，経腟分娩と予定帝王切開分娩で差を認めなかった．しかし，第1児経腟分娩後の帝王切開分娩では第2児の罹病率は19.8%と，経腟分娩の9%，予定帝王切開分娩の7.2%に比較して有意に高く，緊急の状態で娩出され，児の状態も重篤なものが多く，その原因としては常位胎盤早期剥離や臍帯脱出など，分娩前に予想が困難である疾患が挙げられている．つまり，第1児が頭位であれば第2児の頭位・骨盤位にかかわらず帝王切開の有意性は示されていない[16～18]が，第1児経腟分娩後の第2児緊急帝王切開術の発生リスク（4～7%）を考慮しなければならない[19, 20]．第2児が非頭位である場合は，このリスクは約23%に増加する[20]と報告されている．

引用・参考文献

1) Leung TY. et al. Effect of twin-to-twin delivery interval on umbilical cord blood gas in the second twins. BJOG. 109(1), 2002, 63-7.
2) Cunningham FG. et al. eds. Williams Obstetrics 25th ed. New York, McGraw Hill 2018, 887-91.
3) Chauhan SP. et al. Delivery of the nonvertex second twin: breech extraction versus external cephalic version. Am J Obstet Gynecol. 173(4), 1995, 1015-20.
4) 日本産科婦人科学会／日本産婦人科医会 編集・監修. "CQ418-2「産科危機的出血」への対応は？". 産婦人科診療ガイドライン：産科編2020. 2020, 264-7.
5) Page JM. et al. The risk of stillbirth and infant death by each additional week of expectant management stratified by maternal age. Am J Obstet Gynecol. 209(4), 2013, 375.e1-7.
6) 日本産科婦人科学会／日本産婦人科医会 編集・監修. "CQ415-1 子宮収縮薬（オキシトシン, プロスタグランジンF2 αならびにプロスタグランジンE2錠の三者）投与開始前に確認すべきことは？". 前掲書4. 245-9.
7) Dodd JM. et al. Elective birth at 37 weeks' gestation for women with an uncomplicated twin pregnancy. Cochrane Database Syst Rev. 2014, Feb 10;（2）:CD003582.
8) Committee on Practice Bulletins-Obstetrics; Society for Maternal-Fetal Medicine. Practice Bulletin No. 169: Multifetal Gestations: Twin, Triplet, and Higher-Order Multifetal Pregnancies. Obstet Gynecol. 128(4), 2016, e131-46.
9) MONOMONO Working Group. Inpatient vs outpatient management and timing of delivery of uncomplicated monochorionic monoamniotic twin pregnancy: the MONOMONO study. Ultrasound Obstet Gynecol. 53(2), 2019, 175-83.
10) Oyelese Y. et al. Placenta previa, placenta accreta, and vasa previa. Obstet Gynecol. 107(4), 2006, 927-41.
11) Pestana I. et al. Effect of mode of delivery on neonatal outcome of monochorionic diamniotic twin pregnancies: a retrospective cohort study. J Reprod Med. 58(1-2), 2013, 15-8.
12) Garabedian C. et al. Intrapartum management of twin pregnancies: are uncomplicated monochorionic pregnancies more at risk of complications than dichorionic pregnancies? Acta Obstet Gynecol Scand. 94(3), 2015, 301-7.
13) Barrett JF. et al; Twin Birth Study Collaborative Group. A randomized trial of planned cesarean or vaginal delivery for twin pregnancy. N Engl J Med. 369(14), 2013, 1295-305. Erratum in: N Engl J Med. 369(24), 2013, 2364.
14) 日本産科婦人科学会／日本産婦人科医会 編集・監修. "CQ402 単胎骨盤位の取り扱いは？". 前掲書4. 196-8.
15) Rossi AC. et al. Neonatal outcomes of twins according to birth order, presentation and mode of delivery: a systematic review and meta-analysis. BJOG. 118(5), 2011, 523-32.
16) Hofmeyr GJ. et al. External cephalic version for breech presentation at term. Cochrane Database Syst Rev. 2015(4), 2015, CD000083.
17) Hutton EK. et al. External cephalic version for breech presentation before term. Cochrane Database Syst Rev. (7), 2015, CD000084.
18) de Hundt M. et al. Mode of delivery after successful external cephalic version: a systematic review and meta-analysis. Obstet Gynecol. 123(6), 2014, 1327-34.
19) Suzuki S. Risk factors for emergency cesarean delivery of the second twin after vaginal delivery of the first twin. J Obstet Gynaecol Res. 35(3), 2009, 467-71.
20) Wen SW. et al. Occurrence and predictors of cesarean delivery for the second twin after vaginal delivery of the first twin. Obstet Gynecol. 103(3), 2004, 413-9.

鹿児島市立病院 ● 上塘正人 ● 前田隆嗣

肩甲難産

概念・定義・病態

肩甲難産とは,「児の前在肩甲骨が母体恥骨結節に引っかかり通常の児頭牽引では軀幹が娩出されない状態」である（図 1）. 臍帯が産道で圧迫されており緊急を要する状態であり，肩甲を解除して軀幹を娩出する必要があるが，一人で解決しようとせずチームでアプローチすること，また，事前にチームでのシミュレーションを行い十分な準備をしておくことが重要である.

母児の合併症を踏まえ，肩甲難産娩出への対応を概説する. そのアルゴリズムを（図 2）に示す.

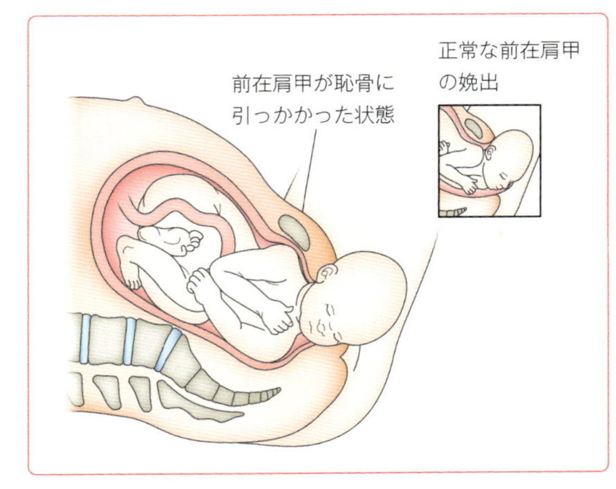

図 1 ● 肩甲難産
（shoulderdystociainfo.com/whatis.htm を元に作成）

診断したら まず行うこと	McRoberts 法の次の手技 ＝腟内手技＆四つん這い	より侵襲的な手技
• 落ち着いて人員（産科スタッフ，小児科，麻酔科，救急医等）を呼ぶ • 患者への酸素投与・急速補液，説明 • 記録を残す • 導尿を考慮 • 児背側の会陰切開を考慮 • 陣痛を待たず努責＆児頭牽引 • 児の背側から恥骨上圧迫および McRoberts 法	• Schuwartz 法 • Rubin 法 • Woods screw 法 • Reverse Woods screw 法 • Gaskin 法 • いずれも陣痛を待たず努責＋恥骨上圧迫しながら，1 手技に固執しない.	• Zavanelli 法 • 帝王切開にて前在肩甲誘導 • 恥骨結合切断術 • 鎖骨切断術

図 2 ● 肩甲難産の対応，アルゴリズム

参考 『産婦人科診療ガイドライン：産科編 2020』CQ310 巨大児（出生体重 4,000g 以上）が疑われる妊婦への対応は？

診　断

肩甲難産の定義は一致を見ておらず，通常の児の牽引手技で肩甲が娩出できない状態を肩甲難産と診断することが多い. 正常な分娩において，児頭—軀幹娩出時間は 24 秒，一方，肩甲難産においては 79 秒であったことから，児頭—軀幹娩出時間が 60 秒を超える状態を肩甲難産と定義しているものが多い[A)]. 一定の基準のもとチームで行動に移すことを決めるのも一案である. 通常の児頭の牽引で前在肩甲が娩出せず，児頭が陣痛間欠期に母体側に戻るような動き（turtle sign）は，肩甲難産を示す重要な徴候である.

肩甲難産は米国産婦人科学会のデータによれば，経腟分娩の 0.2 ～ 3%でみられるとさる[2)]. 児の出生体重の増加により頻度が増加し（～ 4,000g で 0.1 ～ 1.1 %，4,000 ～ 4,499g で 1.1 ～ 10.0 %，4,500g 以上で 2.7 ～ 22.6%），妊娠糖尿病・糖尿病合併妊娠ではさらに増加する[3～5)]. 一方，肩甲難産全体で見ると半分は正常出生児体重であり，このことが予測困難の理由の一つである[6].

肩甲難産の予知に関して，児の推定体重や分娩中の要因から研究されてきた．児体重が大きい，分娩第二期遷延，器械分娩，肩甲難産の既往などがリスク因子として挙げられるが，個々の症例の肩甲難産の予知は困難である．米国産婦人科学会は非糖尿病妊婦における>5,000g，糖尿病妊婦における>4,500g の推定体重胎児への予定帝王切開を考慮する[2]，と述べているが，同推奨が日本人とは異なる米国人の母体体格，児の出生体重を背景としたものであることを鑑み，自施設の状況など総合的な勘案のもと分娩方法を検討すべきと考える．

管　理

肩甲難産は予知できないが故に，われわれはその管理に精通していなければならない．目標は児頭娩出から躯幹娩出までの時間を短縮することであるが，胎児や母体損傷の可及的な回避と両立させる必要がある．肩甲難産と判断したのであれば直ちに対応する（図 1）．まずは落ち着くことである．母体に酸素投与を行い，胎盤還流を改善する目的で急速補液を行う．必ず診断した時刻を記載しておくことを忘れず，周囲の助けを得る．まず，蘇生のための新生児科医を含めた人員を確保しながら，妊婦の努責に合わせた児頭の牽引を続けることから始めるが，肩甲難産と診断したのであれば，母体の陣痛を待つ理由はなく，指示に合わせて努責を促す．会陰切開の有無で腕神経叢損傷発生には差がないと報告[7] されているが，以後の手技で腟内に手が入るスペースを得ておくという理由で，会陰切開は十分に大きく，できれば児背部側に入れておくことを考慮する．

児頭の牽引で躯幹が娩出されない場合，McRoberts 法と恥骨上圧迫をすぐに開始する．妊婦の足を大きく腹部方向に抱え込ませ（knee-chest position），仙骨から腰椎を直線に近づけ，恥骨結合を母体頭側へ移動させ，骨盤への進入角度を下げることで胎児肩甲娩出を助ける．knee-chest position を妊婦自身に依頼できれば，助手が恥骨上圧迫を同時に開始できる．児頭牽引と同時に助手が手のかかと（手根部）で，児背側から母体恥骨上（恥骨結節のすぐ母体頭側の下腹部）に児の胸側に向かって圧迫を加える（図 3）．初めは持続的に，次には間欠的に圧迫することを推奨するものもある[8]．この恥骨上圧迫手技によって児の前在肩甲が児の胸部方向に圧迫され，前在肩甲が恥骨の下を通り肩甲難産が解除される可能性が高まる．子宮底圧迫は肩甲娩出を困難にし，子宮破裂，胎児合併症の危険性があることから禁忌である．ここまでの手技で 54%の肩甲難産が解除される[9]．

娩出できない場合，腟内での手技に移行する．ここからいくつかの手技（腟内手技としての Schwartz 法，Rubin 法，Woods screw 法，reverse Woods screw 法，そして患者を四つん這いにする Gaskin 法）を概説するが，重要なことは，肩甲難産を解除できないときには一つの方法に固執せず，次の方法に移行することである（図 4）．

最近の報告では，その単独での成功率が高さから，

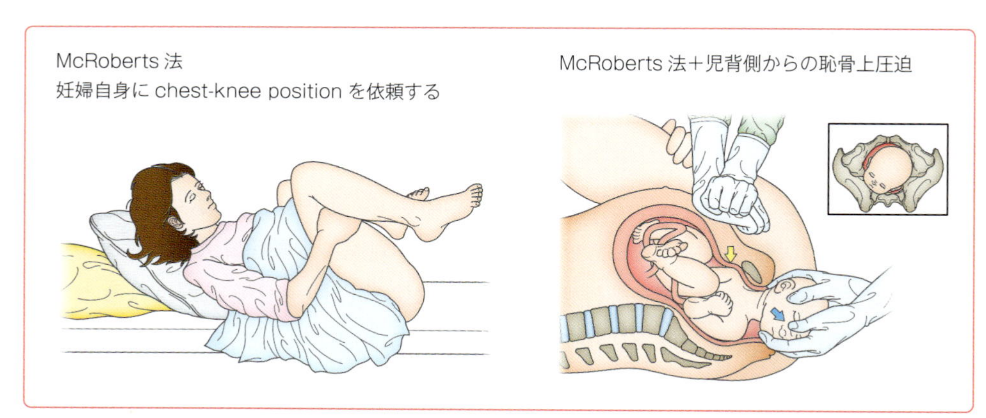

図 3 ● McRoberts 法と恥骨上圧迫

（左：産婦人科医会．研修ノート No.55 巨大児と肩甲難産．日本母性保護産婦人科医会，東京，1996，29 をもとに作成，右：https://medvisuals1.com/shoulderinpactedmcrobertsmaneuverplussuprapubicpressure-59900404ar.aspx をもとに作成）

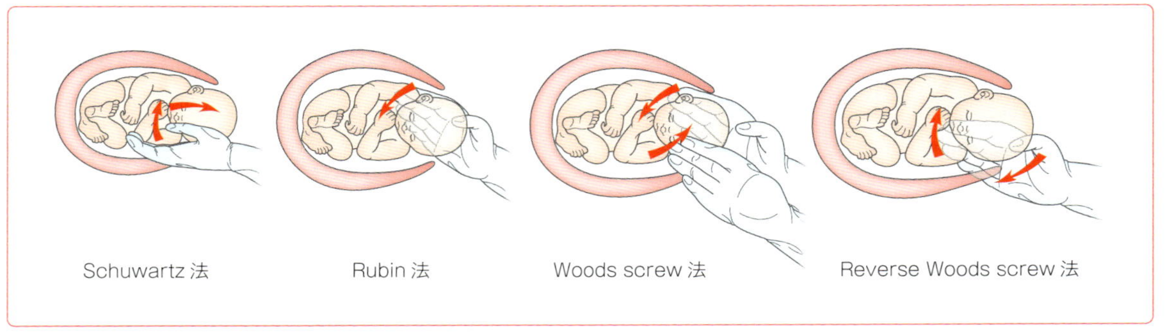

図 4 ● 腟内手技
それぞれの手技において術者の親指が児の頸を圧迫していないことに注目する.
("Labour: Shoulder dystocia". OBSTETRICS AND GYNAECOLOGY CLINICAL PRACTICE GUIDELINE. 4-5. https://www.kemh.health.wa.gov.au/~/media/Files/Hospitals/WNHS/For%20health%20professionals/Clinical%20guidelines/OG/WNHS.OG.Labour-ShoulderDystocia.pdf#search=%27kings+hospital+shoulder+dystocia%27 をもとに作成)

まずは後在腕からの娩出（Schwartz 法）を試みるのが良いかもしれない[10]．この方法はまた，腕神経叢の過伸展に加わる力も小さいと報告されている．これは図 3 のように児の後在腕を胸の前を這わせ，後在腕を娩出することで後在肩甲が娩出され両肩を結ぶ線が斜傾となり，前在肩甲が娩出できる．

それ以外の方法として，腟内で児を回旋させる方法が推奨されている．Rubin 法は，腟内児背側に手を入れ，一直線になっている両肩を，前在肩甲を児の胸側に押しつぶすことで両肩間の距離を縮め，前在肩甲を解除するというものである[11]．また，Woods は肩甲難産をボルトとナットが不正に噛んだ状態に例えた．その状態でボルトをナットに無理に押し込むことはできないが，ボルトを両方向に繰り返し回すと簡単に貫通することから用手的に胎児を回旋させ前在肩甲を解除する方法を報告した．前在肩甲背部に手指を挿入し後在肩甲前方（鎖骨前）にも手指を入れ，前在肩甲を胸側に回す方法である（Woods screw 法[12]）．その逆に，後在肩甲後方から前方に回旋させる reverse Woods screw 法も試みられるべき方法である．Rubin 法をはじめに行うと，次の手段として自然に Woods screw 法や reverse Woods screw 法に移行できる．

さらに妊婦を四つん這いにさせて娩出する方法も用いられる（図 5）. all four maneuver あるいは Gaskin 法と呼ぶ．四つん這いになることで骨盤の角度が変化し躯幹娩出に到ると考えられている[13]．ここまでの手技で娩出に至らない場合，残された手技はより侵襲

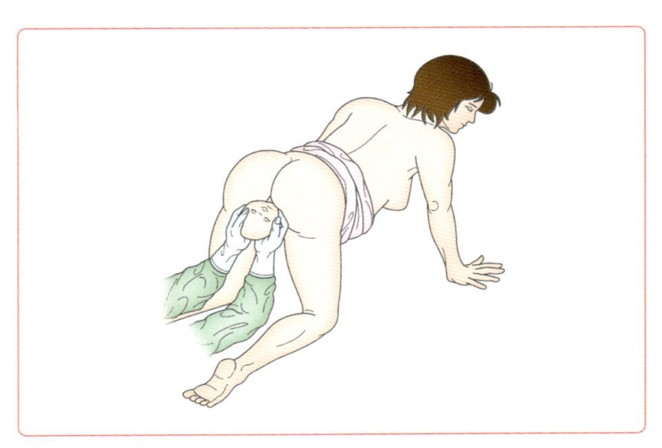

図 5 ● 四つん這い（Gaskin 法）
(Bruner JP, et al. All-fours maneuver for reducing shoulder dystocia during labor. J Reprod Med. 43, 1998, 439 をもとに作成)

的である．

術者の親指を用いた意図的な前在鎖骨の骨折が考慮されることがある[14]．鎖骨骨折は，腕神経叢損傷，仮死あるいは死亡に比べれば，軽症で治癒が期待できるが，実際上困難であることが多い．

児頭を骨盤内に戻し帝王切開で児を娩出する Zavanelli 法は，まず児頭の矢状縫合を縦径にし，テルブタリン 0.25mg を皮下注射して子宮弛緩を得て，児頭を屈曲させ児頭を腟内に戻し帝王切開を行うという方法である．90%ほどが娩出自体には成功しているものの，胎児損傷率は高く，死産，新生児死亡，新生児脳損傷，子宮破裂症例などの合併症も多いと報告されている[15, 16]．『産婦人科診療ガイドライン』[17] では緊急子宮弛緩としてニトログリセリン 0.1mg を数回静注して子宮弛緩を得る方法が記述されている．

恥骨結合切開術（symphysiotomy）は，恥骨結合を形成する軟骨を切開し恥骨結合を開大させる方法である．Zavanelli 法で娩出できなかった症例に施行したところ，全ての新生児が死亡と，母体の高い尿路損傷率が報告されている[18]．死胎児に対しては，ハサミあるいはメスで胎児の鎖骨を切断する鎖骨切断術（cleidotomy）が挙げられる．

肩甲難産は一般的に母体よりも児に危機をもたらす．母体合併症の主たるものは弛緩出血と重症産道裂傷で，また肛門括約筋損傷（obstetric anal sphincter injuries；OASIS）のリスクも存在する．新生児合併症は神経・骨格・筋損傷や，仮死が挙げられ，腕神経叢損傷が 11%，鎖骨や上腕骨骨折が 2%に認められる[19]．アシドーシスは 7%に認められ，1.5%は心肺蘇生を要したり新生児低酸素虚血性脳症（hypoxemic ischemic encephalopathy；HIE）を呈したと報告されている[10]が，重症アシドーシスや HIE を呈した症例は，5 分以内に軀幹娩出が終了していれば 0.5%であり，5 分以上要した場合 6 ～ 24%であった[20]．速やかな対応とともに，新生児蘇生に熟練した医師を配置しておくことが重要である．

Clinical Tips

多くの先人が肩甲難産娩出の管理に関して方法を提唱しているが，肩甲難産に対応する個人の経験には限りがある．知識のみならず，各院でシミュレーションを定期的に行うことは非常に重要である．シミュレーションを行うことで，手技のポイント，必要な職種・人員数，母児に優しい娩出方法（実際に行ってみると，肩甲難産解除では腟内に無理に手を入れようとして児の首に指がかかってしまいそうになるなど）に改めて気づくものである．

引用・参考文献

1) Spong CY. et al. An objective definition of shoulder dystocia: prolonged head-to-body delivery intervals and/or the use of ancillary obstetric maneuvers. Obstet Gynecol. 86, 1995, 433-6.
2) Practice Bulletin No 178: Shoulder Dystocia. Obstet Gynecol. 129, 2017, e123-33.
3) Acker DB. et al. Risk factors for shoulder dystocia. Obstet Gynecol. 66, 1985, 762.
4) Nesbitt TS. et al. Shoulder dystocia and associated risk factors with macrosomic infants born in California. Am J Obstet Gynecol. 179, 1998, 476.
5) Sandmire HF. et al. Shoulder dystocia: its incidence and associated risk factors. Int J Gynaecol Obstet. 26, 1988, 65.
6) Overland EA, et al. Risk of shoulder dystocia: associations with parity and offspring birthweight：A population study of 1 914 544 deliveries. Acta Obstet Gynecol Scand.91, 2012, 483-8.
7) Sagi-Dain L. et al. The role of episiotomy in prevention and management of shoulder dystocia: a systematic review. Obstet Gynecol Surv. 70, 2015, 354-62.
8) Baxley EG, Gobbo RW. Shoulder Dystocia. American Family Physician. 69, 2004, 1707-14.
9) Gherman RB, et al. The McRoberts' maneuver for the alleviation of shoulder dystocia: how successful is it? Am J Obstet Gynecol. 176, 1997, 656 -61.
10) Hoffman MK, et al. A comparison of obstet- ric maneuvers for the acute management of shoulder dystocia. Consortium on Safe Labor. Obstet Gynecol.117, 2011, 1272-8.
11) Rubin A. Management of shoulder dystocia. JAMA. 189, 1964, 835-7.
12) Woods CE. A principle of physics as applicable to shoulder delivery. Am J Obstet Gynecol. 45, 1943, 796-804.
13) Bruner JP, et al. All-fours maneuver for reducing shoulder dystocia during labor. J Reprod Med. 43, 1998, 439-43.
14) Rodis JF. Shoulder dystocia: Intrapartum diagnosis, management, and outcome. 2021. (online) https://www.uptodate.com/contents/shoulder-dystocia-intrapartum-diagnosis-management-and-outcome?search=shoulder%20dystocia&source=search_result&selectedTitle=1~43&usage_type=default&display_rank=1 [2021. 11. 3]
15) Sandberg EC. The Zavanelli maneuver: a potentially revolutionary method for the resolution of shoulder dystocia. Am J Obstet Gynecol. 152, 1985, 479-84.
16) Sandberg EC. The Zavanelli maneuver: 12 years of recorded experience. Obstet Gynecol. 93, 1999, 312-7.
17) 日本産婦人科学会・日本産婦人科医会編集・監修．"CQ310 巨大児（出生体重 4,000g 以上）が疑われる妊婦への対応は？"．産婦人科診療ガイドライン：産科編 2020．東京，日本産科婦人科学会事務局，2020，181-5.
18) Reid PC. et al. Symphysiotomy in shoulder dystocia. J Obstet Gynaecol. 19, 1999, 664-6.
19) Chauhan SP, et al. Neonatal brachial plexus palsy: incidence, prevalence, and temporal trends. Semin Perinatol. 38, 2014, 210-8.
20) MacKenzie IZ, et al. Management of shoulder dystocia: trends in incidence and maternal and neonatal morbidity. Obstet Gynecol. 110, 2007, 1059-68.

福島県立医科大学 ● 安田　俊 ● 西郡秀和 ● 藤森敬也

産褥精神障害—PDS，自殺予防・精神科との連携などを含む—

はじめに

日本の周産期医療は，今や周産期死亡率，新生児死亡率，乳児死亡率，妊産婦死亡率などの指標で世界トップクラスとなった．しかし，残念なことに最近では子どもの虐待や妊産婦の自殺など周産期を巡る心理社会的問題が浮上している．このため，国は子育て世代包括支援センターを2020年までに全国に整備されており，自治体の中でも支援事業が進められている[1]．産褥精神障害の中でも代表的な疾患であるマタニティ・ブルーズと産後うつ病，産後精神病について解説する．なお表1に三疾患の特徴をまとめた．

表1 ● 産褥期精神障害の特徴

	マタニティ・ブルーズ	産後うつ病	産後精神病
頻度	50～70%（海外） 26%（日本）	10～15% 感情障害の再発にも注意	0.1～0.2% 重篤な精神病様症状
発症時期	産後3～10日	産後1～2週以降	産後1～3週間目
持続期間	通常数日間	3～6カ月	2～3カ月
関連	重症のブルーズ →	産後うつ病 ↔	気分障害
症状	涙もろさ，抑うつ気分，不安など一過性の軽度の情緒障害	興味の消失，抑うつ気分，不安，焦燥感，集中困難，睡眠障害	幻覚，妄想，意識変容，激しい興奮，無動などの重篤な精神病像
治療	必要なし 重症の場合経過観察	SSRI，SNRI，三環系抗うつ薬，NaSSA	向精神病薬など， ECT（電気痙攣療法）

1. マタニティ・ブルーズ

定義・頻度・病態・症状

定 義

産褥3～10日の間に生じる一過性の情動不安定な状態である．

頻 度

国や人種の相違によってブルーズの頻度は差があることが観察されている．英国，米国，イタリアでは42～76%の範囲である[2～4]．近似した値はタンザニア（76%）[5]，ジャマイカ（60%）[6]で見られた．ドイツでは低く29～41%[7]ある．そして，女児を産んだ初産婦を除外した調査ではブルーズの出現を確認できなかったとの報告もある[8]．日本での報告では，圧倒的に少ない（26%）[9]．

病 態

ブルーズは，妊娠後期のうつ病と有意に関連しているという[10, 11]．また，月経前緊張症や妊娠中や産褥後期の家庭内のうつ病，患者既往歴，そして精神的に疲弊する出来事，貧弱な社会適応と妊娠合併症（胎児あるいは新生児異常，長期入院や母児分離など）との関連が指摘されている[11]．初産婦ではブルーズが悪化する傾向が認められたとの報告がある[12]．

症　状

主症状は，軽度の抑うつ気分，涙もろさ，不安感あるいは集中力低下などで，特に涙もろいことが最も重要な症状である．通常，2 週間ほどの短期間に消失するため特に治療を必要としないことが多い．

しかし，本症の 5%が産後うつ病に移行したとの報告もあり，特に 2 週間以上に渡って症状が残存する場合には注意が必要である[13]．

診　断

客観的診断法としては，マタニティ・ブルーズ日本版評価尺度がある（表 2）．この質問票は，Stein により考案され日本語版にて編集されたものである．自己記入式で，出産後数日の間，本人が 1 日 1 回，通常夕刻に記入するのみでよく，簡便である．産後の 1 日の合計が 8 点以上であった場合，マタニティ・ブルーズを経験したものと判断する[15]．

管　理

本症が，①一過性情緒障害であり大多数は短期に症状が消失すること，②多くの褥婦で経験することであること，③産後のホルモンの急激な変化により発症するのであって，決して患者のせいではないことを患者本人に伝える．その上で家族の協力を依頼すると共に症状改善に合わせて徐々に育児に参加させながら退院に導く．また，産後ケア施設での経過観察も有用である．

ただし，2 週間以上症状が続いたり悪化する場合（自殺をほのめかす場合）は，産後うつ病を考え精神科リエゾンを依頼する．

表 2 ● マタニティ・ブルーズ日本版評価尺度

今日のあなたの状態についてあてはまるものに○をつけてください．2 つ以上あてはまる場合には，番号の大きな方に○をつけてください．

A．0．気分はふさいでいない．
　1．少し気分がふさぐ．
　2．気分がふさぐ．
　3．非常に気分がふさぐ．
B．0．泣きたいとは思わない．
　1．泣きたい気分になるが，実際には泣かない．
　2．少し泣けてきた．
　3．半時間以上泣けてしまった．
C．0．不安や心配ごとはない．
　1．ときどき不安になる．
　2．かなり不安で心配になる．
　3．不安でじっとしていられない．
D．0．リラックスしている．
　1．少し緊張している．
　2．非常に緊張している．
E．0．落ち着いている．
　1．少し落ち着きがない．
　2．非常に落ち着かず，どうしていいのか分からない．
F．0．疲れていない．
　1．少し元気がない．
　2．一日中疲れている．
G．0．昨晩は夢を見なかった．
　1．昨晩は夢を見た．
　2．昨晩は夢で目覚めた．
H．0．普段と同じように食欲がある．
　1．普段に比べてやや食欲がない．
　2．食欲がない．
　3．一日中まったく食欲がない．

次の質問については，「はい」または「いいえ」で答えてください．

I．頭痛がする．	はい	いいえ
J．イライラする．	はい	いいえ
K．集中しにくい．	はい	いいえ
L．物忘れしやすい．	はい	いいえ
M．どうしていいのかわからない．	はい	いいえ

配点方法：A ～ H の症状に対する特典は各番号の数字に該当し，I ～ M の症状に対する特典は「はい」と答えた場合に 1 点とする．
産後の 1 日の合計点が 8 点以上であった場合，マタニティ・ブルーズありと判定する．

（文献 4，14，15 より引用）

2. 産後うつ病

定義・頻度・症状

定　義

産後 1 ～ 2 週から数カ月以内に発症するうつ病と定義される.

頻　度

産後は, 他の時期よりも高率にうつ病を発症しやすく, 産後うつ病の罹患率は 10 ～ 20%である. また, 人種差などは認めず, 遺伝的な要因よりはむしろ, 環境要因としての社会環境によるリスクが非常に大きいと考えられている. 母乳栄養に比べ人工栄養で 2 倍高い（$p<0.04$）という報告がある[16].

症　状

うつ病として多彩な症状が見られる. 気分の抑うつ状態が続き, 楽しい気持ちや物事に対する興味がなくなる. 一般的なうつ病のように, 気分の落ち込み, 楽しみの喪失, 食欲・睡眠・意欲など身体障害が見られ, 罪悪感や希死念慮も見られる. 「赤ちゃんの具合が悪い」「母乳の飲みが悪い」というように子どもへの心配事や, 「赤ちゃんへの愛情が湧かない」「自分は母親失格だ」「赤ちゃんの世話が十分にできない」といった母親としての自責の念や自己評価の低下または自己否定などを訴える.

診　断

米国精神医学分類システム（DSM-V；診断統計マニュアル）から抑うつ障害群（depressive disorders）の周産期発症として扱われるようになり, 妊娠中または出産後 4 週間以内に気分エピソードが始まっている場合と定義された. 妊娠うつ病（depression during pregnancy）と産後うつ病を合わせて周産期うつ病（perinatal depression）と呼ぶこともある.

妊娠前からの精神疾患の既往や, パートナーや実母などからの実質的・情緒的サポート不足, 対人関係の歪み, 経済的問題（貧困）, 居住環境など患者の周産期環境の問題や, 妊娠前からうつ病, 双極性障害, 不安障害の病歴がある場合もハイリスクとなる. 妊娠中のうつ病や産後マタニティ・ブルーズは, その後の産後うつ病のハイリスク因子である. また妊娠中のうつ病や産後マタニティ・ブルーズの家族歴もハイリスク因子である.

本症のスクリーニング法の一つにエジンバラ産後うつ病問診票（Edinburgh Postnatal Depression Scale；EPDS）（**表 3**）が提唱されており, 本法の有用性が認められている. 項目は 10 項目で, 0, 1, 2, 3 点の 4 件法の母親による自己記入式質問票で, うつ病によく診られる症状をわかりやすく質問にしたもので, 同質問票で 9 点以上（欧米では 10 ～ 13 点以上）の場合には産後うつ病の疑いと診断し[17], 必要に応じて精神科リエゾンを依頼する. 併せて, 医療・行政面を含めた継続的な精神面支援体制が必要であり, 地域の保健師などとの情報共有を行う. 本質問票はあくまでもスクリーニング検査であり, うつ病の客観的な確定診断は専門医に委ねる.

治　療

産後うつ病の治療法には, 心理療法と薬物療法がある. 心理療法の治療効果は薬物療法とほぼ同等である.

薬物療法として, 1990 年代までは従来型の三環系／非三環系抗うつ薬が中心だったが, 現在は SSRI（選択的セロトニン再取り込み阻害薬：パロキセチン塩酸塩, フルボキサミンマレイン酸塩, セルトラリン塩酸塩, エスシタロプラムシュウ酸塩）, SNRI（選択的セロトニン·ノルアドレナリン再取り込み阻害薬：ミルナシプラン塩酸塩, デュロキセチン塩酸塩）, NaSSA（ノルアドレナリン作動性・特異的セロトニン作動性抗うつ薬：ミルタザピン）などの新規抗うつ薬が使われることが多い.

表 3 ● エジンバラ産後うつ病質問票（EPDS）

ご出産おめでとうございます．ご出産から今までの間どのようにお感じになったかをお知らせください．今日だけでなく，過去 7 日間にあなたが感じられたことに最も近い答えにアンダーラインを引いてください．必ず 10 項目に答えてください．

[質問]

1）笑うことができるし，物事のおもしろい面もわかる．
- （0）いつもと同様にできる．　（1）あまりできない．
- （2）明らかにできない．　（3）まったくできない．

2）物事を楽しみにして待つことができる．
- （0）いつもと同様にできる．　（1）あまりできない．
- （2）明らかにできない．　（3）まったくできない．

3）物事がうまくいかない時，自分を不必要に責める．
- （3）常に責める．　（2）時々責める．
- （1）あまり責めることはない．　（0）まったく責めない．

4）理由もないのに不安になったり，心配する．
- （0）まったくない．　（1）ほとんどない．
- （2）時々ある．　（3）しょっちゅうある．

5）理由もないのに恐怖に襲われる．
- （3）しょっちゅうある．　（2）時々ある．
- （1）めったにない．　（0）まったくない．

6）することがたくさんある時に，
- （3）ほとんど対処できない．　（2）いつものようにはうまく対処できない．
- （1）たいていうまく対処できる．　（0）うまく対処できる．

7）不幸せで，眠りにくい．
- （3）ほとんどいつもそうである．　（2）時々そうである．
- （1）たまにそうである．　（0）まったくない．

8）悲しくなったり，惨めになる．
- （3）ほとんどいつもある．　（2）かなりしばしばある．
- （1）たまにある．　（0）まったくない．

9）不幸せで，泣けてくる．
- （3）ほとんどいつもある．　（2）かなりしばしばある．
- （1）たまにある．　（0）まったくない．

10）自分自身を傷つけるのではないかという考えが浮かんでくる．
- （3）しばしばある．　（2）ときたまある．
- （1）めったにない．　（0）まったくない．

※各質問とも 4 段階の評価で，10 項目を合計する．

項目は 10 項目で，0，1，2，3 点の 4 件法の母親による自己記入式質問票で，うつ病によく診られる症状を，わかりやすく質問にしたもので，当質問票で 9 点以上（欧米では 10 ～ 13 点以上）の場合には産後うつ病の疑いと診断する．

（文献 14，15，17，18 より引用）

SSRI や三環・四環系抗うつ薬の一部は母乳移行が知られているが，その大部分は極めて低濃度で有害事象の報告は少ない．SSRI では，パロキセチン塩酸塩とセルトラリン塩酸塩，フルボキサミンマレイン酸塩，エスシタロプラムシュウ酸塩の乳汁移行は少なく，授乳との両立が可能であると考えられている[19]．

抑うつ状態がある程度進んだ場合には，希死念慮は必発といってよく，患者が「死にたい」と言うときは十分注意が必要である．自殺は発病初期や治療によって軽快しはじめたときに決行することが多い．

3. 産後精神病

頻度・症状

頻　度

産後 1 カ月間に双極性障害症状を発現するリスクは，他の時期に比べると約 22 倍高い．産後精神病は，出産関連の精神疾患の中でも最も重篤な病態である．一般人口における産後精神病の有病率は，1,000 人の出産あたり 1 ～ 2 人と推定される[20]．とりわけ最も重要な危険因子は，双極性障害や過去の産後精神病のエピソードの既往である．どちらの場合でも，産後精神病発症リスクは，25 ～ 50％と推定される．双極性障害や産後精神病の家族歴も危険因子である[21]．

症　状

産後精神病の多くは，産後 2 週間以内に急性に発症する．初期症状は，不眠，気分の変調，時には新生児に関する強迫観念であり，その後，妄想，幻聴，幻覚，支離滅裂な行動，重度の気分症状など，より重篤な症状が出現する．躁状態，うつ状態または混合状態などの気分症状の発現は，産後精神病で非常に顕著である．産後精神病患者は，しばしば失見当識，混乱，困惑，人物誤認，現実感喪失，離人感などの非体系的な認知症状を示す．

産褥精神病は，普通にみられる統合失調症とかなり違う．急性に始まり，論理的思考力や他人との疎通性を残していることがある．

診　断

出産は，一般的なストレス因子とみなされ，あらゆる種類の精神疾患を引き起こす可能性がある．したがって，一般的に使用されている米国精神医学分類システム（DSM-IV および DSM-V：診断統計マニュアル）は，産後精神病という特定のカテゴリーを有していない．

一方，英国では，医学分類システム ICD-10（International Classification of Disease）に「産褥に関連する精神的および行動的障害」と題された特定のセッションが含まれている．しかし，特にこのセッションの補遺では，このカテゴリーについては十分慎重な使用を推奨している．上記の症状を認めた場合，早急に精神科専門医にリエゾンを依頼するべきである．

治　療

薬物療法として，ホルモン剤やプロプラノロール塩酸塩，抗精神病薬，炭酸リチウムなどで有効性が検討されている．同一の研究グループによる 3 つの研究では，エストロゲンの有効性が示された[22]．プロゲステロンとホルモン補充療法の有効性が症例報告で示唆されている[23]．別の症例報告では，プロプラノロール塩酸塩（高血圧に使用される β アドレナリン受容体阻害薬）が産後精神病治療の選択肢の一つとして支持されている[24]．また電気痙攣療法（electroconvulsive therapy；ECT）の有効性も検討されている[25]．

地域連携と精神科リエゾン[1]

産褥精神障害患者の対応では，妊娠早期から関わる産科医，助産師が精神的な関わりを必要とする妊産婦をいかに早期に抽出し，適正な精神科医療機関につなげるシステムの構築ができるかどうかが重要である．併せて定期的な他職種（精神科医，小児科医，地域子ども家庭センター，地域保健所，子育て世代包括支援センターなど）による周産期カンファレンスなどにおいて，適宜情報共有を行うことも重要である．

おわりに

これらの疾患は，初診時の詳しい問診によるリスク因子の抽出や妊娠中のエピソードなど疑わしい点があれば，慎重にフォローし，発症早期の対応が必要である．われわれ産科医は，胎児虐待や乳児虐待，ネグレクト，褥婦の自殺を減らすために，これらの疾患についての知識や日常診療の中で注意深い観察が必要と考える．

引用・参考文献

1) 厚生労働省．平成 28 年度子ども・子育て支援推進調査研究事業「産前・産後の支援のあり方に関する調査研究　妊産婦メンタルヘルスケアマニュアル」．日本産婦人科医会．2017.
2) Andreoli C, et al. La depression puerperale precoce: I blues puerperali. Minerva Ginecol. 41, 1989, 173-6.
3) O'Hara MW, et al. Controlled prospective study of postpartum mood disorders: comparison of childbearing and nonchildbearing women. J Abnorm Psychol. 99, 1990, 3-15.
4) Stein GS. The pattern of mental change and body weight change in the first postpartum week. J Psychosom Res. 24, 1980, 165-71.
5) O'Hara MW, et al. Postpartum depression. A role for social network and life stress variables. J Nerv Ment Dis. 171, 1983, 336-41.
6) Davidson JRT, et al. Post-partum mood change in Jamaican women: a description and discussion on its significance. Br J Psychiatry. 121, 1972. 659-63.
7) Ehlert U, et al. Postpartum blues: salivary cortisol and psychological factors. J Psychosom Res. 34, 1990, 319-25.
8) Bölter D, et al. Eine Verlaufsuntersuchung über Stimmungsschwankungen in den ersten fünf Tagen nach der Entibindung. Psychother Med Psychol. 36, 1986, 75-82.
9) Okano T, et al. Cross cultural study of the maternity blues and postpartum depression. J Clin Psychiatry. 33, 1991, 1051-8.
10) Condon JT, Watoson TL. The maternity blues: exploration of a psychological hypothesis. Acta Psychiatr Scand. 76, 1987, 164-71.
11) O'Hara MW, et al. Controlled prospective study of postpartum mood disorder: psychological, environmental, and hormonal variables. J Abnorm Psychol. 100, 1991, 63-73.
12) Kendell RE, et al. Mood changes in the first 3 weeks after childbirth. Journal of affective Disorders. 3, 1981, 317-26.
13) 中野仁雄．妊産婦の精神面支援とその効果に関する研究．平成 6 年度厚生省心身障害研究報告書．1994（III）.
14) 日本産婦人科学会・日本産婦人科医会編集・監修．"CQ420 産褥精神障害の取り扱いは？"．産婦人科診療ガイドライン：産科編 2020．東京，日本産科婦人科学会事務局，2020，271-4.
15) 吉田敬子．"出産後の精神障害"．母子と家族への援助．東京，金剛出版，2000，54-85.
16) Hannah P, et al. Links between early post-partum mood and post-natal depression. Br J Psychiatry. 160, 1992, 777-80.
17) Cox JL, et al. Detection of postnatal depression; Development of the 10 item Edinburgh Postnatal Depression Scale. Br J Psychiatry. 150, 1987, 782-6.
18) 岡野禎治ほか．日本版エジンバラ産後うつ病自己評価票（EPDS）の信頼性と妥当性．精神科診断学．7(4)，1996，525-33.
19) Yonker K A, et al. The management of depression during pregnancy: a report from American Psychiatric Association and American College of Obstetrician and Gynecologists. Gen Hosp Psychiatry. 31, 2009, 403-13.
20) Munk-Olsen T, et al. New parents and mental disorders: a population-based register study. JAMA. 296, 2006, 2582-9.
21) Jones I, et al. Searching for the puerperal trigger: molecular genetic studies of bipolar affective puerperal psychosis. Psychopharmacol Bull. 40, 2007, 115-28.
22) Ahokas A, et al. Positive treatment effect of estradiol in postpartum psychosis: a pilot study. J Clin Psychiatry. 61, 2000. 166-9.
23) Boyce P, et al. Puerperal psychosis. Arch Womens Ment Health. 13, 2010, 45-7.
24) Steiner M, et al. Propranolol versus chlorpromazine in the treatment of psychoses associated with childbearing. Psychiatr Neurol Neurochir. 76, 1973, 421-6.
25) Focht A, et al. Electroconvulsive therapy (ETC) in the treatment of postpartum psychosis. J ECT. 28, 2012, 31-3.
26) Brockington IF. 母性とメンタルヘルス．岡野禎治ほか訳．東京，日本評論社，1999，424p.
27) Megan Galbally ほか．妊婦の精神疾患と向精神薬．岡野禎治ほか訳．東京，南山堂，2018，228p.

東京かつしか赤十字母子医療センター　林　瑞成

産褥熱（Toxic Shock Syndrome を含む）

概　念

定　義

産褥熱とは，分娩終了後の 24 時間以降，産褥 10 日間以内に，2 日間以上，38℃以上の発熱の続く場合をいう[1)]．分娩により生じた創傷に起こった感染と，それに続発する感染症で，臨床的には感染が性器損傷部位に限局した子宮内膜炎などのような限局性と，それに続発した敗血症のような全身性とがある[2)]．

病態による分類

限局性産褥感染と全身性産褥感染に分けられる（表 1）．

表 1 ● 産褥熱の分類

1．限局性産褥感染：子宮感染，創部感染，骨盤内感染
　①子宮感染
　②子宮傍組織蜂窩織炎
　③会陰感染
　④腹部創部感染
　⑤壊死性筋膜炎
　⑥卵巣膿瘍
　⑦敗血症性骨盤血栓性静脈炎
2．全身性産褥感染：敗血症
　①毒素性ショック症候群（toxic shock syndrome；TSS）
　②劇症型 A 群連鎖球菌感染症（streptococcal toxic shock syndrome；STSS）

誘　因

産褥感染症の誘因として，分娩前，分娩中，分娩後，および母体合併症の因子がある（表 2）[2)]．細菌感染が原因であり，細菌の侵入を助長するさまざまな手技・器械的操作により誘発される．特に帝王切開は子宮感染を起こすリスク因子である．

表 2 ● 産褥感染症の誘因

1．分娩前
　前期破水，頻回の内診，産道の器械的操作，細菌性腟炎，絨毛膜羊膜炎，切迫早産など
2．分娩中
　帝王切開術，頻回の内診，子宮内モニタリング（子宮内圧測定など），胎盤用手剥離術，遷延分娩，胎便による羊水混濁，早産，死産など
3．産褥期
　裂傷などの縫合時の産道に対する器械的操作，子宮内遺残（卵膜，胎盤，ガーゼなど），子宮筋腫などによる悪露滞留など
4．母体合併症
　若年妊娠，低栄養状態，初産，肥満，妊娠高血圧症候群，糖尿病，自己免疫疾患，免疫力低下（ステロイド内服，HIV 感染など）など

（文献 2 より転載）

要　点

感染症として，限局性の感染か，全身性感染の敗血症かを quick SOFA スコアを用いてスクリーニングし[3)]（図 1），敗血症が疑われる場合には，集中治療医と連携して早期に治療を開始する（第 2 章Ⅳ -2 の「敗血症性ショック」に準ずる）．限局性産褥感染の場合には，診察による原因の検索を行い，抗菌薬投与による治療と，必要に応じて感染源の除去治療を行う．

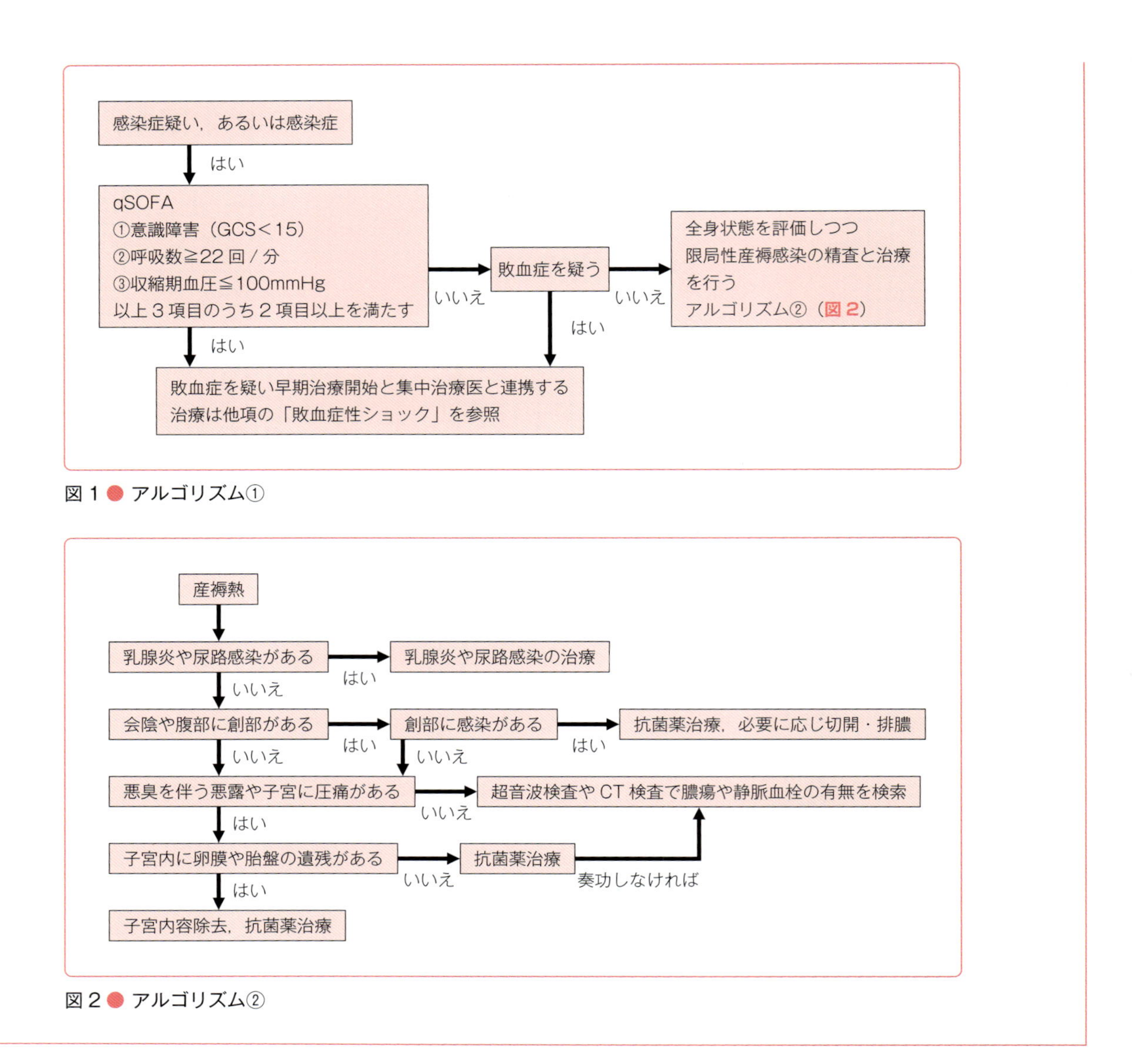

図1 ● アルゴリズム①

図2 ● アルゴリズム②

臨床症状

産褥熱の主原因である子宮内膜炎は，通常産褥3～5日に発症し，発熱，下腹部痛（子宮の圧痛），悪臭を伴う帯下を認めることが多い．産褥24時間以内に39℃以上の発熱があった場合は，A群溶血性連鎖球菌感染症などの重症感染症を疑う．子宮内膜炎の炎症が脱落膜全層に及ぶと子宮筋層炎から子宮傍結合組織へと進展し，子宮傍組織蜂窩織炎や経卵管的に進展して腹膜炎を来す．骨盤壁まで炎症が波及し，骨盤内に膿瘍形成を起こすことがある．

帝王切開の筋層切開部の感染では，創部の壊死や離開を来し，感染が子宮傍結合組織へと進展し，子宮傍組織蜂窩織炎や膿瘍形成を起こすことがある．腹膜炎の初期症状が麻痺性イレウスのこともある．

会陰感染は以前に比べ減少したが，会陰切開部の感染では創部離開を起こすことがある．3度，4度の会陰裂傷では創部感染の危険が高くなる．自覚症状として局部痛，膿性分泌，排尿障害が出現する．外陰部は浮腫状に腫脹し，発赤や潰瘍形成を来すことがある．

腹部創部感染は帝王切開創部に生じる．肥満，糖尿病，ステロイド投与，免疫不全，貧血，高血圧，不十分な止血による血腫形成がリスク因子である．創部膿瘍では通常帝王切開後に発熱が持続している場合や，術後約4日目に発熱が生じる場合がある．創部は紅斑性で膿の滲出を伴う．

壊死性筋膜炎は腹部創部感染の重症型である．感染が表皮や皮下組織だけでなく，筋膜にまで及ぶものである．感染は筋肉組織にまで及ぶことがある．敗血症に至る危険があり，A群溶血性連鎖球菌感染症などによる場合は産褥早期に発症する．

卵巣膿瘍は，産褥1～2週間後に発症する．通常片側性であるが，両側性に起こすこともある．破裂をすることが多く，重症な腹膜炎を来す．

敗血症性骨盤血栓性静脈炎はまれな疾患で，卵巣静脈（右>左）や骨盤深部の静脈に血栓を生じ，進行すると下大静脈にも血栓を形成する．経腟分娩後でも起こり得るが，帝王切開後の方が多い．時に片側もしくは両側の下肢に痛みを有することもあるが，悪寒以外の症状がないことが多い．抗菌薬治療を5日間以上投与しているにもかかわらず，発熱が持続する場合は本症も念頭におく必要がある．

意識変容，呼吸数≧22回／分，収縮期血圧≦100mmHgのquick SOFAスコア3項目中2項目以上が存在した場合は，敗血症を疑い，毒素性ショック症候群（toxic shock syndrome；TSS）や劇症型A群連鎖球菌感染症（streptococcal toxic shock syndrome；STSS）などの重症例を考える．（第2章Ⅳ-2「敗血症性ショック」，第2章Ⅳ-4「劇症型溶連菌感染症」を参照）

TSSは黄色ブドウ球菌（Staphylococcus aureus）により大量に産生されるTSS toxin-1（TSST-1）と呼ばれる菌体外毒素（exotoxin）が原因で発症する[4]．突然発症で，高熱，低血圧，びまん性斑状紅皮症を認める．症状は急速に進行し，嘔吐，下痢，錯乱，筋肉痛，腹痛を呈するようになる．これらの症状は肝臓，腎臓，消化管，中枢神経系などの多くの臓器を障害する特性を示している．致死率は5%前後である．

起因菌

好気性グラム陽性球菌（ブドウ球菌，連鎖球菌，腸球菌など），好気性グラム陰性桿菌（大腸菌，クレブシエラ，緑膿菌），嫌気性菌（バクテロイデス，セラチア）と幅広く，また，複数菌感染が多い（表3）．

黄色ブドウ球菌感染においてはTSSを引き起こし，重症化することがある．

バンコマイシン耐性腸球菌（vancomycin resistant Enterococcus；VRE），大腸菌などのグラム陰性桿菌にみられる基質拡張型βラクタマーゼ（extended spectrum β-lactamase；ESBL）産生菌，メチシリン耐性黄色ブドウ球菌（meticillin resistant Staphyrococcus aureus；MRSA）などの薬剤耐性菌が，臨床上問題になる．

診　断

産褥熱を認めた場合，乳腺炎や尿路感染も鑑別に入れ，原因検索を行う（図2）．

経腟分娩をした褥婦では会陰や腟壁などに生じた創部に感染がないか確認する．帝王切開をした褥婦では腹部創部の表皮，皮下，筋膜組織などに感染がないか確認する．創部皮膚の発赤や圧痛を認めれば，創部感染が強く疑われる．同部位より膿の排出を認めれば診断は確定的となり，膿の細菌培養検査を提出する．

腟鏡診にて子宮口から悪臭を伴う膿性の悪露の排出を認めれば子宮内感染の診断は容易であり，同時に膿性分泌物の細菌培養検査を提出する．内診では子宮の

表3 ● 産褥感染症の起因菌

Ⅰ．好気性菌	1．グラム陽性菌 A，B，D群溶血性連鎖球菌（group A，B，D streptococci） 腸球菌（Enterococcus） 黄色ブドウ球菌（Staphylococcus aureus） 表皮ブドウ球菌（Staphylococcus epidermidis） 2．グラム陰性菌 大腸菌（Escherichia coli） クレブシエラ（Klebsiella） 緑膿菌（Pseudomonas aeruginosa） プロテウス（Proteus）
Ⅱ．嫌気性菌	1．グラム陽性菌 クロストリジウム（Clostridium） 2．グラム陰性菌 バクテロイデス（Bacteroides） セラチア（Serratia）
Ⅲ．その他	クラミジア（Chlamydia trachomatis） マイコプラズマ（Mycoplasma hominis）

圧痛や子宮頸部移動痛がみられる．

超音波検査は必須であり，子宮腔内の液体貯留，胎盤遺残，卵管や卵巣膿瘍の有無を検索する．また，帝王切開後の褥婦では，子宮切開部創の離開や周囲の血腫形成，膿瘍形成の有無を検索する．皮下や筋膜下の血腫形成，膿瘍形成の有無を検索する．

超音波検査で感染源が不明の場合は，CT 検査を施行し，骨盤内・腹腔内の膿瘍形成や骨盤内静脈血栓の有無を検索する．

TSS の診断基準[4]を**表 4** に示す．

治　療

抗菌薬治療が主であるが，感染源の除去が必要なことがある．

▶ 抗菌薬治療

通常の子宮内膜炎では，細菌学的検索を行うとともに，その結果を待たずに抗菌薬の使用を開始する（empiric therapy）．複数菌感染が多いため，嫌気性菌を想定して広域スペクトルの抗菌薬を選択する．培養結果が出れば，狭域化を行う．軽症例ではセフェム系やβラクタマーゼ阻害薬配合のペニシリン系の薬剤を経口投与する．重症例では，第 3 世代以降のセフェム系やβラクタマーゼ阻害薬配合のペニシリン系の薬剤を点滴投与する[2, 5]．

産褥子宮内膜炎では，クリンダマイシンとゲンタマイシンの点滴投与が推奨されている[6]．

帝王切開後の骨盤内感染のレジメンを**表 5** に示す[7]．

TSS が疑われる患者は直ちに入院させて，集中治療を行う．培養結果が出るまでは，メチシリン感受性黄色ブドウ球菌（MSSA）感染を想定する場合はアンピシリンを投与する[3]．メチシリン耐性黄色ブドウ球菌（MRSA）を想定する場合は，バンコマイシンを投与する[3]．毒素抑制のためにクリンダマイシンを併用することも多い[3, 4]．静注用ヒト免疫グロブリン（IVIG）の有用性は賛否両論がある[3, 4]．

表 4 ● TSS の診断基準

Ⅰ．体温：39℃以上
Ⅱ．収縮期血圧：90mmHg 以下
Ⅲ．皮疹（紅斑がやがて剥脱．剥脱は特に手掌，足底で著明）
Ⅳ．以下の臓器のうち少なくとも 3 カ所に障害がある A）消化管（嘔吐，下痢） B）筋肉（筋肉痛，CK 上昇：正常の 2 倍以上） C）粘膜（腟／結膜／咽頭）の発赤 D）腎臓（BUN，クレアチニン：正常の 2 倍以上，尿路感染症がないが尿中白血球が多い） E）肝臓／肝炎（ビリルビン，AST・ALT：正常の 2 倍以上） F）血液像（血小板：10 万／μL 以下） G）中枢神経系（局所所見がなく意識障害あり）
Ⅴ．血清学的に麻疹，レプトスピラ症，リケッチア症が存在しない

（文献 4 より引用）

表 5 ● 帝王切開後の骨盤内感染の治療薬

クリンダマイシン＋ゲンタマイシン	第 1 選択薬
上記＋アンピシリン	敗血症や腸球菌感染を疑うとき
クリンダマイシン＋アズトレオナム クリンダマイシン＋広域ペニシリン クリンダマイシン＋セファロスポリン	腎不全によりゲンタマイシンが投与できないとき
バンコマイシン	黄色ブドウ球菌感染を疑うとき
メトロニダゾール＋アンピシリン＋ゲンタマイシン	嫌気性菌による重篤な骨盤内感染
カルバペネム	重篤な感染症の特別な場合※

※日本集中治療医学会では，経験的抗菌薬にカルバペネム系抗菌薬を含めるのは，ESBL 産生菌，あるいはカルバペネムのみに感受性をもつ耐性緑膿菌，耐性アシネトバクターなど，カルバペネム系薬剤が特に有効と考えられる微生物が原因として想定される場合としている[3]．

（文献 7 より引用）

▶ 感染源の除去

子宮感染の原因が卵膜遺残や胎盤遺残の場合は子宮内容除去術を行う．ただし，胎盤遺残の場合は癒着胎盤の可能性もあり，注意を要する．（第２章Ⅱ-6「前置胎盤・癒着胎盤」を参照）

会陰創部，帝王切開の腹部創部に膿瘍形成があり，抗菌薬治療が奏功しない場合，切開排膿，洗浄が必要となる．

骨盤内，腹腔内に膿瘍形成があり，抗菌薬治療が奏功しない場合，開腹による排膿，洗浄を考慮する．洗浄後は腹壁外ドレーンを留置する．

壊死性筋膜炎では早急な外科的デブリドメントが必要である[7]．

引用・参考文献

1）日本産科婦人科学会編．"産褥熱"．産科婦人科用語集・用語解説集．改訂第４版．東京，金原出版，2018，104．
2）日本産科婦人科学会編．産婦人科専門医のための必修知識 2020 年度版．東京，日本産科婦人科学会，2018，B173-4．"異常産褥：産褥熱"．
3）日本集中治療医学会．日本版敗血症診療ガイドライン 2020．日本集中治療医学会雑誌．28（supplement），2021，S21．
4）日本感染症学会．"毒素性ショック症候群（toxic shock syndrome；TSS）"．症状からアプローチするインバウンド感染症への対応：感染症クイック・リファレンス．https://www.kansensho.or.jp/ref/d45.html［2021．11．1］．
5）日本産婦人科感染症学会編．"子宮内膜炎・子宮筋層炎・子宮傍結合織炎"．産婦人科感染症マニュアル．東京，金原出版，2018，85-93．
6）Mackeen AD. et al. Antibiotic regimens postpartum endometritis. Cochrane Database of Systematic Reviews. 2015,（2）, CD001067.
7）Cunningham FG. et al. "Puerperal complications". Williams Obstetrics 25th edition. McGraw-Hill, 2018, 666-79.

さいたま赤十字病院 ● 中村　学

1 診断アプローチ

胎児・新生児の管理では，7W1H を意識した診断プロセスが有用

「What」診断は？

診療とは，診断をして治療をする，という流れであり，診断をすることが全ての基本となる．しかし，診断は急いではいけない．なぜならいったん診断に至るとそれ以上の疑問を持たなくなってしまうからである．思考過程のアルゴリズムの性(さが)である．診断をしたとしても，それは正しいのか，他の診断は重複しないのか，常に思考回路を回しておく必要がある．

「Whose」誰の？

子宮内の胎児に何らかの問題を抱え得ていることが予想されても，必ずしもそれが「胎児の問題」とは限らない．例えば糖代謝異常合併妊娠による羊水過多，血液型不適合妊娠による胎児新生児溶血性疾患，妊娠高血圧症候群に伴う胎盤機能不全など，母体要因による胎児疾患はさまざまである．また，胎児水腫を原因として母体にミラー症候群を引き起こすことがある．母体なのか胎児なのか，それともその両者の問題なのかを念頭に置く必要がある．

「Which」どちらの？

多胎妊娠の場合，どの胎児が問題を抱えているのかを意識し，常に鑑別する必要がある．

「Where」どこが？

胎児や胎盤の何が問題となっているのか，Whose と Which から，より具体的にアプローチする必要がある．詳細は他稿に譲るが，頭部なのか，胸部なのか，腹部なのか，それとも全身なのか，羊水量なのか，胎盤なのか，系統的に What をとらえる必要がある．日常診療においても常に系統的に順番を決め，大きな視点から小さな部分へとアプローチする方針にしておけば，見落としも避けることができる．

「When」いつから？

いつの時期から問題となっているか，妊娠初期は認められなかったものなのか，あるいは認めていなかっただけなのか，時間経過に沿った変化があるのかないのかを検討する必要がある．そして，その問題に対する未来への見通しも必要となる．その問題が胎児期に増悪するものなのか，分娩時の対応が必要なのか，出生直後に支障を来すのか，長期予後はどうなるのかを吟味する必要がある．

「Why」なぜ？

なぜその問題を抱えているのか，原因はなんだろうか．この思考のプロセスが実際の診療における有効な治療へとつながる．Why を追求することが周産期医療という比較的新しい分野における今後の管理や治療の発展につながる．

「How」どのように？

どのようにして診断するか？　アプローチの具体的な内容は他稿に譲るが，自覚症状を問診し，他覚（理学）所見をフィジカルアセスメントのさまざまな手技を用いて評価するとともに，血液検査，超音波診断装置，分娩監視装置といった日常診療で用いられているモダリティを活用して情報を得る必要がある．また，MRI や CT といった画像診断手法を必要とする場合もあるだろう．

「Who」誰が？

ここでは，「誰」を診療の主体者である医療者とし最後に記す．周産期医療に関わる医師がその主体者と

は限らない．合併症妊娠であれば関連診療科の医師に診断や管理を委ねる必要があるし，胎児疾患の場合，出生後を念頭においた新生児科・小児科や循環器科や小児外科との情報共有が必要になる．また，帝王切開や胎児治療では麻酔科との連携も必要となる．同時に，助産師・看護師と共同した看護的アプローチも重要である．臨床心理士・公認心理師による支援も必要となる場合がある．診断アプローチの中心は医師ではあるが，それに伴ったチーム医療の形成とその運用を意識することが必要である．

スクリーニングなのか診断なのか

胎児疾患の多くは，経時的変化やさまざまな検査法の組み合わせによって診断に至る場合が多い．そのため，たとえ疾患を疑われて紹介受診となったとしても，すぐには診断に至らない場合もある．また，他の疾患を合併している場合もある．そのため，胎児，羊水，胎盤を総合的に捉え，スクリーニングの要素を常に念頭において診断を進めていく必要がある．

形態診断なのか機能診断なのか

分娩監視装置による胎児心拍数陣痛図は，胎児の健常性を確認したり胎児機能不全を診断したりする場合に用いる機能診断ツールである．一方，超音波診断装置による先天性心疾患などの診断は形態診断である．しかしながら，例えば先天性横隔膜ヘルニアでは形態診断を行った上で，肺低形成の予測という機能診断が必要となる．つまり，診断を行うにあたって，形態を評価しているのか，機能を評価しているのか，その診断プロセスの臨床的意義を常に認識しておく必要がある．用いるモダリティによっては，両者のいずれかに特化したものもあるが，多くの診断装置はその両者を兼ね備えている（**表 1**）．そのため，どのようなツールを何の目的で使用するかを認識した上で利用する必要がある．

表 1 ● 胎児診断に用いるモダリティの特徴と問題点

		特徴	対象	問題点
超音波診断装置	B モード法	形態診断	構造異常 羊水量異常 胎盤異常	形態的評価が主
	M モード法	機能診断	不整脈 心不全	心疾患に限られる
	パルスドプラ法 / カラードプラ法	機能診断	FGR 胎児機能不全 心不全 胎児貧血 不整脈	測定する血流部位や測定パラメーターによって評価が異なる
	組織ドプラ法	機能診断	心不全 不整脈	汎用されていない
胎児心拍数陣痛図		機能診断	胎児機能不全	心拍数情報のみでの判断
CT		形態診断	骨系統疾患	解像度 胎動の影響 放射線被曝
MRI		形態診断	構造異常 胎盤異常	解像度 胎動の影響
胎児心電図		機能診断	胎児不整脈	汎用されていない

超音波検査によるアプローチ

胎児疾患を疑われて紹介されてきたとき，最も簡便で容易に行えるのは超音波診断装置を用いた超音波検査法である．超音波が羊水中を通過しやすいという特性と，胎児の骨化が不十分なため超音波が骨を透過しやすいく頭蓋内や胸郭内でも観察可能であるという超音波の特性を活かせる点と，診断用の超音波装置では超音波の生体作用がほぼ無視できるという安全性の点で幅広く用いられている検査法である．

何らかの疾患を疑われているとしても体系的なスクリーニングからアプローチすることを推奨する．**表 2** は胎児形態を体系的にスクリーニングする項目と疑われる疾患を列挙したものである．

MRI 検査によるアプローチ

MRI 検査は超音波検査と同様に被曝を懸念する必要性がない．現在まで，1.5Tesla の MRI 装置は安全であると言われており，近年普及しつつある 3.0Tesla でもこれまでのところ胎児に影響が出たとは報告されていない．そのため安全な検査法といえるが，あくまでも超音波検査を補完する目的で用いられる．胎児 MRI 検査で撮像できる特徴を**表 3** に挙げる．

表 2 ● 超音波検査における胎児形態異常スクリーニング検査におけるチェック項目と異常所見・形態異常について

観察項目	異常所見	疑われる形態異常など
妊娠初期（妊娠 10 ～ 13 週）		
頭部は半球状で不整はないか	頭部の不整	無頭蓋症，無脳症，脳瘤
頭部・頸部・胸部・腹部に異常な液体貯留像はないか	液体貯留像	全前脳胞症，頸部嚢胞性リンパ管腫，胎児水腫，巨大膀胱（prune-belly 症候群，下部尿路閉鎖など）
四肢は 4 本見えるか	四肢がない／見えにくい	上肢あるいは下肢欠損，その他の骨形成不全
妊娠中期（妊娠 18 ～ 20 週）		
浮腫はないか	浮腫あり	頸部嚢胞性リンパ管腫，胎児水腫
BPD は妊娠週数相当か	週数に比し長い	水頭症，水無脳症
	週数に比し短い	小頭症，脳瘤
	測定できない	無頭蓋症，無脳症
頭蓋内は左右対称で異常像を認めないか	左右非対称	孔脳症，脳腫瘍
	異常像	水頭症，脈絡膜嚢胞，脳腫瘍
頭蓋外に突出する異常像を認めないか	突出像	脳瘤
心臓の位置はほぼ正中で軸は左に寄っているか	位置・軸が右	内臓逆位，錯位（無脾症，多脾症），CDH，CPAM，肺分画症，各種の心形態異常
左右心房・心室の 4 つの腔が確認できるか	腔の数の異常	各種の心形態異常
胸腔内に異常な像を認めないか	胸腔内異常像	横隔膜ヘルニア，CPAM，肺分画症，胸水
胃胞が左側にあるか	胃胞が右側	内臓逆位，錯位（無脾症，多脾症）
	胃胞が見えない	CDH，先天性食道閉鎖症
胃胞，膀胱，胆嚢以外に嚢胞像を認めないか	他の嚢胞像	各種の腹部嚢胞性疾患（肝，胆道，腎，卵巣，尿膜管）
腹壁（臍部）から臓器の脱出を認めないか	臓器脱出像	臍帯ヘルニア，腹壁破裂
背部・臀部異常な隆起を認めないか	異常な隆起	二分脊椎（脊髄髄膜瘤，腰・仙尾部奇形腫，総排泄腔遺残）
十分な長さの四肢が確認できるか	四肢が短い	四肢短縮性の骨系統疾患
羊水過多や過少は認めないか	羊水過多	嚥下障害を来す胎児形態異常，皮膚欠損を来す胎児形態異常，多尿を来す胎児内分泌性疾患，胎児水腫，胎盤腫瘍（形態異常以外の原因検索要）
	羊水過少	腎尿路系疾患（腎無形成，多嚢胞腎，尿路閉塞）（形態異常以外の原因検索要）
妊娠末期（妊娠 28 ～ 31 週）		
浮腫はないか	浮腫あり	頸部嚢状リンパ管腫，胎児水腫
BPD は妊娠週数相当か	週数に比し長い	水頭症，水無脳症
	週数に比し短い	小頭症，脳瘤
	測定できない	無頭蓋症，無脳症
頭蓋内は左右対称で異常像を認めないか	左右非対称	孔脳症，脳腫瘍
	異常像	水頭症，全前脳胞症，脈絡膜嚢胞，脳腫瘍
心臓の位置はほぼ正中で軸は左に寄っているか	位置・軸が右	内臓逆位，錯位（無脾症，多脾症），CDH，CPAM，肺分画症，各種の心形態異常
左右心房・心室の 4 つの腔が確認できるか	腔の数の異常	各種の心形態異常
胸腔内に異常な像を認めないか	胸腔内異常像	CDH，CPAM，肺分画症，胸水
胃胞が左側にあるか	胃胞が右側	内臓逆位，錯位（無脾症，多脾症）
	胃胞が見えない	横隔膜ヘルニア，先天性食道閉鎖症
胃胞，膀胱，胆嚢以外に嚢胞像を認めないか	他の嚢胞像	各種の腹部嚢胞性疾患（肝，胆道，腎，卵巣，尿膜管），十二指腸閉鎖，小腸閉鎖
FL は妊娠週数相当か	四肢が短い	各種の四肢短縮性骨系統疾患
羊水過多や過少は認めないか	羊水過多	嚥下障害を来す胎児形態異常，皮膚欠損を来す胎児形態異常，多尿を来す胎児内分泌性疾患，胎児水腫，胎盤腫瘍（形態異常以外の原因検索要）
	羊水過少	腎尿路系疾患（腎無形成，多嚢胞腎，尿路閉塞）（形態異常以外の原因検索要）

BPD：biparietal diameter（児頭大横径），CDH：congenital diaphragmatic herniation（先天性横隔膜ヘルニア），CPAM：congenital pulmonary airway malformation（先天性肺気道奇形），FL：femur length（胎児大腿骨長）

表 3 ● 胎児 MRI 検査で描出可能な所見

頭蓋	全体的な構造，口蓋，頭蓋，眼球
脳	妊娠週数に応じた白質・灰白質の形成，大脳皮質の層状構造，脳室の形態，小脳や脳幹構造，脳脊髄液の貯留状態
脊椎	脊椎の構造，脳脊髄液の貯留状態，脊髄の構造
胸部	胸郭内臓器の構造，肺の構造・信号強度
腹部	臓器の構造と位置関係，胃や胆嚢の液体貯留状況，腸管内の胎便や液体の貯留状態，腎臓，膀胱や尿管，卵巣や睾丸
その他	臍帯，羊水，胎盤

CT 検査によるアプローチ

CT 検査の課題は放射線被曝である．その際に影響を考慮する判断材料となるのが，妊娠の時期がいつであるのか，そして，被曝線量はどの程度なのか，ということである．

妊娠の時期，つまり，受精後何日が経過したかということで放射線による受精卵への影響は異なる．大量の放射線による被曝を受ければ受精卵は死亡し流産する可能性があるが，流産に至らずに生き残った場合は，完全に修復されて形態異常（奇形）となることはない．この現象は，「all or none」の法則として認識されているが，受精後 10 日までにあてはまるという説と，受精後 13 日までにあてはまるという説の 2 つがある．そのため，日本産科婦人科学会・日本産婦人科医会編集の『産婦人科診療ガイドライン産科編 2020』では，安全を考慮して「妊娠中の放射線被曝の胎児への影響について尋ねられたら？」という clinical question に対して，「受精後 10 日までの被曝では奇形発生率の上昇はないと説明する」という answer を採用している．しかし，たとえ受精後 11 ～ 13 日の時期でも，臨床現場において施行されている放射線を用いた検査での被曝線量は，閾値（しきい値）よりも相当小さいので，実際には奇形が問題になることはほとんどないといえる．

放射線の影響として，催奇形性以外に懸念されることが中枢神経系の発達への影響である．妊娠 9 ～ 16 週の時期は，胎児の中枢神経系では，細胞分裂が盛んなため大量の放射線被曝があれば影響を受けやすい．妊娠 17 週以降でも妊娠 26 週までは中枢神経系の放射線による感受性はないとはいえないとされている．しかし，被曝線量が 100mGy 未満では影響しない．CT 検査では母体の骨盤部の撮像を行っても平均胎児被曝線量は 25mGy，最大胎児被曝線量は 79mGy である．

実際には，臨床現場において胎児 CT が必要とされる状況は限られ，胎児骨系統疾患が対象となる．

東邦大学／東邦大学医療センター大森病院 ● 中田雅彦

1 頭部・顔面・頸部

概念・要点

胎児期における頭部・顔面・頸部の異常の抽出は，単なる疾患の指摘にとどまらない．頭部は，妊娠継続の検討を要する極めて予後不良な疾患の抽出であり，顔面は愛着形成にも影響し，頸部は遺伝学的評価が含まれる．そして，いずれも他の部位に比し，妊娠初期から詳細な評価がされ得ることも特徴的である．

『産婦人科診療ガイドライン：産科編 2020』と ISUOG（International Society of Ultrasound in Obstetrics and Gynecology）が示す妊娠 11 ～ 13 週の頭部・顔面・頸部の超音波検査による観察項目を挙げる（**表 1** [1, 2]）．妊娠 11 ～ 14 週に超音波検査が施行された 78,003 胎児（1,203 論文）のシステマティックレビューでは，996 例に胎児異常が認められている（胎児異常発生率 1.2%）．そのうち 501 例が妊娠第 1 三半期に検出され（50.5%）[3]，検出率は妊娠第 1 三半期においても妊娠週数の経過とともに上昇することから，産婦人科診療ガイドラインが示す観察項目にとどまらず，貪欲に観察したい．このたび公示された日本超音波医学会による超音波による胎児形態の標準的評価法は，意欲的かつ具体的である[4]．

表 1 ● 妊娠 11 ～ 13 週における頭部・顔面・頸部の確認項目（参考文献 1，2，4 より筆者作成）

観察部位	『産婦人科診療ガイドライン：産科編 2020』における観察項目	ISUOG による観察項目（臓器名のみ示した項目は，その有無を確認する）	日本超音波医学会が示す観察項目と観察内容（赤字は任意項目）
頭部	頭部の不整像 液体貯留像	頭部の存在 頭蓋冠 midline echo 脈絡叢で満たされた側脳室	頭蓋骨：半球状，変形や欠損の有無 大脳鎌：正中 脈絡叢：側脳室の大半を占める 脈絡叢嚢胞の有無
顔面		水晶体ある眼球 鼻骨 下顎 口唇の連続性	眼球：水晶体の有無 鼻骨：有無
頸部	液体貯留像	正常形態 後頸部（NT）肥厚の評価 （トレーニングを積んだ有資格者によるカウンセリング後に同意を得たのち，評価する）	形態：嚢胞や浮腫の有無

同様に，妊娠中期における同部位の観察項目を**表 2** および**表 3** に示す．『産婦人科診療ガイドライン：産科編 2020』では，2014 年版まで示されていた口唇の観察が再掲されることはなく，顔面の観察項目はない（頸部は，頸部嚢胞性リンパ管腫が全身浮腫の観察項目として示されている）．患者サービスとして胎児顔面を描出している医療者は多い．近年，経腟走査法や 3D 超音波検査の技術の進歩により，口唇裂の診断が早期化し妊娠 11 週でなされた報告もある[5]．口唇に限らず，予期せぬ形態異常が観察されたときの対応を，医療者・妊婦ともあらかじめ確認しておくことが求められ，カウンセリングや精神的ケアの重要性も高い．

表 2 ● 妊娠 18 ～ 20 週における観察項目（文献 1 を改変）

観察部位	観察項目		検出が期待される疾患
全身	・浮腫はないか		頸部嚢胞性リンパ管腫，胎児水腫
頭部	・BPD は妊娠週数相当か	週数に比し長い	水頭症，水無脳症
		週数に比し短い	小頭症，脳瘤
		測定できない	無頭蓋症，無脳症
	・頭蓋内は左右対称で異常像を認めないか		孔脳症，脳腫瘍，水頭症，脈絡膜嚢胞
	・頭蓋外に突出する異常像を認めないか		脳瘤

表 3 ● 妊娠中期における観察項目（文献 2，4 より作成）

観察部位	ISUOG の観察項目 （臓器名のみ示した項目は，正常な形態であることを確認し，それ以外は存在を確認する） 赤字は，技術的可能時の追加観察項目	日本超音波医学会が示す観察項目と観察内容
頭部	頭蓋冠，透明中隔腔，midline echo，視床 脳室 小脳，小脳蓋窩（大槽）	頭蓋骨：半球状，変形や欠損の有無 大脳鎌：正中 側脳室：拡大の有無 脈絡叢：脈絡叢嚢胞の有無 小脳　：低形成，中部欠損の有無 大槽　：拡大の有無
顔面	両側眼窩 顔面の正中構造 口，上唇	眼球：水晶体の有無 口唇：口唇裂の有無
頸部	嚢胞性ヒグローマのような腫瘍性病変がない	形態：嚢胞や腫瘤の有無

参考 『産婦人科診療ガイドライン：産科編 2020』CQ106-2 産科超音波検査を実施するにあたっての留意点は？
「超音波による胎児形態の標準的評価法」日本超音波医学会用語・診断基準委員会 胎児超音波スクリーニングガイドライン作成小委員会

診断・注意すべき点

本稿では，日本超音波医学会が示す評価項目に準拠し，観察ポイントを述べる．

▶頭　部

胎児頭部は，妊娠初期は頭部水平断面像で観察する．妊娠中期以降は児頭大横径（BPD）計測断面を基本とし，それをわずかに頭頂方向に水平移動させた側脳室断面，BPD 計測断面を脳底部に傾けた小脳断面の 3 断面で観察する．

1）頭蓋骨が，なめらかな円周状に全周描出できる

a．頭蓋冠が認められない；無脳症あるいは無頭蓋症

脳実質が羊水中に浮遊あるいは，かなり小さい脳実質として捉えられる．

b．頭蓋骨が不連続；脳瘤

脳の一部が，頭蓋外へ突出する．

c．頭蓋が不整形；脊髄髄膜瘤，骨系統疾患，染色体異常

頭蓋は，疾患に特徴的な形状を示すことがある．脊髄髄膜瘤における頭蓋骨の前方が内側に陥没するレモンサイン（図 1A），骨系統疾患のクローバー様頭蓋，18 トリソミーにおける後頭部が円弧とならず直線を描くイチゴ様頭蓋が知られている．

2）大脳鎌により左右等しく，明確に区分できる

a．大脳鎌が全てもしくは部分的に欠如；全前脳胞症

脳室が 1 つとして描出される．脳の発達も停止することから，終脳（大脳皮質），間脳（視床，視床下部）も低形成となる（図 2）．重症例では，顔面正中部の低形成も認められる．

3）側脳室が拡大していない（側脳室三角部＜10mm，10mm ルール 1）

妊娠初期の大脳半球内は大半が側脳室で占められて

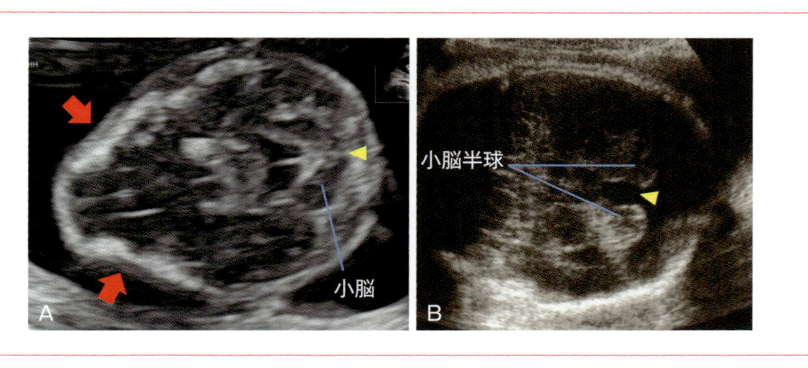

図 1 ● 大槽の異常

A：脊髄髄膜瘤：大槽の消失（▶）；頭蓋骨前方の陥没（レモンサイン：➡）と小脳の変形（バナナサイン）を認める．

B：大槽の拡大（▶）；小脳虫部欠損．

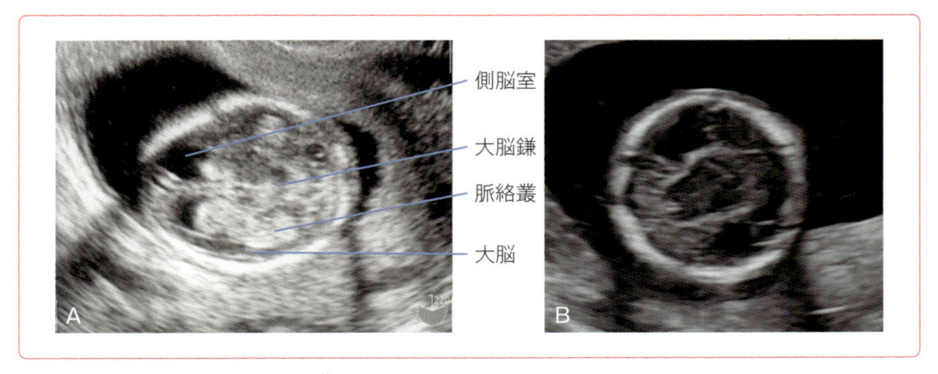

図 2 ● 妊娠 14 週頭部水平断面像

A：健常児．

B：全前脳胞症児：大脳鎌を認めない．

おり，脳室拡大ではないことに留意する（図 2A）．また，妊娠中期は，測定部位にあいまいさがあることから，「10mm 以上＝異常」ではない．

4) 脈絡叢嚢胞がない

脈絡叢嚢胞は，ソフトマーカー（染色体異常を有する可能性が通常より高くなる所見）とされてきた．しかし，単独例における染色体異常のリスクは低いことから，合併奇形の抽出に努め，安易に侵襲的検査を勧めるべきではない．

5) 大槽（小脳蓋窩，後頭蓋窩）が 10mm 以内で存在する（10mm ルール 2），小脳

a. 大槽の消失；脊髄髄膜瘤

脳幹・小脳が脊柱管内に引き込まれ Chiari 2 型奇形を生じると，大槽が消失し，小脳がひょうたん型から弓形に変形する（バナナサイン，図 1A）．

b. 大槽の拡大，小脳虫部の欠損；染色体異常（図 1B）を疑う

▶ 顔　面

1) 口唇裂・口蓋裂

口唇裂・口蓋裂は日本人の 500 ～ 700 人に 1 例に認められる．唇裂・口蓋裂の 70% は非症候性（単独例）であるが，30% は染色体異常や症候群の 1 症状である症候性である．表 4 に唇裂および口蓋裂を多く認める症候群とその頻度を示す．染色体異常に伴う口唇裂・口蓋裂には，ほぼ全例に合併奇形やソフトマーカー，胎児発育不全を伴う．染色体異常の有無にかかわらず合併奇形は，心疾患，四肢の異常が多い．発生の違いから，口唇裂単独例あるいは片側唇裂＋口蓋裂では，四肢以外の骨格の異常を伴い，口蓋裂単独例や両側唇裂口蓋裂では中枢神経系異常を伴う．正中唇裂は，病理学的に異なり頭蓋·顔面奇形として考える．

口唇は，口が閉じているときには，上唇の連続性が維持されているように見えることや，軽微な口唇裂（不全唇裂）は診断困難なことに注意を要する．口蓋裂の超音波診断は，正常な口蓋垂を示す "equals sign" や

表 4 ● 口唇裂，口蓋裂を認める症候群（文献 5 に加筆改変）

症候群	頻　度	所見，遺伝様式
13 トリソミー	1/5,000 13 トリソミーの 75%	全前脳胞症，小脳低形成，CHD，エコー源性腎，多指症
18 トリソミー	1/3,000 ～ 1/7,000 18 トリソミーの 15%	小脳低形成，脈絡叢嚢胞，CHD，FGR，手足の屈曲，手指重合
Goldenhar synd. （眼耳脊椎形成異常）	1/5,600 ～ 1/26,550	顔面非対称，CHD，半側椎骨，小耳症
Stickler synd. （関節眼症）	1/7,500 ～ 1/9,000	扁平顔，小顎症，緊張低下，CHD（僧帽弁逸脱症），側弯症，AD
Treacher-Collins synd. （下顎顔面骨形成不全症）	1/10,000 ～ 1/50,000	頬骨下顎低形成，AD
Van der Woude synd. （lip pit-cleft lip synd.）	1/35,000 ～ 1/100,000 唇裂の 2%を占める	下口唇小窩（陥凹），AD
Shprintzen-Goldberg synd. （velocardiofacial synd.）	散発性	顔面非対称，CHD，緊張低下，22 番染色体長腕の微小欠失；AD
Pierre Robin sequence	※	小顎症，舌根沈下，U 字型軟口蓋の口蓋裂

CHD：congenital heart disease，FGR：fetal growth restriction，AD：常染色体顕性遺伝
頻度は，Pagon AR: GeneReviews. University of Washington, Seattle による
※ Stickler synd. や Treacher-Collins synd. を基礎疾患とする考えや，胎児の過度の屈曲による下顎後退が他の奇形を連鎖的に惹起した sequence といわれ，頻度は報告により異なる．

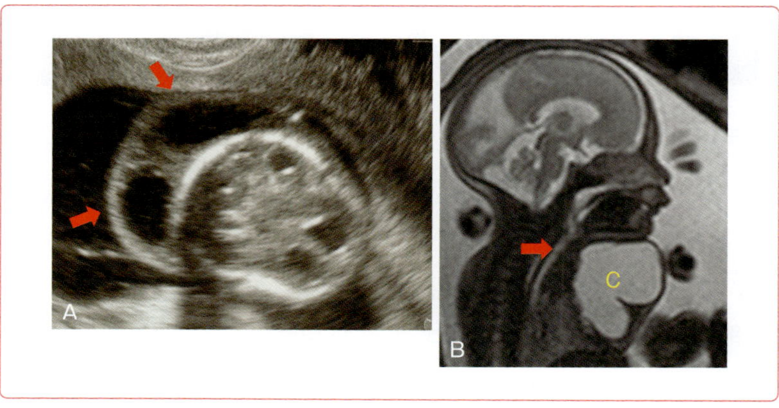

図 3 ● 頸部嚢胞性病変

A：胎児嚢胞性ヒグローマ（超音波胎児頸部水平断像）
B：頸部リンパ管腫（胎児 MRI 矢状断像）．頸部嚢胞性病変（C）による気道（➡）圧排がないことを確認する．

正中矢状断面での軟口蓋像の欠如がある[6]．超音波診断は頭蓋骨の音響陰影等により描出は技術的に“challenging”であるが，MRI は 91% で同様結果が得られたと報告されている[7]．

▶ 頸　部

妊娠初期に顔面疾患の検出率が，四肢・泌尿生殖器疾患とならび低い（いずれも 34%）のに対し，頸部の形態異常は最も検出率が高かった（24/26 例 92%）[3]．これは，諸外国では NT 肥厚（nuchal translucency：後頸部肥厚）の評価について正しい認識が浸透し，より注目して観察しているためと考えられる．

1）嚢胞や腫瘤

a．頸部後方の嚢胞；嚢胞性ヒグローマ（**図 3A**）

胎児頸部から後頭部に隔壁を有する嚢胞状の領域を認める．充実性部分を伴う場合は，嚢胞状奇形腫との鑑別が必要となる．染色体異常が 276 例中 213 例認められ，半数に合併奇形を伴う（**表 5**）[8]．非免疫性胎児水腫への進展を半数に認め，NT 肥厚と予後はまったく異なる．

b．頸部前方の嚢胞；頸部リンパ管腫（**図 3B**），気管支原性嚢胞，正中頸嚢胞，甲状腺腫

表 5 ● 嚢胞性ヒグローマに関連する疾患（文献 8 から作成）

疾　患
• Turner syndrome（59%） • 21 トリソミー（12%） • 18 トリソミー（6%） • 13 トリソミー • Noonan syndrome • Apert syndrome • Cornelia de Lange syndrome • Fryns syndrome • 胎児アルコール症候群 • 先天性心疾患 • 先天性横隔膜ヘルニア

染色体異常は少ないが，気道が確保されているか否かの評価が必要である．気管は気管軟骨で形成されていることから，食道に比し周囲からの圧排に耐え得ると考えられ，羊水過多を認めない＝食道閉塞すらない頸部病変は，気道が保たれていると考える．内向発育型や気道の評価には MRI が有効である．気道圧迫例には，娩出時臍帯非切断下気道確保（Ex-utero intrapartum treatment；EXIT：高難度新規医療技術，帝王切開時に臍帯切断前に気管挿管／気管切開を行う）も検討される．

2）浮　腫

必ずしも胎児頸部の浮腫＝NT 肥厚とは限らないことをまず認識する．NT は胎児後頸部の低エコー域であり，その肥厚の増加は妊娠 10 ～ 14 週の妊婦の約 6%に認められる生理的変化である．その大半が消失するとの報告もある[9]が，消失しても染色体異常のリスクは低下しない．NT 肥厚は，ソフトマーカーであるだけでなく，先天性心疾患（29%）や臍帯ヘルニア（5.5%），横隔膜ヘルニア（3.4%）等の発生率を上昇させる[10]ことから，産婦人科診療ガイドラインにある胎児形態異常を密に検索する「胎児超音波検査」が必要となる．一方，NT 肥厚の増加を認める症例の多くは健児である．NT が 3.5mm（妊娠 11 ～ 13 週の全ての胎児で 99%ile 以上となる）であっても染色体異常を有する例は 20% に過ぎず，形態異常を有する例が 10%，健常生存例が 70%である[11]．NT 計測は，厳格な資格制度が存在し，訓練を有する．また NT 肥厚単独による染色体異常の予測の精度は高くなく，母体年齢や複数の検査を組み合わし意味のある検査になる．わが国では，安易に NT 肥厚の増加と診断し，かつ染色体異常を強調する傾向がある．NT 肥厚の増加を疑う場合には，カウンセリングと正しい計測が可能な施設への紹介と，所見消失に備え診断根拠とした画像を添付したい．

引用・参考文献

1）日本産科婦人科学会／日本産婦人科医会 編集・監修．"CQ106-2 産科超音波検査を実施するにあたっての留意点は？"．産婦人科診療ガイドライン：産科編 2020．東京，日本産科婦人科学会，2020，82-5.
2）Salomon LJ. et al. ISUOG practice guidelines: performance of first-trimester fetal ultrasound scan. Ultrasound Gynecol 41(1). 2013, 102-13.
3）Rossi AC, Prefumo F. Accuracy of ultrasonography ata 11-14 weeks of gestation for detection of fetal structural anomalies; a systematic review. Obstet Gynecol. 122(6), 2013, 1160-7.
4）超音波による胎児形態の標準的評価法．日本超音波医学会用語・診断基準委員会 胎児超音波スクリーニングガイドライン作成小委員会 2022 年 3 月 11 日公示
5）Tonni G. et al. Early Detection of Cleft Lip by Three-Dimensional Transvaginal Ultrasound in Niche Mode in a Fetus With Trisomy 18 Diagnosed by Celocentesis. Cleft Palate Craniofac J. 53(6), 2016, 745-8.
6）Wilhelm L, Borgers H. The "equals sign": a novel marker in the diagnosis of fetal isolated cleft palate. Ultrasound Obstet Gynecol. 36(4), 2010, 439-44.
7）Dabadie A. et al. Added value of MRI for the prenatal diagnosis of isolated orofacial clefts and comparison with ultrasound. Diagn Interv Imaging. 97(9), 2016, 915-21.
8）Sniders RJM, Nicolaides KH. Ultrasound markers for fetal chromosomal defects. Parthenon Publishing Group, London,1996, 22-3.
9）Nicolaides KH. et al. Fetal nuchal translucency: ultrasound screening for chromosomal defect in first trimester of pregnancy. BMJ. 304(6831), 1992, 867-9.
10）Hyett JA. et al. Increased nuchal translucency at 10-14 weeks of gestation as a marker for major cardiac defects. Ultrasound Obstet Gynecol. 10(4), 1997, 242-6.
11）Souka AP. et al. Outcome of pregnancy in chromosomally normal fetuses with increased nuchal translucency in the first trimester. Ultrasound Obstet Gynecol. 18(1), 2001, 9-17.

杏林大学 ● 谷垣伸治 ● 中野紗弓 ● 佐藤泰紀

胸部—肺，心臓—

肺，心臓の先天異常は多岐にわたる．本稿では中でも日常診療でしばしば遭遇する疾患，すなわち肺では先天性肺気道奇形，心臓では心室中隔欠損について述べる．

1. 先天性肺気道奇形

概念・分類・病態

概　念

先天性肺気道奇形（congenital pulmonary airway malformation；CPAM）は細気管支の増殖を伴う多囊胞性の肺腫瘤性病変である．その発生は肺発生の腺様期（pseudo glandular period）に該当する胎齢5～17週（産科学的妊娠7～19週に相当）である．腺様期末期である胎齢17週までに，ガス交換に関与する部位以外の肺の主要部分が形成される．通常，CPAMは正常肺循環から栄養される点で，体循環から栄養される肺分画症と異なる．以前は先天性囊胞性腺様性奇形（congenital cystic adenomatoid malformation；CCAM）と呼ばれていたが，必ずしも囊胞性病変のみではないことから近年はCPAMと呼ばれるようになった．

分　類

StockerらはCPAMを2cm以上の囊胞を単房性または多房性に認めるものをⅠ型，1cm未満の多房性囊胞を認めるものをⅡ型，微細な囊胞を認めるものをⅢ型と分類した[1]．現在では0からⅣ型の5つの分類が用いられている[2]（**表1**）．しかしながらこれらの分類はいずれも病理学的観点からの分類であるため，胎児診断には用いるには適当ではない．

表1 ● CPAM分類

	type 0	type Ⅰ	type Ⅱ	type Ⅲ	type Ⅳ
部位	気管	気管支	細気管支	肺胞管	肺胞
頻度（%）	1～3	60～70	15～20	5～10	5～10
囊胞サイズ（cm）	0.5	2～10	0.5～2	0.5未満 充実腫瘍と鑑別	7
CCAMとの対比	Ⅲ	Ⅰ	Ⅱ	Ⅲ	Ⅰ

Adzickらは胎児期超音波検査所見から5mm以上の囊胞を認めるmacrocystic type（**図1**）と，5mm未満の囊胞からなるmicrocystic type（**図2**）の2つに分類することを提唱しており，産科管理ではAdzickらの分類[3]を用いる場合が多い．microcystic typeでは「cystic（囊胞性）」であるが超音波所見としては高輝度な充実性腫瘤として描出される点で注意が必要である．

病　態

胎児期は腫瘤が自然縮小する場合と増大していく場合と経過はさまざまである．胎児期に問題となる病態は腫瘤により胸腔内が占拠され，胸腔内圧の上昇で心臓が圧迫を受け，循環障害により胎児水腫を続発することである．

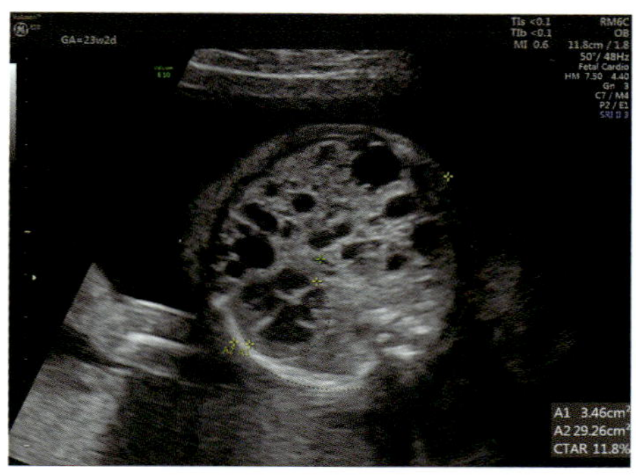
図 1 ● CPAM macrocystic type（妊娠 23 週）

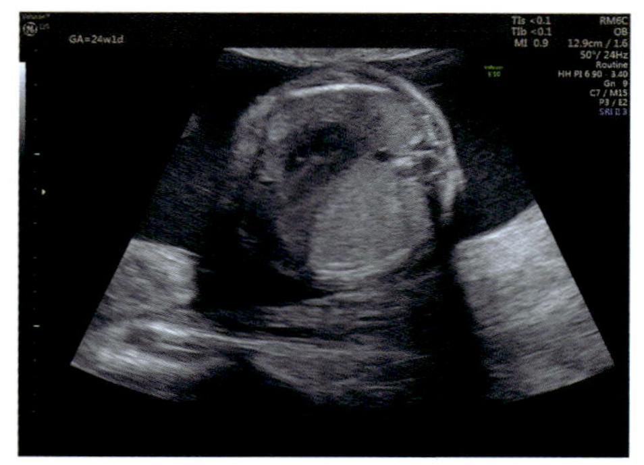
図 2 ● CPAM microcystic type（妊娠 24 週）

注意すべき臨床症状・所見

CPAM の胎児診断は主に超音波でなされる．鑑別診断としては肺分画症が挙げられる．CPAM の場合は肺循環から栄養が供給されるため，超音波カラードプラ法を用いて肺動脈からの栄養血管が同定されれば CPAM と診断される．通常は妊娠 26 週までは増大傾向を示すが，そこをピークとして自然退縮するケースもあり，経時的観察が重要である．

一般的には microcystic type は予後不良であることが多い．胸腹水や皮下浮腫を伴い胎児水腫を併発した場合の予後は不良である．胎児期の予後評価としては CPAM volume ratio（CVR）が用いられる．CVR＝腫瘤の縦×横×高さ（cm）×0.52/ 頭周囲長（cm）で計算される（**図 3**）．http://perinatology.com/calculators/CVR.htm の Web で計算ソフトが利用可である．CVR が 1.6 以上では 80%以上で胎児水腫に進展する予後不良と判断される[4]．**図 4a，b** に妊娠 23 週の macrocystic type の超音波像を示す．本症例は CVR が 1.6 以上で腹水，皮下浮腫を伴い胎児水腫の状態であったが，妊娠 26 週より CPAM は退縮傾向を示し（**図 4c**），腹水および皮下浮腫も消失し，その後は超音波で CPAM の領域は識別できなくなった．妊娠 39 週で自然分娩に至り，出生後も無治療で経過観察となった症例である．

管　理

CVR を参考に予後を評価する．妊娠 26 週までは自然退縮も期待できるため慎重に経過観察を行う．一方，胎児治療として macrocystic type における嚢胞羊水腔シャント術，母体ステロイド投与，open surgery などが挙げられる．いずれも胎児治療の適応はおおむね CVR>1.6 の予後不良例である．嚢胞羊水腔シャント術では，胎児水腫を伴っている症例での生存率は 77%，伴っていない症例では 90%と，予後不良例における嚢胞羊水腔シャント術は選択肢の一つとして受け入れられるとしている[5]．microcystic type におけるステロイド投与と open surgery を比較した報告によると，ステロイド投与群では 92%（12/13），open surgery では 82%（9/11）の生産率であったが，生存退院率はそれぞれ 83%，53%とステロイド投与群で優れており，microcystic type の予後不良例ではステロイド投与を第一選択治療として検討されるべきとしている[6]．一方で CPAM ハイリスク群ではステロイドの反応性はさまざまであり，今後のプラセボを用いた RCT などにより有効性を確認する必要があるとの報告もあり，慎重な対応が求められる[7]．

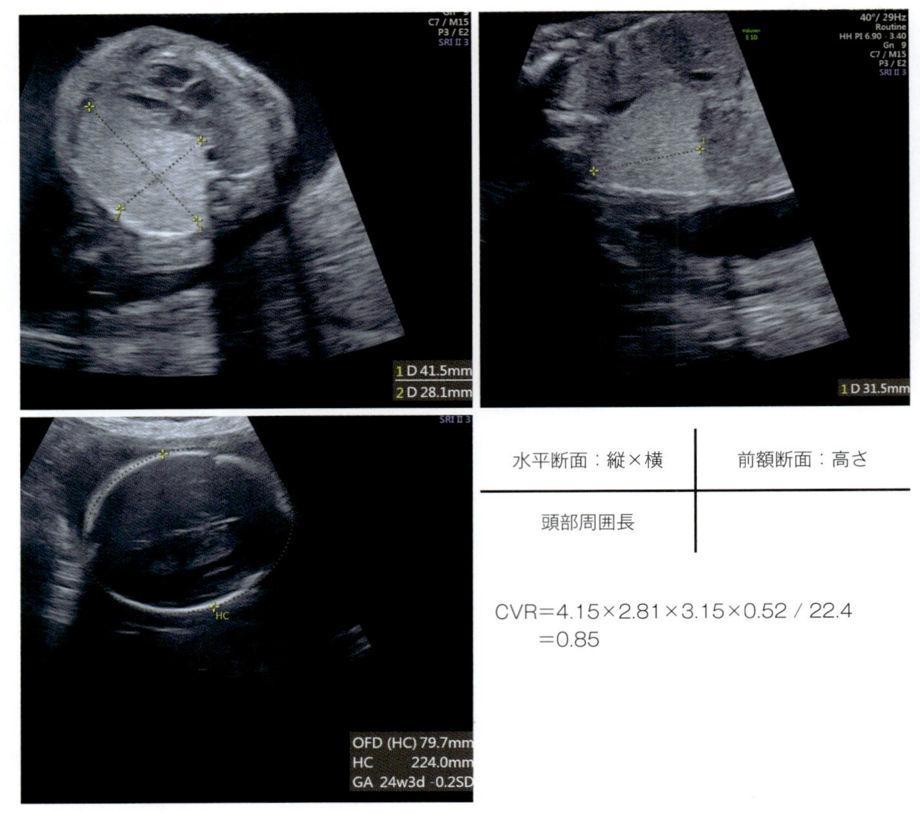

図 3 ● CPAM における CVR 計測

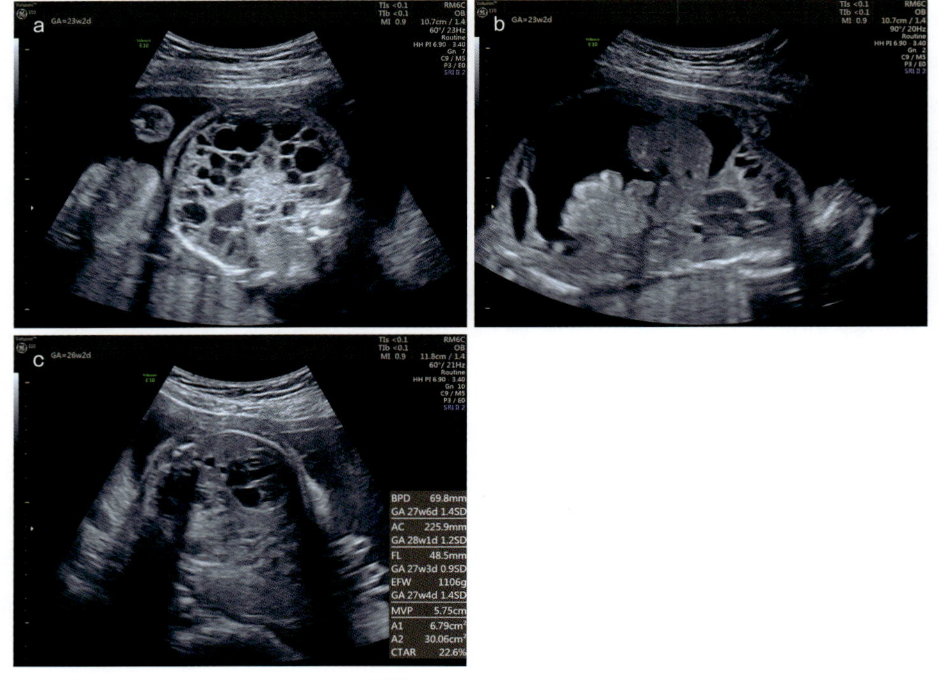

図 4 ● CPAM macrocystic type の経過

a：23 週 CPAM macrocystic type：水平断面で胸腔内は右側 CPAM で占拠されている．心臓は左へ圧排されている．

b：a と同じ症例の矢状断面で多量の腹水を認める．

c：26 週 CPAM macrocystic type：23 週に比べ嚢胞の縮小がみられる．心臓の圧排も軽減された．

2. 心室中隔欠損症（ventricular septal defect）

概念・分類・病態

概　念

左右両心室を隔てる心室中隔に欠損孔を認める先天性心疾患である．胎齢４～８週にかけて心内膜に覆われた内腔（心臓管）に仕切りとなる心室中隔ができ，左右の心室が完成する（肺循環，体循環が確立する）．最後に形成される部分が膜様部であり，同部位の欠損が一番多い．心室中隔欠損ではその欠損孔を通じて左右の心室間で血流の短絡が生じる．原因は不明で多因子遺伝によるものと考えられている．先天性心疾患の中では最多で 1,000 出生に対しておよそ３人程度，先天性心疾患の 20％を占める．

分　類

心室中隔欠損は膜様部欠損（およそ 70％），大血管下部（漏斗部）欠損（30％），筋性部欠損（少ない）に分類される．

病　態

胎児期は右室優位であるため右左や両方向性短絡を示すが，出生後は左心室圧の上昇に伴い通常は左右短絡となる．大きな心室中隔欠損の場合は左右短絡量が多く肺血流が増え，肺血管閉塞性病変が進行し肺高血圧の状態を呈し右左短絡となる（Eisenmenger 症候群）．

注意すべき臨床症状・所見

small VSD で他に心臓奇形がない場合，一次スクリーニングで発見することは困難で，カラードプラを併用することで胎児診断に至ることがある．図５に筋性部の心室中隔欠損症の超音波像を示す．心室中隔欠損の有無を評価する際は基本的には四腔断面像で観察するが，中隔が超音波ビームと直交する断面で観察する．

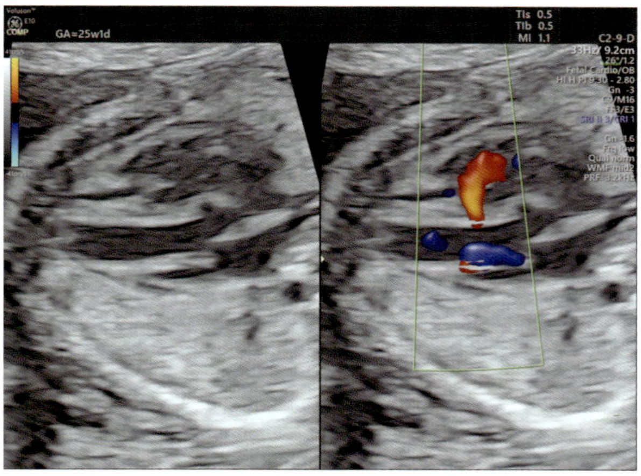

図５● 妊娠 25 週，筋性部心室中隔欠損症

B モード（左）では VSD の同定は困難であるが，カラードプラを用いると SD（左右短絡）が同定可能となる（右）．

ファロー四徴症，大血管転位症，両大血管右室起始，大動脈縮窄症（大動脈縮窄複合）など他の心疾患と併存していることも多い．図６にファロー四徴症に伴う VSD の超音波像を示す．したがって心室中隔欠損を認めた場合は，大血管の走行や大動脈縮窄の有無についても詳細に観察する必要がある．

管　理

心室中隔欠損の大きさ，他心疾患の有無により管理が異なる．単独の小さな心室中隔欠損であれば，出生

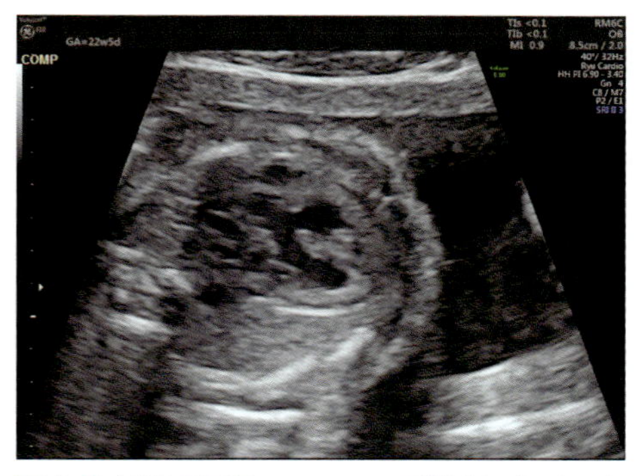

図６● 妊娠 22 週，ファロー四徴症における心室中隔欠損症

VSD をまたがって大動脈が起始している（大動脈騎乗）．

後自然閉鎖が期待される．他心疾患に併存する場合はその心疾患ごとに管理を行う．重要なことは単独の心室中隔欠損症であるか否かの鑑別である．そのため，心室中隔欠損を一次スクリーニングなどで認めた場合は専門医による二次スクリーニングを依頼するのがよい．

Clinical Tips

胎児心疾患の超音波診断には 3D，4D 超音波も有用である．機械式 3D 超音波プローブに比べ電子式 3D プローブでは高フレームレートが得られるため，より高画質な画像が取得可能である．**図 7** に電子式 3D プローブを用い 3D STIC で取得した筋性部 VSD の直交 3 断面超音波画像を示す．ボリュームデータを取得する際，最初の断面は中隔が超音波ビームと直交する四腔断面像（A 断面）からスタートするのがよい．

次回妊娠への留意点

第一子が先天性心疾患の場合，次子の経験的再発率はおよそ 2 ～ 5%であり，一般の先天性心疾患の発生約 1%に比べ高率である．さらに同胞内に 2 人先天性心疾患児がいる場合は 7 ～ 10%，3 人いる場合には 50%以上に上昇するといわれている[8]．したがって，次回妊娠時は胎児心疾患合併ハイリスク妊娠として位置づけられ，専門医による胎児心エコーが行われるよう留意する．

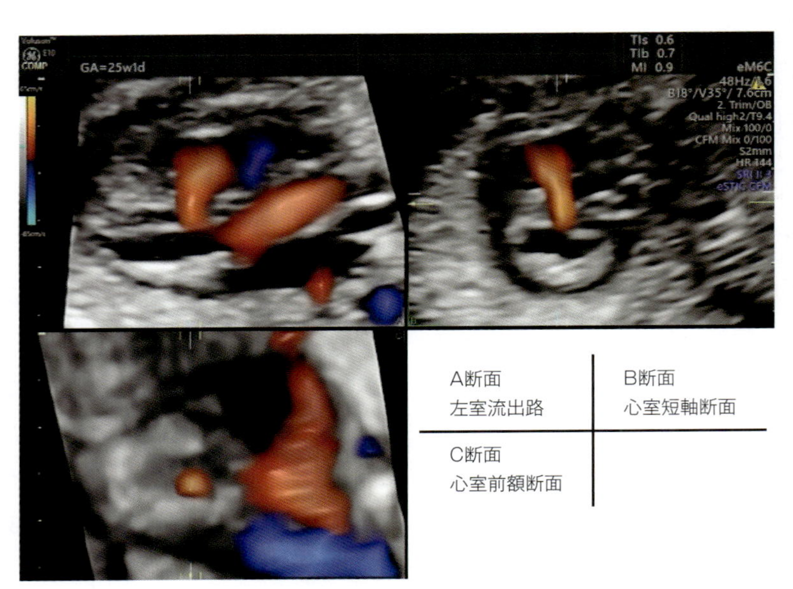

図 7 ● 妊娠 25 週，筋性部心室中隔欠損症 3D STIC による直交 3 断面

引用・参考文献

1) Stocker JT. et al. Congenital cystic adenomatoid malformation of the lung: classification and morphologic spectrum. Hum Pathol 1997; 8: 155-71.
2) M Kitaichi.et al. Congenital pulmonary airway malformation : a new name for an expanded classification of congenital cystic adenomatoid malformation of the lung. Histopathology. 41(2), 2002, 424-58.
3) Adzick NS, et al. Fetal cystic adenomatoid malformation: prenatal diagnosis and natural history. J Pediatr Surg. 20, 1985, 483-8.
4) Crombleholme TM. et al. Cystic adenomatoid malformation volume ratio predicts outcome in prenatally diagnosed cystic adenomatoid malformation of the lung. J Pediatr Surg. 37(3), 2002, 331-8.
5) Litwińska M. et al. Thoracoamniotic shunts in macrocystic lung lesions: case series and review of the literature. Fetal Diagn Ther. 41(3), 2017, 179-83.
6) Loh KC. et al. Microcystic congenital pulmonary airway malformation with hydrops fetalis: steroids vs open fetal resection. J Pediatr Surg. 47(1), 2012, 36-9.
7) Morris LM. et al. High-risk fetal congenital pulmonary airway malformations have a variable response to steroids. J Pediatr Surg. 44(1), 2009, 60-5.
8) 市田蕗子．先天性心疾患の疫学．日本小児循環器学会雑誌．26，2010，2-3.

昭和大学横浜市北部病院 ● 市塚清健

3 腹部―消化器・胆嚢・腎―

概　説

消化器や腎臓は羊水循環に関与する臓器である．腎臓あるいは肺で産生された羊水は，羊水腔に排出され嚥下による消化管あるいは羊膜から吸収される[1]（図1）．消化器疾患や腎臓疾患は，尿あるいは羊水という水に関係する異常であるため超音波検査では低エコー領域の異常所見として描出される．このため，異常に気付きやすく，消化器疾患や腎臓疾患に起因する病態を理解しておけば比較的容易に診断することが可能である．

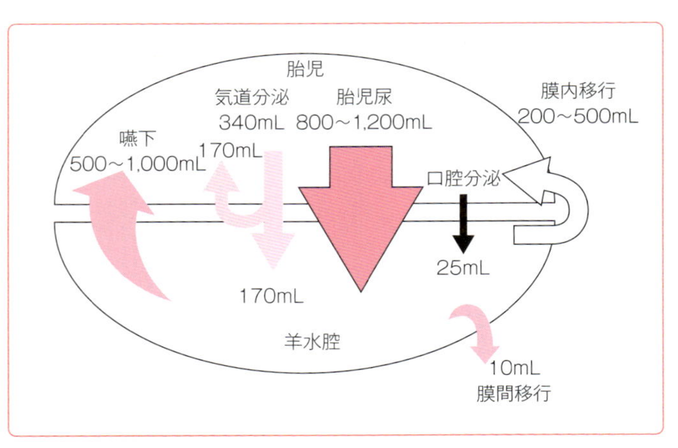

図1 ● 羊水の循環

消化管閉鎖は，閉鎖部より口側が拡大し，閉塞部以下の消化管発育は不良となる．食道閉鎖であれば食道盲端の拡大（図2，3），十二指腸閉鎖であれば胃と十二指腸球部の拡大（図4），小腸であれば多房性拡大（図5，6），結腸であれば結腸の棍棒状・嚢胞性拡大を来す[2]（図7）．閉鎖が口側であればあるほど消化管による羊水の吸収が行われないため羊水過多を来す．一方，食道閉鎖があっても気管食道瘻が太ければ，胃以下の消化管が正常所見となることがある．

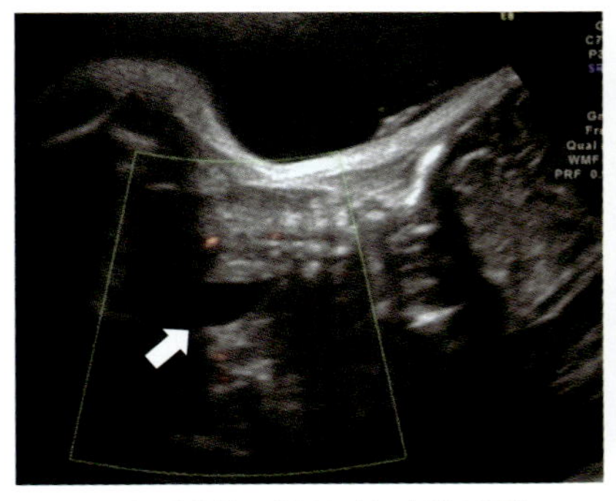

図2 ● 食道盲端の拡張（超音波所見）

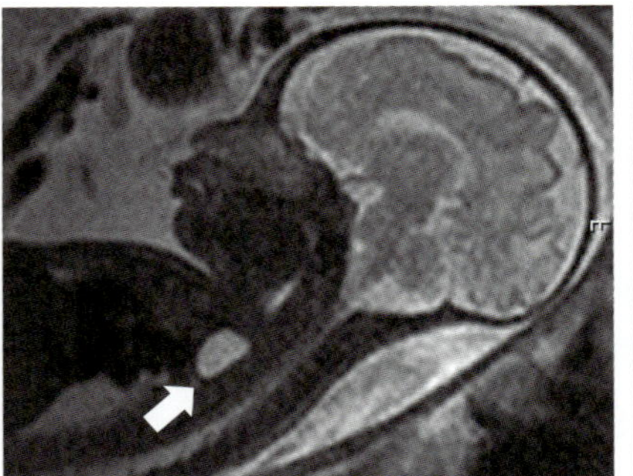

図3 ● 食道盲端の拡張（MRI）

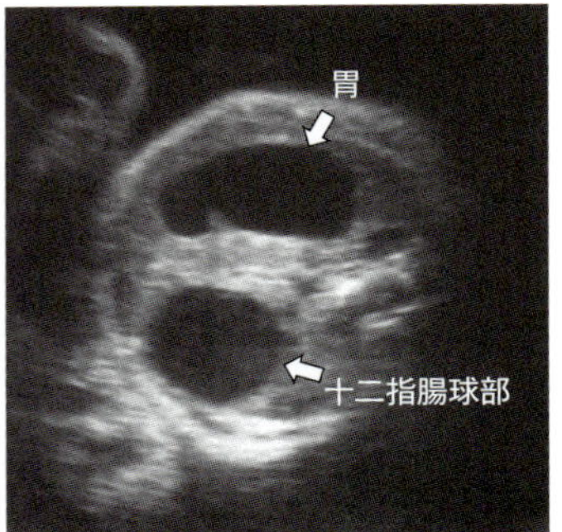

図4 ● 十二指腸閉鎖における double bubble sign

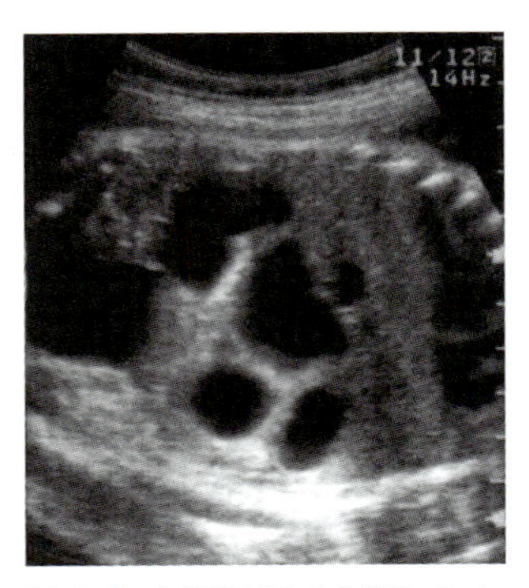

図5 ● 小腸閉鎖（空腸）における腸管拡張像

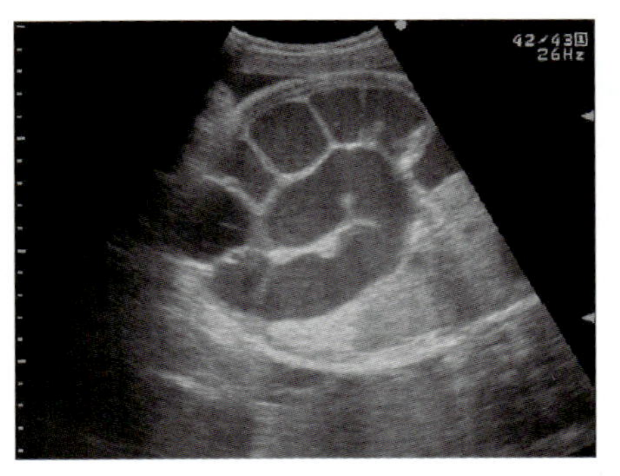

図6 ● 小腸閉鎖（回腸）における腸管拡張像

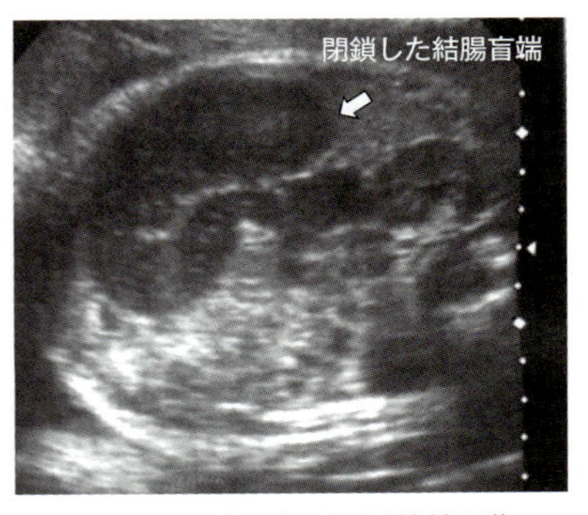

図7 ● 結腸閉鎖における腸管拡張像

肝臓は充実臓器であるが，胎児腹部計測を行う部位にあるため異常に気が付かれやすい．同部位では同時に描出される胆嚢も観察できる（図 8）．胆嚢は描出困難なことがまれにあるが，ほとんどで病的異常と関連しない．肝門部に胆嚢以外の低エコー領域を認めた場合には胆道系の異常が疑われる（図 9）．

腎臓疾患は，腎臓自体の異常と尿路異常のために腎臓に異常を来す疾患がある．両側腎臓の機能がなく尿産生を行えなければ羊水過少を来し，新生児は Potter シークエンス，すなわち無尿，羊水過少とこれに続発する肺低形成を示す（図 10）．片側のみの異常で対側腎臓が正常であれば，羊水量は正常であり，予後も良好である．尿路の通過障害あるいは逆流があれば，上流の尿路が拡大する．尿道に通過障害があり羊水腔への尿排出ができなければ，羊水過少を来す．

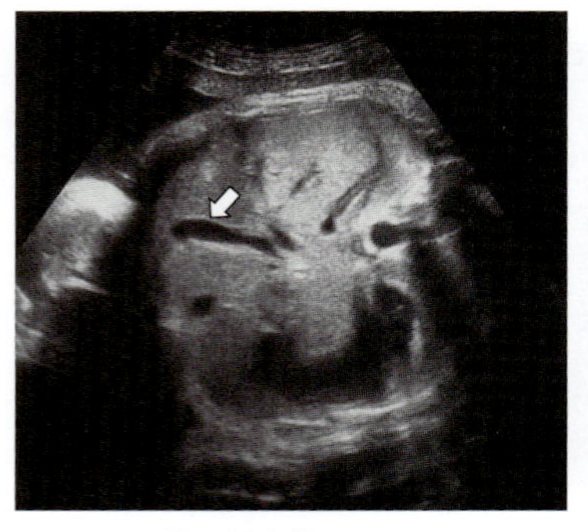

図 8 ● 正常の胆嚢像

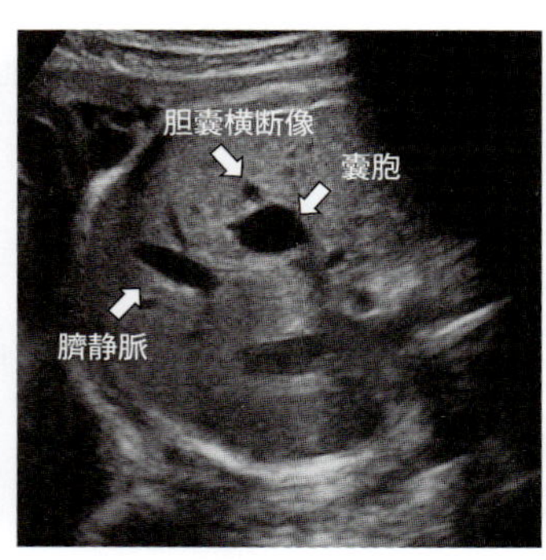

図 9 ● 胆道閉鎖（I cyst）に見られた肝門部嚢胞像

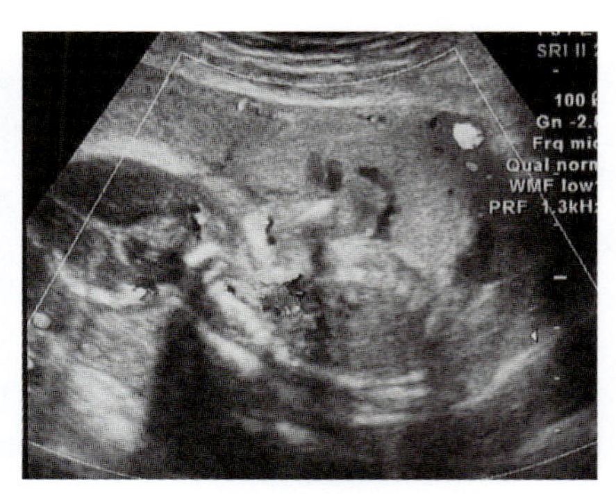

図 10 ● 羊水過少（妊娠 19 週）

1. 消化器

概念（発生）

消化器は内胚葉に由来する．内胚葉は胚子の腹側面を覆い，卵黄嚢の天井を形成する．脳胞の発生と成長に伴い，胚盤は頭尾方向に折り込みを開始し，内胚葉に覆われた腔が胚子の固有体内に取り込まれ，腸管を形成する．腸管は，前腸（咽頭から十二指腸肝芽起始部まで），中腸（十二指腸肝芽起始部尾側から横行結腸右 2/3 まで），後腸（横行結腸左 1/3 から排泄腔膜まで）に分けられる（図 11）．

前腸の前方から呼吸器憩室・肺芽が膨らみ，食道と分割される．食道閉鎖は，この分割異常から生じるため，気管とさまざまな形で連続している（図 12）．十二指腸の内腔は，胎生 5 ～ 6 週頃に壁の細胞増殖により閉鎖され 8 週の終わり頃に再疎通する．この過程の障害が内因性（膜様）十二指腸閉鎖の原因（閉鎖の約 90%）と考えられている．膜様型でも小孔を有するものを膜様狭窄といい，出生後に小腸ガス像を認めることがある．十二指腸の前腸部分（乳頭部まで）は腹腔動脈により，中腸部分は上腸間膜動脈により血液を供給されている（図 13）．十二指腸閉鎖の索状型や離断型では血管損傷による閉塞機転が原因と考えられている．また閉鎖部位が乳頭部の肛門側であれば胆汁性嘔吐が起こり，臍帯潰瘍の危険性がある．

前腸末端から肝芽が形成される．肝芽と前腸（十二指腸）との交通部が狭くなり胆管を形成する．胆管の腹側から胆嚢が生じる．さらに胆管基部に左右の腹側膵芽が形成される．胃の回転に伴い十二指腸は C 型のループをなして右に回転する．腹側膵芽も十二指腸の右を回って背側に移動し背側膵芽と癒合する．この際に，左の腹側膵芽が反対方向に移動し十二指腸腹側で背側膵芽と癒合すれば輪状膵を形成し，十二指腸閉鎖の原因となる．まれであるが，発生途上で胆管内腔が閉鎖し肝外胆道閉鎖を生じることがある（図 9）．

中腸は，その全長にわたり上腸間膜動脈から血液の

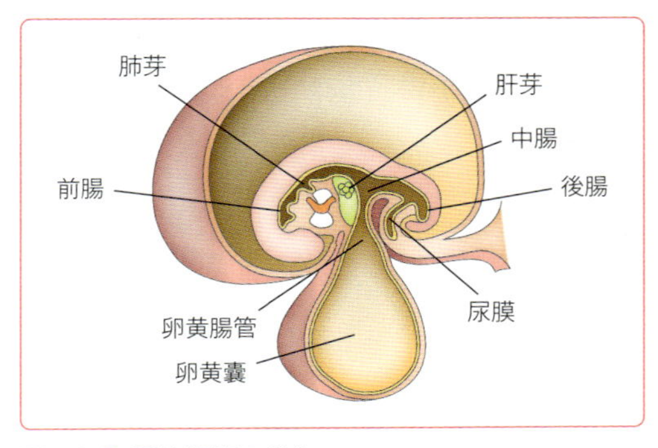

図 11 ● 原始腸管の分化
（ラングマン人体発生学　第 10 版より一部改変して作成）

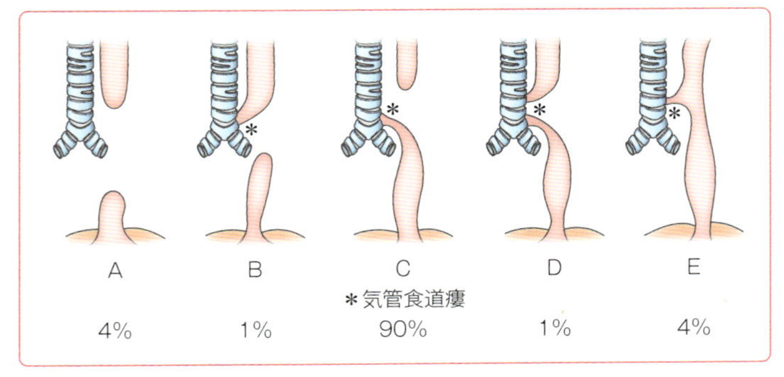

図 12 ● 食道閉鎖の Gross 分類

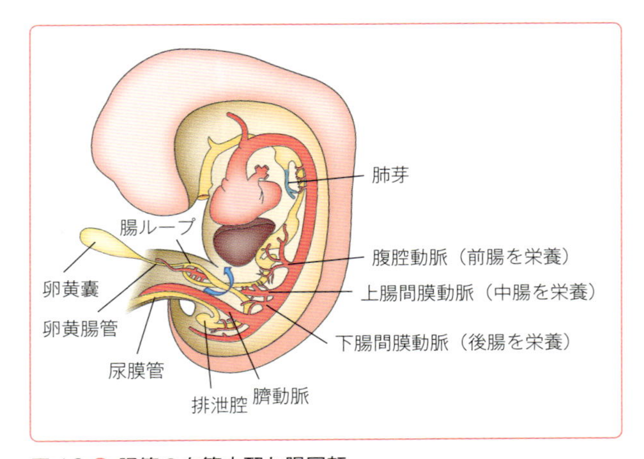

図 13 ● 腸管の血管支配と腸回転
（ラングマン人体発生学　第 10 版より一部改変して作成）

供給を受ける．卵黄腸管（臍腸管）を境に腸ループ頭側脚（十二指腸遠位部，空腸，回腸の一部）と腸ループ尾側脚（回腸の下部，盲腸と虫垂，上行結腸および横行結腸近位 2/3）からなる．中腸は卵黄腸管と上腸間膜動脈を軸に 270 度の時計の逆回りの中腸回転を起こし，頭側脚が左背側に尾側脚が右腹側に位置するようになる（図 13）．中腸回転は，胎生 6 ～ 10 週に起こる臍帯ヘルニア脱出中に 90 度，腹腔内に戻るときに 180 度回転する．腹腔内に脱出腸管が戻らなければ臍帯ヘルニアとなる．2 ～ 4%で卵黄腸管が残存し，メッケル憩室と呼ばれる．腸ループの回転異常では，軸捻転を起こし血液供給を阻害することがある．血管の狭窄や閉鎖は腸管の閉塞や狭窄，穿孔の原因となる．消化管穿孔を起こした場合には，胎便性腹膜炎を来し，石灰化や腹水が見られる．重症では嚢胞性変化を来す．

後腸は横行結腸の遠位 1/3，下行結腸，S 状結腸，直腸および肛門管の上部を形成する．後腸の末端は排泄腔の後部（直腸肛門管）に開く．内胚葉由来の直腸肛門管と外胚葉が形成する肛門窩が内部に陥入した肛門小窩は排泄腔膜により分けられているが，排泄腔膜（肛門膜）は変性し破れ肛門管の上部と下部が連続する．このため，肛門管の上部は後腸の動脈である下腸間膜動脈の分枝（上直腸動脈）から血液の供給を受けるが，下部は内陰部動脈の分枝（下直腸動脈）から血液に供給を受ける．血管障害があると，直腸会陰閉鎖·直腸会陰瘻や肛門膜がうまく破れないことによる肛門閉鎖となる．一方，尿膜（将来，膀胱·尿道になる）は，排泄腔の前部（尿生殖洞）に開く．膀胱および尿道内面は内胚葉により被覆されている．排泄腔を前後に分ける尿直腸中隔が形成されることにより，尿膜と後腸に分けられる．尿直腸中隔が十分に形成されなければ，直腸が尿道や腟に開口することになる（図 14，15）．また尿膜管が遺残すれば，臍部から尿の排泄を来す尿膜管瘻や一部残存による尿膜管嚢胞・尿膜管洞を形成する．

消化管異常の超音波所見と診断

▶ 食道閉鎖

食道盲端を示すポーチサイン（pouch sign）が確認されれば診断となる（図 2）．盲端部の状態は胎児嚥下により変化する．検出するためにしばらく継続的な観察が必要になることがある．また，椎体，肩甲骨，鎖骨による音響陰影により良好な超音波像を得ることが困難な場合がある．MRI によりポーチサインが明瞭に検出されることがある（図 3）．多くの場合，胃は小さく体幹部横断面積（図 16）の 5%以下となる[3)]（図 17）．

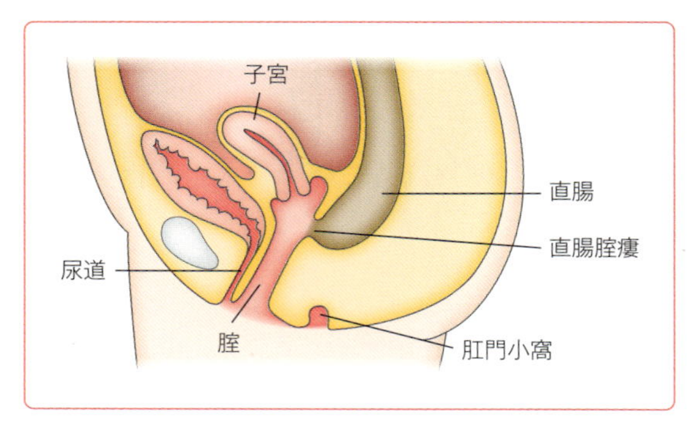

図 14 ● 尿直腸中隔の形成異常
（ラングマン人体発生学　第 10 版より一部改変して作成）

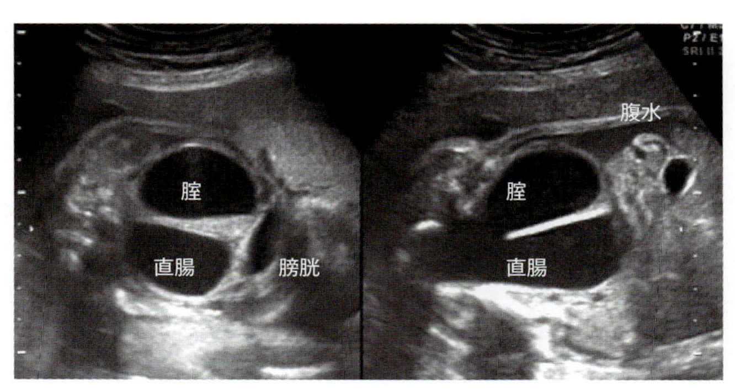

図 15 ● 総排泄腔遺残の超音波画像
（妊娠 29 週，左：横断像，右：縦断像）

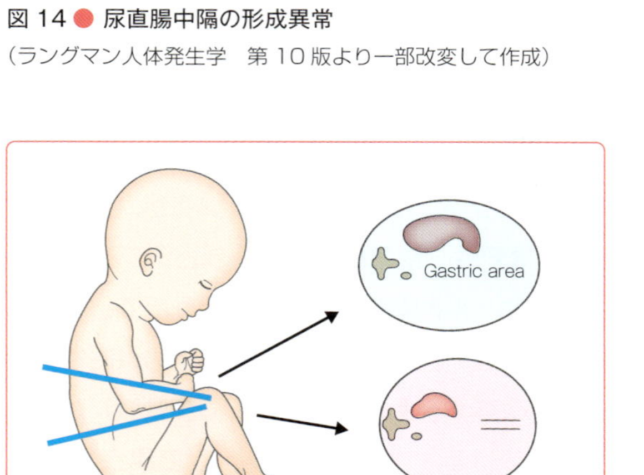
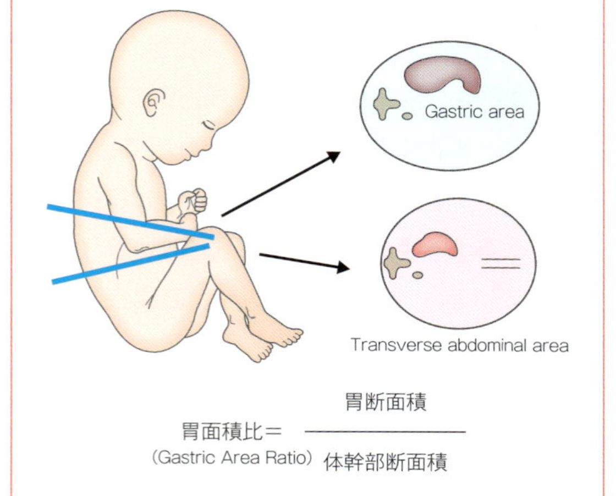

図 16 ● 胎児胃サイズの評価法

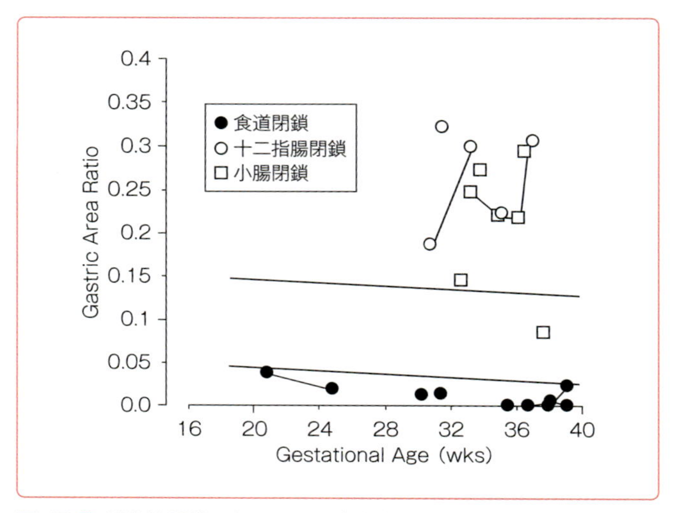

図 17 ● 消化管閉鎖における胃の大きさ

▶ 十二指腸閉鎖

上腹部の二房性嚢胞として描出される（**図 4**）．嚢胞には連続性があり，口側の拡大した胃には蠕動波が認められる．染色体異常を伴うことがあるため，他に形態異常の合併について検索を行う必要がある．

▶ 小腸閉鎖

腹部中央寄りに多房性の嚢胞所見として検出される（**図 5，6**）．嚢胞に連続性があり，腸管壁には蠕動波を認める．通常，第 2 三半期までの胎児腸管は比較的高エコーで内腔を認めないことが多い．第 3 三半期には内腔に液体の貯留を認めることがあるが，正常腸管の最大径は 7mm 以下と報告されている[4]．回腸部の閉鎖であれば，ある程度の腸管からの吸収があるため羊水過多は軽度である．石灰化や腹水，嚢胞性変化を認めた場合には，消化管穿孔による胎便性腹膜炎を疑う（**図 18**）．

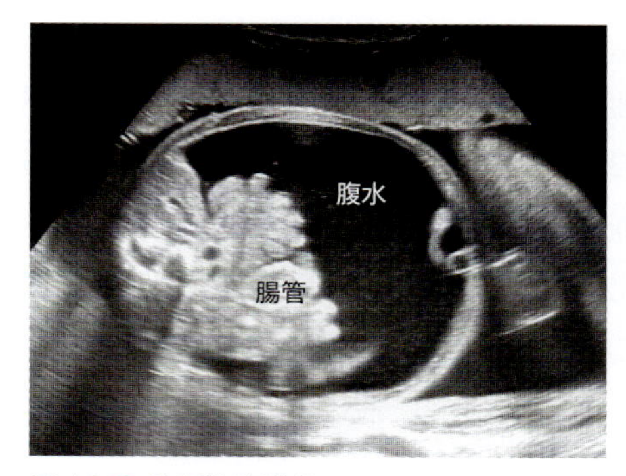

図 18 ● 胎便性腹膜炎

▶ 結腸閉鎖

拡張した棍棒状・嚢状の腫瘤像が腹壁寄りに検出される．小腸拡大はあっても回腸末端近傍を中心に軽度であり，あまり羊水過多は伴わない[5]（**図 7**）．

▶ 直腸肛門奇形

総排泄腔遺残症例では，隔壁のある嚢胞を下腹部に認める[6]（**図 15**）．尿路拡張を伴うことがある．また，

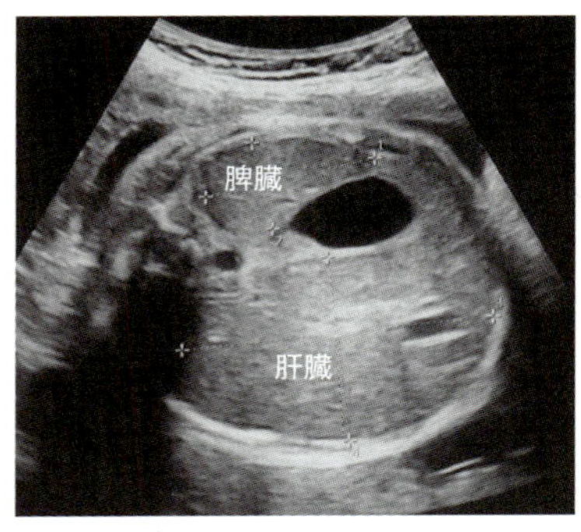

図 19 ● 肝臓腫大を呈した TAM (transient abnormal myelopoiesis)

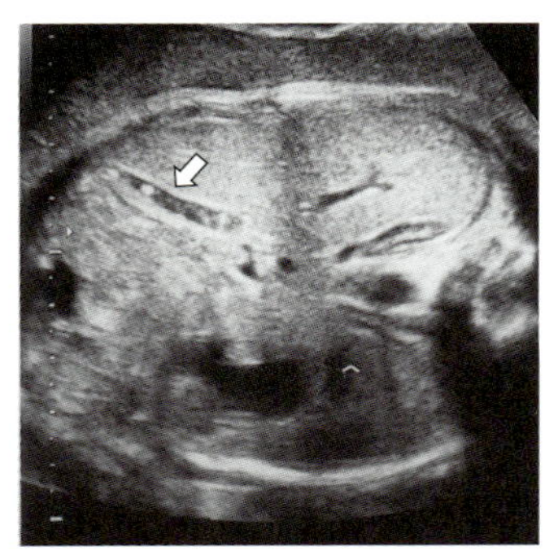

図 20 ● 胆石

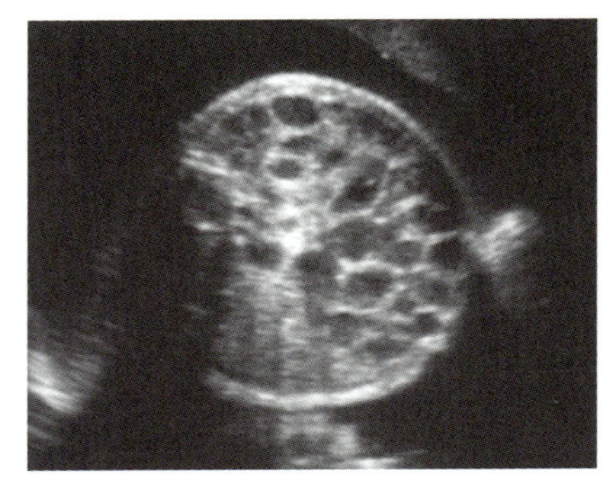

図 21 ● クロール下痢症の胎児消化管像

卵管を通じた尿の逆流により腹水を認めることがある.

▶ 肝臓の異常

大きな肝臓から trisomy 21 に合併した TAM (transient abnormal myelopoiesis) が疑われることがある[7] (図 19). 通常は, 同時に脾腫を伴う. 肝臓に腫瘤性病変を認めた際には, カラードプラを併用すると肝血管腫の診断に有用である.

▶ 胆道系の異常

右上腹部肝臓下縁にバナナ状の低輝度嚢胞として認める (図 8). 大きさはさまざまである. まれに左側に認めることがあるが, 病的な意義は乏しい[8]. 胆道閉鎖 I cyst 型では, 胎児期から胆嚢以外に肝門部に嚢胞を認める (図 9). 胆道拡張症との鑑別は困難であるが, 胆道閉鎖症の早期診断の意義は大きい. 時に, 胆石 (図 20) を認めるが, 通常は出生後に消失し病的な意義は乏しい[9].

Clinical Tips

正常の胎児に認められる低エコー領域は, 胃, 膀胱, 胆嚢である. これら臓器以外に低エコー領域を認めた際には異常を疑う. 詳細な胎児エコーを行わなくても, 通常の健診の際に計測する羊水腔の計測が胎児異常に気が付く契機となる. ただし, 消化管閉鎖があっても妊娠 20 週未満から羊水過多を生じることはほとんどない. 消化管閉鎖は第 3 三半期になって腸管拡張や羊水過多などの所見が顕性化してくることが多いため, 妊娠末期の再検が重要である[10]. 一方, 食道閉鎖があっても羊水過多を来さず, 通常の消化管所見を認めることがある. 小さな胃は食道閉鎖を検出する契機となる所見であるが, 胎児嚥下運動により胃の大きさは増大・縮小するため, 胃が見えないあるいは小さい場合には 20 分くらいの間隔をあけて再検するとよい[11].

まれではあるが, 機能性疾患もあることを忘れないようにしている. 先天性クロール下痢症 (図 21) では軽度の腸管拡張と大量の水溶性下痢による羊水過多を認める. また, 巨大膀胱短小結腸腸管蠕動不全症でも妊娠末期に軽度の小腸拡大と羊水過多を来す. 先天性クロール下痢症は常染色体劣性遺伝のため再発危険率は 25%である. 羊水過多は消化管異常を診断するきっかけとなるが, 筋緊張性ジストロフィーのような神経筋疾患でも羊水の嚥下が抑制されて羊水過多を来すため, 鑑別疾患として挙げておく必要がある.

食道閉鎖の 8%に trisomy 18, 2%に trisomy 21 が合併する[12]. また, 十二指腸閉鎖の約 30%に trisomy 21 を伴う[13]. 顔貌や身体的特徴が参考になる. 回腸閉鎖では先天異常を伴うことはまれである.

2. 腎

概念（発生）

泌尿器系は，中間中胚葉から発生する．時間的に異なった腎系が，頭側から尾側へ，前腎，中腎，後腎の順で形成され，最終的に後腎が永久腎となる．ネフロンは後腎中胚葉から発生する．永久腎の集合管は，中腎管が排泄腔に開口する近くで，中腎管から造成する尿管芽から発生する．尿管芽はその末端を帽状に覆う後腎組織に侵入し，腎盂・腎杯，さらに100万から300万の集合管を形成する（**図22**）．集合管の末端を覆う後腎組織からは糸球体と細管が形成され，集合管と連結する．細管は伸長し，近位曲尿細管，ヘンレのループ，遠位曲尿細管を生じる．

両側性腎臓無形成は10,000出生に1例の割合で発生する．羊水は，妊娠初期は主として羊膜からの分泌物で構成され，妊娠16週頃より胎児尿が主成分となってくる．このため，腎無形成をはじめとした尿産生や排尿が困難な胎児では，妊娠16週以降に羊水過少が顕性化してくることが多い[14]．多嚢胞性異形成腎（multicystic dysplasitic kidney）（**図23**）は，組織学的には多数の管を未分化細胞が囲んでおり，ネフロンは形成されず，尿管芽も分岐しないため集合管も全く形成されない．将来的に退縮し，腎無形成となる．片側あるいは両側のことがある．片側であれば予後は良好である．常染色体劣性多嚢胞腎（autosomal recessive polycystic kidney disease；ARPKD）（**図24**）は5,000出生に1例の割合で起こり，集合管から嚢胞ができる進行性の疾患である．腎臓は非常に大きくなり，幼児期や小児期に腎不全が起こる．常染色体優性多嚢胞腎（autosomal dominant polycystic kidney disease；ADPKD）は1,000出生に1例の割合で起こり，ネフロンのどの部分からでも嚢胞が生じるが，胎児・新生児期に超音波検査で検出されるような嚢胞を形成することはなく，青年期まで腎不全は起こらない．

水腎症（hydronephrosis）あるいは腎盂拡張症（pyelectasis あるいは pelviectasis）は，尿路拡張（urinary tract dilatation）と総称される[15]（**表1**）．一過性拡張が最も多い．胎児は新生児期の約5倍の尿を産生し，また一過性の尿管狭窄や尿管の屈曲を来している．出生による尿量の減少と成長による尿の通過

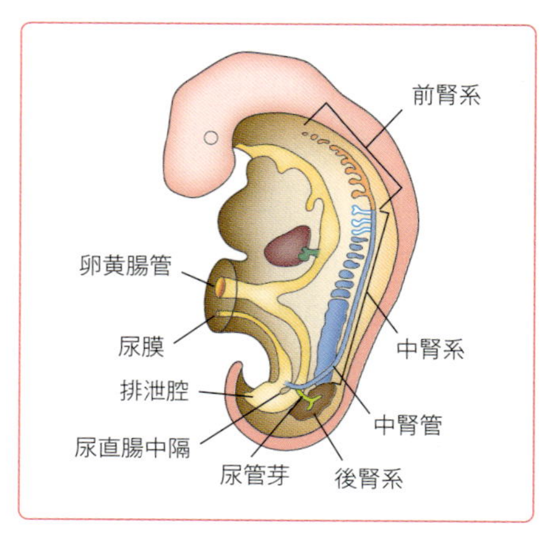

図22 ● 腎系の発生
（ラングマン人体発生学 第10版より一部改変して作成）

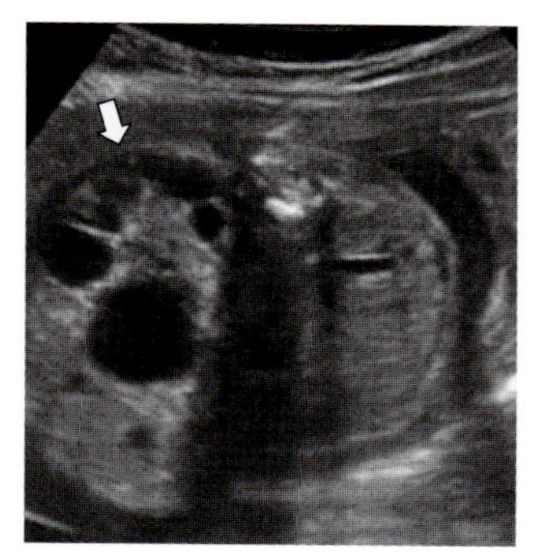

図23 ● 多嚢胞性異形成腎（矢印）

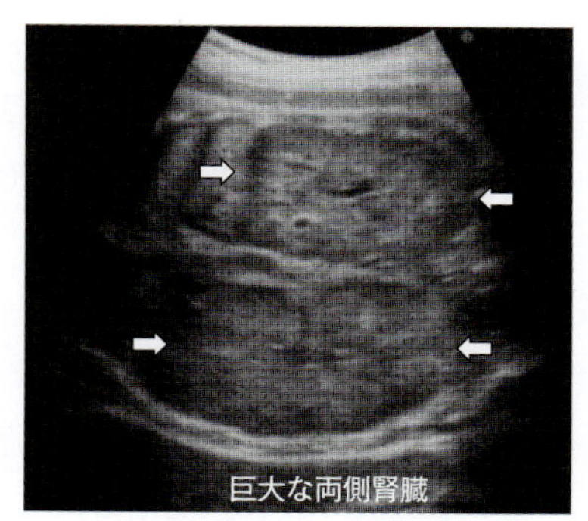

図24 ● 常染色体劣性多嚢胞腎（矢印の間）

表1 ● 尿路拡張の病因

原因	頻度
Transient dilatation	41～88%
Ureteropelvic junction (UPJ) obstruction	10～30%
Vesicoureteral reflux (VUR)（膀胱尿管逆流）	10～20%
Uterovesical junction (UVJ) obstruction	5～10%
Duplex collecting system／ureterocele	5～7%
Multicystic dysplastic kidney（多嚢胞性異形成腎）	4～6%
Lower urinary tract obstruction (LUTO)（下部尿路閉塞）	1～2%

性の改善により，尿管拡張は自然に軽快することが多い．腎盂尿管移行部狭窄は尿路拡張の10〜30%にみられ，原因は不明であるが男児に多い．膀胱尿管逆流は尿路拡張の10〜20%にみられ，片側あるいは両側の尿管拡張を伴う．尿道の通過障害により一時的に膀胱尿管逆流を来すことがある．膀胱尿管逆流は尿路感染や腎臓障害の原因となるため，出生後に排尿時膀胱造影による確定診断を行うことが重要である．膀胱尿管移行部閉鎖は尿路拡張の5〜10%にみられ，正常の膀胱と尿管の拡張が認められる．約25%に対側の異常を合併する．重複尿管では頭側腎盂からの尿管が膀胱への接続異常（尿管瘤）を来しやすく，このため尿管拡張と頭側腎盂の拡張を認めることがある．尿道閉鎖の最大の原因は後部尿道弁である．男児に発症し，拡張した膀胱と尿道を認める．尿管と腎盂の拡張も来し，圧損傷により腎実質が破壊されて異形成となる．

腎臓異常の超音波所見と診断

▶ 腎無形成／無機能腎

横隔膜下の椎体の側方に腎臓を認めない．腎上極には副腎があるため腎無形成を否定しづらい場合があるが，経時的な観察で膀胱の拡大を認めず，高度の羊水過少を伴っている場合には，破水が否定されていれば胎児腎臓が機能していないと考える．

▶ 多嚢胞性異形成腎

多嚢胞性異形成腎は腎臓に大小さまざまな嚢胞を多数形成する（図23）．通常は片側性であり，対側の腎臓に形態的な異常を認めず羊水量が保たれていれば，自然経過観察を行う．

▶ 常染色体劣性多嚢胞腎（ARPKD）

胎児期から巨大な腎臓として描出される（図24）．嚢胞は小さいため，超音波検査では嚢胞を検出できない．羊水は妊娠中期から減少し，妊娠末期には羊水過少を呈し，肺低形成を来すことが多い．

▶ 常染色体優性多嚢胞腎（ADPKD）

胎児期に形態的・機能的な異常を示さないことが多い．通常は青年期より巨大な嚢胞を多数生じ，次第に腎機能が低下するため透析に移行する．

▶ 尿路拡張

腎盂前後径を評価する（図25）．妊娠16〜27週では4mm未満を正常，妊娠28週以降では7mm未満を正常とする．妊娠16〜27週では4mm以上7mm未満，妊娠28週以降では7mm以上10mm未満を低リスクとする．妊娠16〜27週では7mm以上，妊娠28週以降では10mm以上を高リスクとする（図26）．また腎盂拡張が軽度でも腎杯拡張，実質の菲薄化，実質のエコー輝度上昇，尿管の拡張，膀胱の異常，原因不明の羊水過少を伴っていれば，高リスクとする[15]．尿管拡張は腎臓から続く低エコーの帯状形態として描出され，下流の狭窄あるいは膀胱尿管逆流を疑う（図27）．腎盂の部分的拡大（図28）を認めた場合には重複尿管を疑い，膀胱後方の尿管瘤を検索する．低リスクでは出生後4〜6週の超音波検査で腎臓に異常を認めなければ，以後のフォローは不要である．高リスクでは出生後に排尿時膀胱造影（voiding cystourethrogram；VCUG）あるいは腎シンチ（radianuclid renal scan）を行い，尿路の逆流あるいは狭窄の評価を必要とする場合がある．特に，

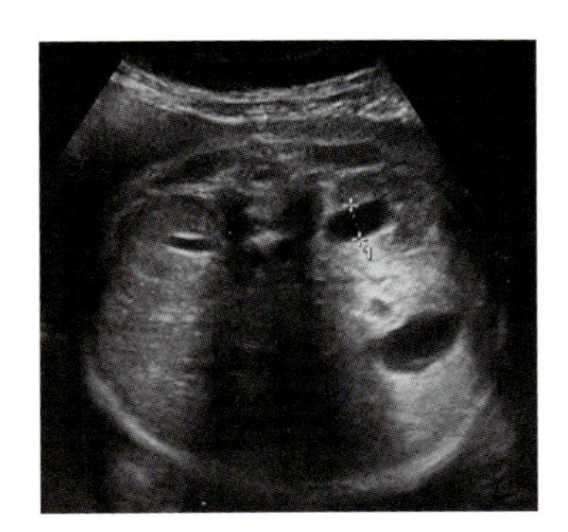
図25 ● 前後腎盂径（anteroposterior renal pelvia diameter；APRPD）

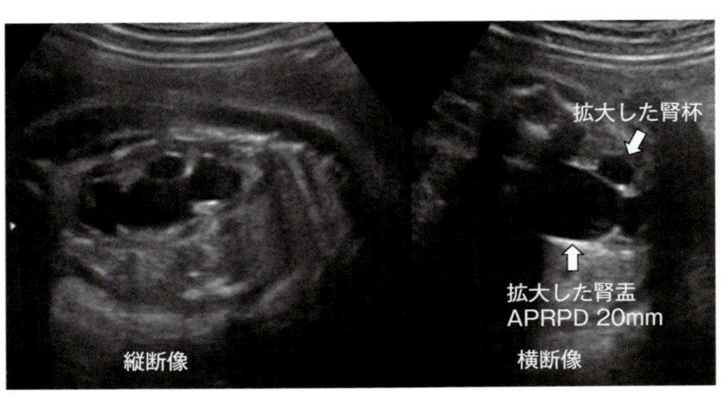

図26 ● 拡大した腎盂（妊娠36週）

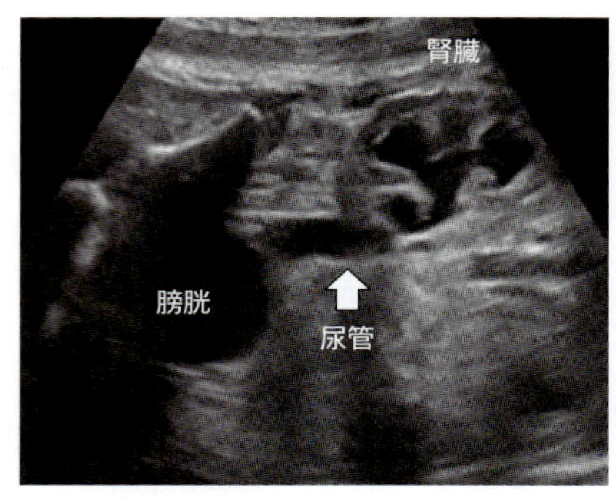

図 27 ● 尿管拡大

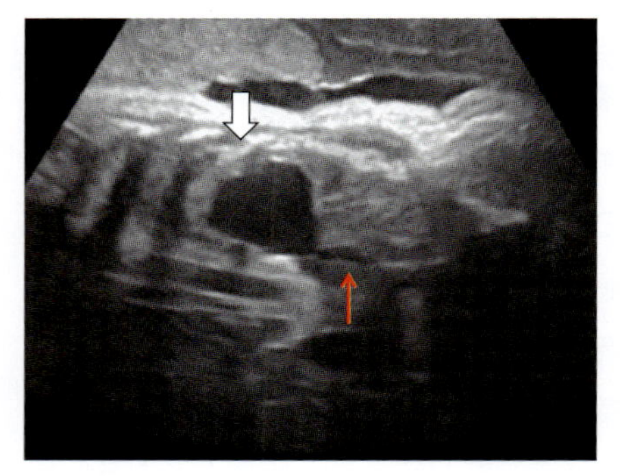
図 28 ● 重複腎盂尿管
頭側腎盂の拡大⇩　尿管拡大↑

出生後 48 時間を超えて腎盂前後径が 15mm 以上ある場合には，専門的な管理が必要となる．異常がなければ，1 年間は超音波検査でフォローを行い，腎盂前後径が 10mm 未満で臨床症状がなければ終了となる[15]．

Clinical Tips

腎臓や尿路に形態的な異常を認めても，羊水腔が保たれていれば保存的な管理を行っている．羊水が保たれている症例では，通常は新生児期以降の対応で予後は良好である．妊娠 22 週未満に羊水腔が消失し腎機能がない可能性が高いと診断された場合には，対応について家族と十分に相談する必要がある．胎児自身に異常がない場合でも，母体が慢性高血圧症の治療のために，アンジオテンシンⅡ受容体拮抗剤（ARB）あるいはアンジオテンシン変換酵素（ACE）阻害薬を使用している場合には胎児腎障害を来す．高血圧がある挙児希望女性に対しては，妊娠前に治療薬について内科主治医と検討を行っている．

常染色体劣性多嚢胞腎（ARPKD）は正常腎機能を持つ親から出生し，再発危険率は 25%である．児の両親に対して，遺伝カウンセリングを行う必要がある．常染色体優性多嚢胞腎（ADPKD）は胎児期には異常所見は出ないが 50%の確率で遺伝するため，夫婦のいずれかが常染色体優性多嚢胞腎であり挙児を希望している場合は，遺伝カウンセリングが必要である．

引用・参考文献

1) Gilbert MW. et al. Amniotic fluid dynamics. Fetal Med Rev. 3, 1991, 89-104.
2) 河崎正裕ほか．出生前超音波検査にて特徴的画像を呈した上行結腸閉鎖症の一例．日本周産期・新生児医学会雑誌．45, 2009, 152-55.
3) Sase M. et al. Fetal gastric size in normal and abnormal pregnancies. Ultrasound Obstet Gynecol. 19, 2002, 467-70.
4) Nyberg DA. et al. Fetal bowel : normal sonographic findings. J Ultrasound Med. 6, 1987, 3-6.
5) Bianchi DW. et al. eds. "大腸閉鎖". ニューイングランド周産期マニュアル．改訂 2 版．南山堂．東京．2011, 624-27.
6) Nadel A. "Ultrasound Evaluation of Fetal Gastrointestinal Tract and Abdominal Wall". Callen's Ultrasonography and Gynecology in Obstetrics and Gynecology. 6th ed. New York, Elsevier, 2017, 460-502.
7) 浅田裕美ほか．Transient Abnormal Myelopoiesis と出生前診断した 21 trisomy の 1 例．超音波医学．30, 2003, J549-53.
8) 河崎正裕，佐世正勝．出生前診断された右臍静脈開存を合併した左側胆嚢の 3 例．小児外科．40, 2008, 1404-07.
9) Petrikovsky B. et al. Sludge in fetal gallbladder : natural history and neonatal outcome. Br J Radiol. 69, 1996, 1017-8.
10) 根津優子ほか．小児外科疾患を出生前診断する契機となった所見に関する検討．現代産婦人科．59, 2010, 33-7.
11) Sase M. et al. Gastric emptying cycles in the human fetus. Am J Obstet Gynecol. 193, 2005, 1000-4.
12) Pedersen RN. et al. Oesophageal atresia : prevalence, prenatal diagnosis and associated anomalies in 23 European regions. Arch Dis Child. 97, 2012, 227-32.
13) Nyberg DA. et al. "Chromosomal abnormalities". Diagnostic Imaging of Fetal Anomalies. Nyberg DA. et al. eds. Philadelphia, Lippincott Williams & Wilkins, 2003, 86-906.
14) 佐世正勝ほか．いつから羊水の主成分が胎児尿となるか？：羊水過少と先天性腎泌尿器異常の関連．産婦人科の実際．63, 2014, 101-4.
15) Odibo AO., Dicke JM. "Fetal genitourinary tract". Ultrasonography in Obstetrics and Gynecology. 6th ed. New York, Elsevier, 2017, 503-38.

山口県立総合医療センター ● 佐世正勝

四肢・骨格

概念・定義・分類・病態

先天的に認められる四肢の異常は，それ単独の先天奇形である場合と，骨系統疾患や染色体異常といった症候性の疾患の一つの所見である場合があり，特に後者のときはほかの所見の有無について注意が必要である．出生前超音波検査ではその点に留意する必要がある．超音波でとらえられる四肢の異常は，骨の問題であるときと，四肢や手指の外面上の形の問題であるときがある．

軟骨や骨の形成異常によって特徴づけられる一群の疾患を骨系統疾患と呼ぶが，2019年の国際分類[1)]では42グループ461疾患と多くの種類がある．一つひとつの疾患はまれでありながら，全体でみると1,300分娩に1例程度の発生ともいわれ，胎児超音波診断にあたって無視することのできない異常の一つである．胎児期に発症する骨系統疾患の中には，周産期死亡を来す予後不良のものが数多く含まれているため，正確な出生前診断を行うことが，適切な周産期管理や妊婦への遺伝カウンセリングなどの面から大切である．

詳細不明の先天異常症候群などについて，表現型を系統的に探索して診断にせまる方法論としてdysmorphologyがある．超音波診断によりいくつかの有意な所見を注意深く同定し，それらの所見の組み合わせや付随的な異常を関係づけることによって，疑わしい胎児疾患や先天異常症候群を絞り込んで診断を目指すことになる．複数の異常をもつ先天奇形症候群などは，染色体異常によるものである場合と遺伝子異常が原因の場合がある．その中で超音波によって観察可能な長管骨および四肢の異常は重要な所見であり，例えば18トリソミーの手首拘縮，rocker-bottom foot，overlapping fingerや，21トリソミーの大腿骨の短縮などはよく知られている．

診　断

▶四肢の評価

四肢や手足の形態の異常には**表1**で見るように多くの種類があり，これらは全身疾患の診断のための重要な手がかりになることが多い．こういった異常を系統的に探索し，その原因を発生学的な観点から考察して診断に応用する学問をdysmorphologyといい，日本語では形態異常診断学とか臨床奇形学ということがある．これからの超音波診断ではこのdysmorphology的な知識が大切になってくる．

四肢や手指の外的な形状の描出は，二次元の形態，すなわち輪郭を描出する超音波検査には適していない面がある．三次元的な形を描出するには，文字どおり3Dや4D超音波を駆使する必要がある．

▶骨格の評価

超音波検査はリアルタイムに観察できるという利点をもち，非侵襲的でかつ被曝の問題もないので胎児の精査に極めて有用であるが，こと骨の観察に関してはいろいろと問題がある．超音波画像で骨は明瞭に確認できる一方，その先の深部の情報が得ることが難しい．骨の超音波像は非常に輝度が高いことが特徴である．音響特性インピーダンスが大きく異なる軟部組織と骨の境界面，すなわち骨組織の表面で入射した超音波のパワーの半分以上が反射される．映し出されるのは皮膚から骨の表層まで，すなわち超音波ビームが当たる骨の輪郭のみである．胎児期に四肢長管骨で描出されるのは，骨幹（diaphysis）のそれも表面のみであり，いまだ骨化していない軟骨部分の骨端（epiphysis）

表 1 ● 超音波で観察できる四肢および骨格の異常

多指趾症（polydactyly），欠指趾症（oligodactyly）	短縮（shortening）
折り重なり指（overlapping fingers）	彎曲（bowing or angulation），
ヒッチハイカー母指（hitchhiker thumb）	骨折（fracture）
握りしめた手（clenched hand）	カッピング（cupping）
絞扼輪（digital constriction ring）	骨化不良（hypomeneralization）
裂手（split hand），裂足（split foot）	点状骨化（stippled epiphysis）
手の欠損（absent of hand），足の欠損（absent of foot）	扁平椎（platyspondyly）
ゆり椅子状の足底（rocker bottom foot）	骨幹端の不整像（metaphyseal dysplasia）
内反足（clubfoot）	
尖足（equinus foot）	
サンダルギャップ（sandal gap）	

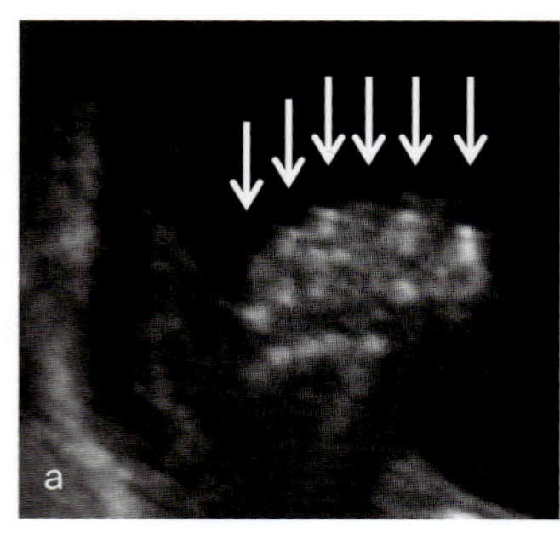
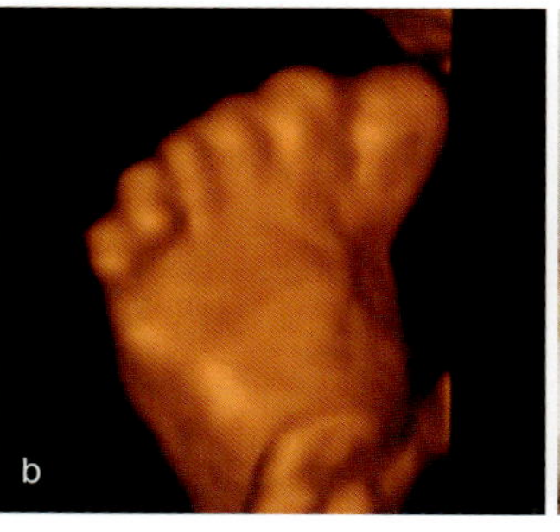
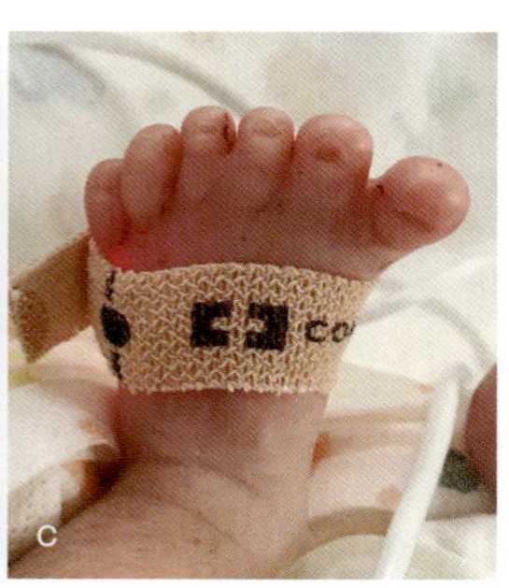

図 1 ● 左足の多趾症

a：足指が 6 本観察される．ただし 2D 画像では見のがされることがある．
b：指趾の評価には 3D 画像が優れる．数だけでなくその配列がわかりやすい．
c：出生後の写真からこの症例は軸後性の多趾であることがわかる．

はまだ見えない．

骨短縮があるかどうか，どの程度の短縮かを評価するためには，四肢長管骨のすべてを計測することが大切である．実際の胎児骨系統疾患の診断にあたっては，FL（大腿骨長）の短縮でスクリーニングされる場合がほとんどであろう．長管骨の長さの基準を−4SD程度以下としておくと，ほとんどの骨系統疾患が見つかってくる．ただし屈曲性骨異形成症（campomelic dysplasia）や軽症の骨異形成症（osteogenesis imperfecta）などはこれよりも軽度の短縮を示すことがあるので注意が必要である．

注意すべき超音波所見

▶ 四　肢

四肢の手足や指趾の形態の異常は**表 1** で見るように多くの種類があり，これらは全身疾患の診断のための重要な手掛かりになることが多い．ここでは多趾症，内反足，ゆり椅子状の足底の 3 つを例にとりあげて説明する．

1) 多指趾症（polydactyly）

多指趾症とは手または足の指が 5 本より多く存在するものをいう．**図 1** では足指が 6 本観察されることがわかる．ただし通常の断層像（2D 像）では見づらいことがあり（**図 1a**），指趾の評価には 3D 画像が優れる（**図 1b**）．数だけでなくその配列がわかりやすい．親指側の多指症を軸前性，小指側の多指症を軸後性というが，出生後の写真からこの症例は軸後性の多趾であることがわかる（**図 1c**）．手と足の多趾症では軸後性，すなわち腓骨側にある場合が多い．過剰指趾ではしばしば骨がなく軟部組織のみでつながっていることもあり，この場合超音波で同定することは難しい．

多指症の多くは孤発性であり予後は良好であるが，ほかに合併奇形がないか超音波でていねいに調べる必要がある．時に 13 トリソミーをはじめとした染色体異常，Meckel-Gruber 症候群，Ellis-van Crevelt 症候群，short-rib polydactyly 症候群，Smith-Lemli-Opitz 症候群などを合併していることがある．

2) 内反足（clubfoot）

ゴルフクラブ様に見える足である．超音波の同一平面上に下腿骨と足指が描出される（**図 2a**）．内反，内転やさまざまな程度の尖足を合併することが多い．見かけ上は下腿の彎曲や内捻があるようにみえる（**図 2b**）

が，実際の変形はほとんど足部で起こっていると考えられる．

ほかに合併奇形がないかをていねいに調べることは重要である．本症例ではX線写真で大腿骨に屈曲を認め，屈曲性骨異形成症（campomelic dysplasia）であった（図2c）．そのほか18トリソミーをはじめとした染色体異常に伴うことが多い．

3）ゆり椅子状の足底（rocker-bottom foot）

足底が凸に見える所見である（図3a）．ゆりかご状足底，舟状足などは同義語である．出生時に足部全体が背屈した変形を示すものを先天性外反踵足というが，ロッカーボトムはその重症型と考えられている．胎生初期に多因子が重複して生じる先天異常である．

一般に足は外転，外反，尖足気味となる．足の形態は3D画像のほうがわかりやすいことが多い（図3b）．18トリソミーによく認める症状であるが，それ以外に先天性多発性関節拘縮症，二分脊椎，Larsen症候群，脳性麻痺などでも生じることがある．心奇形，小脳低形成，overlapping fingersといった18トリソミーのほかの所見に注意する．

▶骨　格

長管骨の形態の異常は表1の通りである．ここでは骨折，彎曲，骨化不良，骨幹端の変化，点状骨化の5つを例にとりあげて説明する．

1）骨折（fracture）

胎内で骨折を起こしているときに考えなければならないのは骨形成不全症（osteogenesis imperfecta；OI）である．非常に特徴的な所見であり，骨折は四肢長管骨のほか肋骨などで認められることがある．重症度に応じて単発性の骨折のときや多発性の骨折，そして骨折を繰り返すために変形短縮を示す場合がある．また，骨形成不全症では頭蓋骨の骨化も不良で，超音波で頭蓋内構造が明瞭に描出できることが多い．

図4はOIの長管骨の骨折の超音波像を示したものである．aは大腿骨が骨折と治癒を繰り返し，M字型に短縮変形している像である．bは脛骨が1カ所で骨折して大きく彎曲している．cは肋骨の多発性骨折と変形を示している．妊娠中を通して観察すると，長管骨の形態が経時的に変化していくのが特徴である．単発の骨折のときは，屈曲による変形と区別が難しい場合がある．

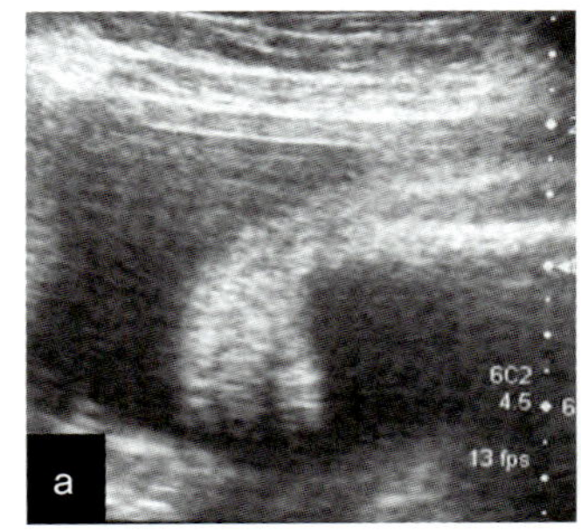

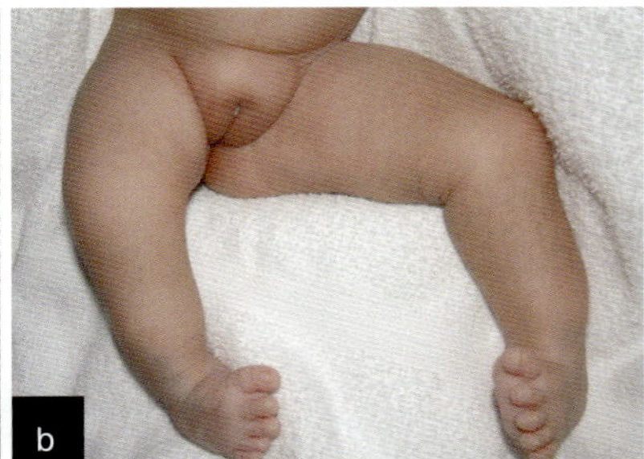

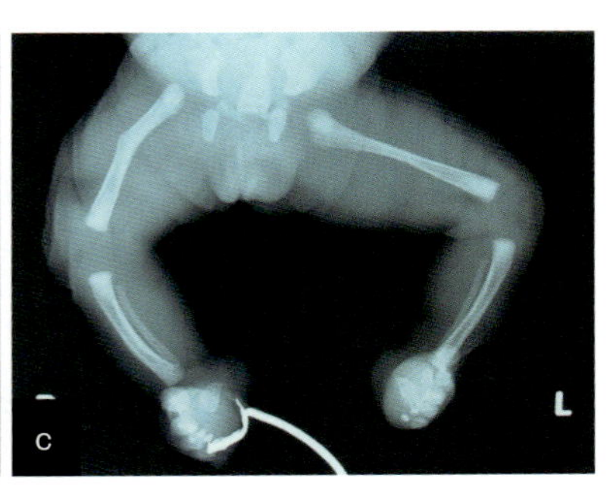

図2● 内反足

a：超音波で両側内反足を認める．

b：出生児の外表写真．

c：出生後のX線写真でも同様の所見．屈曲性骨異形成症（campomelic dysplasia）であった．

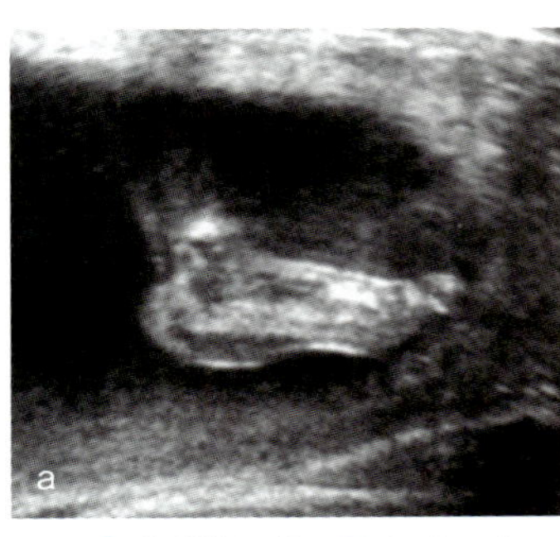

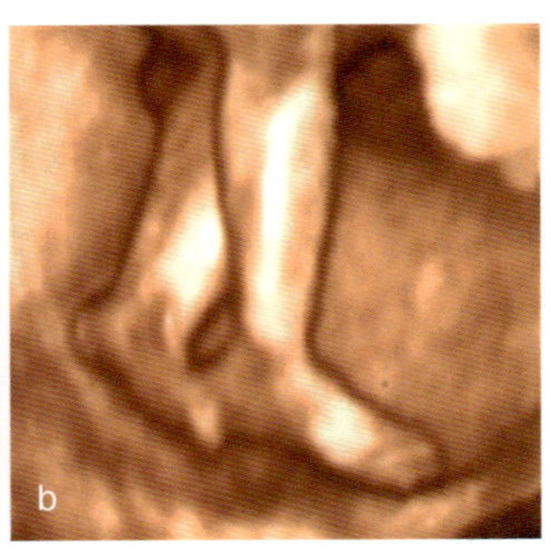

図3● ゆり椅子状の足底（rocker-bottom foot）

a:2D超音波で足底が凸に見える．b:3D画像．18トリソミーの症例であった．

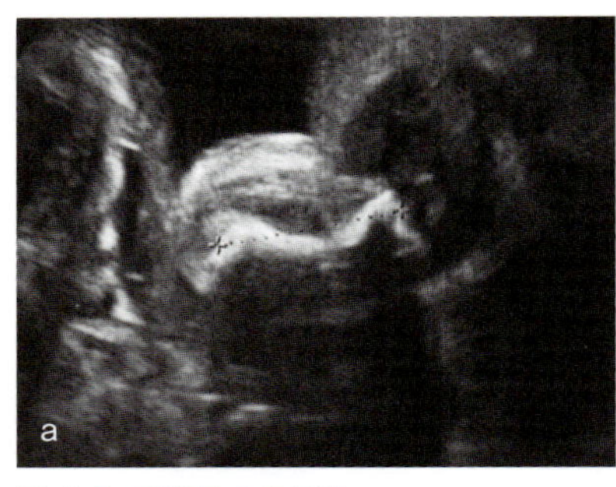
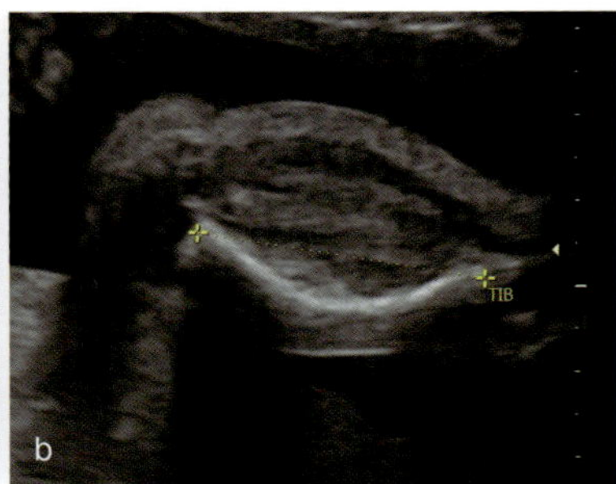
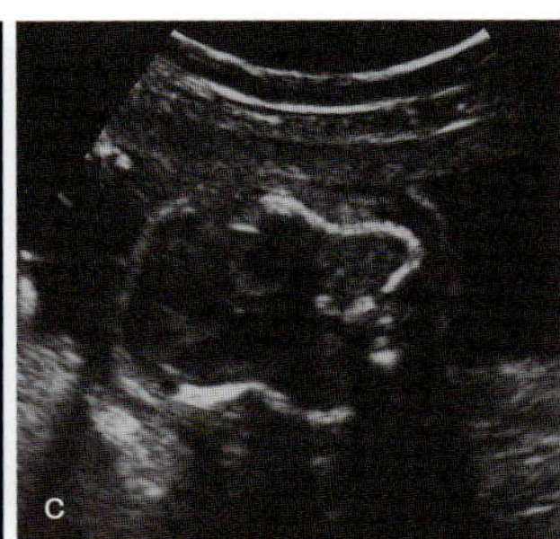

図 4 ● 長管骨の骨折像

a：大腿骨が骨折を繰り返し，M 字型に変形している．
b：脛骨が 1 カ所で骨折して大きく彎曲している．
c：肋骨の多発性骨折像である．

2）彎曲（bowing）

四肢長管骨の彎曲を認める疾患としては，タナトフォリック骨異形成症（thanatophoric dysplasia；TD）の特に 1 型，屈曲肢異形成症（campomelic dysplasia；CD）などがある．彎曲や屈曲といってもこの 2 つの疾患では意味がまったく異なる．前者では成長軟骨の形成不全により骨折と治癒による骨のリモデリングの異常が生じ，極端な短縮と彎曲が全身の長管骨に生じるものと考えられる．後者では，軟骨細胞の分化障害が起こす SOX9 遺伝子の異常と表現型との関係はまだよくわかっていないが，大腿骨と脛骨のみに限局して屈曲を起こすことが知られている．長管骨の短縮は一般に軽度である．

大腿骨の彎曲は超音波で描出できる診断的所見であるが，前述の OI で認められる大腿骨の単発性の骨折との鑑別が難しいことがある．CD や TD などの疾患自体の特徴としての彎曲と，骨折後の変形の鑑別点として，生後のX線像では骨折像と再生像，すなわち骨折しただけでなく再生（治癒）過程でその部分だけ太くなる所見が挙げられる．そのX線所見をイメージしながら超音波で局所をていねいに評価することが大切である．

3）骨化不良（hypomineralization）

骨化不良を示す疾患には上記の OI のほか，低ホスファターゼ症（hypophosphatasia；HPP）がある．X線写真は骨化の評価に再現性が高いが，超音波検査は術者依存性という特質もあって，骨化の評価はどうしても主観的なものになることが多い．客観的な所見としては pressure test，すなわち超音波プローブで胎児の頭蓋を圧迫すると変形する所見が知られている．骨化不良を示す一連の疾患で陽性になる．ただし，正常児でも単なる未熟性のために陽性になることがあるので注意が必要である．

HPP の周産期型の胎児大腿骨の超音波像は，骨幹（diaphysis）の両端部分が，超音波輝度がやや低くかなりの厚みを帯びて見える．この特異的な超音波パターン（echo enhancement）は，大腿骨両端部の骨化が悪いことを反映すると考えられる．骨幹の中心周辺では比較的骨化しており高輝度に見えるが，端の方にいくと骨化が悪く骨表面で超音波があまり反射せず骨の中まで到達しているので，骨基質や軟骨混じりの部分がやわらかく厚みを帯びた像に見えるのだろう．

4）骨幹端の変化

骨幹端の盃状変形（cupping），末広がり（splaying/flaring）などを指すが，こういった所見を呈する骨系統疾患は数多い．軟骨内骨化が障害されるほとんどの疾患でこの変化が生じる．成長板が横方向に過剰発育すると末広がり状を呈する．TD，Kniest 骨異形成症（Kniest dysplasia），変容性骨異形成症（metatropic dysplasia），先天性脊椎骨端異形成症（spondyloepiphyseal dysplasia congenita；SEDC）およびそれらの関連疾患などが挙げられる．

骨幹端，すなわち骨の厚み方向を観察するためには，わざと超音波ビームに対して骨幹が角度をとるように画面に斜めに出せばよい（図 5）．

5）点状石灰化（stippled epiphysis, punctation）

X線写真上，骨端核あるいは骨端核周囲の軟部組織に点状石灰化を認める一群の疾患があり，点状軟骨異形成症（chondrodysplasia punctata；CDP）と総称される．X線像では診断的所見である点状石灰化

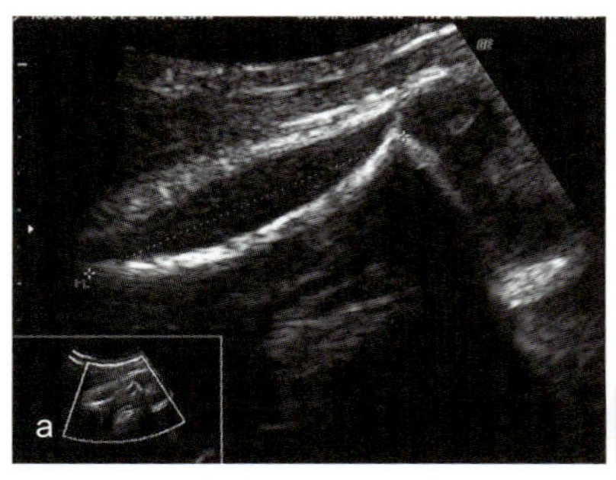

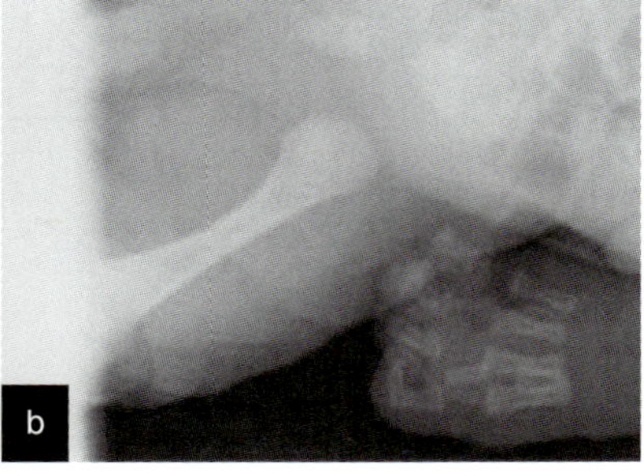

図 5 ● 骨幹端（metaphysis）の評価

超音波プローブを少し倒して大腿骨の右骨幹端に超音波ビームが入射するようにすると，a のような超音波像が得られ，骨幹端が通常よりも拡大していることが初めてわかる．b は同じ角度での X 線写真であり，骨幹端の splaying 様変化が認められる．

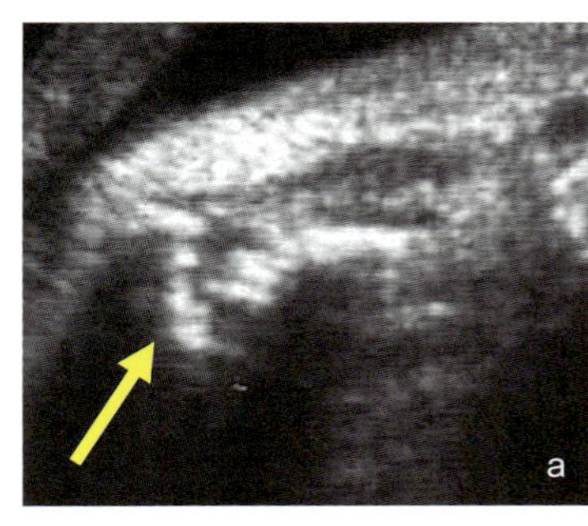

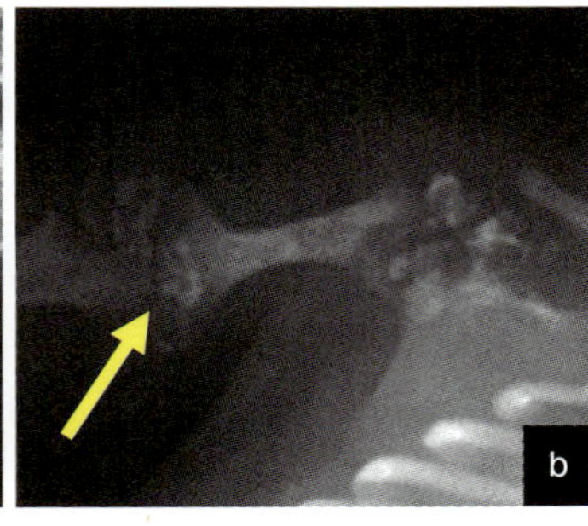

図 6 ● 点状石灰化（stippled epiphysis）

a：上腕骨は極度に短縮し，骨幹端が不規則に拡大している．診断的所見である点状石灰化は超音波でも観察可能である（矢印）．

b：X 線像では，上腕骨遠位端とその周囲に特徴的な点状石灰化が認められる．著しい短縮と骨幹端の splaying も特徴的である．近位肢節型点状軟骨異形成症（chondrodyplasia punctatata rhizomelic type）であった．

（図 6b）も，超音波診で描出できるかどうかはケースによる．砂粒腫様の微細な石灰化は超音波解像度以下の大きさで描出不可能であるが，大きな石灰化は明瞭に描出することができる（図 6a）．ふだんはあまり注意を払わない骨端（epiphysis）の所見にも留意する必要がある．

おわりに

本稿では長管骨および四肢手足の個々の所見について具体的に取り上げて解説を行った．四肢や指趾の変化は染色体異常といった症候性疾患のサインであることが多く，合併奇形がないかを注意深く調べる必要がある．骨系統疾患については，個々の疾患の頻度はまれであるため，なかなか診断に至らないことがある．しかし，出生後の X 線学的所見によって診断は可能であることが多い[2]．現在の超音波による胎児診断は，そこでまとめられた所見を援用して行われるが，医用画像に用いられている X 線と超音波ではその物的特性がまったく異なるため，同じ部位を描出しても出てくる画像が異なることに注意が必要である．

引用・参考文献

1）Mortier GR. et al. Nosology and classification of genetic skeletal disorders: 2019 revision. Am J Med Genet. 179, 2019, 2393-419.
2）西村玄．骨系統疾患 X 線アトラス：遺伝性骨疾患の鑑別診断．東京，医学書院，1993，240p.

宮城県立こども病院 ● 室月　淳

1 胎児機能不全

概念・定義

概　念

歴史的に使われていた「fetal distress」という用語は，曖昧で，かつ非特異的な用語であることから，1998年にはACOGから，妊娠中から分娩中の診断用語として使用しないとする勧告が出された[1]．同年，ICD-9からも「fetal distress」という用語は除去された．

実際，胎児心拍数モニタリングの所見がいわゆる「fetal distress」と診断されても，その偽陽性率（臍帯動脈血pH低値，低Apgarスコア，神経学的後遺症に関する）は約98%と非常に高いことが知られている[2]．

これまで「fetal distress」には2つの意味が含まれていた．一つはnormal，stress，distress，deathの順に悪化する一連の病態の中の，死の一歩手前，asphyxiaの状態を示唆する病態である．もう一つは単にモニタリング所見の解釈として用いられる場合である．この両者間の相関は低いが，その事実が社会的に受け入れられなかったために医療訴訟に影響を及ぼした．

このような経緯から，前述のごとく，胎児心拍数モニタリングやbiophysical profile scoringで異常と判断した場合，「fetal distress」という用語を用いないこととなった．では「fetal distress」の代わりに何を用いればよいのか？　それがnon-reassuring fetal statusである[1]．「胎児機能不全」と邦訳することが日本産科婦人科学会から示されている．

定　義

ACOGの提唱するnon-reassuring fetal statusは，提示された資料（胎児心拍数モニタリングなど）に対する医療者の解読・解釈であり，その所見に対して「安心できない，not reassured」と判断したことを示している．重要な点は，従来の「fetal distress」が胎児の病的状況を示唆し，また含蓄していたのに対し，non-reassuring fetal statusはモニタリング所見の解読に限定している点である．

2006年3月，日本産科婦人科学会周産期委員会はACOGの勧告を受ける形でnon-reassuring fetal statusの邦訳を定め，以下のごとく定義した．

[「胎児機能不全」とは妊娠中あるいは分娩中に胎児の状態を評価する臨床検査において，「正常ではない所見」が存在し，胎児の健康に問題がある，あるいは将来問題が生じるかもしれないと判断された場合をいう][3]．

その後，2008年には「胎児心拍数波形の判読に基づく分娩時胎児管理の指針」を提案し[4]，2009年には一部改訂し[5]，『産婦人診療ガイドライン：産科編2011』[6]にその骨子がまとめられている．『産婦人科診療ガイドライン：産科編2020』に最新版が解説とともに記載されている[7]．

用　法

医療者が「安心できない」と判断するためには，解釈するための統一したガイドラインが必要となる．胎児心拍数モニタリングの解読基準はNICHDの文献に譲る[8, 9]．ここでは，non-reassuring fetal statusの後に，必ず，自分の解釈理由を追記することを強調しておきたい．例えば，non-reassuring fetal status (recurrent late deceleration, tachycardia 180bpm, minimal variability) のように記載する．

日本産科婦人科学会，2008 年の報告では，胎児機能不全のパターンとして胎児心拍数波形のレベル分類の 3 ～ 5 を挙げている．詳細を表 1 に示す[6, 7]．

胎児心拍数モニタリング解読のガイドラインと non-reassuring fetal status

胎児心拍数モニタリングの解釈に関しては，1997 年，2008 年の NICHD ガイドラインと 2003 年，2008 年の日本産科婦人科学会周産期委員会報告ならびに 2012 年「胎児心拍数図に関する用語・定義」の改定に関する提案を参照していただきたい[3, 4, 8～10]．ほぼ同様の内容であるが，多少の相違点もある．

non-reassuring fetal status の判断には，基線，基線細変動，一過性頻脈，一過性徐脈の 4 因子を組み合わせて総合的に行う．特に重要な点はそれぞれの因子の時間的変化である[8]．実際に過去のモニターを並べて，時間的変化について判断することが望まれる．

NICHD ガイドラインの中で，児の酸素化と心拍数パターンに関して，委員会の意見の一致がほぼ得られた所見が 2 つ示されている[8]（図 1）．

一つは，基線が正常で，基線細変動が正常 (moderate) で，一過性頻脈があり，一過性徐脈がないパターンであり，胎児の病態生理からみると，胎児の酸素化が正常であることが推測される（図 1）．このパターンはもちろん reassuring と解釈される．

この対極として，胎児が acidosis に陥っている危険性が高いと判断するパターンも提示されている．子宮収縮の 50%以上の頻度で (recurrent)，遅発一過性徐脈か変動一過性徐脈か遷延一過性徐脈が出現し，かつ基線細変動の消失を伴っているパターンと，もう一つは徐脈が持続し基線細変動が消失したパターンである（図 1）．また，sinusoidal もこの範疇に入る[4, 9]．

この両極端の間にはさまざまなパターンが存在する．reassuring 以外のパターンは，ある意味で non-reassuring である．しかし，その解釈には個人差もあるため，自分の解釈を追記することが重要となる．

non-reassuring の内容を踏まえ，その上で，日本産科婦人科学会が提唱している胎児心拍数波形のレベル分類の 3 ～ 5 に当てはまる場合，日本産科婦人科学会では分娩時の胎児機能不全と診断する[4, 6, 7]（表 1）．さらに基線細変動の有無から，表 2-1 ～ 5 に示すように，すべての一過性徐脈と徐脈を 5 段階にレベル分類し，臨床的管理に結びつける試みを行っている．

以上の経緯から，胎児機能不全，あるいは non-reassuring 所見と判断しても，当然のことながら出生児に異常がない場合もある．モニタリング所見としては安心できないパターンと解釈したが，病態としては軽度の低酸素血症のみであり，臍帯血 pH の低下も，Apgar スコアの低下もないことはあり得る．また，適切な産科管理によって重症化を未然に予防した可能

表 1 ● 胎児心拍数波形のレベル分類

レベル表記	日本語表記	英語表記
レベル 1	正常波形	normal pattern
レベル 2	亜正常波形	benign variant pattern
レベル 3	異常波形（軽度）	mild variant pattern
レベル 4	異常波形（中等度）	moderate variant pattern
レベル 5	異常波形（高度）	severe variant pattern

（文献 7 より転載）

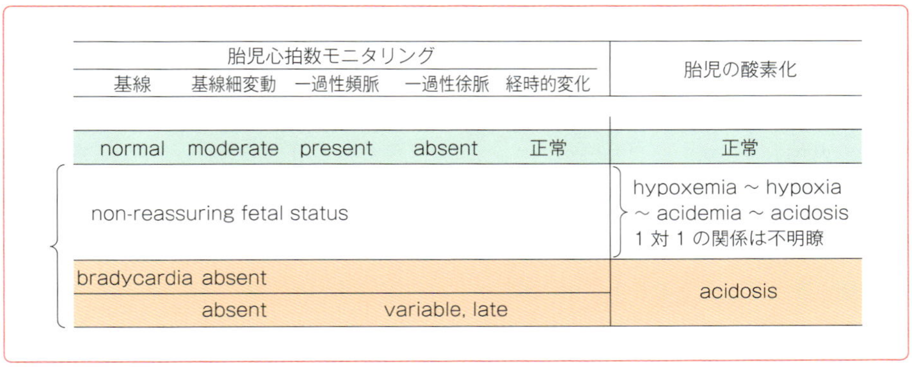

胎児心拍数モニタリング					胎児の酸素化
基線	基線細変動	一過性頻脈	一過性徐脈	経時的変化	
normal	moderate	present	absent	正常	正常
non-reassuring fetal status					hypoxemia ～ hypoxia ～ acidemia ～ acidosis 1 対 1 の関係は不明瞭
bradycardia	absent				acidosis
	absent		variable, late		

図 1 ● non-reassuring fetal status と胎児の酸素化

表 2-1 ● 基線細変動正常例

一過性徐脈 心拍数基線	なし	早発	変動		遅発		遷延	
			軽度	高度	軽度	高度	軽度	高度
正常脈	1	2	2	3	3	3	3	4
頻脈	2	2	3	3	3	4	3	4
徐脈	3	3	3	4	4	4	4	4
徐脈（<80）	4	4		4	4	4		

（文献 7 より転載）

表 2-2 ● 基線細変動減少例

一過性徐脈 心拍数基線	なし	早発	変動		遅発		遷延	
			軽度	高度	軽度	高度	軽度	高度
正常脈	2	3	3	4	3*	4	4	5
頻脈	3	3	4	4	4	5	4	5
徐脈	4	4	4	5	5	5	5	5
徐脈（<80）	5	5		5	5	5		

3* 正常脈＋軽度遅発一過性徐脈：健常胎児においても比較的頻繁に認められるので「3」とする．ただし，背景に胎児発育不全や胎盤異常などがある場合は「4」とする．

（文献 7 より転載）

表 2-3 ● 基線細変動消失例

一過性徐脈	なし	早発	変動		遅発		遷延	
			軽度	高度	軽度	高度	軽度	高度
心拍数基線にかかわらず	4	5	5	5	5	5	5	5

＊薬剤投与や胎児異常など特別な誘因がある場合は個別に判断する．
＊心拍数基線が徐脈（高度を含む）の場合は一過性徐脈のない症例も "5" と判定する．

（文献 7 より転載）

表 2-4 ● 基線細変動増加例

一過性徐脈	なし	早発	変動		遅発		遷延	
			軽度	高度	軽度	高度	軽度	高度
心拍数基線にかかわらず	2	2	3	3	3	4	3	4

＊心拍数基線が明らかに徐脈と判定される症例では，表 2-1 の徐脈（高度を含む）に準じる．

（文献 7 より転載）

表 2-5 ● サイナソイダルパターン

一過性徐脈	なし	早発	変動		遅発		遷延	
			軽度	高度	軽度	高度	軽度	高度
心拍数基線にかかわらず	4	4	4	4	5	5	5	5

付記：
ⅰ．用語の定義は日本産科婦人科学会 55 巻 8 月号周産期委員会報告による．
ⅱ．ここでサイナソイダルパターンと定義する波形は ⅰ の定義に加えて以下を満たすものとする．
①持続時間に関して 10 分以上．
②滑らかなサインカーブとは short term variability が消失もしくは著しく減少している．
③一過性頻脈を伴わない．
ⅲ．一過性徐脈はそれぞれ軽度と高度に分類し，以下のものを高度，それ以外を軽度とする．
◇遅発一過性徐脈：基線から最下点までの心拍数低下が 15bpm 以上
◇変動一過性徐脈：最下点が 70bpm 未満で持続時間が 30 秒以上，または最下点が 70bpm 以上 80bpm 未満で持続時間が 60 秒以上
◇遷延一過性徐脈：最下点が 80bpm 未満
ⅳ．一過性徐脈の開始は心拍数の下降が肉眼で明瞭に認識できる点とし，終了は基線と判定できる安定した心拍数の持続が始まる点とする．心拍数の最下点は一連のつながりをもつ一過性徐脈の中の最も低い心拍数とするが，心拍数の下降の緩急を解読するときは最初のボトムを最下点として時間を計測する．

（文献 7 より転載）

性もある．これは胎児機能不全，あるいはnon-reassuringとの解釈と矛盾しない．したがって，胎児機能不全，non-reassuringとの判断で出生した児には，臍帯血pH測定，Apgarスコア，その他の必要な検査を行い，結果を記載することも大切である．

総合的な判断の重要性

医療者の解釈でnon-reassuringと解読し，日本産科婦人科学会が提唱している胎児心拍数波形のレベル分類の3～5に当てはまる場合を分娩時の胎児機能不全と診断するが，最終的にはハイリスク因子に基づき，母体・胎児の病態生理を考慮に入れて総合的に判断する．モニタリングの解釈は，個々の妊婦がもつハイリスク因子や在胎週数などと同様に，総合判断するための一つの資料である．

例えば，正常発育児の正期産と胎児発育不全（FGR）の早産とでは，同様のモニタリング所見に対する解釈が異なることがある．基線も細変動も正常で，一過性頻脈も認めるものの，子宮収縮の約30%にlate decelerationが出現している場合を例にとってみる．所見自体はレベル分類の3で胎児機能不全，non-reassuringであるが，正期産の分娩第2期であれば児のhypoxemiaの状態は軽度であり，そのまま経腟分娩が可能であると総合的に評価できる．一方，妊娠32週未満の重度FGRの妊娠中に先述の胎児心拍数モニタリング所見が出現した場合には，胎児の病態生理を総合的に評価して帝王切開術を行う必要がある．このように，モニタリングの解釈と，胎児の病態生理を加味した最終的な総合評価とを明記することが重要である．

対　処

胎児機能不全，non-reassuringが持続する際の一般的な対処方法を**表3**に示す．また，日本産科婦人科学会が提唱している胎児心拍数波形のレベル分類に基づく対応と処置に関して，**表4**にまとめて示す[4,6,7]．

胎児機能不全，non-reassuringの原因が体位性であったり，脱水であったりする場合には，その原因を除去するために体位変換や補液を行う．過強陣痛であれば陣痛促進薬を中止，あるいは減量する．破水後の羊水減少に伴うvariable decelerationであれば羊水注入を考慮する[11]．母体への酸素投与も日常的に行われているが，科学的根拠に乏しい．

上記の対症療法で改善せず，経過に従い悪化する所見を認めたり，非常に重篤なパターンを認める場合には，在胎週数やハイリスク因子を総合的に判断し，さらに自施設の医療事情を考慮し，母体搬送も含め分娩方法を決定する．

non-reassuring fetal statusと胎児先天異常

non-reassuringな所見は，病態の結果として出現するばかりではなく，胎児の先天異常が原因となって出現することもある．染色体異常，心奇形，中枢神経系奇形，サイトメガロウイルス（CMV）感染症などがあると，胎児の酸素化が正常であってもnon-reassuringな所見が出現することが報告されている[12～14]．出生時にアシデミアを認めなかった34週以降の脳障害児（small for dates〔SFD〕，CMV感染症など）では，分娩時に74%がnon-reassuringの所見を呈した[15]．したがって急速遂娩を決定する前

表3 ● persistent non-reassuring fetal status時の対応と管理

1）可能な限り，原因を検索し，早急に判断する．
2）原因を除去，あるいは改善をはかり，胎児の酸素化と胎盤血流の改善を試みる．
3）改善されない場合，back-up試験を行うか，娩出を行うか，考慮する．
4）在胎週数やリスク因子などを含む総合的判断で遂娩をする場合，緊急度を検討する．
5）具体的な対症療法 酸素投与 母体体位変換 補液 陣痛対策：オキシトシン中止や減量，子宮収縮抑制薬 羊水注入 硬膜外麻酔への対応

表 4 ● 胎児心拍数波形分類に基づく対応と処置（主に 32 週以降症例に関して）

波形レベル	対応と処置	
	医師	助産師**
1	A：経過観察	A：経過観察
2	A：経過観察 または B：監視の強化，保存的処置の施行および原因検索	B：連続監視，医師に報告する．
3	B：監視の強化，保存的処置の施行および原因検索 または C：保存的処置の施行および原因検索，急速遂娩の準備	B：連続監視，医師に報告する． または C：連続監視，医師の立ち会いを要請，急速遂娩の準備
4	C：保存的処置の施行および原因検索，急速遂娩の準備 または D：急速遂娩の実行，新生児蘇生の準備	C：連続監視，医師の立ち会いを要請，急速遂娩の準備 または D：急速遂娩の実行，新生児蘇生の準備
5	D：急速遂娩の実行，新生児蘇生の準備	D：急速遂娩の実行，新生児蘇生の準備

〈保存的処置の内容〉
一般的処置：体位変換，酸素投与，輸液，陣痛促進薬注入速度の調節・停止など
場合による処置：人工羊水注入，刺激による一過性頻脈の誘発，子宮収縮抑制薬の投与など
**：医療機関における助産師の対応と処置を示し，助産所におけるものではない．

（文献 7 より転載）

に，超音波画像で奇形や先天異常などの有無を短時間で再確認する emergency scan が重要である．

引用・参考文献

1）ACOG Committee Opinion No.326. Inappropriate use of the term fetal distress and birth asphyxia. December, 2005（Replaces ACOG Committee Opinion No.197, February 1998）.
2）ACOG Practice Bulletin No.70. Intrapartum fetal heart rate monitoring. December, 2005.
3）日本産科婦人科学会周産期委員会報告．胎児心拍数図の用語及び定義検討小委員会．日本産科婦人科学会雑誌．55，2003，1205-16.
4）日本産科婦人科学会周産期委員会．胎児心拍数波形の分類に基づく分娩時胎児管理の指針（2010 年版）．日本産科婦人科学会雑誌．62，2010，2068-73.
5）Okai T. et al. Intrapartum management guidelines based on fetal heart rate pattern classification. J Obstet Gynecol Res. 36, 2010, 925-8.
6）日本産科婦人科学会／日本産婦人科医会 編集・監修．"CQ411 分娩監視モニターの読み方・対応は？"．産婦人科診療ガイドライン：産科編 2011．2011，199-205.
7）日本産科婦人科学会／日本産婦人科医会 編集・監修．産婦人科診療ガイドライン：産科編 2020．東京，日本産科婦人科学会，2020，228-32．"CQ411 胎児心拍数陣痛図の評価法とその対応は？".
8）Electronic fetal heart rate monitoring：Research guidelines for interpretation. National Institute of Child Health and Human Development Research Planning Workshop. Am J Obstet Gynecol. 177, 1997, 1385-90.
9）Macones GA. et al. The 2008 NICHD workshop report on electronic fetal monitoring. Obstet Gynecol. 112, 2008, 661-6.
10）日本産科婦人科学会周産期委員会 胎児機能不全診断基準の妥当性検討に関する小委員会（委員長：池田智明）．Ⅱ．「胎児心拍数図に関する用語・定義」の改定に関する提案．平成 24 年 6 月 13 日.
11）日本産科婦人科学会／日本産婦人科医会 編集・監修．前掲書 7．"CQ311 人工羊水注入については？"．186-7.
12）Garite TJ. et al. Fetal heart rate patterns and fetal distress in fetuses with congenital anomalies. Obstet Gynecol. 53, 1979, 716-20.
13）Ueda K. et al. Intrapartum fetal heart rate monitoring in cases of congenital heart disease. Am J Obstet Gynecol. 201, 2009, 64.e1-6.
14）Kaneko M. et al. Intrapartum fetal heart rate monitoring in cases of cytomegalovirus infection. Am J Obstet Gynecol. 191, 2004, 1257-62.
15）Kodama Y. et al. Intrapartum fetal heart rate patterns in infants（≧ 34 weeks）with poor neurological outcome. Early Hum Dev. 85, 2009, 235-8.

宮崎大学 ● 山田直史 ● 児玉由紀 ● 鮫島 浩

羊水過多・過少

定義・分類・病態

定　義

羊水量が異常に多いか少ない場合をいう.

分　類

羊水過多と羊水過少に分けられる.

病　態

羊水量は妊娠10週では約30mLで，以後増加していき，32～35週にピークとなり約1,000mLに達する．妊娠40週では800mLで，38週から43週にかけては，1週ごとに150mLずつ減少していくとされている.

妊娠の初期では，羊水の供給源は，もっぱら胎児の表面より漏出する胎児血清や羊膜表面からの漏出液に由来するとされている．胎児の腎は妊娠10～11週に機能しはじめ，尿量は徐々に増加し，妊娠中期からは胎児尿が最大の供給源となる．その他の供給源として，胎児の肺や口腔，鼻腔よりの漏出液の関与が報告されている．羊水の消退としては，胎盤・臍帯膜面より胎児循環を介して，母体血液に至る経路があるとされている．妊娠後半期には，胎児の嚥下運動が活発となり，消化管を通しての消退が最も量的に多い経路となる．羊水量は，生理的には水の羊水腔への流入と消退によって，一定に保たれている．両者のバランスが崩れることによって羊水量の異常が発生する.

参考 『産婦人科診療ガイドライン：産科編2020』CQ306-1 羊水過多の診断と管理は？
CQ306-2 羊水過少の診断と管理は？

診　断

羊水の総量を測定する方法としては，羊水腔への色素注入法が確立されているが，侵襲的であるため臨床的に行われることはない．超音波診断が標準の評価法となっている.

▶羊水最大深度（羊水ポケット）の測定

Manning ら[1]の方法で，羊水腔の垂直距離の最大を羊水ポケットとして指標に用いる方法である．一般的には，2cm未満が羊水過少，8cm以上を羊水過多としている.

▶amniotic fluid index（AFI）の測定

Phelan ら[2]が始めた方法で，子宮を縦横に4等分し，それぞれの羊水ポケットの総和をAFIとして羊水量の評価に使う．AFI測定における注意点としては，プローブを床に垂直に向けること，プローブを腹壁に圧しないことである．一般的には5cm未満を羊水過少，24～25cm以上を羊水過多とする．また妊娠週数別正常域の90パーセンタイルを羊水量正常とし，その上下5パーセンタイルをそれぞれ羊水過多・羊水過少とすることもある．多くはAFIが使用されることが多いが，多胎妊娠におけるそれぞれの胎児の羊水の評価は，羊水ポケットで行う.

羊水過多

▶原　因

液体成分の羊水腔への流入と消退のバランスに変調を来したときに起こる．羊水過多を来す疾患を**表1**に挙げる[3].

表1 ● 羊水過多を来す疾患

1. 胎児尿量の増加
　母体糖尿病児，胎児内分泌代謝性疾患など
2. 胎児嚥下運動の低下
　胎児筋骨格系異常（筋緊張性ジストロフィー，四肢短縮症），中枢神経系異常（無脳症），胎児奇形症候群，胎児水腫，母体感染症児（TORCH症候群など），染色体異常
3. 胎児消化管からの羊水の吸収障害
　上部消化管閉鎖（食道閉鎖，十二指腸閉鎖，小腸閉鎖）など
4. 胎児表面からの液体成分の漏出
　無脳症，髄膜瘤，臍帯ヘルニア，腹壁破裂
5. その他
　特発性羊水過多症

1）胎児尿量の増加

母体の糖尿病においては，母体高血糖が胎児の高血糖を招き，血漿浸透圧の上昇により胎児尿量が増加するといわれている．胎児の循環血液量が上昇する病態として，双胎間輸血症候群の受血児が最も典型例としてみられる．胎盤血管腫や無心体双胎にみられる羊水過多も，同様の病態が関与していると考えられる．胎児内分泌代謝性疾患においても，病態によっては胎児尿量の増加から羊水過多を来すことがある（胎児Bartter症候群など）．

2）胎児嚥下運動の低下

胎児の羊水の嚥下運動が低下する胎児異常の多くで羊水過多が発症する．染色体異常，胎児筋骨格系異常（筋緊張性ジストロフィー，四肢短縮症など），中枢神経系異常（無脳症など）や胎児奇形症候群などの胎児の先天異常の一部では，嚥下障害を伴い羊水過多を発症する．胎児水腫は羊水過多を伴うことが多い．母体感染症児（TORCH症候群）でも羊水過多が発症することがある．

3）胎児消化管からの羊水の吸収障害

上部消化管閉鎖（食道閉鎖，十二指腸閉鎖，小腸閉鎖）や先天性横隔膜ヘルニアは羊水過多の原因となる．

4）胎児表面からの液体成分の漏出

無脳症，髄膜瘤，臍帯ヘルニアや腹壁破裂などにおいては，患部からの液体成分の漏出によって羊水過多が起こることがあるといわれている．

5）特発性羊水過多症

羊水過多症と診断されたもののうち，明らかな原因が見つからないものをさす．羊水ポケットが12cm以上の例では75～91%の例で原因が同定されるが，羊水ポケット8～12cmでは17～29%のみに原因が同定されたとの報告がある．羊水量を規定するメカニズムはいまだ解明されているとはいえない．胎児および母体に異常を認めないにもかかわらず羊水量の異常を来すことがある．

▶管　理

羊水過多の原因により，その管理はさまざまであるが，原因を検索することが最も重要である．

1）耐糖能異常合併妊娠

羊水過多の原因検索として，母体の耐糖能検査（75gOGTT）は必須である．耐糖能異常合併妊娠における羊水過多は軽度のことが多いが，軽症であっても母体の血糖コントロール不良のサインであり，より厳重な血糖管理が必要である．血糖管理が改善されると羊水量も正常化する．

2）胎児先天異常

先天異常の検査も必須検査である．羊水過多は種々の胎児奇形（症候群）に合併するので，その管理や予後は原因奇形によってさまざまである．胎児超音波検査で観察される胎児形態異常の程度に応じて胎児染色体検査も考慮する．羊水過多とともに胎児発育不全（fetal growth restriction；FGR）を認める場合は，18-トリソミーが典型的である．21-トリソミーも羊水過多との関連が指摘される．先天性消化管閉塞や先天性横隔膜ヘルニアなどの外科的疾患が疑われる場合は，小児外科との連携が必要となる．

3）原因が同定できない場合

羊水過多の50%はいわゆる原因不明の特発性羊水過多で，その多くは母児に明らかな合併症を認めず予後良好である．しかし，先天性筋緊張性ジストロフィーなどのように予後不良にもかかわらず，その出生前診断が困難な場合もあり，その管理には十分な注意が必要である．特発性羊水過多症例の児では28%が1年予後が不良であったとする報告もある[4]．

4）母体管理

中枢神経異常や消化管閉塞，あるいは双胎間輸血症候群に伴う羊水過多は，時に重症化し母体の呼吸困難，悪心，心悸亢進などの圧迫症状を伴うことがあり，対症療法として羊水除去が必要なことがある．

5) 分娩時管理

羊水過多は，早産や preterm PROM（37 週未満の PROM），破水時の常位胎盤早期剥離，臍帯脱出，あるいは胎位異常，さらに弛緩出血などの危険因子である．ダブルセットアップを考慮した分娩管理が望ましい．

羊水過少

▶原　因

羊水過多と同様に，子宮内の液体成分の羊水腔への流入と消退のバランスに変調を来したときに発症する．羊水過少を来す疾患を**表 2** に挙げる[3]．

1) 胎児尿量の低下

胎児の泌尿器系異常のうち，腎臓奇形（腎無形成，低形成，嚢胞性腎疾患）や閉塞性尿路疾患によって，無尿や乏尿となり羊水過少が起こる．腎臓奇形による羊水過少は，妊娠中期より認められることが多く，その程度は極度である．

先天異常のない胎児の尿量低下による羊水過少は妊娠後期に認められることが多く，FGR や過期妊娠に伴ってみられる．胎盤機能不全による FGR 児の場合，胎児の低酸素症やアシドーシスによって血流再分配が起こり，腎血流量低下のため羊水過少が発症すると考えられる．38 週から 43 週にかけては，羊水量は 1 週ごとに 150mL ずつ減少していくとされている．この減少のメカニズムはよくわかっていないが，過期妊娠では腎血流量が低下し，尿量が低下することが示されている．双胎間輸血症候群の供血児では循環血液量の減少のため，尿量低下ひいては無尿となり，羊水量が極度に減少する（stuck twin）．

2) 前期破水（PROM）

羊水の流出によって羊水過少を来す．

3) 母体薬剤投与の影響

インドメタシンやアンジオテンシン変換酵素（ACE）阻害薬の影響により，羊水過少を来す場合がある．

表 2 ● 羊水過少を来す疾患

1. 胎児尿産生の減少
   a) 胎児奇形：腎無形成，腎低形成，嚢胞性腎疾患，閉塞性尿路疾患
   b) 腎血流量の低下（胎盤機能不全）：FGR，過期妊娠
2. 羊水の慢性流出
   前期破水
3. 母体薬剤投与（インドメタシン，ACE 阻害薬など）

▶管　理

1) 胎児の腎尿路系の先天奇形

腎の先天奇形による羊水過少は極めて重篤で，児の正常な肺構築を阻害し肺低形成を来す．多くは生命予後が不良である．閉塞性尿路疾患では羊水量の変化が重要で，羊水過少が認められるようになれば，腎機能の保護のため，生存可能時期では早期娩出が行われる．胎児が未熟な例では，胎児治療（経皮的膀胱羊水腔シャント）が試みられている．

2) FGR

FGR の管理では，羊水量の評価が重要である．羊水過少のある場合は，胎児に腎血流量低下を引き起こす程度の低酸素症があることを意味している．胎児発育の有無，胎児血流計測や胎児心拍数モニタリング所見，BPS（biophysical profile score）などとあわせて，早期娩出が必要かどうか検討されなければならない．

3) 分娩時

分娩予定日付近でみられる，FGR を伴わない羊水過少の多くは，正常分娩となる．しかし，分娩時の臍帯圧迫による胎児心拍数モニタリング異常，羊水混濁や帝王切開分娩の率が有意に高いとされる．特に，過期妊娠の場合，頻回の胎児評価が必要である．分娩の臍帯圧迫による胎児機能不全に対する胎内蘇生法として，経腟的人工羊水注入が試みられている．

4) preterm PROM に伴う羊水過少

preterm PROM に伴う羊水過少は，胎児の予後にさまざまに影響する．妊娠中期に起こる羊水過少（特に 22 週以前）では，児の肺低形成，四肢の変形拘縮や羊膜索症候群などがみられることがある．一般的に羊水過少が認められる時期が早期なほど児の予後は不良である．胎児が未熟な場合，肺低形成予防の目的で，反復される経皮的羊水注入が児の予後を改善するとの報告があるが[5]，その有益性については，さらに多くの前方視的な検討が必要である．重症の羊水過少では子宮収縮に対して容易に臍帯圧迫が起こり，胎児心拍数モニタリング異常の原因となる．また，preterm PROM に伴う羊水過少が，胎児炎症反応症候群と関

連するという報告がある[6].

治　療

羊水量の異常に対する治療は，羊水過多に対する羊水除去や羊水過少に対する羊水注入にみられるように，対症療法が主となっている．羊水量の異常の原因を除去することによる根本的治療は，限られた疾患にしかなされていない．胎児尿路閉塞疾患に対する膀胱羊水腔シャント術がその一例である．症例が非常に限られることや合併症もあり，その有用性については一定した見解はない．双胎間輸血症候群における羊水過多・過少に対しては，胎児鏡下吻合血管レーザー凝固術により児の予後のみならず羊水量の異常も改善する[7].

引用・参考文献

1）Manning FA. et al. Qualitative amniotic fluid volumes in normal pregnancy. Am J Obstet Gynecol. 139, 1981, 254-8.
2）Phelan JP. et al. Amniotic fluid volumes assessment with the four-quadrant technique at 36-42 week's gestation. J Reprod Med. 32, 1987, 540-2.
3）Cunningham FG. et al. eds. "Disorders of amniotic fluid volume". Williams Obstetrics. 23rd ed. New York, McGraw-Hill, 2010, 490-9.
4）Dorleijn DM. et al. Idiopathic polyhydramnios and postnatal findings. J Matern Fetal Neonatal Med. 22, 2009, 315-20.
5）De Santis M. et al. Transabdominal amnioinfusion treatment of severe oligohydramnios in preterm premature rupture of membranes at less than 26 gestational weeks. Fetal Diagn Ther. 18, 2003, 412-7.
6）Yoon BH. et al. Association of oligohydramnios in women with preterm premature rupture of membranes with an inflammatory response in fetal, amniotic, and maternal compartments. Am J Obstet Gynecol. 181, 1999, 784-8.
7）Quintero RA. et al. Stage-based treatment of twin-twin transfusion syndrome. Am J Obstet Gynecol. 188, 2003, 1333-40.

元・岩国医療センター　野田清史

Fetal Growth Restriction

概念・定義・分類・病態

概　念：胎児発育不全（fetal growth restriction；FGR）は，出生体重が在胎週数の標準と比較して小さい新生児 light for gestational age（LGA）となる可能性が高く，LGA 児が周産期死亡率，精神発達遅滞ならびに生活習慣病の発症率が高率であるために高リスク妊娠とされる[1)].

定　義：日本産科婦人科学会で「妊娠中の胎児推定体重が，該当週数の一般的な胎児体重と比較して明らかに小さい場合を FGR とする」と定義されている[1)].

分　類：①胎児の体型による分類

type Ⅰ FGR（symmetrical FGR）：胎芽・妊娠初期に原因があるもの.

type Ⅱ FGR（asymmetrical FGR）：主に血流再分配により頭部の発育が保たれているもの.

また近年多く使用されている分類は，②報告によって異なるが，診断時期が妊娠 32 ～ 34 週より前であれば early-onset FGR，それ以上であれば late-onset FGR とするものである（**図 2**）[2)].

病　態：

頻度：全妊娠の 10%．その内訳は，symmetrical FGR 10 ～ 20%，asymmetrical FGR 80 ～ 90%．また，early-onset FGR 20~30%，late-onset FGR 70~80%.

疫学とリスク：FGR の危険因子としては母体因子，胎児因子および胎児付属物因子がある（**表 1** 参照）[1)]．symmetrical FGR の原因は胎児因子の染色体異常，形態異常，胎児感染，asymmetrical FGR の原因は母体因子および胎児付属物因子が疑われる.

表 1 ● FGR の危険因子（日本産科婦人科学会・日本産婦人科医会，2017）（文献 1 より引用）

母体因子	
内科合併症	高血圧，妊娠前の糖尿病，腎疾患，甲状腺疾患，自己免疫疾患，抗リン脂質抗体症候群，チアノーゼ型心疾患など
妊娠高血圧症候群	
生活習慣	喫煙，アルコール
薬物	シクロフォスファミド，バルプロ酸，ワルファリン
その他	低身長，出生時低体重，LGA 児分娩既往，妊娠前のやせ，体重増加不良など
胎児因子	
多胎妊娠	
染色体異常	18 トリソミー，13 トリソミー，ターナー症候群，3 倍体など
形態異常	
胎児感染	サイトメガロウイルス，風疹ウイルス，トキソプラズマ，梅毒など
胎児付属物因子	
胎盤異常	
臍帯付着部異常	臍帯卵膜付着，臍帯辺縁付着

予後：FGR は出生体重が小さいほど，発症週数が早いほど罹患率，死亡率は高くなる．American College of Obstetricians and Gynecologists（ACOG）は，10 パーセンタイル未満で胎児死亡は 1.5%，5 パーセンタイル未満では 2.5%まで増加するとしている[3)]．システマティックレビューから，妊娠 32 週未満で診断された胎児の腹囲や推定体重が 3 ～ 10 パーセンタイル未満，臍帯動脈血流波形異常を認めるなどといった severe early-onset FGR の死亡率は子宮内胎児死亡 12.3%，新生児死亡 6.6%で[4)]，長期追跡調査では生存者の 12.2%（すべての妊娠の 7.9%）が神経発達障害または脳性麻痺であった[4)].

参考 『産婦人科診療ガイドライン：産科編 2020』CQ307-1 胎児発育不全（FGR）のスクリーニングは？
CQ307-2 胎児発育不全（FGR）の取り扱いは？

はじめに

FGRは死亡および神経学的後遺症発生のリスクを高める[3]．FGR児の胎児死亡を防ぐために人工早産が選択されるが，未熟性によって重篤な合併症を増加させる．その他FGR児では，成長してからの生活習慣病発症率が高い[3]．このようにFGRは児の短期，長期予後ともに大きなインパクトを与えるために産科医にとって管理に苦慮する病態である．

診　断

FGRは「日本人胎児体重の妊娠週数ごとの基準値[5]」（**図1**）を用いて判定する．基準値の－1.5SDを当面の目安とし，羊水過少の有無，腹囲の測定値などや，再検による経時的変化の検討から総合的にFGRと臨床的に診断する[1,6]．

FGRの診断には，分娩予定日が正しく算定されていることが重要である．いつもの月経周期と最終月経および①胚移植日か特定できる排卵日，もしくは②妊娠8～10週の頭殿長（crown-rump length；CRL）や妊娠11週以降の大横径（biparietal diameter；BPD）の超音波計測値から起算する[1]．ACOGはCRL 84mm（妊娠14週0日相当）未満時での決定を推奨している[7]．しかしCRLが50mmを超える時期に予定日を決定する場合は誤差が大きい．最終月経に加えて大横径や大腿骨長を組み合わせて判断するが，妊娠20週以降の場合には，妊娠悪阻の時期や胎動初覚の時期なども参考にしながら妊娠週数を推定せざるを得ない．その場合には誤差が2週間以上となる可能性もあり慎重に管理し，分娩後にはDubowitz法などによる週齢推定が必要である．

管　理

▶ 胎児計測

超音波計測には誤差があるが，再検により誤差を少なくできる反面，経時的に胎児計測を繰り返し実施してもFGRと診断できない場合もある．FGRの程度が強い場合や羊水過少・過多を伴う場合，あるいはリスク因子が明らかな場合には再検を待たずに胎児健常性（well-being）の評価を開始することが必要である．

▶ 胎児 well-being の評価

児のwell-beingの評価は，胎児心拍数モニタリング（non-stress test；NST，contraction stress test），BPP（biophysical profile score），胎児血流量計測がある．

1) BPP

妊娠25～26週から実施可能．胎児低酸素ではNSTの異常や呼吸様運動の減少が起こり，低酸素症からアシドーシスに進行するに従って，筋緊張や胎動が消失する．低酸素症による血流再分配により腎血量が減少し胎児の尿量が減少した結果，羊水量の減少が出現する（**図2**）．

2) 胎児血流量計測

early-onset FGRは，約50%に妊娠高血圧腎症（preeclampsia；PE）の合併が認められ血流の再分配を伴う．臍帯動脈（umbilical artery；UA）血流は胎盤の血管抵抗の増大に関連しており，将来モニター異常が出るようなFGRには慢性低酸素が存在し，最初に出現する所見はpulsatility index（PI）の上昇である（**図2**）．さらに低酸素血症の代償機構として血流再分配が起こると，脳血管抵抗の減少によって中大

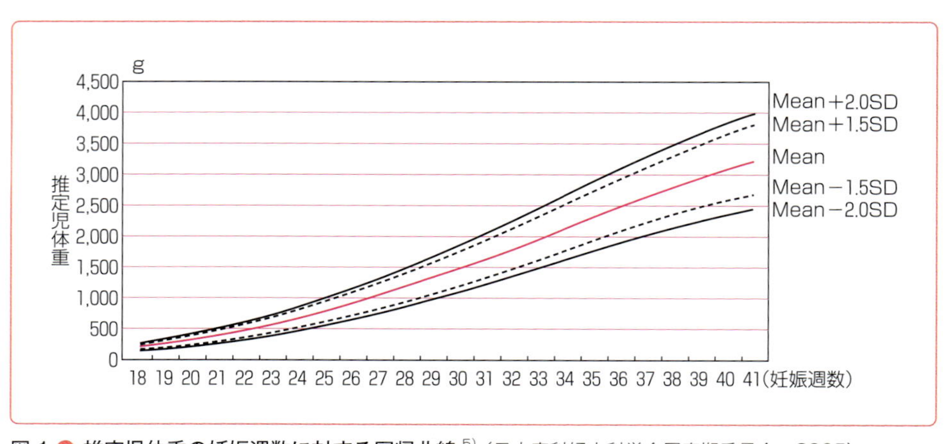

図1 ● 推定児体重の妊娠週数に対する回帰曲線[5]（日本産科婦人科学会周産期委員会，2005）

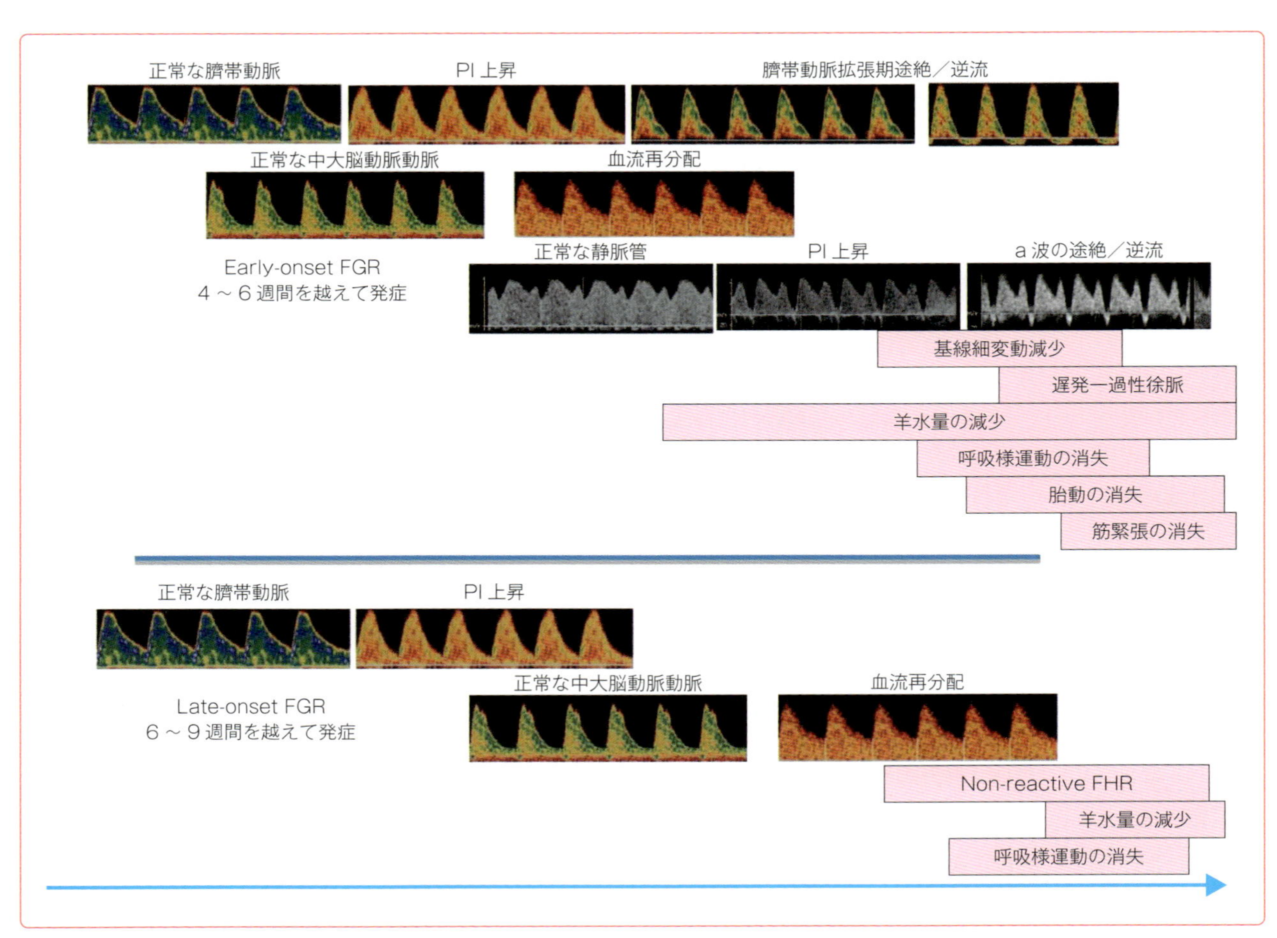

図 2 ● **胎児発育不全の胎児超音波ドプラ法などによる評価**（Baschat ら，2011 文献 2 より引用改変）

脳動脈の PI 値が低下する．その後，静脈系ドプラと BPP の悪化が続く．増悪は 4 ～ 6 週間にわたり，最終的には UA では拡張末期途絶または逆流，静脈管（ductus venosus；DV）での心房収縮期における静脈波形（a 波）の途絶または逆流，胎児心拍数モニタリングでは基線細変動の減少や一過性徐脈の出現にまで至る[2]（**図 2**）．対照的に，late-onset FGR は，UA-PI は軽度上昇または正常であり，血流再分配が単独で起こることが多い．BPP の増悪も軽微であるため，多くの場合検出が困難である[2]（**図 2**）．

これら検査項目の最適な検査間隔ならびに検査項目については確立されていない．どのタイミングで FGR 児を娩出するかに関しては，明確なコンセンサスは今のところない[1]．

3) 分娩のタイミング

われわれの early-onset FGR での検討では 27.5 週未満，出生体重 0.5 パーセンタイル未満は神経学的後遺症および新生児死亡を含む予後不良症例が多かった[8]．early-onset FGR の分娩のタイミングは胎児の well-being と未熟性，胎児発育の有無などを厳重に評価し，胎外生活が可能かを判断する必要がある．どのタイミングで FGR 児を娩出するかに関して 3 つのランダム化比較試験が報告されている．

The Growth Restriction Intervention Trial（GRIT）では妊娠 24 ～ 36 週の産科医が即時分娩すべきか確信のもてない（uncertain）妊婦が参加し，①即時分娩群 296 例と，②分娩遅延群 292 例に割り付けられた[9]．分娩までの期間の中央値は即時分娩群 0.9 日に対し，分娩遅延群 4.9 日であった．死産は即時分娩群で少なかったが（2 例 vs. 9 例），新生児および乳児死亡は特に 31 週前に無作為化が行われた場合，即時分娩群で多く（27 例 vs. 18 例）生存率に差を認めなかった[10]．主要評価項目は 2 歳までの死亡または重度の障害の有無であったが，予後不良は即時分娩群 19%，分娩遅延群 16%で有意差はなかった．さらに，6 歳から 13 歳までのフォローアップでも臨床的な有意な差を認めなかった．つまり early-onset FGR 児の分娩を遅らせると死産が増加するが，即時に分娩した場合，わずかに 4.9 日であるが未熟性によると思われるほぼ同数の新生児死亡が引き起こされ，どちらの群も長期の神経発達に差はなかった．しかし，妊娠 31 週より前に無作為化された early-onset FGR では重度の障害のある症例の割合が分娩遅延群で少なかった（13% vs. 5%）．著者は特に妊娠 30 週前に FGR が診断され，早期娩出が検討される場合，まずは分娩を待機すべきとした．

late-onset の FGR が対象の the Disproportionate Intrauterine Growth Intervention Trial at Term（DIGITAT）では，妊娠 36 週以上の FGR 単胎妊婦が分娩誘発 321 例または待機的管理 329 例に無作為化された．主要評価項目は退院前の死亡，5 分の Apgar スコア＜7，UA pH＜7.05 または集中治療室への入院の有無であった[11]．

分娩誘発群は妊娠週数で 9.9 日早く出産し，出生体重は 130g 少なかったが，両群ともに新生児死亡はなく，予後不良および帝王切開分娩率に有意差はなかった．2 歳での神経発達の二次解析でも有意差は認められなかった．著者らは満期に FGR が疑われた場合，懸念される新生児の罹患率と死産を防ぐために分娩誘発を選択することは合理的であるとしている．

early-onset の FGR が対象の Trial of Umbilical and Fetal Flow in Europe（TRUFFLE）は，胎児腹囲の減少＜10 パーセンタイルかつ UA-PI の増加＞95 パーセンタイルを FGR の診断基準とし，妊娠 26 週から 32 週の FGR の妊婦 503 例を対象とした[12]．次の 3 つの異なる分娩適応に無作為化され 2 歳時の予後を主要評価項目とした．すなわち① CTG STV 群；胎児心拍数モニタリング（cardiotocography；CTG）の short-term variation（STV）低下での分娩，② DV p95 群；DV-PI＞95 パーセンタイルの上昇での分娩，③ DV no A 群；DV の a 波途絶または逆流での分娩，の 3 群である．2 歳時の神経発達障害は，CTG STV 群と比較して DV no A 群の方が頻度は低かった[12]．そのために著者は妊娠 32 週未満の FGR では，分娩の適応として DV の a 波の途絶または逆流出現まで待機することを勧めた．

しかし，結果的に妊娠 32 週以降まで妊娠延長できた比較的軽症例を除外した 310 例で事後解析された報告では，割り付け時の適応に従って分娩された児は CTG STV 群 51%，DV p95 群 34%，DV no A 群 10%にすぎなかった．すなわち，CTG STV 群で 25 %，DV p95 群で 37%，DV no A 群については 52 %もの症例が "セーフティーネット" と呼ばれる，主に CTG での一過性徐脈を適応として急速遂娩されていた[13]．また，この検討で 2 歳まで神経障害なく生存している児は全体で 83%であったが，DV の監視していた群では CTG STV 群より有意に予後不良が少なかった（P＝0.049）が，DV の監視していた群にのみに発生した胎児死亡 7 例を加えると有意な差はなくなった（P＝0.21）[13]．

CTG STV 群の "セーフティーネット" を分娩の適応として出生した児は予後良好が 58%と少なく，一過性徐脈の出現で分娩となった児に予後不良が多かった．CTG STV 群の予後が悪いのは，この "セーフティーネット" サブグループの予後が悪いのが原因であった[13]．つまり DV の監視をせずに CTG のみで監視し，STV は低下せず一過性徐脈が出るまで待機したものが予後は最悪であり，CTG と DV の両方で胎児監視を行い，一過性徐脈の出現は極力避けることが必要である．ただし，わが国ではこの報告で使用されたコンピューターで STV を数値化する装置は現在市販されておらず，厳格に同様の管理を行うことは実際には不可能である．

残念ながら妊娠 34 週から 36 週までの FGR 児の分娩の最適な時期を決定するために，適切に実施された無作為化試験は現時点で行われていない[3]．

また胎児発育の推移を経時的にフォローアップすることも重要である．FGR 児の大横径発育率不良と神経学的予後不良が関連するという報告や頭囲発育が認められなくなった時点で娩出した場合，生命予後および神経学的予後が有意に良好であったとの報告があるが，発育停止を指標とした娩出に関する無作為化試験は現時点ではない[1]．

分娩方法は，FGR では予備能が低下しているため，緊急帝王切開術を含めた急速遂娩が行えるよう準備を整えた上で経腟分娩を勧める．分娩前に予備能の著しい低下が疑われる症例や高度 FGR あるいは骨盤位の FGR では，予定帝王切開を考慮し，一方染色体異常など予後不良な胎児因子を有する症例では，患者や家族と十分に検討した上で分娩時期，分娩様式を決定する．

コルチコステロイド経母体投与が非FGR児と同様に児予後改善効果を示すかどうかについては，現時点では結論が出ていない[1]．

Clinical Tips

FGRに対する経母体的治療は一般的には有用性が否定されている[1]．ただし，近年，胎盤形成不全が大きく関与するPEの予防を目的とする低用量アスピリン療法（150mg以下，low dose aspirin：LDA）に大きな関心が寄せられている．Robergeらのメタ分析では，妊娠16週未満でLDA内服を開始すると，PE（relative risk 0.57），重度のPE（relative risk 0.47），およびFGR（relative risk 0.57）の有意な予防効果が認められた．1日に100mg以上を内服した場合に予防効果を認めたが，妊娠16週を越えて内服を開始した場合予防効果は認められなかった[14]．LDAの予防効果を得るには，PEやFGR発症の危険性の高い患者の抽出が重要となるが，この分析に採用された45の論文の症例inclusion基準は心血管疾患合併，内分泌疾患合併，以前の妊娠でのhypertensive disorders of pregnancy（HDP）やFGR既往が多かった[14]．

Rolinikらは1：100以上の早産期のPE発症の危険性のある症例を抽出する母体背景，平均動脈血圧，子宮動脈PI，母体血中pregnancy associated plasma protein-Aおよび母体血中placental growth factorを含む独自のアルゴリズムを開発した．このアルゴリズムによる全体的なスクリーニング陽性率は12.2%であったが，37週未満で出生した症例中10パーセンタイル未満のSGA児の約46%がスクリーニング陽性であり，32週未満で分娩となったSGA児の56%が陽性で特定できている．LDA投与により妊娠37週未満および妊娠32週未満で生まれた児でのSGAをそれぞれ約40%および約70%減少させた[15]．ただ，現在わが国では保険収載されていない検査が含まれており，スクリーニングでこのアルゴリズムを使用することは困難である．

ACOGもPEの危険性が高い妊婦への第1三半期後半からのLDA（81mg）投与を勧めている[16]．しかし多数の患者に予防的にLDAを勧めることには問題があるために，今後どのような症例に適応するかは検討の余地がある．一般的には前回妊娠時のHDPやearly-onset FGR既往がある場合，子宮動脈血流波形でnotchが認められる場合などで，妊娠16週未満であればアスピリン100mg（バイアスピリン®など）の内服開始を検討されている．

ただしバイアスピリン®は添付文書では出産予定日12週以内の妊婦では禁忌，それ以降でも有益性投与となっているために十分な説明とできるだけ文書での承諾を得てからの投与開始が望ましい．

結　論

FGRの原因や病態は多彩であるために，まだ推奨される確固たる管理指針が示されていない．しかし胎児心拍数モニターやBPPのみに頼っていた胎児付属物因子が原因のFGRの分娩タイミングも，ここ10年で胎児ドプラ検査やCTGより算出されたSTVなどの研究によって急速に進歩している．その他HDPによるFGRもLDAの母体投与による予防の可能性が示されつつある．今後も産科医療の最前線であるMFICUでは，このような最新の検査法や予防法について熟知し困難なFGRへ対応する努力を継続する必要がある．

引用・参考文献

1) 日本産科婦人科学会・日本産婦人科医会編集・監修．"CQ307-1 胎児発育不全（FGR）のスクリーニングは？""CQ307-2 胎児発育不全（FGR）の取り扱いは？"．産婦人科診療ガイドライン：産科編2020．東京，日本産科婦人科学会，2020，157-63.

2) Baschat AA. Neurodevelopment following fetal growth restriction and its relationship with antepartum parameters of placental dysfunction. Ultrasound Obstet Gynecol. 37, 2011, 501-14.

3) American College of Obstetricians and Gynecologists. ACOG Practice bulletin no. 227 : fetal growth restriction. Obstet Gynecol. 137(2), 2021, e16-e28.

4) Pels A. et al. Early-onset fetal growth restriction : A systematic review on mortality and morbidity. Acta Obstet Gynecol Scand. 99(2), 2020, 153-66.

5) 日本産科婦人科学会周産期委員会．委員会提案：超音波胎児計測の標準化と日本人の基準値．日本産科婦人科学会雑誌．57(1)，2005，92-117.

6) 日本産科婦人科学会編集・監修．産科婦人科用語集・用語解説集改訂．第4版．東京，日本産科婦人科学会，2018.

7) American College of Obstetricians and Gynecologists. ACOG Committee Opinion No. 700 : Method for Estimating Due Date. Obstet Gynecol. 129(5). 2017. e150-4.
8) 前田隆嗣．早産期 FGR の予後に関わる因子と当院での termination のポイント．日本新生児成育医学会雑誌． 31(3)，2019，637p.
9) Thornton JG. et al. Infant wellbeing at 2 years of age in the Growth Restriction Intervention Trial (GRIT) : multicentred randomised controlled trial. Lancet. 364(9433). 2004. 513-20.
10) GRIT Study Group. A randomised trial of timed delivery for the compromised preterm fetus : short term outcomes and Bayesian interpretation. BJOG. 110(1). 2003. 27-32.
11) Boers KE. et al. Induction versus expectant monitoring for intrauterine growth restriction at term : randomised equivalence trial (DIGITAT) . BMJ. 2010. 341:c7087.
12) Lees CC. et al. 2 year neurodevelopmental and intermediate perinatal outcomes in infants with very preterm fetal growth restriction (TRUFFLE) : a randomised trial. Lancet. 385(9983). 2015. 2162-72.
13) Visser GHA. et al. Fetal monitoring indications for delivery and 2-year outcome in 310 infants with fetal growth restriction delivered before 32 weeks' gestation in the TRUFFLE study. Ultrasound Obstet Gynecol. 50(3). 2017. 347-52.
14) Roberge S. et al. The role of aspirin dose on the prevention of preeclampsia and fetal growth restriction : systematic review and meta-analysis. Am J Obstet Gynecol. 216(2). 2017. 110-20.e6.
15) Rolnik DL. et al. Aspirin versus Placebo in Pregnancies at High Risk for Preterm Preeclampsia. N Engl J Med. 377. 2017. 613-22.
16) American College of Obstetricians and Gynecologists. ACOG Committee Opinion No. 743 : Low-Dose Aspirin Use During Pregnancy. Obstet Gynecol. 132(1). 2018. e44-e52.

鹿児島市立病院 ● 前田隆嗣 ● 上塘正人

Heavy-for-dates

概念・定義・病因・分類・頻度・周産期合併症

概　念

Heavy-for-dates（HFD）児妊娠，特に4,000g以上の巨大児妊娠は，母体および新生児のさまざまな周産期合併症と関連するハイリスク妊娠である[1]．

定　義：発育評価曲線で出生体重が90パーセンタイル値以上の場合をHFD児としている．

分　類：日本では週数にかかわらず4,000g以上の児を巨大児としている．

病　因

①糖代謝異常合併妊娠（糖尿病合併妊娠，妊娠中の明らかな糖尿病，妊娠糖尿病），②母体肥満，③過剰体重増加，④遺伝的要因（巨大児分娩歴，母体の身長・出生体重，父の身長・出生体重），⑥多産，⑦巨大児症候群

頻　度：全妊娠の10%．わが国の報告では，4,000g以上の巨大児は，約0.9%[2]．

周産期合併症：母体においては遷延分娩や分娩停止，補助経腟分娩の増加，帝王切開の増加，性器外傷，分娩時異常出血のリスクがあり，児においては肩甲難産，分娩外傷（腕神経叢麻痺，骨折など），新生児仮死のリスクがある[1]．

参考 『産婦人科診療ガイドライン：産科編2020』CQ310 巨大児（出生体重4,000g以上）が疑われる妊婦への対応は？

診　断

HFDの診断は，出生体重での評価であり，発育曲線で90パーセンタイル以上と定義される．しかし，妊娠中は超音波断層法による推定胎児体重を用いて胎児発育の評価を行う．わが国で用いられている推定児体重は，児頭大横径（biparietal diameter；BPD），腹囲周囲長（abdominal circumference；AC），大腿骨長（femur length；FL）の計測値から，推定胎児体重＝1.07×BPD^3+0.3×AC×FL（modified Shinozuka式）の計算式から算出されている[3]．胎児体重推定式から求められた胎児発育曲線は，平均値と標準偏差で表されている．胎児体重がほぼ正規曲線に従うことから＋1.5SDが93.3パーセンタイル，＋2.0SDが97.7パーセンタイル，－1.5SDが6.7パーセンタイル，－2.0SDが2.3パーセンタイルに相当に相当する．一般に，超音波検査により求められた推定胎児体重が＋1.5SD以上の場合HFD児を疑う．

超音波断層法による推定胎児体重の精度

超音波断層法による胎児の推定体重は，実際の出生体重と平均15%の誤差がある[4]．したがって，大きな胎児ほどその誤差は大きい．Chauhanら[5]は，超音波胎児計測による巨大児の検出感度は12～75%，陽性的中率は17～79%と報告している．HFDおよび巨大児を予測するその他の方法として，胎児の腹囲や軟部組織の計測などがあるが，一般的な超音波断層法による推定胎児体重計測法より優れた方法は確立していない[6]．

胎児発育に影響を及ぼす因子

糖代謝異常：母体の糖代謝異常は，胎児の過剰発育を引き起こすことが知られている[7]．糖尿病より軽度の糖代謝異常が周産期の予後不良と関連するかを目的とした研究であるHyperglycemia and adverse pregnancy outcomes（HAPO）study[8] では，比較的軽症レベルの母体の高血糖値においても巨大児と有意な相関を認めることが示された．その病態としては，母体の高血糖による過剰のグルコースが，胎盤を通過して胎児の高血糖を惹起し，胎児膵臓β細胞の過形成によりインスリンの過剰分泌を起こし，その結果として胎児が過剰発育となるという Pedersen 仮説[9] が有名である．非糖尿病性の巨大児では頭部と軀幹の発育が対称性の発育を示すのに対し，糖尿病性の巨大児では高インスリン血症のためインスリン感受性臓器である肝臓，筋肉，心筋，皮下脂肪が発育し，頭部に対して軀幹が大きい非対称性の過剰発育を呈する．そのため対称性の巨大児より肩甲難産のリスクが高い[10]．

肥満，妊娠中の体重増加：母体の肥満は，妊娠糖尿病（gestational diabetes mellitus；GDM）の有無にかかわらず，それぞれが独立して巨大児分娩と関連していることが報告されている[11〜13]．さらに，妊娠中の体重過増加も巨大児分娩のリスクを増加させる[13, 14]．

巨大児分娩歴：4,000g 以上の児の分娩歴がある女性は，4,000g 以上の児の分娩歴がない女性に比べ 5 〜 10 倍 4,500g 以上の児を分娩するリスクが高い[13, 15, 16]．

多産：1 回の経産回数の増加は約 100g の児の出生体重の増加と関連し，その増加傾向は 5 経産以降は平衡状態になることが報告されている[17]．

母体の身長：母体の身長が 80 パーセンタイル以上だと，身長が 20 パーセンタイル以下の母体に比べ母体の体重で補正を行っても巨大児分娩の危険性が高い[18]．

妊婦自身の出生体重：妊婦自身が 8 ポンド(約 3,600g）以上で出生していると巨大児分娩のリスクが高い[19]．

過成長症候群：遺伝子疾患による過成長症候群の主なものを以下に示す．

1. Beckwith-Wiedemann syndrome[20]
   11 番染色体短腕 15.5 領域（11p15.5）の遺伝子異常．巨大児，巨舌，臍ヘルニア，内臓肥大，羊水過多などを認める．
2. Simpson-Golabi-Behmel syndrome[20]
   Xq26 の遺伝子異常．巨大児，大頭症，巨舌，臍ヘルニア，内臓肥大，眼間開離，羊水過多，横隔膜ヘルニアなどを認める．
3. Sotos syndrome[20]
   5 番染色体の NSD1 遺伝子異常．過剰発育，大頭症，高く広い額，長い顔などの特徴的な顔貌，学習障害を特徴とする．超音波所見としては，項部浮腫，大頭症，側脳室拡大，脳梁低形成，羊水過多などを認める．

管　理

1．分娩予定日が正しく妊娠初期に決定されているかを確認する．

2．糖代謝異常の有無の確認：75g 経口ブドウ糖負荷試験（oral glucose tolerance test；OGTT）を行う．妊娠中期の GDM スクリーニングが陰性でも，その後の GDM 発症の可能性は否定できない．特に羊水過多症，頭囲／腹囲比の低下[21]，非妊時肥満，妊娠中の体重過増加等を認めた場合はその可能性が否定できない．もし 75gOGTT 施行が困難であれば，血糖値（空腹時血糖値が望ましい），HbA1c 値を確認する（糖代謝異常合併妊娠管理については，2 章Ⅰ-8「糖尿病」と 2 章Ⅱ-4「妊娠糖尿病」を参照）．

3．本人の巨大児分娩歴，本人および夫の出生体重，巨大児出産家族歴の問診．

4．胎児超音波検査で過成長症候群に特徴的な，巨舌，内臓肥大，臍帯ヘルニアなどの所見の有無を確認する．

5．巨大児分娩に関連した分娩リスク（遷延分娩・分娩停止，補助経腟分娩・帝王切開の増加，性器外傷，分娩後異常出血，子宮破裂等）および新生児リスク（肩甲難産，腕神経叢損傷，骨折，新生児仮死，低血糖，呼吸障害，多血症，形態異常，NICU 入院など）[1] に備えて人員を確保する（肩甲難産の対応ついては 2 章Ⅵ-4「肩甲難産」を参照）．

6．巨大児妊娠が疑われた場合の分娩誘発について 2016 年のコクランレビュー[22] では，超音波断層法で巨大児が予測された妊婦に対しての妊娠 37 週から 40 週の分娩誘発は，帝王切開，補助経腟分娩を増加させず，肩甲難産，児の骨折，重症の新生児合併症を減少させるとしている．しかし，児の腕神経叢障害，Apgar スコア 5 分値，臍帯動脈血 pH，NICU 入院には差がなく，4 度会陰裂傷と児の高ビリルビン血症に対する光線療法の頻度は誘発群で多かった．以上から，巨大児妊娠が疑われた場合，分娩誘発を行う有益性があるものの，一方で有害事象もあり，一定の結論に至っていない.『産婦人科診療ガイドライン：産科編2020』[6]では，分娩誘発の利点と問題点を妊婦および配偶者に説明して分娩方針を決定するとしている.

7. 巨大児が疑われる妊婦に対する選択的帝王切開術の是非を検討した無作為試験はなく，巨大児の正確な予測が困難であることから，巨大児を疑われる妊婦に対する選択的帝王切開術の経腟分娩に対する優位性は明らかではない[1, 6]．米国産婦人科学会は[1]，糖代謝異常がない妊婦の場合は，推定胎児体重5,000g以上，糖代謝異常妊婦の場合は推定児体重4,500g以上で選択的帝王切開術を検討してもよいとしている（推奨レベルC）．これは既述のように糖代謝異常合併妊娠の方が肩甲難産のリスクが高いことを考慮したものである．米国との妊婦の体格差を考慮すると，わが国では，糖代謝異常がない妊婦の場合は推定児体重4,500g以上，糖代謝異常合併妊婦の場合は4,000g以上で選択的帝王切開術を考慮する[23]．しかし，どの程度の推定胎児体重であれば選択的帝王切開を選択すべきかについては，明らかなエビデンスは確立されていない[6]．

8. 巨大児分娩や肩甲難産であった場合には，GDMや妊娠中の明らかな糖尿病と診断されていなくても産後6～12週で75g OGTTを行うことを勧める[6]．非妊時肥満と巨大児分娩は関連しており[11～13]，挙児希望のある肥満女性に対しては，次の妊娠に備えて体重管理を指導することも重要である．

引用・参考文献

1) ACOG Committee on Practice Bulletins Obstetrics. Macrosomia：ACOG Practice Bulletin, Number 216. Obstet Gynecol. 135(1), 2020, e18-e35.
2) Morikawa M. et al. Fetal macrosomia in Japanese women. J Obstet Gynaecol Res. 39(5), 2013, 960-5.
3) 日本超音波医学会 平成14・15年度 用語・診断基準委員会．超音波胎児計測の標準化と日本人の基準値．超音波医学．30(3)，2003，415-41.
4) Barel O. et al. Assessment of the accuracy of multiple sonographic fetal weight estimation formulas：a 10-year experience from a single center. J Ultrasound Med. 32(5), 2013, 815-23.
5) Chauhan SP. et al. Suspicion and treatment of the macrosomic fetus：a review. Am J Obstet Gynecol. 193(2), 2005, 332-46.
6) 日本産科婦人科学会／日本産婦人科医会編集・監修．"CQ310 巨大児（出生体重4,000g以上）が疑われる妊婦への対応は？"．産婦人科診療ガイドライン：産科編2020．東京，日本産科婦人科学会，2020，181-5.
7) Langer O. et al. Shoulder dystocia：should the fetus weighing greater than or equal to 4000 grams be delivered by cesarean section?. Am J Obstet Gynecol. 165(4 Pt 1), 1991, 831-7.
8) The HAPO study Cooperative Research Group. Hyperglycemia and Adverse Pregnancy Outcome Study. N Engl J Med. 358(19), 2008, 1991-2002.
9) Pedersen J. Weight and length at birth of infants of diabetic mothers. Acta Endocrinol (Copenh). 16(4), 1954, 330-42.
10) Cunningham FG. et al. "Diabetes Mellitus". Williams Obstetrics. 24th ed. New York, McGraw-Hill, 2014, 1125-46.
11) Langer O. et al. Gestational diabetes：the consequences of not treating. Am J Obstet Gynecol. 192(4), 2005, 989-97.
12) Catalano PM. et al. Is it time to revisit the Pedersen hypothesis in the face of the obesity epidemic. Am J Obstet Gynecol. 204(6), 2011, 479-87.
13) Bowers K. et al. Gestational diabetes, pre-pregnancy obesity and pregnancy weight gain in relation to excess fetal growth：variations by race/ethnicity. Diabetologia. 56(6), 2013, 1263-71.
14) Goldstein RF. et al. Association of gestational weight gain with maternal and infant outcomes：a systematic review and meta-analysis. JAMA. 317(21), 2017, 2207-25.
15) Modanlou HD. et al. Macrosomia：maternal, fetal, and neonatal implications. Obstet Gynecol. 55(4), 1980, 420-4.
16) Boulet SL. et al. Mode of delivery and birth outcomes of macrosomic infants. J Obstet Gynaecol. 24(6), 2004, 622-9.
17) Thomson AM. et al. The assessment of fetal growth. J Obstet Gynaecol. 75, 1968, 903-16.
18) Marshall NE. et al. The association between maternal height, body mass index, and perinatal outcomes. Am J Perinatol. 36(6), 2019, 632-40.
19) Klebanoff MA. et al. Mother's birth weight as a predictor of macrosomia. Am J Obstet Gynecol. 153(3), 1985, 253-7.
20) Chen C-P. Prenatal findings and the genetic diagnosis of fetal overgrowth disorders: Simpson-Golabi-Behmel syndrome, Sotos syndrome, and Beckwith-Wiedemann syndrome. Taiwan J Obstet Gynecol. 51(2), 2012, 186-91.
21) Hammoud NM. et al. Fetal growth profiles of macrosomic and non-macrosomic infants of women with pregestational or gestational diabetes. Ultrasound Obstet Gynecol. 41(4), 2013, 390-7.
22) Boulvain M. et al. Induction of labour at or near term for suspected fetal macrosomia. Cochrane Database Syst Rev.2016, May 22; 2016(5)：CD000938.
23) 安日一郎．耐糖能異常妊婦の分娩時期と分娩管理．日本産科婦人科学会誌．61(9)，2009，N391-6.

国立病院機構長崎医療センター 山下 洋

1 多胎の妊娠・分娩管理

概念・定義・分類・病態

頻度と分類

わが国の人口動態調査によれば，2017年の分娩956,369件のうち，双胎9,769件（1.0%），三胎142件（0.01%），四胎3件（0.0003%）であった．20年ほど前と比べると，双胎の頻度はほぼ変わらないが，三胎の頻度はおよそ1/3，四胎の頻度はおよそ1/10になっている．

卵性診断（zygosity）上は，双胎であれば二卵性双胎と一卵性双胎とに分類される．二卵性双胎の原因は多排卵であり，排卵誘発剤以外に人種や環境因子の影響を受ける．一卵性双胎に関与する自然因子は知られていないが，生殖補助医療（ART）により増加すると指摘されている．

管理上は膜性診断（chorionicity）が重要である．二卵性双胎はほぼ100%が二絨毛膜二羊膜双胎（dichorionic diamniotic；DD双胎）となるが，一卵性双胎では約25%がDD双胎に，約75%が一絨毛膜二羊膜双胎（monochorionic diamniotic；MD双胎），1%未満が一絨毛膜一羊膜双胎（monochorionic monoamniotic；MM双胎）となる．日本人では一卵性と二卵性はほぼ同頻度なので，結果として60%強がDD双胎に，残りがMD双胎に，1%未満がMM双胎になると考えられる．

病態と母体・新生児リスク

多胎妊娠によるリスクとしては，多胎であること自体による母体リスク（HDP，PPHなど），新生児リスク（早産，胎児発育不全など）と，MD双胎やMDを含む多胎に特異的な新生児リスク（双胎間輸血症候群，一児死亡による生存児への影響）に分けて理解すると良い．本項では主に，多胎であること自体による母体・新生児リスクについて解説する．

母体リスクとしては，妊娠高血圧症候群の増加が指摘されている．米国のコホート研究では，単胎6.5%，双胎12.7%，三胎20.0%であった[1]．妊娠高血圧腎症の頻度も高く，またより早期に発症する．他に，悪阻，妊娠糖尿病，妊娠貧血，分娩時異常出血，産後うつ病のリスク増加が指摘されている．

新生児リスクについては，早産および胎児発育不全などの結果も含めて，周産期死亡率が高いことが知られている．DD双胎1.7～1.8%，MD双胎4.4～7.5%程度であるとされる．MM双胎については，かつては周産期死亡率が30～70%とされていたが，胎児監視・出生前ステロイド・選択的帝王切開といった今日的なプロトコールのもとでは10%前後であったという[2]．神経学的後遺症も頻度が高い（DD双胎1.7～2.4%，MD双胎5.5～16.4%，**表1**参照[3]）．先天疾患については，二卵性双胎であれば個々の児の頻度は単胎と同様であるが，一卵性双胎ではやや増加する．一卵性双胎であっても先天疾患は一致しないことが多い．MM双胎では15%程度とする報告がある[2]．

参考 「産婦人科診療ガイドライン－産科編2020」CQ701「双胎の膜性診断と時期と方法は？」，CQ705「双胎の基本的な管理・分娩の方法は？」，CQ704「双胎一児死亡時の対応は？」

要　点

『産婦人科診療ガイドライン：産科編2020』CQ705「双胎の基本的な管理・分娩の方法は？」によれば，「産科合併症（早産，妊娠高血圧症候群，HELLP症候群，血栓塞栓症，胎児発育異常〈胎児発育不全，両児の発育差〉，産後の過多出血等）の発症に留意して妊婦健診，

表 1 ● 多胎における罹患率と死亡率（ACOG Practice Bulletin #169[3] による）

	単　胎	双　胎	三　胎	四　胎
平均在胎週数	38.7 週	35.3 週	31.9 週	29.5 週
在胎 32 週未満の頻度	1.6%	11.4%	36.8%	64.5%
脳性麻痺発症の頻度（出生 1,000 あたり）	1.6	7	28	不明
新生児死亡率（出生 1,000 あたり）	5.4	23.6	52.5	96.3

分娩・産褥管理を行う」とされている．双胎妊娠管理で重要なポイントはこの記載に尽きる．

双胎管理で注意すべき所見と管理

▶ 妊娠初期の診断

妊娠初期には，すべての妊婦に対して多胎を疑うとともに，複数回かつ多断面の超音波検査で膜性診断につとめる．

1）胎嚢（GS）数の確認

初診時にまず GS の数を確認する．GS 数は絨毛膜数に一致するので，GS が 2 個あれば二絨毛膜である．妊娠 10 週までに確認することが望ましい．

2）胎児数の確認

GS が 1 個の場合も，必ず胎児数を確認する．早い週数では 2 人目 3 人目の胎児が見えにくい場合もあるので，CRL で分娩予定日を決定する妊娠 10 週前後に必ず胎児数を再確認することが望ましい．

3）羊膜数の確認

一絨毛膜双胎であった場合には，MD 双胎と MM 双胎の鑑別が必要となる．GS 内に羊膜が 2 つ，あるいは隔膜が見える場合には MD 双胎であるが，妊娠 10 週前後では鑑別が困難な場合も多い．妊娠 14 週頃までに繰り返し検査を行う．臍帯相互巻絡が確認できれば MM 双胎の診断が確定する．MM 双胎が疑われる場合には，結合双胎の除外も必要である．

4）一児死亡時の対応

妊娠初期の一児死亡の頻度は高く，双胎の 36%，三胎の 53%，四胎の 65%が一児またはそれ以上の胎児死亡となる[4]．なお妊娠 12 週未満に多胎の一児死亡が確認されている場合には，該当児についての死産証書は発行しない．

▶ 妊娠初期のカウンセリング

1）分娩施設の選択

分娩施設について妊産婦家族と相談する．多胎は母児ともにハイリスク妊娠分娩である．分娩施設の選択は地域の実情などで異なると考えられるが，原則として高次医療機関での管理とし，困難な場合には高次医療機関との連携を密にして管理することが望ましい．『産婦人科診療ガイドライン：産科編 2020』の CQ702「一絨毛膜双胎の取り扱いは？」では，「一絨毛膜双胎は，ハイリスク新生児の管理可能な施設か，こうした施設と緊密な連携をとりながらの管理を行う（推奨レベル B）」と記載されている．

2）先天疾患のカウンセリング

一卵性双胎では先天疾患の頻度がやや上昇する．ただし染色体疾患の頻度（二卵性では胎児 1 人あたりの頻度）は，単胎の場合と同様である．染色体疾患に関する非確定的検査（血清マーカースクリーニング，NT 測定，NIPT）もおおむね単胎に準じて施行可能であるが，確定診断（絨毛生検・羊水穿刺術）の流産リスクは単胎よりもわずかに増加するとされる．また絨毛生検でも羊水穿刺でも，二卵性双胎の場合にそれぞれの児の絨毛や羊水を正しく採取できない可能性を考慮しなければならない．片方の児に染色体異常症が発見された場合の選択的人工中絶術は，妊娠週数が進んでいるため，妊娠初期の多胎減数手術よりも健常児流産のリスクがより高いとされる．

3）多胎減数手術のカウンセリング

多胎であること自体への不安を抱き，とくに三胎以上の場合に多胎減数手術について質問される場合がある．コクランのレビューでは，ランダム化試験の結果ではないものの，三胎から双胎に減胎することで母体・新生児予後ともに改善するとしている[5]．ただしわが国における多胎減数手術は，母体保護法の外で母体の生命・健康を守る緊急避難行為として運用されているとの指摘がある[6].

▶ 妊娠中期以降

1) 膜性診断

初診が妊娠中期以降となった場合も膜性診断に努める．隔膜の起始部の形態（λサインであればDD双胎，TサインであればMD双胎，図1），膜の厚さ，胎盤の数，児の性別などから総合的に判断するが，精度が低いことを妊婦に説明しておく必要がある．膜性が不明確であれば，よりリスクが高いものとして扱う．

2) 胎児形態スクリーニング

単胎と同様の方法で行う．多胎では前置胎盤・前置血管のリスクも高いので，胎児だけでなく胎盤位置異常や臍帯付着部異常もチェック項目に加えておきたい．前置血管が疑わしい場合には，経腟超音波装置で血流ドプラ機能を使用すると描出が容易である．

3) 胎児発育の監視

多胎では胎児発育不全のリスクが高く，MD双胎では双胎間輸血症候群（TTTS）スクリーニングの目的からも，超音波検査による胎児発育の監視が重要である．胎児発育曲線については，いまのところ学会で承認されたものはないが，日本人の双胎364例から算出された胎児発育曲線が最近発表されている（表2）．妊娠21週までは単胎とほぼ同様の胎児発育であり，妊娠27週以降は単胎の90～93%程度となるという[7].

4) 子宮頸管長測定と切迫早産管理

第2三半期に頸管長が20～25mm以下となる双胎は5～10%に見られ，早産リスクが3～5倍になることが知られている．単胎同様に，妊娠18～24週頃から頸管長スクリーニングを行う．

多胎に対する早産予防としての予防的頸管縫縮術は効果がなく，また頸管短縮例に対する治療的頸管縫縮術はむしろ逆効果という報告もある[8]．早産予防用のペッサリー，プロゲステロン製剤，子宮収縮抑制薬の

表2 ● 双胎の胎児発育曲線の例（文献7より引用）

妊娠週数	推定体重（g）のZスコア				
	－2	－1.5	0	1.5	2
16	48	59	99	149	167
17	79	92	140	198	220
18	115	132	189	256	280
19	159	179	245	321	348
20	209	232	308	394	425
21	266	292	378	474	509
22	328	358	455	564	602
23	397	431	540	661	704
24	472	509	631	766	814
25	552	594	730	880	933
26	639	686	837	1,002	1,061
27	731	783	950	1,133	1,198
28	828	886	1,070	1,272	1,343
29	932	995	1,198	1,420	1,498
30	1,041	1,111	1,333	1,576	1,661
31	1,156	1,232	1,475	1,740	1,833
32	1,276	1,360	1,625	1,913	2,015
33	1,403	1,493	1,781	2,095	2,205
34	1,534	1,632	1,945	2,285	2,404
35	1,671	1,777	2,116	2,484	2,613
36	1,814	1,929	2,294	2,691	2,830
37	1,962	2,086	2,480	2,907	3,057

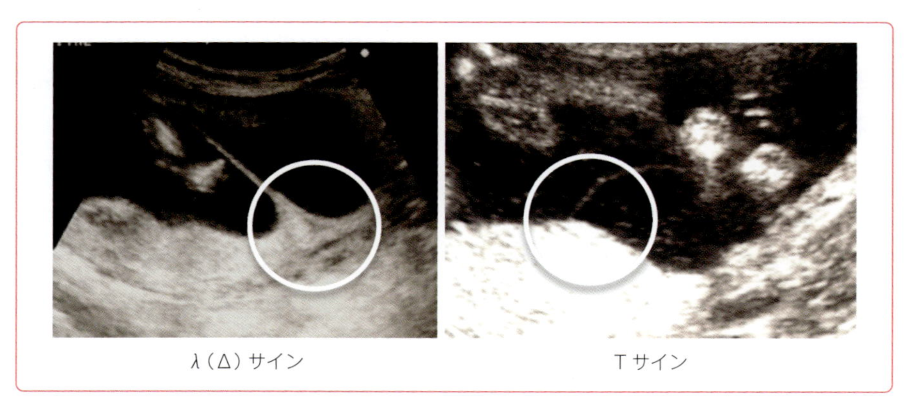

図1 ● 妊娠中期におけるλサイン（＝DD双胎）とTサイン（＝MD双胎）
（村越毅先生提供）

効果も示されていない．血栓症リスクを考慮すると予防的入院も推奨されない．

胎児肺成熟促進目的の経母体ステロイド投与についても，コクランのレビューでは古い版から2017年の最新版まで一貫して効果は不明確であるとしている[9]．とはいえ，NIHも日本のガイドラインも，多胎を対象から除外していない．反復投与が推奨されていないことも単胎と同様である．胎児脳保護目的の硫酸マグネシウム製剤の使用については，単胎多胎にかかわらず脳性麻痺発症を減少させる効果が認められているとされている．

5）一児死亡時の対応

DD双胎では，生存児の死亡や神経学的後遺症の可能性は低く，またいわゆる死産児症候群による母体DICのリスクも低いとされる．定期的な凝固系チェックを行いながらの待機的管理が推奨されることが多い．

MD双胎，MM双胎では，一児死亡にともなって生存児の循環不全や血栓形成の可能性があるとされており，その結果生存児のおよそ半数が死亡または神経学的後遺症を来すと推定されている．とはいえ，一児死亡判明後の早期娩出によるメリットもない．十分なインフォームド・コンセントのもとで，MCA-PSVによる胎児貧血やNSTなどによる胎児健常性を確認しながら，慎重に待機的管理を行うことが多い．なお2020年に胎児輸血が保険収載になり，貧血が疑われる場合に適用となる．

▶ 分娩の方針

1）分娩時期

双胎では妊娠38週以降に児罹患率が上昇することが知られている．特段の合併症のないDD双胎では妊娠37～38週が目安となる．MD双胎では，妊娠36～37週での娩出を推奨されていることが多い．

MM双胎については，明確な推奨がないのが現状である．待機した分だけ臍帯相互巻絡による一児死亡のリスクが上昇するように思えるため，ACOG Practice Bulletinでは妊娠32～34週という選択肢を提示している．しかしながら最近のヨーロッパでの多施設研究では，妊娠32週以降に一児死亡は発症しないとされており[10]，慎重な待機的管理も許容される可能性がある．

2）分娩方法

少なくとも双胎については，帝王切開の優位性は乏しいとする研究がほとんどである．とはいえ，近年は全例に帝王切開とする施設も珍しくない．経腟分娩の最低条件としては，妊娠32週以降・先進児が頭位，とすることが多いが，ハードルとしては，①骨盤位経腟分娩のスキルのある人材の確保（後続児が頭位であっても骨盤位となる可能性がある），②超緊急帝王切開ができる環境の確保（先進児娩出後に胎児心拍数異常で緊急帝王切開となる可能性がある），の2点であると思われる．

経腟分娩・帝王切開分娩問わず，多胎分娩は分娩時異常出血のリスクである．緊急子宮摘出術のリスク（対単胎）は双胎で2.95倍，三胎で25.2倍，四胎で19.5倍であったという[11]．分娩までに妊娠貧血の治療を行うとともに，出血リスクであることも十分に説明し，妊産婦・家族が理解できていることを確認することが望ましい．

Clinical Tips

多胎妊娠の管理，とくに外来管理で重要なのは，産科医の側の余裕ではないだろうか．膜性診断から始まって，リスクの説明，胎児形態異常スクリーニング，切迫早産やHDPの早期発見まで，他のハイリスク妊娠よりもさらにいろいろと時間がかかる．大きなお腹の妊婦さんをあまり長時間，超音波検査するのも考えものだが，TTTSやFGRの評価にもそれなりに時間がかかる．

ここはもう，時間がかかるものと腹を括って，診療枠を2枠～3枠確保してはどうだろうか．予約のときに，双胎ならば2枠，三胎ならば3枠をあらかじめ確保しておく．そうすれば，外来担当医の気持ちに余裕ができる．

一次や二次医療機関で多胎を管理するのはどうか，という質問もよくいただく．地域や施設の実情により，としか答えようがないが，自施設で上記のように2枠～3枠確保する余裕があるかどうかは，ひとつの基準になるかもしれない．

引用・参考文献

1） Day MC. et al. The effect of fetal number on the development of hypertensive conditions of pregnancy. Obstet Gynecol. 106(5 Pt 1), 2005, 927-31.
2） Allen VM. et al. Management of monoamniotic twin pregnancies：a case series and systematic review of the literature. BJOG. 108(9), 2001, 931-6.
3） Committee on Practice Bulletins Obstetrics；Society for Maternal-Fetal Medicine. Practice Bulletin No. 169：Multifetal Gestations：Twin, Triplet, and Higher-Order Multifetal Pregnancies. Obstet Gynecol. 128(4), 2016, e131-46.
4） Dickey RP. et al. Spontaneous reduction of multiple pregnancy：incidence and effect on outcome. Am J Obstet Gynecol. 186(1), 2002, 77-83.
5） Dodd JM. et al. Reduction of the number of fetuses for women with a multiple pregnancy. Cochrane Database Syst Rev. 2015(11), 2015, CD003932.
6） 日本産婦人科医会．第3回理事会．日本産婦人科医会報．2020年3月号．
7） Sekiguchi M. et al. An ultrasonographic estimated fetal weight reference for Japanese twin pregnancies. J Med Ultrason. 46(2), 2019, 209-15.
8） Berghella V. et al. Cerclage for short cervix on ultrasonography：meta-analysis of trials using individual patient-level data. Obstet Gynecol. 106(1), 2005, 181-9.
9） Roberts D. et al. Antenatal corticosteroids for accelerating fetal lung maturation for women at risk of preterm birth. Cochrane Database Syst Rev. 3(3), 2017, CD004454.
10）MONOMONO Working Group. Inpatient vs outpatient management and timing of delivery of uncomplicated monochorionic monoamniotic twin pregnancy：the MONOMONO study. Ultrasound Obstet Gynecol. 53(2), 2019, 175-83.
11）Francois K. et al. Is peripartum hysterectomy more common in multiple gestations?. Obstet Gynecol. 105(6), 2005, 1369-72.

神奈川県立こども医療センター ● 石川浩史

双胎間輸血症候群（TTTS）

疫学・定義・病態

疫　学

双胎間輸血症候群（twin-twin transfusion syndrome；TTTS）は一絨毛膜二羊膜（monochorionic diamniotic；MD）双胎の5～10%に発症すると推測される[1, 2]．一絨毛膜一羊膜（monochorionic monoamniotic；MM）双胎での発症はまれである（頻度不明）[3]．

定　義

MD双胎において，多尿による羊水過多（胎児膀胱が大きく，最大羊水深度8cm以上）と乏尿による羊水過少（胎児膀胱が小さいか見えない，最大羊水深度2cm以下）を同時に満たすものをTTTSと定義する[4]．羊水過多・過少を来す胎児異常や前期破水などは除外する．

病　態

一絨毛膜双胎において，両児間の血流不均衡が生じ病的状態を引き起こしたものが双胎間輸血症候群（twin-twin transfusion syndrome；TTTS）である．供血児（donor）は吻合血管を通じて血液を常に送り出しているため慢性的な血液の供給により循環不全を引き起こし，貧血，循環容量減少，低血圧，尿量減少（乏尿），羊水過少，胎児発育不全，腎不全を主症状とする．一方，受血児（recipient）では逆に慢性的な容量負荷により，多血，循環容量負荷，高血圧，尿量増加（多尿），羊水過多，心不全，胎児水腫を主症状とする（図1）[5]．両児ともに最終像は胎児死亡であり，無治療では生存児の神経学的後遺症の頻度も高い．また，TTTSはどちらか一方にのみ症状が現れる疾患ではなく，両児ともに重症化することが特徴である．妊娠20週頃と30週頃に発症のピークが存在する．血流のアンバランスが生じると液成因子（レニン－アンギオテンシン系，hANP，BNPなど）により病態の悪循環は加速すると推測される[6]．羊水量による診断基準は汎用されているが，絶対的なものではなく，羊水量の差を認めた場合は，胎児血流の評価（臍帯動脈，静脈管，臍帯静脈，中大脳動脈）を行いTTTSおよび関連疾患の病態を念頭に診断

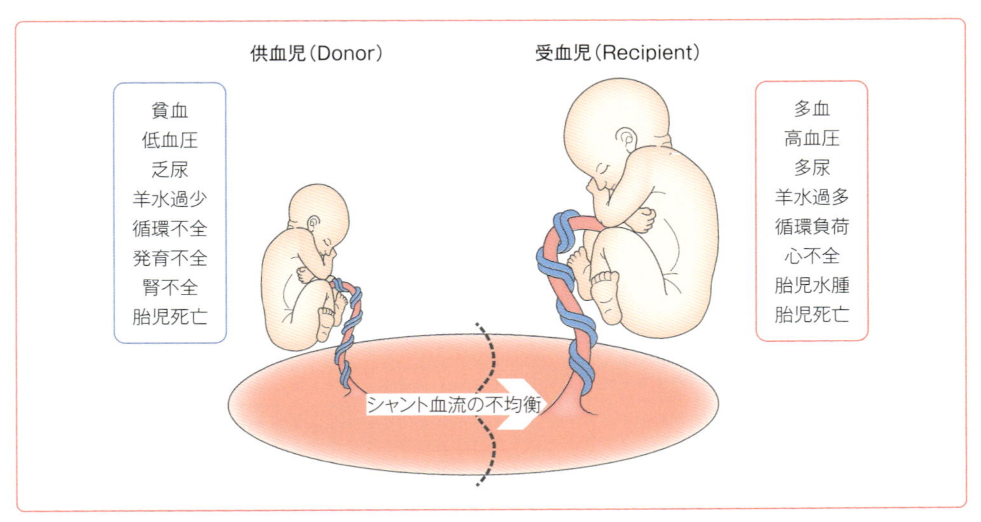

図1 ● 双胎間輸血症候群の病態
共有胎盤での吻合血管を通したシャント血流の不均衡により両児間の血流のアンバランスが生じることが原因と考えられている．いずれの児も病態の最終像は胎児死亡である．

する．TTTS に対しては胎児鏡下胎盤吻合血管レーザー凝固術（fetoscopic laser photocoagulation for communicating vessels：FLP）が施行され，予後改善が期待できる（第 3 章Ⅵ-3「胎児治療」参照）．

参考 『産婦人科診療ガイドライン：産科編 2020』CQ703 双胎間輸血症候群（TTTS）や無心体双胎（TRAP sequence）を疑う所見と対応は？

注意すべき臨床症状

母体の臨床症状としては，羊水過多による腹囲・子宮底の急激な増大が認められ上腹部圧迫感や子宮収縮などを認める．また，受血児は多尿に伴い血管内の膠質浸透圧が上昇し絨毛間腔を通じて母体から水分を吸収するため，腹囲の増大にともない母体の口渇症状（のどが渇く）を呈することも多い．TTTS 発症前には母体の体重増加が著明であることも参考になる[7]．TTTS が重症化した場合は，母体の肺水腫，腹水，mirror syndrome などの重篤な合併症に注意する．

胎児の症状としては供血児および受血児それぞれに多彩で特徴的な症状を認める．供血児では，stuck twin，胎児発育不全，臍帯動脈血流異常（拡張期途絶・逆流）など，循環不全に起因する症状を認め，進行した場合は，心不全や胎児水腫となる．受血児では，羊水過多に加えて静脈系の血流異常や心拡大，房室弁逆流，肺動脈狭窄[8, 9]などを認め，進行するとやはり胎児水腫となる．胎児水腫となる頻度は受血児の方が多い．いずれの児も最終像は胎児死亡である．

MD 双胎の病態分類（TTTS 関連疾患）

MD 双胎に特有の病態を考えるときには，その症状や原因から分類すると理解しやすい．症状からは，1）羊水量の不均衡，2）発育（胎児体重）の不均衡，3）ヘモグロビン濃度の不均衡，に分類し（**図 2**），原因からは，a）血流の不均衡，b）胎盤領域の不均衡，と

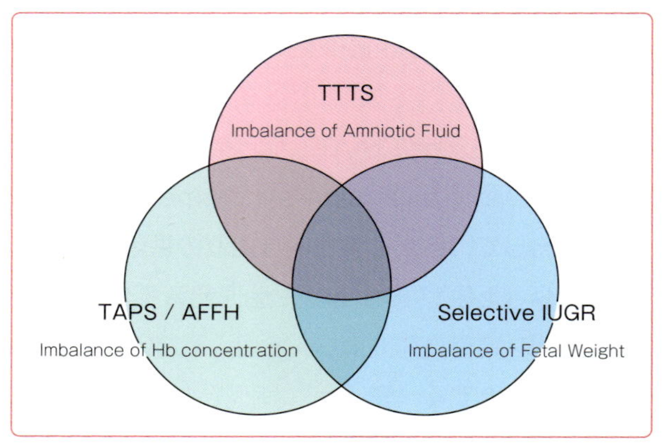

図 2 ● 一絨毛膜双胎双胎の病態分類

TTTS：twin-twin transfusion syndrome，TAPS：twin anemia polycythemia sequence，AFFH：acute feto-fetal hemorrhage，IUGR：intrauterine growth restriction

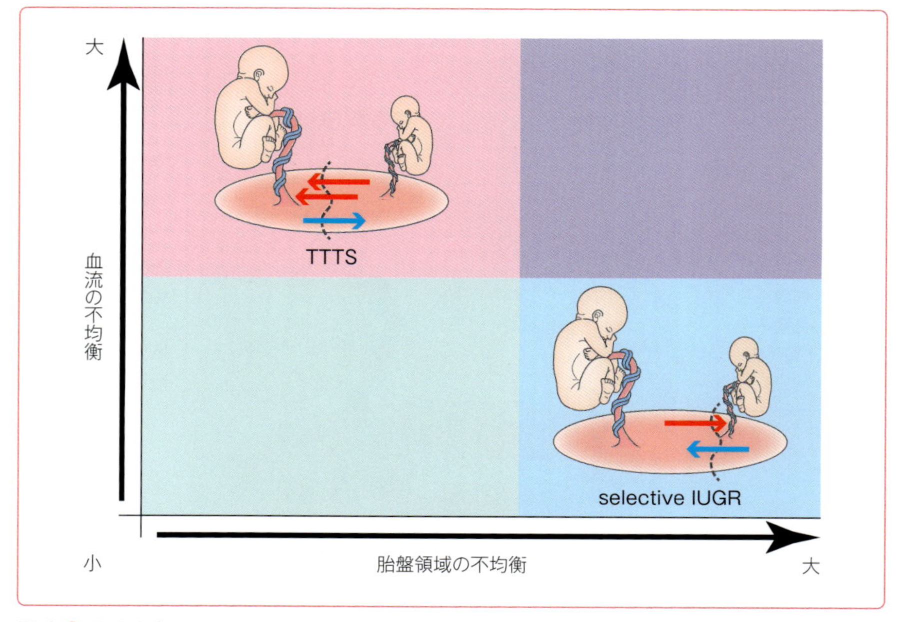

図 3 ● TTTS と selective IUGR の病態

TTTS：twin-twin transfusion syndrome，IUGR：intrauterine growth restriction

分類する（図 3）.

羊水量の不均衡が著明となったものが TTTS，胎児発育の不均衡が著明なものが一児発育不全（selective intrauterine growth restriction；selective IUGR），胎児（新生児）のヘモグロビン濃度の差が著明で，胎児期に慢性的に発症したものが貧血多血症（twin anemia polycythemia sequence；TAPS），分娩周辺期などに急性に発症したものが急性胎児間血流移動（acute feto-fetal hemorrhage；AFFH）である（図 2）．これらの病態は互いに重なり合いオーバーラップしているため，複数の特徴を同時に満たすこともある．

原因論から考えた場合，共通胎盤の吻合血管を通じての血流の不均衡を主体とした病態が TTTS であり，胎盤領域の不均衡を主体としたものが selective IUGR である（図 3）．TTTS においても胎盤領域の不均衡が少なければ体重差は認めないことが多く，selective IUGR においても血流の不均衡が著明となれば TTTS を合併する．また，吻合血管を通じて多くの血流が移動する場合は，両児の循環容量の差となり，供血児は循環容量が少なくなることによる症状（循環不全，低血圧，尿量減少など），受血児は循環容量オーバーによる症状（高血圧，心不全，尿量増加など）が出現し，TTTS の病態となるが，極めて細い一方向の吻合血管のみの場合は慢性的なゆっくりとした血流移動によりヘモグロビン濃度差による症状（供血児の貧血，受血児の多血）が出現し，TAPS と診断される[10]．また，TAPS から TTTS へと進行する症例も存在する．TAPS と AFFH はいずれも Hb 濃度の著明な差を認めるが，網状赤血球比により区別される．

TTTS の基準は満たさないが，羊水過多傾向（≧7cm）と羊水過少傾向（≦3cm）を同時に満たすものが双胎羊水量不均衡（twin amniofluid discordance；TAFD）である[11]．TAFD はその後 TTTS へと進行するものも進行しないものもある．TTTS に進行しない場合でも血流異常（臍帯動脈拡張期途絶・逆流，静脈管の途絶・逆流）を認めるものの予後は不良である[11]．

診　断

TTTS の診断基準は「多尿による羊水過多（最大羊水深度≧8cm）と乏尿による羊水過少（最大羊水深度≦2cm）を同時に満たすもの」とされる．羊水過多に関しては，日本や米国では最大羊水深度 8cm 以上を採用しているが[12〜14]，欧州では週数により診断基準を変えており，妊娠 20 週未満では 8cm 以上であるが，20 週以降は 10cm 以上としている[15]．また，羊水過多・過少を来す疾患（胎児消化管異常，腎泌尿器系異常，前期破水など）が除外されている必要がある．

MM 双胎では両児間の隔膜が存在しないため，羊水過多・過少の診断は困難なため，a）羊水過多（最大羊水深度 8cm 以上）を認めて，b）一児の膀胱が大きく（多尿）かつもう一児の膀胱が小さいか見えない（乏尿）場合は TTTS と診断してよい．

診断が確定したら重症度分類を Quintero 分類に準じて行う（表 1）[12, 16]．Stage Ⅲに関しては，血流

表 1 ● TTTS の Stage 分類（Quintero）

症　状 ＼ Stage	Ⅰ	Ⅱ	Ⅲ		Ⅳ	Ⅴ
			classical	atypical		
羊水過多過少	+	+	+	+	+	+
供血児の膀胱が見えない	−（見える）	+（見えない）	+（見えない）	−（見える）	+ or −	+ or −
血流異常	−	−	+	+	+ or −	+ or −
胎児水腫	−	−	−	−	+	+ or −
胎児死亡	−	−	−	−	−	+

注 1：Stage Ⅰは，「供血児の膀胱が見えること」かつ「血流異常がないこと」．
注 2：血流異常は，1）臍帯動脈拡張期途絶逆流，2）静脈管逆流，3）臍帯静脈の連続する波動のいずれかを，供血児および受血児のどちらか一方に認めれば，Stage Ⅲと診断してよい．
注 3：血流異常を認めるが供血児の膀胱が見えるものは，Stage Ⅲ atypical と亜分類し，膀胱が見えない Stage Ⅲ classical と区別する．
注 4：供血児および受血児のどちらか一方に胎児水腫を認めれば Stage Ⅳと診断する．血流異常や供血児の膀胱の確認は問わない．
注 5：供血児および受血児のどちらか一方が胎児死亡となったものは Stage Ⅴと診断する．血流異常，胎児水腫の有無，膀胱の確認は問わない．

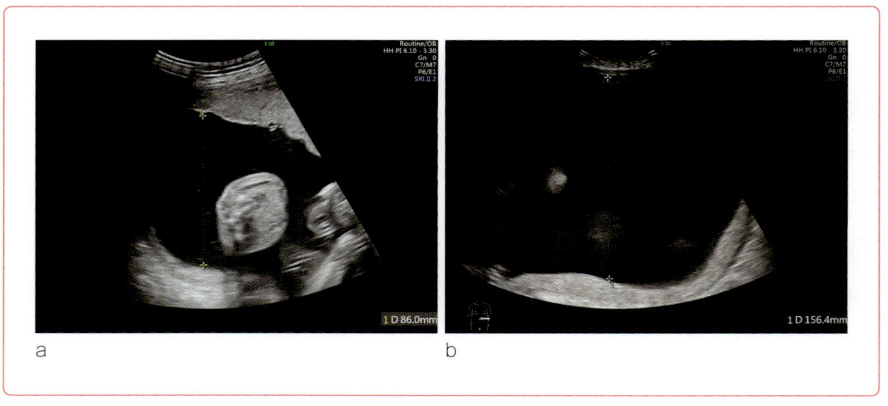

図 4 ● 羊水深度測定のピットフォール（羊水過多）

双胎間輸血症候群において最大羊水深度の測定はできるだけ母体と垂直に（斜めではなく），かつ，不定型の部分でなく全体がほぼ羊水で描出される部分を計測することがポイントである．不定型の部分を測定すると羊水量が過大評価される（a），典型的な双胎間輸血症候群の羊水過多では画面上に羊水以外の胎児部分は描出されず，胎盤も薄く平坦に引き延ばされている（b）．

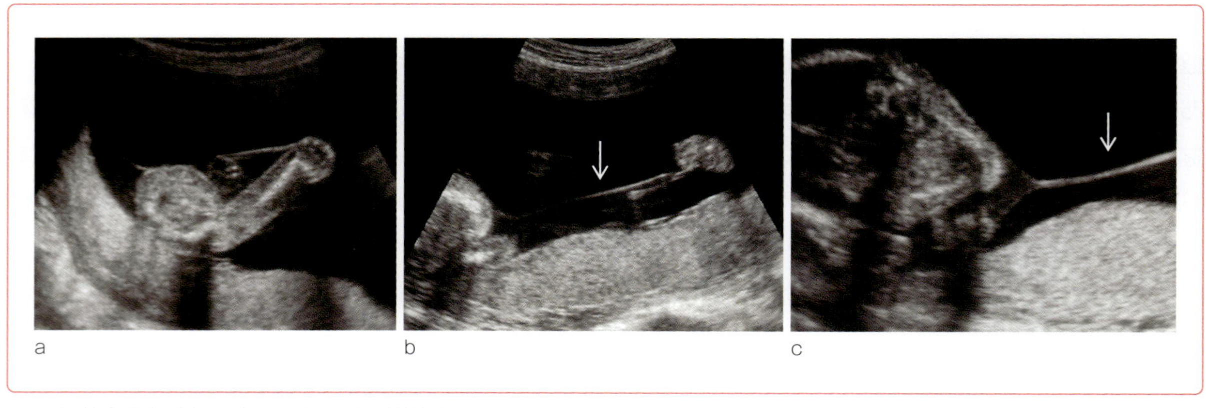

図 5 ● 羊水深度測定のピットフォール（羊水過少）

供血児（羊水過少児）では隔膜と胎児部分の隙間の一番最大の部分の羊水を測定する．通常は a のように容易に計測可能であるが，羊水過少が進行してくると隔膜が胎児の軀幹や頭部と小部分に折り返るように（矢印）巻き付く（ラップアラウンド）ため本来の羊水腔を見誤る可能性がある（b，c）．b の隔膜と胎盤の間の羊水腔は一見すると供血児のものに見えるが，拡大すると同部位は受血児の羊水腔であり，本来の供血児の羊水腔は胎児の周囲にごくわずかに認められるだけである（c）．

異常を認めているが供血児の膀胱が確認できる者を Stage Ⅲ atypical として，供血児の膀胱が見えない Stage Ⅲ classical と区別する．Stage Ⅲ atypical は動脈―動脈（arterio-arterial；AA）吻合の影響を受けることで AA 吻合の関与の乏しい Stage Ⅲ classical とは異なる病態（症状）が推測されている[14, 16)]（予後が異なる）．Quintero の stage 分類はあくまで TTTS と診断したものにのみ使用する．TTTS の診断基準を満たさないものは血流異常があっても TTTS と診断できないため，この分類は用いない．例えば，最大羊水深度が 6cm/1cm の症例で羊水過少児に臍帯動脈拡張期途絶を認めても TTTS の診断基準を満たしていないためこの時点で Stage Ⅲという表現は用いない．しかし，病態的には正常ではなく，血流異常を伴う selective IUGR および TTTS に準じた状態と考えられるため慎重な管理が求められる．

診断のピットフォール

羊水量は最大羊水深度で計測されるが，**図 4a** のように不定型な部分での最大深度を計測した場合は羊水量の過大評価となる．典型的な TTTS の羊水過多は **図 4b** のように超音波の画面全体がほぼ羊水で占められている状態となる．また，羊水過多の影響で胎盤も薄く平坦（フラット）に描出される．一方，羊水過少についても，**図 5a** の状態では診断は容易であるが，羊水量が減少し，かつ羊膜が胎児と胎児の小部分にラップアラウンドした場合（いわゆる真空パック状態）は**図 5b，c** のように描出され（コクーンサイン），本来の羊水腔を見誤る可能性がある．また，羊水過少がさらに進行し stuck twin の状態となった場合は，両

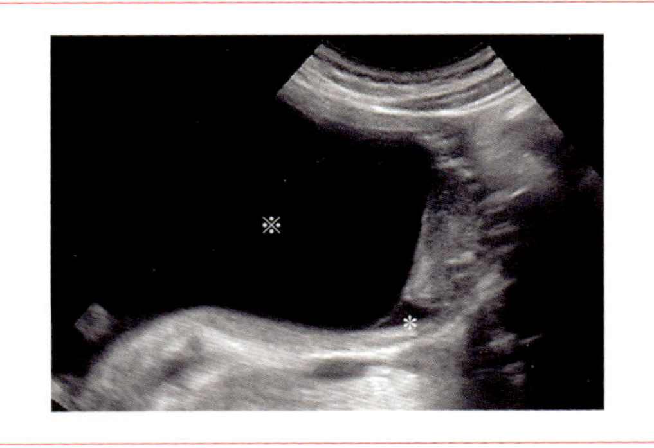

図 6 ● 双胎間輸血症候群における羊水過多・過少(stuck twin)
供血児の羊水腔は少なく(*),児は子宮壁に圧迫されている(stuck twin).一方,受血児の羊水腔は広く(※),羊水過多を呈している.

児間の隔膜の描出が困難となり,MM 双胎と見誤る可能性もある(図 6).この場合は,胎児が子宮壁や胎盤に圧迫され位置を変えないことで MM 双胎と鑑別可能であり,児の周りを拡大してよく観察すると隔膜が描出される.MM 双胎の場合は両児ともに羊水腔内を自由に移動可能である.

管　理

MD 双胎と診断したら,妊娠 14 週以降は少なくとも 2 週間ごとの超音波検査による管理が勧められる.MD 双胎特有の病態が両児間の羊水量の異常と発育の異常を主症状とするため,超音波による毎回の発育評価と羊水量の評価(膀胱の大きさを含む)は必須である.20 週以降は TTTS や TAPS の早期発見のために胎児血流計測(臍帯動脈,中大脳動脈)も行う[17].

また,発育の異常や羊水量の異常が出現した場合は,胎児血流計測(臍帯動脈,臍帯静脈,静脈管,中大脳動脈など)を評価に加えて 1 週間ごとなど管理の間隔を短くする.

TTTS の予知およびリスク因子についてはさまざまな研究がある.妊娠初期の頭殿長(crown rump length;CRL)や第 2 三半期初期の胎児腹囲(abdominal circumferrence;AC)の差を認めるものに TTTS の発症が多いとの報告[18, 19]や,隔膜の folding を認めるものに TTTS の発症が多い(4.2 倍の危険率)などの報告[1, 20],羊水量の差が 4cm 以上で TTTS の発症が多い[21],あるいは,妊娠初期の NT(nucal translucency)の肥厚[1, 22]や静脈管血流の逆流波[23]などもリスク因子として報告されている.しかし,いずれも決定的な因子ではなく参考程度であり,より注意深く見ていくかどうかの判断程度と考えた方がよい.

また,TTTS の予防法は現時点では認められていない.TTTS の病態が胎盤吻合血管による血流アンバランスであるため,有効な予防法が存在する可能性は極めて低いと考える.

治　療

TTTS と診断されたら,在胎週数および重症度により治療法を考慮する.胎外生活が十分可能な週数であれば(妊娠 28 週以降など),娩出させ新生児治療に移行する.妊娠 26 週未満などの胎外治療が困難な時期では胎児鏡下胎盤吻合血管レーザー凝固術(fetoscopic laser photocoagulaeion for communicating vessels;FLP)が第一選択である(詳細は第 3 章Ⅵ-3「胎児治療」を参照).わが国(Japan Fetoscopy Group;JFG)での治療成績は,生存率 80%,神経学的後遺症 5% 程度である[13, 14].

TTTS 以外の MD 双胎に特徴的な疾患

▶ TAPS (twin anemia polycythemia sequence)

TTTS は羊水過多・過少を伴わない両児間のヘモグロビン差で診断される.出生前の診断基準としては,1)MCA-PSV>1.5MoM かつ MCA-PSV<1.0MoM,2)羊水過多・過少を伴わないこととされ,出生後の診断基準では,1)両児間のヘモグロビン差>8.0g/dL,かつ 2)網状赤血球比>1.7 もしくは細い吻合血管(<1mm)のみ存在することとされる[10].MD 双胎における TAPS の頻度は 1.6 ~ 4% 程度である[24~26].TAPS に対する明確な治療指針はない.軽症例では自然経過で予後の良いものも多く存在するが,重症例では予後不良例もあるため,胎児輸血や FLP も試みられているが,現時点で決定的な治療法は存在しない[27, 28].

▶ Selective IUGR (selective intrauterine growth restriction)

MD 双胎で一児のみ発育不全となったものが selective IUGR である[29, 30].単胎の胎児発育不全のリスクに加えて胎盤吻合血管に起因する周産期脳障害のリスクが存在する．1絨毛膜双胎では胎盤吻合血管（特に動脈―動脈吻合）の存在により一児の血圧変動が他児の血圧を変動させる可能性が指摘されており[16, 29]，不安定な血圧変動の繰り返しが周産期脳障害発症の一つの要因と推測されている．特にsmaller twinの臍帯動脈拡張期途絶逆流を伴うselective IUGRは予後不良であり，smaller twinのみならずlarger twinにおいても周産期脳障害の発症リスクが増加する[29, 31〜33]．

発育不全児の臍帯動脈血流異常を認めないtype 1は比較的予後良好であるが，血流異常を認めるtype 2（臍帯動脈拡張期途絶逆流）およびtype 3（周期的な臍帯動脈拡張期途絶：動脈―動脈吻合の影響）の予後は不良である[32, 33]．Type 2およびtype 3で羊水過少を合併する症例に対してはFLPにより予後の改善が見込まれる[34]．

引用・参考文献

1) Sebire NJ. et al. Early prediction of severe twin-to-twin transfusion syndrome. Hum Reprod. 15(9), 2000, 2008-10.
2) Nakayama S. et al. Perinatal outcome of monochorionic diamniotic twin pregnancies managed from early gestation at a single center. J Obstet Gynaecol Res. 38(4), 2012, 692-7.
3) Murata M. et al. Perinatal outcome and clinical features of monochorionic monoamniotic twin gestation. J Obstet Gynaecol Res. 39(5), 2013, 922-5.
4) Quintero RA. et al. Selective photocoagulation of placental vessels in twin-twin transfusion syndrome : evolution of a surgical technique. Obstet Gynecol Surv. 53(12 Suppl), 1998, S97-103.
5) Mari G. et al. Perinatal morbidity and mortality rates in severe twin-twin transfusion syndrome : results of the International Amnioreduction Registry. Am J Obstet Gynecol. 185(3), 2001, 708-15.
6) Mahieu-Caputo D. et al. Paradoxic activation of the renin-angiotensin system in twin-twin transfusion syndrome : an explanation for cardiovascular disturbances in the recipient. Pediatr Res. 58(4) . 2005, 685-8.
7) Morikawa M. et al. Maternal weight gain in twin-twin transfusion syndrome. Acta Obstet Gynecol Scand. 90(12), 2011, 1434-9.
8) Zosmer N. et al. Clinical and echographic features of in utero cardiac dysfunction in the recipient twin in twin-twin transfusion syndrome. Br Heart J. 72(1), 1994, 74-9.
9) Murakoshi T. et al. Pulmonary stenosis in recipient twins in twin-to-twin transfusion syndrome: Report on 3 cases and review of literature. Croat Med J. 41(3), 2000, 252-6.
10) Slaghekke F. et al. Twin anemia-polycythemia sequence: diagnostic criteria, classification, perinatal management and outcome. Fetal Diagn Ther. 27(4), 2010, 181-90.
11) Hayashi S. et al. Outcome of monochorionic twin pregnancies with moderate amniotic fluid discordance adjoining twin-twin transfusion syndrome. Prenat Diagn. 36(2), 2016, 170-6.
12) Quintero RA. et al. Staging of twin-twin transfusion syndrome. J Perinatol. 19(8 Pt 1), 1999, 550-5.
13) Sago H. et al. The outcome and prognostic factors of twin-twin transfusion syndrome following fetoscopic laser surgery. Prenat Diagn. 30(12-13), 2010, 1185-91.
14) Murakoshi T. et al. Validation of Quintero stage III sub-classification for twin-twin transfusion syndrome based on visibility of donor bladder : characteristic differences in pathophysiology and prognosis. Ultrasound Obstet Gynecol. 32(6), 2008, 813-8.
15) Senat M-V. et al. Endoscopic laser surgery versus serial amnioreduction for severe twin-to-twin transfusion syndrome. N Engl J Med. 351(2), 2004, 136-44.
16) Murakoshi T. et al. In vivo endoscopic assessment of arterioarterial anastomoses : insight into their hemodynamic function. J Matern Fetal Neonatal Med. 14(4), 2003, 247-55.
17) Khalil A. et al. ISUOG Practice Guidelines: role of ultrasound in twin pregnancy. Ultrasound Obstet Gynecol. 47(2), 2016, 247-63.
18) Nakayama S. et al. Perinatal complications of monochorionic diamniotic twin gestations with discordant crown-rump length determined at mid-first trimester. J Obstet Gynaecol Res. 40(2), 2014, 418-23.
19) Lewi L. et al. The role of ultrasound examination in the first trimester and at 16 weeks' gestation to predict fetal complications in monochorionic diamniotic twin pregnancies. Am J Obstet Gynecol. 199(5) . 2008, 493 e1-7.
20) Sebire NJ. et al. Inter-twin membrane folding in monochorionic pregnancies. Ultrasound Obstet Gynecol. 11(5), 1998, 324-7.
21) Yamamoto R. et al. The use of amniotic fluid discordance in the early second trimester to predict severe twin-twin transfusion syndrome. Fetal Diagn Ther. 34(1), 2013, 8-12.
22) Sebire NJ. et al. Increased nuchal translucency thickness at 10-14 weeks of gestation as a predictor of severe twin-to-twin transfusion syndrome. Ultrasound Obstet Gynecol. 10(2), 1997, 86-9.
23) Matias A. et al. Search for hemodynamic compromise at 11-14 weeks in monochorionic twin pregnancy : is abnormal flow in the ductus venosus predictive of twin-twin transfusion syndrome? J Matern Fetal Neonatal Med. 18(2), 2005, 79-86.
24) Mabuchi A. et al. Clinical characteristics of monochorionic twins with a large hemoglobin level discordance at birth. Ultrasound Obstet Gynecol. 44(3), 2014, 311-5.
25) Yokouchi T. et al. The incidence of spontaneous twin anemia-polycythemia sequence in monochorionic-diamniotic twin pregnancies : A single-center prospective study. J Obstet Gynaecol Res. 41(6), 2015, 857-60.
26) Lopriore E. et al. Placental characteristics in monochorionic twins with and without twin anemia-polycythemia sequence. Obstet Gynecol. 112(4), 2008, 753-8.
27) Tollenaar LSA. et al. Spontaneous twin anemia polycythemia sequence : Diagnosis, management and outcome in an international cohort of 249 cases. Am J Obstet Gynecol. 224(2), 2021, 213.e1-213.e11.
28) Tollenaar LSA. et al. Treatment and outcome in 370 cases with spontaneous or post-laser twin anemia-polycythemia sequence managed in 17 different fetal therapy centers. Ultrasound Obstet Gynecol. 56(3), 2020, 378-87.

29) Gratacós E. et al. A classification system for selective intrauterine growth restriction in monochorionic pregnancies according to umbilical artery Doppler flow in the smaller twin. Ultrasound Obstet Gynecol. 30(1) . 2007, 28-34.
30) Quintero RA. et al. Selective photocoagulation of communicating vessels in the treatment of monochorionic twins with selective growth retardation. Am J Obstet Gynecol. 185(3), 2001, 689-96.
31) Gratacós E. et al. Prevalence of neurological damage in monochorionic twins with selective intrauterine growth restriction and intermittent absent or reversed end-diastolic umbilical artery flow. Ultrasound Obstet Gynecol. 24(2), 2004, 159-63.
32) Gratacós E. et al. Incidence and characteristics of umbilical artery intermittent absent and/or reversed end-diastolic flow in complicated and uncomplicated monochorionic twin pregnancies. Ultrasound Obstet Gynecol. 23(5), 2004, 456-60.
33) Ishii K. et al. Perinatal outcome of monochorionic twins with selective intrauterine growth restriction and different types of umbilical artery Doppler under expectant management. Fetal Diagn Ther. 26(3), 2009, 157-61.
34) Ishii K. et al. Survival rate without brain abnormalities on postnatal ultrasonography among monochorionic twins after fetoscopic laser photocoagulation for selective intrauterine growth restriction with concomitant oligohydramnios. Fetal Diagn Ther. 45(1), 2019, 21-7.

聖隷浜松病院 村越 毅

無心体双胎

要点・病態生理・分類

要　点

無心体双胎は，別名 twin reversed arterial perfusion sequence（TRAP sequence；トラップシークエンス）ともよばれ，一絨毛膜双胎妊娠のうち片方は健常児であるが，もう片方の児の心臓がない，または痕跡心，無機能心という極めてまれな病態である．TRAP sequence では，胎盤上の動脈―動脈吻合を介して，生存児（ポンプ児）から拍出された血流が無心体に流入する．結果として，ポンプ児に心負荷がかかることになり，自然経過によるポンプ児の予後は非常に不良であり，死亡率は 50 ～ 75%と報告されている[1,2]．TRAP sequence の頻度は全妊娠の 1/35,000，一絨毛膜双胎の約 1%で発生する[1]．

無心体は 100%生存することができないために，妊娠管理の目標は，構造的に正常なポンプ児の転帰を最大限良好にすることである．TRAP sequence は胎児治療を保険診療で行うことができる数少ない疾患の一つである．

病態生理

正確な病因は不明だが，TRAP sequence は胚形成早期に一絨毛膜双胎の胎盤上の動脈―動脈吻合ができることと，無心体に心臓の問題があることから生じると考えられている．血行動態で有意になるポンプ児から無心体に吻合血管を介して血流が送られるため，無心体の臍帯動脈血流が通常とは逆行性に流入する．これが Twin Reversed Arterial Perfusion sequence（TRAP sequence）と一般に呼ばれる理由である．酸素分圧の低い逆流した血液は無心体の臍帯動脈から逆行性に腸骨動脈，腹部大動脈へと還流する．そのため，無心体では下半身は発達するが，上半身（頭部や胸部）は形成不全や欠損を認めることが多い（図 1）．一方でポンプ児は，過剰に血液を送る必要があるため，高拍出性心不全となり，進行すると心肥大，羊水過多，胎児水腫，早産，胎児死亡を引き起こす可能性がある．

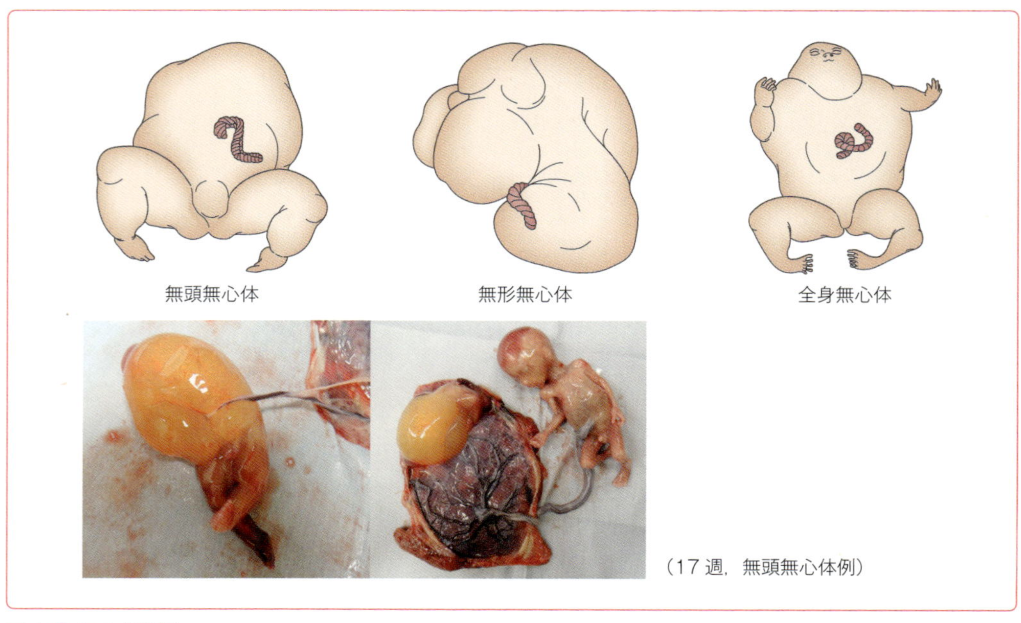

図 1 ● 無心体双胎

分　類

無心体の形態から，頭部の成長が阻害され，体幹と手足は発達している場合は無頭無心体（60 ～ 75%）と呼ばれ，頭や手足が認識できない無形無心体（20%），手足が認識可能で一部頭が発達しているものを全身無心体と呼ぶ[3]．

参考　『産婦人科診療ガイドライン：産科編 2020』CQ703 双胎間輸血症候群（TTTS）や無心体双胎（TRAP sequence）を疑う所見と対応は？

診断と所見

TRAP sequence の出生前診断は無心体へ臍帯を通して血流が流入することを確認して診断する（図 2）．診断の次に重要なのは，無心体の大きさとポンプ児の心負荷所見の程度である．

以下に診断時期，胎盤所見，無心体児所見，ポンプ児所見に分けて述べる．

▶ 診断時期

これまでの報告では，18 ～ 20 週で TRAP sequence の診断がされていることが多いが，最近では，超音波画像診断機器の進歩もあり，第 1 三半期で診断されることが増えてきている．妊娠の初期では無心体の心拍が確認できず，双胎一児胎児死亡と診断されることがあるので注意しなければいけない．このようなケースでは死亡しているはずの胎児が妊娠経過と共に大きくなっていくことで初めて無心体であることが診断される．

▶ 胎盤所見

TRAP sequence の 74%が一絨毛膜二羊膜性，24%が一絨毛膜一羊膜性である[4]．単一臍帯動脈を無心体の約 2/3 で認め，臍帯付着部位の異常も多い[4]．また，胎盤上の動脈―動脈吻合や静脈―静脈吻合が認められる．

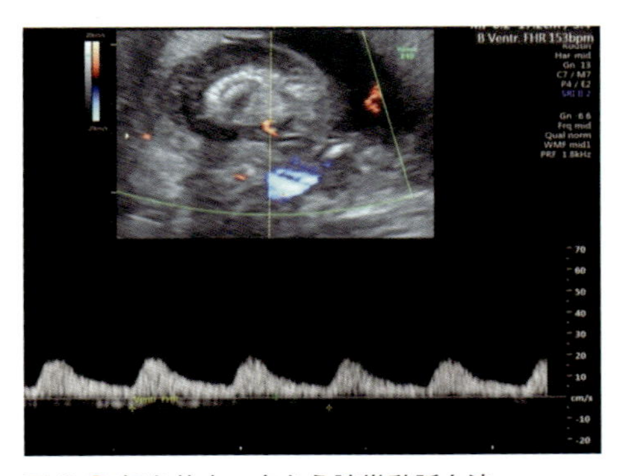

図 2 ● 無心体内へ向かう臍帯動脈血流

▶ 無心体所見

無心体には正常な心臓構造が存在せず多くは心拍も確認できない他，無脳症，臍帯ヘルニア，上肢欠損といった全身の構造異常も認められる．また，無心体の 33%に染色体異常（monosomy，trisomy，欠失等）を認める[4]．

ポンプ児に対する無心体の体重比は周産期予後の予測に用いることができ，その比率が 70%を超えると早産率は 90%，羊水過多は 40%，ポンプ児のうっ血性心不全は 30%で生じる．一方比率が，70%未満であれば早産率は 75%，羊水過多は 30%，ポンプ児のうっ血性心不全は 10%と報告されている[5]．無心体の推定体重は，構造異常のため通常の計算式では正確に算出することが困難であるため，無心体の身長の最長部（長軸［cm］）を計測し，Moore らによって解析された計算方法である，

推定体重［g］

$$= -1.66 \times 長軸[cm] + 1.21 \times 長軸[cm]^2$$

で算出する方法などが用いられる[5]．

▶ ポンプ児所見

ポンプ児にも 9%の割合で染色体異常が報告されている[4]．そのため，心奇形を含む形態的異常のスクリーニングを行うことは重要である．妊娠経過中，ポンプ児に対する心負荷が増大してくると心拡大，三尖弁逆流や心嚢液貯留を認める．さらに進行すると，高拍出性心不全を来し，羊水過多，胸水，腹水貯留などの胎児水腫所見を認める場合もある．

また，ポンプ児のCombined Cardiac Output〔CCO（mL/kg/min）〕より心拍出量の増加を計測することができる．CCOは主肺動脈と上行大動脈のそれぞれの血管径，velocity time integralおよび心拍数から，肺動脈と大動脈の血流を計算し合計したものである．予後不良群では550mL/kg/minより大きく，胎児治療を要した群の平均は588mL/kg/minと報告されている[6, 7]．また，ポンプ児の予後予測因子の一つとして，ポンプ児と無心体それぞれの臍帯動脈の血管抵抗指数（resistive index；最大収縮期速度－拡張末期血流速度／最大収縮期速度）の差が0.20以上であれば予後良好，0.05以下であれば予後不良であったとの報告もある[8]．

予後不良因子

TRAP sequenceの予後に大きく影響を与えるのが，ポンプ児の心不全，羊水過多とそれに伴う早産である．予後不良因子としては，上記に記載したポンプ児に対する無心体の体重比が70％以上，羊水過多，ポンプ児のCCOが550mL/kg/min以上，ポンプ児と無心体の臍帯動脈血管抵抗指数の差が0.05以下，ポンプ児が心不全に至った際に認める臍帯動脈拡張期血流の途絶もしくは逆流，臍帯静脈の連続波動，静脈管血流の逆流を認める場合が主な因子として挙げられ，これらは次の項で述べる胎児治療の適応を決める際に重要な所見となる．それに加えて，無心体が増大傾向の場合，無心体に腕や耳，喉頭，気管，膵臓，腎臓，小腸などが存在する場合，一絨毛膜一羊膜双胎の場合も予後不良因子として挙げられる[9, 10]．

胎児治療

これまでさまざまな治療が試みられてきた．過去には，無心体のみ帝王切開術で娩出する方法，胎児鏡下に無心体の臍帯内へ血栓形成コイルの挿入や無水アルコール注入を行う方法，ポンプ児の心不全に対して母体にジゴキシンなどの薬剤投与を行う経胎盤的薬物投与法などがあったが，手技の困難さ，副作用の問題から現在では行われていない．

現在広く行われている治療方法は，ポンプ児から無心体への血流を遮断する方法である．

主には，無心体の臍帯自体の血流を遮断する方法（cord occlusion technique）と，無心体の臍帯刺入部付近の組織を焼灼して血流を遮断する方法（intra-fetal ablation technique）の2つである．胎児鏡下胎盤吻合血管レーザー凝固術（fetoscopic laser photocoagulation；FLP）により胎盤表面吻合血管を凝固阻血する方法もあるが，通常の一絨毛膜二羊膜性双胎の場合と異なり，両児臍帯の胎盤付着部位が非常に近接していることが多く，施行が困難である場合が多い．

臍帯の血流を遮断する方法は，レーザーを用いた臍帯凝固法とバイポーラ鉗子を用いた臍帯凝固法がある．無心体児内の血流を遮断する方法には，レーザー凝固，ラジオ波焼灼術（radiofrequency ablation；RFA）と，まだ臨床研究レベルではあるが強出力収束超音波（high intensity focused ultrasound；HIFU）による治療法がある．わが国ではTRAP sequenceに対してRFAを選択することが多い．RFAは，肝腫瘍の治療法にも用いられているが，生体組織にラジオ波を出力し，電極に接触している導電組織を凝固および焼灼する治療方法である．この方法を無心体の臍帯刺入部付近で用いることによって，臍帯を焼灼し，血流遮断することができる．また2019年3月よりTRAP sequenceに対するRFAが保険収載された．以下では，わが国でのRFAの適応基準や過去の治療成績に関して説明する．

▶ わが国でのRFAの適応基準

現時点でのTRAP sequenceの胎児治療の適応は，ポンプ児の①羊水過多，②血流異常，③胎児水腫，④無心体の著明な増大（無心体の腹囲がポンプ児より大きい，体重比≧70％）などが報告されている[6, 10]．しかしながら，現在のところ世界的なコンセンサスはなく，重症度にかかわらずすべてのTRAP sequenceで治療をすべきとする意見もある[11]．

わが国の場合，日本医師会が作成したラジオ波焼灼システムの適正使用指針には適応基準は**表1**のように示されている．

▶ RFAの治療成績

国内外でのRFAの治療成績をまとめると，胎児治療後のポンプ児の生存率は80～88％，Preterm

PROMは12～36%，早産率は28～64%と報告されている（**表2**）[12～15]．

またRFA後の再灌流率に関して，2～2.5%と報告されている[13, 15]．

▶〈RFAの治療介入時期について：諸外国からの報告〉

日本では胎児治療実施時期を妊娠15週0日以降妊娠27週6日までとしているが，実際には15週以前に子宮内胎児死亡となる症例も多い．欧米ではそのような背景から，第1三半期におけるTRAP sequenceに対してのレーザー凝固術が行った報告もあり，第1三半期に胎児治療を行うことで初期に診断されたTRAP sequenceのポンプ児の予後改善の可能性も示されている[16～18]．

表1 ● わが国でのラジオ波焼灼術の適応／除外基準

〈適応基準〉
①妊娠15週0日～27週6日である．
②無心体双胎である．
③無心体への逆行性臍帯動脈血流を認める．
④無心体とポンプ児の腹部周囲長（abdominal circumference：AC）の比（無心体AC／ポンプ児AC）が1.0以上である．
⑤母体が手術に耐えうる状態である．
⑥本人（母体）の同意が得られている．

〈除外基準〉
①ポンプ児が生命予後の期待できない重度の先天異常を有する．
②破水している．
③明らかな切迫早産徴候がある．
④母体にAIDS，C型肝炎，B型肝炎の活動性感染がある．

Clinical Tips

TRAP sequenceと診断した場合，患者と家族に妊娠の中断（22週未満の場合）と待機療法，胎児治療の3つの選択肢があることを説明する．胎児治療が可能な施設では，1週間ごとに胎児のフォローを行い，予後不良因子がある症例や無心体へ血流が持続している症例で，胎児治療の適応を満たしたときには，患者，家族と相談の上RFAを考慮する．胎児治療ができない施設では，1週間ごとに胎児のフォローを行い，予後不良因子が出現あるいは無心体へ血流が持続している症例は，胎児治療が可能な施設へ相談・紹介する．あるいは，発見した段階から早期に胎児治療が可能な施設に紹介するのも選択肢にあがる．いずれの施設で分娩を行うにしても，早産リスクが高く，生後治療が必要な症例もあることから出生前からの新生児科医との連携は必要不可欠である．必要に応じて新生児科医による出生前カウンセリングも行う．

次回妊娠の留意点

TRAP sequenceの再発率は1万に1くらいと予想されている．この再発率は一羊膜双胎の再発率（1%）とTRAP sequenceの発生率（全一卵性双胎の約1%）とをかけて算出されている．家族内発生はなく，次回妊娠での再発例の報告はない．

表2 ● RFAの治療成績

報告者	症例数	治療週数（週数）	生存率	分娩週数（週数）	PPROM率	早産率
Lee H[12] 2007	29	NR	86%	38 (24 - 40)	17%	34%
Lee H[13] 2013	98	20.2 ± 2.4	80%	37 (IQR, 27.9 - 38.9)	17%	NR
Wagata M[14] 2016	25	20.9 (16.0 - 27.9)	88%	36.4 (25.3 - 40.7)	36%	64%
Sugibayashi R[15] 2016	40	20.8 (20.1 - 21.5)	85%	37.5 (36.3 - 38.7)	2.9% (34週未満)	8.6% (34週未満)

NR：Not reported
PPROM：preterm premature rupture of membranes

引用・参考文献

1) Gillim DL. et al. Holoacardius : review of the literature and case report. Obstet Gynecol. 2(6), 1953, 647-53.
2) Napolitani FD. et al. The acardiac monster. A review of the world literature and presentation of 2 cases. Am J Obstet Gynecol. 80, 1960, 582-9.
3) Faye-Petersen OM. et al. Handbook of Placental Pathology. 2nd ed. London, Taylor & Francis, 2005.
4) Healey MG. Acardia : predictive risk factors for the co-twin's survival. Teratology. 50(3), 1994, 205-13.
5) Moore TR. et al. Perinatal outcome of forty-nine pregnancies complicated by acardiac twinning. Am J Obstet Gynecol. 163(3), 1990, 907-12.
6) Livingston JC. et al. Intrafetal radiofrequency ablation for twin reversed arterial perfusion (TRAP) : a single-center experience. Am J Obstet Gynecol. 197(4), 2007, 399.e1-33.
7) Byrne FA. et al. Echocardiographic risk stratification of fetuses with sacrococcygeal teratoma and twin-reversed arterial perfusion. Fetal Diagn Ther. 30(4), 2011, 280-8.
8) Dashe JS. et al. Utility of Doppler velocimetry in predicting outcome in twin reverse-arterial perfusion sequence. Am J Obstet Gynecol. 185(1), 2001, 135-9.
9) Brassard M. et al. Prognostic markers in twin pregnancies with an acardiac fetus. Obstet Gynecol. 94(3), 1999, 409-14.
10) Quintero RA. et al. Surgical management of twin reversed arterial perfusion sequence. Am J Obstet Gynecol. 194(4), 2006, 982-91.
11) Tsao KJ. et al. Selective reduction of acardiac twin by radiofrequency ablation. Am J Obstet Gynecol. 187(3), 2002, 635-40.
12) Lee H. et al. Efficacy of radiofrequency ablation for twin-reversed arterial perfusion sequence. Am J Obstet Gynecol. 196(5), 2007, 459.e1-4.
13) Lee H. et al. The North American Fetal Therapy Network Registry data on outcomes of radiofrequency ablation for twin-reversed arterial perfusion sequence. Fetal Diagn Ther. 33(4), 2013, 224-9.
14) Wagata M. et al. Radiofrequency Ablation with an Internally Cooled Electrode for Twin Reversed Arterial Perfusion Sequence. Fetal Diagn Ther. 40(2), 2016, 110-5.
15) Sugibayashi R. et al. Forty cases of twin reversed arterial perfusion sequence treated with radio frequency ablation using the multistep coagulation method : a single-center experience. Prenat Diagn. 36(5), 2016, 437-43.
16) Chaveeva P. et al. Optimal method and timing of intrauterine intervention in twin reversed arterial perfusion sequence : case study and meta-analysis. Fetal Diagn Ther. 35(4), 2014, 267-79.
17) Pagani G. et al. Intrafetal laser treatment for twin reversed arterial perfusion sequence : cohort study and meta-analysis. Ultrasound Obstet Gynecol. 42(1), 2013, 6-14.
18) Berg C. et al. Early vs late intervention in twin reversed arterial perfusion sequence. Ultrasound Obstet Gynecol. 43(1), 2014, 60-4.

大阪大学 ● 原 武也 ● 遠藤誠之

胎児貧血

定義，診断，原因，症状・所見，管理・治療

胎児ヘモグロビン（Hb）値は，妊娠の進行に伴って増加する．胎児貧血は，その変化を元に standard deviation（SD）ないし Multiples of Median（MoM））値で評価し，正常より下方に逸脱する状態と定義される[1, 2]．侵襲的な胎児採血による血液所見が直接的な診断となるが，非侵襲的な方法として，超音波カラードプラ法による胎児中大脳動脈収縮期最高血流速度（middle cerebral arterial peak systolic velocity；MCA-PSV）が広く臨床の場で用いられている．

原　因

胎児貧血の原因は大きく溶血，造血障害，失血に分類される．

1．溶血：母児間血液型不適合，α - サラセミア，ビタミン E 欠乏症，腫瘍内での溶血など
2．胎児赤血球の造血障害：パルボウイルス B19 感染，鉄欠乏など
3．胎児の失血：母児間輸血症候群，一絨毛膜双胎関連（双胎多血貧血症候群，双胎一児胎内死亡），前置血管破裂，胎児出血（胎児脳出血，消化管穿孔に伴う出血など），腫瘍による出血や盗血（胎盤血管腫，肝血管腫，仙尾部奇形腫など）

症状，所見

胎動減少，胎児心不全，胎児水腫（胎児皮下浮腫，胸・腹水貯留，心嚢液貯留など），胎児機能不全を起こし，重症化すると子宮内胎児死亡に至る．胎児心拍数図では，胎児頻脈，基線細変動の減少・消失，サイヌソイダルパターンがみられるが，必須ではない．

管理，治療

超音波断層法で Biophysical profiling score（BPS）や胎児水腫の有無を評価する．パルスドプラ法で MCA-PSV を測定する．MCA-PSV 測定で胎児の重症貧血が推測される場合，胎児採血を行う．胎児採血で重症貧血である場合，妊娠週数と貧血の原因に応じ，胎児輸血によって妊娠継続を目指すか，分娩後に新生児治療を行うかを検討する．

参考 『産婦人科診療ガイドライン：産科編 2020』
「CQ008-1 Rh（D）陰性妊婦の取り扱いは？」「CQ008-2 抗 Rh（D）抗体以外の不規則抗体が発見された場合は？」「CQ614 パルボウイルス B19 感染症（伝染性紅斑，リンゴ病）の診断と管理は？」「CQ703 双胎間輸血症候群（TTTS）や無心体双胎（TRAP sequence）を疑う所見と対応は？」「CQ704 双胎一児死亡時の対応は？」

はじめに

胎児貧血は，軽症で無症状なものから，うっ血性心不全による胎児水腫，胎児機能不全，子宮内胎児死亡に至るような重症まで存在し，見逃せない疾患である．しかしながら，正しく診断し，適切な治療によって，胎児貧血の生存率は 90%と高く，長期予後も良好となった[3, 4]．本稿では胎児貧血の診断，原因，治療について概説する．原因は大きく，溶血，赤血球の造血障害，失血の 3 つであるが，α - サラセミア，パルボウイルス B19 感染，母児間輸血症候群，胎児腫瘍に絞って言及する．

診　断

Mari らは正常胎児の臍帯採血で得られた 265 例のデータから，週数ごとの胎児 Hb 値の基準（0.84 ～ 1.16MoM）を設定した．その上で 12 例の胎児水腫

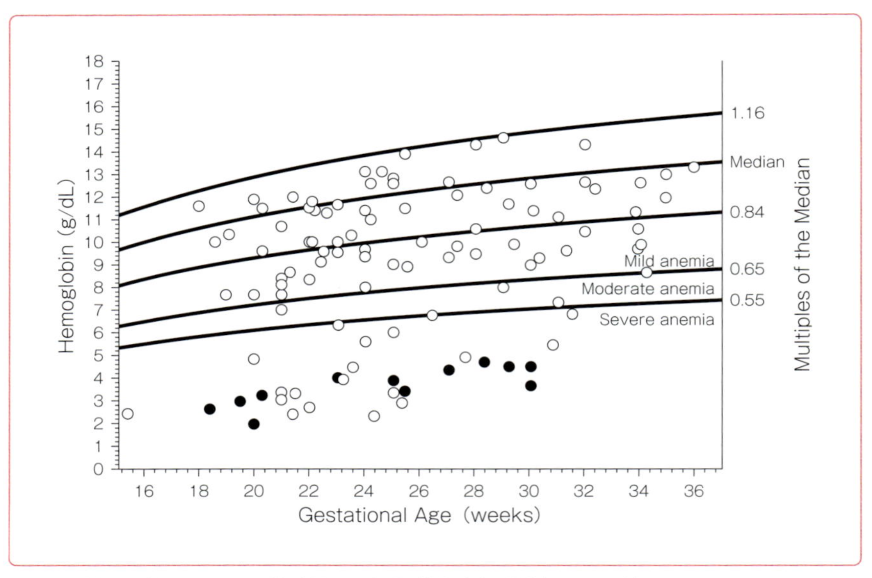

図 1 ● 妊娠週数における正常胎児と母児間輸血症候群胎児の Hb 値（文献 2 より抜粋）

症例を含む 111 例の母児間血液型不適合妊娠の Hb 値を参考に重症度を，高度（0.55MoM 未満），中等度（0.55 ～ 0.65MoM），軽度（0.65 ～ 0.84MoM）と分類した（図 1）．それによると Hb 値 5g/dL 以上の症例では，胎児水腫の発症は認めなかった[2]．Nicholaides らは，臍帯血採取 210 例を元に，胎児 Hb 値の当該週数における平均からの偏差が，2g/dL 未満を軽度，2 ～ 7g/dL を中等度，7g/dL 以上を高度と分類し，7g/dL 以上の偏差で胎児水腫を発症したと報告した[1]．さらに，Moise らは胎児ヘマトクリット（Ht）値が 30%未満の場合を胎児貧血と設定した[5]．一方，Mari らは超音波パルスドプラ法による MCA-PSV の計測から，胎児貧血の有無が推定可能であることを報告した．それによると 1.5MoM 以上の場合，感度 100%，偽陽性率 12%で中等度以上の貧血が予測できる．ただし，妊娠 35 週を超えると偽陽性率が増加するため，診断には注意が必要である[2]．MCA-PSV の適切な測定方法については，International Society of Ultrasound in Obstetrics and Gynecology（ISUOG）のガイドラインに記載され（表 1）[6]，Web サイト（www.perinatology.com）上で MCA-PSV 値の MoM 値が算出できる．

表 1 ● MCA-PSV の適切な測定方法（文献 6 より要約）

- 視床と蝶形骨を含む脳の断面を拡大し描出する．
- Willis 動脈輪と近位 MCA を，カラーフローマッピングを用いて判断する．
- 1/3 より近位部の MCA で，血流速度を測定する．
- 超音波ビームと血流の方向は，可能な限り 0° に近づける．
- 胎児の頭を圧迫しない．
- 少なくとも 3 拍から 10 拍の連続した波形を記録し，その中の最高速度を採用する．
- PSV 測定は，手動またはオートトレースのいずれでも使用可能．

原因，分類

▶溶血：α-サラセミア

Hb はαグロビン鎖にヘムが結合したグロビン 2 分子と非αグロビン鎖にヘムが結合したグロビン 2 分子の四量体で構成されている．サラセミアはグロビン鎖を合成するためのグロビン遺伝子異常によって生じる疾患（常染色体優性遺伝）であり，変異グロビン鎖によって Hb の産生低下や赤血球の機能障害，溶血を引き起こす．変異グロビン鎖の種類によってα - サラセミアとβ - サラセミアに大別される．胎児 Hb の大部分を占めるヘモグロビン F（HbF）はαグロビン 2 分子とγグロビン 2 分子で構成され，α - サラセミアでは胎児期に貧血を起こす可能性がある．αグロビン蛋白の塩基配列は 16 番染色体上に 2 つの対立遺伝子，すなわち 4 つのαグロビン遺伝子で決定される．このため，異常α鎖を有する組み合わせはαα / α－，α－/ α－，αα /－－，α－/－－，－－/－－の 5 つのパターンがある．1 つの異常（αα / α－）では無症候性で保因者となる．2 つの異常（α－/ α－あるいはαα /－－）では，軽度の小球性低色素性貧血を呈する．3 つの異常（α－/－－）は，HbH 病といわれ，生存可能な中で最も重症なサラセミアである．4 つの異常（－－/－－）は，ヘモグロビン Bart's と呼ばれ，最重症である．高度の貧血により胎児水腫，子宮内胎児死亡となる可能性が高く，分娩に至っても出生後数日以内に死亡する．世界的にはおよそ1.5%がサラセミアの保因者とされるが，人種によってその頻度は異なり，東南アジアでは80%以上がα-サラセミアの保因者である[7]．日本人ではサラセミアはまれと考えられていたが，山城らによる最近の調査ではα-サラセミアは1/3,500人の発生頻度と報告され，特に九州地方に多い[8]．両親が軽症型α-サラセミアであった場合，重症化する可能性が高い．したがって，胎児貧血を認め，妊婦およびそのパートナーが，鉄欠乏がないにもかかわらず，小球性貧血を認める場合には，本疾患の可能性も考慮すべきである．異常Hbは酸素結合能が強く障害され，Hb値の低下が軽度であっても，胎児水腫等の諸症状を認める可能性がある．このため，MCA-PSVによる貧血の予測は必ずしも症状の予測とならない．両親のα-サラセミアが判明している場合は，ヘモグロビンBart'sの可能性があり，胎児遺伝子検査も考慮される．

▶ 胎児赤血球の造血障害：パルボウイルスB19感染

ヒトパルボウイルスB19(PB19)は伝染性紅斑(リンゴ病)，関節炎，貧血などの原因ウイルスであり，赤血球系の前駆細胞に感染し，赤血球造成を一時的に抑制する．妊婦が飛沫感染によりPB19感染が成立すると胎児への経胎盤感染から，感染胎児の一部は貧血，胎児心不全，胎児水腫を起こし死亡に至る場合もある．

一般に，成人に達するまでにPB19に対する免疫を獲得している場合が多く，英国の報告では75%以上がPB19-IgG抗体を有する[9]．このため，妊婦へのPB19感染の頻度は0.25～1.0%と低い[10]．一方，わが国では，妊娠可能年齢女性におけるPB19-IgG抗体保有率は50%前後と英国よりも低い．感染既往のない妊婦では非流行期で約1%，流行期で約10%に感染が成立する．妊婦がPB19に感染した場合，17～40%の胎児が感染する[11]．胎児の重症度は感染時の妊娠週数に応じて異なるが，流産や死産に至るのは感染妊婦の2～10%程度である．Endersらは1,018例の血清学的に確認されたPB19感染妊婦の前向き観察研究から，20週未満に感染を診断された妊婦の579例では，胎児死亡64例（11.0%），胎児水腫27例（4.6%），22週以降の死産6例（1.0%）であったのに対し，21週以降に診断された439例では，胎児水腫が13例（2.9%）のみであったと報告している[12]．また23人の重症胎児貧血症例の報告では，10人の胎児輸血症例中8人が生存，13人の非胎児輸血例は全て死亡したこと，非重症の胎児貧血例では死亡はなかったこと，胎児死亡の前に必ずしも胎児水腫が起こるわけではないことを報告している．わが国では，YamadaらはPB19の胎内感染が確認された症例のうち母体の伝染性紅斑の出現時期が明らかな27人について詳細に報告している．それによると，胎児および新生児に症状（胎児水腫，胸腹水，心肥大，肝脾腫）が出現した症例は，母体紅斑出現が妊娠10週未満では100%（2/2），10～19週では64%（14/22），20～24週では50%（1/2），31週では0%（0/1）と母体が罹患した時期が早いほど，胎児，新生児に症状を認める割合が多かった[13]．週数による重症度の違いは，HbFのturn overが妊娠週数とともに長くなること，妊娠10週から20週前半における主な造血の場である肝臓の赤血球系前駆細胞はPB19に選択的に感染されやすいことが関与している．したがって，胎児，新生児への罹患リスクを減らすには，妊娠20週以前の母体感染を予防することが重要である．現在，実用可能な予防ワクチンや有効な抗ウイルス薬はなく，PB19感染既往のない妊婦においては，PB19感染者との接触を避ける，マスクやうがいなどの通常予防を行うことが求められる．

感冒様症状とそれに続発する特徴的な紅斑や関節痛を認める典型例は，PB19感染症例のおよそ1/4に留まり，1/2は非特異的な感冒症状，残り1/4は不顕性感染である．典型例では，潜伏期は4～10日，その後5日程度のウイルス血症を認め，この時期に感冒様症状を呈し，その後紅斑，関節痛が出現する．感冒様症状を認める時期はヒトへの感染力が強い．家庭内にリンゴ病患者の存在はもとより，医療・保健事業従事者，学校・保育所勤務者はPB19感染のハイリスクである．PB19感染者との接触例，典型症状出現例，胎児水腫出現例の場合，感冒様症状，紅斑，関節痛の有無を問診し，胎児超音波を行い，胎児貧血の有無を確認する．母体感染の可能性がある場合は，PB19-

IgM 抗体検査を行う．PB19-IgM 抗体は感染後約 10 日経過した後に陽性となる．母体 PB19 感染が確認されたら，1 ～ 2 週ごとの胎児超音波検査を行い，胎児貧血の有無，程度，胎児水腫の有無を評価する．PB19-IgM が陰性であっても，母体の症状や PB19 患者との濃厚な接触歴により感染が疑われる場合は，PB19-IgG 抗体検査（保険適応外）も検討し，既往感染の有無について検査することや時期をおいて IgM 抗体検査を再検する．母体感染から胎児水腫発症までの中央値は 3 週間であり，胎児水腫の 93%は 8 週以内に確認されたと報告されているため[12]，超音波検査による胎児貧血の評価は 8 ～ 12 週間は行う．胎児貧血重症例は週数を考慮した上で，早期娩出か胎児輸血を行う．

▶ 胎児の失血：母児間輸血症候群（fetomaternal hemorrhage；FMH）

母児間輸血（fetomaternal transfusion；FMT）は妊娠中あるいは分娩中に，何らかの原因で胎盤の絨毛構造が破綻し，胎児血が絨毛間腔経由で母体血管内に流入する現象である．妊娠の多くで起こる生理的な現象であるが，大量の胎児血液が母体へ流出すると胎児は失血により貧血となり，神経学的後遺症，胎児死亡，新生児死亡などの重大な障害をもたらす．胎児血の 30mL 以上の流出が全妊娠の 0.3%，80mL 以上の流出が 0.1%に起こる[14, 15]．胎児失血量が胎児推定体重に対して 20mL/kg 以上で胎児死亡，NICU 入院，新生児輸血の割合が増加し，80mL/kg 以上になると 2/3 が子宮内胎児死亡に至る[14, 16]．胎児失血量が 50mL 以上と推定された FMT 120 例の報告では，胎児には出現頻度順に，胎動減少あるいは消失 26.7%，子宮内胎児死亡 12.5%，胎児心拍数図異常 8.4%〔サイヌソイダルパターン 1.7%，それ以外の Non-reassuring fetal status（NRFS）6.7%〕，胎児水腫 7.5%，胎児発育不全 3.3%，母体には maternal transfusion reaction（発熱，嘔気，発疹，倦怠感）を 0.8%，新生児には貧血を 35%に認めた[17]．FMH が原因と考えられる脳性麻痺発症例において胎児心拍数図でのサイヌソイダルパターン出現はおよそ 1/3 と比較的少ない[18]．大量の胎児血が流出する危険因子は，腹部外傷，常位胎盤早期剥離，胎盤腫瘍，前置胎盤，産科処置（羊水穿刺，外回転術，胎盤用手剥離など），一絨毛膜双胎，妊娠高血圧腎症などであるが，80%以上は原因不明である[19]．診断は，母体血中の胎児血を証明することであり，Kleihauer-Betke 試験（**図 2**）あるいは flow cytometry で胎児ヘモグロビンである HbF の同定が行われる．成人の HbF 濃度は 2.0%未満であるが，FMH では 5%以上であることが多い．Kleihauer-Betke 試験とは，成人 HbA を含む赤血球の細胞膜が酸性に可溶性であるのに対し，HbF を含む赤血球が酸性でも安定していることを利用し，酸性環境下で胎児赤血球の割合をカウントするものである．胎児血球の割合を同定することにより，後述の計算式を用いて失血量の推定ができる．HbF を含む Hb は，HbA に比べて turn over が短いため，FMT が慢性の経過をとる場合や繰り返し失血する場合は不正確となる．

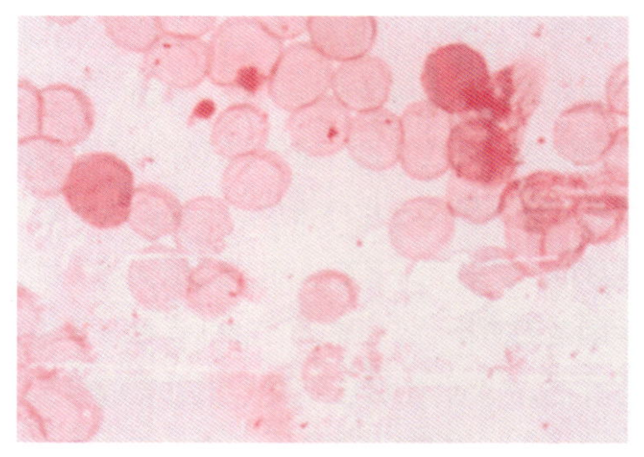

図 2 ● Kleihauer-Betke 試験（文献 17 より抜粋）

胎児失血量(mL)＝母体循環血液量(mL)×母体 Ht(%)/ 新生児 Ht(%)×胎児血球の割合(%)×0.01

Kleihauer-Betke 試験あるいは flow cytometry が困難な場合，α - フェトプロテイン（AFP）値が診断の一助となる．正常妊婦の AFP 値が 300 ～ 800ng/mL であるのに対し，FMH により脳性麻痺となった症例の AFP 値では 4,202ng/mL（中央値）と高値であった[18]．予後因子には，胎児の失血量と失血速度が影響する．FMH と診断され，重症と考えられる場合，NRFS であれば急速遂娩が必要である．中等症～重症と考えられるが胎児の健常性が保たれている場合は早産による児の未熟性，子宮内治療および待機管理によるリスクを加味し，妊娠週数に応じた方針が必要である．具体的には妊娠 32 週以上では，新生児輸血を準備し，早期の児娩出を計画する．妊娠 32 週未満では

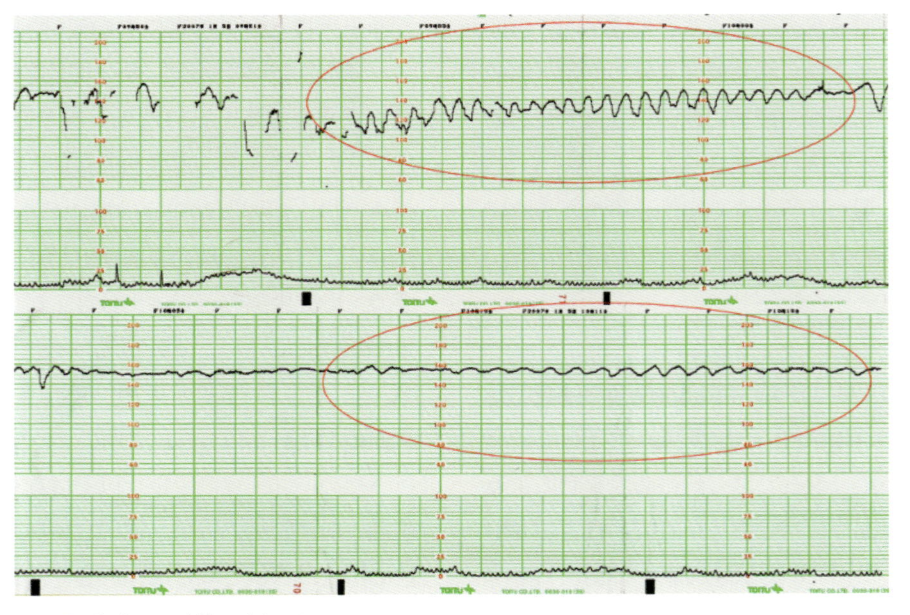

図 3 ● サイヌソイダルパターン

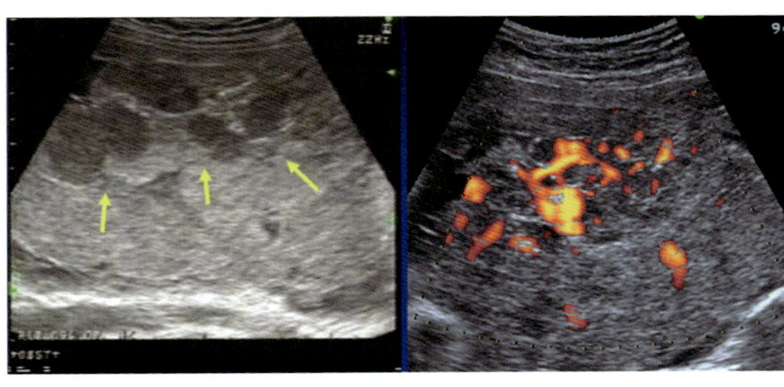

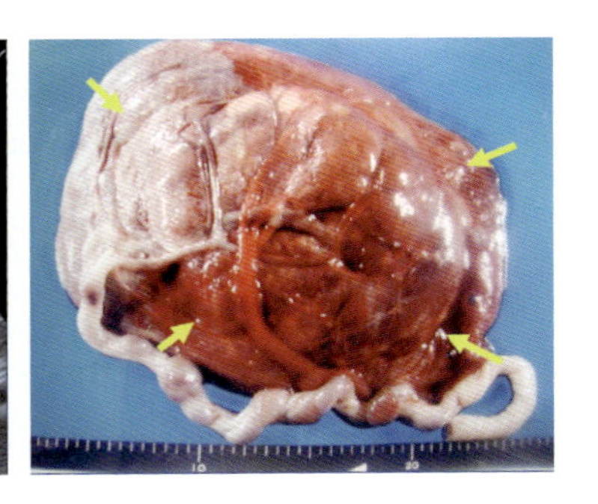

図 4 ● 胎盤血管腫

⇧矢印は胎盤腫瘍

胎児肺成熟目的にベタメサゾンを投与し，場合によっては胎児脳保護目的に硫酸マグネシウムの投与を行い，子宮内輸血を考慮する．子宮内輸血で使用される赤血球は成人赤血球であるため，輸血後は Kleihauer-Betke 試験や flow cytometry での HbF 測定はできず，MCA-PSV や胎児心拍数図での評価を行う．Rubod らによると子宮内輸血で治療された FMH の胎児水腫症例 13 例中 12 例が生存し，妊娠延長期間は平均 6 週間であった[20]．

＊サイヌソイダルパターン（図 3）：胎児心拍数図において胎児貧血，低酸素を示唆する所見であるが，正常分娩例の約 4%においても観察される．重症貧血，臍帯圧迫，子宮内感染，胎児機能不全の際に観察され，中枢神経系や自律神経系の機能不全，圧受容器─化学受容器のフィードバック機構を反映しているといわれているが，病態は未だに明らかでない．胎児心拍数図の所見は，心拍数基線が 120 〜 160bpm，振幅は 5 〜 15bpm，周期は 2 〜 5 サイクル / 分，一過性頻脈がない[21]．

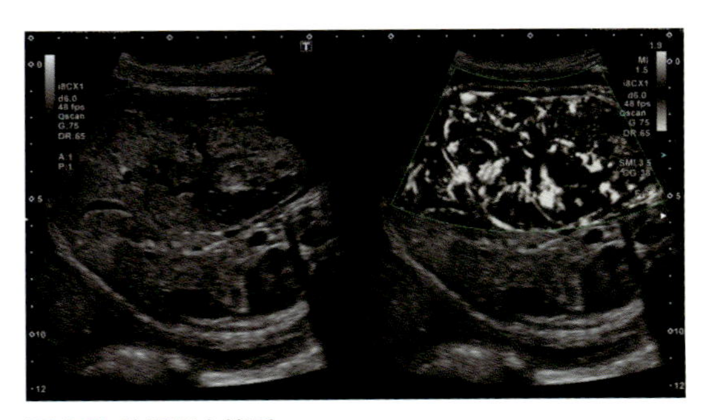

図 5 ● 胎児肝血管腫

腫瘍関連の出血，盗血，溶血〔胎盤血管腫（図 4），肝腫瘍（図 5），仙尾部奇形腫など〕

周産期の新生物はまれであり，さらには出血や短絡路を有するものは極めてまれである．新生物の良性，悪性にかかわらず，腫瘍径が大きく血流の豊富な新生物は，胎児の循環血液を盗血することや腫瘍内での血管奇形による溶血により，胎児貧血を来し得る．盗血が起こると胎児心拍出量の増加に伴い，心拡大や腎血流量増加による羊水過多が観察されることも多い．心容量負荷がさらに増大すると高拍出性心不全とそれに続く胎児水腫を認めることもある．

胎児輸血

胎児輸血は，古くは 1963 年に Liley らが腹腔内輸血を，1981 年に Rodeck らが臍帯静脈穿刺による血管内輸血を行った．現在では，臍帯静脈穿刺による胎児採血，胎児輸血が日常診療として行われ，2020 年 4 月より認定施設において保険診療となった．適応，診断，手技，合併症等については，「胎児輸血実施マニュアル」（日本周産期・新生児医学会／日本輸血・細胞治療学会監修，2018 年）を参照されたい[22]．適応は 18 ～ 35 週の重症胎児貧血とされている．対象疾患では，母児間輸血症候群やパルボウイルス B19 感染に比べ，双胎貧血多血症，サイトメガロウイルス感染，胎児腫瘍などでは十分なエビデンスがない．臍帯静脈穿刺には超音波断層法ガイド下に母体経腹的に 20 ～ 25G の PTC 針を用いて行う．血液製剤は，成人血の O 型 RhD（－）を用いる．安全な胎児輸血を行うためには，穿刺手技だけではなく，適切な適応の評価，血液製剤の選択，適切な輸血量・輸血速度，麻酔の選択についても理解が必要である．

引用・参考文献

1) Nicolaides KH. et al. Fetal haemoglobin measurement in the assessment of red cell isoimmunisation. Lancet. 1(8594), 1988, 1073-75.
2) Mari G. et al. Noninvasive diagnosis by Doppler ultrasonography of fetal anemia due to maternal red-cell alloimmunization. Collaborative group for Doppler Assessment of the blood velocity in anemic fetuses. N Engl J Med. 342(1), 2000, 9-14.
3) Nicolini U. et al. Fetal blood sampling from the intrahepatic vein : analysis of safety and clinical experience with 214 procedures. Obstet Gynecol. 1990, 76(1), 47-53.
4) Lindenburg IT. et al. Long-term neurodevelopmental outcome after intrauterine transfusion for hemolytic disease of the fetus/newborn : the LOTUS study. Am J Obstet Gynecol. 206(2), 2012, 141.e1-8.
5) Moise KJ. Jr. et al. Management and prevention of red cell alloimmunization in pregnancy : a systematic review. Obstet Gynecol. 120(5), 2012, 1132-39.
6) Bhide A. et al. ISUOG practice guidelines : use of Doppler ultrasonography in obstetrics. Ultrasound Obstet Gynecol. 41(2), 2013, 233-39.
7) Farashi S. et al. Molecular basis of α -thalassemia. Blood Cells Mol Dis. 70, 2018, 43-53.
8) 山城安啓ほか．日本におけるヘモグロビン異常症：その特徴と諸外国との比較．臨床血液．56(7)，2015，752-59.
9) Vyse AJ. et al. The burden of parvovirus B19 infection in women of childbearing age in England and Wales. Epidemiol Infect. 135(8), 2007, 1354-62.
10) Prospective study of human parvovirus (B19) infection in pregnancy. Public Health Laboratory Service Working Party on Fifth Disease. BMJ. 300(6733), 1990, 1166-70.
11) Bonvicini F. et al. Gestational and fetal outcomes in B19 maternal infection : a problem of diagnosis. J Clin Microbiol. 49(10), 2011, 3514-18.
12) Enders, M. et al. Fetal morbidity and mortality after acute human parvovirus B19 infection in pregnancy : prospective evaluation of 1018 cases. Prenat Diagn. 24(7), 2004, 513-18.
13) Yamada H. et al. Nationwide survey of mother-to-child infections in Japan. J Infect Chemother. 21(3), 2015, 161-4.
14) Sebring ES. et al. Fetomaternal hemorrhage : incidence, risk factors, time of occurrence, and clinical effects. Transfusion. 30(4), 1990, 344-57.
15) Kecskes Z. Large fetomaternal hemorrhage : clinical presentation and outcome. J Matern Fetal Neonatal Med. 13(2), 2003, 128-32.
16) Rubod C. et al. Long-term prognosis for infants after massive fetomaternal hemorrhage. Obstet Gynecol. 110(2 Pt 1), 2007, 256-60.
17) Wylie BJ. et al. Fetomaternal hemorrhage. Obstet Gynecol. 115(5), 2010, 1039-51.
18) 日本医療機能評価機構編．第 6 回産科医療補償制度 再発防止に関する報告書．東京，日本医療機能評価機構，2016.
19) Rubod C. et al. Long-term prognosis for infants after massive fetomaternal hemorrhage. Obstet Gynecol. 110(2 Pt 1), 2007, 256-60.
20) Rubod C. et al. Successful in utero treatment of chronic and massive fetomaternal hemorrhage with fetal hydrops. Fetal Diagn Ther. 21(5), 2006, 410-3.
21) Modanlou HD. et al. Sinusoidal fetal heart rate pattern: its definition and clinical significance. Am J Obstet Gynecol. 142(8), 1982, 1033-8.
22) 小澤克典．胎児輸血実施マニュアル．Jpn J Obstet Gynecol Neonatal Hematol．27(2)，2018，97-100.

久留米大学 ● 横峯正人 ● 吉里俊幸

胎児水腫

概念・定義・分類

胎児水腫は，胎児の皮下浮腫，胸・腹水ならびに心嚢液貯留を主徴とする症候群の総称である．母児間血液型不適合妊娠に起因する免疫性胎児水腫（immunologic hydrops fetalis；IHF）と，それ以外の原因による非免疫性胎児水腫（non-immunologic hydrops fetalis；NIHF）に大別される．胎児水腫と腔水症はしばしば混同される名称であるが，前者は皮下浮腫に腔水症を伴う状態であり，一方，後者は体腔への水分貯留を来した状態に対する症候名として区別される．現在では，胎児水腫の呼称は皮下浮腫，胸水，腹水，心嚢液のうち２つ以上を有する場合に用いられることが多い[1]．

従来，本症の大部分はIHFであったが，わが国のRh陰性妊婦が0.5%と低率であり，加えて抗Rh（D）ヒト免疫グロブリンの投与による感作予防法が確立したことからIHFの頻度は低下し，現在，大部分はNIHFである．NIHFの頻度は3,000～4,000分娩に１例と報告されている．

病因・病態

IHFは，母児間血液型不適合妊娠によって招来される胎児溶血性貧血の極型であり，最も頻度が高いものはRh（D）型不適合である．その他にRh（E）型，Rh（C）型不適合が知られているが，Rh（D）型に比較してこれらの抗原活性は低い．IHFは，胎児赤血球に対するIgG抗体が胎盤を通過して胎児に溶血性貧血を惹起し，胎児肝における髄外造血の亢進と門脈圧・臍静脈圧の上昇，胎盤浮腫に基づく物質輸送能の障害ならびに肝におけるアルブミン産生能の低下が重畳して生じる．

一方，母児間血液型不適合によらないNIHFの背景疾患は多岐にわたる（**表1**）[2]．背景疾患と原因とは必ずしも一致しないことに注意すべきである．例えば，胎児不整脈を背景疾患とした胎児頻脈が心不全を招来し，胎児水腫を発症する機序は容易に因果関係を理解しやすい．しかしながら，21トリソミーを有する児が腔水症を発症しても，染色体異常が直接，原因疾患とはいいがたい．NIHFの診断，治療に関しては，おのおのの症例に見出された背景疾患と，本症発生に関わる病態形成機序を整理しながら対処することが重要である．一般的に，胎児水腫の主な病態として，血管内静水圧の上昇あるいは血漿膠質浸透圧の低下，諸種の原因によって血管透過性の亢進（血管壁の破綻を含む），あるいはリンパ還流障害によるリンパ液の漏出などが挙げられる．

1）**膠質浸透圧の低下**（貧血あるいは低蛋白血症）：ヒトパルボウイルスB-19感染症，嚢状リンパ管腫，乳び胸腹水，肝疾患，母児間輸血症候群，胎児出血など．

2）**静脈系静水圧の上昇**（高心拍出性心不全，うっ血性心不全を含む）：胎児不整脈，双胎間輸血症候群（TTTS），先天性肺気道奇形（CPAM），肺分画症，肺リンパ管症，胸水症（乳び胸を含む），高度の流入路・流出路狭窄，あるいは弁逆流を来す心形態異常，心筋疾患，動静脈奇形，奇形腫，血管腫など．

3）**血管透過性の亢進**：腫瘍性病変，肺分画症，胎便性腹膜炎，炎症性疾患（TORCH症候群を含む）など．

4）**リンパ還流障害**：嚢状リンパ管腫，乳び胸腹水．

参考　『産婦人科診療ガイドライン：産科編2020』CQ008-1 Rh（D）陰性妊婦の取り扱いは？
CQ008-2 抗Rh（D）抗体以外の不規則抗体が発見された場合は？
CQ614 パルボウイルスB19感染症（伝染性紅斑，リンゴ病）の診断と管理は？

表 1 ● 非免疫性胎児水腫の原因あるいは関連疾患 [2)]

胎児形態異常

1. **頭蓋内**
 頭蓋内出血，ガレン静脈瘤，脳腫瘍
2. **胸　部**
 1）心　臓
  心房中隔欠損，完全房室ブロックおよび isomerism を伴う心房・心室中隔欠損，三尖弁異形成（Ebstein 奇形を含む），右室流出路異常（PS，PA，動脈管早期閉鎖），心内膜線維弾性症，肺動脈欠損，総動脈幹遺残，卵円孔早期閉鎖，左室流出路異常（大動脈弁狭窄，大動脈閉鎖），心臓腫瘍，心筋症，心筋炎，心筋梗塞，不整脈，頻脈性（上室性頻拍，心房粗動，心室性頻拍），徐脈性（完全房室ブロック），特発性動脈石灰化
 2）肺・縦隔
  乳び胸水，特発性胸水，先天性肺気道奇形（CPAM），肺分画症，喉頭閉鎖，縦隔腫瘍，横隔膜ヘルニア，肺リンパ管症
3. **消化管**
 横隔膜ヘルニア，胎便性腹膜炎，腸穿孔，肝疾患（肝炎，肝線維症，肝硬変），卵巣嚢腫（捻転）
4. **腎**
 ネフローゼ症候群，膀胱破裂（尿道閉鎖），多嚢胞腎，腎静脈血栓
5. **腫　瘍**
 奇形腫，神経芽腫，肝芽腫，過誤腫，腎芽腫
6. **血管性**
 動静脈奇形（血管腫，血管腫症を含む），下大静脈血栓，腎静脈血栓

全身疾患

1. **血液疾患（胎児貧血）**
 無効造血（溶血・異常ヘモグロビン）
  α-サラセミア，酵素異常，赤血球膜異常，Kasabach-Merritt 症候群，母児間輸血症候群，胎児出血，双胎間輸血症候群
 赤血球産生低下
  骨髄増殖性疾患，白血病，ヒトパルボウイルス B-19 感染
2. **感染症**
 ヒトパルボウイルス B-19 感染，サイトメガロウイルス，トキソプラスマ，単純ヘルペスウイルス，アデノウイルス，コクサッキーウイルス，水痘ウイルス，A 型肝炎ウイルス，風疹ウイルス，リステリア，Chagas 病，レプトスピラ
3. **骨系統疾患**
 軟骨無形成症（Ⅰ型，Ⅱ型），軟骨形成不全Ⅱ型，タナトフォリック骨異形成症，その他
4. **代謝性疾患**
 糖原病，ムコ多糖症，胎児甲状腺機能低下症，胎児甲状腺機能亢進症
5. **症候群**
 常染色体優性遺伝
  Opitz-Fruias 症候群，筋緊張性ジストロフィー，Cornelia de Lange 症候群，Noonan 症候群，結節性硬化症
 常染色体劣性遺伝
  Pena-Shokeir 症候群，多脾症候群，Mohr 症候群，Neu-Laxova 症候群，頸部嚢状リンパ管腫，Hypophosphatasia
 Klippel-Feil-Trenaunay 症候群
 Beckwith-Wiedemann 症候群
6. **染色体異常**
 21 トリソミー，18 トリソミー，13 トリソミー，Turner 症候群，15 トリソミー，16 トリソミー，Triploidy，Tetraploidy，その他
7. **胎盤・臍帯異常**
 血管腫，絨毛膜下血腫，胎盤血管炎，絨毛内静脈血栓，臍帯動・静脈血栓，臍帯血管粘液腫，臍帯動脈瘤，臍帯過捻転

＊赤字は，罹患した胎児に胎児水腫を発生する頻度が高いと報告されているもの

診　断

▶ 胎児水腫の診断

胎児水腫の診断は，胎児超音波検査を用いて皮下浮腫および腔水症（胸水，腹水，心嚢液）をとらえることによる．

1）皮下浮腫

診断は頭部と胸壁で容易であり，皮下の厚さが 5mm 以上の場合に浮腫と診断する．頭部では，頭蓋骨と頭皮の離開によって，頭部輪郭が double ring（二重輪郭）として描出される．皮下浮腫が著明な症例では，頭蓋骨周囲に halo（暈輪）や顔面が Buddha-face を呈することもある．胸壁では，肋骨と表皮の間隔が広がり，二重輪郭像として認められる．

2）胸　水

胸壁を描写した断面で肺と胸壁，あるいは横隔膜の間にエコーフリースペースが認められれば，胸水と診断する．胸水が増加した症例では，肺が心拍動に一致して胸腔内で振動している像が観察される．

3) 腹　水

腹壁と腹腔内臓器との間にエコーフリースペースがあれば腹水と診断する．腹水の貯留が 30mL を超えると超音波画像上の腹腔内容のコントラストが増強し，60mL 以上では腹水の貯留が明確に観察されるという．

4) 心嚢液

心四腔断面において，心周囲のエコーフリースペースを心嚢液と診断する．心外膜と臓側胸膜との距離が 2mm 以上ある場合，心嚢液と診断することができる[3]．

▶ 背景・原因疾患の診断

【免疫性胎児水腫：IHF】

IHF では重症貧血の可能性が高いものの，超音波所見と実際の胎児 Hb 値との相関が低いことがわかっている．したがって，診断にあたっては実際の胎児 Hb 値を間接的ないしは直接的に求める必要がある[4～6]．詳細は（第 3 章Ⅵ-1）「胎児貧血」参照（p.389）．

【非免疫性胎児水腫：NIHF】

NIHF の原因は多岐にわたるので，病因・病態診断を的確に行うことが重要である．検査は，原則として胎児に対する侵襲度の少ないものから行う．はじめに母体の血液型（ABO，Rh など）および不規則抗体の有無から免疫性胎児水腫であるか否かを診断する．次いで，本症の関連疾患の検索を行う（**表 2**）[2]．主な原因疾患の診断点は次のとおりである．

1) 胎児不整脈

M モード法またはパルスドプラ法を用いて不整脈の種類を診断する．頻拍性では上室性頻拍，心房粗動あるいは心室性頻拍，徐脈性では完全房室ブロックの報告が多い．

2) 双胎間輸血症候群（TTTS）

一絨毛膜双胎で羊水量に差を認めれば，本症を疑う．羊水過多（最大羊水深度≧8cm）かつ羊水過少（≦2 cm）を同時に認めれば本症と診断する．羊水過多・過少を認めなくとも，両児の循環指標の観察により受血児および供血児の所見が得られれば本症を強く疑う．

3) 先天性肺気道奇形（CPAM）

胸腔内の嚢胞性ないし充実性占拠性病変および胸腔内臓器の偏位から本症を疑う．鑑別診断として肺分画症および横隔膜ヘルニアがあり，前者は分枝栄養血管の存在（大動脈起始が多い），後者は腹部臓器との連続性を観察する必要がある．

4) 心形態異常，心筋疾患

B モードによる心構築異常および M モードによる心収縮能の変化をとらえる．

5) 嚢状リンパ管腫

後頸部に対称性嚢胞像を形成する．

6) 乳び胸水・腹水

胸水貯留に左右差があることが少なくない．子宮内での確定診断は困難であるが，胸・腹水成分中のリンパ球が 80%以上であれば本症と診断されるという．

表 2 ● 非免疫性胎児水腫に対する診断的アプローチ[2]

既往歴
- 既往疾患（貧血，感染，糖尿病，膠原病），近親婚，家族歴，妊娠・分娩歴（胎児水腫既往，流・早・死産の有無）

母体検査
- 血液型，間接クームス試験，末梢血分析（Kleihauer-Betke 染色，HbF 分画），TORCH スクリーニング

胎児検査
- 超音波検査
  - B モード，M モード心エコー，ドプラ血流診断（カラードプラ，パルスドプラ：動脈系，静脈系）
  - 胎児心拍数陣痛図（健常性，不整脈〈頻脈・徐脈〉）
- 羊水検査
  - 胎児染色体，α-フェトプロテイン，TORCH に対する抗原性（PCR 法）
  - 必要に応じて胎児細胞培養，酵素活性検査
- 胎児血採取
  - 血液型，血球数（網赤血球数，血球スメア，白血球分画），直接クームス試験，アルブミン濃度，肝機能検査，抗原特異的 IgM，IgA（PCR 法）
  - その他（適応のあるとき）：赤血球電気泳動，浸透圧測定，酵素活性測定
- 絨毛採取
  - 胎児染色体
  - その他（適応のあるとき）：細胞形態診断（糖原病，ムコ多糖症など），細胞成分分析，酵素活性測定

7) 胎便性腹膜炎

腹腔内石灰化所見あるいは腸管拡張像を随伴することが多く，経時的に腹水の量やエコー輝度が変化してくることが多い．胎児腹水穿刺により採取した腔水中に胎便成分が検出されれば本症と確定診断される．

8) 遺伝子異常

NIHF の背景疾患として代謝異常，サラセミア，骨系統疾患，神経疾患，心筋症，ネフローゼ症候群，ミトコンドリア病関連疾患などの単一遺伝子異常が数多く報告されている[7]．

9) 感染症

- ヒトパルボウイルス B-19：妊娠中期以前の胎児へのウイルス感染により，造血幹細胞の障害による急性赤血球産生障害（aplastic crisis）および心筋障害を来す．ヒトパルボウイルス B-19 感染を疑った場合には，まず母体 PB-19-IgM 測定を行い，陽性の場合に PCR 法などにより羊水中あるいは胎児血中 PB-19-DNA を証明する[8]．
- その他の感染症：ヒトパルボウイルス B-19 以外にも風疹，サイトメガロウイルス，水痘，コクサッキーウイルスなど数多く報告されている[8]．病歴および胎児超音波所見によって本症を疑い，血清学的検査（IgM，IgG）あるいは PCR 法を用いた DNA 診断により確定するが，出生前の診断は困難なことも少なくない．

管　理

▶胎児管理・胎児治療

IHF，NIHF ともに，妊娠週数および胎児健常性の良否からみて胎外管理可能であれば新生児治療を，一方，児が未熟な場合や胎児治療可能な施設であれば胎児治療による病態改善後の娩出を計画する．胎児が胎外生活可能な状態に達したとき，胎児治療の効果が認められないとき，あるいは胎児健常性の悪化が疑われたときには新生児治療に切り替える．

胎児治療は実験的治療の側面があるので，原則として入院管理のうえで母体・胎児の集中監視下に行われることが望ましい．以下，主な背景疾患別に胎児管理のポイントを列記する．

1) 胎児貧血に対する胎児輸血

穿刺術によって胎児に O 型 Rh 陰性の濃厚赤血球を輸血し，貧血の改善をはかる方法で，有効性は確立している．Nicolaides らは胎児輸血の適応を，個々の妊娠週数における正常胎児の Hb の平均値より 2g/dL 以上低下した場合としている[9]．輸血部位については，胎児の腹腔および血管の 2 つの方法があるが，後者が用いられることが多い．

2) ヒトパルボウイルス B-19 感染症

臍帯血管内輸血によって急性期の貧血性低酸素症を一時的に乗り切る治療が企図される．一方で，本症による NIHF は胎児貧血とともに心筋障害に起因するため，予後はこれらの病態の推移に依存する．治療が奏功して胎児水腫が改善されれば，子宮内管理を続けた後に通常の分娩が可能である[8]．

3) 頻脈性不整脈

経胎盤的薬物治療の適応となり，胎盤通過性が良好なジギタリスが第一選択薬として使用される．ジギタリス単剤の治療で 45 ～ 52%の症例が正常脈拍数へと改善される一方で，胎児水腫合併例は本症を認めない症例と比較して治療効果が下がることも報告されている. ジギタリスの無効例に対してソタロール塩酸塩，フレカイニド酢酸塩，ベラパミル塩酸塩を用いて良好な結果が得られたとする報告もある．

4) 完全房室ブロック

心形態異常を認めず，完全房室ブロックが単独に存在している症例（約 50%）では, 母体の自己抗体（抗 SS-A 抗体，抗 SS-B 抗体など）が本症の発症と関連している．移行抗体による胎児心筋障害を予防する目的で，母体へのステロイドや γ - グロブリンの投与，血漿交換による治療が試みられる．経胎盤的にリトドリン塩酸塩などの β 刺激薬を投与して胎児心拍数の増加をはかった報告もあるが，本症発症後の有効性が確立されている治療法はない．現在，胎児水腫が認められる徐脈性不整脈に対しては，第一に新生児治療への移行を検討すべきである．

5) 双胎間輸血症候群（TTTS）

羊水除去，両児間卵膜切開および血管吻合遮断術の 3 種類の方法がある．詳細は第 3 章V-2「双胎間輸血症候群（TTTS)」の項を参照されたい (p.377)．

6) CPAM

胎児治療の適応と考えられ，単房性嚢胞例に対する超音波ガイド下嚢胞穿刺，嚢胞－羊水腔シャント術および open surgery による子宮内肺葉切除術などが報告されている．嚢胞穿刺による嚢胞液除去のみで症候が改善したとの報告もあるため，現在ではまず嚢胞穿刺を試み，無効な症例では嚢胞－羊水腔シャント術を試みるという手順が一般的である[9]．

7）乳び胸，特発性胸水症

肺の発育・成熟を確保する目的で，超音波ガイド下に胸腔穿刺を施行して胸水除去を反復する方法，あるいは胸腔－羊水腔間に専用カテーテル（ダブルピッグテールカテーテルあるいはダブルバスケットカテーテル）を設置する胎児治療法が報告されている．本治療法は，肺拡充のスペースを保つことによって肺低形成を予防するのみならず，胸腔内圧を減少させて静脈還流量および心拍出量の増加をもたらすことにより，循環不全を改善する効果を有すると報告されている．

▶ 児娩出のタイミング

出生直後から高度かつ集中的に循環管理を行う必要があることを念頭においたうえで，新生児科の管理レベルと児の健常性の双方を考えて娩出時期を決定する．通常，次のような所見が認められた場合には娩出の適応となる．

1）超音波断層像における腔水症の悪化

胎児治療中あるいは自然経過中に腔水症の程度が増悪してきた場合．

2）胎児健常性の悪化

胎児心拍数陣痛図上，non-reassuring fetal status と判断される場合．特に，いったん reactive pattern を呈した胎児が本所見を有するようになった場合には新生児治療への移行を考慮すべきである．

3）胎児循環動態の悪化

ドプラ血流計測における臍帯動脈血流波形の拡張期途絶・逆流，M モード心エコー法における胎児心収縮能の低下あるいは胎児尿産生率の低下が認められる場合は，胎児循環動態の悪化を疑う．また，羊水過少・羊水過多が進行性に増悪する場合も，循環動態の悪化を間接的に示す所見として留意すべきである．

4）胎児貧血の増悪

胎児 Hb 値を間接的に評価する指標として，胎児中大脳動脈における最高血流速度（MCA-PSV）の測定が有用である[10]．経過観察中に臍帯穿刺によって直接的に，あるいは MCA-PSV 値から間接的に貧血の増悪が認められると判断される場合には新生児治療の適応となる．

上述の増悪所見が明らかでなく，子宮内で妊娠継続が可能と判断される場合には，新生児治療の安全性の面から可及的に妊娠を継続し，新生児科の管理レベルに合わせて分娩時期を決定する．TTTS，CCAM などの外科系疾患では，新生児期心不全の治療成績あるいは新生児外科手術の可否からみた娩出時期を考慮する必要があるため，新生児科の管理レベルあるいは周術期の呼吸･循環管理のみならず新生児外科手技も含め，症例に即して慎重に考慮する必要がある．

引用・参考文献

1） Skoll MA. et al. Is the ultrasound definition of fluid collections in non-immune hydrops fetalis helpful in defining the underlying cause or predicting outcome?. Ultrasound Obstet Gynecol. 1(5), 1991, 309-12.
2） Gembruch U. et al. "The fetus with nonimmune hydrops fetalis". The Unborn Patient. 3rd ed. MR Harrison, ed. Philadelphia, WB Saunders, 2001, 525-82.
3） Shenker L. et al. Fetal pericardial effusion. Am. J Obstet Gynecol. 160(6), 1989, 1505-7.
4） Liley AW. Intrauterine transfusion of foetus in haemolytic disease. Br Med J. 2(5365), 1963, 1107-9.
5） Mari G. et al. Noninvasive diagnosis by Doppler ultrasonography of fetal anemia due to maternal red-cell alloimmunization. Collaborative Group for Doppler assessment of the blood velocity in anemic fetuses. N Engl J Med. 342(1), 2000, 9-14.
6） Moise KJ. Jr. Management of rhesus alloimmunization in pregnancy. Obstet Gynecol 100 (3), 2002, 600-11.
7） Bellini C. et al. Etiology of non-immune hydrops fetalis : an update. Am J Med Genet. 167A (5), 2015, 1082-8.
8） Ornoy A, Ergaz Z. Parvovirus B19 infection during pregnancy and risks to the fetus. Birth Defects Res. 109(5), 2017, 311-23.
9） Nicolaides KH. et al. Fetal haemoglobin measurement in the assessment of red cell isoimmunization. Lancet. 1(8594), 1988, 1073-5.
10）Society for Maternal-Fetal Medicine (SMFM) . et al. Society for maternal-fetal medicine (SMFM) clinical guideline #8 : the fetus at risk for anemia : diagnosis and management. Am J Obstet Gynecol. 212(6), 2015, 697-710.

大分県立病院 ● 佐藤昌司

胎児治療—FLP，TAS，RFA，胎児輸血，FETO—

わが国における胎児治療[1]の現状について，その適応，手術手技の実際，術後管理の留意点などについて述べる（表1）．病態，治療成績などは別項，論文などを参照されたい．

表1 ● 主な胎児治療の適応，治療の実際，保険収載などの概要

疾患	治療の適応	治療の実際　デバイス	麻酔	保険収載	clinical tips
TTTS	MD双胎であること，MVP 2/8cm 妊娠26週～27週6日，MVP 2cm以下/10cm以上	FLP 3.8mmトロッカー，2mm径のfetoscope，0.6μミリのレーザー（YAG, Diode）	局所麻酔，硬膜外麻酔，腰椎麻酔，またフェンタニルの経母体投与も考慮される．	K910-2 内視鏡的胎盤吻合血管レーザー焼灼術 40,000点，2012年	ソロモン法，半導体レーザーの導入，治療を成功する鍵は早産管理（頸管長，妊娠初期の出血など対処，縫縮術などペッサリーの応用，RCT中）
selective IUGR	「小さい胎児の推定体重が－1.5 SD以下」あるいは「両児間の推定体重差が25%以上」の一絨毛膜双胎で，小さい胎児が臍帯動脈血流異常（途絶・逆流）と羊水過少（羊水深度2cm以下）の両方を伴うもの，妊娠16～26週未満				
胎児胸水	原発性が疑われる胎児大量胸水 胸腔穿刺後再貯留が1週間以内に大量	胎児胸腔穿刺（PTC針など） 胸腔—羊水腔シャント（八光）シャントチューブは外径が1.47mm，プッシャーなど外筒径が1.68mm（世界最細）	母体ジアゼパム内服，局所麻酔，硬膜外麻酔，腰椎麻酔など考慮する．胎児の無動化のためにベクロニウムを胎児筋注することがある．	なし K910-3 胎児胸腔・羊水腔シャント術（一連につき）11,880点，2012年	胎児循環虚脱例は予後不良，早期娩出が必要，臍静脈血流量（UVFV）が鍵を握る．リンパ疾患の遺伝子異常などの解析が今後の病態分類に貢献するかもしれない．
無心体 TRAPシークエンス	適応基準 (1)妊娠15週0日～27週6日である． (2)無心体双胎である． (3)無心体への逆行性臍帯動脈血流を認める． (4)無心体とポンプ児の腹部周囲長（AC：abdominal circumference）の比（無心体AC／ポンプ児AC）が1.0以上である．	RFA 17G針；RFAニードル（1.3mm）	局所麻酔	K910-4 無心体双胎焼灼術 40,000点（ラジオ波），2019年	pump児の形態学的スクリーニングが重要．あくまでfetocideではないことを事前に確認した上で治療選択する必要がある．分娩時も含めて精神的なサポートが必要
胎児輸血	胎児貧血がMCA-PSVの高値の場合で，臍帯穿刺により確定された場合	エコーガイド下に23G PTC針などで臍帯穿刺を行い，臍帯血管内に針を刺入．胎児治療の手技ではTASと並び難易度が高い．	母体には穿刺針のみでは通常麻酔は不要であるが，必要時には，局所麻酔，硬膜外麻酔，腰椎麻酔など追加考慮する．胎児の無動化のためにベクロニウムを投与することがある．	K910-5 胎児輸血術（一連につき）13,880点，2020年	
CDHに対するFETO	RCTの登録基準 o/e LHR25%未満で高度肺低形成を伴っている妊娠27週から29週5日以下の胎児左横隔膜ヘルニア	胎児鏡を挿入し，エコーガイド下で胎児気管挿管を行い，気道閉塞用のバルーンを留置する．出産前に抜去が必要．	母体麻酔および胎児筋注による無動化（パンクロニウム，アトロピン，フェンタニル）	臨床研究，多施設無作為比較試験　施行中，TOTAL trial	

1. FLP（胎児鏡下胎盤吻合血管レーザー凝固術）

適　応

FLP（fetoscopic laser photocoagulation）は双胎間輸血症候群（twin-twin transfusion syndrome；TTTS）の診断に至ったMD双胎に対して行われる．基準としては，① MD双胎であることが初期に確認されていること，② MVP（羊水最大深度）8cm以上の羊水過多，2cm以下の羊水過少を同時に満たしていることが必須である．妊娠16週から26週未満は過多の基準が8cm以上，26～28週未満では10cm以上を適応としている．

selective IUGR (intrauterine growth restriction) の場合には「小さい胎児の推定体重が－1.5SD 以下」あるいは「両児間の推定体重差が 25%以上」の一絨毛膜双胎で，小さい胎児が臍帯動脈血流異常（途絶・逆流）と羊水過少（MVP 2cm 以下）の両方を伴うもので妊娠 16 ～ 26 週未満を適応としている．

手術の実際

局所麻酔に加え，フェンタニルなどの投与，もしくは腰椎麻酔，硬膜外麻酔などを用いて麻酔を行う．皮膚に 1cm 以下の切開を加え，3.8mm のシース付きのトロッカーで子宮穿刺を行う（図 1[1]）．羊水腔に到達したら内筒を抜いたのちに 0.6μm のレーザーを伴った胎児鏡を挿入する．胎盤の血管吻合を直径 2mm の胎児鏡で観察したのちに，選択的に吻合血管を凝固する．近年では遺残の予防のために，最後にすべての凝固ポイントを結んで端から端まで凝固を加えるソロモン法を併用するようになってきた．このことで術後の再発，双胎貧血多血症（twin anemia polycythemia sequence；TAPS）の発症例が減少してきているが，長期的には術後の常位胎盤早期剝離の発症に注意が要ると考えられている．凝固後，羊水除去を行い手術終了となる．selective IUGR[2] の場合には羊水過多がないため，事前に人工羊水注入を行うことが多い．

術後管理の実際

術後は羊水量，胎児の循環評価を頻回に行う．UA PI，MCA-PSV，MCA-PI，DV，UV，PLI，CTAR，TR の有無，MR の有無など観察するとよい．また破水，頸管長短縮など切迫早産にも注意が要る．

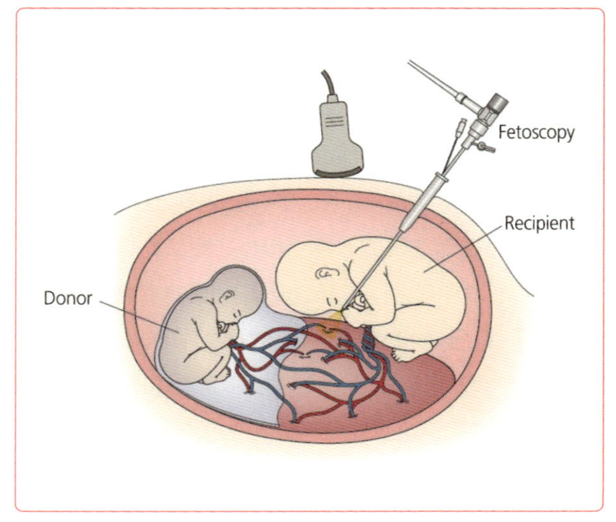

図 1 ● TTTS に対する FLP

A schematic representation of fetoscopic laser surgery for twin-twin transfusion syndrome. A fetoscope is percutaneously inserted into the recipient sac through a cannula. Placental vascular anastomoses between twins are ablated by a laser.

（文献 1 より抜粋）

Clinical Tips

一定の治療成績が得られるようになってきた FLP[1] であるが，今でも早産関連での予後不良例が存在する．妊娠初期からの出血症例では絨毛膜羊膜炎（chorioamnionitis；CAM）を来している場合が多く，穿刺手技により破水，早産の進行をみる場合がある．FLP になる可能性が 5 ～ 10%はあることを念頭において，初期の頸管炎などがないか慎重な管理が必要である．さらなる予後改善のためには確実な初期の膜性診断，形態学評価に引き続き，切迫流早産に対する丁寧な観察が必要である．

2. 胎児胸腔─羊水腔シャント術（TAS）

適　応

原発性胎児胸水の場合で，確定診断は初回穿刺によりリンパ球（乳糜胸）の割合が高い場合になされる．一般に 1 週間以内の再貯留が認められる場合には貯留のスピードが早く TAS（thoraco-amniotic shunt）の適応となる[3, 4]．初回穿刺のみで胸水の再貯留が認められなくなる場合には追加治療は必要ない．

手術の実際

胎児の心臓や肺，縦隔，肝臓などが近接しているため手術手技に慣れていないと危険を伴う．日本胎児治療学会とシャントチューブのメーカーである八光により，施設基準，術者の基準遵守が勧められており[5)]，安全な治療遂行に貢献している．

適切な局所麻酔や母体鎮静，胎児麻酔を行う．イントロデューサーの穿刺が成功したらシャントチューブを挿入していく（図 2）．エコーで胸腔内のバスケットが開放することを確認する．ねじを緩めてスタイレットを少しだけ引き，「ぷつん」という感覚を確認し，最終的にスタイレットを約 15mm 程度引く．このときに，胸腔内のバスケットが抜けないように全体の位置に十分気をつける必要がある．プッシャー（シャントチューブが外に抜けないように固定する役目），スタイレットが引けないように，外筒を丁寧に引いてくると，外側の羊水腔でのバスケットが開く[5)]．

術後管理の実際

治療が成功すると胎児胸水は消失し，2～3 日で皮下浮腫が減少傾向に転じてくる．しかし排出量が多い症例では，胸水量，皮下浮腫共に現状維持となっているケースもあるが，必ずしも効果がないわけではないので慎重な判断が必要となる．血流評価，切迫早産など術後は最低 1 週間程度は集中的な観察が必要であると考えられる．胸水の排出が多い場合，羊水過多症の進行を認めることがある．必ずしも病態が悪化しているからとは言い切れず，母体症状がある場合には，羊水除去術を行う．

Clinical Tips

当院では「胎児循環虚脱」と考えられる病態を研究している[5)]．preliminary ではあるが臍帯静脈血流量（umbilical venous blood flow；UVFV）に注目し，著明に低下すると予後不良であることがわかってきている（50mL/min/kg と仮に設定；約 2.5 パーセンタイルの相当）．皮下浮腫はどんどん軽減し効果が一見出ているように見られるが，臍帯動脈血流は途絶して，収縮期血流量が非常に低下してくることから，右心系の流入の低下に伴い，心拍出量も低下している可能性を推測している．胸水の流出により循環血漿量が失われて心臓が動かなくなりつつある（循環虚脱）病態を推測している．娩出しても NICU での長期間にわたる集中治療が必要となる重症例で救命に至らない症例もある．術後に UVFV の低下を認めるようであれば，この病態に注意しながら胎児治療の限界と考え，早期娩出を考慮する必要がある．

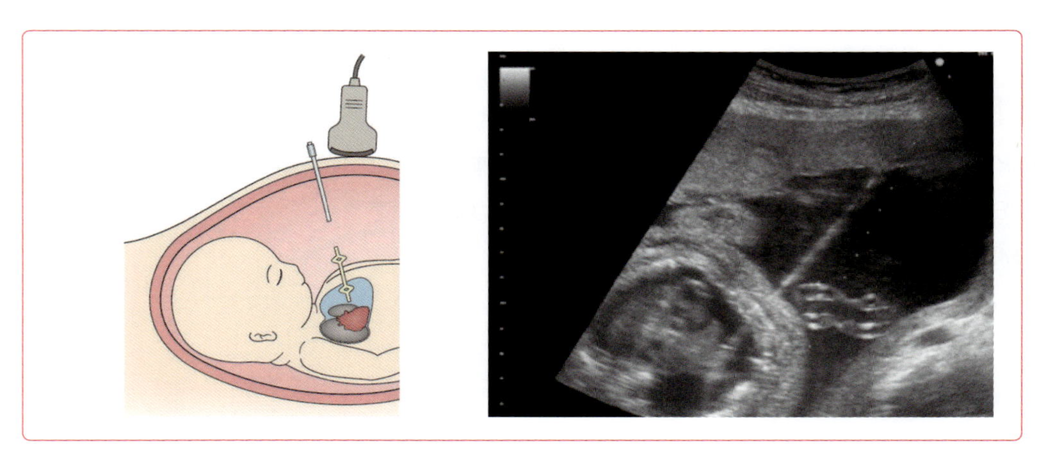

図 2 ● TAS の模式図（左），シャント留置時の超音波 B-mode 画像（右）
A schematic representation of thoracoamniotic shunting for fetal hydrothorax. A double-basket catheter is placed in the chest to drain the pleural effusion into the amniotic fluid.
（左図：文献 1 より抜粋）

3. TRAP シークエンスに対する RFA（ラジオ波無心体双胎焼灼術）

適　応

①妊娠 15 週 0 日～ 27 週 6 日である.
②無心体双胎である.
③無心体への逆行性臍帯動脈血流を認める（すなわち TRAP〔twin reversed arterial perfusion sequence〕シークエンスであること）.
④無心体とポンプ児の腹部周囲長（AC：abdominal circumference）の比（無心体 AC/ ポンプ児 AC）が 1.0 以上である.

もともと妊娠 16 週未満は穿刺により破水などが起こるリスクが高いと考えられている. しかし近年, 治療待ちの早期の TRAP シークエンスで健児（pump twin）の死亡例が多く存在していることがわかってきたため, わが国[6, 7]でも妊娠 15 週に早めての適応設定となった. これらの早期症例では, 羊膜の接着を十分観察しながら治療のタイミングを計っていく必要がある.

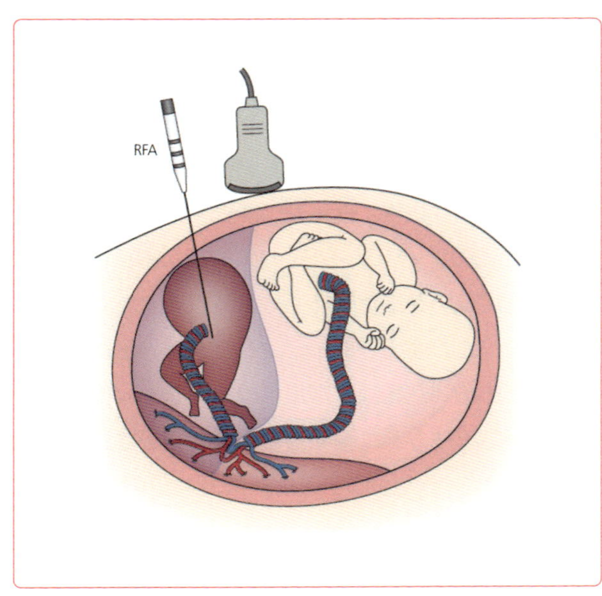

図 3 ● RFA の全体像のシェーマ
A schematic representation of radiofrequency ablation (RFA) for twin reversed arterial perfusion sequence. A needle electrode is inserted into the acardiac twin to coagulate the body part, and then the blood flow is discontinued.
（文献 1 より抜粋）

手術の実際

RFA のニードルは 1.3mm 径のものを用いる. 現在は内科領域では肝臓癌の治療にも用いられている. 局所麻酔下にエコーガイド下に穿刺を行う. 先端が無心体の骨盤付近に進むように運針し, 栄養血管（健児からの逆行性動脈〔reversal artery〕および健児への逆行性静脈）を焼灼する（図 3）. 両方の血管を同時に凝固しないと健児の循環を安定して維持できず, 胎児死亡の原因となる. またカラードプラで血流が消失したと思っても数時間後に再開通することがあるので, 血流消失の確認は頻回の観察を経時的に行うことが重要である.

術後管理の実際

RFA 自体は比較的合併症も少なく施行できる. 血管を同時に凝固できた場合には健児の循環は安定し, 心不全徴候も改善してくる. 主な指標としては, 羊水過多, CTAR, TR および MR の有無, UA, MCA, UV, DV などを測定する. 術後数日は一過性の心負荷の増大をみるがこれは循環適応の過程を見ていると考えられる. 1 羊膜の場合には, 血流が消失して細くなった臍帯が健児の臍帯に絡みつき胎児死亡を来すことがある.

Clinical Tips

患者によっては「双胎」として母子手帳を 2 冊交付されている場合がある. しかしわが国では fetocide が認められていないため, RFA 治療を受ける場合には医学的, 社会的には双胎, という言葉は適切ではないことになる.

しかし, 妊婦の気持ちには配慮する必要がある. 2 人の赤ちゃん, というイメージを強くもたれている場合にはその気持ちを十二分に汲み取った精神的なケアが必要であろう.

4. 胎児輸血

適　応

胎児貧血は古くは超音波 B-mode 法において皮下浮腫，心嚢液，腹水貯留，心拡大などの所見から推定された．そういった症例に対して臍帯穿刺が行われ，胎児貧血が確定される．近年では胎児中大脳動脈，収縮期最高血流速度（MCA-PSV）の増加により，高率に早期の重症貧血を推定する手法が確立された[8]．しかし，胎児輸血の適切なタイミングに関する議論は未だ道半ばである．例えば，パルボウイルス感染では自然軽快例がある一方で，輸血しても救命できない最重症例も存在する．またMD双胎の一児死亡での貧血でも，軽度であれば輸血まで必要がない場合も多く存在する．あくまで，循環の悪化が認められ，救命目的とした治療が必要な場合が真の適応であると考えられる．

近年報告された「胎児輸血実施マニュアル」[9] においては，以下の疾患に対して治療効果が期待できるとしている．

①母児間血液型不適合による胎児貧血
②パルボウイルス B19 感染症
③胎児母体間輸血症候群
③αサラセミア

一方，研究段階の治療として以下を挙げている．

①一絨毛膜双胎一児死亡後の胎児貧血
②一絨毛膜双胎における TAPS
③サイトメガロウイルスなどの感染症による胎児貧血
④胎児腫瘍（仙尾部奇形腫など）

手術の実際

当院[10] では，胎児輸血が必要と判断された場合には，O 型 Rh（－）1 単位をオーダーする．胎児の麻酔に関しては施設ごとの方針があるが，当院では臍帯穿刺を行う場合には，23G PTC 針を用いて臍帯穿刺を行ったのちにベクロニウムを静脈注射する．経臍帯輸血の場合には胎動があると針先が一瞬で抜けてしまい，治療そのものがうまくいかなくなるからである．臍帯の穿刺回数を減らすために，輸血は採血結果を待たずに開始していく．同時に検体をただちに検査室に運び，ヘモグロビン，ヘマトクリット濃度の確認を行う．通常 1 ～ 2 分で結果が判明し，Kaufmann の式で計算し，最終投与量を決定する（この方法であれば理論的に 1 回の穿刺で採血，麻酔，輸血が終了する）．推定循環血液量（110mL/kg）の半量を最大投与量のリミットと設定している．胎児血かどうかの確認には MCV，MCH の高値をもって確認を行い，輸血が終了した時点で再度血液採取を行う．胎児臍帯輸血は胎児治療の中でも，針先のコントロールが最も難しく，正確な技術がないと成功しないため，日頃から超音波と針の走行を正確に描出できる技術の習得を目指す必要がある．

術後管理の実際

経過が順調であれば MCA-PSV は輸血数時間後から改善傾向を示すことが多い．疾患によりその後の病態の変化が異なることが多いので診断が重要となる．パルボウイルス感染では，ウイルス量により貧血が再燃してくることもあるので，胎児血中のウイルスタイターを測定し参考にする．MD 双胎の一児死亡の場合には，死児の胎盤領域への健児の失血による病態であるので，失血のピークは 1 回のみで再燃しない[11]．そのため，初回の輸血が成功すれば病態は改善する．また同じ MD 双胎でも TAPS の場合には，微小血管吻合が存在するため再燃してくる．仙尾部奇形腫では輸血してもどんどん失血が進むので頻回の輸血が必要になるが，胎児輸血はあくまで補助療法となる．

Clinical Tips

当院では 2019 年度で 5 例の胎児輸血を施行したが，4 例でパルボウイルス感染症，1 例は MM 双胎一児死亡後の重症貧血例であった．パルボウイルスの 1 例で貧血が改善し退院した後の突然の胎児死亡例が存在したが，他の 4 例とも現時点で救命され経過良好である．2019 年度は伝染性紅斑（りんご病）の流行年でもあった．今までも 4 ～ 5 年に一回程度の大流行があることから次回は 2023 年前後に大流行するのかもしれない．

5. 最重症胎児横隔膜ヘルニアに対するFETO

保険未収載，世界的なランダム化比較試験（RCT）が行われ有効性が証明された（TOTAL trial）．

適　応

胎児横隔膜ヘルニアの中でも左のヘルニアで，o/e LHRが小さい肺の圧迫の強い最重症例では，生存率が非常に低いため，胎児期の治療が試みられてきた．10年以上前からは胎児鏡を用いたバルーン留置による気管閉塞（胎児鏡下気管閉塞術）が試みられてきた．わが国でも国立成育医療研究センターを中心としてこの世界的な臨床治験（https://www.totaltrial.eu/）に参加し[12, 13]，2021年7月にその有効性が報告された[14]．

2001年から2008年に重度先天性横隔膜ヘルニア210例に対してFETO（fetoscopic endoluminal tracheal occlusion）が施行され，生存率は49.1%であった．それを受けてRCTが施行され，登録基準はo/e LHR 25%未満で高度肺低形成を伴っている妊娠27週から29週5日以下の胎児左横隔膜ヘルニアとされた．FETO群では40%（16/40）の生存退院が得られ，最重症群での治療効果が証明された（対照15% 6/40）．一方，早産期前期破水の割合は，FETO群47% V.S. 対照11%でrelative risk 4.5，結果早産となった割合は75% V.S. 29%でRR 2.6であった．

手術の実際

超音波ガイド下に胎児鏡を挿入していき，胎児の気管挿管を行う（図4）[12]．先端のバルーンを気管内に留置して拡張させることで，肺胞液が羊水腔に排出するのを止め，肺胞液が胸腔内圧を上げることで挙上した消化管を下方に圧排し，胎児期に肺を膨張させる．

術後管理の実際

安定した経過である場合には妊娠34週で子宮穿刺手技によりバルーンを除去して分娩に備えることになる．本手技が間に合わずに早産となった場合，生後，気道閉塞が起こった状態で出生するため，窒息を防ぐために緊急でのバルーン除去が必要となる．RCTでは施行群40例のうち1例，抜去がうまくいかずに新生児死亡，また1例は胎盤損傷にて新生児死亡となった事例が報告された[14]．

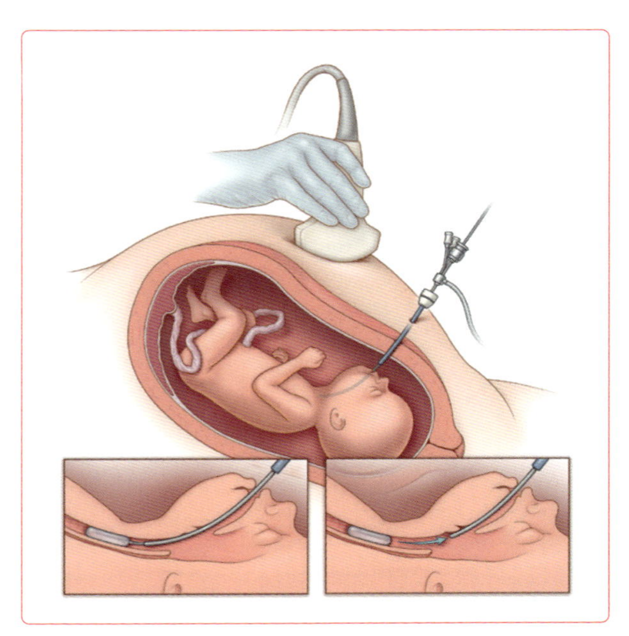

図4 ● FETOのイメージ

（文献14より抜粋）

引用・参考文献

1）Sago H. et al. Fetal therapies as standard prenatal care in Japan. Obstet Gynecol Sci. 63, 2020, 108-16.
2）Ishii K. et al. Survival Rate without Brain Abnormalities on Postnatal Ultrasonography among Monochorionic Twins after Fetoscopic Laser Photocoagulation for Selective Intrauterine Growth Restriction with Concomitant Oligohydramnios. Fetal Diagn Ther. 45, 2019, 21-7.
3）高橋雄一郎ほか．重症胎児胸水に対する胸腔：羊水腔シャント術の治療効果と安全性に関する臨床使用確認試験の概要．産婦人科の実際．61，2012，1519-25.

4) Takahashi Y. et al. Thoracoamniotic shunting for fetal pleural effusions using a double-basket shunt. Prenat Diagn. 32, 2012, 1282-7.
5) 高橋雄一郎．胎児循環不全：胎児胸水における循環不全とその評価．産婦人科の実際．65，2016，413-20.
6) Wagata M. et al. Radiofrequency Ablation with an Internally Cooled Electrode for Twin Reversed Arterial Perfusion Sequence. Fetal Diagn Ther. 40, 2016, 110-5.
7) Sugibayashi R. et al. Forty cases of twin reversed arterial perfusion sequence treated with radio frequency ablation using the multistep coagulation method: a single-center experience. Prenat Diagn. 36, 2016, 437-43.
8) Mari G. et al. Noninvasive diagnosis by Doppler ultrasonography of fetal anemia due to maternal red-cell alloimmunization. Collaborative Group for Doppler Assessment of the Blood Velocity in Anemic Fetuses. N Engl J Med. 342, 2000, 9-14.
9) 小澤克典ほか．胎児輸血実施マニュアル．日本産婦人科・新生児血液学会誌．27，2018，97-100.
10) 高橋雄一郎．胎児貧血に対する胎児治療：産科と婦人科．85，2018，90-5.
11) 高橋雄一郎．一絨毛膜双胎における胎児輸血：循環虚脱別にみた長期予後の解析．日本産婦人科・新生児血液学会誌．27，2018，87-95.
12) Van der Veeken L. et al. Fetoscopic endoluminal tracheal occlusion and reestablishment of fetal airways for congenital diaphragmatic hernia. Gynecol Surg. 15, 2018, 9.
13) Deprest J. et al. Prenatal management of the fetus with isolated congenital diaphragmatic hernia in the era of the TOTAL trial. Semin Fetal Neonatal Med. 19, 2014, 338-48.
14) Deprest JA. et al; TOTAL Trial for Severe Hypoplasia Investigators. Randomized Trial of Fetal Surgery for Severe Left Diaphragmatic Hernia. N Engl J Med. 385, 2021, 107-18.

岐阜県総合医療センター ● 高橋雄一郎

1 病的新生児の診断と初期管理

ポイント

新生児は，子宮内環境から子宮外環境への適応過程にあるため，出生時には症状がなくとも，その適応過程の中で症状が進行する場合があり，経時的な全身的評価が必要である．また，病的新生児では，症状が非特異的で，出生時には明らかな症状がなくとも，急激に病状が悪化することも経験される．病的新生児の初期管理においては，症状が顕性化してからではなく，疑わしい所見を認めた場合には，迅速に全身評価と必要検査を実施し，治療開始の決断を選択することも重要である．

1. 新生児仮死

病　態

新生児仮死とは，出生時に児が子宮内環境から子宮外環境に移行する過程の中で，さまざまな原因により，その適応過程が障害を受け，呼吸不全，循環不全を引き起こし，代謝性アシドーシスおよび中枢神経系の活動低下を伴う症候群である．多くは胎児機能不全に続発し，分娩前，分娩中，出生後のどのタイミングでも起こり得る．

診　断

臨床診断には，Apgar スコアが用いられる．1 分値は児の出生時状態を反映するのに対し，5 分値は児の予後と強い相関がある．定義上は，1 分値 Apgar スコアが 7 点未満を軽症新生児仮死，4 点未満を重症新生児仮死とする．

初期対応・搬送基準

新生児仮死では低酸素・虚血の影響で全身の臓器傷害を来すが，特に脳組織が傷害を受ける低酸素性虚血性脳症（hypoxic ischemic encephalopathy；HIE）では永続的な後遺症が引き起こされるため，迅速かつ的確な対応が必要になる．

正期産児の周産期イベントによる新生児仮死は事前に予測不能なことが多いが，母体情報や出生前の児の情報など，新生児仮死に陥る状況が存在するかを評価しておく必要がある（表 1）[1]．

各施設でこれらの情報を確認し，新生児蘇生法（neonatal cardio-pulmonary resuscitation；NCPR）を十分習得した人員を，場合によっては複数名立ち合えるよう準備して，NCPR のアルゴリズムに沿った蘇生が必要である[2]．

在胎 36 週以上で出生し生後 10 分の Apgar スコアが 5 点以下の場合には，低体温療法の適応となり得るので，自施設で対応できない場合には，低体温療法の施行可能な高次医療施設へ搬送する．

表 1 ● 母体・胎児の周産期情報

妊娠情報	母体年齢，最終月経，予定日，不妊治療の有無
妊娠分娩歴	妊娠回数，出産回数，同胞の健康状態
妊娠中各種検査結果	血液型，抗体スクリーニング
母体合併疾患	糖尿病，高血圧，甲状腺疾患，自己免疫疾患，中枢神経疾患，感染症（淋病，梅毒，クラミジア，ヘルペス，HIV 等）
妊娠合併症	妊娠高血圧症，絨毛膜羊膜炎，前期破水，切迫早産
母体への薬物投与，嗜好品	出生前ステロイド，β刺激薬，マグネシウム，抗菌薬，抗精神病薬，鎮痛薬，タバコ，アルコール等
胎児検査	羊水検査
胎児情報	単胎，多胎の有無 超音波所見（推定体重，週数，奇形の有無，胎児発育不全） 羊水量（羊水過多，羊水過少），羊水混濁 破水時期 臍帯損傷・脱出の有無 胎児心拍数モニタリング異常 母体出血の有無；前置胎盤，常位胎盤早期剝離
分娩情報	分娩方法（経腟，帝王切開，鉗子，吸引），胎位
社会的背景	母体搬送経過，家族内暴力，育児放棄，虐待の既往 うつ病，精神病の既往

2. 呼吸障害

病態・臨床症状・鑑別疾患

病　態

新生児の呼吸障害の原因はさまざまである（**表 2**）[3]．在胎期間が短い場合は，肺の解剖学的・機能的な未熟性が問題となる．また肺炎や気胸などの肺実質病変や，上気道狭窄などの気道病変を含め，先天的・後天的な呼吸器系疾患も呼吸障害の原因となる．ただし，必ずしも呼吸器系の問題だけでなく，脱水，多血，貧血，低血糖といった全身性疾患や，先天性心疾患も呼吸障害を引き起こす原因となり得る．そのほか薬物投与や薬物離脱症候群の症状として呼吸障害を呈することもある．よって，母体・胎児の周産期情報（**表 1**）を確認することは，出生後の呼吸障害を予測することにつながり，早期診断，治療につながる．また出生時から出現する呼吸障害だけでなく，時間経過とともに顕性化してくるものも存在するため，経時的な観察が必要である（**表 3**）．

表 2 ● 呼吸障害の原因

肺疾患
呼吸窮迫症候群（RDS） 新生児一過性多呼吸（TTNB） 胎便吸引症候群（MAS） 新生児肺炎 エアリーク症候群 dry lung 症候群 肺低形成（先天性横隔膜ヘルニア）
全身性疾患
低体温 / 高体温 代謝性アシドーシス 貧血 / 多血 低血糖 肺高血圧 先天性心疾患 先天性神経疾患・筋疾患
気道病変
上気道狭窄 気道奇形 胸腔内占拠性病変

表 3 ● 呼吸障害を引き起こす疾患

生後すぐ	生後数時間～数日	
未熟性 呼吸窮迫症候群 新生児一過性多呼吸 dry lung 症候群 肺低形成 特発性気胸 **適応障害** 横隔膜ヘルニア 胎便吸引症候群 **感染症** 先天肺炎 **閉塞性病変** 後鼻腔閉鎖・狭窄 気道狭窄 **先天性神経疾患・筋疾患**	**人工呼吸管理中** 呼吸窮迫症候群の再増悪 肺出血 胸水 DOPE： displavement（片肺挿管） obstruction（無気肺） peumothorax（気胸） equipment failure（呼吸器の故障） **感染症**	**先天性代謝異常症** **先天性心疾患** 心室中隔欠損 動脈管開存症 大動脈縮窄症／大動脈離断 左心低形成 総肺静脈還流異常症など **その他** 喉頭・気管軟化症 多血症

臨床症状

多呼吸：肺水吸収遅延，肺うっ血，肺胞虚脱がある場合には，肺の有効換気面積が減少し，低酸素血症や酸血症を来すため，呼吸中枢が刺激されて多呼吸を引き起こす．呼吸数 60 回／分以上を多呼吸と定義する．

陥没呼吸：吸気時には胸郭内に陰圧がかかるため，肺のコンプライアンスが低下した肺では，肋間，胸骨上窩，肋骨弓下，剣状突起部が陥没する．

呻吟：呼気時に声門を閉じることにより機能的残気量を増加させ，肺胞虚脱を防ぐ役割がある．

鼻翼呼吸：上気道を拡張して吸気努力を減少させる役割がある．

鑑別疾患（表 2，表 3）

診断のための検査

- 胸部 X 線写真
- マイクロバブルテスト
- 血液ガス検査
- 血算（白血球数，Hb,Ht，血小板数，白血球分画），血液生化学検査（血糖，電解質，CRP）
- 心臓・頭部超音波検査

初期対応，搬送基準

出生時であれば，蘇生処置を行う．自発呼吸がない，徐脈（100 回／分未満）を認めた場合には，速やかにバッグ・マスクによる換気補助を行う．酸素化障害を認める場合には，酸素投与を行う[2)]．

自発呼吸および心拍数（100 回／分以上）を確認し，その後も努力呼吸とチアノーゼ（後述）を認める場合には，マスク CPAP や酸素投与を継続する．

呼吸障害が遷延する場合には，NICU に搬送する．

3. 無呼吸

病態・臨床症状・鑑別疾患

病　態

無呼吸は，①呼吸停止が 20 秒以上続くもの，または②呼吸停止が 20 秒未満であっても，徐脈（心拍数が 1 分間に 100 回未満）または低酸素血症（中心性チアノーゼ）を伴うものと定義される．

病態は大きく 3 つに分けられ，①中枢性無呼吸（原因：呼吸中枢の未熟性），②閉塞性無呼吸（原因：気道閉塞），③混合性無呼吸（原因：前述した病態が混在したもの）がある（**表 4**）[4)]．

表 4 ● 無呼吸の分類

分　類	病態と特徴
中枢性無呼吸	呼吸中枢の未熟性に起因する 呼吸運動全体が停止
閉塞性無呼吸	上気道の閉塞が原因で呼吸停止に至る 呼吸運動は継続
混合性無呼吸	上記 2 つが混在したもの 一般的には閉塞性に続いて中枢性無呼吸が生じる

鑑別疾患（表 5）

早産児であっても，原因は多岐にわたるため，「未熟性」以外の原因を鑑別する必要がある．正期産児の場合，その背景には家族歴も含め，新生児仮死，器質的な病変の存在が示唆されるため，精査を進める必要がある．

表 5 ● 無呼吸の鑑別疾患

生後すぐ	生後数時間～数日	
中枢神経異常	**未熟性無呼吸発作**	**呼吸器系**
新生児仮死	**中枢神経異常**	無気肺
無脳症	低酸素性虚血性脳症	気胸
頭蓋内出血	頭蓋内出血	上気道狭窄
Chiari 奇形	新生児けいれん	先天性中枢肺胞低換気症候群
内分泌	脳梗塞	**感染症**
体温異常	髄膜炎，脳炎	**薬物**
低血糖	脳室周囲白質軟化症	鎮静薬投与
電解質異常	Chiari 奇形	筋弛緩薬投与
感染症	**内分泌**	プロスタグランジン製剤投与
薬物	低血糖	
母体全身麻酔下での分娩	電解質異常	
硫酸マグネシウム投与	低血糖	
	先天性代謝異常	

診断のための検査

- 胸部 X 線写真
- 血液ガス検査
- 血算（白血球数，Hb,Ht，血小板数，白血球分画），血液生化学検査（血糖，電解質，CRP）
- 心臓・頭部超音波検査
- 頭部 CT 検査

初期対応・搬送基準

無呼吸を認めた場合には NICU に搬送し，呼吸補助を開始する．併せて，原因検索と原疾患に対する治療を開始する．

4. チアノーゼ

病態・鑑別疾患

病　態

還元型 Hb 5g/dL を超えるものと定義され，臨床的に 3g/dL を超えるとチアノーゼを呈する．中心性チアノーゼと末梢性チアノーゼとに分類されるが，中心性チアノーゼでは重篤な疾患を合併している可能性があり，迅速な対応が必要である．

鑑別疾患（表 6）

中心性チアノーゼは，さらに大きく分けて肺性と心原性とに分類される．肺性チアノーゼの場合には，酸素投与が重要な治療手段の一つであるのに対し，心原性チアノーゼの場合には，酸素投与は肺うっ血や動脈管収縮を招き，症状を悪化させる可能性があるため，両者の鑑別は重要である．

臨床症状として，呼吸音，努力呼吸および心雑音の有無を確認する．呼吸障害があれば多くは呼吸性であり，心雑音があれば心原性が疑われる．ただし，重篤なチアノーゼ性心疾患の場合でも心雑音が聴取されないこともあり注意を要する．また，パルスオキシメータを用いた酸素飽和度（SpO_2）の測定は，先天性心疾患の鑑別の一助となる（図 1）[5]．

表 6 チアノーゼの鑑別疾患

中心性チアノーゼの鑑別疾患	
• 心原性チアノーゼ	
肺血流減少，心内右左シャント	
• 肺動脈閉鎖	• Fallot 四徴症
• 三尖弁閉鎖	• Epstein 奇形
• 肺動脈閉鎖 / 正常心室中隔	• 総肺静脈還流異常症＋肺静脈閉塞（＋）
• Fallot 四徴症 / 肺動脈閉鎖	
肺血流正常 / 増加型，心内動静脈血混和	
• 左心低形成	• 心内膜床欠損
• 完全大血管転位	• 総肺静脈還流異常症＋肺静脈閉塞（−）
• 総動脈幹症	• 単心室複合疾患
• 肺性チアノーゼ	
肺実質病変	気道閉塞
• 胎便吸引症候群	• 後鼻孔閉鎖
• 呼吸窮迫症候群	• Pierre Robin 症候群
• 肺炎	• 気管狭窄
外部からの肺圧迫	• 血管輪
• 気胸	• 肺動脈弁欠損
• 間質性肺気腫 / 大葉性肺気腫	低換気
• 乳び胸水	• 中枢神経系異常
• 先天性横隔膜ヘルニア	• 神経・筋疾患
• 胸郭低形成	• 鎮静
肺動静脈奇形	• 敗血症
• 新生児遷延性肺高血圧症	
• 血液原性チアノーゼ（低酸素血症を伴わない）	
• メトヘモグロビン血症	
• 多血	
末梢性チアノーゼの鑑別疾患	
• 心拍出量の低下（心不全など）	
• 末梢循環障害（寒冷，血管閉塞など）	

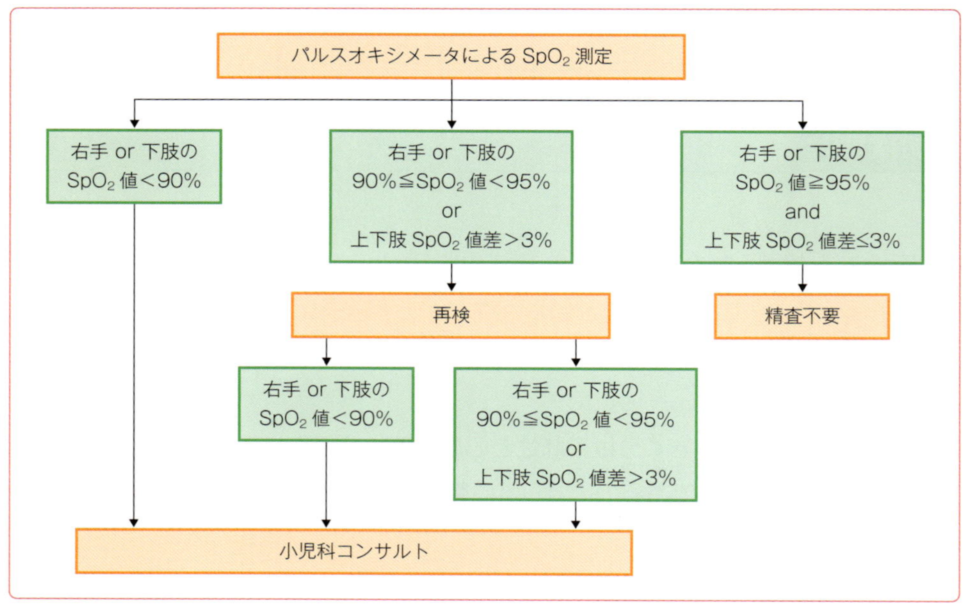

図 1 ● チアノーゼでの SpO_2 測定（先天性心疾患の鑑別）

診断のための検査

- 心臓超音波検査
- 胸部 X 線写真
- 血液ガス検査
- 血算（Hb，Ht），血液生化学検査（血糖，CRP）
- 高濃度酸素負荷テスト（心臓超音波検査がすぐに施行できない場合）：100%酸素投与により，SpO_2 が速やかに 100%（PaO_2 で 150mmHg 以上）になれば肺性チアノーゼを，改善しない場合には心疾患を疑う．ただし長時間の酸素投与は控える[6]．

初期対応・搬送基準

迅速に心臓超音波検査で心内構造異常の有無を確認し，可能であれば，肺静脈の灌流，肺血流が順行性に存在するか動脈管を介するものであるかをチェックする．中心性チアノーゼを呈する場合には，NICU へ搬送する．

低血圧などのショック症状を呈する場合には換気補助を行い，静脈ルートを確保する．動脈管依存性心疾患を疑えば，PGE_1 の投与を開始する．この場合は，酸素投与は禁忌である．

5. 早発黄疸

病態・鑑別疾患

病　態

ビリルビン代謝経路から考えて，黄疸の原因には，①ビリルビン産生の上昇，②ビリルビン排泄の低下，③腸肝循環の亢進，の 3 つに分類される（**表 7**）[7]．中でも，生後 24 時間以内に肉眼的黄疸が出現した場合には，急激なビリルビン上昇を来す疾患が背景にあり，迅速な対応が必要である．

鑑別疾患（表 7）[7]

早発黄疸の場合には，急激にビリルビンが上昇する疾患として，新生児溶血性疾患といわれる母児間血液型不適合（Rh 不適合，ABO 不適合，その他の血液型不適合），遺伝性球状赤血球症などが考えられる．Rh 不適合の場合，抗 D 抗体以外の不規則抗体での溶血性黄疸にも注意する必要がある（抗 E，C，c,Kell 型抗 K 抗体，Duffy 型 Fya 抗体，Kidd 型 JKa 抗体など）．

表 7 ● 高ビリルビン血症の鑑別

ビリルビン産生の上昇
• 溶血性疾患 　• Rh 不適合 　• ABO 不適合 　• その他の不規則抗体による血液型不適合 • 遺伝性疾患 　• 赤血球膜異常：遺伝性球状赤血球症，楕円赤血球症 　• 赤血球酵素欠損：グルコース -6-リン酸脱水素酵素欠乏症 　• ヘモグロビン異常症（例：サラセミア） • その他 　• TORCH 感染症，敗血症 　• 播種性血管内凝固 　• 多血症 　• 閉鎖性出血：帽状腱膜下出血，頭血腫，副腎出血，肝被膜下出血
ビリルビン排泄の低下
• UDP-グルクロン酸転移酵素（UGT1A1）の欠損や活性低下 　• Crigler-Najjar 症候群 　• Gilbert 症候群 　• 薬剤 • 代謝性疾患 　• 先天性甲状腺機能低下症 　• 下垂体機能低下症 　• ガラクトース血症
腸肝循環の亢進
• 母乳性黄疸 • 不十分な栄養 • 消化管通過障害：イレウス，消化管閉鎖，ヒルシュスプルング病，肥厚性幽門狭窄

診断のための検査

- 母体血液型検査，不規則抗体検査
- 児血液型検査，直接・間接クームス試験
- 末梢血塗抹標本検査
- 血算（Ht，網赤血球数）
- 生化学検査（直接ビリルビン，間接ビリルビン，肝機能，CRP など），臍帯血 IgM
- 甲状腺機能検査（TSH，FT_3，FT_4 など）
- 画像検査（頭部超音波検査，腹部超音波検査など）

初期対応・搬送基準

光療法および交換輸血の基準を**表 8** に示す[8]．

管理の面で重要なことは，ビリルビンによる中枢神経系の障害（ビリルビン脳症や聴力異常）を予防することである．特に，早発黄疸を認めた場合には，早急に原因を調べて治療を開始する必要があり，直ちに NICU に搬送する．

表 8 ● 光療法および交換輸血の基準

血清総ビリルビン（mg/dL）の基準

出生体重	＜ 24 時間	＜ 48 時間	＜ 72 時間	＜ 96 時間	＜ 120 時間	＞ 5 日
	光療法 / 交換輸血	光療法 / 交換輸血	光療法 / 交換輸血	光療法 / 交換輸血	光療法 / 交換輸血	光療法 / 交換輸血
＜ 1,000g	5/8	6/10	6/12	8/12	8/15	10/15
＜ 1,500g	6/10	8/12	8/15	10/15	10/18	12/18
＜ 2,500g	8/10	10/15	12/18	15/20	15/20	15/20
≧ 2,500g	10/12	12/18	15/20	18/22	18/25	18/25

6. 新生児発作

病態・鑑別疾患

病　態

新生児発作では，臨床症状と脳波所見とに乖離がみられることが多いため，脳波を確認することが重要である．新生児発作は，臨床形態より，強直性発作，間代性発作，ミオクローヌス発作，微細発作に分類される（**表 9**）．原因には，低酸素性虚血性脳症や頭蓋内出血などの周産期障害，髄膜炎などの感染症，アミノ酸・有機酸代謝異常などの代謝障害，脳奇形や特発性のものまで多岐にわたる[9]．

鑑別疾患

主要原因を**表 10** に示す[10]．周産期経過を含めた臨床経過を確認する．家族歴，妊娠分娩経過，分娩外傷，外表奇形の有無，特有の匂い（先天性代謝疾患が考えられる場合）や，発作の様相，児の意識状態や，発作間欠時の体動，筋緊張の有無などの臨床症状の特徴も，鑑別する上で重要である．

診断のための検査

- amplitude-integrated EEG（aEEG）
- 血液ガス検査
- 血算，生化学検査（血糖，電解質，アンモニア，CRP など）
- 代謝疾患スクリーニング検査（乳酸，ピルビン酸，血清アミノ酸分析，極長鎖脂肪酸，尿中有機酸分析など）
- 髄液検査
- 頭部超音波検査，頭部 CT，頭部 MRI

初期対応・搬送基準

新生児発作を認めた場合には，NICU に搬送する．呼吸・循環が不安定な場合，まず人工換気療法やカテコラミンなどの循環作動薬を使用して全身管理を行う．

基礎疾患の診断を進めつつ，電解質異常や低血糖など治療可能な病態があれば，速やかに対応する．

表9 ● 新生児発作の分類

強直性発作	• 四肢を強直 • 除脳硬直（上下肢を伸展）や除皮質硬直（上肢を屈曲，下肢を伸展）姿勢を取る
間代性発作	• 急速な筋収縮に続き，ゆっくりと元に戻る動作を繰り返す • 顔面・四肢，体幹でも起こり得る
ミオクローヌス発作	• ピクつき • 焦点性と全般性とがある
微細発作	• 水平方向への眼球偏位 • 吸啜様運動　• ペダルこぎ様運動　• 無呼吸発作　• 自律神経症状

表10 ● 新生児発作の鑑別疾患

• 低酸素性虚血性脳症
• 頭蓋内病変 • 脳梗塞（動脈性，静脈性） • 頭蓋内出血 （上衣下出血，くも膜下出血，硬膜下出血，実質内出血） • 脳奇形 / 脳形成異常 （脳回形成異常，全前脳症，裂脳症，先天性水頭症など）
• 中枢神経感染症 • 髄膜炎 • 脳炎 / 脳症 • 先天性感染症（TORCH 症候群など）
• 代謝障害 • 急性一過性代謝障害 低血糖 低カルシウム血症 低ナトリウム，高ナトリウム血症 低マグネシウム血症 • 先天性代謝障害 アミノ酸代謝異常 有機酸代謝異常 尿素サイクル異常など
• 薬物離脱症候群
• 遺伝性（良性家族性痙攣など）

7. 嘔　吐

病　態

生理的嘔吐と病的嘔吐の鑑別が重要である[11]．生理的嘔吐の原因には，日齢0～2頃に羊水様の嘔吐が出現し経過とともに改善する初期嘔吐や，哺乳量過多，空気嚥下が挙げられる．全身状態が良好で，嘔吐以外に症状がないのが特徴である．病的嘔吐の原因は，消化器疾患から，感染症や代謝異常などの内科的疾患に至るまで多岐にわたる．嘔吐の性状，嘔吐発現時期，全身状態，体重減少の程度から鑑別していく．

鑑別疾患と診断のための検査（表11）

泡沫状嘔吐があれば食道閉鎖，胆汁性嘔吐の場合には，Vater 乳頭より遠位に閉鎖がある可能性が考えられ，十二指腸閉鎖，腸回転異常症，空腸閉鎖，輪状膵などが疑われる. ミルク様でも頻回の嘔吐があれば, 胃軸捻転や腸回転異常などが考えられる. 嘔吐の出現する時期も重要な手掛かりとなり, 小腸閉鎖の場合, 閉鎖部位が口側に近ければ生後早期から胆汁性嘔吐を認め, 腸回転異常症や下部消化管閉鎖の場合には, やや遅れて症状が出現する. 肥厚性幽門狭窄に伴う嘔吐は, 生後 2 ～ 3 週間たってから噴水状嘔吐が出現する.

初期対応・搬送基準

嘔吐の性状が重要. 病的嘔吐が疑われる場合には, NICU に搬送する.

表 11 ● 新生児期に嘔吐を来す原因・疾患の特徴と検査

原因・疾患	特　徴	検　査
生理的嘔吐		
初期嘔吐	生後早期に発症, 羊水様嘔吐	特に必要なし
空気嚥下	排気が不十分	
哺乳過多	ミルク量の確認, 体重増加のチェック	
消化管構造異常		
消化管閉鎖, 狭窄 • 食道閉鎖	泡沫状嘔吐	胸部 X 線, 胃管の coil-up sign
• 肥厚性幽門狭窄	生後 2 ～ 3 週からの噴水状嘔吐	腹部超音波検査
• 輪状膵	胆汁様嘔吐	腹部超音波検査, 消化管造影, MRI
• 十二指腸閉鎖	胆汁様嘔吐	腹部 X 線で double bubble sign
• 小腸閉鎖	胆汁様嘔吐, 閉鎖が肛門に近いほど腹部膨満が強い	腹部 X 線, 注腸造影で microcolon
• 鎖　肛	胎便排泄遅延, 視診で診断可能	倒立位 X 線
腸回転異常症	初期症状は間欠的, 胆汁性嘔吐, 腹部膨満	腹部超音波検査で上腸間膜動静脈の走行異常
中腸軸捻転	腹部膨満, ショック	
消化管機能異常		
胃食道逆流	ミルク投与後に増悪する呼吸障害, 注入中の無呼吸発作	上部消化管造影, pH モニタリングなど
ヒルシュスプルング病	腹部膨満, 便秘	注腸造影検査で caliber change
新生児消化管アレルギー	ミルク投与のたびに嘔吐, 中止により改善, 体重増加不良	アレルゲン特異的リンパ球刺激試験（ALST）
内科的疾患		
感染症 • 敗血症	発熱, not doing well	血液検査, 血液培養検査
• 髄膜炎		血液検査, 髄液培養検査, 髄液検査
• 尿路感染症		血液検査, 尿検査, 尿培養検査
中枢神経障害 • 頭蓋内出血 • 脳浮腫 • 水頭症	徐脈, 無呼吸, 大泉門膨瘤, not doing well	頭部超音波検査
内分泌代謝疾患 • 先天性副腎過形成	not doing well, ショック	血液検査
• 代謝異常症	哺乳開始後数日から発症, not doing well, ショック	血液検査, アミノ酸分析, 有機酸分析, 先天性代謝異常検査
薬物中毒 • ジギタリス	嘔吐, 下痢, 不整脈	血液検査, 薬物血中濃度測定
• テオフィリン	嘔吐, 頻脈	

8. 吐血，下血

病態・鑑別疾患

病　態

大きく分けて，①母体血嚥下，②児の出血性素因によるもの，③消化器疾患の 3 つに分類される[12]．

鑑別疾患（表 12）

吐物の性状にも特徴があり，発症後すぐの場合には新鮮血であり，血液が胃内に長時間とどまっていた場合には，赤血球が壊れるため褐色を呈す．便色は，上部消化管からの出血では黒色タール便や暗赤色の便を排出することが多く，壊死性腸炎（necrotizing enterocolitis；NEC）などによって消化管が広範囲にダメージを受けている場合には，粘血便を認める．また，結腸や肛門周囲粘膜から出血した場合には，便に新鮮血が混じることが多い．

表 12 ● 新生児における吐血・下血の原因

原　因	疾患名
母体血嚥下によるもの	• 常位胎盤早期剝離，前置胎盤，母体乳頭出血
出血性素因によるもの	• ビタミン K 欠乏性出血（新生児メレナ） • 血小板減少症（母体 ITP，新生児同種免疫原性血小板減少症，SLE 母体児，感染症） • 新生児 DIC • 母体薬物の影響（非ステロイド性抗炎症薬〔NSAIDs〕，抗てんかん薬など）
消化器疾患によるもの	• 急性胃粘膜病変（AGML） • 腸回転異常 • 消化管穿孔（胃破裂，特発性小腸穿孔，壊死性腸炎），乳児消化管アレルギー
医原性のもの	• 吸引カテーテル挿入，喉頭展開による口鼻腔粘膜の損傷，肛門検温による外傷など

ITP：特発性血小板減少性紫斑病，SLE：全身性エリテマトーデス，DIC：播種性血管内凝固

診断のための検査

- アプトテスト
- 血液ガス検査
- 血算，生化学検査，凝固系検査（プロトロンビン時間〔PTT〕，活性化部分トロンボプラスチン時間〔APTT〕，ヘパプラスチンテスト〔HPT〕，PIVKA-Ⅱ測定）
- 腹部 X 線検査
- 超音波検査
- 消化管内視鏡検査

初期対応・搬送基準

原因が母体血でない場合には，直ぐに NICU に搬送する．

9. 体温異常

病態・鑑別疾患

高体温

病態：深部体温（直腸温）が37.5℃以上をいう．原因は大きく分けて，①感染症など児自身の異常により内因性に高体温を来すもの，②環境温度の異常など外因性に高体温を来すものがある．

鑑別疾患（表13）[13]

低体温

病態：深部体温（直腸温）が36℃以下をいう[14]．原因は大きく分けて，①感染症など児自身の異常により内因性に低体温を来すもの，②環境温度の異常など外因性に低体温を来すものがある．低体温ストレス下では，末梢血管の収縮により組織は低酸素血症を来し，代謝性アシドーシスが進行する．さらに肺血管の収縮は，肺高血圧を引き起こし，児の子宮外環境への適応を阻害する．

鑑別疾患（表14）[13]

表13 ● 高体温の原因　（文献13，p.129より引用改変）

外因性：環境温度の異常（直腸温≦皮膚温）
• 高温度環境 • 過剰な衣服 • サーボコントロールの異常 • 光線療法などによる保育器の温室効果　など
内因性：児自身の異常（直腸温＞皮膚温）
• 感染症（髄膜炎，敗血症，肺炎） • 中枢神経系異常（頭蓋内出血，痙攣） • 脱水 • 甲状腺機能亢進症 • 薬物，輸血などの発熱物質　など

表14 ● 低体温の原因　（文献13，p.129より引用改変）

外因性：環境温度の異常（直腸温＞皮膚温）
• 不適切な出生後の処置 • 患者搬送時の問題（搬送用保育器の温度設定異常） • 新生児室内の温度低下 • 保育器内の温度低下（サーボコントロールの異常）
内因性：児自身の異常（直腸温≦皮膚温）
• 感染症（髄膜炎，敗血症，肺炎） • 中枢神経系異常（頭蓋内出血，中枢神経系の奇形） • 甲状腺機能低下症 • 循環不全

高体温

▶ 緊急を要する症状

- 呼吸症状（多呼吸，陥没呼吸など）
- 無呼吸発作の増悪
- 末梢冷感，血圧低下，乏尿
- 活気不良，不穏，痙攣
- 哺乳不良，胃内容残渣の増加
- 嘔吐，血便
- 発疹

▶ 初期対応・搬送基準

環境温度の適正化を図る（保育器内設定温度の調整など）．バイタルサインのチェック，他の症状の有無を確認する．内因性の発熱が原因の場合には，NICUへ搬送する．

低体温の初期対応・搬送基準

環境温度の適正化を図る（保育器内設定温度の調整など）．バイタルサインのチェック，他の症状の有無を確認する．環境温度を調整しても全身状態の改善が見られない場合には，感染症や循環不全などの内因性の疾患を考える必要があり，NICUへ搬送する．

まれであるが，低出生体重児や正期産児でも中枢神経異常を伴う場合には，新生児寒冷障害の発症に注意する．本疾患では，低体温による中枢神経系の抑制症状（弱い啼泣，痛み刺激に対する反応性低下，傾眠傾向）や呼吸循環障害（無呼吸，徐脈）に加え，血液の粘稠度も高まって過粘稠症候群となり，血栓，凝固系異常，代謝性アシドーシス，低血糖，時に腎不全を併発する．外見上，顔面は紅潮しているため，一見元気そうに見えることもあるが，それは低体温によりヘモグロビン酸素乖離曲線が左方移動するためであり，緊急性を要する状態である．

10. 細菌感染症・髄膜炎

病態・鑑別疾患

病　態

新生児期の細菌感染症は，発症時期により早発型（生後 6 日以内に発症）と遅発型（生後 7 日以降に発症）に分類される．症状は非特異的であり，かつ急激に進行することがあり，迅速な診断と治療が必要である[15]．

危険因子（表 15）[15, 16]

表 15 ● 感染症リスクファクター

	早発型	遅発型
リスクファクター	**母体要因** • 母体 GBS 保菌 • 母体発熱（38 度以上） • 絨毛膜羊膜炎 • 長期破水（>18 時間） **新生児要因** • 早産児 • 低出生体重児	• 早産児 • 低出生体重児 • 中心静脈カテーテルの使用 • 経腸栄養スタートの遅延 • 人工呼吸管理 • 合併症（PDA，慢性肺疾患，NEC）
感染経路	• 子宮内感染 • 産道感染	• 水平感染 • カテーテル関連血流感染
起因菌	• B 群溶血性連鎖球菌（group B *Streptococcus;* GBS）（代表株：*S.agalactiae*） • 大腸菌（*Eshcerichia coli*） • リステリア（*Listeria monocytogenes*） • 肺炎球菌 • ビリダンス連鎖球菌（*S.mitis, S.oralis, S.sanguis*） • エンテロコッカス • その他腸内細菌（*Klebsiella, Haemophilus spp*）	• コアグラーゼ陰性ブドウ球菌（coaglase-negative *Staphylococci;* CNS）（代表株：*S.epidermidis*） • メチシリン耐性黄色ブドウ球菌（methicillin resistant *Staphylococcus aureus;* MRSA） • エンテロコッカス • 緑膿菌 • セラチア • カンジダ

PDA：動脈管開存症，NEC：壊死性腸炎

症　状

非特異的である．下記症状を認めたときは，まず重症感染症を念頭に置くべきである．早発型では，生後数時間より徴候を示し，90%が生後 24 時間までに症候性となる．最も多く認められる症状は，呼吸障害である．

- 体温：低体温，高体温
- 神経：傾眠傾向，体動低下，筋緊張低下，不穏，易刺激性
- 皮膚：蒼白，斑紋，末梢冷感，皮膚ツルゴール低下，チアノーゼ，浮腫，出血斑，黄疸
- 呼吸：努力呼吸，無呼吸
- 循環：頻脈，徐脈，低血圧，チアノーゼ，心雑音，肝腫大
- 消化器：哺乳力低下，腹部膨満，胃内残渣増加，嘔吐，下痢
- その他：乏尿，出血傾向，体重増加不良

発症時期による分類と起因菌（表 15）[15, 16]

早発型

- B 群溶血性連鎖球菌（GBS）：敗血症・髄膜炎の主要な原因菌であり，最大のリスク因子は母親の GBS 保菌である．莢膜多糖体の抗原性によって分類される 10 の血清型（Ⅰa，Ⅰb〜Ⅸ）のうち，早発型の 95%がⅠa，Ⅰb，Ⅱ，Ⅲ，Ⅴの 5 つの血清型で占められており，特にⅢ型は髄膜炎との関連が強い[17]．
- 大腸菌：分娩時抗菌薬予防投与の導入により早発型 GBS 感染症は減少しているが，早発型におけるグラム陰性菌の割合が増えている．
- リステリア：母体が肉類や加熱されていない乳製品の摂取により経胎盤的あるいは上行性に児に感染する．

遅発型

- コアグラーゼ陰性ブドウ球菌（CNS）：NICU ではカテーテル関連血流感染症の主要な原因である．
- メチシリン耐性黄色ブドウ球菌（MRSA）：MRSA では敗血症や骨髄炎，皮膚感染症以外に，新生児（生後 2 日頃より）で，新生児 TSS 様発疹症（neonatal TSS-like exanthematous disease；NTED）を引き起こすことがある（表 16）[18]．

表 16 ● NTED 診断基準　（文献 18，p.345 より引用改変）

1．原因不明の発疹
- 全身性丘疹状紅斑，融合傾向あり
  表皮剝脱を来すことはない

2．以下の項目のうち 1 つ以上合併
1）発熱（直腸温 38℃以上）
2）血小板減少（15 万 /mm^3 以下）
3）CRP 弱陽性（1.0 〜 5.0mg/dL）

3．既知の疾患は除く
以上 3 項目すべてを満たす

診断のための検査：sepsis work-up

- 血液検査：血算（白血球数，好中球桿状球 / 分葉球比〔I/T〕，血小板数），生化学（CRP，血糖値），臍帯血 IgM，凝固機能検査（PT，APTT，PT-INR）
- 細菌培養検査：血液，咽頭，鼻腔，尿，症例に応じて髄液検査を行う．
- 髄液検査：血液培養陽性，ハイリスク児かつ症状を有する場合など，症例に応じて施行する（細胞数，髄液蛋白，髄液糖，グラム染色，培養など）．
- 胸部X線：肺炎の有無，呼吸窮迫症候群（respiratory distress syndrome；RDS）や新生児一過性多呼吸（transient tachypnea of the newborn；TTNB）との鑑別が難しい場合もある．

初期対応・搬送基準

必ず抗菌薬開始前に，各種培養検体を採取する．起因菌が判明する前に経験的に抗菌薬治療を開始するが，早発型の場合には，想定される起因菌を基に，一般的にアンピシリン，アミノ配糖体系抗菌薬の併用療法で開始する．

感染症が疑われたら，すぐに NICU に搬送する．

11. 特異的顔貌

管　理

先天異常症候群の診断において顔貌所見は有用である．頻度の高い染色体異常症候群を表 17 に示す[19]．併せて，他の臓器の奇形の有無を精査する．

合併症の精査治療を考慮して，新生児科医師にコンサルトする．

表 17 ● 染色体異常

	13 トリソミー	18 トリソミー	21 トリソミー	Turner 症候群
発症率	1/5,000	1/3,000（女：男=3：1）	1/660	1/2,500
成 長	成長制限	成長制限	正常	軽度成長制限
頭蓋顔面	Midfacial hypoplasia, 頭皮欠損 小または無眼球症 コロボーマ 耳介低位，口唇裂，口蓋裂	毛頭症，後頭部突出 短い眼瞼裂 こけし様顔貌耳介低位 小顎症	短頭症，扁平後頭部， Midfacial hypoplasia 眼瞼裂斜上 内眼角ぜい皮，小さな耳， 鞍鼻，下顎前突症，巨舌	全額突出 後頭部毛髪線低位
頸 部	短頸		短頸，翼状頸	後頸部皮膚弛緩
中枢神経系	全前脳胞症，小頭症	小頭症，小脳低形成	小頭症	正常
神 経	低緊張，けいれん，無呼吸	低緊張，無呼吸	低緊張	筋緊張正常，軽度発達遅滞
心 臓	≧80%に心疾患，主に VSD	≧95 % に 心 疾 患，主 に VSD．複数の弁異常	40～50%に心疾患 C-AVSD，VSD，TOF，ASD，PDA 等	25～45%に心疾患 CoA，大動脈二尖弁
胸 部		短い胸骨		
腹 部	多嚢胞腎，馬蹄腎 重複尿管	腹壁破裂 腎奇形	十二指腸閉鎖 Hirschsprung 病	馬蹄腎
四 肢	多指症，合指症 爪異形成	Overlapping finger 揺り椅子状足底 爪の低形成	短指症 第 5 指彎指趾症 猿線	足背浮腫

12. 性分化疾患

病態・鑑別疾患

病　態

性分化疾患とは，性染色体，性腺，解剖学的性別（外性器および内性器）のいずれかが先天的に非定型的である場合をいう．児の外表からは，必ずしも判断できないことがあり，精密検査が必要である．性別決定は心理的社会的緊急状態であり，迅速かつ的確な判断，対応が必要である[20)]．

鑑別疾患

先天性副腎過形成の場合は，生後 1 週間以内でショック状態に陥る可能性があり，鑑別すべき疾患として念頭に置く．

出生後の評価

- 家族歴：血族結婚の有無，家系内の同病の発症者の有無，無月経，不妊，停留精巣や尿道下裂の家族歴，同胞での新生児死亡者の有無（男児の場合には未診断の先天性副腎過形成の可能性がある）を確認する．
- 妊娠歴：母体薬物摂取（テストステロン，ダナゾール，スピロノラクトン，フェニトイン，トリメタゾールなど）の有無，母体アンドロゲン産生腫瘍の有無，胎盤機能不全の有無を確認する．
- 身体所見：**表 18** の理学所見について確認する．
- 血液検査

至急行う検査：副腎不全の合併を鑑別するために，血液ガス検査，生化学検査（Na，K，Cl），血糖値，血清 17-OHP（あるいは濾紙血）を検査する．

高次医療施設で施行する検査

- 染色体検査：外性器異常の診断においては必須である．ただし，結果が得られるまでに２～３週間を要する．
- SRY 遺伝子の有無（SRY-FISH，SRY-PCR）
- 超音波検査（性腺，内性器の同定）
- MRI（性腺，内性器の同定）
- 内分泌学的検査（テストステロン，LH，FSH，エストラジオールなど）
- 尿中ステロイドプロファイル（わが国では限られた施設のみ可能）
- 分子遺伝学検査

初期対応・搬送基準

診断，性別決定，治療を含めて，専門家により医療ケアチームを構成する必要がある．小児科医，新生児科医，小児内分泌科，小児外科，小児泌尿器科，遺伝科などの専門医に加え，家族・本人の精神面・社会面を支える看護師，心理士，ソーシャルワーカーなどを含めたチーム医療体制を取ることが望ましい．そのため，自施設で対応するべきか，高次医療施設に搬送するべきか決定する．

「正確な判断をするために時間が必要であること」をしっかりと家族に説明する．家族にその時点での「可能性の高いと考えられる法律上の性」を告げてはならない．

表 18 ● 身体所見

外性器	陰茎長（陰核長）の測定 外尿道口の開口部位，尿道下裂の有無，腟開口部の有無 陰嚢の形成異常，形態異常（二分陰嚢，前置陰嚢など） 外陰部を含めた皮膚の色素沈着 陰唇癒合の有無（anogenital ratio）
性　腺	触知の有無，性腺のサイズ，位置，下降度 （両側に精巣を触知しない外性器異常の場合には CAH を念頭に置く）
奇　形	外性器以外の奇形の有無

anogenital ratio＝(肛門－陰唇小体)/(肛門－陰核基部)≧0.5 で陰唇融合あり

引用・参考文献

1） Levy J. et al. "Recognition, Stabilization, and Transport of the High-Risk Newborn". Care of the High-risk Neonate. Klaus, MH. et al. 6th ed. Philadelphia, W.B. Saunders, 2013, 71-104.
2） 細野茂春．新生児蘇生法テキスト：日本版救急蘇生ガイドライン 2015 に基づく．第３版．東京，メジカルビュー社，2016，147p.
3） Martin RJ. et al. "Respiratory problems". 前掲書 1，244-89.
4） Stark AR. "Apnea". Cloherty and Stark's Manual of Neonatal Care. Eichenwald, EC, et al., eds. 8th ed. Philadelphia, Wolters Kluwer, 2017, 426-31.
5） Mahle WT. et al. Endorsemet of Health and Human Services recommendation for pulse oximetry for critical congenital heart disease. Pediatrics. 129, 2012, 190-2.
6） 新生児医療連絡会編．NICU マニュアル第５版．東京，金原出版，2014，79.
7） Maisels MJ. et al. "Neonatal Hyperbilirubinemia". 前掲書 1，310-45.
8） 中村肇ほか．" 高ビリルビン血症の管理 "．新版．未熟児新生児の管理：大改訂．第４版．神戸大学医学部小児科編．東京，日本小児医事出版，2000，225-40.
9） 新生児医療連絡会編．前掲書 6，86.
10）Sansevere AJ. "Neonatal Seizure". 前掲書 4，812-28.
11）河野寿夫．" 退院後１カ月健診までにみられる異常 "．ベッドサイドの新生児の診かた．改訂２版．東京，南山堂，2009，277-99.
12）河野寿夫．" 新生児によくみられる異常（診断，処置）：出血 "．前掲書 11，224-5.
13）仁志田博司．" 体温調節と保温 "．新生児学入門第５版．仁志田博司編，東京，医学書院，2018，123-31.
14）新生児医療連絡会編．前掲書 6，110.
15）Baley, JE. et al. "Infection in the neonate". 前掲書 1，346-67.
16）Puopolo, KM. "Bacterial and Fungal infections". 前掲書 4，684-719.
17）城裕之．母子感染の検査診断：各論：母子感染で問題となる細菌感染症：B 群溶血連鎖球菌感染症．臨床検査．61，2017，1398-404.
18）高橋尚人．" 免疫系と感染の基礎と臨床 "．前掲書 13，323-49.
19）Bacino CA. "Genetic Issues presenting in the nursery". 前掲書 4，117-30.
20）井澤雅子．" 外性器異常 "．小児内分泌学．日本小児内分泌学会編．東京，診断と治療社，2009，77-80.
21）Swartz JM. "Disorders of sex development". 前掲書 4，923-41.

北里大学医学部附属新世紀医療開発センター ● 中西秀彦

新生児の低体温療法

概念・頻度

低酸素性虚血性脳症（hypoxic ischemic encephalopathy；HIE）は，出生前の胎盤血流の遮断などにより，胎児もしくは新生児の脳が，低酸素かつ虚血状態に曝されることによって引き起こされる脳症の総称である．

軽症から重症まで含めるとHIEは先進国において1,000出生あたり1.6例（範囲：1,000出生あたり0.68-3.75例）発生する[1)]とされており，国内でも2012年に周産期専門医教育施設を対象に行った調査で1,000出生あたり0.34例の中等症以上のHIEの発生があると報告されている[2)]．HIEには，重症，中等症，軽症の3つの重症度がある．特に中等症以上のHIEは死亡または神経学的後遺症を合併する割合が高く，生後18～24カ月時点で中等症，重症それぞれ54%，86%と報告されている[3)]．

複数の大規模臨床試験により，在胎週数36週以上の中等症～重症のHIEに対して，低体温療法（33.5～34.5℃）を生後6時間以内に開始することで，18カ月後の死亡率と神経学的後遺症を有意に減らすことが示された．この結果を受け，NCPR 2010では，中等症～重症のHIEに対して低体温療法を行うことが推奨された．1,300人以上の中等症～重症のHIEを対象にした2013年のメタアナリシスでも，18カ月後の死亡率と神経学的後遺症を有意に減らす効果が確認された（リスク比0.75，95%信頼区間0.68-0.83）（図1）[3)]．また，その効果は7～8歳でも維持される[4)]ことも示され，NCPR 2020でも，在胎週数36週以上で中等症～重症のHIEの新生児に対して，低体温療法を行うことが引き続き推奨されている．

低体温療法の適応があると考えられる新生児の蘇生にあたった場合には，迅速に，低体温療法を行う能力のある高度医療施設へ連絡し，搬送を検討することが望まれる．

	低体温療法あり		低体温療法なし				
	死亡 or 後遺症	症例数	死亡 or 後遺症	症例数	重み %	リスク比（95% CI）	リスク比（95% CI）
選択的頭部冷却							
Gunn, 1988	7	18	4	13	1.1	1.26（0.46, 3.44）	
Cool Cap Study, 2005	59	108	73	110	17.6	0.82（0.66, 1.02）	
Zhou, 2010	31	100	46	94	11.5	0.63（0.44, 0.91）	
小計（95% CI）		**226**		**217**	**30.3**	**0.77（0.64, 0.92）**	
合計症例数	97		123				
全身冷却							
Eicher, 2005	14	27	21	25	5.3	0.62（0.41, 0.92）	
NICHD Study, 2005	45	102	64	103	15.5	0.71（0.54, 0.93）	
TOBY Study, 2009	74	163	86	162	21.0	0.86（0.68, 1.07）	
neo.nEURO Study, 2010	27	53	48	58	11.2	0.62（0.46, 0.82）	
ICE Study, 2011	55	107	67	101	16.8	0.77（0.62, 0.98）	
小計（95% CI）		**452**		**449**	**69.7**	**0.75（0.66, 0.84）**	
合計症例数	215		286				
小計（95% CI）		678		666	100.0	0.75（0.68, 0.83）	
合計症例数	312		409				

図1 ● 中等症以上の低酸素性虚血性脳症に対する低体温療法と低体温療法なしの比較

死亡または生存者の神経学的後遺症への影響（冷却方法別）

（文献3より引用改変）

低体温療法の適応基準[5)]

在胎 36 週以上，体重 1,800g 以上で，**表 1** の適応基準 A（低酸素虚血の所見）と基準 B（中等症以上の脳症）をともに満たしたものは低体温療法の適応と考える．必要に応じて，さらに aEEG（amplitude integrated electroencephalogram）で評価してもよい．

HIE の重症度判定には，意識，自発運動，姿勢，筋緊張，原始反射，自律神経の 6 項目の臨床症状で重症度を判定する modified Sarnat スコアが広く使われている（**表 2**）[6)]．全身状態不良や先天異常のため冷却による利益を不利益が上回ると考えられる症例，施設の人員・機材の準備が不十分な場合には低体温療法は施行すべきではない．在胎 36 週未満の早産児や軽症脳症に対する低体温療法の安全性と効果についてはまだ十分な研究がない．

搬送前，搬送中の注意点・体温管理

搬送前もしくは，搬送中に冷却を開始すべきかどうかに関しては，まだ十分な科学的根拠がない．搬送中の極端な低体温も予後を悪化させる可能性があるため危険である．搬送中に十分な体温の測定や管理ができない状況では，34℃台を目指すような積極的な冷却は勧められない．積極的な冷却よりも，搬送中には全身状態の管理，具体的には貧血，循環血液量の不足，心不全，肺高血圧，呼吸不全，低血糖などに対応し，全

表 1 ● 低体温療法の導入基準[5)]

まず除外基準に当てはまらないか？
1. 在胎 36 週以上，体重 1,800g 以上か？
2. 生後 6 時間以内の冷却開始が可能か？
3. 全身状態は冷却が可能な状態か？
4. 冷却に支障を来す先天異常があるか？

基準 A：周産期の低酸素・虚血を示唆する所見があるか？（以下のいずれか一つを満たすか）
1. Apgar 10 分値≦5 点
2. 10 分以上の持続蘇生
3. 血液ガス pH<7.0 or BE≦-16

基準 B：中等症以上の脳症の所見を認めるか？
表 2 の modified-Sarnat スコアを使用して重症度を判定し，中等症以上の脳症に該当するか？

基準 C：適応基準 A と B をともに満たしたものは低体温療法の適応と考える．必要に応じて，さらに amplitude-EEG での評価も行ってもよい．（以下のいずれか一つ）
1. 基礎律動が中等度以上の活動性低下
2. 痙攣

表 2 ● modified Sarnat スコア

	正　常	中等症	重　症
1. 意　識	清明（刺激に反応）	傾眠	混迷 / 昏睡
2. 自発運動	正常	低下	なし
3. 姿　勢	自然な屈曲	高度な遠位屈曲 or 伸展	除脳硬直
4. 筋緊張	全ての四肢で十分な屈曲・股関節も	低下 or 明らかな亢進	弛緩 or 強直
5. 原始反射			
吸　啜	容易に誘発	弱く異常，噛む	消失
モロー反射	完全	不完全	消失
6. 自律神経			
瞳　孔	正常	縮瞳	固定
心　拍	100 ～ 160bpm	徐脈	変動
呼　吸	規則的	周期性呼吸	高度の無呼吸

意識，自発運動，姿勢，筋緊張，原始反射，自律神経の 6 項目のうち，中等症あるいは重症に当てはまる症状が 3 項目以上あれば中等症以上の脳症と判定され，低体温療法の適応となる．中等症か重症かの判定はどちらの重症度の項目が多いかで決める．「痙攣」があれば中等症以上と判定する．

（文献 6 より改変）

身状態を安定させることが重要である．ただし，NCPR 2020 では，仮死のない新生児でも出生後の体温を 37.5℃以下に維持することが推奨されている．特に HIE では高体温が脳受傷を悪化させるため，搬送前，搬送中は 38.0℃以上の極端な高体温は避けるように努める．

脳症の診断は経時的変化もあって相当難しく，また，治療の説明やセットアップにはかなりの時間がかかるため，搬送の判断は可及的速やかにすべきである．

冷却の方法と復温

全身冷却法と選択的頭部冷却法は，いずれも適切である．ただし，選択的頭部冷却法は技術的に難易度が高いため，日本の多くの施設で全身冷却法が選択されている．また，冷却の方法や期間は，大規模臨床試験で効果と安全性が確立されたプロトコール(すなわち，生後 6 時間以内に開始し，深部体温 33 ～ 34℃で 72 時間冷却し，少なくとも 4 時間はかけて復温する)を遵守すべきである．生後 6 時間を過ぎて生後 6 ～ 24 時間で開始された冷却でも，18 カ月後の死亡率と神経学的後遺症を減らす傾向が認められたが，その効果は不確実だった[7]．また，より低い体温（32℃）あるいは長時間（120 時間）の冷却では死亡率が上昇した[8]．

NCPR 2010 以降，日本では，深部温度や冷却温度を厳密に調節できる装置を用いて施行する低体温療法が普及しており，ガイドラインに準じた標準的な方法での低体温療法が可能な状況である．冷却したジェルパックなどによる簡易的な冷却は十分な安全性と根拠が示されていないため，わが国では勧められない．

冷却による副作用

冷却による副作用として徐脈と血小板減少が報告されている[3]．冷却による影響として，低血圧，凝固異常，主要臓器の梗塞や出血，肺高血圧にも十分な注意が必要だが，複数の大規模臨床試験の結果からは有意な増加は示されなかった[3]．主要臓器からの出血は統計学的には有意とはいえないが増加する傾向を認めており[3]，重大な合併症となり得るため要注意である．明らかな出血傾向が認められる症例での冷却は行うべきではない．

低酸素性虚血性脳症の病態とその他の脳保護治療

低酸素性虚血性脳症（HIE）は周産期仮死に引き続き発生する中枢神経系の機能異常を指す．脳受傷の主な病因は低酸素虚血であることが多く，わが国では「低酸素性虚血性脳症」という用語が定着しているが，脳受傷には子宮内感染など数多くの要因が関与する．新生児の神経学的機能異常を引き起こす脳受傷の病因は十分に理解されていないことが多いため，低酸素虚血以外のさまざまな病態もカバーする新生児脳症という用語がより適切かもしれない．新生児脳症は脳性麻痺，発達遅滞，てんかんなどの後遺症の原因となる．

分娩前や分娩中に起こった胎盤と臍帯を介した胎児への酸素供給の遮断により，乳酸アシドーシスが生じる．さらに，胎児徐脈が発生し，虚血が加わることで脳が低酸素，虚血に陥ることで発症する（図 2）．脳が損傷する過程として，早期に発症する一次神経細胞損傷（一次性のエネルギー障害）とそれに続いて発症する二次神経細胞死（遅発性エネルギー障害）がある．神経細胞のエネルギー代謝は低酸素虚血により早期の一次神経細胞損傷が生じた後に，蘇生によりいったん回復する．しかし，脳損傷が重度な場合には蘇生による脳への血流回復の 6 ～ 8 時間後から，さらに二次性の神経損傷が生じる．低体温療法の有効な開始時期は生後 6 時間以内とされるが，これは二次神経細胞死の発症前を意味している．いったん全身状態が回復し，急性期を脱したかに見える二次神経細胞死の時期に，

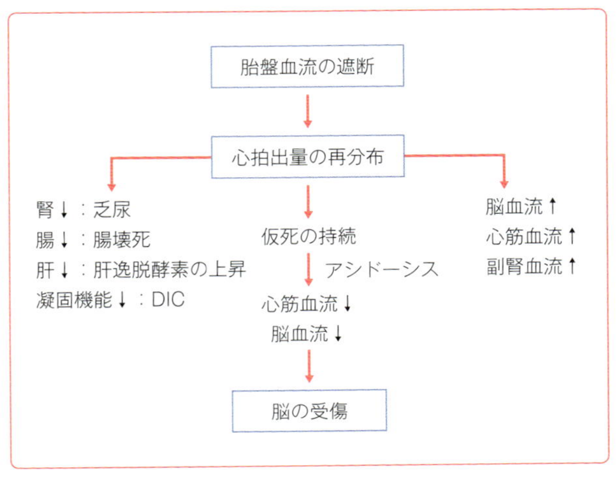

図 2 ● 脳受傷の機序

重症例では脳組織の傷害が進行し，意識障害が悪化，痙攣発作を発症する．二次神経細胞死は48～72時間，あるいはそれ以上の期間持続する．

現時点では脳保護療法として臨床での効果と安全性を十分に示すことができた治療は，低体温療法のみである．しかし，低体温療法の効果も限定的であるため，細胞治療やXe（キセノン）ガス吸入，エリスロポイエチン，メラトニン投与など多くの治療が研究中である．

発達予後のフォローアップ

低体温療法を受けた児は長期フォローアップが必要である．幼児期に判明する脳性麻痺や明らかな認知障害以外にも，言語発達の遅滞や高次機能障害の発症割合が高いことが報告されている．低体温療法を行った症例では就学期まで継続してフォローアップを行うべきである．

引用・参考文献

1) Lee AC. et al. Intrapartum-related neonatal encephalopathy incidence and impairment at regional and global levels for 2010 with trends from 1990. Pediatr Res. 74 Suppl 1, 2013, 50-72.
2) Hayakawa M. et al. Incidence and prediction of outcome in hypoxic-ischemic encephalopathy in Japan. Pediatr Int. 56(2), 2014, 215-21.
3) Jacobs SE. et al. Cooling for newborns with hypoxic ischaemic encephalopathy. Cochrane Database Syst Rev. 2013(1), CD003311.
4) Shankaran S. et al. Childhood outcomes after hypothermia for neonatal encephalopathy. N Engl J Med. 366(22), 2012, 2085-92.
5) Committee on Fetus and Newborn; Papile LA. et al. Hypothermia and neonatal encephalopathy. Pediatrics. 133(6), 2014, 1146-50.
6) Chalak LF. et al. Prospective research in infants with mild encephalopathy identified in the first six hours of life: neurodevelopmental outcomes at 18-22 months. Pediatr Res. 84(6), 2018, 861-68.
7) Laptook AR. et al. Eunice Kennedy Shriver National Institute of Child Health and Human Development Neonatal Research Network. Effect of Therapeutic Hypothermia Initiated After 6 Hours of Age on Death or Disability Among Newborns With Hypoxic-Ischemic Encephalopathy: A Randomized Clinical Trial. JAMA. 318(16), 2017, 1550-60.
8) Shankaran S. et al. Eunice Kennedy Shriver National Institute of Child Health and Human Development Neonatal Research Network. Effect of Depth and Duration of Cooling on Death or Disability at Age 18 Months Among Neonates With Hypoxic-Ischemic Encephalopathy: A Randomized Clinical Trial. JAMA. 318(1), 2017, 57-67.

神奈川県立こども医療センター ● 柴崎　淳

新生児蘇生法

標準的な新生児蘇生法（NCPR）の意義

新生児のうち85%の児は出生後10～30秒で自発呼吸が出現して，胎内生活から胎外生活への移行，すなわち呼吸循環の確立が得られる．残り10%は皮膚乾燥と刺激を，残りの5%は陽圧換気以上の蘇生を必要とする．陽圧換気以上の蘇生が必要となった場合でも，その90%の児は人工呼吸による陽圧換気で蘇生が可能である．またわが国の分娩のほとんどが施設内分娩であることから，分娩に関わる医療機関で適切な器具を整備し，そこに従事する医療従事者がマスク・バッグによる換気および胸骨圧迫といった標準的な蘇生法を修得することにより多くの児が救命可能となる．新生児蘇生法（neonatal cardio-pulmonary resuscitation；NCPR）は出生時の新生児の状態を見極め，適切なケアや蘇生をチームで行うために標準化された新生児蘇生法の学習プログラムであり，周産期に携わる医療従事者にはその習得が望まれる．

NCPRのアルゴリズム

コンセンサス2020に基づいた日本版新生児蘇生法のアルゴリズムを図1[1]に示し，そのポイントにつき概説する．

▶ チームメンバーによるブリーフィング・感染予防・物品の確認

新生児におけるブリーフィング（事前の手短な打ち合わせ）またはデブリーフィングが児およびスタッフの短期的な臨床成績および蘇生内容を改善する可能性が示唆されている[2～5]．蘇生に立ち会うチームメンバーはブリーフィングにより担当する仕事，役割とそれに応じた行動を確認し，理解しておく．この際周産期リスク因子を分析し，少なくとも1名の中心となって蘇生を行う人員（リーダー）や記録係等の役割分担を行い，必要な蘇生物品を確認し，追加の支援が必要かどうかを考慮する．

また，蘇生に立ち会うチームメンバーはさまざまな感染症に曝露する危険があり，母体等の感染症の情報に応じた適切な予防策を講じる必要がある．標準予防策は児の感染症の有無，またいかなる病態であるにもかかわらず適用される感染対策であり，母児と医療従事者双方における医療関連感染の危険性を減少させるために標準的に講じる感染対策である．具体的には手洗い，消毒の手指衛生および個人防護具（personal protective equipment；PPE：手袋，マスク，ガウン等）が含まれる．また新型コロナウイルス感染症（COVID-19）等の社会全体の健康に重大な影響を与える可能性のある感染症に対しては，各指針・提言に沿った感染予防策を計画し・準備する．

▶ 出生時の評価とルーチンケア

出生直後の評価項目は「早産児」「弱い呼吸・啼泣」「筋緊張低下」の3項目である．この3点はいずれも即座に，かつ自発呼吸が確立するかを判断する項目である．この3項目に問題がなければルーチンケア，つまり母親のそばで保温・気道開通・皮膚乾燥を行う．保温はラジアントウォーマーなどを使用して低体温防止に努めながら，皮膚の羊水を拭き取って皮膚を乾燥させる．気道開通は“sniffing” positionをとらせる（図2）．後頭部の大きい新生児では，肩枕（肩の下に巻いたハンドタオルやオムツを敷く）を入れると気道確保の体位をとりやすい．また鼻や口の分泌物はガーゼやタオルで拭えばよく，児の分娩中や出生直後のル

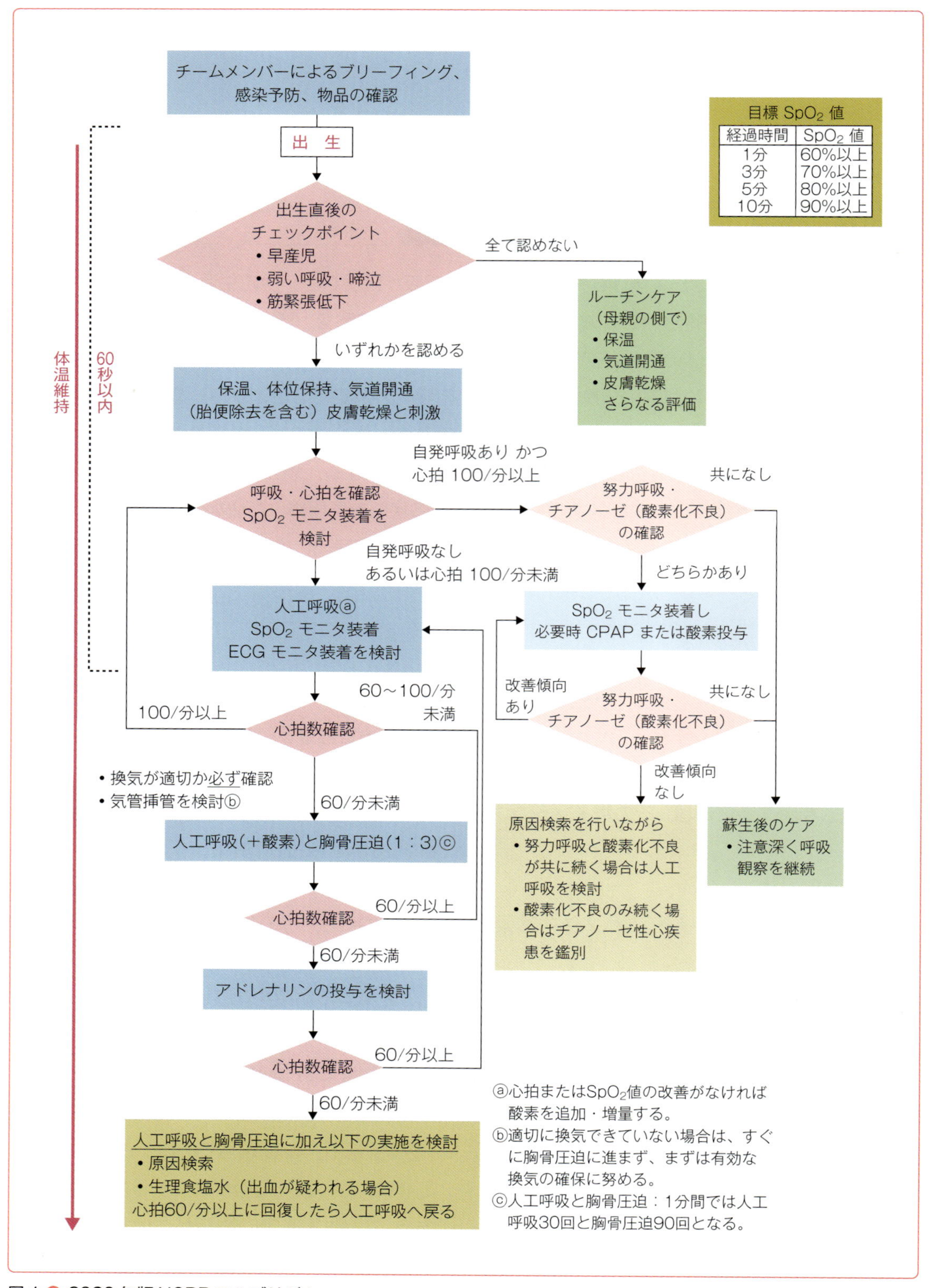

目標 SpO_2 値

経過時間	SpO_2 値
1分	60%以上
3分	70%以上
5分	80%以上
10分	90%以上

図 1 ● 2020 年版 NCPR アルゴリズム

〔2020 年度版 NCPR アルゴリズム．一般社団法人日本蘇生協議会編．JRC 蘇生ガイドライン 2020 オンライン版第 2 報新生児の蘇生．一般社団法人日本蘇生協議会，東京，2021．(https://www.japanresuscitationcouncil.org/wp-content/uploads/2020/12/60bc5b2facde74d8faf20c0db8147637.pdf）一般社団法人日本蘇生協議会監修．JRC 蘇生ガイドライン 2020．第 4 章新生児の蘇生．医学書院．東京，2021，234．より転載〕

ーチンの口・鼻咽頭吸引は必要ない．

▶ 蘇生の初期処置

出生時の評価項目に異常を認めた場合は初期処置を開始する．蘇生の初期処置はルーチンケア（保温，体

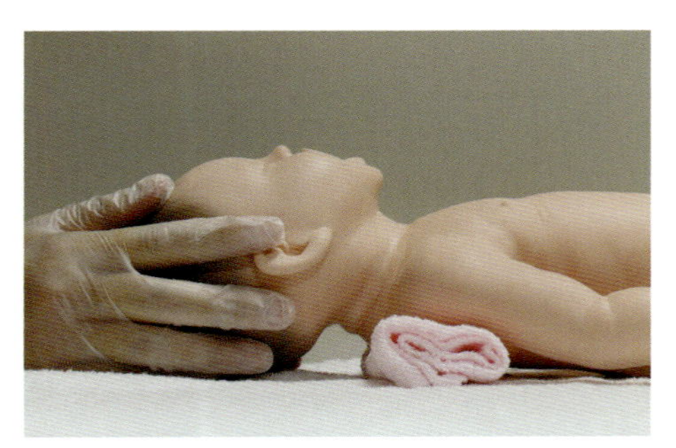

図 2 ● sniffing position

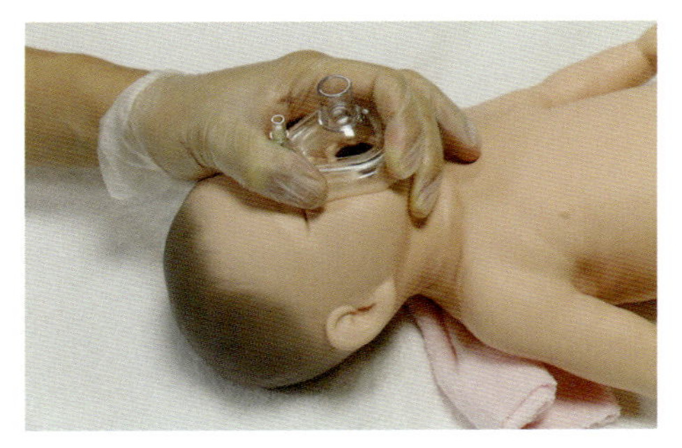

図 3 ● IC クランプ法

位保持と気道開通, 皮膚乾燥）に加え刺激を実施する．気道開通のために吸引が必要な場合には，ゴム球式吸引器または吸引カテーテルでまず口腔を吸引し，次いで鼻腔を吸引する．吸引カテーテルのサイズは羊水の胎便混濁の有無によって変更する．羊水の胎便混濁があった場合は，太めの吸引カテーテル（12 または 14Fr）で口腔および鼻腔内を吸引する．羊水が清明な場合は，正期産児で 10Fr，低出生体重児では児の大きさに応じて 8Fr または 6Fr の吸引カテーテルを用いる．また吸引操作により後咽頭を刺激すると，徐脈や無呼吸の原因となる迷走神経反応を引き起こすことがあるため，口腔内と鼻腔内は 5 秒程度にとどめ，激しくあるいは深く吸引しないように注意する. また，吸引に用いる陰圧は 100mmHg（13kPa）を超えないようにする．

刺激は羊水のふき取りや体位保持と吸引などの気道開通を施行し，それでも自発呼吸が認められない場合に背中または足底を優しく，手短に刺激する．刺激後も十分な自発呼吸が認められない場合，それ以上の刺激は時間の無駄であり，有効な人工呼吸を生後 60 秒以内に確実に開始することが重要である．保温に関しては，低体温や高体温が死亡や合併症のリスク増加に関わることから，分娩から入院までの新生児早期の一貫した体温管理を実施する．具体的には 36.5 ～ 37.5℃を目標体温とし，NICU または新生児室などの入室時には，その体温を必ず記録する．

▶ 初期処置後の評価

出生後おおむね 30 秒を目安に初期処置を終え，呼吸と心拍数を確認する．心拍数の速やかな上昇は，蘇生の効果を示す最も信頼できる指標である．臍帯動脈の拍動触知は，他の部位の触診よりは優れているが，心拍数を過小評価する可能性が高く，聴診器で直接胸部の聴診を行って確認するほうが信頼性は高い．6 秒間の心拍数を数えてそれを 10 倍すれば 1 分当たりの心拍数となる．蘇生や呼吸補助が必要な場合は，パルスオキシメータ（SpO_2 モニター）を動脈管の影響を受けない右手に装着する．また，ハイリスク分娩を多く取扱うような施設においては，心拍のより正確・迅速な評価のため心電図モニターの装着も考慮する．

▶ 人工呼吸

人工呼吸は新生児蘇生において最も重要かつ効果的な処置である．初期処置開始後，もし有効な自発呼吸がない，もしくは心拍数が 100 回 / 分未満であれば，まずは空気を用いた人工呼吸を生後 60 秒以内に確実に開始することが重要である．人工呼吸は，自己膨張式バッグ，流量膨張式バッグ，T ピース蘇生装置のいずれかで施行するが，普段から使用するバッグで確実にバッグ・マスクを用いた人工呼吸ができるように確認・訓練をしておく．

マスクは児の鼻と口を覆うが眼にはかからないサイズを選択し，片手で児の下顎とマスクを固定・密着させ，他方の手でバッグを加圧する．このとき，親指と人差し指で「C」の字をつくり, マスクを顔に密着させ，中指（「I」の字に相当）で下顎を軽く持ち上げるようマスクを顔に密着させる（IC クランプ法）（**図 3**）．人工呼吸は 40 ～ 60 回 / 分のペースで，圧は 20 ～ 40cm/H_2O の範囲で，胸郭の挙がりをしっかりと確認しながら実施する．成熟児，または成熟児に近い早産児では空気で蘇生を開始する．

人工呼吸開始後は，必ず有効な換気が行われているかを確認する．その評価は胸郭の挙上，バイタルサインの改善, CO_2 検知器の著明な反応（特に気管挿管中）

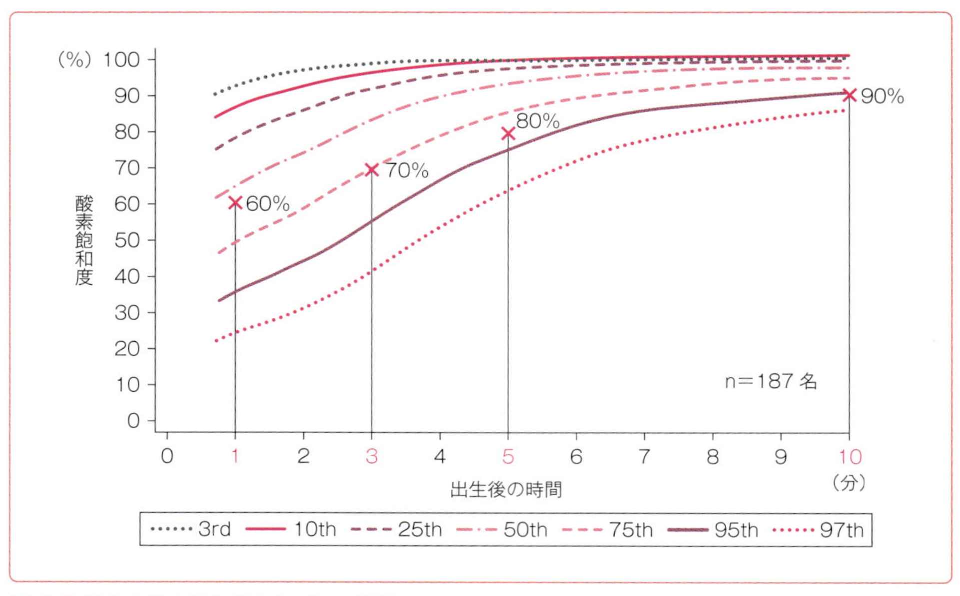

図 4 ● 出生直後の新生児の SpO_2 の推移

(文献 6 を改変)

表 1 ● 人工呼吸の改善法：3 つの解決ステップ

ステップ	解決法	
第一	マスク密着	顔面の正しい位置に適切なサイズのマスクをしっかり密着できているか
	気道確保姿勢の再確認	スニッフィング・ポジションが正しくとれているか再確認 (肩枕：耳と肩の上面が一直線状になるように調整)
第二	口鼻腔内吸引	口鼻腔内の分泌物の有無を確認し，吸引する
	換気圧の上昇	両側の胸壁が上がるまで動きを見ながら，徐々に換気圧を上げていく
第三	他の換気方法の考慮	ラリンゲアルマスク・気管挿管などの他の換気方法を考慮する

によって行う．人工呼吸，または酸素投与する際は，目標 SpO_2 値を，生後 1 分 60% 以上，3 分 70% 以上，5 分 80% 以上，10 分 90% 以上とし，上限は 95% を目安とし（**図 4**）[6]，酸素投与はブレンダーなどを用いた酸素と空気の混合ガスを使用し，心拍数，皮膚色，SpO_2 値を評価し酸素濃度を調節しながら投与する．

▶ 人工呼吸が上手く行かない場合の対応

特に人工呼吸開始 30 秒後の評価で状態の改善が見られない場合，または増悪する場合には，換気が適切かを必ず再評価する．もし人工呼吸が不適切であれば，**表 1** に示す 3 つステップを経て必ず換気を改善する．またこの間，酸素投与も平行して行う．

▶ 胸骨圧迫

有効な人工呼吸が行われているにもかかわらず心拍数が 60 回 / 分未満であれば，胸骨圧迫：人工呼吸＝3：1 の胸骨圧迫を開始するが，その際の人工呼吸は必ず酸素を併用する．1 サイクルは 2 秒間で行うので，1 分間に人工換気 90 回，胸骨圧迫 30 回を行う．胸骨圧迫の施行者が「1，2，3，バッグ」「1，2，3，バッグ」と声を出してペースメーカーの役割を果たす．胸骨圧迫の位置は胸骨下 1/3 で，深さは，胸郭前後経が 1/3 が凹むように圧迫する．圧迫解除時も胸郭から指を離さないようにする．胸骨圧迫の方法は，胸郭包み込み両母指圧迫法（両母指法）（**図 5**）が，2 本指圧迫法（2 本指法）（**図 6**）と比べて疲労度が少なくかつ高い血圧を発生させることができるため，第 1 選択とされる．2 本指法は，薬物投与のために臍帯にカテーテルを留置する場合（両母指法では腹部の清潔野を保てないため），一人で蘇生を行う場合（両母指法では人工換気と胸骨圧迫を 1 人でできないため），蘇生施行者の手が小さい場合に考慮する．

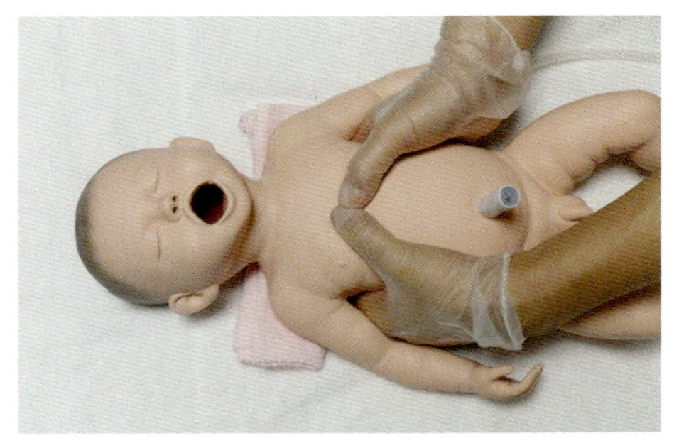
図5 ● 両母指圧迫法（両母指法）

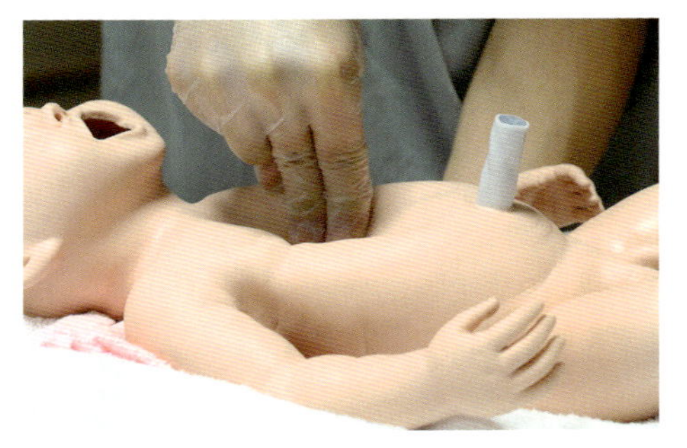
図6 ● 2本指圧迫法（2本指法）

胸骨圧迫の際は必ず酸素投与を実施する．この際の酸素濃度について明確な基準はないが，心拍数・皮膚色，SpO_2値の評価に応じて順次高濃度酸素（80～100%）に向けて増量，もしくは胸骨圧迫開始時から高濃度酸素（80～100%）を使用する．また自己心拍が再開したら，評価に基づき速やかに酸素濃度を順次減量する．

胸骨圧迫開始後は30秒ごとに6秒間の聴診もしくは心電図で心拍数をチェックし，心拍数が60回/分以上を保持できるまで胸骨圧迫を続ける．心拍数の評価中も人工換気は継続する．心拍数が60回/分以上に回復しないときは，人工呼吸と胸骨圧迫に加えてアドレナリンや生理食塩水の投与および原因検索を考慮する．

▶ 薬剤投与

胸骨圧迫開始30秒後でも心拍数が60回/分未満であればアドレナリンを投与する．投与経路は経静脈投与が優先される．静脈内へ速やかに0.01～0.03mg/kg（生理食塩水で10倍希釈したボスミンで0.1～0.3mL/kg）を投与することが推奨されている．薬物投与後は，全量投与するため生理食塩水でフラッシュする．静脈内投与に比べて効果は不確実であるが気管内投与を行うときは，0.05～0.1mg/kg（前述の10倍希釈ボスミンで0.5～1.0mL/kg）を投与する．投与する際には挿管チューブ内や接続部の薬物の残りに注意する．また，投与後は気管での吸収のために，速やかに人工呼吸を開始する．また循環血液量減少が疑われるときは，生理食塩水10mL/kgを5～10分かけて静脈内に投与する．

▶ 呼吸障害安定化の治療

自発呼吸がありかつ心拍数が100回/分以上のときは，さらに努力呼吸（呻吟，多呼吸，陥没呼吸）とチアノーゼの有無を確認し，もしいずれかを認めればパルスオキシメータを装着し，必要に応じて持続的気道陽圧（CPAP）もしくはフリーフローによる酸素投与を行う．CPAP実施の際には，マノメーターなどにより気道内圧をモニタすべきである．5～6cmH_2Oの圧を目標とし，エアリークなどの合併症の予防のため8cmH_2Oを超えないように留意する．CPAPもしくはフリーフローによる酸素投与を行っても改善がなければ，人工呼吸の開始や，高次医療施設への入院・搬送を検討する．

▶ 蘇生後のケアと低体温療法

低酸素性虚血性脳症を認めない児の体温は出生後入院を通して，中心体温を36.5～37.5℃に一貫して保ち，入院・入室時の体温を必ず記録する．また新生児仮死の蘇生後には，出生直後の高血糖に続く低血糖が高頻度に認められ，ブドウ糖の静脈内投与を含む速やかな対応が求められる．低血糖のみならず，高血糖も神経障害の原因となり得るので，血糖値は正常範囲に維持するようモニタリングと治療を行う．また低酸素性虚血性脳症が疑われ，低体温療法の適応（p.424，3章Ⅶ-2 表1参照）があると考えられる新生児の蘇生に当たった場合には，迅速に，低体温療法を行う能力のある高次医療施設へ連絡し，搬送を検討することが望まれる．

▶ 早産児の蘇生

早産児に関して，人工呼吸戦略，保温，臍帯処置につき下記のように対処する．

分娩室で努力呼吸を呈する早産児に対して挿管，人工換気に先立ち 5cmH_2O の CPAP を行う．人工換気が必要な早産児には，初期吸気圧は 20 ～ 25cmH_2O で開始して胸郭の動きなどで換気圧を調整する．その際 5cmH_2O の終末呼気陽圧（PEEP）を使用し，酸素濃度は 21 ～ 30%の低濃度酸で開始し，SpO_2 値を指標として酸素濃度を調整する．保温については在胎 32 週未満の早産児では，インファントラジアントウォーマー上で処置をする場合は 23 ～ 25℃の環境温度，加温したブランケット，皮膚乾燥せず実施するプラスチックラッピング，温熱マットレスなどの組み合わせにより NICU 入院時の低体温（< 36℃）を回避する．臍帯処置に関しては在胎 28 週以下の早産児に対し，臍帯遅延結紮，もしくは臍帯ミルキングを実施する．

おわりに

NCPR を受講し，資格を取得することは新生児蘇生について学ぶための入口に立ったにすぎない．その後，臨床現場での on the job トレーニングはもちろん必要だが，NCPR によるトレーニングを繰り返し行うことが望まれる．NCPR ではトレーニングの頻度についても言及されており，トレーニングは短期間に繰り返す必要があり，1 年に 1 回以上の頻度で行うことが推奨されている．短時間でもよいので，マスクとバッグによる人工呼吸と胸骨圧迫の手技訓練とアルゴリズムの復習を積極的に行うことが望まれる．

引用・参考文献

1） 細野茂春監修．日本版救急蘇生ガイドライン 2020 に基づく新生児蘇生法テキスト．第 4 版．東京，メジカルビュー社，2021，204p.
2） Skåre C. et al. Implementation and effectiveness of a video-based debriefing programme for neonatal resuscitation. Acta Anaesthesiol Scand. 62, 2018, 394-403.
3） Katheria A. et al. Development of a strategic process using checklists to facilitate team preparation and improve communication during neonatal resuscitation. Resuscitation. 84, 2013, 1552-7.
4） Sauer CW. et al. Delivery room quality improvement project improved compliance with best practices for a community NICU. Sci Rep. 6, 2016, 37397.
5） Magee MJ. et al. Improvement of immediate performance in neonatal resuscitation through rapid cycle deliberate practice training. J Grad Med Educ. 10, 2018, 192-7.
6） Dawson JA. et al. Defining the reference range for oxygen saturation for infants after birth. Pediatrics. 125, 2010, e1340-7.

豊橋市民病院 ● 杉浦崇浩

1 無痛分娩

無痛分娩の意義と安全な提供体制の確立

無痛分娩とは，硬膜外鎮痛法あるいは脊髄くも膜下硬膜外併用鎮痛法を用いて分娩時の痛み（産痛）を軽減することである．わが国での普及率は2017年の調査で6.1%であったが，米国やフランスの普及率は約80%に達している．これらの国では妊産婦の産痛緩和希望自体が無痛分娩の適応であるとされており，分娩への恐怖やストレスを軽減して産婦が落ち着いて分娩に臨むための有効な手段になっている．わが国ではまだ必要不可欠な医療行為ではないとする考えが一般的で，医学的な理由がある妊婦に対して無痛分娩を選択することが多い．無痛分娩には産痛による血中カテコラミンの上昇や過換気症候群の発生を抑制し母体の血行動態を安定化する利点がある[1]．従来ならば帝王切開が選択されていた合併症をもつ妊婦でも，無痛分娩を行うことで帝王切開を回避できる可能性がある．また，近年ではCOVID-19感染妊婦の経腟分娩において区域鎮痛によるエアロゾル飛散抑制の可能性についても議論され始めている．一方で，無痛分娩は自然分娩と異なる分娩進行や特有の合併症を認めることがあり，医療従事者のみならず無痛分娩を受ける産婦側の理解も求められる．分娩医療機関においては，無痛分娩の特性を理解し，安全に提供できる体制を整備することが重要である．

無痛分娩を安全に提供する体制については2017年に厚生労働科学特別研究事業において「無痛分娩の安全な提供体制の構築に関する提言」が示され，2019年には無痛分娩の質の向上に向けて無痛分娩関係学会・団体協議会（The Japanese Association for Labor Analgesia；JALA）が発足した．無痛分娩の実施に関する診療上の責任を明確にするとともに人員体制，設備等について提案されている[2]．

体制整備[2]

無痛分娩を実施する施設では，無痛分娩に関する管理・運営・リスク管理の責任を負う無痛分娩麻酔管理者を置くことが求められる．無痛分娩麻酔管理者は麻酔担当医の選任，無痛分娩に習熟した助産師や看護師の配置，施設の方針やマニュアルの作成，危機対応シミュレーションの実施を担う．麻酔担当医は無痛分娩の麻酔に関連した医療行為を行い，分娩終了まで定期的な産婦の観察や迅速な緊急対応ができる状態を維持することが望ましいとされている．施設の状況によっては分娩担当の産科医が無痛分娩麻酔管理者や麻酔担当医を兼任することも可能である．

施設の人的物的資源に即して整備された診療体制や実施マニュアルの情報は，無痛分娩を希望する妊婦や家族に向けてウェブサイト等で公開することが求められている．無痛分娩の安全性向上のため，有害事象等に関する情報の集積を行い，再発防止策を講じることも重要である．

無痛分娩の適応

無痛分娩の適応には，医学的適応と社会的適応がある．医学的適応は母体の循環動態の安定を目的とするもので，母体心疾患[3]，母体脳血管障害[4]，妊娠高血圧症候群[5]，高血圧症等が挙げられる．帝王切開に比較して経腟分娩の方が血栓塞栓症や出血，感染のリスクが低く，区域鎮痛を行うことで疼痛による交感神経刺激や過度の努責を回避して経腟分娩が可能になることがある．分娩進行中に原疾患の悪化を認めた場合や循環動態が不安定になった場合には帝王切開に切り替える．先天性心疾患を有する場合，分娩前のNew York Heart Association（NYHA）Ⅱ以上の症例でもフェンタニルを主体とした区域鎮痛を行うことで経腟分娩が可能であると報告されている[6]．心不全症状を伴う場合や大動脈径の拡大を認めるMarfan症候群，大動脈縮窄症，大動脈弁狭窄症，重度の肺動脈狭窄，Fontan 術後などは帝王切開の適応である．

妊婦自身の産痛緩和希望は，社会的適応に分類される．自然陣痛発来後に区域鎮痛を導入する方法と，無痛分娩を目的として分娩誘発する方法がある．分娩誘発に比べ自然の陣痛発来後に麻酔の導入を行った方が一般的に分娩進行は順調でオキシトシンの使用量も少ないが，夜間もマンパワーが必要になる．施設によっては，双胎経腟分娩や既往帝王切開後の経腟分娩トライアル（TOLAC）など，分娩方法が帝王切開に変更される可能性がある症例に対して無痛分娩を行っている．効果が確認できる有効な硬膜外カテーテルを留置することで速やかに帝王切開術への移行が可能になる．

無痛分娩の方法

無痛分娩中に発生した麻酔に関する問題を迅速に発見し対応するためには，区域鎮痛法について理解する必要がある．分娩時の疼痛は，分娩第 1 期には胸髄 T10 ～腰髄 L1 の神経線維が関与し，分娩第 2 期には仙髄 S2 ～ 4 の関与が追加される．区域鎮痛法には硬膜外鎮痛法と脊髄くも膜下硬膜外併用鎮痛法（combined spinal-epidural analgesia；CSEA）がある．おおむね L3-4 間を穿刺し，硬膜外腔に留置したカテーテルから薬剤を持続的あるいは間欠的に投与して分節的な神経遮断を図る．硬膜外鎮痛法単独では局所麻酔薬の初回投与から鎮痛効果の発現まで 10 ～ 15 分を要するが，留置カテーテルから持続的に薬剤を投与することにより長時間の鎮痛が可能である．脊髄くも膜下鎮痛法を併用する CSEA では，くも膜下腔に薬液を注入することにより効果発現が 2 ～ 4 分と短縮される．

近年は dual puncture epidural（DPE）というテクニックも導入されている．この方法はスパイナル針をくも膜下腔まで進め，脳脊髄液の逆流を確認したら薬液を注入せず，針を引き抜く．その後，硬膜外カテーテルを留置し薬液を投与すると，くも膜の小さな孔から少量の薬剤がくも膜下腔に流入するという原理である．

● 開始前の確認事項：患者の同意，凝固異常や穿刺部位の膿瘍の有無あるいは腰椎の変形等の禁忌事項がないことを確認する．未分画ヘパリンを使用している場合には穿刺操作まで 4 時間以上空ける．中～高用量の投与例では 12 ～ 24 時間経過後に aPTT や高 Xa 活性を測定し正常であることを確認する．凝固異常や穿刺部位に病変がある区域鎮痛法の禁忌例には，レミフェンタニルの IV-PCA 投与が行われる場合があるが鎮痛効果は弱く，母体の呼吸抑制や胎児徐脈が問題になる．

● 準備：分娩の進行状況を確認し，末梢静脈ルートを確保，血圧や脈拍数，経皮的酸素飽和度（SpO_2），胎児心拍数陣痛図（CTG）を経時的または連続的にチェックする．

● 硬膜外穿刺の手技：施術野の清潔を確保し，側臥位，または坐位で穿刺する．シリンジにつないだ穿刺針の先が黄靱帯を通過し硬膜外腔に達すると，シリンジ内の生理食塩水あるいは空気が注入可能になる（loss of resistance 法）．この方法で硬膜外腔にカテーテルを留置し，血液や髄液の逆流がないことを確認後，少量分割法で局所麻酔薬を投与する．オピオイドを併用した低濃度局所麻酔薬の持続硬膜外鎮痛法（0.08 ～ 0.1％のロピバカインまたはレボブピバカイン＋フェンタニル 2 μg/mL を 10mL/ 時で投与）を行うのが一般的であるが施設によって多少異なる．局所麻酔薬の初回投与後 15 分までは母児の様子を注意深く観察し，血圧，脈拍数，SpO_2，CTG をチェックする．約 15 分後に冷覚低下／消失の範囲を確認し十分な鎮痛が得られているか，左右差はないか確認する．投与量は分娩進行に合わせて変更する．

● 鎮痛中の管理：分娩進行中は仰臥位を避ける．無痛分娩では，硬膜外腔に長時間カテーテルを留置するため，カテーテルの血管内迷入やくも膜下腔への迷入が起こり得る．急変時に対応できる設備（酸素供給，口腔内吸引装置，救急カート，人工呼吸装置）を配置し，母児の状態を常時観察しておく必要がある．

無痛分娩の合併症と対応

▶ 区域鎮痛法による合併症

1）低血圧

約 10％に認め，特に脊髄くも膜下鎮痛では頻度が高い．胎児心拍数異常が出現することもあり，母体低血圧の回避は子宮胎盤血流の維持に重要である．無痛分娩開始前には膠質液の輸液負荷を行う．輸液負荷で改善しない血圧低下を認めた場合には昇圧薬（エフェドリン4～5mgあるいはフェニレフリン50～100μg）を静脈内投与する．

2）硬膜穿刺後頭痛（postdural puncture headache；PDPH）

意図的に硬膜を穿破する脊髄くも膜下鎮痛では，おおむね1.5～11%にPDPHが発生する．硬膜外鎮痛の合併症である意図しない硬膜穿破（頻度0.8～1.5%）とは病態が異なる．細い針やペンシルポイント針の使用で頻度が低下するといわれている．硬膜穿刺後5日以内に頭痛が発症し，坐位や立位で増悪し臥位で軽減する．耳鳴り，視力低下，項部硬直，光過敏，悪心のいずれかを伴い，95%は1週間以内に自然に消失するが育児の妨げになる．治療は，硬膜外自家血パッチ，非ステロイド系抗炎症薬（NSAIDs）やカフェインの投与である．

3）局所麻酔薬の血管内注入（局所麻酔薬中毒）

数千例に1例の頻度で発症する重篤な合併症である．硬膜外カテーテルを比較的長時間留置する無痛分娩では，カテーテルによる血管損傷や血管内迷入が起こり得る．この状態に気づかず局所麻酔薬を投与すると血中濃度が上昇し発症する．耳鳴りや頭痛，金属性の味覚，口唇周囲の違和感に続き，不穏や痙攣，意識障害，心機能抑制，重症不整脈が現れる．早期発見と呼吸・循環管理が重要である．脂肪乳剤（イントラリポス®）の投与が有効である．

4）高位脊髄くも膜下麻酔・全脊髄くも膜下麻酔

まれ（数千例に1例）ではあるが一定の頻度で発症する重篤な合併症である．硬膜外鎮痛で大量の局所麻酔薬が脊髄くも膜下腔に入り脊髄神経の大部分が麻痺し，徐脈や低血圧，呼吸停止を来すことがある．呼吸・循環管理を要する．

5）硬膜外血腫

頻度は15～25万例に1例と極めてまれである．穿刺部位の血腫形成によって下半身の不可逆的な神経障害を合併することがある．凝固障害や抗凝固薬の使用で頻度が上昇する．穿刺時だけでなく硬膜外カテーテル抜去時の凝固能にも注意が必要である．両側性で進行する下肢の感覚障害や運動障害，背部の激痛を認めた場合には，速やかにMRI等の画像検査を行って診断し血腫を除去する．

▶ 硬膜外鎮痛が分娩経過に及ぼす影響

1）子宮収縮薬使用頻度の増加

子宮収縮薬（主にオキシトシン）の使用頻度が増加する．分娩時疼痛をブロックし産婦が痛みを感じない状態では子宮収縮薬の投与速度が過剰になる可能性があり，内測法による陣痛計測を用いるなど注意が必要である．

2）胎児心拍数パターン異常の増加

区域鎮痛導入から30分前後で胎児心拍数パターン異常が出現することがある．特にCSEAで頻度が高く12～33%と報告されている．疼痛除去により血中カテコラミンレベルが低下し，そのβ_2刺激作用（子宮収縮抑制効果）が抑制され頻収縮になることが原因の一つと考えられている．母体低血圧が関与することもある．一過性徐脈が出現した場合には，頻収縮や母体低血圧の治療を行う．多くは一過性である．

3）母体発熱

無痛分娩の時間が長くなると，約10%の頻度で母体の体温が38℃以上に上昇する．絨毛膜羊膜炎の頻度は上昇せず，体温調節中枢の関与が指摘されている．母体の発熱時には児の酸素消費量は多くなり低酸素状態に移行しやすくなるため，飲水を促し輸液を行って脱水の改善を図る．

4）帝王切開率

ランダム化比較研究，メタアナリシス研究[7]で，帝王切開率に及ぼす影響は否定的であるとの報告がほとんどである．

5）器械分娩率

回旋異常の頻度上昇や努責不良の影響で器械分娩率が高くなる．

6）分娩第2期遷延

メタアナリシス研究[7]では，分娩第2期は数十分延長すると報告されている．胎児心拍数異常がなければ，初産婦の場合は分娩第2期3時間以内，経産婦の場合には2時間以内に分娩を完了するよう推奨されている．

7）胎児への影響

硬膜外無痛分娩に用いられる局所麻酔薬の臍帯静脈／母体静脈血中濃度比は，ロピバカインの場合0.33

である．母体血中に多量の局所麻酔薬が血管内へ誤注入される場合を除き，胎児への影響は少ない．

帝王切開術への移行

無痛分娩施行中に産科的適応で分娩方法が経腟分娩から帝王切開術に変更になる場合がある．無痛分娩と帝王切開では鎮痛の深度が異なるため，薬液の追加が必要である．

硬膜外鎮痛法を用いた無痛分娩では，熟練した医師が担当したとしても区域鎮痛法の合併症はすべて起こり得る．分娩医療機関においては，無痛分娩の特性を理解し，安全に提供できる体制を整備することが重要である．

引用・参考文献

1) Shnider SM. et al. Maternal catecholamines decrease during labor after lumbar epidural anesthesia. Am J Obstet Gynecol. 147, 1983, 13-5.
2) 日本産科婦人科学会／日本産婦人科医会 編集・監修．“CQ421 無痛分娩の安全な実施のために望ましい施設の体制は？”．産婦人科診療ガイドライン：産科編 2020．東京，日本産科婦人科学会，2020，275-8.
3) Kuczkowski KM. Labor analgesia for the parturient with cardiac disease: what does an obstetrician need to know? Acta Obstet Gynecol Scand. 83, 2004, 223-33.
4) 細川幸希ほか．もやもや病合併妊娠症例の分娩様式に関する後方視的検討．麻酔．65，2016，811-6.
5) Ramos-Antis E. et al. The effects of epidural anesthesia on the Doppler velocimetry of umbilical and uterine arteries in normal and hypertensive patients during active term labor. Obetet Gynecol. 77, 1991, 20-6.
6) 細川幸希ほか．区域麻酔下経腟分娩を試みたNYHA Ⅱ度以上の心疾患合併妊娠症例に関する後方視的検討．分娩と麻酔．96，2014，108-12.
7) Anim-Somuah M. et al. Epidural versus non-epidural or no analgesia for pain management in labour. Cochrane Database Syst Rev. 2018, Issue 5. Art. No. CD000331. Analysis 2.9. Comparison 2.

相模野病院 望月純子

帝王切開術の麻酔

概念・定義・分類・病態・頻度・リスク・要点

概　念

帝王切開術の麻酔法には，緊急度，産科適応，母体合併症により多様な選択肢がある．標準的な麻酔法は脊髄くも膜下麻酔であり，その理由は，全身麻酔と比較して母体の麻酔リスクが少ないこと，児への麻酔薬影響がないこと，出産の記憶を保ち，早期母子接触が可能であることである．

定　義

麻酔法は，全身麻酔（general anesthesia），区域麻酔（regional anesthesia），局所浸潤麻酔（local anesthesia）に大別される．区域麻酔に含まれるのが脊髄幹麻酔（neuraxial anesthesia）と神経ブロックであり，脊髄幹麻酔には脊髄くも膜下麻酔（subarachnoid anesthesia，spinal anesthesia）と硬膜外麻酔（epidural anesthesia）とがある．脊髄くも膜下麻酔と硬膜外麻酔を併用する方法を，脊髄くも膜下硬膜外麻酔併用法（combined spinal epidural anesthesia；CSEA）と称する．

全身麻酔は完全な意識消失を伴うものであり，静脈麻酔（intravenous anesthesia）や吸入麻酔（inhalational anesthesia）が含まれ，鎮静（sedation）とは区別されるが，患者の状態は麻酔薬に対する反応により鎮静から麻酔（またはその逆）へと連続的に変化する．

産痛緩和に用いられる硬膜外麻酔法は，運動神経遮断を伴う手術の麻酔（anesthesia）と区別して，硬膜外鎮痛法（epidural analgesia）と称する．

分　類

帝王切開術の緊急度分類として，英国 NICE によるものが医療者間の情報伝達に有用であり，表に示す（表1）[1]．

表1 ● 帝王切開術の緊急度分類と推奨される麻酔法（英国 National Institute for Health and Care Excellence によるカテゴリー分類を参考に作成）

NICE 緊急度カテゴリー	決定から娩出まで	母児の状態	疾患例	推奨される麻酔法
1	できるだけ早く 大部分の施設では決定から 30 分以内	母体または胎児の生命をただちに脅かす状態	子宮破裂疑い，重度な常位胎盤早期剝離，臍帯脱出，胎児低酸素症もしくは持続する胎児徐脈など	全身麻酔，胎児心拍数が回復していれば脊髄くも膜下麻酔，硬膜外無痛分娩中であれば硬膜外麻酔
2	できるだけ早く 大部分の施設では決定から 75 分以内	母体または胎児の状態悪化だが，ただちに生命を脅かす状態ではない場合	妊娠高血圧症候群重症，子宮内感染など	脊髄くも膜下麻酔，硬膜外無痛分娩中であれば硬膜外麻酔．上記の禁忌があれば全身麻酔．
3		母体または胎児の状態悪化ではないが，早期の娩出を要する場合	分娩停止，子宮手術既往（陣発，破水）など	脊髄幹麻酔（脊髄幹麻酔の禁忌があれば全身麻酔）
4		母体や医療者に合わせて娩出を調整できる場合	骨盤位，子宮手術既往（未陣発）など	脊髄幹麻酔（脊髄幹麻酔の禁忌があれば全身麻酔）

カテゴリー 1 から 4 はそれぞれ，超緊急，緊急，準緊急，予定（待機的）に相当すると考えられる．対応する麻酔法は，超緊急の帝王切開術では全身麻酔が選択されることが多い．それ以外の緊急度では区域麻酔が第一選択であり，区域麻酔が禁忌となる例でのみ全身麻酔を選択する．

病　態

帝王切開術に用いられる麻酔法別の特徴と主な合併症を表2に示す．脊髄くも膜下麻酔では，麻酔薬による児への直接的影響は認めないが，脊麻後低血圧が高頻度であり，子宮血流減少から胎児アシドーシスを来す可能性がある．全身麻酔の主要な母体合併症は誤嚥性肺炎と気道確保困難であり，母体死亡の原因となる．全身麻酔は蘇生行為と同様であり，全身麻酔に禁忌自体は存在しないが，気道確保困難が予想される超緊急帝切では脊麻を選択することもある．

頻　度

帝王切開術の麻酔法別頻度については，米国産科麻酔学会は全身麻酔を 5%未満とすることを，英国麻酔科学会は全身麻酔を予定帝王切開術（category 4）では 5%以下，超緊急帝王切開術（category 1）では 50%以下とすることを推奨している[2]．硬膜外無痛分娩例では硬膜外カテーテルを手術の硬膜外麻酔に利用することで，超緊急帝王切開術においても全身麻酔の必要性を減らすことができる．

リスク

麻酔法別の母体死亡率は，米国の報告では全身麻酔が区域麻酔の 1.7 倍である．過去には 16.8 倍の時期もあった[3]．

要　点

帝王切開術の麻酔法選択とその管理は，母児の状態や緊急度により異なるため，産科から麻酔科医への的確な情報伝達と依頼が必要である．母児のアウトカムを最善とするために，術後回復強化プログラム Enhanced Recovery After Surgery が帝王切開術においても提唱された[4]．これは，術前，術中，術後に分けて，エビデンスレベルとともにケアの推奨を示したものである．さらに，日本麻酔科学会『術中心停止に対するプラクティカルガイド』[5] や日本蘇生協議会『JRC 蘇生ガイドライン 2020』において，妊婦の心肺蘇生法が提唱されている．

表 2 ● 帝王切開術に用いられる麻酔法別の特徴と主な合併症

麻酔法	全身麻酔	脊髄くも膜下麻酔	硬膜外麻酔	脊麻硬麻併用法	局所浸潤麻酔
所要時間	最短	短い	長い	やや長い	やや短い
母体合併症	誤嚥 気道確保困難 術中覚醒 弛緩出血	低血圧 徐脈（Bezold Jarisch 反射） 硬膜穿刺後頭痛（PDPH） 悪心・嘔吐 脊柱管内血腫 神経障害	軽度低血圧 硬膜穿刺後頭痛 脊柱管内血腫 局所麻酔薬中毒 高位脊麻 高位硬麻 硬膜下ブロック	脊麻・硬麻と同じだが，くも膜下局所麻酔薬用量により異なる	局所麻酔薬中毒
禁　忌	なし	循環血液量減少 出血傾向 穿刺部局所の感染 敗血症 頭蓋内圧亢進 患者の拒否	脊麻に同じ	脊麻に同じ	使用する局所麻酔薬に対するアレルギー
児への影響	筋緊張低下 呼吸抑制 Apgar スコア低値	母体低血圧を回避すれば生じない	局所麻酔薬によっては神経行動に影響	母体低血圧を回避すれば生じない	なし
術後鎮痛法	患者管理鎮痛法（IV-PCA）	くも膜下モルヒネ NSAIDs，アセトアミノフェン	硬膜外モルヒネ NSAIDs，アセトアミノフェン	脊髄幹モルヒネ NSAIDs，アセトアミノフェン	患者管理鎮痛法（IV-PCA）
コメント	予定帝王切開術でも誤嚥のリスクあり	成功率高いが，全身麻酔を必要とすることあり	最も安定した血行動態が得られる	脊麻と硬麻の長所を生かせる	脊髄幹麻酔失敗かつ気道確保困難症例で，患者覚醒後に有用

麻酔に関連する注意すべき臨床症状・所見

緊急帝王切開術を麻酔科医に申し込む際には，以下の情報を的確に麻酔科医に伝えてほしい．すなわち，緊急度（胎児徐脈持続か否か，何分以内に娩出したいか），産科診断，妊娠週数，胎児数，母体合併症，投与薬物（抗凝固薬や抗血小板薬，硫酸マグネシウムなど），アレルギー，最終飲食である．母体搬送受け入れに当たっても，これらの情報を搬送元より入手してほしい．麻酔法選択に影響するからである．

麻酔科医による患者への説明と同意の取得は，緊急時では時間の制約がある．帝王切開術が予定されている，もしくは緊急帝王切開術となる可能性がある程度認められる患者では，早めに麻酔科医が診察を行い，立案した麻酔方針を患者本人ならびに，麻酔科内，産科，新生児科，助産師・看護師と共有しておきたい．麻酔科医による病歴聴取と診察では，全身状態と心肺機能評価に加え，気道確保困難を予想させる解剖学的特徴がないか，脊髄幹麻酔手技を迅速に行えそうか，などに焦点を置いた評価を行う．高度肥満は，脊髄幹麻酔手技も全身麻酔での気道確保にも困難を伴う可能性があり，BMI 35 以上の症例では事前の麻酔科コンサルトを産科に依頼している．側弯症や脊椎手術既往のある妊婦は，産科的にはリスクではないが，脊髄幹麻酔の可否や難易度に影響するため，X 線画像とともに麻酔科コンサルテーションをお願いしたい．

術前評価の留意点

気道確保困難を予想させる身体的特徴は以下の通りである．小顎，開口制限，短頸，猪首，頸部可動域制限，Mallampati 分類 3 以上（坐位で舌を突出させたときに口蓋垂が見えない），下顎切歯が上口唇を噛めない，口腔内病変，気道狭窄など．

スクリーニングとしての心電図と胸部 X 線は，病歴や身体所見によって要否を判断してよく，緊急帝王切開術の術前評価に必須ではない．一方で呼吸苦や SpO_2 低下を呈する場合は，胸部 X 線や CT，経胸壁心エコーによる評価を考慮する．頭痛や意識障害，痙攣を認める場合は，頭部 CT を評価してから帝王切開術に臨みたい．

血液型と異常抗体スクリーニングを確認する．血小板数と凝固機能検査は，特に妊娠高血圧症候群や HELLP 症候群での脊髄幹麻酔の可否に影響するため重要である．HELLP 症候群では麻酔開始 6 時間以内の血小板数を基に，気道確保困難予測や最終飲食からの時間などを考慮して総合的に麻酔法を選択する．

表 3 ● 術前 Enhanced Recovery After Cesarean パスの構成要素

推　奨		行　動	推奨度	エビデンスレベル
(1)	絶飲食時間短縮	• 固形物は帝王切開術の 8 時間前まで • 清澄水は帝王切開術の 2 時間前まで	Ⅱb	C-EO
(2)	非粒子状飲料 炭水化物負荷	• 非粒子状の炭水化物飲料を帝切の 2 時間前まで（糖尿病ない女性） • 炭水化物 45g を推奨 • 例：ゲータレード約 1L（炭水化物 54g），リンゴジュース約 500mL（炭水化物 56g）	Ⅱb	C-EO
(3)	患者教育	• 最低限：資料・標準化教育資材・対面により，帝王切開術術前指示，帝王切開術中の出来事，早期回復についての情報を帝王切開術前日までに説明する • SOAP ビデオの例 • 理想的：患者に帝切前に，電話・メモ・対面により ERAS のゴールについて説明する	Ⅱb	C-NR
(4)	授乳／母乳育児の準備と教育	• 最低限：資料・標準化教育資材・対面により，正常な母乳育児の生理学，授乳中によくある問題点，退院後の母乳育児支援について説明する • 理想的：構造化された出産準備学級において，本・ビデオ・院内授乳専門家の支援を受ける．退院後に母乳育児支援グループや授乳専門家に紹介する	Ⅱa	B-R
(5)	ヘモグロビン濃度最適化	米国産婦人科学会のガイドラインに従い，全妊婦の貧血をスクリーニングする • 鉄欠乏性貧血女性は経口（難治性なら静注）鉄剤と妊婦用ビタミン剤で治療する • 鉄欠乏以外の貧血原因を精査する	Ⅱa	B-R

上記 5 項目は，絶食時間を減らし，患者と医療者をケアプランに関与させ，身体的健康を最適化することを目的とする．

（Anesth Analg. 132, 2021, 1364. 文献 4 より引用改変）

表4 ● 術中のEnhanced Recovery After Cesareanパスの構成要素

推　奨		行　動	推奨度	エビデンスレベル
(1)	脊麻後低血圧予防	• 血圧を基準値に保つ • 例えばフェニレフリン（またはノルアドレナリン）の予防的持続静注により最適に管理できる	I	A
(2)	体温維持	• 積極的加温 例：輸液加温装置・温風式加温装置 • 理想的には手術室温度を23.0℃より高く保つ（Joint Commission Guidanceによる）	I	C
(3)	子宮収縮薬投与最適化	• 十分な子宮収縮と少ない副作用が得られる必要最小有効量の子宮収縮薬を投与 例 - 予定帝王切開術：オキシトシン1単位ボーラス，持続静注2.5～7.5IU/h（0.04～0.125IU/分）で開始 - 分娩からの緊急帝王切開術：オキシトシン3単位を30秒以上かけて静注，持続静注7.5～15IU/h（0.125～0.25IU/分）で開始	II	A
(4)	予防的抗菌薬投与	• 皮膚切開前に抗菌薬予防投与（臍帯クランプまで待たない）	I	A
(5)	IONV/PONV予防	• 予防的昇圧薬持続静注（上記）により低血圧に起因するIONVを防ぐ • 子宮体外脱転の必要性と術野を生理食塩水で灌流することを術者と相談する • 作用機序の異なる2つの制吐薬を予防的に静注する 例 - $5HT_3$受容体拮抗薬（オンダンセトロン4mgなど） - 糖質コルチコイド（デキサメタゾン4mgなど） - D2受容体拮抗薬（メトクロプラミド10mgなど）	I (IONV/PONV予防) IIa (子宮体外脱転)	B C-LD
(6)	multimodal analgesia開始	長時間作用性オピオイドをくも膜下・硬膜外投与 例： • くも膜下モルヒネ50～150μg または • 硬膜外モルヒネ1～3mg 禁忌がなければ非オピオイド鎮痛薬を手術室から開始 1．腹膜閉鎖後にKetorolac（NSAID）15～30mg静注 2．児娩出後にアセトアミノフェン静注または経口 脊髄幹モルヒネ投与ない場合は局所麻酔薬創部浸潤またはTAPやQLBを考慮	I 帝王切開での先行鎮痛に関するエビデンスは不足	A
(7)	母乳育児と母子愛着形成を促す	• 母児の状態により母子接触を手術室内でできるだけ早期に行うべきである	IIa	C
(8)	術中輸液量の最適化	• 通常症例では輸液量を3L未満とする	IIa	C
(9)	臍帯遅延結紮	• 米国産婦人科学会は元気な正期産児と早産児では臍帯結紮を生後30～60秒以上経過してから行うことを推奨	I	A

上記9項目は，脊麻後低血圧とIONV（intraoperative nausea vomiting：術中悪心嘔吐）を予防し，multimodal analgesiaを開始し，母乳育児と母子愛着形成を支援し，輸液管理と胎児の転帰を最適化することを目的とする．PONVはpostoperative nausea vomiting（術後悪心嘔吐）を指す．

（注：論文中の表にあるコメント欄は割愛した）

（Anesth Analg. 132, 2021, 1365-6. 文献4より引用改変）

注）表3～5での推奨度とエビデンスレベルについて

ここでの推奨度とエビデンスレベルは，Halperin JL. et al. Further evolution of the ACC/AHA clinical practice guideline recommendation classification system: a report of the American College of Cardiology/American Heart Association Task Force on Clinical Practice Guidelines. Circulation. 133, 2016, 1426-8. に準拠している．

略語については，以下の通り．EO：expert opinion，NR：non randomized，R：randomized，LD：limited data

管　理

帝王切開術の麻酔管理について，術前から術後まで，母児のアウトカムを最善とするためにEnhanced Recovery After Surgery（ERAS）ガイドラインがEUならびに米国[4]から推奨されている．麻酔管理については両者がほぼ共通しており，米国のコンセンサスステートメントを表3～5に示す．それぞれ術前，術中，術後管理に対応している．予定帝王切開術での

表 5 ● 術後の Enhanced Recovery After Cesarean パスの構成要素

	推 奨	行 動	推奨度	エビデンスレベル
(1)	経口摂取早期開始	• 氷や水を麻酔後回復室入室から 60 分以内に摂取 • オキシトシン静注が完了し，経口水分摂取可能で，尿量が十分ならヘパリンまたは生理食塩水で末梢静脈路をロックする	Ⅱb	C-EO
(2)	早期離床	• 運動機能が十分回復した後に歩行する 例： 0 ～ 8 時間後：ベッドの端に座る・ベッドから椅子に移る・可能なら歩行する 8 ～ 24 時間後：可能なら歩行する・廊下を 1 ～ 2 回またはそれ以上歩く 24 ～ 48 時間後：廊下を 3 ～ 4 回またはそれ以上歩く・ベッドから 8 時間以上離れる	Ⅰ	B-NR
(3)	患者をよく休ませる	• 睡眠と安静を最適化する • 処置はまとめて行う（例：バイタルサイン評価と鎮痛薬投与のタイミングを調整する・経口鎮痛薬投与を睡眠周期に合わせる） 術後モニタを適切に使用する（SOAP 脊髄幹モルヒネ後モニタリングに関するコンセンサスステートメント参照）	Ⅱb	C-EO
(4)	膀胱カテーテル早期抜去	• 産後 6 ～ 12 時間までには膀胱カテーテルを抜去する • 適切なカテーテル抜去基準と抜去後の尿閉管理についてのプロトコルを作成する	Ⅱb	C-EO
(5)	静脈血栓塞栓症予防	米国産婦人科学会（ACOG）や米国胸部疾患学会（ACCP）のガイドラインに沿った施設管理方針に従う	Ⅰ	A
(6)	早期退院促進	• 退院計画を標準化し，ケアを調整することを術前から開始 • 患者中心のゴールを早期に確立する • 退院時のオピオイド処方を個別化し患者志向のものとする • 早期退院基準を満たすように患者回復過程を尺度を用いてモニタする	Ⅱb	C-EO
(7)	貧血是正	• 貧血をスクリーニングし治療する	Ⅰ	A
(8)	母乳育児支援	• 施設ごとのガイドラインに沿ったしっかりした授乳支援	Ⅰ	A
(9)	multimodal analgesia	multimodal analgesia プロトコルに含まれるもの： • モルヒネ等の長時間作用性脊髄幹オピオイド少量投与（上記） • 定時 NSAID • 定時アセトアミノフェン • 適応に応じて局所麻酔手技 例： • アセトアミノフェン 650 ～ 1,000mg を 6 時間ごと経口定時投与 • ketorolac 15 ～ 30mg 静注を児娩出後に手術室内で投与した後にイブプロフェン 600mg を 6 時間ごとに経口定時投与，またはナプロキセン 500mg やその他の NSAID を 1 日 2 回経口投与 • オキシコドン 2.5 ～ 5mg を 4 時間ごとまたは必要時に経口投与 • 先行または治療として神経ブロックを追加	Ⅰ	B-NR
(10)	血糖コントロール	• 糖尿病患者はその日の 1 例目が理想 • 血糖値を正常に維持（<180 ～ 200mg/dL），母児の血糖値を施設のプロトコルに従って検査	Ⅰ	A
(11)	腸管機能回復促進	• オピオイド使用量を最少化 • チューインガムを考慮 • 回復の障害を除去する • 離床を促す	Ⅱb	C-EO

（Anesth Analg. 132, 2021, 1368-9. 文献 4 より引用改変）

脊髄幹麻酔を想定しているが，緊急手術や全身麻酔の場合も可能な限り実践したい内容である．日本の添付文書にはそぐわない処方も見られるが，日本麻酔科学会は「麻酔薬および麻酔関連薬使用ガイドライン第 3 版」[6] を 2018 年に発表したので，そちらを参照してほしい．

次回妊娠への留意点

帝王切開術を反復する患者は多いため，過去の麻酔記録と術後経過を評価することは，次回の麻酔に有用である．全身麻酔であれば，気道確保困難の有無や麻酔薬·オピオイド必要量などを麻酔記録から評価する．脊髄幹麻酔であれば，局所麻酔薬投与量と麻酔高，脊麻後低血圧の程度と昇圧薬使用量，術中の訴え（悪心·

嘔吐，気分不快，SpO_2 低下など），手術時間，出血量，術後鎮痛法とその効果・副作用，術後麻酔合併症（硬膜穿刺後頭痛や神経障害など）を参考にする．次回の帝王切開術のためには，これらを麻酔記録や術後訪問記録に正確に残しておく．

Clinical Tips

● 脊麻後低血圧は，母体の悪心・嘔吐や胎児アシドーシスの原因となるため，積極的な予防と治療が推奨される．当院では SOAP コンセンサス[4] に準じて，膠質液前負荷（もしくは晶質液 co-load），ノルアドレナリン予防的持続静注，子宮左方移動をルーチンに行っている．妊娠高血圧症候群ではノルアドレナリンをより少ない量から開始する．児娩出後は，出血による循環血液量減少を昇圧薬持続静注によりマスクしないように注意する．

● 帝王切開術中の児娩出後のオキシトシン投与法は，国際コンセンサス[7] に基づいてシリンジポンプによる持続静注を採用した．必要最小量を用いることで低血圧や ST 変化などの副作用を減らし，必要十分な子宮収縮を得るためである．予定帝王切開術では 1 単位ボーラス静注後に 5 単位／時で持続静注する．陣痛からの緊急帝王切開術や出血ハイリスク例では，30 秒かけて 3 単位を静注した後に 10 単位／時で投与する．児娩出前に誤って投与しないようにするために，ノルアドレナリンは 50mL のシリンジに，オキシトシンは 10mL のシリンジに調整し，児娩出までは後者をシリンジポンプにセットしない．

● 早期母子接触と術後早期離床：帝王切開術においても早期母子接触を実践し，母乳育児と母子結びつきに貢献したい．くも膜下モルヒネとアセトアミノフェン定時静注により，麻酔開始後 6 時間での初回歩行と授乳が可能な例もある．くも膜下や硬膜外モルヒネ投与後は遅発性呼吸抑制の危険性があるため，当院では海外のガイドラインよりも厳密なモニタリングと観察（パルスオキシメータを 24 時間連続モニタし，呼吸数と SpO_2 を 1 時間ごとに 24 時間記録）を行っている．

引用・参考文献

1）National Institute for Health and Care Excellence. Caesarean birth : NICE guideline. 2021. https://www.nice.org.uk/guidance/ng192/resources/caesarean-birth-pdf-66142078788805 [last accessed on 2022. 2. 21]
2）Purva M. et al. Caesarean section anaesthesia: technique and failure rate. Royal College of Anaesthetists Raising the Standards: A Compendium of Audit Recipes. 2012. https://www.rcoa.ac.uk/sites/default/files/documents/2020-08/21075%20RCoA%20Audit%20Recipe%20Book_16%20Section%20B.7_p241-268_AW.pdf [2021. 8. 15]
3）Hawkins JL. et al. Anesthesia-related maternal mortality in the United States: 1979-2002. Obstet Gynecol. 117, 2011, 69-74.
4）Bollag L. et al. Society for Obstetric Anesthesia and Perinatology: Consensus Statement and Recommendations for Enhanced Recovery After Cesarean. Anesth Analg. 132, 2021, 1362-77.
5）日本麻酔科学会．術中心停止に対するプラクティカルガイド．2021，59p. https://anesth.or.jp/files/pdf/practical_guide_for_central_arrest.pdf [last accessed on 2022. 2. 21]
6）日本麻酔科学会編．“Ⅸ 産科麻酔薬”．麻酔薬および麻酔関連薬使用ガイドライン 第 3 版．2018, 279-724. https://anesth.or.jp/files/pdf/obstetric_anesthetic_20190905.pdf [2021. 8. 15]
7）Heesen M. et al. International consensus statement on the use of uterotonic agents during caesarean section. Anaesthesia. 74, 2019, 1305-19.

埼玉医科大学総合医療センター ● 照井克生

付録…資料

周産期医療に必要なデータ・検査値・分類

1. 妊娠中の血液データ

表 1 ● 妊婦の末梢血液像

	妊娠初期（～ 15 週）	妊娠中期（16 ～ 27 週）	妊娠末期（28 ～ 42 週）
WBC（/mm^3）	7,410 ± 1,870	8,340 ± 1,970	8,180 ± 1,980
RBC（万 /mm^3）	418 ± 35	379 ± 31	388 ± 34
Ht（%）	37.1 ± 2.9	34.4 ± 2.6	34.4 ± 2.7
Hb（g/dL）	12.5 ± 1.0	11.6 ± 0.9	11.4 ± 0.9
MCV（fl）	88.9 ± 5.0	90.9 ± 4.9	88.9 ± 5.7
MCH（pg）	30.0 ± 1.9	30.6 ± 1.8	29.6 ± 2.3
MCHC（%）	33.7 ± 1.3	33.7 ± 1.3	33.3 ± 1.3
血小板（×10^4）	23.8 ± 5.8	24.0 ± 5.8	23.8 ± 6.3
TIBC（μg/dL）	320 ± 75	432 ± 83	493 ± 109

• 新美眞，若槻明彦．妊婦の基準値．周産期医学．36（増刊），2006，957-60.
• 真木正博，設楽芳宏．産婦人科領域における血栓症．日本臨牀．44，1986，1178-86.

表 2 ● 妊娠経過に伴う凝固因子活性の変化（真木ら，1986 より一部改変）

凝固因子活性（%）	非妊時	妊娠時		
		12 ～ 15 週	32 週～	36 ～ 40 週
XII	92 ± 20	161 ± 42*	151 ± 39*	151 ± 40*
IX	104 ± 21	162 ± 29*	185 ± 52*	180 ± 41*
VIII	88 ± 22	135 ± 34*	185 ± 61*	181 ± 60*
VII	90 ± 20	123 ± 32*	160 ± 38*	158 ± 42*
X	91 ± 21	123 ± 25*	138 ± 36*	139 ± 33*
V	95 ± 24	99 ± 25	98 ± 24	105 ± 30
II	96 ± 24	125 ± 21*	148 ± 33*	144 ± 35*
XIII	94 ± 15	93 ± 11	74 ± 12*	70 ± 13*
フィブリノゲン（mg/dL）	256 ± 79	355 ± 85*	417 ± 82*	440 ± 80*

＊有意差あり

• 新美眞，若槻明彦．妊婦の基準値．周産期医学．36（増刊），2006，957-60.
• 真木正博，設楽芳宏．産婦人科領域における血栓症．日本臨牀．44，1986，1178-86.

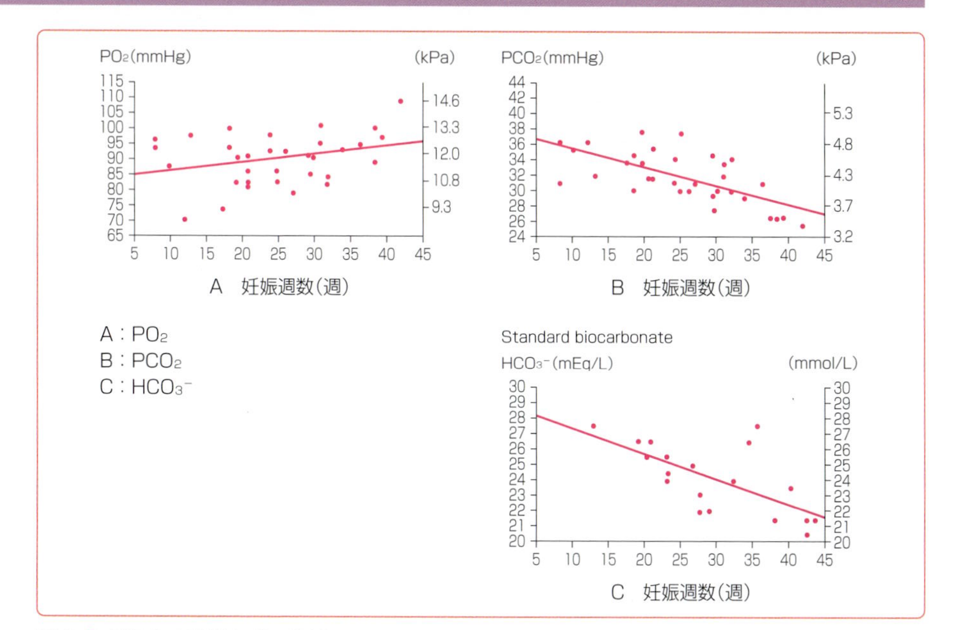

図 1 ● 妊娠中の動脈血ガス分析

pH は妊娠中の変化に乏しく，平均 7.47 である．

• Lucius H. et al. Respiratory functions, buffer system, and electrolyte concentrations of blood during human pregnancy. Respir Physiol. 9, 1970, 311-7.

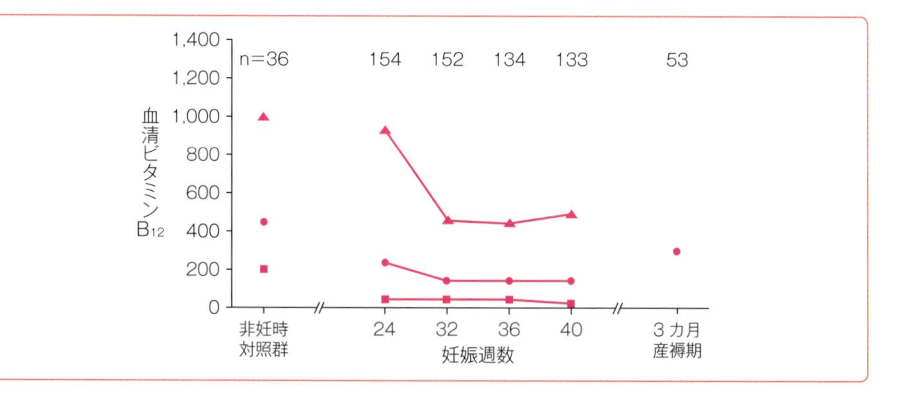

図 2 ● 妊娠中のビタミン B_{12}

妊娠中，継時的に測定された血清ビタミン B_{12} 値（mean と range）．分娩後の値を測定することができたのは 53 名のみであった．非妊時の対照値はさまざまな出産適齢期を迎えた 36 名の女性から採取した．

• Ek J, Magnus EM. Plasma and red blood cell folate during normal pregnancies. Acta. Obstet. Gynecol Scand. 60(3), 1981, 247-51.

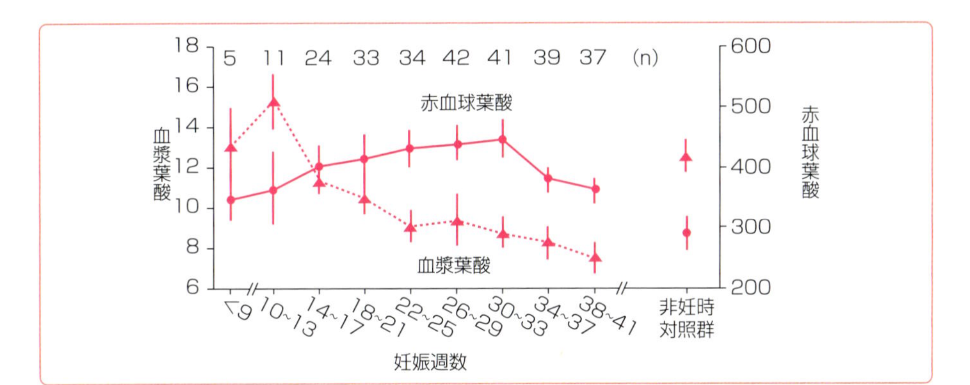

図 3 ● 妊娠中の葉酸

単胎妊婦における縦断的研究より得られた血漿葉酸値と赤血球葉酸値（mean ± SEM）.
被検者はすべて妊娠 12 週頃から鉄分の補給を受けていたが（n = 43），葉酸の補給はなかった．サンプルは一晩の絶食後，坐位で採取された．非妊婦の対照サンプルは 19 ～ 37 歳までの健康で授乳していない女性 50 名から，食後 3 ～ 5 時間後に採取された．どの被検者も妊娠中には貧血がなく，ヘモグロビン量と平均赤血球容積は安定していた（葉酸塩変換因子：mmol/L × 0.044 = μg/dL）.

• Temperley IJ. et al. Serum vitamin B12 levels in pregnant women. J. Obstet. Gynaecol. Br Common. 75, 1968, 511-6.

表 3 ● 妊娠による血清腫瘍マーカーの変動

	腫瘍マーカー	非妊時の基準値	ピーク値の時期	ピーク値の陽性率	母体血中の生理的上限値
妊娠による修飾を受けやすい	CA125	≦35 U/mL	妊娠 2 カ月	妊娠前期に 50 ～ 70%	200 ～ 350 U/mL
	AFP	≦20 ng/mL	妊娠 32 週前後	妊娠中期に 100%	300 ～ 400 ng/mL
	GAT	≦13.6 U/mL	妊娠末期		80 U/mL
	hCG	測定感度以下	妊娠 10 週	全妊娠経過を通じて 100%	50 IU/mL
妊娠による修飾を少し受ける	CA72-4	≦4 U/mL	妊娠中期～末期	全妊娠経過を通じて 20%	10 U/mL
	SLX	≦38 U/mL	妊娠前期	妊娠前期に 25%	50 U/mL
	SCC	≦2 ng/mL		全妊娠経過を通じて 14%	3 ng/mL
	CYFRA	≦3.5 ng/mL	妊娠末期	妊娠中期に 8%，末期に 30%	4 ～ 5 ng/mL
	TPA	≦100 U/mL	妊娠末期		200 U/mL
妊娠による修飾をほとんど受けない	CA19-9	≦37 U/mL	ほとんど変化なし	–	–
	STN	≦45 U/mL	ほとんど変化なし		
	CEA	≦3.5 ng/mL	ほとんど変化なし		

• 小澤真帆．"卵巣腫瘍合併妊娠"．産科診療トラブルシューティング．東京，金原出版，2005，273-87．より引用一部改変

表 4 ● 13,599 単体妊娠での週数別 TSH パーセンタイル値

Gestational Age（wk）	n	2.5th Percentile	50th Percentile	97.5th Percentile
6	368	0.23	1.36	4.94
7	742	0.14	1.21	5.09
8	936	0.09	1.01	4.93
9	1,037	0.03	0.84	4.04
10	982	0.02	0.74	3.12
11	888	0.01	0.76	3.65
12	754	0.01	0.79	3.32
13	684	0.01	0.78	4.05
14	606	0.01	0.85	3.33
15	559	0.02	0.92	3.40
16	456	0.04	0.92	2.74
17	398	0.02	0.98	3.32
18	352	0.17	1.07	3.48
19	318	0.22	1.07	3.03
20	327	0.25	1.11	3.20
21	317	0.28	1.21	3.04
22	298	0.26	1.15	4.09
23	285	0.25	1.08	3.02
24	261	0.34	1.13	2.99
25	261	0.30	1.11	2.82
26	237	0.20	1.07	2.89
27	223	0.36	1.11	2.84
28	218	0.30	1.03	2.78
29	188	0.31	1.07	3.14
30	188	0.20	1.07	3.27
31	172	0.23	1.06	2.81
32	170	0.31	1.07	2.98
33	152	0.31	1.20	5.25
34	152	0.20	1.18	3.18
35	160	0.30	1.20	3.41
36	144	0.33	1.31	4.59
37	147	0.37	1.35	6.40
38	141	0.23	1.16	4.33
39	166	0.57	1.59	5.14
≧40	312	0.38	1.68	5.43

• Dashe JS. et al. Thyroid-stimulating hormone in Singleton and twin pregnancy: Importance of Gestational age-specific reference range. Obstet Gynecal. 106(4), 2005, 753-7.

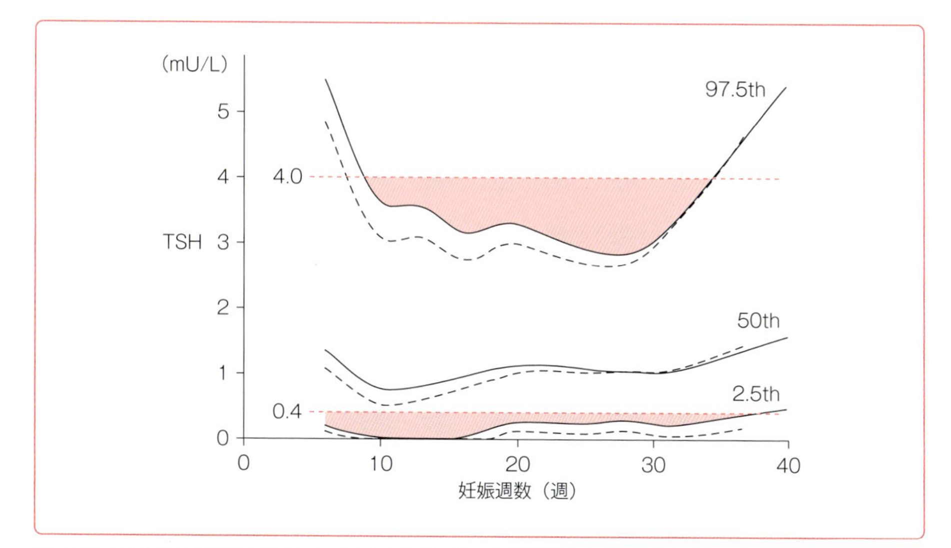

図 4 ● 13,599 単胎児妊娠および 132 双胎妊娠で測定した妊娠週数特異的 TSH グラフ

• Dashe JS. et al. Thyroid-stimulating hormone in Singleton and twin pregnancy: Importance of Gestational age-specific reference range. Obstet Gynecal. 106(4), 2005, 753-7.

図 5 ● 妊娠期別の母体ホモシステイン濃度

• Walker MC. et al. Changes in homocysteine levels during normal pregnancy. Am J Obstet Gynecol. 180, 1999, 660-4.

表 5 ● 正常妊娠中の凝固系の測定値の変化

項　目	対　照 (mean±S.D.)	妊　婦 (mean±S.D.)	平均値の差	差の 95%CI	P 値
PT (%)	93.73±17.09	116.14±12.85	−22.40	(−29.62, −15.19)	0.0001[a]
APTT (s)	31.64±4.87	31.92±2.90	−0.28	(−2.19, 1.63)	0.771
TT (s)	18.86±2.03	22.39±4.06	−3.53	(−5.07, −1.99)	0.0001[a]
FBG (g/L)	2.56±0.58	4.73±0.72	−2.16	(−2.48, −1.85)	0.0001[a]
FⅦ (%)	99.31±19.37	181.37±47.98	−82.05	(−99.51, −64.60)	0.0001[a]
FX (%)	97.74±15.35	144.54±20.13	−46.80	(−55.34, −38.25)	0.0001[a]
Alpha2-antiplasmin (%)	102.74±11.11	109.82±6.18	−7.08	(−11.39, −2.77)	0.0028
Plasminogen (%)	105.54±14.14	136.17±19.49	−30.62	(−38.76, −22.49)	0.0001[a]
t-PA (ng/mL)	5.74±3.61	4.99±1.49	0.74	(−0.68, 2.17)	0.301
D-Dimer (ng/mL)	71.03±52.40	713.37±353.45	−642.34	(−762.86, −521.82)	0.0001[a]
ATⅢ (%)	98.94±13.18	97.48±33.31	1.45	(−10.74, 13.65)	0.811
HCⅡ (%)	82.83±14.19	98.22±23.57	−15.40	(−24.71, −6.08)	0.002[a]
PrC (%)	77.17±12.04	62.94±20.53	14.22	(6.16, 22.29)	0.001[a]
TPrS (%)	75.60±14.04	49.89±10.22	25.71	(19.84, 31.58)	0.0001[a]

aPTT : activated partial thromboplastin time, ATⅢ : antithrombin Ⅲ, CI : confidence interval, FBG : fibrinogen, FⅦ : factor Ⅶ, FX : factor X, HCⅡ : heparin cofactor Ⅱ, PrC : protein C, PT : prothrombin time, t-PA : tissue-type plasminogen activator, TPrS : total protein S, TT : thrombin time.

[a] Statistically significant ($P<0.05$ was considered significant).

• Uchikova EH, et al. Changes in haemostasis during normal pregnancy. Eur J Obstet Gynecol Reprod

表 6 ● 妊娠中のプロテイン S 活性および抗原量の推移（青森県立病院総合周産期母子医療センター例）

プロテイン S（%）	非妊婦 (n = 20)	妊娠初期 (n = 32)	妊娠中期 (n = 21)	妊娠末期 (n = 121)
プロテイン S 活性	89.6 ± 10.9	61.7 ± 23.5	42.2 ± 16.4	32.8 ± 12.6
総プロテイン S 抗原量	90.5 ± 15.0	75.4 ± 26.7	74.1 ± 29.3	74.6 ± 26.5

表 7 ● 周産期の母体ショックと心臓超音波

	心臓超音波所見				心臓超音波以外の臨床症状	初期治療
	EF	LVDd／D_S	IVST PWT	TR 心室中隔 左室偏位		
肺血栓塞栓症	N	↓～N	N	＋＋＋	初期には 出血傾向なし	ヘパリン，UK 重症例では挿管 カテコラミン 最重症では PCPS
羊水塞栓症	N	↓～N	N	＋＋＋	初期からの DIC 出血傾向あり	ヘパリン 重症例では挿管 カテコラミン 最重症では PCPS
周産期心筋症	**↓↓**	**↑**	↓～N	－	CVP ↑ CTR 拡大 分娩後も悪化傾向	輸液制限 カテコラミン 利尿薬
アナフィラキシー	N～↑	**↓↓**	**↑**	－	抗原に曝露 皮膚発赤など	アドレナリン（エピネフリン） ステロイド
出血性ショック	N～↑	**↓↓**	**↑**	－	大量出血	輸血・輸液

太字は特徴的所見
UK：ウロキナーゼ，PCPS：percutaneous cardiopulmonary support（経皮的心肺補助）

- 半田富美．"妊娠の特徴と術前評価：母体の評価"．産科周術期管理のすべて．メジカルビュー，2005，37-43.

表 8 ● 産科 DIC スコア

	点数
Ⅰ．基礎疾患	
a．常位胎盤早期剝離	
• 子宮硬直，児死亡	〔5〕
• 子宮硬直，児生存	〔4〕
• 超音波断層所見および CTG 所見による早剝の診断	〔4〕
b．羊水塞栓症	
• 急性肺性心	〔4〕
• 人工換気	〔3〕
• 補助呼吸	〔2〕
• 酸素放流のみ	〔1〕
c．DIC 型後産期出血	
• 子宮から出血した血液または採血血液が低凝固性の場合	〔4〕
• 2,000mL 以上の出血（出血開始から 24 時間以内）	〔3〕
• 1,000mL 以上 2,000mL 未満の出血（出血開始から 24 時間以内）	〔1〕
d．子癇	
• 子癇発作	〔4〕
e．その他の基礎疾患	〔1〕
Ⅱ．臨床症状	
a．急性腎不全	
• 無尿（≦5mL/ 時）	〔4〕
• 乏尿（5＜～≦20mL/ 時）	〔3〕
b．急性呼吸不全（羊水塞栓症を除く）	
• 人工換気または時々の補助呼吸	〔4〕
• 酸素放流のみ	〔1〕
c．心，肝，脳，消化管などに重篤な障害があるときはそれぞれ 4 点を加える	
• 心（ラ音または泡沫性の喀痰など）	〔4〕
• 肝（可視黄疸など）	〔4〕
• 脳（意識障害および痙攣など）	〔4〕
• 消化管（壊死性腸炎など）	〔4〕
d．出血傾向	
• 肉眼的血尿およびメレナ，紫斑，皮膚，粘膜，歯肉，注射部位などからの出血	〔4〕
e．ショック症状	
• 脈拍≧100/ 分	〔1〕
• 血圧≦90mmHg（収縮期）または 40% 以上の低下	〔1〕
• 冷汗	〔1〕
• 蒼白	〔1〕
Ⅲ．検査項目	
• 血清 FDP≧10 μg/mL	〔1〕
• 血小板≦10 × 10^4 μL	〔1〕
• フィブリノゲン≦150mg/dL	〔1〕
• プロトロンビン時間（PT）≧15 秒（≦50%）またはヘパプラスチンテスト≦50%	〔1〕
• 赤沈≦4mm/15 分または≦15mm/ 時	〔1〕
• 出血時間≧5 分	〔1〕
• その他の凝固・キニン系因子（例：AT-Ⅲ 18mg/dL または≦60%，プレカリクレイン，α_2-PI，プラスミノゲン，その他の凝固因子≦50%）	〔1〕

注：合算して 8 点以上となったら，DIC としての治療を開始する．

- 真木正博ほか．産科 DIC スコア．産婦人科治療．50，1985，119-24.

表 9 ● Amsel による細菌性腟症の診断基準

1. 腟内 pH が 4.5 以上
2. 腟分泌物への KOH 溶液添加によるアミン臭
3. "Clue cell" の検出（腟上皮細胞への細菌の付着）
4. 均一な灰白色の帯下

上記のうち3項目以上が認められたとき，細菌性腟症と診断する．

- Amsel R. Nonspecific vaginitis. Diagnostic criteria and microbial and epidemiologic associations. Am J Med. 74, 1983, 14-22.

表 10 ● Nugent Score

Score [b]	Lactobacillus morphotypes	*Gardnerella* and *Bacteroides* spp. morphotypes	Curved gram-variable rods
0	4 +	0	0
1	3 +	1 +	1 + or 2 +
2	2 +	2 +	3 + or 4 +
3	1 +	3 +	
4	0	4 +	

[a] Morphotypes are scored as the average number seen per oil immersion field. Note that less weight is given to curved gram-variable rods. Total score=lactobacilli+*G. vaginalis* and *Bacteroides* spp.+curved rods.

[b] 0, No morphotypes present；1, ＜1 morphotype present；2, 1 to 4 morphotypes present；3, 5 to 30 morphotypes present；4, 30 or more morphotypes present.

• Nugent RP. et al. Reliability of diagnosing bacterial vaginosis is improved by a standardized method of gram stain interpretation. J Clin Microbiol. 29（2）, 1991, 297-301.

表 11 ● 抗リン脂質抗体症候群の改訂分類基準

［臨床所見］
1. 血栓症
2. 妊娠合併症
 a. 妊娠 10 週以降でほかに原因のない正常形態胎児の 1 回以上の死亡，ないし
 b. 重症妊娠高血圧腎症，子癇または胎盤機能不全による妊娠 34 週以前の形態学的異常のない胎児の 1 回以上の早産，ないし
 c. 妊娠 10 週以前の 3 回以上連続したほかに原因のない習慣流産

［検査基準］
1. LA
2. aCL IgG，IgM>40GPL（MPL）or >99%tile
3. aβ2GPI IgG，IgM>99%ile
 Category I（複数陽性），IIa（LA），IIb（aCL），IIc（aβ2GPI）

臨床所見の 1 項目以上，かつ検査項目のうち 1 項目（12 週おいて 2 回以上陽性）以上が存在するとき抗リン脂質抗体症候群とする．

• Miyakis S. et al. International consensus statement on an update of the classification criteria for definite antiphospholipid syndrome（APS）. J Thromb Haemost. 4, 2006, 295-306. より引用一部改変

表 12 ● 腎移植患者の妊娠許可条件

1. 移植後 2 年以上良好な状態が続いている
2. 産科的に問題がない
3. 蛋白尿がない，またはわずかである
4. 高血圧がない
5. 拒絶反応がない
6. 腎盂造影で腎盂の拡大がない
7. 血清クレアチニン値が 2mg/dL 以下（できれば 1.4mg/dL 以下）であること
8. 薬剤の量が維持量以下（プレドニゾロン：15mg/ 日）
 （アザチオプリン：2mg/kg/ 日）
 （シクロスポリン：2 ～ 4mg/kg/ 日）

• Davidson JM. et al. Maternal-Fetal Medicine. 5th ed. WB Saunders, 2004, 901-23.

表 13 ● 血栓症治療時のヘパリン投与量の決め方

深部静脈血栓症および肺塞栓症時のヘパリン投与量
1. 初回ヘパリン使用量：80 単位 /Kg 静注（最高 10,000 単位）
 その後：18 単位 /Kg/ 時 点滴（最高 2,200 単位 / 時）
2. その後，APTT によって以下のように調節増減する

未分画ヘパリン持続静注用の用量調節表

APTT（対照値との比較）	用量の変更
<35 秒（<1.2 倍）	80 単位 /kg ボーラス，4 単位 /kg/ 時間　増量
35 ～ 45 秒（1.2 ～ 1.5 倍）	40 単位 /kg ボーラス，2 単位 /kg/ 時間　増量
46 ～ 70 秒（1.5 ～ 2.3 倍）	変更なし
71 ～ 90 秒（2.3 ～ 3.0 倍）	2 単位 /kg/ 時間　減量
>90 秒（>3.0 倍）	静注を 1 時間中止後，3 単位 /kg/ 時間　減量

（Raschke, et al. 1993 より）

• 日本循環器学会．循環器病ガイドラインシリーズ 2017 年版：肺血栓塞栓症および深部静脈血栓症の診断，治療，予防に関するガイドライン（2017 年改訂版）．https://www.j-circ.or.jp/cms/wp-content/uploads/2017/09/JCS2017_ito_h.pdf [2022. 4. 15. 閲覧]
• Raschke RA. et al. The weight-based heparin dosing nomogram compared with a "standard care" nomogram. A randomized controlled trial. Ann Intern Med. 119, 1993, 874-81.

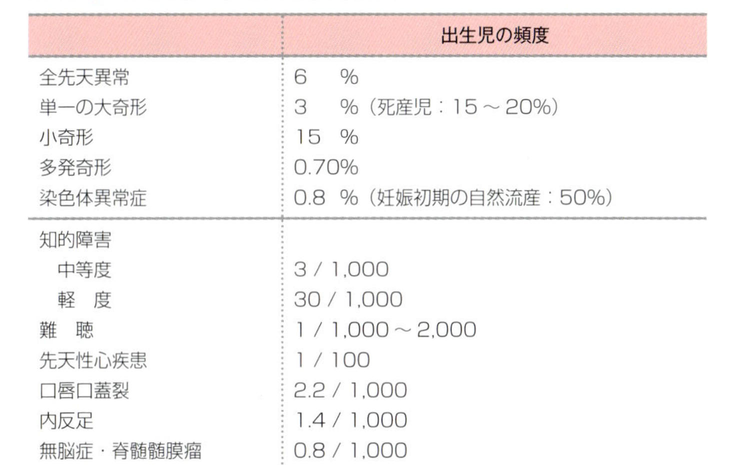

図 6 出血量とバイタルサイン

表 14 マスクの種類と酸素濃度

投与方法	流量（L/分）	酸素濃度（%）
鼻カニューラ	2～5	25～40
フェイスマスク	5～10	35～50
リザーバー付きマスク	6～15	40～70
一方向弁付きリザーバー付きマスク	6～15	60～80
ベンチュリーマスク	1～3	24～30

3. 出生前診断・胎児診断

表 15 先天異常，代表的な疾患の頻度

	出生児の頻度
全先天異常	6 %
単一の大奇形	3 %（死産児：15～20%）
小奇形	15 %
多発奇形	0.70%
染色体異常症	0.8 %（妊娠初期の自然流産：50%）
知的障害	
中等度	3 / 1,000
軽　度	30 / 1,000
難　聴	1 / 1,000～2,000
先天性心疾患	1 / 100
口唇口蓋裂	2.2 / 1,000
内反足	1.4 / 1,000
無脳症・脊髄髄膜瘤	0.8 / 1,000

- UNSCEAR 2001 Report Hereditary Effects of Radiation. 2001.
- Brent RL. Environmental causes of human congenital malformations : the pediatrician's role in dealing with these complex clinical problems coused by a multiplicity of environmental and genetic factors. Pediatrics. 113, 2004, 957-68.

表 16 母体年齢と妊娠週数別 21，13，18 トリソミー罹患率

年齢	ダウン症候群			18 トリソミー			13 トリソミー		
	10 週	16 週	出生時	10 週	16 週	出生時	10 週	16 週	出生時
20	1/800	1/1,050	1/1,441	1/2,000	1/3,600	1/10.000	1/6,500	1/11,000	1/14,300
25	1/710	1/930	1/1,383	1/1,750	1/3,200	1/8,300	1/5,600	1/9,800	1/12,500
30	1/470	1/620	1/959	1/1,200	1/2,100	1/7,200	1/3,700	1/6,500	1/11,000
35	1/185	1/245	1/338	1/470	1/840	1/3,600	1/1,500	1/2,600	1/5,300
36	1/150	1/195	1/259	1/370	1/660	1/2,700	1/1,200	1/2,000	1/4,000
37	1/115	1/150	1/201	1/280	1/510	1/2,000	1/900	1/1,600	1/3,100
38	1/90	1/115	1/162	1/220	1/390	1/1,500	1/700	1/1,200	1/2,400
39	1/65	1/90	1/113	1/170	1/300	1/1,000	1/530	1/920	1/1,800
40	1/50	1/70	1/84	1/130	1/230	1/740	1/400	1/700	1/1,400
41	1/40	1/50	1/69	1/95	1/170	1/530	1/300	1/530	1/1,200
42	1/30	1/40	1/52	1/70	1/130	1/400	1/230	1/400	1/970
43	1/20	1/30	1/37	1/55	1/95	1/310	1/170	1/300	1/840
44	1/15	1/20	1/38	1/40	1/70	1/250	1/130	1/200	1/750

- Gardner RJM. Chromosome abnormalities and genetic counseling. 4th ed. New York, Oxford University Press, 2011 より改変
- 関沢明彦ほか．周産期遺伝カウンセリングマニュアル．改訂 3 版．東京，中外医学社，2020，216p.

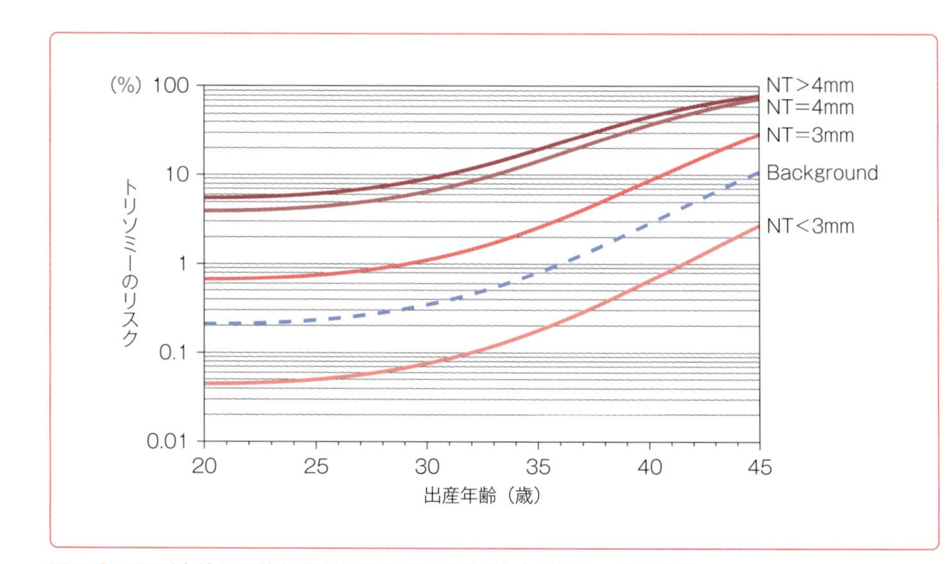

図 7 ● NT 測定値と母体年齢から推定する胎児 21 トリソミーの可能性

- Snijder RJ. First-trimester ultrasound screening for chromosomal defects. Ultrasound Obstet Gynecol. 7, 1993, 216-26.
- 関沢明彦ほか．周産期遺伝カウンセリングマニュアル．改訂 3 版．東京，中外医学社，2020, 216p.

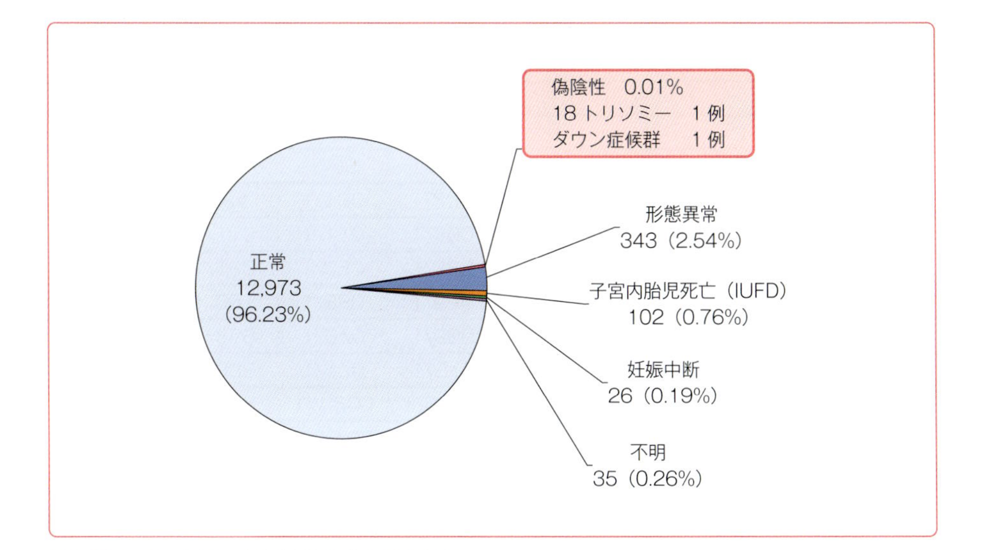

図 8 ● 日本における NIPT 陰性者の妊娠転帰

- Samura O. et al. Current status of non-invasive prenatal testing in Japan. J Obstet Genaecal Res. 43 (8), 2017, 1245-55.

表 17 ● 日本における NIPT 陽性者の転帰

	ダウン症候群	18 トリソミー	13 トリソミー	合　計
陽性者数	324	179	50	554*
確定検査実施数	289	128	44	462*
真陽性数	279	106	28	413
陽性者的中率（%）	96.50	82.80	63.60	89.40
偽陽性数	10	22	16	49*
確定検査非実施数	35	51	6	92
子宮内胎児死亡（IUFD）	23	43	6	72
核型判明	4	15	3	22
核型不明	19	28	3	50
妊娠継続	2	3	0	5
研究脱落	10	5	0	15

* One patient was positive for trisomy21, 18 and 13. IUFD : intrauterine fetal death, NIPT : non-invasive prenatal testing.

- Samura O. et al. Current status of non-invasive prenatal testing in Japan. J Obstet Genaecal Res. 43 (8), 2017, 1245-55.

表 18 ● 米国における MPS 臨床研究の結果

	ダウン症候群		18 トリソミー		13 トリソミー	
感度	99.1%	210/212	100%	59/59	91.7%	11/12
特異度	99.9%	1,687/1,688	99.7%	1,683/1,688	99.1%	1,672/1,688

判定保留　0.9%（17/1,988）

- GE Palomaki. et al. Use of genomic profiling to assess risk for cardiovascular disease and identify individualized prevention strategies--a targeted evidence-based review. Genet Med. 12 (12), 2010, 772-84.
- 関沢明彦ほか．周産期遺伝カウンセリングマニュアル．改訂 3 版．東京，中外医学社，2020, 216p.

表 19 ● 妊娠 16 週の羊水検査時の母親の年齢と染色体異常の頻度

母親の年齢	1,000 あたりの割合				
	21- トリソミー	18- トリソミー	13- トリソミー	XXY	全染色体異常
35	3.9	0.5	0.2	0.5	8.7
36	5.0	0.7	0.3	0.6	10.1
37	6.4	1.0	0.4	0.8	12.2
38	8.1	1.4	0.5	1.1	14.8
39	10.4	2.0	0.8	1.4	18.4
40	13.3	2.8	1.1	1.8	23.0
41	16.9	3.9	1.5	2.4	29.0
42	21.6	5.5	2.1	3.1	37.0
43	27.4	7.6		4.1	45.0
44	34.8			5.4	50.0
45	44.2			7.0	62.0
46	55.9			9.1	77.0
47	70.4			11.9	96.0

- Ferguson-Smith M. Prenatal chromosome analysis and its impact on the birth incidence of chromosome disorders. Br Med Bull. 39, 1983, 355-64.

表 20 ● 風疹罹患もしくは罹患の可能性のある妊婦への対応

地区	相談窓口
北海道地区	北海道大学病院 産科 森川 守
東北地区	東北公済病院 産科・母子センター 産科統括部長 上原茂樹 宮城県立こども病院 産科 科長 室月 淳
関東地区	青山会 ミューズレディスクリニック（埼玉県ふじみ野市）院長 小島俊行 帝京大学医学部附属溝口病院 産婦人科 客員教授 川名 尚 横浜市立大学附属病院 産婦人科 講師 倉澤健太郎 国立成育医療研究センター 周産期・母性診療センター 宮美智子 杏林大学医学部付属病院産婦人科教授 谷垣伸治 国立病院機構横浜医療センター 産婦人科 部長 奥田美加 神奈川県立こども医療センター 産婦人科 部長 石川浩史
東海地区	名古屋市立大学病院 産婦人科 准教授 鈴森伸宏
北陸地区	石川県立中央病院 産婦人科・総合母子医療センター 科長・部長 干場 勉
近畿地区	国立循環器病研究センター 周産期・婦人科 部長 吉松 淳 大阪母子医療センター 産科 診療局長，産科主任部長 光田信明
中国地区	川崎医科大学附属病院 産婦人科 教授 下屋浩一郎
四国地区	国立病院機構 四国こどもとおとなの医療センター 産科 医長 森根幹生
九州地区	宮崎大学医学部附属病院産科・婦人科 教授（看護学科）金子政時 九州大学病院 総合周産期母子医療センター 城戸 咲
かかりつけの医師を通してご相談（2 次相談）されますようお願いします．	

（2018 年 11 月 1 日）

- 日本産科婦人科学会．2021 年 "風疹ゼロ" プロジェクト宣言！！：毎年 2 月 4 日は風疹の日！！．各地区相談窓口(風疹り患妊婦 2 次相談施設)．(オンライン) http://www.jaog.or.jp/wp/wp-content/uploads/2018/10/rubella_soudanlist.pdf［2021. 9. 2］

表 21 ● Biophysical profile score（BPS）の診断基準（Manning ら，1985，ACOG，1990）

●胎児呼吸様運動（fetal breathing movement）
正常－ 30 秒以上持続する胎児呼吸様運動が 30 分間に 1 回以上認められたもの
異常－胎児呼吸様運動がないか，30 秒以上持続する胎児呼吸様運動が 30 分間に 1 回も認められないもの
●胎動（fetal movement）
正常－軀幹や四肢の単発あるいは複合した運動が 30 分間に 3 回以上認められるもの
異常－上記の胎動が 30 分間に 2 回以下の場合（連続した胎動は 1 回と数える．しかめ面，吸啜，嚥下，欠伸，眼球運動などは胎動として数えない）
●筋緊張（fetal tone）
正常－静止時に屈曲位にあった脊柱や四肢が胎動に伴い伸展し，速やかに元の屈曲位に戻る動作が 30 分間に 1 回以上認められたもの（手のひらの開閉は正常とみなす）
異常－ゆっくり伸展し完全な屈曲位に戻らないもの，伸展位のままの四肢の動き，胎動がない．手のひらが完全に開いていないもの
●羊水量（amniotic fluid pocket）
正常－羊水ポケットの垂直断面の径が 2 cm 以上あるもの
異常－垂直断面の径が 2 cm 以上の羊水ポケットがみあたらないもの
●NST（non stress test）
正常－ 15bpm 以上 15 秒以上の一過性頻脈が 20 分間に 2 回以上認められるもの
異常－ 15bpm 以上 15 秒以上の一過性頻脈がないもの．一過性頻脈が 20 分間に 2 回未満のもの

- ACOG Practice Bulletin. Antepartum fetal surveillance. No. 9. 1990.

表 22 ● 日本人における amniotic fluid index（AFI）標準値

妊娠週数	AFI (cm)			妊娠週数	AFI (cm)		
	Predicted value	下限値	上限値		Predicted value	下限値	上限値
20	8.64	4.74	15.76				
21	9.37	5.14	17.07	31	13.28	7.33	24.05
22	10.07	5.53	18.33	32	13.13	7.25	23.79
23	10.74	5.90	19.53	33	12.88	7.11	23.34
24	11.35	6.25	20.63	34	12.53	6.92	22.71
25	11.90	6.55	21.61	35	12.09	6.67	21.92
26	12.38	6.82	22.46	36	11.57	6.38	20.98
27	12.76	7.04	23.15	37	10.98	6.05	19.92
28	13.05	7.20	23.66	38	10.33	5.69	18.76
29	13.24	7.30	23.99	39	9.64	5.31	17.52
30	13.31	7.35	24.12	40	8.92	4.91	16.23

- Salahuddin, S. et al. An assessment of amniotic fluid index among Japanese : A longitudinal study. J. Matern. Fetal. Investig. 8, 1998, 31-4.

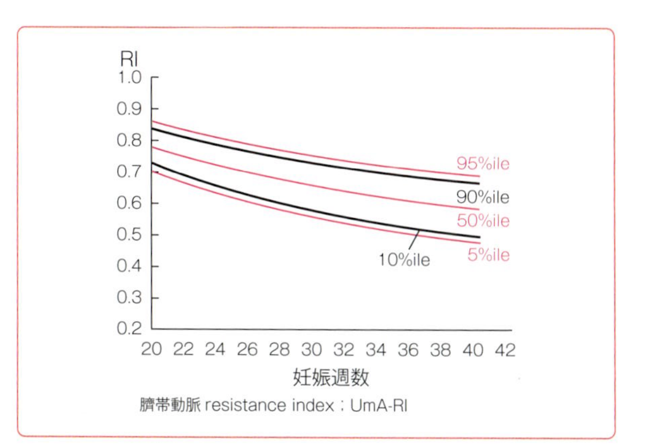

図 9 ● 妊娠週数と UmA-RI

- 宮下進．胎児血流波形．周産期医学．36（増刊），2006，64-8．
- 日本超音波医学会会告．超音波胎児計測の標準化と日本人の基準値（案）の公示について．超音波医学．28，2001，845-71．

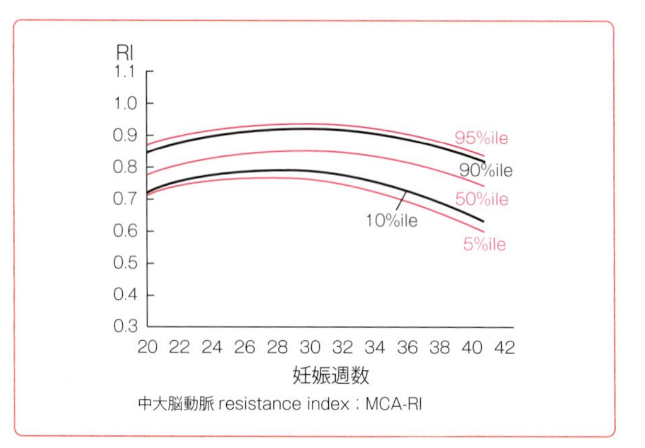

図 10 ● 妊娠週数と MCA-RI

- 宮下進．胎児血流波形．周産期医学．36（増刊），2006，64-8．
- 日本超音波医学会会告．超音波胎児計測の標準化と日本人の基準値（案）の公示について．超音波医学．28，2001，845-71．

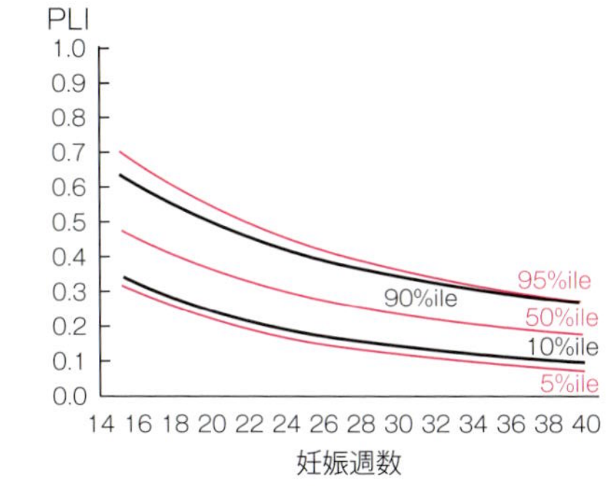

図 11 ● 妊娠週数と preload index（PLI）

- 宮下進．胎児血流波形．周産期医学．36（増刊），2006，64-8．
- Kanagawa T. et al. Chronologic change in the PLI value at the fetal inferior vena cava in the Japanese fetus. J Med Ultrasound. 10, 2002, 94-8.

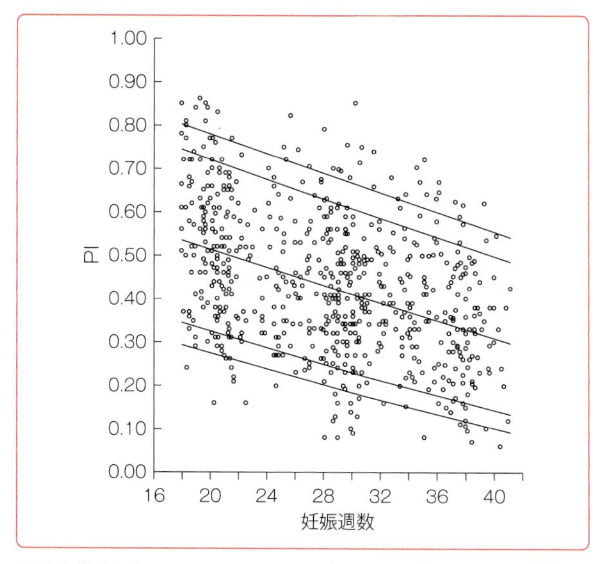

図 12 ● Reference ranges for the pulsatility index (PI) of the ductus venosus based on 667 observations

The 5th, 10th, 50th, 90th, and 95th percentiles are shown.

- Takahashi Y, Ishii K, Honda K, et al. Establishment of reference ranges for ductus venosus waveform indices in the Japanese population. J Med Ultrasonics 37, 2010, 201-7.

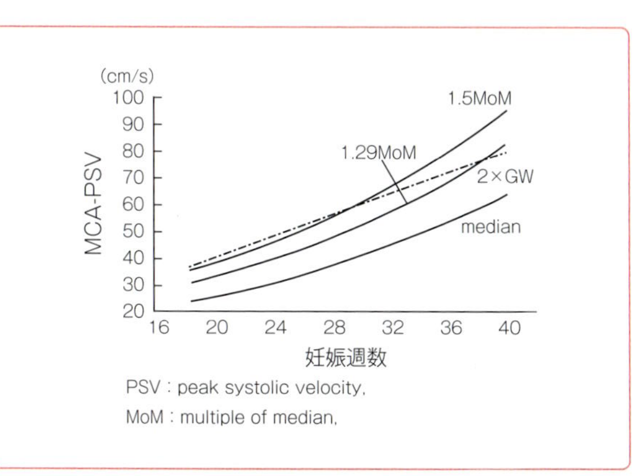

図 13 ● 妊娠週数と中大脳動脈 PSV

- 宮下進．胎児血流波形．周産期医学．36（増刊），2006，64-8．
- Mari G. et al. Noninvasive diagnosis by Doppler ultrasonography of fetal anemia due to maternal red-cell alloimmunization. Collaborative Group for Doppler Assessment of the Blood Velocity in Anemic Fetuses. N Engl J Med. 342, 2000, 9-14.

表23 ● 胎児心拍数図における用語と定義

Ⅰ．胎児心拍数図の基本事項

(1)以下の定義は胎児心拍数図を肉眼的に見て判断されるものであるが，将来のコンピュータによる自動診断にも適応されるものとする．

(2)記録用紙，モニターディスプレイ画面上においても横軸の記録速度は1分間に3cm，縦軸は記録紙1cmあたり心拍数は30bpmを標準とする．

(3)胎児心電図からの直接誘導による心拍数計測あるいは超音波ドプラ法による自己相関心拍数計測のどちらにも適応される．

(4)以下の定義は主に分娩時の胎児心拍数図に対するものであるが，妊娠中においてもその読み方は同じとする．

(5)波形は心拍数基線，細変動の程度，心拍数一過性変動をそれぞれ別個に判断するものとする．

(6)子宮収縮に伴う変化は周期性変動（periodic change），伴わない変化は偶発的変動（episodic change）とする．

(7)妊娠週数，子宮収縮の状態，母体，胎児の状態，薬物投与など，胎児心拍数に影響を与えると考えられる事項を記載する．

Ⅱ．胎児心拍数の用語

A．胎児心拍数基線 FHR baseline
　1）正常（整）脈 normocardia
　　：110～160bpm
　2）徐脈 bradycardia：<110bpm
　3）頻脈 tachycardia：>160bpm
B．胎児心拍数基線細変動 FHR baseline variability
C．胎児心拍数変動 FHR variability
D．胎児心拍数一過性変動
　periodic or episodic change of FHR
(1)一過性頻脈 acceleration
(2)一過性徐脈 deceleration
　(i) 早発一過性徐脈 early deceleration
　(ii) 遅発一過性徐脈 late deceleration
　(iii) 変動一過性徐脈 variable deceleration
　(iv) 遷延一過性徐脈
　　prolonged deceleration

Ⅲ．胎児心拍数図波形の定義

A．胎児心拍数基線 FHR baseline

胎児心拍数基線は10分の区画におけるおおよその平均胎児心拍数であり，5の倍数として表す．

注：152bpm，139bpmという表現は用いず，150bpm，140bpm，と5bpmごとの増減で表す．

判定には
　1．一過性変動の部分
　2．26bpm以上の胎児心拍数細変動の部分を除外する．また
　3．10分間に複数の基線があり，その基線が26bpm以上の差をもつ場合は，この部分での基線は判定しない．

10分の区画内で，基線と読む場所は少なくとも2分以上続かなければならない．そうでなければその区画の基線は不確定とする．この場合は，直前の10分間の心拍数図から判定する．

もし胎児心拍数基線が110bpm未満であれば徐脈（bradycardia）と呼び，160bpmを越える場合は頻脈（tachycardia）とする．

B．胎児心拍数基線細変動 FHR baseline variability

胎児心拍数基線細変動は1分間に2サイクル以上の胎児心拍数の変動であり，振幅，周波数とも規則性がないものをいう．sinusoidal patternはこの細変動の分類には入れない．

細変動を振幅の大きさによって4段階に分類する．
　1．細変動消失（undetectable）：肉眼的に認められない．
　2．細変動減少（minimal）：5bpm以下
　3．細変動中等度（moderate）：6～25bpm
　4．細変動増加（marked）：26bpm以上

この分類は肉眼的に判読する．short term variability, long term variabilityの表現はしない．

（注）サイナソイダルパターン
　sinusoidal pattern

サイナソイダルパターン sinusoidal patternは心拍数曲線が規則的でなめらかなサイン曲線を示すものをいう．持続時間は問わず，1分間に2～6サイクルで振幅は平均5～15bpmであり，大きくても35bpm以下の波形を称する．

C．胎児心拍数細変動 FHR variability

胎児心拍数基線以外の部分において，細変動を判定する必要がある場合も，上記の4段階の分類は適応されるものとする．

D．胎児心拍数一過性変動 periodic or episodic change of FHR

(1)一過性頻脈 acceleration

一過性頻脈とは心拍数が開始からピークまでが30秒未満の急速な増加で開始から頂点までが15bpm以上，元に戻るまでの持続が15秒以上2分間未満のものをいう．32週未満では心拍数増加が10bpm以上，持続が10秒以上のものとする．

遷延一過性頻脈 prolonged acceleration

頻脈の持続が2分以上，10分未満であるものは遷延一過性頻脈（prolonged acceleration）とする．10分以上持続するものは基線が変化したものとみなす．

以下，日本産科婦人科学会，2012，一部抜粋

(2)一過性徐脈 deceleration

一過性徐脈の波形は，心拍数の減少が急速であるか，緩やかであるかにより，肉眼的に区別することを基本とする．心拍数の開始から最少点に至るまでに要する時間を参考とし，両者の境界を30秒とする．

(i)早発一過性徐脈 early deceleration

早発一過性徐脈は，子宮収縮に伴って，心拍数が緩やかに減少し，子宮収縮の消退に伴い元に戻る心拍数低下で，その一過性徐脈の最下点と対応する子宮収縮の最強点の時期が一致しているものをいう．その心拍数の減少は，その直前と最下点の心拍数から，算出される．

(ii)遅発一過性徐脈 late deceleration

遅発一過性徐脈は，子宮収縮に伴って，心拍数が緩やかに減少し，子宮収縮の消退に伴い元に戻る心拍数低下で，子宮収縮の最強点に遅れてその一過性徐脈の最下点を示すものをいう．その心拍数の減少は，その直前と最下点の心拍数から，算出される．

（注）ほとんどの症例では，一過性徐脈の下降開始・最下点・回復が，おのおの子宮収縮の開始・最強点・終了より遅れて出現する．

(iii)変動一過性徐脈 variable deceleration

変動一過性徐脈は，15bpm以上の心拍数減少が急速に起こり，その開始から元に戻るまで15秒以上2分未満を要するものをいう．子宮収縮に伴って発生する場合は，その発現は一定の形を取らず，下降度，持続時間は子宮収縮ごとに変動する．

（注）子宮収縮が不明の場合は，早発一過性徐脈，遅発一過性徐脈，変動一過性徐脈の区別はつけない．

(iv)遷延一過性徐脈 prolonged deceleration

遷延一過性徐脈とは心拍数の減少が15bpm以上で，開始から元に戻るまでの時間が2分以上10分未満の徐脈をいう．10分以上の一過性徐脈の持続は基線の変化とみなす．

• 日本産科婦人科学会周産期委員会．胎児心拍数図の用語及び定義検討小委員会報告（委員長：岡村州博）．日本産科婦人科学会雑誌．55(8)，2003，1205-10.
• 日本産科婦人科学会周産期委員会．周産期委員会報告（委員長：海野信也）．日本産科婦人科学会雑誌．64(6)，2012，1580-98.

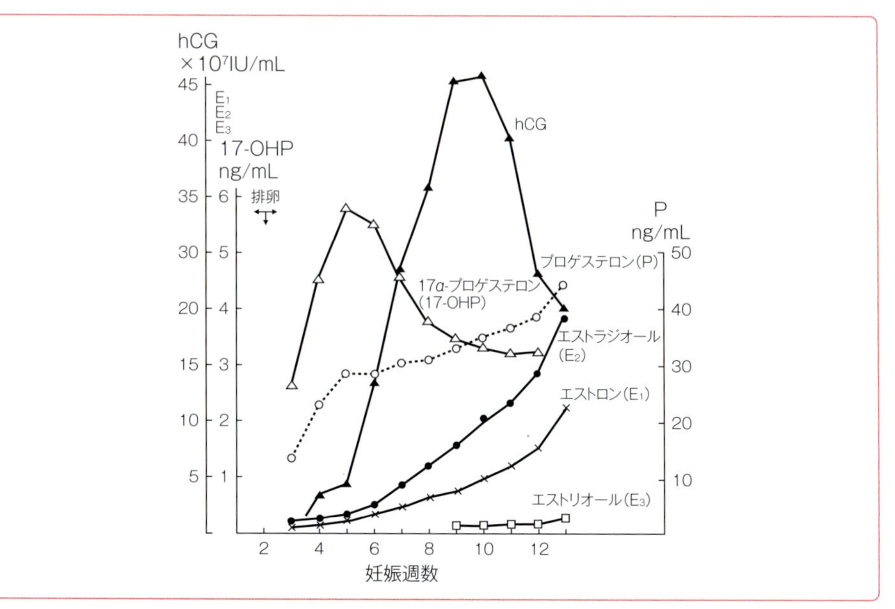

図 14 ● 妊娠初期の血中胎盤性ホルモン濃度の変化

• Tulchinsky D. et al. Plasma human chronic gonadotropin, estrone, estradiol, estriol, progesterone, and 17 alpha-hydroxyprogesterone in human pregnancy. 3. Early normal pregnancy. Am J Obstet Gynecol. 117, 1973, 884-93.

表 24 ● 正常成熟児の臍帯血 pH と血液ガス

（平均± SD）

		Riley & Johnson, 1993 (n = 3,520)	Thorpら, 1989 (n = 1,924)	Yeomans, 1985 (n = 146)
動脈血	pH	7.27 (0.07)	7.24 (0.07)	7.28 (0.05)
	PCO_2 (mmHg)	50.3 (11.1)	56.3 (8.6)	49.2 (8.4)
	HCO_3^- (mEq/L)	22.0 (3.6)	24.1 (2.2)	22.3 (2.5)
	B.E. (mEq/L)	−2.7 (2.8)	−3.6 (2.7)	–
静脈血	pH	7.34 (0.06)	7.32 (0.06)	7.35 (0.05)
	PCO_2 (mmHg)	40.7 (7.9)	43.8 (6.7)	38.2 (5.6)
	HCO_3^- (mEq/L)	21.4 (2.5)	22.6 (2.1)	20.4 (4.1)
	B.E. (mEq/L)	−2.4 (2.0)	2.9 (2.4)	–

• Riley RJ., Johnson JW. Collecting and analyzing and analyzing cord blood gases. Clin Obstet Gynecol. 36, 1993, 13-23.
• Thorp JA., Rushing RS. Umbilical cord blood gas analysis. Obstet. Gynecol. Clin North Am. 26, 1999, 695-709.
• Yeomans ER. et al. Umbilical cord pH, PCO2, and bicarbonate following uncomplicated term vaginal deliveries. Am J Obstet Gynecol. 151, 1985, 798.

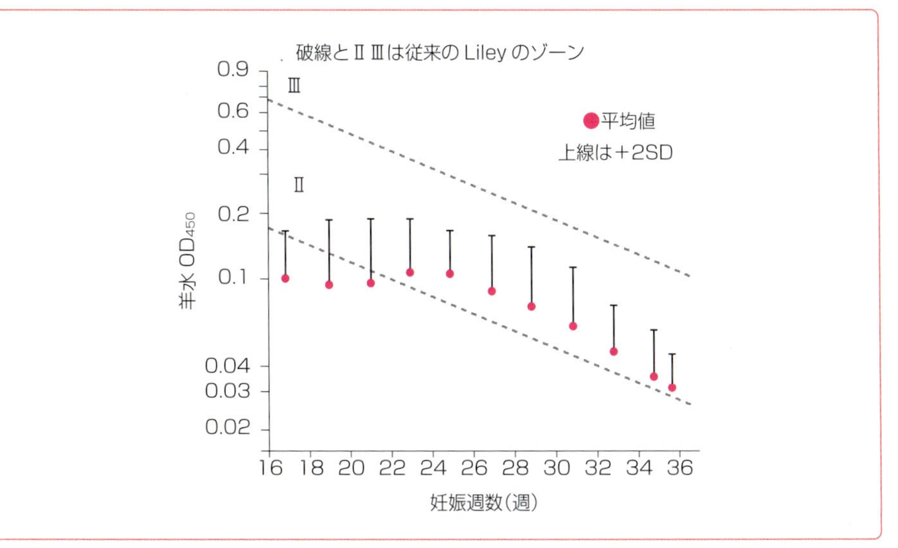

図 15 ● 妊娠週数別の羊水中ビリルビン（OD_{450}）

• Nicolaides KH. et al. Have Liley charts outlived their usefulness? Am J Obstet Gynecol. 155, 1986, 90-4.

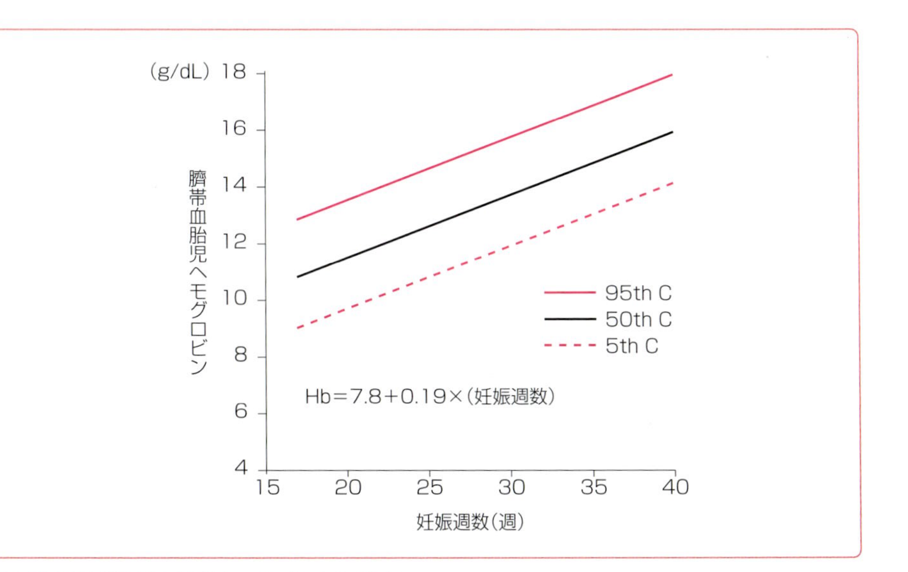

図 16 ● 妊娠週数別の臍帯血ヘモグロビン濃度

• Nicolaides KH. et al. Cordocentesis in the investigation of fetal erythropoiesis. Am J Obstet Gynecol. 161, 1989, 1197-200.

表 25 ● 羊水の構成成分

構成成分	羊　水（分娩予定日妊婦）	母体血（分娩予定日妊婦）	胎児血（分娩予定日）
総蛋白質	0.22 ～ 0.31g%	6.4g%	5.5g%
アルブミン	60%	55%	68%
αグロブリン	12%	15%	13%
βグロブリン	16%	16%	8%
γグロブリン	12%	14%	13%
非蛋白窒素化合物			
尿　素	37mg%	22mg%	25mg%
尿　酸	5.0mg%	4mg%	4mg%
クレアチニン	2.8mg%	1.4mg%	1.2mg%
糖　質			
グルコース	33mg%	60 ～ 90mg%	100 ～ 120mg%
フルクトース	3.5mg%	7.5mg%	4.2mg%
乳　酸	37 ～ 75mg%	−	10 ～ 20mg%
ピルビン酸	0.8mg%	−	0.2 ～ 0.7mg%
総脂質	48mg%	1,000mg%	97 ～ 600mg%
脂肪酸	24mg%	465mg%	140mg%
コレステロール	2mg%	250 ± 50mg%	17 ～ 185mg%
リン脂質	3mg%	350mg%	21 ～ 166mg%
無機質			
Na	127mEq/L	137mEq/L	140mEq/L
K	4.0mEq/L	3.5mEq/L	4.5mEq/L
Cl	106mEq/L	106mEq/L	106mEq/L
Ca	4mEq/L	4.5 ～ 6mEq/L	5 ～ 6mEq/L
Mg	1.4mEq/L	2mEq/L	1.3mEq/L
P	2.9mg%	3 ～ 5mg%	4 ～ 7mg%
Fe	5.6 μ mol/L	−	−
Cu	4.9 μ mol/L	−	−
Zn	3.8 μ mol/L	−	−
呼吸ガスおよびH^+			
pH	7.00	7.4	7.3
PO_2	2 ～ 15mmHg	95 ～ 100mmHg	20 ～ 35mmHg
PCO_2	57mmHg	30 ～ 35mmHg	32 ～ 40mmHg

• Assali NS. "Amniotic fluid". Biology of Gestation. Academic Press, 1968, 276.

表 26 ● 羊水から得られる臨床情報

測定物質	臨床情報
肺サーファクタント L/S（レシチン / スフィンゴミエリン）比 飽和レシチン shake test	胎児肺成熟度の評価 ≧2.0 ≧1.0mg/dL 2倍希釈以上陽性
胎児細胞 染色体分析 DNA 分析	染色体異常（21- トリソミー，モザイクほか） 遺伝子病（Duchenne 型筋ジストロフィー，フェニルケトン尿症ほか）
ビリルビン吸光度差（ΔOD_{450}）	胎児溶血度の評価 ΔOD_{450} 上昇時交換輸血または termination
クレアチニン	≧2.0mg/dL（37 週）で腎機能発達あるいは胎児発育（十分な筋肉量）
妊娠関連蛋白質 α - フェトプロテイン（AFP）	AFP 高値：無脳症，水頭症，消化管閉鎖，多嚢胞性腎 AFP 低値：Down 症候群 腟分泌物測定による破水の診断
癌胎児性フィブロネクチン インスリン様増殖因子結合蛋白質 1（IGFBP-1） hCG	腟分泌物測定による破水の診断，早産のマーカー 腟分泌物測定による破水の診断 hCG 高値：妊娠高血圧症候群，FGR，Down 症候群
ステロイドホルモン 17 α OH-progesterone	胎児副腎機能の評価 先天性副腎性器症候群で上昇
胎便由来物質 Sialyl Tn（STN） 亜鉛コプロポルフィリン	羊水塞栓症（母体血），胎便吸引症候群，胎児機能不全の診断 羊水塞栓症の診断（母体血）

• 金山尚裕，竹内欽哉．"羊水の生理：胎児付属物の発達と変化"．正常妊娠．東京，中山書店，2001，92-9．（新女性医学大系 22）．

▶ 5. 新生児

表 27 ● Apgar スコア

	0	1	2
心拍数	ない	100 以下 / 分	100 以上 / 分
呼　吸	ない	弱い泣き声 不規則な浅い呼吸	強く泣く 規則的な呼吸
筋緊張	だらんとしている	いくらか四肢を曲げる	四肢を活発に動かす
反　射	反応しない	顔をしかめる	泣く／咳嗽
皮膚色	全身蒼白または暗紫色	体幹ピンク 四肢チアノーゼ	全身ピンク

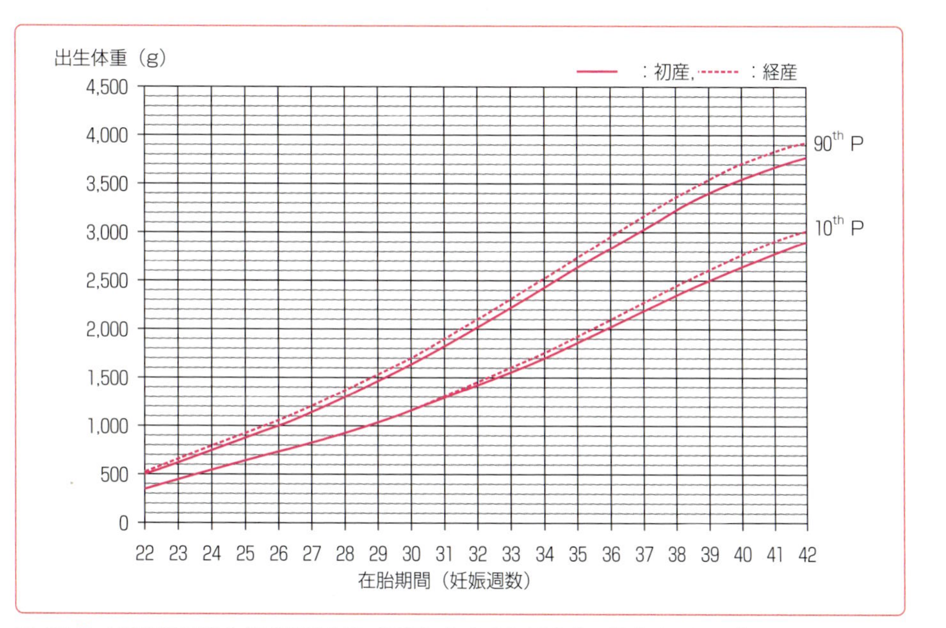

図 17 ● 在胎期間別出生体重標準曲線（男児）初産 28,980 名，経産 24,999 名

• 日本小児科学会新生児委員会報告．新しい在胎期間別出生体格標準値の導入について．日本小児科学会雑誌．114，2010，1271-93．より引用，一部改変

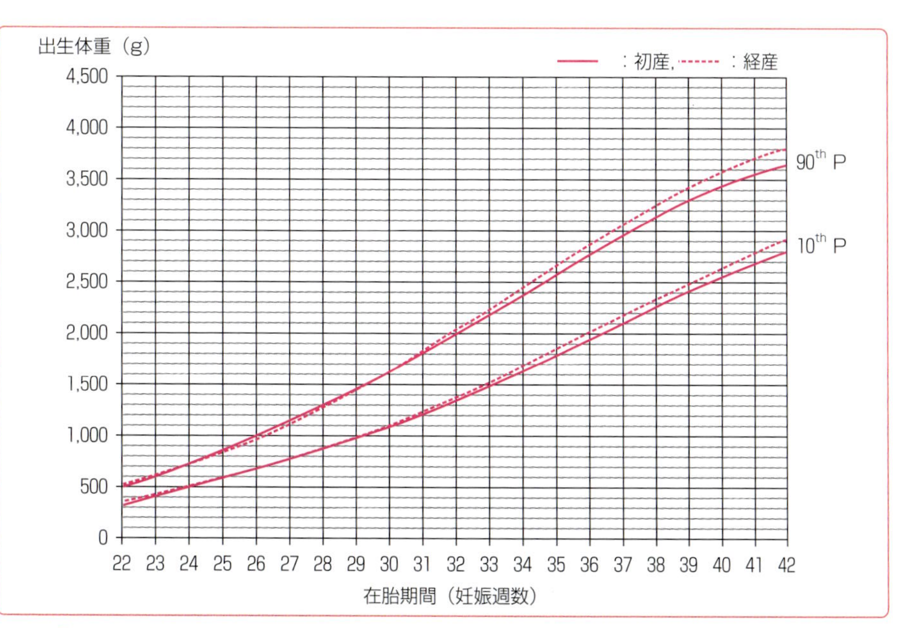

図 18 ● 在胎期間別出生体重標準曲線（女児）初産 27,024 名，経産 23,745 名

• 日本小児科学会新生児委員会報告．新しい在胎期間別出生体格標準値の導入について．日本小児科学会雑誌．114，2010，1271-93．より引用，一部改変

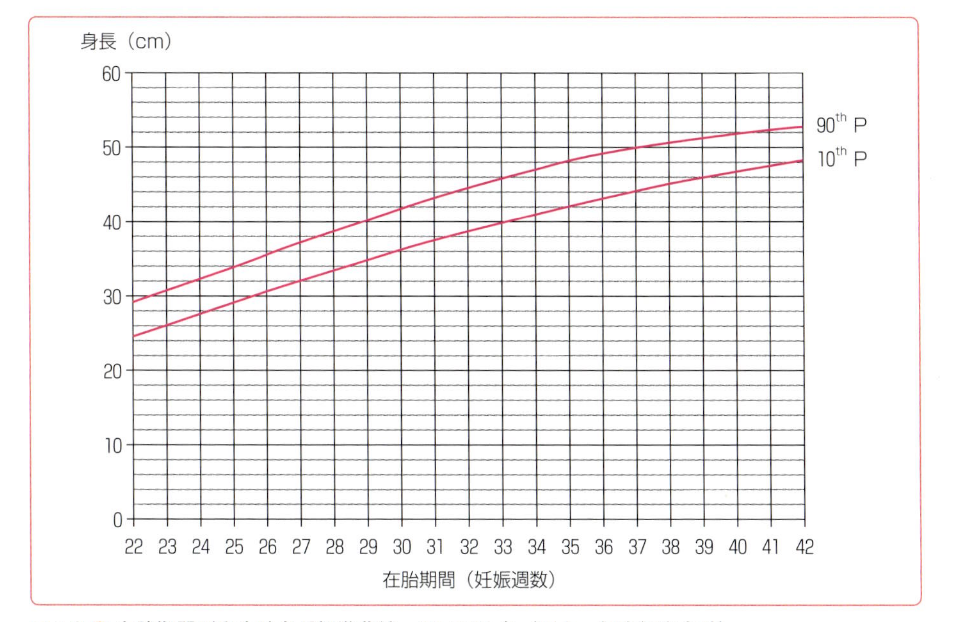

図 19 ● 在胎期間別出生時身長標準曲線　89,775 名（男女・初産経産合計）

• 日本小児科学会新生児委員会報告．新しい在胎期間別出生体格標準値の導入について．日本小児科学会雑誌．114，2010，1271-93．より引用，一部改変

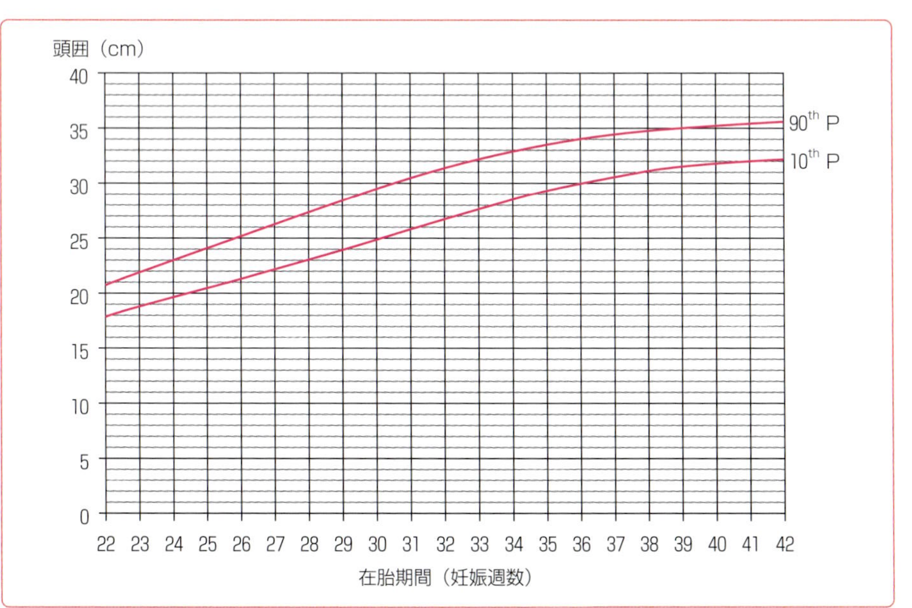

図 20 ● 在胎期間別出生時頭囲標準曲線　38,603 名（男女・初産経産合計）

• 日本小児科学会新生児委員会報告．新しい在胎期間別出生体格標準値の導入について．日本小児科学会雑誌．114，2010，1271-93．より引用，一部改変

昭和大学 ● 松岡　隆

Index

→は「を見よ」，⇒は「をも見よ」を表す

●き●

●く●

●け●

●こ●

●さ●

●し●

●な●

●に●

●ね●

●の●

●は●

●ひ●

●ふ●

●へ●

●ほ●

●ま●

●み●

【欧　文】

●A

●B

●C

●D

●E

●F

【特典動画のご案内】

ご購入いただいた皆さまには，本書の執筆者による WEB 講義動画が視聴できます．視聴方法は，471 ページをご覧ください．動画の視聴開始は 2022 年 6 月下旬の予定です．

WEB動画の視聴方法

WEB ページにて動画を視聴できます。以下の手順でアクセスしてください。

■メディカ ID（旧メディカパスポート）未登録の場合

メディカ出版コンテンツサービスサイト「ログイン」ページにアクセスし、「初めての方」から会員登録（無料）を行った後、下記の手順にお進みください。

https://database.medica.co.jp/login/

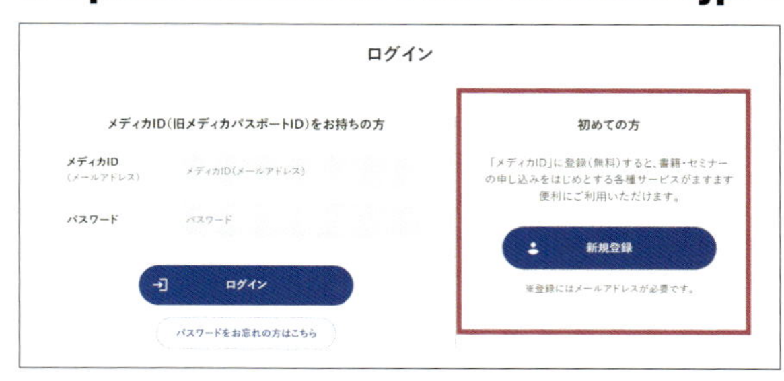

■メディカ ID（旧メディカパスポート）ご登録済の場合

①メディカ出版コンテンツサービスサイト「マイページ」にアクセスし、メディカ ID でログイン後、下記のロック解除キーを入力し「送信」ボタンを押してください。

https://database.medica.co.jp/mypage/

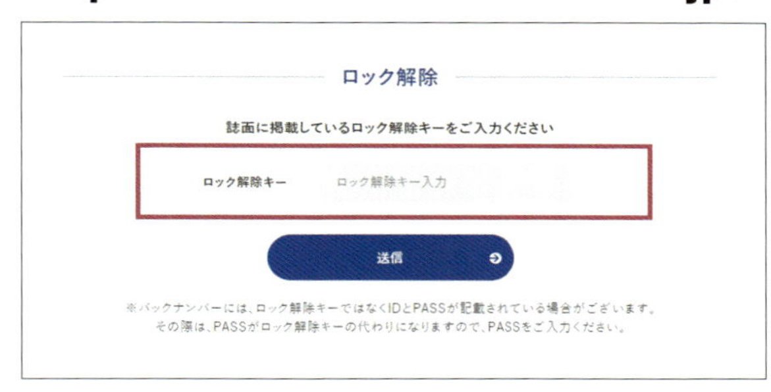

②送信すると、「ロックが解除されました」と表示が出ます。「動画」ボタンを押して、一覧表示へ移動してください。

③視聴したい動画のサムネイルを押して動画を再生してください。

ロック解除キー　mficu2022V4

＊ WEB ページのロック解除キーは本書発行日（最新のもの）より 3 年間有効です。有効期間終了後、本サービスは読者に通知なく休止もしくは終了する場合があります。

＊ロック解除キーおよびメディカ ID・パスワードの、第三者への譲渡、売買、承継、貸与、開示、漏洩にはご注意ください。

＊図書館での貸し出しの場合、閲覧に要するメディカ ID 登録は、利用者個人が行ってください（貸し出し者による取得・配布は不可）。

＊ PC（Windows / Macintosh）、スマートフォン・タブレット端末（iOS / Android）で閲覧いただけます。推奨環境の詳細につきましては、メディカ出版コンテンツサービスサイト「よくあるご質問」ページをご参照ください。

改訂４版 MFICU マニュアル

2008年２月５日発行　第１版第１刷
2013年２月15日発行　第２版第１刷
2015年８月１日発行　第３版第１刷
2022年６月10日発行　第４版第１刷©

編著者　全国周産期医療（MFICU）連絡協議会
発行者　長谷川 翔
発行所　株式会社メディカ出版
〒532-8588
大阪市淀川区宮原３－４－30
ニッセイ新大阪ビル16F
https://www.medica.co.jp/
編集担当　里山圭子／鳥嶋裕子
編集協力　ぽっと舎 大西寿男
装　幀　藤田修三
本文イラスト　スタジオ・エイト
印刷・製本　株式会社 NPC コーポレーション

ISBN978-4-8404-7873-1　Printed and bound in Japan

当社出版物に関する各種お問い合わせ先（受付時間：平日９：00～17：00）
●編集内容については、編集局 06-6398-5048
●ご注文・不良品（乱丁・落丁）については、お客様センター 0120-276-115